MEYER

GROSSE

TASCHE

LEXIKON

Band 9

MEYERS GROSSES TASCHEN LEXIKON

in 24 Bänden

5., überarbeitete Auflage
Herausgegeben und bearbeitet von
Meyers Lexikonredaktion

Band 9:
Grif–Hofg

B.I.-Taschenbuchverlag
Mannheim · Leipzig · Wien · Zürich

Redaktionelle Leitung der 5. Auflage: Dr. Rudolf Ohlig

Redaktionelle Bearbeitung der 5. Auflage:
Ariane Braunbehrens M.A., Dipl.-Inform. Veronika Licher, Otto Reger, Wolfram Schwachulla, Johannes-Ulrich Wening

Die Deutsche Bibliothek – CIP-Einheitsaufnahme
Meyers großes Taschenlexikon: in 24 Bänden/hrsg. und bearb. von Meyers Lexikonredaktion. – Mannheim; Leipzig; Wien; Zürich: BI-Taschenbuchverl.
Früher im Bibliogr. Inst., Mannheim, Wien, Zürich.
ISBN 3-411-11005-8 (5., überarb. Aufl.) kart. in Kassette
NE: Digel, Werner [Red.]
Bd. 9. Grif–Hofg. – 5., überarb. Aufl. /
[red. Leitung der 5. Aufl.: Rudolf Ohlig]. – 1995
ISBN 3-411-11095-3
NE: Ohlig, Rudolf [Red.]

Satz: Bibliographisches Institut & F. A. Brockhaus AG, Mannheim (DIACOS Siemens)
Druck: Klambt-Druck GmbH, Speyer
Bindearbeit: Röck GmbH, Weinsberg
Papier: 80 g/m², Eural Super Recyclingpapier matt gestrichen der Papeterie Bourray, Frankreich
Printed in Germany
Gesamtwerk: ISBN 3-411-11005-8
Band 9: ISBN 3-411-11095-3

Grif

Griffbrett, am Hals von Saiteninstrumenten festgeleimtes, flaches Brett, auf das die darüber gespannten Saiten beim Abgreifen niedergedrückt werden.

Griffel (Stylus), stielartiger Abschnitt der Fruchtblätter zw. Fruchtknoten und Narbe im Stempel der Blüten vieler Bedecktsamer; leitet die Pollenschläuche der auf der Narbe nach der Bestäubung auskeimenden Pollenkörner zu den im Fruchtknoten eingeschlossenen Eizellen.

Griffelbeine, die rückgebildeten, stäbchenförmigen Mittelfußknochen der 2. und 4. Zehe der Pferde. – **Griffelbeinfraktur,** Ermüdungsbruch bes. bei Renn- und Reitpferden; häufige Lahmheitsursache.

Griffin, Johnny, eigtl. John Arnold G., * Chicago 24. April 1928, amerikan. Jazzmusiker (Tenorsaxophonist). – Entwickelte sich während der 50er Jahre in der Zusammenarbeit mit A. Blakey und T. Monk zu einem der führenden Tenorsaxophonisten des ↑Hard-Bop.

Griffith [engl. 'grɪfɪθ], Arthur, * Dublin 31. März 1871, † ebd. 12. Aug. 1922, ir. Politiker. – Führer der ir. Unabhängigkeitsbewegung; Mitgründer des ↑Sinn Féin; erreichte 1921 die Bildung des ir. Freistaates; von Jan. bis Aug. 1922 1. Premierminister.

G., David Wark, * La Grange (Ky.) 22. Jan. 1875, † Los Angeles-Hollywood 23. Juli 1948, amerikan. Filmregisseur und -produzent. – Entwickelte neue Aufnahmemethoden, z. B. Großaufnahme, Landschaftstotale, Rückblende, Parallelmontagen, und war so richtungweisend für das gesamte Filmschaffen; „Geburt einer Nation" (1915), „Intolerance" (1916).

G., John, amerikan. Schriftsteller, ↑London, Jack.

Grifflöcher, Öffnungen in der Rohrwandung von Blasinstrumenten, die zur Veränderung der Tonhöhe mit den Fingerkuppen geschlossen werden.

Griffon [grɪ'fõ:, frz. gri'fõ], rauh bis struppig behaarter Vorstehhund; Schulterhöhe etwa 55 cm; mit starkem Bart und mittelgroßen Hängeohren; Fell stahlgrau oder weiß mit braunen Platten oder braun.

Grignard, Victor [Auguste François] [frz. gri'ɲa:r], * Cherbourg 6. Mai 1871, † Lyon 13. Dez. 1935, frz. Chemiker. – 1908–10 Prof. in Lyon, dann in Nancy, seit 1919 wieder in Lyon. G. entdeckte, daß sich aus Magnesium und Alkyl- oder Arylhalogeniden in Äther magnesiumorgan. Verbindungen bilden. 1912 Nobelpreis für Chemie (mit P. Sabatier).

Grignard-Verbindungen [frz. gri'ɲa:r; nach V. Grignard], eine Gruppe magnesiumorgan. Verbindungen der allgemeinen Formel R–Mg–X, wobei R für einen organ. Rest und X im allg. für ein Halogen steht; in der präparativen organ. Chemie für viele Synthesen von Bedeutung.

Grigorowitsch, Juri Nikolajewitsch, * Leningrad (= St. Petersburg) 1. Jan. 1927, russ. Tänzer und Choreograph. – Seit 1964 Chefchoreograph und Direktor des Bolschoi-Balletts, u. a. „Spartakus" (1968), „Iwan der Schreckliche" (1975), „Das goldene Zeitalter" (1982).

Grijalva, Juan de [span. gri'xalβa], * Cuéllar (Segovia) um 1480, † bei Cabo Gracias a Dios (Zelaya, Nicaragua) 21. Jan. 1527, span. Konquistador. – Erster Gouverneur Kubas. Entdecker des heutigen Mexiko, das er 1518 offiziell in span. Besitz nahm.

Grijalva, Río [span. 'rrio ɣri'xalβa], Zufluß zum Golf von Mexiko, entsteht nahe der guatemaltek. Grenze (mehrere Quellflüsse), durchfließt als **Río Grande de Chiapa** das Valle Central von Chiapas, durchbricht die Meseta Central in einer tiefen Schlucht, vereinigt sich mit dem westl. Mündungsarm des Río Usumacinta; etwa 600 km lang.

Grill [frz.-engl., letztl. zu lat. craticulum „kleiner Rost"], mit Holzkohle, Gas, Infrarotstrahlen oder elektrisch beheizbares Gerät oder Feuerstelle zum Rösten von Fleisch, Geflügel, Fisch o.ä.

Grillen [lat.] (Grabheuschrecken, Grylloidea), mit über 2000 Arten weltweit verbreitete Überfam. der Insekten (Ordnung Heuschrecken), davon in M-Europa acht 1,5–50 mm große Arten; Fühler oft lang und borstenförmig; die Flügeldecken werden im allg. von den etwas längeren Hinterflügeln überragt; ♂♂ mit Stridulationsapparat: Eine gezähnelte Schrilleiste an der Unterseite des einen Flügels und eine glatte Schrillkante am Innenrand des anderen Flügels werden gegeneinander gerieben, wodurch zur Anlokkung von ♀♀ Laute erzeugt werden *(Zirpen);* Hinterbeine meist als Sprungbeine. Man unterscheidet sechs Fam., darunter die **Maulwurfsgrillen** (Gryllotalpidae) mit rd. 60 weltweit verbreiteten Arten; nicht springend, Vorderbeine zu Grabschaufeln umgewandelt. In M-Europa kommt nur die bis 5 cm lange, braune **Maulwurfsgrille** (Gryllotalpa gryllotalpa) vor. Die durch großen Kopf und breiten Halsschild gekennzeichneten **Gryllidae** (Grillen i.e.S.) haben rd. 1400 Arten. Bekannt sind u.a.: **Feldgrille** (Gryllus campestris), bis 26 mm lang und glänzendschwarz, Schenkel der Hinterbeine unten blutrot; lebt v.a. auf Feldern und trockenen Wiesen M- und S-Europas, N-Afrikas und W-Asiens; ↑Heimchen.

Grillparzer, Franz, *Wien 15. Jan. 1791, †ebd. 21. Jan. 1872, östr. Dichter. – 1818 Ernennung zum Theaterdichter des Burgtheaters. Seit 1821 mit K. ↑Fröhlich verlobt; 1826 Deutschlandreise, auf der er u.a. Tieck, Fouqué, Chamisso, Rahel Varnhagen, Hegel und Goethe kennenlernte. Von Shakespeare, Lope de Vega, Calderón, dem Wiener Volksstück und der Romantik beeinflußter bed. östr. Dramatiker in der Nachfolge der Weimarer Klassik. In der Tragödie „Die Ahnfrau“ (1817) gestaltete er nach Schillers Trauerspiel „Die Braut von Messina“, dem engl. Schauerroman und dem romant. Schicksaldrama Schicksal als determinierende Macht. Dann folgten als Problemkreise der Mensch zw. Tat und Verharren sowie die Frage nach dem Sinn und Recht des Staates. Bed. nach dem Künstlertrauerspiel „Sappho“ (1819) die Tragödien „Das goldene Vließ“ (Trilogie, 1822), „König Ottokars Glück und Ende“ (1825), „Des Meeres und der Liebe Wellen“ (Uraufführung 1831, gedruckt 1840), „Der Traum ein Leben“ (Uraufführung 1834, gedruckt 1840) und „Libussa“ (vollendet 1848, hg. 1872) sowie sein Lustspiel „Weh dem, der lügt“ (1840, Uraufführung 1838). Spätwerke sind „Ein Bruderzwist in Habsburg“ (hg. 1872) und „Die Jüdin von Toledo“ (hg. 1873). Von seinen wenigen Prosawerken gehört die autobiographisch getönte Erzählung „Der arme Spielmann“ (1848) zu den Meisterwerken des psycholog. Realismus des 19. Jh. Seine Lyrik ist rationalreflektierend. Wichtig seine Selbstbiographie und Tagebücher.

Grimaldi, genues. Adelsfam., seit dem 12. Jh. nachweisbar; mit den ↑Fieschi die führenden Guelfen. Die G. erwarben Besitz in Italien und Frankreich, waren seit 1419 endgültig Herren in Monaco; nahmen 1612 den Fürstentitel an; 1731 in männl. Linie erloschen.

Grimaldi, Francesco Maria, *Bologna 2. April 1618, †ebd. 28. Dez. 1663, italien. Gelehrter. – Prof. in Bologna; Jesuit; Mitbegr. der Wellentheorie des Lichtes. Sein Werk „De lumine“ erschien 1665.

Grimaldigrotten, durch Funde aus der Alt- und Mittelsteinzeit berühmte Höhlen bei dem italien. Ort Grimaldi an der italien.-frz. Grenze zw. Menton (Frankreich) und Ventimiglia (Italien). Skelettfunde aus dem Aurignacien (seit 1872) in der sog. Kinderhöhle. Die Annahme der Existenz einer eigenen Grimaldirasse mit angeblich negroiden Merkmalen ist in der Anthropologie umstritten.

Grimaud [frz. gri'mo] ↑Grimoald.

Grimm, Friedrich Melchior Freiherr von, *Regensburg 26. Dez. 1723, †Gotha 19. Dez. 1807, dt. Schriftsteller. – Lebte 1748–90 in Paris, wo z.T. unter Mitwirkung von Diderot, Madame d'Épinay u.a. die berühmte „Correspondance littéraire, philosophique et critique“ (1753–73) entstand, ein Briefwechsel über das frz. Geistesleben.

G., Hans, *Wiesbaden 22. März 1875, †Lippoldsberg (= Wahlsburg, Landkr. Kassel) 27. Sept. 1959, dt. Schriftsteller. – Sein tendenziöser Kolonialroman „Volk ohne Raum“ (2 Bde., 1926), dessen Titel zum nat.-soz. Schlagwort wurde, schildert das Schicksal eines dt. Kolonisten in Südafrika.

G., Herman, *Kassel 6. Jan. 1828, †Berlin 16. Juni 1901, dt. Kunst- und Literarhistoriker. – Ältester Sohn von Wilhelm G.; seine einfühlsamen Darstellungen von Michelangelo (1860–63), Raffael (1872) und Goethe (1877) fanden weite Verbreitung; ferner Essays, bes. zur Weimarer Klassik.

G., Jacob, *Hanau am Main 4. Jan. 1785, †Berlin 20. Sept. 1863, dt. Sprach- und Literaturwissenschaftler. – Begr. der german. Altertumswiss., der german. Sprachwiss. und der dt. Philologie; zeitlebens eng mit seinem Bruder Wilhelm G. verbunden; 1830 Prof. und Bibliothekar in Göttingen; sein polit. Engagement (↑Göttinger Sieben) führte zu seiner fristlosen Entlassung und Landesverweisung; seit 1841 Mgl. der Preuß. Akad. der Wiss. mit der Erlaubnis, an der Berliner Univ. Vorlesungen zu halten; 1848 Abg. der Frankfurter Nat.versammlung. Grundlage seiner wiss. Haltung ist die von Savigny begr. histor. Betrachtungsweise und die exakte Quellen- und Detailforschung. Neben den großen Sammlungen („Kinder- und Hausmärchen“, 2 Bde., 1812–15; „Dt. Sagen“, 2 Bde., 1816 bis 1818) begründete die 1819 erschienene „Dt. Grammatik“ („dt.“ im Sinne von „german.“), die er im folgenden erweiterte und z.T. völlig umarbeitete (bis 1837 4 Teile), seinen Ruf. Bei der Arbeit an diesem „Grundbuch der german. Philologie“, das erstmals die Sprache in ihrem organ. Wachstum zu registrieren suchte, entdeckte G. die Gesetzmäßigkeit des Lautwandels, des Ablautes, des

Jacob und Wilhelm Grimm

Umlautes, der Lautverschiebungen, erweiterte er entscheidend das Wissen um die Verwandtschaft der german. und indogerman. Sprachen. Bed. auch seine Publikationen zur german. Rechtsgeschichte („Dt. Rechtsalterthümer", 1828), Religionsgeschichte („Dt. Mythologie", 1835) sowie seine Sammlung bäuerl. Rechtsquellen („Weisthümer", 7 Bde., 1840–78). Seine 1848 veröffentlichte „Geschichte der dt. Sprache" (2 Bde.) wertet auch die Sprache als Geschichtsquelle aus. 1854 ff. entstand das ↑ „Deutsche Wörterbuch". Hervorragende Leistungen als Hg. altdt., altnord., angelsächs., mittellat. und lat. Werke (z. T. gemeinsam mit Wilhelm Grimm).

📖 *Gerstner, H.: Die Brüder G. in Selbstzeugnissen u. Bilddokumenten. Rbk. 1987. – Seitz, G.: Die Brüder G. – Leben, Werk, Zeit. Mchn. ²1985.*

G., Ludwig Emil, * Hanau am Main 14. März 1790, † Kassel 4. April 1863, dt. Radierer. – Bruder von Jacob und Wilhelm G.; seit 1832 Prof. an der Akad. in Kassel; schuf v. a. Radierungen (u. a. Bettina von Arnim).

G., Robert, * Hinwil (Kt. Zürich) 16. April 1881, † Bern 8. März 1958, schweizer. Politiker. – 1909–18 Chefredakteur der „Berner Tagwacht"; bis 1919 Präs. der Sozialdemokrat. Partei der Schweiz; 1921 Mitinitiator der Internat. Arbeitsgemeinschaft Sozialist. Parteien, 1923 Mitbegr. der Sozialist. Arbeiter-Internationale; 1914–57 Nationalrat.

G., Wilhelm, * Hanau am Main 24. Febr. 1786, † Berlin 16. Dez. 1859, dt. Literaturwissenschaftler. – 1831 Prof. in Göttingen; als Mgl. der ↑ Göttinger Sieben 1837 amtsenthoben, 1841 Mgl. der Preuß. Akad. der Wiss. in Berlin; arbeitete meist mit seinem Bruder Jacob G. zus., wesentlich sein Anteil an der sprachlich meisterhaften Gestaltung der „Kinder- und Hausmärchen" (2 Bde., 1812–15). Sagenforscher und Hg. zahlr. mittelhochdt. Literaturwerke sowie Mitarbeiter am ↑ „Deutschen Wörterbuch".

Grimma, Krst. in Sa., an der Mulde, 130–160 m ü. d. M., 17 000 E. Kr.museum, Göschenhaus (im Ortsteil Hohnstädt); Chemieanlagenbau, elektrotechn., Papierind. – Entstand um 1170 als dt. Marktsiedlung, vermutl. um 1220 Stadtrecht; seit Anfang des 15. Jh. öfter wettin. Nebenresidenz und mehrmals Tagungsort von sächs. Land- und Fürstentagen. – Got. Liebfrauenkirche (13. Jh.) mit roman. Westwerk; Schloß (13., 14., 16. Jh.); Rathaus (1442, 1538–85).

G., Landkr. in Sachsen.

Grimmdarm ↑ Darm.

Grimme, Adolf, * Goslar 31. Dez. 1889, † Degerndorf (Landkr. Bad Tölz) 27. Aug. 1963, dt. Pädagoge und Politiker (SPD). – Trat als entschiedener Schulreformer hervor; 1930–32 preuß. Kultusmin.; führend unter den religiösen Sozialisten; 1942–45 in Haft. 1946–48 Kultusmin. von Niedersachsen, 1948–56 Generaldirektor des NWDR. – Nach G. wurde der 1961 vom Dt. Volkshochschul-Verband e. V. gestiftete **Adolf-Grimme-Preis** ben., mit dem jährlich ausgewählte dt. Fernsehproduktionen ausgezeichnet werden.

Grimmelshausen, Johann (Hans) Jakob Christoffel von, * Gelnhausen um 1622, † Renchen (Landkr. Kehl) 17. Aug. 1676, dt. Dichter. – 1648 Kriegsdienste, 1667 Schultheiß in Renchen; konvertierte zum kath. Bekenntnis. Sein Hauptwerk ist der Roman in 5 Büchern „Der Abentheurliche Simplicissimus Teutsch" in mundartlich gefärbter Sprache (1669; noch 1669 erschien eine sprachl. gereinigte 2. Auflage und die „Continuatio des abentheuerl. Simplicissimi ..." als 6. Buch), bedeutendstes literar. Dokument der Barockzeit, die erste moderne realist. Darstellung der Zeit- und Sittengeschichte. Sein Mittel satir. Erzählens ist die Perspektive eines „tumben Toren", der Erfahrungen mit der Welt macht, die sich im Dreißigjährigen Krieg in ihrem Elementarzustand zeigt. Unbeständigkeit und Wahn der Welt sowie die Hoffnung auf Erlösung im Jenseits sind das immer variierte Thema auch der sog. Simplizian. Schriften „Trutz Simplex: Oder Ausführl. und wunderseltzame Lebensbeschreibung Der Ertzbetrügerin und Landstörtzerin Courasche" (1670), „Der seltzame Springinsfeld" (1670) u. a.

📖 *Meid, V.: G. Mchn. 1984. – Weydt, G.: Hans J. C. v. G. Stg. ²1979.*

Grimmen, Krst. in Meckl.-Vorp., an der Trebel, 11 m ü. d. M., 14 000 E. Baustoff-, Bekleidungsind. – Seit 1267 Stadt, 1354 an Pommern, 1648 an Schweden, 1815 an Preußen. – Frühgot. Marienkirche (um 1280), spätgot. Rathaus (14. Jh.), spätgot. Stadttore.

G., Landkr. in Mecklenburg-Vorpommern.

Grimoald (Grimaud), * um 620, † Paris 662(?), fränk. Hausmeier. – Sohn Pippins d. Ä.; ließ nach dem Tod des austr. Kg. Sigibert III. (656) seinen eigenen Sohn Childebert zum Kg. erheben, indem er den rechtmäßigen Nachfolger, Sigiberts Sohn Dagobert II., absetzte und ins Exil schickte; wurde von den Neustriern gestürzt und hingerichtet.

Grimsby [engl. 'grɪmzbɪ] † Great Grimsby.

Grimselpaß † Alpenpässe (Übersicht).

Grind, volkstüml. Bez. für Hautkrankheiten mit schuppenden, krustenbildenden, auch nässenden Ausschlägen.

Grindelwald, schweizer. Gemeinde in den Berner Alpen, Kt. Bern, 1 040 m ü. d. M., 3 600 E. Heimatmuseum; Luftkurort und Wintersportplatz; Station der Jungfraubahn, Gondelbahn auf den Männlichen.

Grindflechte, svw. † Impetigo.

Grindwale † Delphine.

Gringo [span., zu griego „griechisch", d. h. unverständlich (reden)], verächtl. Bez. für einen Nichtromanen im spanisch sprechenden M- und S-Amerika.

Gringore, Pierre [frz. grɛ̃'gɔ:r] (Gringoire), * Thury-Harcourt (Calvados) um 1475, † in Lothringen um 1538, frz. Dichter. – Schrieb witzige und satir. Gedichte und Bühnenstücke; oft mit antipapist. Tendenz. Kommt als „Gringoire" in V. Hugos „Glöckner von Notre-Dame" (R., 1831) vor.

Grippe [frz., eigtl. „Laune, Grille" (zu gripper „haschen", weil sie oft plötzl. und launenhaft auftritt)] (Virusgrippe, Influenza), akute, fieberhafte Infektionskrankheit mit epidem. bzw. pandem. Auftreten. Die Erreger der G. sind † Influenzaviren. Die G. beginnt – Stunden bis einige Tage nach der Ansteckung durch Tröpfcheninfektion – mit Schüttelfrost, Fieber (38–40 °C), Kopf- und Gliederschmerzen. Nach 1–2 Tagen treten Reizhusten, geschwollene Mandeln und Bindehautentzündung hinzu. Bei der **Darmgrippe** kommt es außerdem zu schweren Durchfällen. Die unkomplizierte G. klingt nach einigen Tagen ab. Durch bakterielle Sekundärinfektion unter erneutem Fieberanstieg kann sich aber die gefürchtete **Grippepneumonie** (Lungenentzündung) entwickeln. Weitere Komplikationen der G. sind Nasennebenhöhlenentzündung, Mittelohrentzündung, Hirnhaut- bzw. Gehirnentzündung. Als vorbeugende Maßnahme kann eine Schutzimpfung vorgenommen werden.

Geschichte: Die G. gehört vermutlich zu den ältesten epidem. Infektionskrankheiten, deren regelmäßige Ausbreitung seit dem MA belegt ist. Die schwere G.pandemie 1889–92 („russ. Schnupfen") forderte viele Todesopfer. Im Verlauf der bisher schwersten G.pandemie 1918–20 („span. G."), von der mehr als 500 Mill. Menschen in ganz Europa erfaßt wurden, starben über 20 Mill. Menschen. – † asiatische Grippe.

📖 *Glenn, J.: G. u. Erkältungskrankheiten. Mchn. 1990.*

Gripsholm [schwed. grips'hɔlm], königl. Schloß im östl. Mittelschweden in der Gemeinde Strängnäs. 1537 ff. von Heinrich von Köln für Gustav I. Wasa errichtet.

Gris, Juan [span. gris], eigtl. José Victoriano Gonzáles, * Madrid 23. März 1887, † Paris 11. Mai 1927, span. Maler und Graphiker. – Seit 1913 suchte er eine Synthese von kubist. Simultanansichtigkeit des Gegenständlichen und dessen sinnl. Abbild (durch Collageneinbau) und wurde damit der Begr. des synthet. Kubismus. 1916–19 strenge Kompositionen, dann Aufnahme arabesker Elemente.

Grisaille [frz. gri'zɑ:j; zu gris „grau"], Malerei in grauen (auch bräunl., grünl.) Farben, insbes. für die Darstellung von Skulpturen. Als die frühesten G. gelten Giottos Tugenden und Laster der Sockelzone in der Arenakapelle in Padua (vermutl. 1305/06).

Griseldis, literar. Gestalt (Boccaccio, Petrarca), arme Bauerntochter, deren adliger Gemahl ihren Gehorsam und ihre Duldsamkeit härtesten Proben unterwirft.

Grislybär [...li] † Grizzlybär.

Gritti, venezian. Patrizierfam., aus der seit dem 13. Jh. hohe Beamte hervorgingen.

Grivas, Georgios † Griwas, Jeorjios.

Grivet [frz. grɪ'vɛ], svw. Grüne Meerkatze († Meerkatzen).

Griwas, Jeorjios, gen. Digenis (nach Digenis Akritas), * Trikomo bei Famagusta 23. März 1898, † Limassol 27. Jan. 1974, griech.-zypriot. General und Politiker. – Leitete seit 1955 die EOKA; lehnte das Londoner Abkommen von 1959 (Unabhängigkeit Zyperns ohne Anschluß an Griechenland) ab; 1964–67 Kommandeur der griech.-zypriot. Nationalgarde; als Gegner der Politik von Erzbischof Makarios III. 1972/73 im Untergrund tätig.

Grizzlybär [engl. 'grɪzlɪ „grau"] (Grizzly, Grislybär, Graubär, Ursus arctos horribilis), große, nordamerikan. Unterart des Braunbären; urspr. im ganzen westl. N-Amerika (südl. bis Kalifornien) verbreitet, heute nur noch an einigen Stellen der nördl. USA, in Kanada und Alaska vorkommend; Körperlänge bis 2,3 m, Schulterhöhe etwa 0,9–1 m, Gewicht bis über 350 kg; Färbung blaß braungelb bis dunkelbraun, auch fast schwarz. Der G. ist ein Allesfresser.

GRO [Kurzbez. für engl.: **G**amma **R**ay **O**bservatory], 1991 vom Raumtransporter „Atlantis" in eine Erdumlaufbahn gebrachtes großes Weltraumteleskop mit vier verschiedenen Instrumenten für den Gammastrahlenbereich. Während der auf vier Jahre geplanten Mission sollen eine Durchmusterung des gesamten Himmels durchgeführt sowie die Gammastrahlung von Einzelobjekten untersucht werden.

grobe Fahrlässigkeit ↑ Fahrlässigkeit.

Gröber, Adolf, * Riedlingen (Landkr. Biberach) 11. Febr. 1854, † Berlin 19. Nov. 1919, dt. Jurist und Politiker. – Gründete 1895 das württemberg. Zentrum; MdR seit 1887; Fraktionsführer im Reichstag und in der Nat.vers. (1917–19).

G., Gustav, * Leipzig 4. Mai 1844, † Straßburg 6. Nov. 1911, dt. Romanist. – Prof. in Zürich, Breslau, seit 1880 in Straßburg. Gründete 1877 die „Zeitschrift für roman. Philologie" und gab den „Grundriß der roman. Philologie" (2 in 4 Bden., 1886–1902, [2]1904–06) heraus.

Grobfeile ↑ Feile.

grobianische Dichtung, didakt. Literaturgatt. v. a. des 16. Jh., die rohe, ungebildete Verhaltens- und Sprachformen beschreibt oder bloßstellt, bes. Tischsitten. Vertreter sind S. Brant, H. Sachs und F. Dedekind.

Grobsteinzeug ↑ Keramik.

Grock, eigtl. Adrian Wettach, * Reconvilier bei Biel (BE) 10. Jan. 1880, † Imperia (Italien) 14. Juli 1959, schweizer. Musikclown. – Wurde durch seine Solonummern mit akrobat. und musikal. Einlagen weltbekannt. Seit 1951 leitete G. einen eigenen Zirkus. Schrieb u. a. „Ein Leben als Clown" (frz. 1948, dt. 1951), „Nit m-ö-ö-ö-glich. Die Memoiren des Königs der Clowns" (1956).

Gröde-Appelland, drittgrößte Hallig vor der W-Küste Schleswig-Holsteins.

Groden [niederdt.], deichreifes oder eingedeichtes Marschland. Ein hinter dem Hauptdeich liegender Binnen-G. wird **Koog** oder **Polder,** ein vor ihm liegender Außen-G. **Heller** genannt.

Grödner Tal (italien. Val Gardena), etwa 25 km lange Tallandschaft in den Südtiroler Dolomiten, Italien, mit den Fremdenverkehrszentren Sankt Ulrich und Wolkenstein.

Grodno [russ. 'grɔdnɐ], Geb.hauptstadt an der Memel, Weißrußland, 270 000 E. Univ. (gegr. 1978), medizin. und landw. Hochschule, histor.-archäolog. Museum; Theater; zoolog. Garten; Chemiefaser-, Mineraldüngerwerk, Maschinenbau. – 1183 erstmals urkundlich erwähnt; im 14. Jh. durch Litauen erobert, nach dessen Personalunion mit Polen (1569) wiederholt Tagungsort wichtiger poln. Reichstage (1692, 1717, 1793); fiel nach der 2. bzw. 3. Teilung Polens 1793/95 an Rußland; 1919–39 wieder polnisch, danach Eingliederung in die Weißruss. Sowjetrepublik. – Schloß (16. Jh.).

Groener, Wilhelm ['grø:nər], * Ludwigsburg 22. Nov. 1867, † Bornstedt bei Potsdam 3. Mai 1939, dt. General und Politiker. – Wurde 1916 Generalleutnant und Chef des neugebildeten Kriegsamtes zur Ausschöpfung der dt. Produktionsreserven; Frontkommando ab Aug. 1917; Nachfolger E. Ludendorffs als Erster Generalquartiermeister der OHL seit dem 26. Okt. 1918. Leitete nach dem 9. Nov. 1918 die Rückführung und Demobilmachung des Heeres und hatte im Einvernehmen v. a. mit F. Ebert maßgebl. Anteil an der Verhinderung eines Rätesystems. Setzte sich für die Annahme des Versailler Vertrages ein und nahm im Sept. 1919 seinen Abschied. 1928–32 als Reichswehr- und 1931/32 zugleich als Reichsinnenmin. eine der wichtigsten Stützen H. Brünings.

Groër, Hans (Ordensname: Hermann), * Wien 13. Okt. 1919, östr. kath. Theologe. – Benediktiner; seit 1970 Direktor des Marienwallfahrtsortes Maria Roggendorf; 1974–86 Direktor des Gymnasiums Hollabrunn, seit 1986 Erzbischof von Wien.

Groethuysen, Bernhard [niederl. 'xru:thœỹzə], * Berlin 9. Jan. 1880, † Luxemburg 17. Sept. 1946, dt. Philosoph. – 1931–33 Prof. in Berlin, lebte dann v. a. in Paris; untersuchte die Erscheinungsformen und Voraussetzungen der bürgerl. Gesellschaft („Die Entstehung der bürgerl. Welt- und Lebensanschauung in Frankreich" [2 Bde., 1927–30]); bed. seine „Philosoph. Anthropologie" (1928, [2]1968) und die Abhandlungen „Die Dialektik der Demokratie" (1932) und „Philosophie der Frz. Revolution" (hg. 1956).

Grog [engl., vermutlich nach „Old Grog", dem Spitznamen (wegen seines Kamelhaarüberrocks, engl. grogram) des brit. Admirals E. Vernon (* 1684, † 1757), der den Befehl erließ, nur noch mit Wasser verdünnten Rum an die Matrosen auszugeben], Getränk meist aus Rum mit heißem Wasser und Zucker. Variationen u. a. mit Arrak und Weinbrand.

Grögerová, Bohumila [tschech. 'grɛgɛrɔva:], * Prag 7. Aug. 1921, tschech. Schriftstellerin. – Wichtige Vertreterin experimenteller Literatur. Zus. mit H. Hiršal veröffentlichte sie 1964 das typograph. Kinderbuch „Co se slovy všechno poví" (Was man mit Worten alles sagt) und 1967 „JOB-BOJ", eines der wichtigsten Bücher der konkreten Literatur; bed. Übersetzerin (u. a. E. Ionesco).

Grogger, Paula, * Öblarn (Steiermark) 12. Juli 1892, † ebd. 31. Dez. 1983, östr. Schriftstellerin. – Im Volkstum und Glauben ihrer Heimat wurzelnde Erzählwerke in bildstarker, mundartlich geprägter Sprache, u. a. „Das Grimmingtor" (R., 1926), „Die Mutter" (E., 1958), „Späte Matura oder Pegasus im Joch" (Erinnerungen, 1975), „Der Paradiesgarten. Geschichte einer Kindheit" (1980).

groggy [engl. 'grɔgi, eigtl. „vom Grog betrunken"], im Boxen schwer angeschlagen, nicht mehr kampf- und verteidigungsfähig; übertragen auch svw. zerschlagen, erschöpft.

Grohmann, Will, * Bautzen 4. Dez. 1887, † Berlin (West) 6. Mai 1968, dt. Kunsthistoriker und -kritiker. – Seit 1948 Prof. an der Hochschule für bildende Künste in Berlin. Durch seine publizist. Tätigkeit gehörte er maßgeblich zu den Wegbereitern zeitgenöss. Kunst in Deutschland. Monograph. Werke, u. a. über Klee (1954, [4]1965), Schmidt-Rottluff (1956), Kandinsky (1958) und Henry Moore (1960).

Grolman, Karl [Wilhelm Georg] von, * Berlin 30. Juli 1777, † Posen 15. Sept. 1843, preuß. General. – 1807 Mitarbeiter Scharnhorsts bei der preuß. Heeresreform; 1809 in östr. Diensten, 1810 auf seiten der span. Aufständischen gegen Napoleon; 1815 Generalstabsoffizier im Hauptquartier Blüchers; bis 1819 unter H. von Boyen Mitwirkung bei der Einführung der allg. Wehrpflicht und der Entwicklung des Generalstabs.

Groma [lat. (zu griech. ↑ Gnomon)], Visiergerät der röm. Agrimensoren (zur Festlegung rechtwinkliger Koordinaten), bestehend aus einem an den vier Enden mit Loten versehenen, rechtwinkligen Kreuz, das im Zentrum auf einer senkrechten Stange befestigt ist. Die G. ging auf ägypt. Vorbilder zurück und war über griech. Feldmesser nach Italien gelangt.

Grömitz, Gem. an der Lübecker Bucht, Schl.-H., 6 600 E. Ostseeheilbad. – 1259 als Ort, seit 1440 als Stadt erwähnt. – Frühgot. Feldsteinkirche mit barocker Ausstattung.

Gromyko, Andrei Andrejewitsch [russ. graˈmɨkɐ], * Starye Gromyki 18. Juli 1909, † Moskau 2. Juli 1989, sowjet. Politiker. – Trat 1939 in den diplomat. Dienst: 1943–46 Botschafter in den USA, 1946–48 ständiger sowjet. Vertreter beim Sicherheitsrat der UN und 1952/53 Botschafter in Großbritannien; 1949–52 und 1953–57 1. stellv. Außenmin.; 1957–85 Außenmin.; seit 1956 Mgl. des ZK, 1973–88 auch des Politbüros des ZK der KPdSU; 1983–85 1. stellv. Min.präs.; 1985–88 Vors. des Präsidiums des Obersten Sowjets.

Gronau, Wolfgang von, * Berlin 25. Febr. 1893, † Frasdorf (Landkr. Rosenheim) 17. März 1977, dt. Flieger. – Erkundete 1930 den nördl. Seeweg über den Atlantik auf der Route Sylt–Island–Grönland–Labrador–New York und unternahm 1932 einen Etappenflug (60 000 km) um die Erde.

Gronau (Westf.), Stadt an der Dinkel, NRW, 40 m ü. d. M., 39 300 E. Drilandmuseum; Textilind. – Der Ort entstand im 15. Jh.

Gronchi, Giovanni [italien. ˈgroŋki], * Pontedera (Prov. Pisa) 10. Sept. 1887, † Rom 17. Okt. 1978, italien. Politiker. – 1919 Mitbegr. des Partito Populare Italiano (PPI), dessen Abg. 1919–26. 1943/44 Vertreter der neugegr. Democrazia Cristiana (DC) im Nat. Befreiungskomitee; 1944–46 Industrie- und Handelsmin., 1946 Fraktionsvors. der DC in der Constituante, seit 1948 Kammerpräs., 1955–62 Staatspräs., seit 1962 Senator auf Lebenszeit; Führer des linken Flügels der Democrazia Cristiana.

Grönemeyer, Herbert, * Göttingen 12. April 1956, dt. Schauspieler und Liedermacher. – Begann am Bochumer Schauspielhaus als Pianist und Bühnenmusikschreiber; wirkte mit in Kino- und Fernsehfilmen (u. a. „Das Boot", 1981; „Frühlingssinfonie", 1983); profilierte sich daneben seit Mitte der 80er Jahre als erfolgreicher Rocksänger („Männer", 1984). In seinen Liedern greift er überwiegend gesellschaftskrit. Themen auf.

Groningen [niederl. ˈxro:nɪŋə], Stadt in den nö. Niederlanden, 168 000 E. Verwaltungssitz der Prov. G.; kath. Bischofssitz; Univ. (gegr. 1614), Akad. für Baukunst und für bildende Künste; Prov.- und Schiffahrtsmuseum. Handelszentrum. In der Umgebung bed. Erdgasfelder. Durch den Emskanal kann G. von Seeschiffen bis 2 000 t angelaufen werden. U. a. chem. Ind., Herrenkonfektion, Schiff-, Maschinenbau, Elektroind., Herstellung von Fahrrädern, Tabakverarbeitung. Verlage; ✈. – 1040 von Kaiser Heinrich III. als Landgut dem Bischof von Utrecht geschenkt; entwickelte sich zu einer Handelsstadt, die im 13. Jh. die bischöfl. Herrschaft abschüttelte. G. fiel 1580 an Spanien; 1594 durch Moritz von Oranien erobert und den Generalstaaten eingegliedert. – Der Turm (15. Jh. und später) der got. Martinikerk ist das Wahrzeichen der Stadt. Prinzenhof (1594 zu einem Statthalterhaus erweitert), Provinzenhaus (etwa 1550, stark restauriert), Goldkontor (1635), klassizist. Rathaus mit modernem Anbau (1962).

G., Prov. in den nö. Niederlanden, 2 611 km², 554 000 E (1990). Verwaltungssitz G.; die Prov. ist ein flaches Becken (im äußersten S bis 12,7 m ü. d. M). Den N nehmen eingepolderte Marschen, den SO kultivierte Torfmoore ein. Über 80 % der landw. Nutzfläche sind Ackerland; bed. Erdgasvorkommen; Schiffbau, Textil-, Papier- und chem. Industrie.

Gröninger, westfäl. Bildhauerfam. des 16. bis 18. Jh.; bed.:

G., Gerhard, * Paderborn um 1582, † Münster (Westf.) um 1652. – Vertreter des Frühbarock, vom niederl. Manierismus ausgehend; u. a. Stephanusaltar, zugleich Epitaph des H. von Letmathe († 1625) im Dom von Münster.

G., Johann Mauritz, * Paderborn 1652, † Münster (Westf.) 21. Sept. 1707. – Vater von Johann Wilhelm G.; vom niederl. Hochbarock beeinflußt; u. a. Epitaph des Fürstbischofs C. B. von Galen († 1678) im Dom von Münster.

G., Johann Wilhelm, * Münster (Westf.) 1675 oder 1677, † ebd. nach 1732. – Sohn von Johann Mauritz G.; sein Hauptwerk ist das Epitaph für den Domherrn F. von Plettenberg († 1712) im Dom von Münster.

Grönland (amtl. Kalaallit Nunaat; dän. Grønland), größte Insel der Erde, zum arkt. N-Amerika gerechnet, zw. 83° 39′ und 59° 46′ n. Br. sowie 11° 39′ und 73° 08′ w. L., 2 175 600 km², 55 415 E (1989). Hauptstadt Nuuk (dän. Godthåb). Verwaltungsmäßig ist die zu Dänemark gehörende Insel (mit innerer Autonomie) in West-, Nord- und Ost-G. geteilt. Nationalfeiertag: 21. Juni. Zeitzonen (von O nach W): MEZ −3, −4 (Nuuk), −5 Std. 1 833 900 km² von G. sind von Inlandeis bedeckt, das durchschnittl. 1 500 m, maximal rd. 3 400 m mächtig ist. Es entsendet zahlr. Gletscher zum Meer. Im S und N bildet das Eis zwei Kuppeln. Unter der südl. Kuppel liegt ein bis 1 000 m hohes Bergland, im Zentrum und N besteht der Untergrund aus einem riesigen, z. T. u. d. M. liegenden Becken. Im W und O wird das Inlandeis von den Alpen ähnelnden Randgebirgen eingefaßt, die im Gunnbjørns Fjeld 3 700 m Höhe erreichen. – Es herrscht Eis- und Tundrenklima. Kalte polare Luftmassen mit einem stabilen Hoch im Winter und warme atlant. Luftmassen mit Tiefdruckwetterlagen im Sommer bestimmen den Witterungsablauf. Die Temperatur auf dem Inlandeis zeigt ein absolutes Temperaturminimum von −70 °C; im Sommer kommt sie bis an 0 °C heran. Aller Niederschlag fällt als Schnee oder Reif. – Die v. a. auf den Küstenraum beschränkte Tundrenvegetation wird nach N hin immer spärlicher; nur im SW gibt es Krummholzbestände.
Der Siedlungsraum der Bev. beschränkt sich auf das Küstengebiet, v. a. im klimatisch begünstigten SW. Hier werden auch Schafe und Rentiere gehalten. Die Grönländer sind eine Mischrasse aus Eskimos und Europäern, die seit Mitte des 17. Jh. entstand. Reine Eskimos leben nur noch an der nördl. O- und W-Küste. Amtssprachen sind Eskimoisch (Westgrönländisch) und Dänisch. Haupterwerbszweig ist die Fischerei und Fischverarbeitung. Die Fischereigrenze wurde 1977 auf 200 Seemeilen erweitert. Die Jagd auf Robben, Wale, Füchse und Bären spielt noch im N und SO eine Rolle. – Blei-Zink-Erze werden seit 1973 bei Maarmorilik abgebaut und aufbereitet. Weitere Bodenschätze (Eisen-, Chrom-, Nickel-, Molybdän-, Gold-, Thoriumvorkommen) sind nachgewiesen, aber kaum erschließbar. Größter Arbeitgeber ist die 1774 gegr. staatl. Königl.-Grönländ. Handelsgesellschaft (KGH). Neben der Schifffahrt, dem Hunde- und Motorschlitten spielt v. a. der Luftverkehr (Hubschrauber) eine bed. Rolle.
Geschichte: Der Wikinger Erich der Rote fand 982 westlich von Island eine Insel, die er für unbewohnt hielt und G. („grünes Land“) nannte. Ab 986 gründete er dort Siedlungen. Um 1000 wurde G. christianisiert, 1126 erhielt es einen eigenen Bischof. Die Kolonien waren autonom, sie hatten ein Althing; 1261 gerieten sie jedoch unter norweg. Oberhoheit. Rascher Niedergang seit dem 14. Jh. führte dazu, daß die Seefahrer, die ab Ende des 16. Jh. die W-Küste G. anliefen, keine Reste der wiking. Kolonien mehr fanden. Die Neubesiedlung begann 1721. 1785 erhielt die Insel von der dän. Reg. ein Grundgesetz; bei der Auflösung der dän.-norweg. Personalunion 1815 blieb G. bei Dänemark. Den dän.-norweg. Streit um G. entschied der Internat. Gerichtshof in Den Haag 1933 zugunsten Dänemarks. Seit dem 2. Weltkrieg besitzen die USA Luftstützpunkte auf der Insel. 1953 wurde G. ein gleichberechtigter Bestandteil des Kgr. Dänemark (seit 1979 mit innerer Selbstverwaltung). Die gesetzgebende Funktion übt das Landsting aus (27 Abg.). 1982 lehnte die grönländ. Bev. ein Verbleiben in der EG über den 1. Jan. 1985 hinaus ab.
📖 *Braukmüller, H. E.: G. gestern u. heute. Weener 1990. – Bökemeier, R./Silis, I.: G., Leben im hohen Norden. Bern 1980.*

Grönlandhai ↑ Dornhaie.

Grönlandhund, svw. ↑ Polarhund.

Grönlandsee ↑ Europäisches Nordmeer.

Grönlandwal ↑ Glattwale.

Groot, Huigh de [niederl. xro:t] ↑ Grotius, Hugo.

Groote (Groot), Geert (Gerhard) [niederl. 'xro:tə], * Deventer Okt. 1340, † ebd. 20. Aug. 1384, niederl. Bußprediger und Mystiker. – Seine Frömmigkeit und Mystik bilden die Grundlagen der ↑ Devotio moderna; seine Anhänger schlossen sich als Schwestern und ↑ Brüder vom gemeinsamen Leben zusammen.

Groote Eylandt [engl. 'gru:t 'aɪlənd], mit 2 460 km² größte Insel im Carpentariagolf an der N-Küste Australiens, bis 183 m hoch; Eingeborenenreservat; größtes austral. Manganerzvorkommen.

Grootfontein ['gro:tfɔntaɪn], Stadt im nördl. Namibia, 1 463 m ü. d. M., 9 000 E. Zentrum eines Agrargebiets; Blei- und Kupfererzabbau; Eisenbahnendpunkt, ✈.

Gropius, Walter, * Berlin 18. Mai 1883, † Boston (Mass.) 5. Juli 1969, dt.-amerikan. Architekt. – 1919 Gründung des ↑ Bauhauses; 1928–33 Architekt in Berlin („Siemensstadt“); 1933 Emigration nach London und Zusammenarbeit mit M. Fry 1934–37 („Impington Village College“ bei Cambridge [England]). Seine Industriebauten (Faguswerk in Alfeld [Leine], 1911–18; Fabrikanlage für die Werkbund-Ausstellung, Köln

Walter Gropius. PAN AM Building in New York; 1952

1914), Wohnsiedlungen sowie das Bauhaus in Dessau (1925/26) entstanden nach funktionalist. Prinzipien. Das pragmat. und sozialverantwortl. Handeln wurde zum Grundsatzprogramm seiner Architekturschule in Cambridge bzw. des Architektenteams „The Architects' Collaborative" (TAC), u. a. Harvard Graduate Center (1949/50), PAN AM Building in New York (1952). G. erhielt nach dem Krieg internationale, auch in Berlin (West), Einzel- und städtebauliche Aufträge, u. a. Wohnblock für Interbau 1957 (Hansaviertel) und Rosenthal-Porzellanfabrik in Selb (1963–67).

Groppen (Cottidae), Fam. bis 60 cm langer Knochenfische (Ordnung Panzerwangen) mit rd. 300 Arten auf der N-Halbkugel; überwiegend Meeresbewohner, einige Arten auch im Süßwasser (z. B. Groppe); Körper schuppenlos, z. T. bestachelt; Kopf groß, mit großem Maul, Brustflossen fächerartig vergrößert; Schwimmblase fehlend. – Bekannte Arten sind: **Groppe** (Koppe, Dolm, Cottus gobio), bis etwa 15 cm lang, oberseits grau bis bräunlich mit dunklerer Marmorierung, Bauch weißlich; in der Ostsee sowie in Brack- und Süßgewässern Europas. **Seebull** (Cottus bubalis), 10–20 cm lang, braun mit schwarzer Fleckung, Bauch gelblich; an den Küsten W- und N-Europas. **Seeskorpion** (Seeteufel, Myxocephalus scorpius), bis 35 cm lang, dunkelbraun mit hellerer Fleckung, Kopf stark bestachelt; an den Küsten des N-Atlantiks.

Gropper, Johann, * Soest 24. Febr. 1503, † Rom 13. März 1559, dt. kath. Theologe. – Sein „Enchiridion Christianae institutionis" (1538) gilt als wichtigstes vortridentin. Lehrbuch der Dogmatik.

Gros, Antoine-Jean Baron (seit 1824) [frz. gro], * Paris 16. März 1771, † Meudon 26. Juni 1835 (Selbstmord), frz. Maler. – 1793–1800 in Italien. Schuf großformatige Gemälde Napoleons I. Mit der Komposition bewegter Massenszenen und dem leidenschaftl. Kolorit wies er der romant. Schule den Weg. Vorzügl. Porträtist.

Gros [grɔs; niederl., zu frz. grosse (douzaine) „großes (Dutzend)"], altes dt. Zählmaß: 1 G. = 12 Dutzend = 144 Stück; *allg.* der überwiegende Teil einer Gruppe.

Groschen [zu mittellat. grossus (denarius) „Dick(pfennig)"], Abk. Gr., gr., 1. urspr. dicke Silbermünze, erstmals 1266 in Tours (Frankreich; ↑Turnose), seit 1338 als *Meißn. G.* (nach dem Vorbild des *Prager* oder *Böhm. G.*) in Sachsen, später auch in anderen dt. Ländern geprägt; da der Wert zeitlich und territorial schwankte, wurden häufig Angaben über die Art der G. gemacht (meißn. Währung, Gute G., Silber-G., Gulden-G. u. a.). Seit dem 16. Jh. Scheidemünze in Österreich, der Schweiz und Süddeutschland *(Dreikreuzer),* in Preußen bis 1821 der *Gute G.* (12 Pfennige = 1 G. = $^1/_{24}$ Taler), 1821–73 der *Silber-G.* (12 Pfennige = 1 G. = $^1/_{30}$ Taler). Sachsen führte 1840 den *Neu-G.* zu 10 Pfennigen ein. Seit Beginn der Mark-Rechnung 1873 gelten in Deutschland allg. 10 Pfennige = 1 G.
2. in Österreich 1925–38 und seit 1945 kleinste Scheidemünze (1 G. = $^1/_{100}$ Schilling).

Groschenhefte (Groschenromane), in preisgünstiger Heftform meist wöchentlich in hoher Auflage auf den Markt gebrachte Trivialromane, meist in Serien mit unterschiedl. inhaltl. Schwerpunkten.

Gros de Vaud [frz. grod 'vo], Landschaft im Schweizer Mittelland zw. Neuenburger See (im N) und Genfer See (im S).

Grosny, Hauptstadt von Tschetscheno-Inguschetien innerhalb Rußlands, im nördl. Vorland des Großen Kaukasus, 401 000 E. Univ. (gegr. 1972), Erdölhochschule, PH, Theater; Erdölförderung und -raffinerien, Maschinenbau. – Aus einer 1818 erbauten Festung entstanden.

Groß, Hanns, * Graz 26. Dez. 1847, † ebd. 9. Dez. 1915, östr. Kriminalist und Strafrechtslehrer. – Prof. in Czernowitz (1897) und Graz (1905). Gilt als Begründer der Kriminalistik als einer selbständigen Wissenschaft.
G., Michael, * Frankfurt am Main 17. Juni 1964, dt. Schwimmer. – Olympiasieger 1984 (200 m Freistil, 100 m Schmetterling) und 1988 (200 m Schmetterling); Weltmeister

1982, 1986 (jeweils über 200 m Freistil und 200 m Schmetterling) sowie 1991 (4×200-m-Freistilstaffel); mehrfacher Europameister, zahlr. Weltrekorde.

Großadmiral, urspr. [Ehren]titel des höchsten Offiziers einer Kriegsmarine; im Dt. Reich höchster, dem Generalfeldmarschall entsprechender Marinedienstgrad.

Großblütige Braunelle ↑Braunelle.

Großblütiger Fingerhut ↑Fingerhut.

Großbottwar, Stadt im Neckarbecken, Bad.-Württ., 215 m ü. d. M., 7100 E. Bed. Weinbau. – Stadtrecht vermutl. zw. 1247 und 1279. – Pfarrkirche mit got. Chor und spätbarockem Langhaus; Fachwerkrathaus (1556).

Großbritannien, Hauptinsel der Brit. Inseln; auch zusammenfassende Bez. für die vereinigten Kgr. England [mit Wales] und Schottland.

Großbritannien und Nordirland

(amtl. Vollform: United Kingdom of Great Britain and Northern Ireland; dt. Vereinigtes Kgr. Großbritannien und Nordirland), parlamentar. Monarchie in NW-Europa zw. 50° und 61° n. Br. sowie 1° 45′ ö. L. und 8° 10′ w. L. **Staatsgebiet:** Vereint in Personalunion Großbritannien und Nordirland; es umfaßt die Hauptinsel der Brit. Inseln, den NO-Teil der Insel Irland, die Inseln Wight und Anglesey, die Scilly-Inseln, die Hebriden, die Shetland- und Orkneyinseln, begrenzt von der Nordsee, dem Atlant. Ozean, der Irischen See und dem Kanal; einzige Landgrenze ist diejenige zw. Nordirland und der Republik Irland. Die Kanalinseln und die Insel Man unterstehen unmittelbar der Krone. **Fläche:** 244110 km². **Bevölkerung:** 57,65 Mill. E (1992), 236 E/km². **Hauptstadt:** London. **Verwaltungsgliederung:** England: 39 Gft. (Nonmetropolitan Counties) und 6 Metropolitan Counties; Wales: 8 Gft.; Schottland: 9 Regionen und 3 Inselgebiete; Nordirland: 26 Distrikte. **Amtssprache:** Englisch. **Staatskirche:** Church of England, Church of Scotland, Church of Ireland. **Nationalfeiertag:** Offizieller Geburtstag des Monarchen. **Währung:** Pfund Sterling (£) = 100 New Pence (p). **Internationale Mitgliedschaften:** UN, Commonwealth, EU, Europarat, WEU, OECD, Colombo-Plan, WTO, NATO. **Zeitzone:** WEZ, d. i. MEZ – 1 Stunde (mit Sommerzeit).

Landesnatur: Die Oberflächenformen von G. und N. werden zu über 70% von Bergländern bestimmt, diese nehmen v. a. den N und W der Hauptinsel ein, während im mittleren, östl. und südl. Teil vorwiegend Hügel- und Tiefland vorherrschen. Die schott. Highlands im N erreichen im Ben Nevis 1343 m ü. d. M.; die Grabensenke Glen More teilt sie in die North West Highlands und die Grampian Mountains. Die schott. W-Küste ist durch Fjorde reich gegliedert. Als meist vulkan. Formen setzen sich die Gebirge auf den westschott. Inseln und in Nordirland fort. Jenseits der schott. Lowlands folgen die Southern Uplands mit den Cheviot Hills. Wales wird nahezu ganz von Bergländern (Cambrian Mountains) eingenommen; der Snowdon ist mit 1085 m der höchste Punkt von England und Wales. Das nw. und mittlere England wird geprägt durch die Cumbrian Mountains und den Mittelgebirgszug der Pennines (bis 893 m ü. d. M.). Auf der Halbinsel Cornwall erheben sich einzelne Granitmassive wie Exmoor, Dartmoor oder Bodmin Moor. Den restl. Teil Großbritanniens nehmen Flachländer (im wesentlichen südengl. Schichtstufenland mit den Höhenzügen der North Downs und South Downs südl. der Themse) und Küstenebenen ein.

Klima: Das wintermilde und sommerkühle Klima kennt nur recht abgeschwächte Jahreszeitzäsuren. Großbritannien gliedert sich in eine trocken-warme O-Hälfte und eine feuchtgemäßigte W-Hälfte, letztere mit extrem hohen Niederschlagsmengen. Ein wichtiger Klimafaktor ist die hohe Luftfeuchtigkeit, die Hauptursache der häufigen Nebelbildung.

Vegetation: Abgesehen von O-England mit wohl natürl. Grasflora war Großbritannien urspr. ein Waldland. Heute sind nur noch 9% der Landfläche mit Wald bedeckt (2/3 Nadel-, 1/3 Laubwald). Ein großer Teil der Agrarlandschaft wird durch Einhegungen charakterisiert (Heckenlandschaft). Die Baumgrenze liegt bei 650 m; auf eine schmale Kriechholzzone folgen atlant. Bergheiden, die als Rauhweiden genutzt werden (Schafhaltung).

Tierwelt: Mit der Rodung und Besiedelung wurde auch die urspr. Tierwelt weitgehend vernichtet.

Bevölkerung: Die Bev. gliedert sich in Engländer (81,5%), Schotten (9,6%), Waliser (1,9%) und Iren (4,2%). Aus den Commonwealth-Ländern stammen rd. 2 Mill. Einwanderer. Neben Englisch werden in einigen Gebieten noch kelt. Sprachen gesprochen (Schott.-Gälisch, Walisisch). Außer den Angehörigen der anglikan. und der prot.-presbyterian. Kirchen sowie der methodist. Freikirchen gibt es noch Baptisten und rd. 5,3 Mill. Katholiken, letztere v. a. in Nordirland. Es besteht allg. Schulpflicht im Alter von 5–16 Jahren. Von den privaten Internatsschulen sind Eton, Winchester, Rugby und Harrow die bedeutendsten. Das Vereinigte Kgr. verfügt über 46 Univ., deren älteste in Oxford und Cambridge sind (beide im 13. Jh. gegr.). Über 4/5 der Bev. leben in Städten.

Wirtschaft: Wichtigster Zweig ist die Ind., die neben dem Dienstleistungssektor wirtschaftsbestimmend ist. Das Vereinigte Kgr. ist ein hochindustrialisierter Staat, der Anteil der verarbeitenden Ind. am Bruttoinlandsprodukt ist seit 1978 rückläufig. Im Zuge eines langjährigen Strukturwandels gingen die einst traditionellen Ind.zweige Stahlerzeugung, Schiffbau und Textilind. in ihrer Bedeutung zurück, dagegen nahmen die Metallverarbeitung, Chemikalien- und Chemiefaserherstellung einen überdurchschnittl. Aufschwung, der Kohlenbergbau wurde modernisiert. Der staatl. bzw. staatlich kontrollierte Sektor wurde durch Reprivatisierung weitgehend abgebaut. Die Luft- und Raumfahrtind. ist eine der bedeutendsten der westl. Welt. Von der gesamten Landfläche werden 76 % agrarisch genutzt, überwiegend als Grünland. Die Viehwirtschaft steht an erster Stelle. Der Ackerbau erzeugt Futtergetreide, Braugerste, Weizen, Hackfrüchte sowie Gemüse und Obst. Die Fischerei ging in den letzten Jahrzehnten stark zurück. Bed. hat der Fremdenverkehr.

Außenhandel: Die wichtigsten Partner sind die EG-Länder (bes. Deutschland) und die USA. Ausgeführt werden Maschinen, Kfz und elektrotechn. Güter, chem. Produkte, Erdöl und Kohle, Erdölerzeugnisse, Eisen und Stahl, eingeführt Maschinen, Kraft- und Nutzfahrzeuge, chem. Produkte, Lebensmittel und Lebendvieh, Textilfasern und -gewebe, Papier und Pappe sowie Rohöl, Metalle und Stahlerzeugnisse.

Verkehr: Das Streckennetz der Eisenbahn ist im Vereinigten Kgr. 16 952 km lang. Die Gesamtlänge des Straßennetzes beträgt 357 307 km, darunter 3 122 km Autobahnen. Der Bestand an Handelsschiffen (ab 100 BRT) betrug 1988 2 142 Einheiten. Wichtigste Seehäfen sind Felixstowe, Southampton, Dover, Grimsby/Immingham und Harwich; London ist der bedeutendste Universalhafen. Zum europ. Festland bestehen etwa 40 Fährverbindungen; 1994 wurde der Kanaltunnel (Eurotunnel) unter der Straße von Dover offiziell eingeweiht. Der internat. Flugverkehr ist v. a. auf die Flughäfen von London (Heathrow, Gatwick) ausgerichtet.

Geschichte: Altertum (zur Vorgeschichte ↑Europa): Der von Cäsar unternommene Versuch (55 und 54 v. Chr.), das keltisch besiedelte Großbritannien in das Röm. Reich einzubeziehen, fand bei seinen Nachfolgern zunächst wenig Interesse. Eroberung und Organisation durch Claudius 43 n. Chr. und Gnaeus Julius Agricola (77–84) sparten das Gebiet nördl. des Firth of Forth ebenso wie Irland aus. Die durch Hadrian und Antoninus Pius angelegten Befestigungslinien konnten die Bildung und Entwicklung neuer Stämme außerhalb der Grenzen (Pikten, Skoten, Attakotten, Kaledonier) nicht verhindern. Seit dem 3. Jh. rissen Invasionen und Aufstände innerhalb des röm. Herrschaftsgebiets nicht mehr ab; sie führten Anfang des 5. Jh. zur Aufgabe der Insel.

Mittelalter (5. Jh.–1485): Nach der z. T. gewaltsamen Landnahme durch die german. Angeln, Sachsen und Jüten vom Festland her (seit dem 5. Jh.) bildeten sich 7 angelsächs. Klein-Kgr. heraus (Kent, Sussex, Essex, Wessex, East Anglia, Mercia, Northumbria), auf deren Grundlage sich die Entstehung des angelsächs. Volkes vollzog (im 7. Jh. Annahme des Christentums in seiner röm. Form) und deren Führung im 8. Jh. Mercia unter König Offa (♔ 757–796) übernahm. Die v. a. klösterl. angelsächs. Kultur wirkte in Verbindung mit missionar. Tätigkeit seit Ende des 7. Jh. stark auf den europ. Kontinent ein. Die angelsächs. Herrschaft wurde im 9. Jh. durch die Einfälle heidn., meist dän. Wikinger schwer erschüttert. Sie faßten in N-Schottland und Teilen Irlands sowie im N und O Englands festen Fuß. Mercia verlor seine Führungsposition an Wessex, das unter Alfred d. Gr. (♔ 871–899) die Dänen zum Frieden zwang (878), die sich danach dem Christentum zuwandten. König Ethelstan von Wessex (♔ 924–939) beherrschte im wesentlichen das ganze heutige England. Nach dem Fall des dän. Kgr. von York wurde 955 ein gesamtengl. Königtum geschaffen. Grundlage dafür war insbes. die Verwaltungsgliederung nach Gft. Die gleichzeitige Erneuerung der Kirche brachte neben der Reform des klösterl. Lebens mit der Nachahmung des westfränk. Krönungsrituals dem Königtum eine christl.-sakrale Überhöhung. Konflikte mit dem erstarkten Adel und neue Däneneinfälle schwächten das Königtum. Ethelred II. verlor 1013 die Krone an den dän. König Svend Gabelbart, dessen 2. Sohn Knut I., d. Gr., 1016 England besetzte und sich zum König wählen ließ (auch König von Dänemark seit 1018, von Norwegen seit 1028). Nach dem Tode Knuts und seiner Söhne kam 1042 mit Eduard dem Bekenner wieder ein nat. Königtum zum Zuge. Eduards Nachfolger Harold II. Godwinson unterlag jedoch bei Hastings am 14. Okt. 1066 einem normann. Invasionsheer unter Herzog Wilhelm, der Erbansprüche auf den engl. Thron geltend machte.

Bei seiner Krönung in Westminster erkannte König Wilhelm I. ausdrücklich bestehende Verfassungseinrichtungen (Gesetze, Verwaltungsgliederung) an. Die angelsächs. Oberschicht, die ihren Besitz weitgehend verloren hatte, wurde durch normann.-frz. Adel ersetzt, der zumeist auch auf dem Kontinent ausgedehnten Landbesitz hatte, wodurch England kontinentalen Einflüssen geöffnet

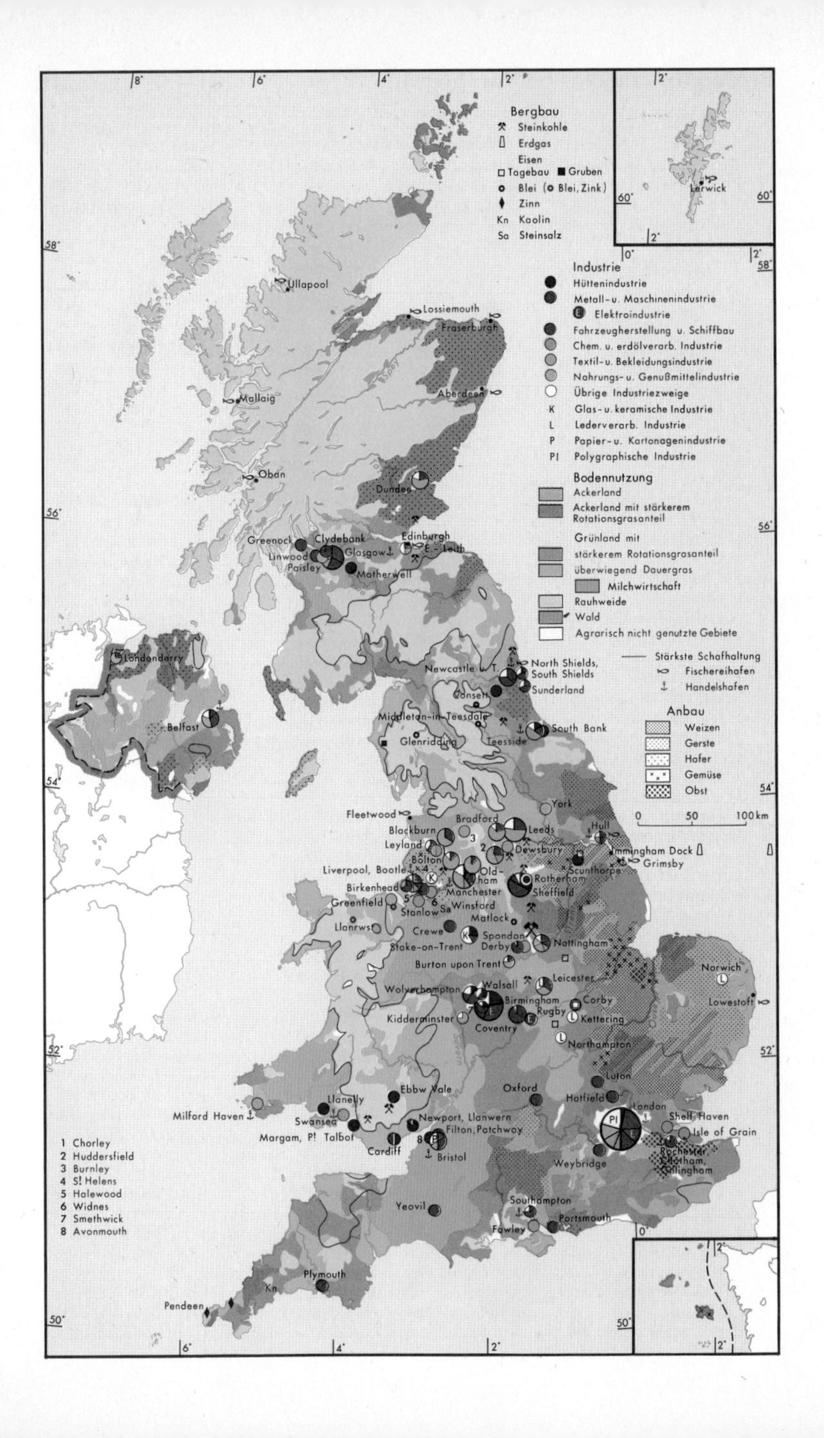

Bergbau
Steinkohle
Erdgas
Eisen
Tagebau
Gruben
Blei (Blei, Zink)
Zinn
Kn Kaolin
Sa Steinsalz
Industrie
Hüttenindustrie
Metall- u. Maschinenindustrie
Elektroindustrie
Fahrzeugherstellung u. Schiffbau
Chem. u. erdölverarb. Industrie
Textil- u. Bekleidungsindustrie
Nahrungs- u. Genußmittelindustrie
Übrige Industriezweige
K Glas- u. keramische Industrie
L Lederverarb. Industrie
P Papier- u. Kartonagenindustrie
Pl Polygraphische Industrie
Bodennutzung
Ackerland
Ackerland mit stärkerem Rotationsgrasanteil
Grünland mit
stärkerem Rotationsgrasanteil
überwiegend Dauergras
Milchwirtschaft
Rauhweide
Wald
Agrarisch nicht genutzte Gebiete
Stärkste Schafhaltung
Fischereihafen
Handelshafen
Anbau
Weizen
Gerste
Hafer
Gemüse
Obst
0 50 100 km
Lerwick
Ullapool
Lossiemouth
Fraserburgh
Aberdeen
Mallaig
Oban
Dundee
Greenock
Clydebank
Glasgow
Linwood
Paisley
Motherwell
Edinburgh
Leith
Londonderry
Belfast
Newcastle u. T.
North Shields, South Shields
Sunderland
Consett
Middleton-in-Teesdale
Glenridding
Teesside
South Bank
York
Fleetwood
Bradford
Leeds
Blackburn
Leyland
Bolton
Dewsbury
Hull
Immingham Dock
Grimsby
Scunthorpe
Liverpool, Bootle
Oldham
Rotherham
Birkenhead
Manchester
Sheffield
Greenfield
Stanlow
Winsford
Matlock
Llanrwst
Crewe
Spondon
Derby
Nottingham
Stoke-on-Trent
Burton upon Trent
Norwich
Wolverhampton
Walsall
Leicester
Birmingham
Corby
Lowestoft
Kidderminster
Rugby
Kettering
Coventry
Northampton
Luton
Ebbw Vale
Oxford
Hatfield
Llanelly
London
Shell Haven
Milford Haven
Swansea
Newport, Llanwern
Isle of Grain
Margam, Pt Talbot
Filton, Patchway
Cardiff
Bristol
Rochester
Chatham
Gillingham
Weybridge
Yeovil
Southampton
Portsmouth
Fawley
Plymouth
Kn
Pendeen
1 Chorley
2 Huddersfield
3 Burnley
4 St Helens
5 Halewood
6 Widnes
7 Smethwick
8 Avonmouth

Verwaltungsgliederung (Stand: 1991)

	Fläche (km^2)	E (in 1000)
England		
Metropolitan Counties		
Greater Manchester	1 286	2 499
Merseyside	652	1 403
South Yorkshire	1 560	1 262
Tyne and Wear	540	1 095
West Midlands	899	2 551
West Yorkshire	2 039	2 013
Grafschaften (Nonmetropolitan Counties)		
Avon	1 338	932
Bedfordshire	1 235	524
Berkshire	1 256	734
Buckinghamshire	1 883	632
Cambridgeshire	3 409	645
Cheshire	2 322	956
Cleveland	583	550
Cornwall and Isles of Scilly	3 546	468
Cumbria	6 809	483
Derbyshire	2 631	928
Devon	6 715	1 009
Dorset	2 654	645
Durham	2 436	593
East Sussex	1 795	690
Essex	3 674	1 528
Gloucestershire	2 638	528
Hampshire	3 772	1 541
Hereford and Worcester	3 927	676
Hertfordshire	1 634	975
Humberside	3 512	858
Isle of Wight	381	124
Kent	3 732	1 508
Lancashire	3 043	1 383
Leicestershire	2 553	867
Lincolnshire	5 885	584
Norfolk	5 355	745
Northamptonshire	2 367	578
Northumberland	5 033	304
North Yorkshire	8 317	702
Nottinghamshire	2 164	993
Oxfordshire	2 611	547
Shropshire	3 490	406
Somerset	3 458	460
Staffordshire	2 716	1 031
Suffolk	3 800	632
Surrey	1 655	1 018
Warwickshire	1 981	484
West Sussex	2 016	702
Wiltshire	3 481	564

	Fläche (km^2)	E (in 1000)
Wales		
Grafschaften		
Clwyd	2 425	408
Dyfed	5 765	343
Gwent	1 376	442
Gwynedd	3 868	235
Mid Glamorgan	1 019	534
Powys	5 077	117
South Glamorgan	416	392
West Glamorgan	815	361
Schottland		
Regionen		
Borders	4 662	103
Central	2 590	267
Dumfries and Galloway	6 475	147
Fife	1 308	341
Grampian	8 550	503
Highland	26 136	204
Lothian	1 756	726
Strathclyde	13 856	2 248
Tayside	7 668	383
Island Authority Areas	5 566	71
Orkney Islands	974	19
Shetland Islands	1 427	22
Western Isles	2 901	30
Nordirland		
Distrikte		
Antrim	415	44
Ards	368	64
Armagh	667	51
Ballymena	634	56
Ballymoney	417	24
Banbridge	442	33
Belfast	111	279
Carrickfergus	85	32
Castlereagh	84	60
Coleraine	478	50
Cookstown	512	31
Craigavon	279	75
Derry	373	95
Down	638	58
Dungannon	763	45
Fermanagh	1 700	54
Larne	337	29
Limavady	585	29
Lisburn	436	99
Magherafelt	562	36
Moyle	494	15
Newry and Mourne	886	83
Newtownabbey	160	74
North Down	73	72
Omagh	1 124	46
Strabane	861	36

wurde. Die normann.-frz. Kultur überlagerte für die nächsten Jh. die angelsächs.-skand. Elemente. In der Verbindung des vom König (der ein Drittel des Bodens besaß) geführten Lehnswesens mit den rechtl. und administrativen Traditionen der angelsächs. Zeit lag die einzigartige Stärke des ma. engl. Königtums begründet. Nach dem Aussterben der normann. Dyn. im Mannesstamm 1135 kam es zum Bürgerkrieg, bis die Krone an Heinrich Plantagenet, Graf von Anjou, fiel. Als Heinrich II. (♔1154–89) verfügte er aus Erbe und Mitgift über die Herrschaft im gesamten W und SW Frankreichs, war damit der mächtigste Kronvasall des frz. Königs und schuf so die Grundlage für die dauernde Präsenz der engl. Krone auf frz. Boden. Irland wurde 1171/72 erobert, Schottland und Wales erkannten die engl. Oberlehnsherrschaft an. Im Innern schuf Heinrich II. mit der allg. Zuständigkeit der königl. Gerichte die Grundlinien des Common Law. Die Neuabgrenzung des Verhältnisses von Kirche und Staat (Konstitutionen von Clarendon, 1164) führte zum Konflikt mit Erzbischof Thomas Becket und zu dessen Ermordung. Unter Heinrichs Söhnen Richard I. (Löwenherz, ♔1189–99) und Johann I. (ohne Land, ♔1199–1216) kam es zur Auseinandersetzung mit dem frz. König um die engl. Festlandbesitzungen, wobei zunächst die Normandie und nach der Niederlage bei Bouvines (1214) die übrigen frz. Besitzungen mit Ausnahme des SW verloren gingen. Bereits 1213 hatte Johann sein Land vom Papst zu Lehen nehmen müssen. Diese Mißerfolge stärkten die oppositionellen Barone im Innern, die 1215 von Johann die Bestätigung ihrer Rechte in der Magna Carta libertatum (↑Magna Carta) erzwangen. Unter Heinrich III. (♔1216–72) kam es zu anhaltenden bürgerkriegsähnl. Auseinandersetzungen zw. Krone und Baronen. Ein Aufstand, geführt von Simon de Montfort, führte zur Gefangennahme des Königs (1264) und zur Einberufung eines Parlaments, in dem erstmals neben den Baronen Vertreter der Gft. sowie der Städte saßen (1265). Eduard I. (♔1272–1307) konnte zwar Simon de Montfort ausschalten, trug jedoch der Entwicklung Rechnung, indem er häufig Parlamente einberief (Model parliament, 1295). Er gliederte endgültig das Ft. Wales in den engl. Herrschaftsbereich ein (Titel „Prince of Wales" für den engl. Thronfolger seit 1282). Im Konflikt Eduards II. (♔1307–27) mit den Baronen, der mit seiner Absetzung und Ermordung endete, gewann das Parlament immer größeres Gewicht. Grafschaftsvertreter und Bürger („Commons") tagten fortan im Unterhaus und errangen 1360 ein unumgängl. Bewilligungsrecht für außerordentl. Finanzen.

Das 14. Jh. war in England, wie in ganz Europa, durch tiefe Krisenerscheinungen bestimmt. V. a. die Pestepidemien von 1348–50 und 1361 brachten einen Bev.rückgang von 30% mit nachhaltigen Auswirkungen im Agrarsektor. Der Konfliktstoff entlud sich im Bauernaufstand von 1381, der sich insbes. gegen die Erhöhung der bäuerl. Dienstpflichten und die Einführung einer Kopfsteuer richtete und sich mit dem religiösen Wirken J. Wyclifs sowie J. Balls gegen die Besitzkirche verband (Weiterführung durch die Lollarden). Als Eduard III. (♔1327–77) Ansprüche auf die frz. Krone erhob, brach 1337 der Hundertjährige Krieg aus, in dem schließlich Heinrich V. (♔1413–22) aus dem Haus Lancaster bei Azincourt 1415 einen entscheidenden Sieg über Frankreich errang. Im Vertrag von Troyes 1420 wurde er als Regent und Erbe von Frankreich anerkannt und mit Katharina, Tochter Karls VI. von Frankreich, vermählt. Gegen seinen erst einjährigen Nachfolger Heinrich VI. (♔1422–61) lebte der frz. Widerstand erneut verstärkt auf, verkörpert bes. in der Person Jeanne d'Arcs, und zwang die Engländer, das Land bis auf Calais zu räumen. Der Krieg endete 1453 ohne Vertrag. Ein Thronstreit der Häuser Lancaster (Wappen: rote Rose) und York (Wappen: weiße Rose) löste die sog. Rosenkriege aus (1455–85), in denen sich zunächst das Haus York mit Eduard IV. (♔1461–83) durchsetzen konnte. Als aber Richard III. (♔1483–85) nach Beseitigung seiner Verwandten den Thron bestieg, bildete sich gegen ihn eine Opposition heraus, die hauptsächlich von Henry Tudor, Earl of Richmond, getragen wurde, der mit dem Haus Lancaster verwandt war.

Der Ausbau der königl. Machtstellung unter den Tudors (1485–1603): Die Schlacht bei Bosworth (22. Aug. 1485) beendete die Rosenkriege. Henry Tudor wurde als Heinrich VII. (♔1485–1509) engl. König. Durch die Heirat mit Elisabeth von York vereinigte er den Besitz der beiden Häuser. Zur Beratung des Königs wurde ein von ihm berufener Staatsrat errichtet. Heinrich VII. stärkte die zentralen Gerichtshöfe, reorganisierte die Finanzverwaltung und betrieb eine umsichtige Wirtschafts- und Handelspolitik (Verträge mit Dänemark, den Niederlanden und Riga, Unterstützung der Handelskompanien, beginnender Aufbau einer Flotte). Sein Sohn Heinrich VIII. (♔1509–47) führte ohne durchschlagenden Erfolg Krieg gegen das mit Frankreich verbündete Schottland und konnte auch Irland nicht unterwerfen, obschon er sich 1542 zum König von Irland erklärt hatte. Größte Bed. erlangte die von ihm aus persönl. Gründen (Scheidung von Katharina von Aragonien und Heirat Anna Boleyns) vollzogene Trennung von der röm. Kir-

ENGLAND UNTER DEN ANGELSÄCHSISCHEN KÖNIGEN 802 - 1066
Die Vereinigung der 7 Teilreiche zum Königreich Anglia

che (1533/34). Der König war von nun an Oberhaupt der anglikan. Kirche. Wer den ↑Suprematseid verweigerte, setzte sich der Verfolgung aus (z.B. Hinrichtung von Sir Thomas More 1535). Alle Klöster wurden aufgehoben, was der Krone reichen Gewinn an Grund und Boden brachte. Doch bis zum Ende seiner Reg.zeit mußte Heinrich VIII. zwei Drittel dieses Grundbesitzes an den kleinen Landadel (Gentry) verkaufen, um seine auswärtigen Kriege zu finanzieren. Damit wurden die wirtsch. Grundlagen für die maßgebl. polit. Rolle der Gentry im 17. und 18. Jh. gelegt. Unter Eduard VI. (♔1547–53) wurden die Reformation des Glaubens und die Gestaltung der anglikan. Kirche durch staatl. Gesetze und Verordnungen (u.a. 1. und 2. „Common Prayer Book", 1549 u. 1552) nicht ohne Gewalt vorangetrieben. Maria I. Tudor (♔1553–58), die 1554 König Philipp II. von Spanien heiratete, versuchte als fanat. Katholikin, die gesamte kirchl. Gesetzgebung seit Heinrich VIII. rückgängig zu machen. 1558 verlor England mit Calais den letzten Stützpunkt auf frz. Boden.

Unter Elisabeth I. (♔1558–1603) büßte die röm.-kath. Partei mit der Enthauptung der ehem. schott. Königin Maria Stuart (1587), die als Urenkelin Heinrichs VII. Anspruch auf den engl. Thron erhoben hatte, ihr polit. Gewicht ein. Der letzte Versuch, mit bewaffneter Macht von außen den Katholizismus zu restaurieren, scheiterte 1588 durch die vernichtende Niederlage der span. Armada. Von welthistor. Bed. war der Niedergang Spaniens und Englands Aufstieg zur Weltgeltung. Elisabeth förderte die Entdeckungsreisen engl. Seeleute, den Aufbau einer Handelsflotte und den Außenhandel (Gründung neuer Handelskompanien). Die merkantilist. Wirtschaftspolitik verhalf Bürgertum und Gentry zu gesteigertem Wohlstand und stärkte ihren Einfluß im Parlament. Neben Königin und Reg. wurde das Unterhaus zum Träger polit. Entscheidungen. Das geistige und literar. Leben gelangte zu hoher Blüte.

Der Kampf zw. Krone und Parlament unter den Stuarts (1603–1714): Der von Elisabeth zum Nachfolger bestimmte Sohn Maria Stuarts, Jakob I. (♔1603–25), vereinigte erstmals die Kronen von Schottland und England. Er erweiterte die königl. Rechte, mißachtete die Unabhängigkeit der Rechtsprechung und ließ mißliebige Politiker verhaften. Demgegenüber pochte das Parlament auf seine Eigenständigkeit und erworbene Rechte. Der Druck Jakobs I. auf die Puritaner veranlaßte viele zur Auswanderung nach Übersee (Pilgerväter). Der Kampf zw. Krone und Parlament wurde auch unter Karl I. (♔1625–49) fortgesetzt. 1628 bewilligte Karl I. zwar die ↑Petition of Right, regierte jedoch 1629–40 ohne Parlament. Ziel des Königs war ein vom Parlament unabhängiges, auf ein stehendes Heer gestütztes Königtum sowie die Durchsetzung der Uniformität der anglikan. Kirche gegen die Puritaner in England und die Presbyterianer in Schottland. Um die Finanzmittel zur Bekämpfung von Unruhen in Schottland und Irland zu erhalten, sah Karl I. sich 1640 gezwungen, das Parlament einzuberufen. Diesem gelang es, seine Machtstellung grundlegend und letztlich auf Dauer zu sichern: Einberufung des Parlaments unabhängig vom Willen des Königs alle 3 Jahre, Zuständigkeit des Parlaments für die gesamte Steuergesetzgebung, Beseitigung

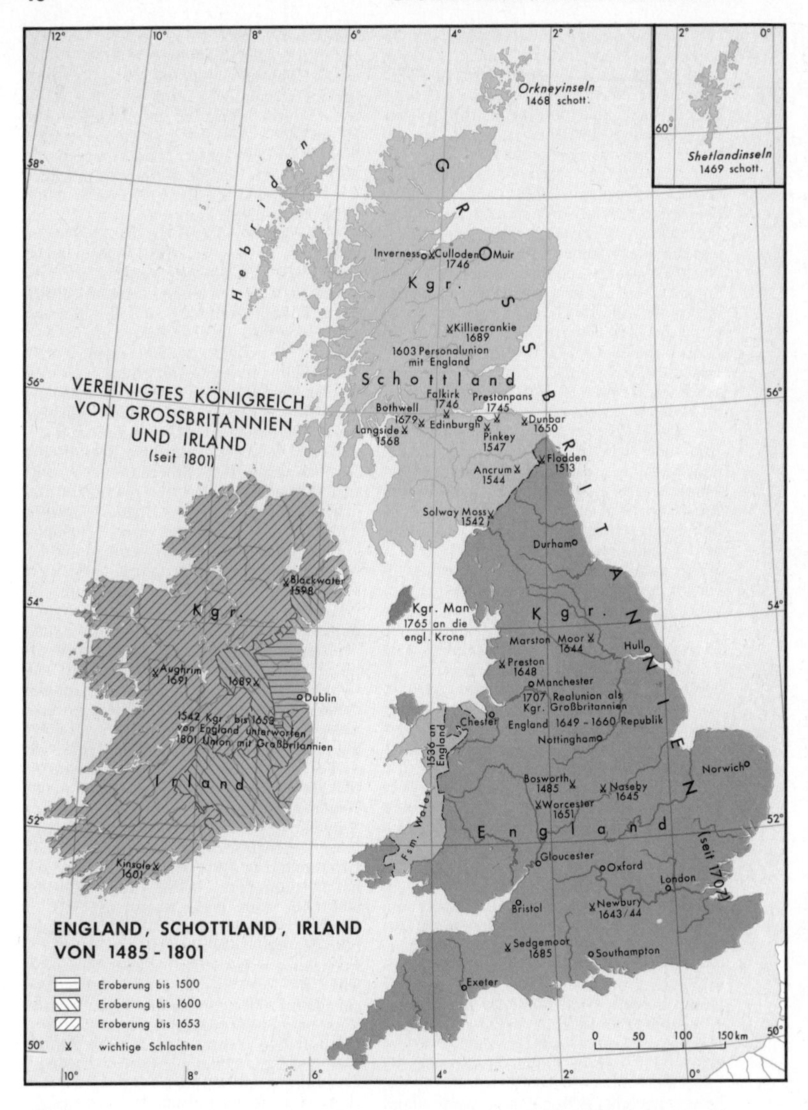

aller Sondergerichte. Die Verschärfung des Konflikts zw. Krone und Parlament führte 1642 zur Puritan. Revolution, in der O. Cromwell mit den Anhängern des Parlaments („Rundköpfe") über die Parteigänger des Königs („Kavaliere") siegte (Erfolge des Parlamentsheeres in den Schlachten von Naseby 1645 und Newark-on-Trent 1646). Cromwell vertrieb die Presbyterianer aus dem Parlament und ließ durch ein „Rumpfparlament" von etwa 60 radikalen Puritanern den König zum Tode verurteilen (Hinrichtung am 30. Jan. 1649).

Monarchie und Oberhaus wurden abgeschafft und England zum Commonwealth erklärt. 1649 unterwarf Cromwell Irland, 1650/51 sicherte er die engl. Herrschaft über Schottland. Nach Auflösung des Parlaments erhielt das Land 1653 eine schriftl. Verfassung. Cromwell regierte, gestützt auf ein stehendes Heer, als Lordprotektor wie ein Alleinherrscher. Die Navigationsakte (1651) verschloß Englands Häfen allen fremden Schiffen, die nicht Waren ihres Heimatlandes brachten. Die Kämpfe zur See gegen Spanien und die Niederlande waren z. T. erfolgreich. Nach Cromwells Tod versah sein unfähiger Sohn Richard nur für kurze Zeit das Amt des Lordprotektors (1658/59). Er wurde durch General G. Monk abgelöst, der den Sohn Karls I. aus dem Ausland zurückrief.

Gegen die kath. und die absolutist. Tendenzen Karls II. (♔1660–85), mit dem die Stuart-Herrschaft restauriert wurde, verabschiedete das Parlament 1673 die ↑Testakte und 1679 die ↑Habeaskorpusakte. Karls Bruder und Nachfolger Jakob II. (♔1685–88) bekannte sich offen zur kath. Konfession und betrieb eine absolutist. Rekatholisierungspolitik. Nach der Geburt seines Sohnes 1687 sahen deshalb beide Kräfte im Parlament – Whigs und Tories – die prot. Thronfolge in Gefahr und baten Wilhelm von Oranien, den Erbstatthalter der Niederlande, und seine Gemahlin Maria, eine Tochter Jakobs II., die Herrschaft in England anzutreten. Der Thronwechsel von Jakob II. zu Wilhelm III. (♔1689–1702) und Maria II. (♔1689–94) vollzog sich unblutig und wird deshalb als Glorious revolution bezeichnet. Die 1689 verabschiedete ↑Bill of Rights schrieb grundlegende Rechte des Parlaments fest und schränkte die Macht der Krone ein. Wilhelm III. führte England in die europ. Politik zurück. Er griff in den Abwehrkampf gegen die drohende Hegemonie König Ludwigs XIV. von Frankreich ein und erhob das Gleichgewicht der europ. Mächte zu seinem außenpolit. Prinzip. Nach Beteiligung am Span. Erbfolgekrieg kam es unter Anna Stuart (♔1702–14) zum Abschluß des Friedens von Utrecht (1713); dieser beseitigte die Gefahr einer frz. Vorherrschaft, erweiterte Englands amerikan. Kolonialbesitz und begründete seine beherrschende Stellung im Mittelmeerraum (Erwerb von Gibraltar und Menorca). 1707 wurde durch die Vereinigung des schott. und des engl. Parlaments die seit 1603 bestehende Personalunion zw. England und Schottland in eine Realunion überführt; seitdem amtl. Bez. „Großbritannien".

Großbritannien auf dem Weg zur Weltmacht (1714–1815): 1714 ging die brit. Krone auf das Haus Hannover über. Bis 1837 war der brit. König zugleich Kurfürst von Hannover, d. h. Reichsfürst. Unter Georg I. (♔1714–27) und Georg II. (♔1727–60) bestimmte 21 Jahre Sir Robert Walpole die Politik (Konsolidierung der Staatsfinanzen, friedl. Außenpolitik). Unter W. Pitt d. Ä. erreichte Großbritannien im Siebenjährigen Krieg (1756–63) als Bundesgenosse Preußens Erfolge gegen Frankreich (Eroberung Kanadas) und baute die brit. Herrschaft in Indien aus. Der Friede von Paris (1763) war damit eine entscheidende Etappe auf dem Weg zum brit. Weltreich. Georg III. (♔1760–1820) mußte nach dem amerikan. Unabhängigkeitskrieg (1775–83) den Verlust der nordamerikan. Kolonien (außer Kanada) hinnehmen. Danach verlagerte sich der Schwerpunkt der brit. Reichspolitik nach Indien. Die Frz. Revolution bedeutete eine innen- und außenpolit. Herausforderung. Im Innern wurden bereits vorhandene Reformansätze verschärft. Zahlr. radikale Gesellschaften entstanden; es kam zu Unruhen. Durch Gesetze und Prozesse brachte die Reg. die Reformbewegung zum Erliegen und wandte sich mit ganzer Kraft gegen die erneut drohende frz. Hegemonie. In 4 Koalitionskriegen und insgesamt 22 Kriegsjahren bekämpfte Großbritannien mit seinen Verbündeten bei wechselndem Schlachtenglück, aber am Ende erfolgreich die Revolutionsheere und Napoleon I., der Großbritannien nicht nur durch die ägypt. Expedition und die Kontinentalsperre, sondern auch durch Invasionspläne bedrohte. Das „Vereinigte Kgr. von Großbritannien und Irland", wie der Landesname seit der von W. Pitt d. J. 1800 bewirkten Realvereinigung mit Irland lautete, erreichte auf dem Wiener Kongreß (1814/15) die Wiederherstellung des Gleichgewichts der europ. Mächte und die Garantie seiner kolonialen Neuerwerbungen (Malta, Helgoland, Ceylon, Kapkolonie, Mauritius, Trinidad, Tobago u. a.). Die industrielle Revolution begann in Großbritannien Mitte des 18. Jh. Eine bis dahin nicht gekannte gesellschaftl. Umwälzung wurde bei enormem Bev.wachstum (1750: 6,3 Mill.; 1851: 21 Mill.) durch die Mechanisierung der Ind., das Wirtschaftswachstum, die Entstehung industrieller Ballungszentren bewirkt, die Großbritannien trotz der aufbrechenden sozialen Spannungen einen wirtsch. Vorsprung in Europa sicherten.

Industrialisierung und innere Reformen (1815–50): Bis zum Ende des 19. Jh. war Großbritannien „Werkstatt der Welt" und zugleich ihr Bankier. Seine Rolle als führende Welthandelsmacht beruhte auf seiner Sozialstruktur, überlegener Technologie, Kapitalreichtum und weltweiten Exportmärkten. Die Expansion der Textilind., der Montanind. und des Maschinenbaus führte zur Zusammenballung von Arbeitskräften in immer größeren Ind.betrieben. Mit der Umstellung der Hochöfen von Holz- auf Steinkohle weitete sich die Kohle- und Stahlproduktion massiv aus. Der Bau von Eisenbahnen steigerte die Nachfrage nach Eisen. Der Staat überließ das industrielle Wachstum seiner eigenen Dynamik und beschränkte sich bis Mitte des 19. Jh. darauf, Rahmenbedingungen zu setzen (Fabrikgesetzgebung und Gewerbeaufsicht, Steuern und Subventionen, Zölle und Einfuhrsperren, Seehandelsmonopol). Regelmäßig kam es zu Bankrotten, Betriebsstillegungen und Massenarbeitslosigkeit. Aber auch in Zeiten der Prosperität blieben die Löhne infolge des Überangebots an Arbeitskräften niedrig, Arbeitszeit und Arbeitsbedingungen unmenschlich. Erst 1847 wurde die gesetzl. Begrenzung des Arbeitstags auf 10 Stunden für Frauen und Jugendliche, 1850 für alle erreicht. Schon das ausgehende 18. Jh. hatte erste industrielle Arbeitskämpfe erlebt, anfangs von seiten der Maschinenstürmer, später als bewußte Auflehnung gegen ökonom. Herrschaft. Die bis dahin weitgehend unorganisierte Arbeiterschaft sammelte sich seit Mitte der 1830er Jahre in der Massen- und Protestbewegung des Chartismus. Die Agitation der Chartisten für die Demokratisierung der Verfassungsinstitutionen und die sozialen Rechte der Arbeiter verbanden sich mit dem Kampf der Unternehmer gegen die hohen Getreidezölle, die dem Großgrundbesitz zugute kamen (Anti-Corn-Law-League). 1842 wurden die Getreidezölle gesenkt, 1846 abgeschafft. Mit dem Übergang zum vollen Freihandel 1853 zerfiel das Bündnis von Industriellen und Arbeitern. Letztere blieben für Jahrzehnte ohne organisierte Interessenvertretung.

1815–22 war die brit. Politik im Innern bei schwindender Autorität der Krone von Revolutionsfurcht und Repression (Militäreinsätze bei Arbeiterunruhen, Unterdrückung der Pressefreiheit), nach außen von unbedingter Unterstützung des Systems Metternich gekennzeichnet. Mit dem Amtsantritt G. Cannings als Außenmin. 1822 wurde der innen- und außenpolit. Kurs gelockert. Sir Robert Peel führte die ultrakonservativen Tories in eine realist.-reformer. Richtung (1824 Gewährung des Koalitionsrechts an Arbeiter). Die gegen den anfängl. Widerstand des Oberhauses durchgesetzte Wahlrechtsreform von 1832 verschaffte den Industriestädten parlamentar. Vertretung und gab Hausbesitzern und Wohnungsmietern direktes und gleiches Wahlrecht. Die Kabinettsbildung verlagerte sich nun endgültig ins Unterhaus; die Parteien begannen sich – verstärkt seit der 2. Wahlreform von 1867 – von exklusiven Klubs zu modernen Organisationen mit Massengefolgschaft zu wandeln (nunmehr Konservative und Liberale statt Tories und Whigs). In den folgenden Jahren wurde die Reformpolitik weitergeführt (u. a. Verbot der Sklaverei im Brit. Reich, Reform der Armengesetzgebung). Seit der Thronbesteigung der Königin Viktoria (⚭1837–1901), die einem ganzen Zeitalter ihren Namen gab, wurde eine strikt liberale und konstitutionelle Reg.-form Maßstab der Innenpolitik, von den reformer. Kräften auf dem Kontinent als vorbildhaft betrachtet. In Irland scheiterten alle Reformpläne am Widerstand der brit. Landbesitzer, die von der rechtl. und polit. Diskriminierung der kath. Iren profitierten, und an der anglikan. Hierarchie. Die ir. Hungersnot von 1845/46 brachte die Mißstände zum Höhepunkt: 500 000 Hungertote wurden gezählt. Massenarbeitslosigkeit brach aus. Der Aufstand des „Jungen Irland" (1848) scheiterte. Durch Massenauswanderung in die USA wurde die Krise scheinbar gelöst.

Höhepunkt brit. Machtstellung in Europa und in der Welt (1850–1914): Im Krimkrieg (1853/54–56) trat Großbritannien dem russ. Streben zum Mittelmeer entgegen. Das Empire wurde zum größten Kolonialreich der imperialist. Epoche bei zunehmender Föderalisierung ausgebaut. Die Kolonien wurden allerdings z. T. in krieger. Annexions- und Unterwerfungspolitik gewonnen. Kanada erhielt bis 1867 verantwortl. Selbstreg.; es folgten Australien, Neuseeland und Südafrika. Diese partnerschaftl. Politik bestand ihre Bewährungsprobe im 1. Weltkrieg, an dem die Dominions an der Seite des Mutterlandes teilnahmen. Die brit. Weltmachtstellung wurde v. a. unter dem konservativen Premiermin. Disraeli (1874–80) ausgebaut: 1875 Ankauf der Sueskanalaktien (1882 formale Oberhoheit über Ägypten), 1876 Annahme des ind. Kaisertitels durch Königin Viktoria, 1878 Gewinn Zyperns. Am Versuch einer Autonomielösung für Irland (Homerule), der die Liberal Party spaltete, scheiterte Disraelis liberaler Nachfolger W. E. Gladstone. Die ir. Frage blieb innenpolit. Hauptproblem bis zum Vorabend des 1. Weltkriegs, als die erneute Vorlage der Homerule-Bill durch die liberale Reg. Asquith das Land an den Rand des Bürgerkriegs führte. Die deutsch-brit. Flottenrivalität ab 1898 und die brit. Isolation im Burenkrieg (1899–1902) führten zur Abkehr von der Politik der ↑Splendid isolation, zum Bündnis mit Frankreich (Entente cordiale, 1904), zum Abkommen mit Rußland 1907 und zum beschleunigten Bau der Großkampfschiffe (Dreadnoughts) seit 1909. Die Innenpolitik der letzten Vorkriegsjahre wurde von den liberalen Kabinetten Sir Henry Campbell-Bannerman (1905–08) und H. H. Asquith (1908–16) bestimmt. Die sozialen Reformen (Neuregelung des Arbeitsrechts, Sicherung der Stellung der Gewerkschaften,

Achtstundentag im Bergbau, ansatzweise Mindestlöhne) und der Bau der Dreadnoughts erforderten 1909 das sog. People's Budget, das höhere Einkommen- und Erbschaftsteuern brachte. Der Widerstand des Oberhauses führte bis 1911 zu einer schweren Verfassungskrise, die jedoch mit seiner Entmachtung endete: Das Oberhaus hatte danach nur noch ein aufschiebendes Veto.

Erster Weltkrieg und Zwischenkriegszeit (1914–39): In der Julikrise 1914 versuchte Großbritannien zwar zu vermitteln, konnte sich aber der Logik der Bündnisse, der Furcht vor Isolierung und vor dt. Hegemonie nicht entziehen. Es bildete sich (ohne Iren) eine Kriegskoalition aller Parteien, von deren Vertrauen selbst die diktator. Machtstellung Lloyd Georges (ab 1916) abhängig blieb. Unter Erhaltung der liberal-demokrat. Tradition wurden der Staatsbürokratie umfassende Kontroll- und Steuerungsfunktionen von der Zensur bis zur zentralen Wirtschaftsplanung eingeräumt. Die Kriegsfinanzierung wurde v. a. durch drückende Steuern gesichert. Der Verhinderung eines Sonderfriedens seiner Bündnispartner mit den Mittelmächten diente die Festlegung Großbritanniens auf die maximalen frz. und italien. Kriegsziele. Erst angesichts der bolschewist. Oktoberrevolution (1917) und der gefürchteten Sozialrevolution in Deutschland und Ostmitteleuropa kehrte Großbritannien vorsichtig zu den Maximen des Gleichgewichts zurück, in der Hoffnung, Nachkriegsdeutschland zum Damm gegen Sowjetrußland aufzubauen. Dies bestimmte mit die im Vergleich zu Frankreich elastischere brit. Haltung auf der Pariser Friedenskonferenz 1919 und in der Reparationsfrage.

Von den Verstrickungen der ir. Frage entlastete sich Großbritannien 1921 durch die Teilung Irlands, wobei Südirland in ein Dominion innerhalb des Commonwealth umgewandelt wurde. Die wirtsch. Zerrüttung und polit. Desorientierung der Mittelschichten wurde augenfällig in dem raschen Zerfall der Liberal Party und dem Aufstieg der Labour Party, die sich nach dem Mißerfolg des Generalstreiks 1926 endgültig für den parlamentar. Weg zum Sozialismus entschied. Die Umstellung auf Friedenswirtschaft brachte schwere Erschütterungen (ausgedehnte Streiks; 1921: 2,5 Mill. Arbeitslose). Um die Westoption Deutschlands zu fördern, setzte sich die konservative Reg. unter S. Baldwin (ab 1924) für den Locarnopakt sowie den dt. Beitritt zum Völkerbund ein und war zur schrittweisen Revision des Versailler Vertrages bereit. Die nach den Wahlen 1929 gebildete Labourreg. unter J. R. MacDonald wurde 1931 in der Weltwirtschaftskrise um Konservative und Liberale zu einem National government erweitert. Die Umgestaltung des Commonwealth zu einer Gemeinschaft gleichberechtigter Staaten wurde im Westminster-Statut 1931 festgeschrieben. Dem nat.-soz. Deutschland begegnete Großbritannien mit der opportunist. Hoffnung, es werde als Wellenbrecher gegen die sowjet. Bedrohung wirken. Man erwartete zunächst, daß Hitler nur die dt. Politik der friedl. Revision des Versailler Vertrags fortführen würde. Das Dt.-Brit. Flottenabkommen von 1935, das die Loslösung des NS-Regimes vom Versailler Vertrag bereits förmlich sanktionierte, war ein erster entscheidender Schritt auf dem Weg der brit. Beschwichtigungspolitik (Appeasement) gegenüber dem nat.-soz. Deutschland: Hinnahme der Remilitarisierung des Rheinlands, der Wiedereinführung der allg. Wehrpflicht, des „Anschlusses" von Österreich, der Sudetenkrise (1938) und der Annexion der restl. tschech. Gebiete (März 1939). Erst mit der Garantie für die Unversehrtheit Polens (31. März 1939) begann Großbritannien der dt. Expansion entgegenzutreten.

Zweiter Weltkrieg und Nachkriegszeit (seit 1939): Politisch bewirkte der 2. Weltkrieg die endgültige Zerstörung der brit. Weltmachtstellung. Im Mai 1940 wurde A. N. Chamberlain durch W. Churchill als Premiermin. einer großen Kriegskoalition abgelöst. Churchills Angebot einer brit.-frz. Union konnte indes den frz. Zusammenbruch (Juni 1940) nicht mehr verhindern. Von da an bis zum vollen Kriegseintritt der USA war Großbritannien, das sich 1940 schwerer dt. Luftangriffe zu erwehren hatte („Schlacht um England"), der einzige Träger des Widerstands gegen das faschist. Europa. Die rasche Umstellung auf Kriegswirtschaft intensivierte noch einmal den staatl. Eingriff in die ohnehin bereits hochgradig konzentrierte und staatlich gelenkte Wirtschaft. Die nach ihrem Wahlsieg von 1945 regierende Labour Party unter C. R. Attlee versuchte, die dominierende Rolle des Staates bruchlos in die Nachkriegszeit zu überführen und zur Basis einer sozialist. Neuordnung zu machen. Sozialpolitisch bed. waren die Einführung der einheitl. Sozialversicherung und des nat. Gesundheitsdienstes. Unternehmen, die de facto seit langem staatl. Kontrolle unterstanden, wurden verstaatlicht, ebenso in Schwierigkeiten geratene Wirtschaftszweige wie Bergbau und Eisenbahnen, aber nur wenige erfolgreich arbeitende Wirtschaftszweige wie die Eisen- und Stahlind. und der Güterfernverkehr (beide von konservativen Reg. wieder reprivatisiert). Die Gesamtplanung der Wirtschaft wurde allerdings erst Ende der 1950er Jahre mit der Errichtung des Nat. Wirtschaftsrats ansatzweise versucht. Die wirtsch. Probleme, der Zerfall des Empire nach dem 2. Weltkrieg

Großbritannien, Herrscherliste
Für die angelsächs. Zeit sind nur Könige über ganz England genannt.

angelsächsische Könige	
Edwy (Edwin) (seit 957 nur Wessex)	955–959
Edgar	959–975
Eduard der Märtyrer (nur Wessex)	975–978
Ethelred II.	978/79–1013
Svend (Sven) Gabelbart	1013–1014
Knut I., d. Gr.	1016–1035
Edmund Ironside (gemeinsam mit Knut)	1016
Harold I. Harefoot	1035/36–1040
Hardknut (Harthaknut)	1040–1042
Eduard der Bekenner	1042–1066
Harold II. Godwinson	1066
normannische Könige	
Wilhelm I., der Eroberer	1066–1087
Wilhelm II. Rufus	1087–1100
Heinrich I. Beauclerc	1100–1135
Stephan I. von Blois	1135–1154
Haus Plantagenet	
Heinrich II. Kurzmantel	1154–1189
Richard I. Löwenherz	1189–1199
Johann I. ohne Land	1199–1216
Heinrich III.	1216–1272
Eduard I.	1272–1307
Eduard II.	1307–1327
Eduard III.	1327–1377
Richard II.	1377–1399
Haus Lancaster	
Heinrich IV.	1399–1413
Heinrich V.	1413–1422
Heinrich VI.	1422–1461
Haus York	
Eduard IV.	1461–1483
Eduard V.	1483
Richard III.	1483–1485
Haus Tudor	
Heinrich VII.	1485–1509
Heinrich VIII.	1509–1547
Eduard VI.	1547–1553
Maria I.	1553–1558
Elisabeth I.	1558–1603
Haus Stuart	
Jakob I.	1603–1625
Karl I.	1625–1649
Commonwealth und Protektorat	
Oliver Cromwell (Protektor)	1653–1658
Richard Cromwell (Protektor)	1658–1659
Haus Stuart	
Karl II.	1660–1685
Jakob II.	1685–1688
Maria II. und Wilhelm III.	1689–1702
Anna	1702–1714
Haus Hannover	
Georg I.	1714–1727
Georg II.	1727–1760
Georg III.	1760–1820
Georg IV.	1820–1830
Wilhelm IV.	1830–1837
Viktoria	1837–1901
Haus Sachsen-Coburg	
Eduard VII.	1901–1910
Haus Windsor	
Georg V.	1910–1936
Eduard VIII.	1936
Georg VI.	1936–1952
Elisabeth II.	seit 1952

mit dem Verlust sicherer Märkte, zunehmende Rohstoffabhängigkeit vom Ausland, schleichende Geldentwertung und die aus all dem resultierende Dauerbelastung der Handelsbilanz machten in der Nachkriegszeit eine entschlossene Außenpolitik praktisch unmöglich. Seit Beginn der 1960er Jahre war das Commonwealth keine tragfähige Alternative zur europ. Option mehr. Die enge außenpolit. Zusammenarbeit mit den USA, die sich u. a. in der Marshallplanhilfe, im Ausbau der NATO und in der gemeinsamen atomaren Rüstung äußerte, fand in der Sueskrise 1956 ihre Grenze, als die USA gegen die brit.-frz. Intervention vorgingen. Folge dieses gescheiterten Unternehmens war kurzfristig der Sturz des brit. Premiermin. R. A. Eden, langfristig die sich verstärkende Überzeugung in der brit. Öffentlichkeit, daß allein im Anschluß an Europa ein Ersatz für die zerrinnende Weltmachtstellung zu finden sei. So beteiligte sich G. u. N. 1960 an der Gründung der Europ. Freihandelsassoziation (EFTA), führte 1963 Beitrittsverhandlungen mit der EWG, die am frz. Veto scheiterten, und trat schließlich 1973 als Voll-Mgl. den Europ. Gemeinschaften (EG) bei. Den konservativen Reg. Macmillan (1957–63) und Douglas-

Home (1963/64) folgte die Labourreg. unter H. Wilson (1964–70). Belastet von schweren Zahlungsbilanzdefiziten, deren Beseitigung durch die Pfundabwertung von 1967 und einen Anstieg der Arbeitslosigkeit erkauft wurde, scheiterte sie bei dem Versuch, die Arbeitsbeziehungen und v. a. die Rechte der Gewerkschaften in einem gesetzl. Rahmen zu fassen, am erbitterten Widerstand der Gewerkschaften. Die aus den Wahlen von 1970 hervorgegangene konservative Reg. unter E. R. G. Heath setzte 1971 dann die Industrial Relations Act durch. Das Gesetz wurde von den Gewerkschaften boykottiert und 1974 unter der Labourreg. durch die Trade Union and Labour Relations Bill ersetzt, die die traditionellen gewerkschaftl. Rechte wiederherstellte und z. T. ausweitete. Als schwere Belastung erweisen sich bis heute die 1969 offen ausgebrochenen bürgerkriegsähnl. Auseinandersetzungen in Nordirland, die 1972 zur Übernahme der direkten Reg.gewalt in diesem Landesteil durch die brit. Reg. führten. Vorzeitige Neuwahlen im Febr. 1974 brachten der Labour Party einen knappen Mandatsvorsprung, den sie bei erneuten Unterhauswahlen im Okt. 1974 zur absoluten Mehrheit ausbauen konnte. Premiermin. H. Wilson (1974–76) ließ im Juni 1975 eine Volksabstimmung – die erste in Großbritannien überhaupt – über den Verbleib seines Landes in den EG durchführen, die 67,2 % Ja-Stimmen ergab. Nach seinem Rücktritt übernahm J. Callaghan im April 1976 die Führung der Labourreg. Die wirtsch. Probleme in G. u. N. trugen wesentlich zum Sieg der Konservativen Partei bei den Unterhauswahlen im Mai 1979 bei; Premiermin. wurde M. Thatcher. Ihre restriktive Wirtschafts- und Währungspolitik v. a. zur Verlangsamung der Inflation (von 18 % [1980] auf rd. 5 % [1983] führte zu zahlr. Firmenzusammenbrüchen und bis Aug. 1982 zu über 3 Mill. Arbeitslosen. Die von ihr durchgesetzte Revision des Gewerkschaftsgesetzes beschränkt die Monopolstellung der Gewerkschaften und definiert das Streikrecht enger. Wichtige Erfolge in der Außenpolitik der Reg. Thatcher stellten die Lösung des Rhodesienkonfliktes (Dez. 1979) sowie der erfolgreich beendete Krieg mit Argentinien um die brit. Kronkolonie Falkland Islands and Dependencies dar, die nach argentin. Besetzung im Juni 1982 zurückerobert wurde. Dieser Sieg führte zum großen Erfolg der Konservativen bei den Unterhauswahlen 1983. Der fast einjährige Streik der Bergarbeitergewerkschaft NUM gegen die vorgesehene Schließung von 20 Zechen mußte am 5. März 1985 ergebnislos abgebrochen werden. Die Reg. nutzte den Streik zu einer weiteren Schwächung der uneinigen Gewerkschaftsbewegung.

In der Nordirlandfrage, in der seit der Übernahme der direkten Herrschaft (1972) keine polit. Lösung zustande kam, unternahm die Reg. einen neuen Vorstoß zur Befriedung. G. u. N. sowie die Rep. Irland unterzeichneten im Nov. 1985 ein Abkommen, das der ir. Reg. eine konsultative Rolle in der Verwaltung Nordirlands gibt. Die Exekutivgewalt bleibt bei London. Außerdem soll die Zusammenarbeit bei der Bekämpfung des Terrors verstärkt werden. Unterhaus und ir. Parlament stimmten bis Febr. 1986 mit jeweils großer Mehrheit dem Abkommen zu.

Außenpolitisch bemühte sich Großbritannien in engem Einvernehmen mit den USA seit Mitte der 80er Jahre um eine schrittweise Verbesserung der Beziehungen zur UdSSR. Die Reg. Thatcher unterstützte die sowjet.-amerikan. Abrüstungsverhandlungen (INF-Vertrag); das brit. Mittelstreckenpotential blieb jedoch bestehen. M. Thatchers Europapolitik (ablehnende Haltung gegenüber der geplanten europ. Union), der sich abzeichnende Beginn einer wirtsch. Rezession und innenpolit. Unruhen (insbes. ausgelöst durch den Versuch, gegen die Proteste der Bev. eine neue Gemeindesteuer einzuführen, die „Poll Tax“) riefen Kritik an ihrer polit. Linie in der eigenen Partei hervor und bewirkten im Nov. 1990 ihre Ablösung als Premiermin. durch J. Major (bei den Wahlen am 9. April 1992 bestätigt). Im Golfkrieg gegen den Irak 1991 sowie beim Blauhelm-Einsatz in Bosnien seit 1992 beteiligte sich Großbritannien mit einem militär. Kontingent.

Politisches System: Das brit. Verfassungsrecht beruht nicht auf einer bestimmten Verfassungsurkunde, es besteht aus dem richterl. Gewohnheitsrecht (↑Common Law), den ungeschriebenen Konventionalregeln, die zum großen Teil das Verhältnis der höchsten staatl. Institutionen untereinander bestimmen, und dem geschriebenen Gesetzesrecht, das unbedingten Vorrang hat. G. u. N. ist eine Erbmonarchie (erst männl., dann weibl. Thronfolge) mit parlamentar.-demokrat. Reg.form. Der Monarch ist *Staatsoberhaupt,* heute im wesentlichen auf Repräsentationsfunktionen beschränkt. Die *Exekutive* liegt bei der Reg. mit dem Premiermin. an der Spitze. Der Monarch ernennt den Führer der Mehrheitsfraktion im Unterhaus zum Premiermin. und beruft auf dessen Vorschlag die übrigen (etwa 100) Mgl. der *Regierung.* Die etwa 20 wichtigsten Reg.-Mgl. bilden das *Kabinett.* Der Premiermin. bestimmt die Richtlinien der Politik. Er allein kann jederzeit beim Monarchen die Auflösung des Unterhauses beantragen und damit über Neuwahlen entscheiden. Die verfassungsmäßig beim Monarchen und dem Parlament (Oberhaus und Unterhaus) liegende *Legislativgewalt* wird

praktisch allein vom Unterhaus (House of Commons) ausgeübt, wobei das Gesetzgebungsverfahren sehr stark von der Reg. gelenkt wird. Der Führer des Unterhauses ist Mgl. des Kabinetts; er bestimmt weitgehend die Tagesordnung des Unterhauses. Vom Präs. des Unterhauses (Speaker) andererseits wird strikte Neutralität in der Handhabung der Geschäftsordnung erwartet. Die Gesetzesvorlagen (Bills) werden mit wenigen Ausnahmen von der Reg. im Unterhaus eingebracht, Finanzgesetze ausschließlich von ihr. Nach der Verabschiedung werden die Gesetzesvorlagen an das Oberhaus (House of Lords) weitergereicht, dessen Ablehnung auf Finanzgesetzentwürfe keinen Einfluß, auf die übrigen Gesetzentwürfe nur aufschiebende Wirkung hat. Nach der Verabschiedung durch das Parlament wird eine Gesetzesvorlage vom Monarchen unterzeichnet und durch Eintragung im Book of Statutes zum Gesetz (Act).
Wegen der Machtstellung der Reg. beim Gesetzgebungsverfahren gibt es im brit. Parlamentarismus weniger ein Gegenüber von Reg. und Parlament im Sinne der Gewaltentrennung als vielmehr eine Konfrontation zw. der Reg. sowie der von ihr straff geführten Reg.fraktion einerseits und der parlamentar. Opposition andererseits. Die Opposition, die stets als Alternative zur amtierenden Reg. bereitsteht, verfügt über ein ständiges Schattenkabinett, das vom Oppositionsführer angeführt wird. Die zur Zeit 650 Abg. des **Unterhauses,** davon 72 für Schottland, 38 für Wales und 17 für Nordirland, werden auf maximal 5 Jahre in Einerwahlkreisen nach dem relativen Mehrheitswahlrecht gewählt. Das aktive Wahlrecht liegt bei 18, das passive bei 21 Jahren.
Das *Oberhaus* besteht aus den erbl. Peers (Angehörige des Hochadels), den ernannten Peers auf Lebenszeit, den ernannten Lords of Appeal in Ordinary, die die Funktionen des Oberhauses als Oberster Gerichtshof wahrnehmen, und 26 Bischöfen der anglikan. Kirche; insgesamt rd. 1190 Mitglieder.
Der *Geheime Kronrat* (Privy Council) besteht aus rd. 330 vom Premiermin. ernannten Mgl. aus allen Commonwealth-Ländern, darunter alle Mgl. des brit. Kabinetts. Seine begrenzte Bed. liegt darin, daß alle Reg.verordnungen von ihm gebilligt werden müssen.
Das *Parteiensystem* in G. u. N. ist – bedingt v. a. durch das Mehrheitswahlrecht – traditionell ein Zweiparteiensystem. Seit 1931 hatte meist eine der beiden großen Parteien (die ↑ Konservative und Unionistische Partei und die ↑ Labour Party) eine absolute Mehrheit im Unterhaus. In der 2. Hälfte der 70er Jahre wurden die Verhältnisse in dieser Hinsicht etwas unstabiler, als es eine Bewegung zur Einführung des Verhältniswahlrechts gab, das die Begünstigung der großen Parteien beendet hätte. Beide große Parteien sind Volksparteien, deren Mgl. und Wähler – mit unterschiedl. Gewichtung – sich aus allen Schichten der Bev. rekrutieren. Sie orientieren sich eher nach der polit. Mitte als nach dem linken bzw. rechten Flügel. Grundsätzlich jedoch plädiert die Labour Party für eine weitere Ausdehnung der staatl. Tätigkeit zugunsten größerer sozialer und ökonom. Gleichheit, während die Konservative und Unionist. Partei eher das Prinzip der individuellen Freiheit betont. Von den kleineren Parteien sind die 1988 durch Zusammenschluß aus Social Democratic Party (SDP) und Liberal Party hervorgegangenen Liberaldemokraten (Social and Liberal Democrats, SLDP) die bedeutendsten. Es gibt weitere kleinere Parteien von z. T. regionaler Bedeutung. In Nordirland hat sich auf Grund der histor. und polit. Sonderstellung ein eigenes Parteiensystem entwickelt, das nach konfessionellen Gesichtspunkten aufgebaut ist. Dem Unterhaus gehören u. a. an: Konservative und Unionist. Partei, Labour Party, SLDP u. a., meist regionale und nationalist. Parteien.
Das brit. *Gewerkschaftswesen* unterliegt keinem einheitl. Strukturprinzip. So gibt es große, ganze Ind.zweige umfassende Organisationen neben kleinen Gewerkschaften, die nur auf die Angehörigen eines Berufes beschränkt sind. Die meisten Einzelgewerkschaften, 82 (1988) Verbände mit insgesamt rd. 8,8 Mill. Mgl., sind im Dachverband Trades Union Congress (TUC) zusammengeschlossen. Daneben gehören dem schott. Dachverband Scottish Trades Union Congress (STUC) 73 Gewerkschaften mit insgesamt rd. 1 Mill. Mgl. an. Die *Interessenverbände* der Unternehmer in den einzelnen Branchen sind zum größten Teil in der Confederation of British Industry zusammengeschlossen.
Verwaltung: G. u. N. ist ein zentraler Einheitsstaat. Der Verwaltungsaufbau ist, abgesehen von der Ebene der Reg., dreistufig. Gesetzl. Grundlage bilden die Local Government Acts von 1972. Seit 1974 sind England und Wales sukzessive in 53 Grafschaften (Counties) eingeteilt worden; hierzu zählen auch sechs Großstadtverwaltungen (Metropolitan Counties). Die Grafschaften gliedern sich in 369 Distrikte, von denen 36 als großstädt. Bez. gelten (Metropolitan Districts). Schottland und Nordirland haben eigene, vergleichbare Verwaltungssysteme. In Schottland wurden 1975 die Gebietskörperschaften durch neun neue Regionen und drei Inselgebiete (Islands Areas: Orkney, Shetland, Western Isles) ersetzt. Die Regionen gliedern sich in 53 Distrikte. Seit der Verwaltungs-

reform von 1973 gibt es in Nordirland 26 Distrikte und neun Gebietsräte, denen bestimmte überörtl. Aufgaben obliegen. – Die Kanalinseln und die Insel Man gehören staatsrechtlich nicht zu G. u. N. An der Spitze der lokalen Selbstverwaltungseinheiten stehen auf 4 Jahre gewählte Räte, die ihrerseits die Bürgermeister bzw. ihre Vors. wählen.
Die *Rechtsprechung* beruht weitgehend auf dem ↑Common Law. In der Gerichtsorganisation unterscheidet sich Schottland von den übrigen Regionen. Außerhalb Schottlands entscheidet bei allen Strafgerichten eine zwölfköpfige Laienjury über die Schuldfrage und der Richter über die Strafzumessung. Die Stufen der Strafgerichtsbarkeit sind Magistratsgericht, Hoher Justizgerichtshof, Krongericht, Appellationsgerichtshof; in der Zivilgerichtsbarkeit Grafschaftsgericht (zuweilen auch Magistratsgericht), Hoher Justizgerichtshof, Appellationsgerichtshof. In Straf- und Zivilsachen ist das Oberhaus letzte Berufungsinstanz. In Schottland sind die Gemeinde- oder Polizeigerichte bzw. die Friedensgerichte für die leichteren, die Sheriffgerichte für die schweren Strafsachen zuständig. Oberstes Strafgericht ist der Hohe Justizgerichtshof. In Zivilsachen sind die Sheriffgerichte Erstinstanz, der Court of Session Berufungsinstanz. Berufung zum Oberhaus ist in Schottland nicht zulässig.
Für die *Landesverteidigung* unterhält G. u. N. eine Freiwilligenarmee in einer Gesamtstärke (1992) von 293 500 Soldaten; davon entfallen auf das Heer 145 400, auf die Luftwaffe 86 000 und auf die Marine 62 100 Soldaten. Bis 1997 ist eine Reduzierung der Streitkräfte vorgesehen (Heer 116 000 Mann, Luftwaffe 75 000, Marine 55 000). Die U-Bootflotte wird von 27 auf 16 Kernkraft- und dieselgetriebene Boote abgebaut, die 4 mit Polaris-Raketen bestückten U-Boote außer Dienst gestellt. Außerhalb von G. u. N. sind stationiert in Deutschland die „British Forces Germany" (BFG) sowie weitere Truppenkontingente in Brunei, Hongkong, auf Zypern, Gibraltar, Belize und den Falklandinseln.

📖 *Krieger, K. F.: Gesch. Englands v. den Anfängen bis zum 15. Jh. Mchn. 1990. – McDowall, D.: An Illustrated History of Britain. Mchn. 1989. – Volle, A.: Großbritannien u. der europ. Einigungsprozeß. Bonn 1989. – Fischer, P./Burwell, G. P.: Kleines England-Lex. Mchn. 1988. – Cassart, A.: Großbritanniens Beginn. England im 18. Jh. Köln 1987. – Kluxen, K.: Gesch. Englands. Stg. ³1985. – Reineberg, H.: Großbritannien. Stg. 1983. – Hermle, R.: Der Konflikt in Nordirland. Mainz u. Mchn. 1979. – Ritter, G. A.: Parlament u. Demokratie in Großbritannien. Gött. 1972. – Hrbek, R./Keutsch, W.: Gesellschaft u. Staat in Großbritannien. Tüb. 1971.*

Großdeutsche, seit der Revolution 1848/49 Vertreter einer nationalpolit. Richtung, die die dt. Frage durch den staatl. Zusammenschluß möglichst aller (geschlossen siedelnden) Deutschen in M-Europa zu lösen suchte. Die G. knüpften in der Frankfurter Nationalversammlung an die Tradition der Befreiungskriege an, konnten sich aber nicht durchsetzen. Die europ. Problematik ergab sich zum einen aus der mit der großdt. Konzeption verbundenen Änderung des Gleichgewichts der europ. Mächte, die weder Großbritannien noch Rußland zu tolerieren gewillt waren, zum anderen aus der nat. Gemengelage in M-Europa. Beim Zerfall der Donaumonarchie am Ende des 1. Weltkrieges fand die großdt. Idee ihren Ausdruck in der Weimarer und der östr. Verfassung, die einen Anschluß Deutschösterreichs an das Dt. Reich vorsahen. Machtpolitisch wäre damit der Sieg der Alliierten unterlaufen worden, so daß die Friedensverträge von Versailles und Saint-Germain-en-Laye den Anschluß verboten. Dieser blieb dennoch Ziel nahezu aller polit. Lager im Reich und in Österreich. Hitler erzwang 1938 das Aufgehen Österreichs in einem zentralist. Einheitsstaat („Großdeutschland" bzw. „Großdt. Reich"), dem noch 1938 die Sudetengebiete und 1939 das „Protektorat Böhmen und Mähren" zugeschlagen wurden.

Großdeutsches Reich (Großdeutschland), zunächst informelle Bez. für das Dt. Reich nach dem Anschluß Österreichs; später, v. a. im Verlauf des 2. Weltkriegs, auch offiziell gebraucht.

Großdeutsche Volkspartei, aus der deutschnationalen Bewegung in Österreich-Ungarn hervorgegangene, 1920 gegr. liberalnationale Partei (ihr Vorläufer war 1919 die Großdt. Vereinigung). Die G. V. vertrat als Hauptforderung den Anschluß Österreichs an das Dt. Reich. 1921–32 war sie mit kurzen Unterbrechungen in den Reg. vertreten, 1933 schloß sie eine Kampfgemeinschaft mit den Nationalsozialisten. 1934 wurde die Partei verboten und aufgelöst.

Größe, (physikal. Größe) Bez. für Merkmale eines physikal. Sachverhalts, eines physikal. Objektes oder eines physikal. Phänomens, die qualitativ charakterisiert und quantitativ erfaßt werden können. Jede G. ist durch eine geeignete Meßvorschrift definiert. Die Messung einer physikal. G. besteht in einem Vergleich der G. mit dem als Einheit gewählten bzw. festgelegten ↑Normal. Somit läßt sich jede G. durch das Produkt aus Zahlenwert und Einheit darstellen. Die G.angabe 5 Meter (5 m) bedeutet also: 5 · 1 Meter (5 · 1 m). – ↑Physikalische Größen und ihre Einheiten (Übersicht).
◆ ↑Helligkeit.

Große Allianz, Name zweier gegen Frankreich gerichteter europ. Bündnisse: Kaiser Leopold I. schloß am 12. Mai 1689 ein Kriegsbündnis mit den Niederlanden, dem Wilhelm III. von England (12. Sept. 1689) sowie (1690) Spanien und Savoyen beitraten *(Wiener G. A.);* zwang Frankreich nach dem Pfälz. Erbfolgekrieg zum Frieden von Rijswijk (1697). Im Span. Erbfolgekrieg wurde am 7. Sept. 1701 die *Haager G. A.* zw. dem Röm. Kaiser, England und den Niederlanden gebildet.

große Anfrage ↑parlamentarische Anfrage.

Große Antillen ↑Antillen.

Große Armee svw. ↑Grande Armée.

Große Australische Bucht, weite Bucht des Ind. Ozeans an der S-Küste Australiens.

Große Blöße, mit 528 m ü. d. M. höchster Berg des Solling, Niedersachsen.

große Depression (Gründerkrise), Bez. für die der globalen Hochkonjunkturphase nach 1850 folgende Verlangsamung des wirtsch. Wachstums in Europa, deren Beginn in der Wirtschaftsgeschichte meist mit dem Wiener Börsenkrach vom Sommer 1873 und deren Ende mit der 1895/96 einsetzenden, bis zum Vorabend des 1. Weltkrieges anhaltenden Aufschwungperiode angesetzt wird. Die g. D. wird charakterisiert durch 3 Konjunkturtiefs: Die 1. Phase, bestimmt von Stagnation, Preisverfall und Schrumpfung in Einzelbereichen, dauerte bis 1879, die 2. Phase der Jahre 1882–86 war nicht in allen Ländern von schweren Einbußen gekennzeichnet. Der dann zu verzeichnende weltweite Aufschwung durchlief 1891–94 in der 3. Phase eine internat. Krise, deren Tiefpunkt der spektakuläre Zusammenbruch des Bankhauses Baring in London markierte. Zu den polit. Folgeerscheinungen werden heute v. a. die Diskreditierung des Liberalismus als polit.-wirtsch. Ordnungssystem, die sich bis zum Sozialistengesetz steigernde Revolutionsfurcht und Statusunsicherheit der Mittelschichten, der beginnende Antisemitismus und v. a. der Übergang zum Schutzzoll 1879 gezählt.

Große Ebene, Tiefebene in N-China, nördl. des Jangtsekiang im Einzugsgebiet von Hai He, Hwangho und Huai He. Sie umfaßt etwa 5% der Fläche Chinas mit äußerst fruchtbaren Böden; in ihr leben rd. 22% der Gesamtbevölkerung des Landes; intensive Landw., stark industrialisiert.

Große Fahrt ↑Fahrtbereich.

Große Fatra, Gebirgszug der Westkarpaten in der ČSFR, südlich der Waag, im Ostredok 1 592 m ü. d. M.; stark bewaldet.

große Haverei (große Havarie) ↑Havarie.

Große Heidelberger Liederhandschrift ↑Heidelberger Liederhandschrift.

Große Kabylei ↑Kabylei.

große Koalition, Reg.bündnis der (beiden) stärksten Parteien im Parlament, z. B. in der Weimarer Republik zw. SPD, DDP, Zentrum, DVP und BVP (1923 und 1928–30), in der BR Deutschland zw. CDU/CSU und SPD (1966–69), in Österreich zw. ÖVP und SPÖ (1945–66 und seit 1986).

Große Kreisstädte, amtl. Bez. für kreisangehörige Gemeinden, die jedoch – je nach Bundesland – alle oder einzelne Verwaltungsaufgaben der unteren staatl. Verwaltungsbehörden (Landrat) als Pflichtaufgaben wahrnehmen.

Große Mauer ↑Chinesische Mauer.

Große Meteorbank, untermeer. Tafelberg im N-Atlantik; reicht aus fast 5 000 m Tiefe bis auf 275 m u. d. M. herauf.

Große Mutter ↑Kybele.

Größenarten ↑Physikalische Größen und ihre Einheiten (Übersicht).

Große Neufundlandbank, Flachseegebiet im Atlantik, der kanad. Insel Neufundland sö. vorgelagert, einer der reichsten Fischgründe der Erde; sehr nebelreich.

Großenhain, Krst. in Sa., an der Großen Röder, 115–122 m ü. d. M., 18 000 E. Älteste dt. Volksbücherei; Maschinenbau, Gesenkschmiede, Papierind. – Bei einer seit 1205 belegten slaw. Siedlung wurde um 1200 vom Markgrafen von Meißen die Stadt angelegt. – Barocke Marienkirche (1744–48).

G., Landkr. in Sachsen.

Größenklasse ↑Helligkeit.

Großen-Linden ↑Linden.

Größenordnung, ein (meist durch aufeinanderfolgende Zehnerpotenzen begrenzter) Zahlenbereich, in dem die Maßzahl einer [physikal.] Größe, einer Anzahl o. a. liegt.

Größenwahn (Megalomanie), übersteigerte Geltungssucht (v. a. bei Psychosen), bei der sich der Betroffene sinnlos übertriebene (positive) Eigenschaften und soziales Prestige selbst zuschreibt.

Grosser, Alfred [frz. gro'sɛ:r], * Frankfurt am Main 1. Febr. 1925, frz. Politikwissenschaftler und Publizist dt. Herkunft. – Emigrierte 1933 mit seinen Eltern nach Frankreich, schloß sich im 2. Weltkrieg der Résistance an; setzte sich nach dem Krieg für eine dt.-frz. Verständigung ein; Prof. in Paris seit 1955; 1975 mit dem Friedenspreis des Börsenvereins des Dt. Buchhandels ausgezeichnet; schrieb u. a. „Deutschlandbilanz" (1970), „Der schmale Grat der Freiheit" (1981), „Ermordung der Menschheit" (1990).

Großer Aletschgletscher (Aletschgletscher), größter (86,76 km^2) und längster (24,7 km) Alpengletscher, in der Finsteraarhorngruppe der Berner Alpen (Schweiz).

Große Randstufe, für das südl. Afrika typ. Steilabbruch des Binnenhochlands zur Küstenzone. – ↑Drakensberge.

Großer Ararat ↑Ararat.

Großer Arber, höchster Berg der ostbayr. Gebirge, 1457 m hoch, im Hinteren Bayer. Wald, durch einen Sattel mit dem 1384 m hohen **Kleinen Arber** verbunden; unterhalb davon der **Große Arbersee** (6,8 ha Wasserfläche, 15 m tief) und der **Kleine Arbersee** (3,4 ha, 10 m tief).

Großer Bär ↑Bär, ↑Sternbilder (Übersicht).

Großer Bärensee, See in NW-Kanada am Polarkreis, 31153 km², 156 m ü. d. M.

Großer Beerberg, mit 982 m höchster Gipfel des Thüringer Waldes.

Großer Belchen (frz. Grand Ballon, Ballon de Guebwiller), mit 1423 m höchster Gipfel der Vogesen, Frankreich.

Großer Belt, mittlere der drei Meeresstraßen, die das Kattegat mit der Ostsee verbinden.

Großer Bittersee, See in Ägypten, 30 km nördl. von Sues, 23 km lang, bis 13 km breit; durch ihn und den sö. anschließenden **Kleinen Bittersee** (13 km lang, 3 km breit) verläuft der Sueskanal.

Großer Brachvogel (Numenius arquata), mit fast 60 cm Körperlänge größter europ. Schnepfenvogel (Gatt. Brachvögel) in den gemäßigten, z. T. auch nördl. Regionen Eurasiens; Schnabel etwa 12 cm lang, abwärts gebogen, Gefieder gelblichbraun, dicht gestreift.

Großer Chingan (Da Hinggan Ling), Gebirge in N-China, erstreckt sich vom Amurbogen über rd. 800 km nach S und trennt die Nordostchin. Ebene vom mongol. Plateau im W, größte Höhe im S mit 2034 m ü. d. M.

Großer Feldberg, mit 879 m die höchste Erhebung des Taunus, Hessen.

Großer Ferganakanal, 345 km langer Hauptbewässerungskanal des Ferganabekkens, in Usbekistan und Tadschikistan.

Großer Geist, eine unter nordamerikan. Indianern weitverbreitete Bez. für eine unsichtbare und übernatürl. kosm. und lebenspendende Macht; in der Algonkinsprache meist **Manitu** („Geist") genannt (bei den Sioux **Wakanda,** bei den Huronen **Oki**).

Großer Heuberg (Heuberg), der hochgelegene Teil der Kuppenalb in der sw. Schwäb. Alb, Bad.-Württ., im Lemberg 1015 m ü. d. M.

Großer Himmelswagen ↑Bär.

Großer Hund ↑Sternbilder (Übersicht).

Großer Inselsberg (Inselsberg), Berg im nordwestl. Thüringer Wald, 916 m ü. d. M. Sendeanlagen, meteorolog. Station. Über den G. I. verläuft der Rennsteig.

Großer Jasmunder Bodden, Meeresbucht im Nordteil der Insel Rügen.

Großer Jenissei ↑Jenissei.

Großer Kanal ↑Kaiserkanal.

Großer Kaukasus ↑Kaukasus.

Großer Kudu ↑Drehhornantilopen.

Großer Kurfürst, Beiname des Kurfürsten ↑Friedrich Wilhelm von Brandenburg.

Großer Norden, chilen. Großlandschaft, ↑Atacama.

Großer Ölberg, mit 460 m höchster Berg des Siebengebirges, NRW.

Großer Östlicher Erg, Sandwüstengebiet in der nördl. Sahara (Algerien und Tunesien) mit bis 200 m hohen Wanderdünen.

Großer Ozean ↑Pazifischer Ozean.

Großer Plöner See, inselreicher See in der Holstein. Schweiz, 29,0 km², bis 60 m tief.

Großer Preis (Grand Prix), Abk. GP, 1. im Automobilsport Bez. für einen Formel-1-Wertungslauf zur Fahrerweltmeisterschaft. GP-Rennen werden u. a. ausgetragen in Belgien, Brasilien, Frankreich, den Niederlanden, Italien, Monaco, Spanien; in Deutschland als G. P. von Deutschland, ausgetragen erstmals 1926 (Avus), 1927–76 sowie 1985 auf dem Nürburgring (daneben 1959 Avus, 1970 Hockenheimring), 1977–84 und seit 1986 auf dem Hockenheimring. 2. im Motorradrennsport Bez. für Weltmeisterschaftsläufe.

Großer Rat, die parlamentar. Vertretungskörperschaft der schweizer. Kt., auch **Kantonsrat, Landrat** gen.; höchstes Staatsorgan, das unter Vorbehalt der Rechte des Volkes die oberste Gewalt ausübt; hat die übl. parlamentar. Funktionen (Rechtsetzung, Budgetrecht, Kontrolle [außer in den Landsgemeinde-Kt.] und ist das entscheidende Organ bei der Ausübung der kantonalen Rechte in der Bundesgesetzgebung.

Großer Salzsee ↑Great Salt Lake.

Großer Sankt Bernhard ↑Alpenpässe (Übersicht).

Großer Schneeberg ↑Glatzer Bergland.

Großer Schwertwal ↑Delphine.

Großer Senat für Strafsachen ↑Bundesgerichtshof.

Großer Senat für Zivilsachen ↑Bundesgerichtshof.

Großer Sklavensee, See in NW-Kanada, rd. 500 km lang, 80–240 km breit, 156 m ü. d. M., bis 627 m tief; Zufluß durch den Slave River, Abfluß durch den Mackenzie River.

Großer Süden, Großlandschaft in ↑Chile, südlichster Teil des Landes.

Großer Tanrek (Großer Tenrek, Tenrec ecaudatus), größte Art der Borstenigel auf Madagaskar; Körperlänge bis etwa 40 cm, Schwanz äußerl. nicht sichtbar (etwa 1 cm lang); das wenig dichte Haarkleid von z. T. langen Stacheln durchsetzt; am Kopf und am Rücken sehr lange, feine Tasthaare; Grundfärbung meist grau- bis rötlichbraun; dämmerungs- und nachtaktiv.

Großer Treck ↑Treck.

Großer Tümmler ↑Delphine.

Großer Vaterländischer Krieg, sowjet. Bez. für den Krieg gegen das nat.-soz. Deutschland 1941–45.

Großer Wagen ↑Bär.

Großer Wasserfloh ↑Daphnia.

Großer Westlicher Erg, Sandwüstengebiet in der nördl. Sahara, im westl. Z-Algerien, mit bis zu 300 m hohen Wanderdünen.

Große Sandwüste, heißester und vegetationsärmster Teil Australiens, im N Westaustraliens, etwa 520 000 km². Sanddünen und Salzseen.

Großes Appalachental ↑Ridge and Valley Province.

Großes Artesisches Becken, Bekkenlandschaft im zentralöstl. Australien, über 2 000 km N–S- und etwa 1 500 km O–W-Erstreckung, fällt von 300 m ü. d. M. im O auf 12 m u. d. M. am Eyresee ab. Weidewirtschaftsgebiet dank zahlr. artes. Brunnen.

Großes Barriereriff, mit 2 000 km längstes lebendes Korallenriff der Erde, vor der Küste von Queensland, Australien. Über 600 Inseln ragen über den Meeresspiegel hinaus, u. a. **Green Island** (Nationalpark) mit Unterwasserobservatorium, Museum und Aquarium.

Großes Becken ↑Great Basin.

Große Schütt, Flußinsel in der Donau und der Kleinen Donau, ČSFR, 85 km lang, 14–29 km breit.

Große Schwebrenken ↑Felchen.

Große Seen, zusammenfassende Bez. für ↑Oberer See, ↑Michigansee, ↑Huronsee, ↑Eriesee und ↑Ontariosee in den USA und in Kanada; bed. Binnenschiffahrtsweg und, mit etwa 246 500 km², größte zusammenhängende Süßwasserfläche der Erde.

Große Senate, Spruchkörper höherer [Revisions]gerichte mit der Aufgabe, eine einheitl. Rechtsprechung der einzelnen Senate des betreffenden Gerichts zu sichern und das Recht fortzubilden. Je einen G. S. haben das Bundesarbeitsgericht, das Bundesverwaltungsgericht, das Bundessozialgericht, der Bundesfinanzhof und die Oberverwaltungsgerichte (Verwaltungsgerichtshöfe) der Länder. Beim Bundesgerichtshof bestehen zwei Große Senate.

großes Fahrzeug ↑Mahajana-Buddhismus.

Großes Jahr, svw. ↑platonisches Jahr.

Große Sundainseln, Teil des Malaiischen Archipels, umfaßt die Inseln ↑Borneo, ↑Celebes, ↑Java und ↑Sumatra.

Großes Ungarisches Tiefland (Alföld), wenig gegliederte Beckenlandschaft mit kontinentalem Klima zw. der Donau im S und W, dem Nordungar. Mittelgebirge im N, den Karpaten im NO und dem Bihargebirge im O, etwa 100 000 km². Anteil am G. U. T. haben Ungarn (50 000 km²), Rumänien, Jugoslawien, die ČSFR und die Ukraine. Die ehem. von Auwäldern und Sümpfen durchsetzte Wiesensteppe wird heute weitgehend als Ackerland und Weidegebiet (v. a. Schaf-, Geflügel-, Schweine- und Pferdezucht) genutzt. Große wirtsch. Bed. haben Erdöl- und Erdgasförderung.

Großes Walsertal, rechtes Seitental der Ill, Vorarlberg, Österreich, reicht vom Hochtannbergpaß bis in die Nähe von Bludenz. Im 13. und 14. Jh. von den Walsern besiedelt.

Großes Wiesel, svw. Hermelin (↑Wiesel).

Große Syrte, Golf des Mittelmeers an der libyschen Küste, zw. Misurata und Bengasi. Mehrere Erdölexporthäfen.

Grosseteste, Robert [engl. 'groʊstɛst], *Stradbroke (Suffolk) um 1175, †Buckden (Buckinghamshire) 9. Okt. 1253, engl. Philosoph und Theologe. – 1214–21 Kanzler der Univ. Oxford, 1235 Bischof von Lincoln. Durch seine Übersetzungen und Kommentare zu Aristoteles (u. a. die erste vollständige Übersetzung der Nikomachischen Ethik, um 1246) von großer Bed. für die wissenschaftstheoretisch und naturphilosophisch orientierte Aristotelesrezeption seiner Zeit (Einfluß u. a. auf R. Bacon, Albertus Magnus, Duns Scotus). Verband die Aristotel. ↑analytische Methode mit einem metaphys. [Neu]platonismus, der in seiner ↑Lichtmetaphysik zum Ausdruck kommt.

Grosseto, italien. Stadt in der Toskana, Hauptort der Maremmen, 10 m ü. d. M., 70 700 E. Hauptstadt der Prov. G.; Bischofssitz; archäolog. Museum, Museum sakraler Kunst; Landmaschinenbau. – Fiel im 16. Jh. an Florenz. – Stadtummauerung (16. Jh.) mit sechs Bastionen; Dom (1294 ff.).

Große Vereinheitlichte Theorie (engl. Grand Unified Theory, Abk. GUT), der Versuch, alle fundamentalen ↑Wechselwirkungen der Elementarteilchen durch eine einheitl. Theorie zu beschreiben; ein grundlegendes Ziel der Elementarteilchenphysik.

Große Victoriawüste, abflußlose Halbwüste in Australien, zw. der Nullarborebene und der Gibsonwüste; im S Salzseen; nur spärl. Vegetation (Spinifexgräser).

Großfamilie ↑Familie.

Großfeuerungsanlagenverordnung ↑Luftreinhaltung.

Großfleckenkrankheit, svw. ↑Ringelröteln.

Großglockner mit dem Talgletscher Pasterze

Großfürst, russ. Herrschertitel; nach 1186 bei den Fürsten von Wladimir-Susdal in Gebrauch; nach Unterwerfung der russ. Fürstentümer durch Moskau nur noch von der Moskauer Familie geführt, die ihn auch nach Annahme des Zarentitels (1547) und des Kaisertitels (1721) beibehielt. Ab 1886 ebenso Titel der nichtregierenden männl. Mgl. des Kaiserhauses und deren Nachkommen bis zum 2. Grad. Seit dem 14. Jh. Titel der litauischen Herrscher; nach der Union mit Polen (1569) Bestandteil des poln. Königstitels. Die Habsburger führten seit 1765 den Titel G. von Siebenbürgen, die russ. Kaiser seit 1809 den Titel G. von Finnland.

Großfußhühner (Megapodidae), 12 Arten umfassende Fam. dunkel gefärbter, haushuhn- bis fast truthahngroßer Hühnervögel v. a. in Australien, auf den Sundainseln, den Philippinen und Polynesien; Bodenvögel mit großen, kräftigen Scharrfüßen. Einige Arten nutzen zum Ausbrüten der Eier die Verrottungswärme von selbst aufgeschichteten Laub-Erd-Haufen aus.

Großgebietiger ↑ Deutscher Orden.

Groß-Gerau, hess. Krst. im nördl. Hess. Ried, 92 m ü. d. M., 21 200 E. Eisenverarbeitung, Lebensmittel-, pharmazeut. Ind. – 910 erstmals erwähnt, 1013 kam der Ort an das Hochstift Würzburg, 1398 Stadt; 1479 hessisch. – Fachwerkrathaus (1578/79), barockes „Prinzenhaus" (18. Jh.).

G.-G., Landkr. in Hessen.

Großglockner, mit 3 797 m höchster Berg Österreichs, Hauptgipfel der Glocknergruppe, in den Hohen Tauern, an den Flanken stark vergletschert; wurde 1800 erstmals bestiegen.

Großglockner-Hochalpenstraße ↑ Alpenpässe (Übersicht).

Großgörschen, Gemeinde in Sa.-Anh., östl. von Weißenfels, 1 100 E. – Bei G. siegte die Armee Napoleons I. am 2. Mai 1813 über die vereinigten russ. und preuß. Armeen.

Großgriechenland (Magna Graecia), antike Bez. für das griechisch besiedelte Gebiet des heutigen Kalabrien und Apulien; bis 1922 Bez. der neugriech., an byzantin. Tradition ausgerichteten „großen Idee" eines Nationalstaates.

Großhandel, Sammelbez. für die Gruppe von Handelsunternehmen, die als Bindeglied zw. Herstellern und Einzelhandel fungiert. Die Aufgaben des G. sind insbes. die Konzentration und Vereinfachung der Vertriebswege, Zusammenfassung bestimmter Produktgruppen und Senkung der Warenbezugskosten für den Einzelhandel.

Großherzog, Fürstentitel, im Rang zw. König und Hzg.; Anrede Königl. Hoheit; seit 1569 Titel der Herrscher von Toskana, seit dem 19. Jh. mehrerer dt. Fürsten. Als Staatsoberhaupt führt ihn heute noch der G. von Luxemburg.

Großhirn ↑ Gehirn.

Großhirnrinde ↑ Gehirn.

Großhufeisennase ↑ Fledermäuse.

Großhundert, altes Zählmaß, entsprach 120 Stück.

Großinquisitor ↑ Inquisition.

Großkanzler ↑ Kanzler.

Großkatzen (Pantherini), Gattungsgruppe großer Katzen in Asien, Afrika und Amerika; Körperlänge knapp 1 bis 2,8 m. Fünf Arten: Schneeleopard, Leopard, Jaguar, Tiger und Löwe.

Großklima ↑ Klima.

Groß-Kolumbien, 1819 durch den Zusammenschluß Neugranadas und Venezuelas entstandene Rep. unter S. ↑ Bolívar.

Großkomtur ↑ Deutscher Orden.

Großkopfschildkröten (Platysternidae), Schildkrötenfam. mit der einzigen Art *Platysternon megacephalum* in SO-Asien; Panzer bis etwa 20 cm lang, braun, auffallend abgeflacht, Schwanz nahezu ebenso lang; Kopf ungewöhnlich groß.

Großkophta, angeblich geheimer Oberer der von A. Graf von Cagliostro erfundenen „ägypt. Maurerei".

Großkreis ↑ Orthodrome.

Großkreuz, höchste Klasse bei den meisten Orden.

Großlibellen (Ungleichflügler, Anisoptera), weltweit verbreitete Unterordnung mittelgroßer bis großer Libellen mit rd. 1 400 Arten, davon etwa 50 einheimisch; Körper kräftig, Vorder- und Hinterflügel unterschiedlich geformt. Flügel in Ruhe stets waagerecht ausgebreitet; Augen groß; bekannte Fam. sind Segellibellen, Flußjungfern, Teufelsnadeln.

Großloge [...ʒə], in den meisten europ. Staaten und in Amerika übl. Bez. für einen Verband von (mindestens drei) Freimaurerlogen, an deren Spitze ein gewählter Großmeister steht; oberste Instanz einer G.: Großlogentag.

Groß-London ↑Greater London.

Großmacht, Staat, der auf Grund seiner polit., militär. und wirtsch. Stärke (oder auch seines Prestiges) einen erhebl. Einfluß auf andere Staaten oder auf das Gesamtverhalten der Staatengesellschaft ausüben kann; Herausbildung v.a. im 17. und 18. Jh. mit Großbritannien, Frankreich, Österreich, Rußland und Preußen. Höhepunkte ihres Zusammenwirkens bildeten im 19. Jh. v.a. der Wiener Kongreß 1815, der Pariser Friedenskongreß 1856, der Berliner Kongreß 1878 und die Berliner Kongokonferenz 1884/85. Italien erlangte nach 1860 den Rang einer G., die USA 1898 im Krieg mit Spanien, Japan mit dem Sieg über Rußland 1904/05. Im 20. Jh. ist ein Merkmal der G. der ständige Sitz im Völkerbundsrat bzw. im Sicherheitsrat der UN. Das Dt. Reich und Japan verloren ihre G.position im 2. Weltkrieg, der die Rolle der traditionellen europ. Großmächte insgesamt schwächte; danach übernahmen die USA und (bis 1990/1991) die UdSSR als Welt- bzw. Supermächte weitgehend die Funktionen der bisherigen Großmächte.

Großmährisches Reich, die erste größere westslaw. Staatsbildung in Mitteleuropa im 9. Jh.; fiel 906 dem Ansturm der Magyaren zum Opfer. – ↑Mähren.

Grossman, Wassili Semjonowitsch, *Berditschew 12. Dez. 1905, †Moskau 14. Sept. 1964, russ. Schriftsteller. – Schrieb u.a. die Romane „Stürm. Jahre" (1937–40) über die Revolution, „Dies Volk ist unsterblich" (1942) über die Rote Armee und den Stalingradroman „Wende an der Wolga" (1952, 1954 in 3 Teilen), „Leben und Schicksal" (hg. 1980; 1. sowjet. Veröffentlichung 1988).

Großmast, bei mehrmastigen Segelschiffen der zweite Mast von vorn, bei Eineinhalbmastern der große Mast.

Großmeister, im *kath. Ordensrecht* der auf Lebenszeit gewählte Obere eines Ritterordens mit dem Titel Eminenz (souveräner Malteserorden; beim Orden der Ritter vom Hl. Grab ist jeweils ein Kardinal G.). Im Dt. Orden heißt der Obere Hochmeister.

◆ im *Schachspiel* ↑Internationaler Großmeister.

◆ (Ordensherr) ↑Orden.

Großmogul ↑Mogul.

Großmufti ↑Mufti.

Grosso [italien., zu mittellat. grossus (denarius) „Dick(pfennig)"] (Mrz. Grossi), Bez. für italien. Vor- und Frühformen von Groschenmünzen seit dem Ende des 12. Jh.

Großostheim, Marktgem. sw. von Aschaffenburg, Bay., 13 500 E. Nahrungsmittel- und Textilind. – 827 erstmals erwähnt. – Pfarrkirche mit einer Beweinungsgruppe von Riemenschneider (1489 gestiftet); Türme der Ringmauer (15. Jh.).

Großpfennig [zu mittellat. grossus (denarius) „Dick(pfennig)"], urspr. allg. für Groschen; ab 1395 bes. Bez. für pommersche Schillinge.

Großpolen (poln. Wielkopolska), histor. Bez. v.a. für den Raum zw. mittlerer Warthe und Weichsel (als Kerngebiet der ersten poln. Staatsbildung) mit den Hauptorten Posen, Gnesen und Kalisch, im Unterschied zu ↑Kleinpolen.

Großrat des Faschismus (Gran Consiglio del Fascismo), oberstes Parteiorgan des italien. Partito Nazionale Fascista; 1922 gegr., seit 1928 Staatsorgan; von Mussolini dominiert, bis ihm der G. d. F. am 24./25. Juli 1943 das Mißtrauen aussprach.

Großrußland, seit 1654/55 offizielle Bez. für den zentral- und nordruss. Raum.

Großschreibung ↑Rechtschreibung.

Großsegel, Segel, die am Großmast gefahren werden.

Großspitze, zusammenfassende Bez. für die größeren dt. Spitze; Schulterhöhe etwa 40 cm. Sie werden v.a. als **Schwarzer Spitz** (tief- bis blauschwarz) und **Weißer Spitz** (rein weiß) gezüchtet.

Großstadt, im Sinne der Statistik eine Stadt mit über 100 000 Einwohnern.

Großsteingrab ↑Megalithgrab.

Großtausend, altes Zählmaß, entsprach 1 200 oder 1 300 Stück.

größter gemeinsamer Teiler ↑Teiler.

Größtmaß, größeres der beiden ↑Grenzmaße, unterhalb dessen das am fertigen Werkstück festgestellte Istmaß liegen muß.

Großtrappe ↑Trappen.

Groß-Umstadt, hess. Stadt im nördl. Odenwaldvorland, 165 m ü.d.M., 18 400 E. Heimatmuseum; Kunstharzverarbeitung, Maschinenbau u.a.; Weinbau (sog. Odenwälder Weininsel). – **Omunstat** (so 1156) war ab 1255 Mgl. des Rhein. Städtebundes; 1301 Stadt, 1504 an Hessen, das 1521 einen Teil an die Pfalz abtreten mußte; seit 1802/03 gehörte die Stadt ganz zu Hessen(-Darmstadt) und heißt seit 1857 auch amtlich Groß-Umstadt. – Spätgot. Pfarrkirche (1490–94); Rathaus (1596–1625).

Großvenediger, höchster Gipfel der stark vergletscherten Venedigergruppe in den westl. Hohen Tauern, Österreich, 3 674 m ü.d.M.; 1841 erstmals erstiegen.

Großwardein, im Dt. gebräuchl. Name der rumän. Stadt ↑Oradea. Der **Friede von Großwardein** (24. Febr. 1538) beendete den Thronstreit in Ungarn zw. dem Röm. König Ferdinand I. und dem von den „Patrioten" 1526 ausgerufenen König Johann I. (Zápolya). Er beließ beiden Rivalen Königstitel und tatsächl. Besitz und sprach Ferdinand nach Johanns Tod das ganze Kgr. zu.

Großwesir (türk. vezir a'zam), Titel des obersten Amtsträgers im Osman. Reich; 1922 abgeschafft.

Großwetterlage, die durch die mittlere Luftdruckverteilung am Boden charakterisierte Witterung über einem größeren Gebiet während eines mehrtägigen Zeitraumes. Das Wetter selbst kann während einer G. wechseln, der Charakter der Witterung bleibt erhalten. Die unterschiedl. Häufigkeit, regionale Ausbildung und typ. Aufeinanderfolge der G. gestalten wesentlich das Klima eines Gebietes mit.

Grosz, George [grɔs], *Berlin 26. Juli 1893, †ebd. 6. Juli 1959, dt. Maler und Graphiker. – Mitbegr. der Berliner Dada-Gruppe. Einer der schärfsten Satiriker der dt. Kunst; neben Illustrationen zu zeitgenöss. Werken satir. Mappenwerke (u. a. „Das Gesicht der herrschenden Klasse", 1921; „Ecce homo", 1922; „Der Spießerspiegel", 1925), Porträts (M. Herrmann-Neiße, 1925; Mannheim, Kunsthalle; und 1927; New York, Museum of Modern Art) u. a. Gemälde. – 1933 Emigration.

Grotefend, Georg Friedrich, *Münden 9. Juni 1775, †Hannover 15. Dez. 1853, dt. Philologe und Orientalist. – Seine Deutung der Königsnamen auf altpers. Inschriften aus Persepolis (vorgelegt am 4. 9. 1802) stellt den ersten gelungenen Versuch der Entzifferung der Keilschrift dar.

Grote'sche Verlagsbuchhandlung GmbH & Co. KG, G. ↑Verlage (Übersicht).

grotesk [italien.-frz.], wunderlich, überspannt, verzerrt, lächerlich.

Groteske [italien.-frz., zu italien. grotta ↑„Grotte"], in der *Kunstgeschichte* Rankenornament mit eingeflochtenen stilisierten Menschen- und Tierfiguren, Trophäen u. a.; aus der Spätantike von der Renaissance übernommen.

◆ in der *Literaturwiss.* Bez. für eine phantast. Erzählung.

Groteske [italien.-frz.], Monströs-Grausiges, das zugleich lächerlich erscheint, d. h. die Verbindung von scheinbar Unvereinbarem (die Begriffsbildung geht auf die ↑Groteske zurück); findet sich in Literatur und Kunst v. a. solcher Epochen, in denen das überkommene Bild einer heilen Welt angesichts der veränderten Wirklichkeit seine Verbindlichkeit verloren hat.

Groteskschriften, Antiquablockschriften mit gleichmäßig starker Strichführung, deshalb auch Linear-Antiqua-Schriften genannt. Sie kennen keine Serifen (daher auch „Sans Serif"). Die G. entstanden im 1. Drittel des 19. Jahrhunderts.

Grotewohl, Otto, *Braunschweig 11. März 1894, †Berlin (Ost) 21. Sept. 1964, dt. Politiker. – Mgl. der SPD seit 1912 (1918–22 der USPD), 1920–24 Min. im Land Braunschweig (Inneres, Volksbildung, Justiz), 1925–33 MdR, 1945 zum Vors. des Zentralausschusses der SPD in Berlin gewählt; führte schließlich trotz eigener Vorbehalte im April 1946 die SPD in der SBZ zum Zusammenschluß mit der KPD; 1946 neben W. Pieck Vors. der SED, 1946–50 Abg. des sächs. Landtages, ab 1949 der Volkskammer; seit 1949 Min.präs. der DDR, seit 1950 Mgl. des Politbüros der SED.

Groth, Klaus, *Heide 24. April 1819, †Kiel 1. Juni 1899, dt. Dichter. – Schrieb gemütvolle und zarte Gedichte sowie Erzählungen, Idyllen in niederdt. Sprache („Quickborn", 1852; 2. Teil 1871); 1866 Prof. in Kiel.

G., Otto, *Schlettstadt 2. Juli 1875, †München 15. Nov. 1965, dt. Publizist. – Sohn von

Groteskschriften

Futura Buchschrift	Meyers Großes Taschenlexikon
Gill Sans Light	Meyers Großes Taschenlexikon
Univers 55	Meyers Großes Taschenlexikon
Helvetica normal	Meyers Großes Taschenlexikon

Paul Ritter von G.; versuchte mit dem Werk „Die unerkannte Kulturmacht“ (6 Bde., 1960–66) eine Grundlegung der Zeitungswiss. (Periodik), außerdem „Die Zeitung“ (4 Bde., 1928–1930).

G., Paul Ritter von (seit 1902), * Magdeburg 23. Juni 1843, † München 2. Dez. 1927, dt. Kristallograph und Mineraloge. – Vater von Otto G.; 1872–82 Prof. in Straßburg, danach bis 1923 in München. Mit umfangreichen Einzeluntersuchungen an Kristallen fundierte G. die erst viel später mittels Röntgenstrahlinterferenzen (M. von Laue u. a.; 1912) bestätigte Vorstellung eines Kristallgitters.

G., Wilhelm, * Hamburg 9. Jan. 1904, † Bonn 20. Febr. 1977, dt. Physikochemiker. – 1945–50 Prof. in Hamburg, seit 1950 in Bonn. Bei seinen Forschungen zur Isotopentrennung entwickelte G. die Gaszentrifuge.

Grotius, Hugo ['gro:tsiʊs, niederl. 'xro:tsi:ʏs], eigtl. Huigh de Groot, * Delft 10. April 1583, † Rostock 28. Aug. 1645, niederl. Jurist. – Seit 1613 Ratspensionär von Rotterdam; wurde als Arminianer und Gefolgsmann Oldenbarnevelts in dessen Sturz verwickelt und 1619 zu lebenslangem Kerker verurteilt. G. schrieb während dieser Haft u. a. sein epochemachendes Werk über die niederl. Rechtsgeschichte („Inleidinge tot de Hollandsche rechtsgeleerdheid“, hg. 1631). Er floh 1621 und ließ sich bis 1631 in Paris nieder, wo 1625 sein Hauptwerk „De jure belli ac pacis libri tres“ (= Vom Recht des Krieges und des Friedens) erschien. 1635–45 schwed. Gesandter in Paris. – G. wurde als Fortsetzer der Schule von Salamanca mit seiner Abhandlung von 1609 „Mare liberum“ (= Freiheit der Meere) zu einem der Begründer des modernen † Naturrechts und gilt als Vater des neuzeitl. Völkerrechts. Er beendete die Kontroverse über den gerechten Krieg und stützte die Regelung der internat. Beziehungen im Krieg und Frieden auf die Souveränität.

Grotrian-Steinweg, Klavierfabrik in Braunschweig, 1835 in Seesen gegr. von Heinrich E. Steinweg (* 1797, † 1871) und nach dem Eintritt von Friedrich Grotrian (* 1803, † 1860) 1859 nach Braunschweig verlegt. Noch heute unter Leitung der Familie Grotrian-Steinweg († Steinway & Sons).

Grottaferrata italien. Gemeinde in der Röm. Campagna, 329 m ü. d. M. 14 800 E. – G. entstand um die vom hl. Nilus d. J. über den Resten einer röm. Villa 1004 gegr. Basilianerabtei *(Abbazia di G.)*. Die Abtei hat eine reiche Bibliothek (griech. Kodizes), eine Buchdruckerei sowie eine Werkstatt zur Restaurierung alter Kodizes. – In der Kirche (1025 geweiht, 1754 umgebaut) Mosaiken des 11.–13. Jh. und Fresken von 1609–10, neben ihr ein frühchristl. Oratorium.

Grotte [italien., zu griech.-lat. crypta „verdeckter unterird. Gang, Gewölbe“], Höhle, v. a. künstl. Höhle in Renaissance-, Manierismus- und Barockgärten, auch in der Romantik und im 19. Jh.

Grottenolm † Olme.

Groupe de Recherche d'Art Visuel [frz. grupdərəʃɛrʃdarvi'zɥɛl], 1960 in Paris gegr. Künstlergruppe mit dem Ziel der „Erforschung visueller Kunst“. Gründungsmgl. waren J. Le Parc, F. Morellet, H. García Rossi, F. Sobrino, J. Stein und J.-P. Yvaral.

Groupie ['gru:pi; engl.], weibl. Fan, der sich im Gefolge der von ihm bewunderten Person (z. B. Popmusiker, deren Manager und Begleitpersonal) aufhält und versucht, mit diesen in möglichst engen Kontakt zu kommen.

Growl [engl. graʊl „Brummen“], im Jazz Bez. für einen Effekt instrumentaler Tonbildung. Als Nachahmung vokaler Ausdrucksmittel wird G. auf Blasinstrumenten durch gleichzeitiges Singen und Spielen und den Einsatz spezieller Dämpfer hervorgerufen.

Groza, Petru, * Băcia (Kr. Hunedoara) 7. Dez. 1884, † Bukarest 7. Jan. 1958, rumän. Politiker. – 1934 Mitbegründer der Landarbeiterfront (Frontul Plugarilor). 1945–52 Min.präs., 1952 Vors. des Präsidiums der Großen Nat.vers. (Staatspräs.).

Grubber [engl. „Graber, Wühler“] (Kultivator), Bodenbearbeitungsgerät, das der mitteltiefen Bodenlockerung (v. a. im Frühjahr auf herbstgepflügten Feldern) dient und mit starken, an einem Rahmen in zwei oder mehr Reihen angebrachten Zinken arbeitet.

Grube, svw. Bergwerk; i. e. S. Grubenbetrieb unter und über Tage.

Grubenauge † Auge.

Grubenausbau, im Bergbau Bez. für das Absichern und Offenhalten der für den fortlaufenden Betrieb benötigten Grubenräume; umfaßt zahlr. Verfahren zur Abstützung oder Verfestigung des Gebirges. Als Ausbaumaterialien dienen Holz, Stahl, Leichtmetall, Steine oder Beton. – Das häufigste hölzerne Bauelement ist der sog. **Türstock.** Er besteht aus zwei senkrechten oder leicht geneigten Stützhölzern, den **Stempeln,** und der von diesen getragenen querliegenden **Kappe.** Auch einzelne Stempel werden oft verwendet. Neben dem Holzausbau kann auch Stahlausbau für den Türstock in Frage kommen, jedoch überwiegen im Stahlausbau die bogenartigen G.formen **(Bogenausbau)** mit auf die Verhältnisse im Bergbau abgestimmten Stahlprofilen. – Ausbau in Stein bietet hohe Druckfestigkeit; bevorzugt wird die Ziegelausmauerung. – Beton kann als Ausbaustoff unter Tage an der Verwendungsstelle zubereitet, als Fertigbeton von über Tage zugeführt oder in Form von Betonformsteinen eingebracht

2 VT 9 E D C B A

werden. Eine sehr wirtsch. Art des Betonausbaus ist der mit Spritzbeton **(Torkretierverfahren, Abpressverfahren).** Zusammenhängender massiver Ausbau, z. B. gegen Wassereinbruch, besteht oft aus **Tübbingen,** d. h. zu Ringen zusammengeschraubten gußeisernen oder stählernen Segmenten. Der Raum zw. den Bauen wird mit Hilfe von Blechen, Brettern oder Drahtgewebe **(Verzug)** gegen Nachfall abgesichert; der Hohlraum zw. Verzug und Gebirge wird mit lockerem Material hinterfüllt. – Neben dem *starren Ausbau* wird im Bereich des Abbaus, in dem stets stärkere Gebirgsbewegungen auftreten, denen ein starrer Ausbau nicht widerstehen kann, ein *formänderungsfähiger Ausbau* eingebracht, der während der stärksten Gebirgsdruckerscheinungen dem Druck ausweicht, z. B. der Gelenkbogenausbau, bei dem einzelne Ausbauteile rahmenartig zusammengesetzt und gelenkartig miteinander verbunden sind. Im Strebbau werden **Reibungsstempel** verwendet, auf denen gelenkig angeordnete Stahlkappen ruhen. Das Umsetzen des Ausbaus wird heute vielfach mechanisiert. Die hierzu erforderl. Einheiten nennt man **Ausbaugespanne;** sie bestehen aus je zwei *Ausbaugestellen* mit zwei bis drei Stempeln und Kappen, die auf Gleitblechen ruhen.

Grubenbetrieb, im Bergwerk alle untertägigen, im Tagebau die unter dem Niveau der Tagesoberfläche gelegenen Anlagen.

Grubenbewetterung (Bewetterung, Wetterführung), Maßnahmen zur Zuführung von Frischluft **(Frischwetter)** sowie zur Abführung verbrauchter Luft **(Abwetter)** und schädl. Gase **(Schlagwetter)** in Grubenbauen. In Gruben mit zwei unterschiedlich hoch liegenden Ausgängen reicht mitunter die durch Temperaturunterschiede entstehende natürl. Luftbewegung **(Wetterstrom)** aus. Im Regelfall sind Ventilatoren an den Ausgängen erforderlich. Im Grubengebäude wird die Verteilung der Wetter durch Abmauerungen, v. a. aber durch **Wetterschleusen** (bestehend aus mindestens zwei Wettertüren) und Wahl der Querschnitte der Grubenbaue geregelt. – In Grubenbauen mit nur einem Zugang, z. B. beim Vortrieb von Strecken und Tunneln, muß *Sonderbewetterung* erfolgen. Hierzu dienen dünnwandige Röhren **(Wetterlutten, Lutten)** mit Durchmessern zw. 200 und 800 mm, die zu einer Luttentour vom Anschlußpunkt des Grubenbaus bis vor Ort zusammengefügt werden und an die eine oder mehrere Luttenventilatoren angeschlossen sind.

Voss. J.: Grubenklima. Essen 1981.

Grubengas ↑Methan.

Grubenhagen, nach der gleichnamigen Burg ben. welf. Ft. (1286–1596) hauptsächlich beiderseits der oberen Oker und nördl. des Eichsfeldes.

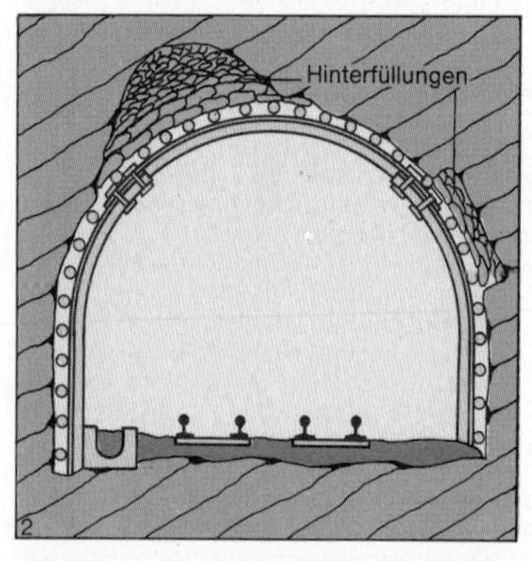

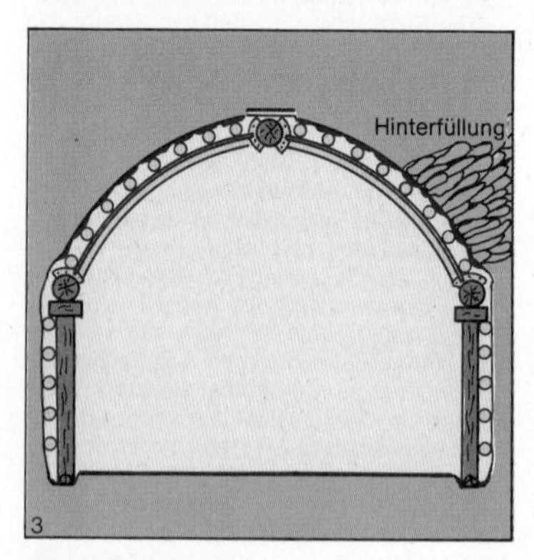

Grubenausbau. 1 hölzerner Türstockausbau, 2 dreiteiliger Stahlbogenausbau, 3 Gelenkbogenausbau

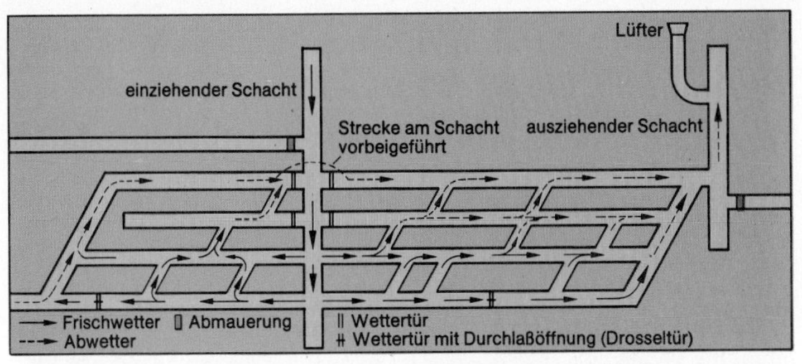

Grubenbewetterung. Schematische Darstellung der Wetterwege einer Grube

Grubenottern (Lochottern, Crotalidae), Fam. sehr giftiger, 0,4–3,75 m langer Schlangen mit rd. 130 Arten, v. a. in Amerika und Asien (eine Art im äußersten SO-Europa). Giftzähne lang, Augen mit senkrechter Pupille, etwa in der Mitte zw. diesen und den Nasenlöchern jederseits ein als **Grubenorgan** bezeichnetes Sinnesorgan, mit dem Temperaturdifferenzen von nur 0,003 °C wahrgenommen werden können. Dient zum Aufsuchen warmblütiger Beutetiere. – Zu den G. zählen u. a. Buschmeister, Klapperschlangen, Mokassinschlangen, Lanzenottern.

Grubenwurm (Hakenwurm, Ancylostoma duodenale), etwa 8 (♂)–20 (♀) mm langer, meist gelbl. Fadenwurm (Fam. Hakenwürmer); Dünndarmparasit des Menschen in S-Europa, N-Afrika, Kleinasien und Asien; Erreger der Hakenwurmkrankheit.

Gruber, Franz Xaver, * Unterweizberg (Hochburg-Ach) 25. Nov. 1787, † Hallein 7. Juni 1863, östr. Organist. – Schrieb 1818 die Melodie zu J. Mohrs Lied „Stille Nacht, heilige Nacht".

G., Karl, * Innsbruck 3. Mai 1909, östr. Politiker. – 1938 aus dem Staatsdienst entlassen, gegen Kriegsende führend in der Tiroler Widerstandsbewegung; 1945–53 Nationalrat (ÖVP); schloß als Außenmin. (1945–53) mit Italien das sog. Gruber-De-Gasperi-Abkommen (5. Sept. 1946) zur Regelung der Südtirolfrage (↑ Südtirol); 1954–57 und 1969–72 Botschafter in Washington, 1972–74 in Bern; 1966–69 Staatssekretär im B.kanzleramt.

G., Ludwig, Pseud. von L. ↑ Anzengruber.

G., Max Ritter von (seit 1908), * Wien 6. Juli 1853, † Berchtesgaden 16. Sept. 1927, östr. Hygieniker. – Prof. in Graz, Wien und München; Mitbegründer der modernen Hygiene. G. entdeckte 1896 die spezif. Agglutination der Bakterien (↑ Gruber-Widal-Reaktion).

Grüber, Heinrich, * Stolberg (Rhld.) 24. Juni 1891, † Berlin (West) 29. Nov. 1975, dt. ev. Theologe. – Leitete ab 1937 die von ihm gegr. Hilfsstelle für ev. Rasseverfolgte („Büro Grüber"); 1940–43 deshalb in den KZ Sachsenhausen und Dachau. Nach dem Krieg Propst an der Marienkirche in Berlin (Ost), 1949–58 Bevollmächtigter der EKD bei der Regierung der DDR, wo er sich für die Wiedervereinigung Deutschlands einsetzte. Seine Aussagen beim Prozeß gegen A. ↑ Eichmann 1961 und bei anderen NS-Prozessen fanden große Beachtung.

G., Klaus Michael, * Neckarelz (= Mosbach) 4. Juni 1941, dt. Theaterregisseur. – War Regieassistent und Regisseur bei G. Strehler bzw. am „Piccolo Teatro" in Mailand. 1969 Inszenierungen in Bremen (Shakespeares „Sturm"), wirkte seit 1973 meist in Berlin (an der Schaubühne am Halleschen Ufer, u. a. Kleists „Amphitryon", 1991; im Olympiastadion „Winterreise" nach Hölderlins „Hyperion", 1977; Volksbühne „Faust" 1982 mit B. Minetti); Gastinszenierungen u. a. in Paris.

Gruberová, Edita, * Preßburg 23. Dez. 1946, östr. Sängerin slowak. Herkunft. – Seit 1970 Mgl. der Wiener Staatsoper; brillante Koloratursopranistin, bes. in Opernpartien von Mozart, R. Strauss und Verdi.

Gruber-Widal-Reaktion [nach M. Ritter von Gruber und F. Widal], artspezif. Agglutination von Bakterien durch ein Blutserum, das bekannte Antikörper (Agglutinine) enthält; dient zur Identifizierung von Bakterienstämmen.

Grudekoks (Grude) [niederdt./engl.], der feste, körnige, mattschwarze Rückstand bei der Braunkohlenschwelung; sein mittlerer Heizwert beträgt trocken etwa 16–25 MJ/kg. G. verbrennt langsam, ohne Rauchbildung.

Grudziądz [poln. 'grudzɔnts] (dt. Graudenz), poln. Stadt an der Weichsel, 20–100 m ü. d. M., 98 000 E. Theater, Binnenhafen; Landmaschinenbau, Gummi-, Nahrungsmittel- u. a. Ind. – 1291 Culmer Stadtrecht, 1466 an Polen. Unter preuß. Herrschaft (ab 1772)

wurde G. zur Festung ausgebaut. 1920 fiel es an Polen. – Barocke ehem. Jesuitenkirche (geweiht 1650) mit Jesuitenkolleg, ehem. Benediktinerkloster mit barocker Kirche.

Gruga, Abk. für: Große **Ru**hrländ. **G**artenbau-**A**usstellung, Essen 1929; heute Park- und Ausstellungsgelände.

Gruhl, Herbert, *Gnaschwitz (Oberlausitz) 22. Okt. 1921, †Regensburg 26. Juni 1993, dt. Politiker. – 1969–80 MdB, Vors. der CDU/CSU-Arbeitsgruppe für Umweltvorsorge; Vorstands-Mgl. der Interparlamentar. Arbeitsgemeinschaft und des Umweltforums; trat 1978 aus der CDU aus und gründete die „Grüne Aktion Zukunft", die 1980 in der Partei der †Grünen aufging. Von ihr trennte sich G. und gründete 1982 die Ökolog.-Demokrat. Partei (Vors. 1982–89).

Grujić, Sava [serbokroat. ˌgru:jitɕ], *Kolari (bei Belgrad) 7. Dez. 1840, †Belgrad 3. Nov. 1913, serb. General und Politiker. – Als führendes Mitglied der Nationalradikalen Partei war G. zw. 1887 und 1906 mehrere Male Min.präs. sowie Kriegs- und Außenmin. 1889 führte er eine im Sinne der Parlamentarisierung fortschrittl. Verfassung ein.

Grumach, Ernst, *Tilsit 7. Nov. 1902, †London 5. Okt. 1967, dt. klass. Philologe. – 1949–57 Prof. an der Humboldt-Univ. Berlin. Beschäftigte sich mit antiker Philosophie, kret. Schrift und Goetheforschung; gab die dt. Aristoteles-Gesamtausgabe (1956 ff.) und (mit Renate G.) „Goethes Begegnungen und Gespräche" (3 Bde., 1965–77) heraus.

Grumbach, Wilhelm von, *Rimpar bei Würzburg 1. Juni 1503, †Gotha 18. April 1567, fränk. Reichsritter. – Schwager Florian Geyers; seine Kämpfe gegen den Würzburger Bischof Melchior von Zobel und Kurfürst August von Sachsen sind als **Grumbachsche Händel** bekannt. 1567 belagerte August das von G. verteidigte Gotha und ließ ihn nach der Erstürmung vierteilen.

Grumbkow, Friedrich Wilhelm von [...pko], *Berlin 4. Okt. 1678, †ebd. 18. März 1739, preuß. Generalfeldmarschall (seit 1737) und Staatsbeamter. – 1709 Generalmajor; als Vertrauter Friedrich Wilhelms I. 1713 Generalkommissar, 1723 Vizepräs. des Generaldirektoriums.

Grumiaux, Arthur [frz. gry'mjo], *Villers-Perwin bei Charleroi 21. März 1921, †Brüssel 16. Okt. 1986, belg. Violinist. – Gefeierter Virtuose und seit 1949 Lehrer am Brüsseler Konservatorium.

Grümmer, Elisabeth, *Niederjeutz (= Basse-Yutz, Moselle) 31. März 1911, †Warendorf 6. Nov. 1986, dt. Sängerin (Sopran). – Eine der bedeutendsten Sängerinnen des dt. Fachs (Mozart, Wagner, R. Strauss), auch als Oratorien- und Liedinterpretin internat. bekannt.

G., Paul, *Gera 26. Febr. 1879, †Zug (Schweiz) 30. Okt. 1965, dt. Violoncellist. – Gehörte 1913–30 dem Quartett von A. Busch an, unterrichtete in Wien, Köln und Berlin. Setzte sich bes. für das Werk M. Regers ein.

Grummet [eigtl. „grünende (d. h. sprießende) Mahd"] †Heu.

Grumpen †Tabak.

Grün, Anastasius, eigtl. Anton Alexander Graf von Auersperg, *Laibach 11. April 1806, †Graz 12. Sept. 1876, östr. Dichter. – Mit Lenau befreundet. 1868 Präs. der östr. Reichsratsdelegation. Mit seinen „Spaziergängen eines Wiener Poeten" (1831) wandte er sich gegen Klerus und Reaktion (Metternich). G. schrieb polit. Lyrik und Dichtungen („Schutt", 1835) sowie humorist. Epen („Der Pfaff von Kahlenberg", 1850).

G., Karl Theodor Ferdinand, *Lüdenscheid 30. Sept. 1817, †Wien 18. Febr. 1887, dt. Schriftsteller. – Als Linkshegelianer und Vertreter vormärzl. polit. Radikalismus in Mannheim und Köln publizistisch tätig. Emigriert, schrieb er „Die sociale Bewegung in Frankreich und Belgien" (1845). 1848 Mgl. der preuß. Nat.vers. und des preuß. Abgeordnetenhauses. 1850–61 in Brüssel; ging 1867 nach Wien. Schrieb ferner „Ludwig Feuerbach" (1874) und v. a. kulturgeschichtl. Werke.

G., Max von der, *Bayreuth 25. Mai 1926, dt. Schriftsteller. – Bergmann, seit 1964 freier Schriftsteller. Mitbegr. der †Gruppe 61. Sozialkritisch geprägte Romane (aus dem Kohlenrevier): „Irrlicht und Feuer" (1963), „Stellenweise Glatteis" (1973), „Flächenbrand" (1979), „Die Lawine" (1986), „Springflut" (1990), Fernsehspiele u. a.

Grün [urspr. „wachsend, sprießend, grasfarben"], Farbempfindung, die durch Licht einer Wellenlänge zw. 487 nm und 566 nm *(grünes Licht)* oder durch subtraktive Farbmischung der beiden Grundfarben Blau und Gelb hervorgerufen wird.

◆ in dt. Spielkarten die dem frz. Pik entsprechende Farbe.

◆ (green), im *Golf* die kurzgeschnittene Rasenfläche in der Umgebung des Loches.

Grünaal †Aale.

Grünalgen (Chlorophyceae), Klasse der Algen mit rd. 10000 v. a. im Benthos oder Plankton des Süßwassers vorkommenden Arten. Die Grünfärbung wird durch Chlorophyll a und b in den Chloroplasten bewirkt. Assimilations- und Reservestoffe sind Stärke und Fett. Die einfachsten Formen sind mikroskopisch klein und einzellig und können sich mit Geißeln fortbewegen. Vielzellige Individuen haben eine äußere Ähnlichkeit mit höheren Pflanzen.

Grünberg, hess. Stadt im Vorderen Vogelsberg, 274 m ü. d. M., 11700 E. Fachschulen (Hess. Fußballverband, Dt. Gartenbau). Metallverarbeitung, Textilind. – Erstmals 1222 als Stadt bezeichnet. – Landgräfliches Schloß (1578–82) sowie Renaissancerathaus (1586/87).

Grünberg i. Schlesien (poln. Zielona Góra), niederschles. Stadt, Polen, 150 m ü. d. M., 113 000 E. PH und TH; 2 Theater, Museum; Maschinen- und Waggonbau, Nahrungsmittel-, Textilind., Weinbau. – Vermutlich Anfang des 13. Jh. von dt. Siedlern angelegt (1323 Stadtrecht). – Sankt-Hedwigs-Kirche (13. und 15. Jh.), Rathaus (16. Jh.) mit Belfried.

Grund, 1. Aussagen i. e. S. (Tatsachenbehauptungen) und prakt. Orientierungen (z. B. Zweckangaben, Handlungsregeln), die in Argumentationen zur Begründung bzw. Rechtfertigung anderer Aussagen oder Vorschläge angeführt werden; 2. Ursache. – In der *Philosophie* wird gefordert, daß jedes Urteil einen zureichenden G. habe (↑Grund, Satz vom); dabei kann der die Zustimmung zu einem Urteil erzwingende G. auf rein log. Schlüssen beruhen **(Erkenntnis-** oder **Idealgrund)** oder sich aus der Erfahrung selbst ergeben **(Real-** oder **Seinsgrund).** – ↑Arche, ↑Causa.

◆ allg. svw. Grundfläche, Untergrund, Hintergrund.

◆ svw. Erdboden, Boden eines Gewässers.

Grund, Satz vom [lat. principium rationis] (Satz vom zureichenden Grund), Denkgesetz der theoret. Philosophie von Leibniz, das in der Formulierung „nichts ist ohne Grund" (= „nihil est sine ratione") sowohl den physikal. Begriff der Kausalität „nichts geschieht ohne Grund" (= „nihil fit sine causa") als auch den log. Begriff der Grund-Folge-Beziehung einschließt. C. Wolff versucht, den S. v. G. mit ontolog. Mitteln zu beweisen. Kant reduziert ihn i. d. R. auf den Grundsatz der Kausalität; Schopenhauer nimmt ihn zum Anlaß einer Unterscheidung in vier verschiedene Fundierungsverhältnisse.

Grundangelei ↑Angelfischerei.

Grundausbildung, erster Abschnitt der Ausbildung eines Soldaten; dauert in der Bundeswehr 3 Monate und soll den Soldaten für den militär. Dienst und zur Selbstverteidigung mit den grundlegenden allg., für seine in Aussicht genommene militär. Haupttätigkeit mit speziellen Kenntnissen und Fertigkeiten vertraut machen. Nach der G. erfolgt die **Vollausbildung** in der Gemeinschaftsausbildung (v. a. in der Gruppe und im Zug) und durch die Verbandsausbildung. Bei der Luftwaffe tritt bei der Ausbildung zum Reserveoffizier und zum Unteroffizier an die Stelle der Vollausbildung die **Fachausbildung.**

Grundbau, Baumaßnahmen, die erforderl. sind, um Bauwerke (insbes. Hoch- und Tiefbauten, aber auch Erdbauten und Straßenkörper) zu gründen. Die **Gründung** leitet die aus dem Bauwerk herrührenden Lasten und Kräfte so in den Baugrund ab, daß für das Bauwerk die Standsicherheit gewährleistet ist. Voraussetzung für die Errichtung eines Bauwerks ist die *Baugrunderkundung.* Hierzu werden mittels verschiedener Verfahren die Bodenschichten im Baugrund erschlossen und deren techn. Eigenschaften untersucht. Aufgabe der *G.statik* ist es, die Standsicherheit des Bauwerks nachzuweisen. Die *G.dynamik* befaßt sich mit den stoßweise oder periodisch auf den Baugrund wirkenden Kräften, mit deren Aufnahme und Weiterleitung durch die Bodenschichten und mit dem mechan. Verhalten des Baugrundes unter dem Einfluß von Schwingungen und Erschütterungen. Die Beanspruchung des Baugrundes kann zu **Setzungen** einzelner Fundamente oder des gesamten Bauwerks führen; es kann unter den Fundamenten ein **Grundbruch** entstehen, wodurch diese plötzlich stark einsinken; es kann sich ein **Geländebruch** entwickeln, wodurch z. B. im Bereich einer Böschung das gesamte Bauwerk im Gelände abgleiten kann. – Es gibt verschiedene Systeme von G.werken. Die einfachste Konstruktion ist die Verbreiterung einer tragenden Wand durch einen **Fundamentstreifen** (Bankett) oder einer Säule durch einen **Fundamentsockel;** bei bes. gering tragfähigem Baugrund wird das gesamte Bauwerk auf eine durchgehende **Grundplatte** gesetzt, wodurch sich die Bodenpressung erheblich verringert. Derartige Gründungsarten sind sog. *Flachgründungen.* Im Ggs. dazu werden *Tiefgründungen* gewählt, wenn die oberen Bodenschichten für die Aufnahme der Bauwerkslast nicht geeignet sind. In großem Umfange werden hier **Pfahlgründungen** angewandt, mittels deren die Kräfte aus dem Bauwerk in tieferliegende Bodenschichten eingeleitet werden. **Spundwandbauwerke** sind tiefgegründete, selbständige Bauwerke. Sie werden erstellt durch Einrammen, gegebenenfalls auch durch Einrütteln oder Einspülen von Spundbohlen aus Holz, Stahlbeton oder Stahl. – **Stützmauern** sind Bauwerke des G., die im wesentlichen Seitenkräfte (Erddruck) aufnehmen. **Baugrundverfestigung** wendet man an, wenn mit einfachen Mitteln wie dem Einrammen von Grobmaterial in weichere Bodenschichten eine Verbesserung der Tragfähigkeit des Baugrundes erreicht werden kann. Eine Verfestigung kann auch durch Zusätze von Kalk oder Chemikalien oder auch durch Injektionen erzielt werden. Zu den grundbautechn. Maßnahmen gehört auch die Abdichtung von G.werken gegen die Wirkung von (aggressivem) Grundwasser sowie gegen Sicker- und Kapillarwasser, und zwar durch Anstriche, Folien, Pappen.

📖 *Lang, H.-J./Huder, J.: Bodenmechanik u. G. Bln. u. a. ³1985. – Simmer, K.: G. Stg. ¹⁶⁻¹⁸1985–87. 2 Bde. – Kinze, W./Franke, D.: G. Wsb. ²1983.*

Grundbruch ↑ Grundbau.

Grundbuch, das vom Grundbuchamt geführte öff. Verzeichnis der an Grundstücken eines bestimmten Bezirks bestehenden Rechtsverhältnisse. Für jedes Grundstück (ausnahmsweise für mehrere Grundstücke), Erbbaurecht und Wohnungseigentum muß grundsätzlich ein **Grundbuchblatt** angelegt werden. Es besteht aus dem *Bestandsverzeichnis* (aus dem sich Lage, Wirtschaftsart und Größe ergeben) und *drei Abteilungen.* Abteilung 1 enthält: Eigentümer und [dingl.] Eigentumserwerbsgrund (z. B. Auflassung, nicht jedoch Kaufvertrag); Abteilung 3: Grundpfandrechte; Abteilung 2: alle übrigen Belastungen und Verfügungsbeschränkungen des Eigentümers sowie Vormerkung und Widerspruch, die sich auf das Eigentum oder die in Abteilung 3 eingetragenen Rechte beziehen. Das G. kann jeder einsehen, der ein berechtigtes Interesse darlegt.
In *Österreich* wird das G. von den Bez.gerichten geführt. Es besteht aus *Hauptbuch* (jedes Grundstück ist darin mit einer eigenen Einlage verzeichnet), *Urkundensammlung* (enthält alle Urkunden, die Grundlage für eine Eintragung waren), *Mappe* (= Landkarte) und *Register.*
In der *Schweiz* gilt eine dem dt. Recht im wesentlichen entsprechende Regelung. Vorgemerkt werden können dingl. sowie gewisse persönl. Rechte (Miete, Pacht, Vorkaufsrecht).

Grundbuchamt, eine Abteilung des Amtsgerichts (in der ehemaligen DDR des Kreisgerichts), die das Grundbuch führt.

Grundbuchberichtigung, die Richtigstellung von Eintragungen im Grundbuch, wenn dieses mit der wirkl. Rechtslage nicht in Einklang steht; kann erfolgen auf Antrag des [wahren] Berechtigten, von Amts wegen, auf Grund eines Urteils. Zur vorläufigen Sicherung des Berechtigten kann ein ↑ Widerspruch eingetragen werden.

Grundbuchrecht, 1. das materielle G. regelt v. a. die Voraussetzungen für Rechtsänderungen an Grundstücksrechten sowie den ↑ öffentlichen Glauben des Grundbuchs; 2. das formelle G. ist das Grundbuchverfassungs- und -verfahrensrecht, das in der Grundbuchordnung (GBO) i. d. F. vom 5. 8. 1935 geregelt ist. *Verfahrensgrundsätze:* Das Grundbuchamt wird auf *Antrag* des von der Eintragung *Betroffenen* oder durch sie *Begünstigten* tätig. Die Eintragung erfordert grundsätzlich eine *Bewilligung* des von ihr Betroffenen. Bei der Übereignung von Grundstücken und bei der Bestellung eines Erbbaurechts muß dem Grundbuchamt die rechtsgeschäftl. Einigung nachgewiesen werden. Eintragungsbewilligung und andere Erklärungen gegenüber dem Grundbuchamt (außer dem Eintragungsantrag) bedürfen der *öff. Beglaubigung.* Liegen mehrere, das gleiche Recht betreffende Eintragungsanträge vor, sind sie in der Reihenfolge des Eingangs zu erledigen (wonach sich auch der Rang der Rechte richtet).
In *Österreich* ist Hauptquelle des G. das Allg. GrundbuchG von 1955, weitere Vorschriften enthält das Grundbuch-UmstellungsG von 1980. In der *Schweiz* wurde das Grundbuch durch das ZGB vom 10. 12. 1907 eingeführt. Dadurch wurde die allmähl. Neu- oder Nachvermessung des urbaren Gebietes notwendig, die bis zum Jahr 2000 abgeschlossen sein soll.

📖 *Löffler, H.: Grundbuch u. Grundstücksrecht. Ffm. ⁴1988. – Eickmann, D.: G. Köln. 1988.*

Grunddeutsch, der für die Verständigung notwendige Mindestbestand an Ausdrucksmitteln der dt. Sprache (Wortschatz und Grammatik); soll Ausländern das Erlernen der dt. Sprache erleichtern. – ↑ Basic English.

Grunddienstbarkeit, das subjektive dingl. (= dem jeweiligen Eigentümer eines Grundstücks zustehende) Recht zur begrenzten Nutzung eines anderen Grundstücks.

Grundeigentum, das Eigentum an einem Grundstück. Es erstreckt sich, soweit eine Nutzungsmöglichkeit besteht, auf den Luftraum über und das Erdreich unter der Oberfläche (§ 905 BGB). Inhalt und Grenzen sind weitgehend sonderrechtlich geregelt.

Grundeinheiten, svw. ↑ Basiseinheiten.

Grundeis, in sehr kalten Gebieten am Grund von Binnengewässern gebildetes Eis.

Grundelartige (Gobioidei), Unterordnung der Barschartigen mit rd. 1 000 meist kleinen, schlanken Arten, überwiegend in küstennahen Meeresgebieten, auch in Süßwasser; Bodenfische; bekannteste Fam. sind die Meergrundeln (↑ Grundeln).

Grundeln (Meer-G., Gobiidae), in allen Meeren, z. T. auch in Brack- und Süßgewässern vorkommende Fam. der Knochenfische mit rd. 600, meist nur wenige cm langen Arten. Man unterscheidet die Unterfam. **Schläfergrundeln** (Eleotrinae; 2,5–60 cm lang, v. a. in trop. Meeren) und **Echte Grundeln** (Gobiinae). Bekannt ist der **Sandküling** (Sandgrundel, Pomatoschistus minutus), bis 10 cm lang, auf hellbraunem Grund schwärzlich gezeichnet, auf Sandböden der Nord- und Ostsee, des Atlantiks vor der frz. Küste und des Mittelmeeres.

Gründeln, Bez. für das Nahrungssuchen am Grund von flachen Gewässern bei verschiedenen Wasservögeln.

Gründelwale (Monodontidae), Fam. bis etwa 6 m langer Zahnwale in nördl. Meeren; Kopf stumpf gerundet mit aufgewölbter Stirn; Rückenfinne fehlend. Die G. fressen überwiegend am Grund. Im Atlantik, bes. im Nordpolarmeer, kommt der bis 5 m lange **Narwal** (Einhornwal, Monodon monoceros) vor; grau- bis gelblichweiß, dunkelbraun gefleckt. ♂ mit 1–3 m langem, schraubig gedrehtem oberem Schneidezahn. Der etwa 3,7–4,3 m lange **Weißwal** (Delphinapterus leucas) kommt in arkt. und subarkt. Meeren vor; erwachsen weiß, Jungtiere dunkelgrau.

Gründerjahre, i. e. S. Bez. für die Jahre vom Ende des Dt.-Frz. Kriegs (1871) bis zum Beginn der großen Depression (1873), i. w. S. für die Zeit etwa 1870–90. Der (bereits zeitgenöss.) Begriff veranschaulicht die Wachstumseuphorie, die im Zeichen weitgehenden Zollabbaus und der durch die frz. Kriegsentschädigung ausgelösten Geldschwemme den eigtl. Durchbruch der industriellen Revolution in Deutschland begleitete. Für die rege Bautätigkeit, die sich auch in den 90er Jahren fortsetzte, ist Eklektizismus charakteristisch (Neugotik, Neurenaissance, Neubarock).

Gründerkrise ↑große Depression.

Grunderwerbsteuer, Steuer auf den Erwerb von inländ. Grundstücken und darauf gerichtete Verpflichtungsgeschäfte. Rechtsgrundlage für die Erhebung einer bundeseinheitl. G. ist das G.gesetz vom 17. 12. 1982. Der G. unterliegen in erster Linie Kaufverträge. Steuerbemessungsgrundlage ist der Kaufpreis samt Nebenkosten bzw. der Wert der Gegenleistung. Der Steuersatz beträgt einheitlich 2%. Die Einnahmen aus der G. betrugen 1990 rd. 4 Mrd. DM.

Grunderwerbsteuervergünstigung, Bez. für die vollkommene oder teilweise Befreiung von der Grunderwerbsteuer durch im Gesetz festgelegte Ausnahmen oder auf Antrag. G. besteht z. B. bei verwandtschaftl. Beziehungen zw. Käufer und Erwerber, wenn das Grundstücksgeschäft im öff. Interesse liegt oder das Grundstück zum Zweck des gemeinnützigen Wohnungsbaus erworben wird.

Grundfarben (Primärfarben), die zur Herstellung von Farbmischungen in der Malerei bzw. Drucktechnik als Ausgangsfarben verwendeten drei Farben, mit denen sich alle anderen Mal- bzw. Druckfarben subtraktiv ermischen lassen. Die G. für den Mehrfarbendruck sind bei additiver Mischung Blau, Gelb und Rot, die bezüglich Farbton, Sättigung und Helligkeit auf nat. und internat. Basis genormt wurden.

Grundform, svw. ↑Infinitiv.

Grundfreiheiten ↑Menschenrechte.

Grundgebirge, von der Geologie übernommener Bergmannsausdruck, der die kristallinen liegenden Gesteine bezeichnet, auf denen sedimentäre, nicht metamorphe Gesteinsserien **(Deckgebirge)** aufliegen.

Gründgens, Gustaf (bis 1923 Gustav), * Düsseldorf 22. Dez. 1899, † Manila 7. Okt. 1963, dt. Schauspieler und Regisseur. – 1934–37 Intendant des Staatl. Schauspielhauses in Berlin, 1937–45 Generalintendant des Preuß. Staatstheaters, seit 1947 der Städt. Bühnen Düsseldorf, die er 1951 in die Düsseldorfer Schauspielhaus GmbH umwandelte, 1955–62 des Dt. Schauspielhauses in Hamburg. G. wurde wegen seiner hohen Position in nat.-soz. Zeit angegriffen (z. B. Klaus Manns „Mephisto", 1936; verfilmt von I. Szabo, 1980), andererseits hatte er versucht, das Theater gegen direkte polit. Zugriffe abzuschirmen. Rollen, die seiner souveränen Intellektualität und Eleganz entgegenkamen, waren u. a. Mephisto, Hamlet, Bolingbroke (E. Scribe), Wallenstein (Schiller). Wirkte auch in zahlr. Filmen mit („Tanz auf dem Vulkan", 1938; „Friedemann Bach", 1941; „Das Glas Wasser", 1961). Schuf beispielhafte Inszenierungen klass. und moderner Autoren, u. a. „Faust (I)" (1960 verfilmt).

Gustaf Gründgens (1959)

Grundgesetz, 1. (Staatsgrundgesetz) traditionell ein verfassungsrechtlich bes. bedeutsames Gesetz. 2. die Verfassung der BR Deutschland. Das Grundgesetz, Abk. GG, wurde am 23. Mai 1949 verkündet und trat am 24. Mai 1949 in Kraft. Seit dem 1. Jan. 1957 gilt es auch im Saarland, seit dem 3. Okt. 1990 ebenso in den Ländern der ehem. DDR. Das GG legt die staatl. Grundordnung fest, indem es die Staatsform, die Aufgaben der Verfassungsorgane und die Rechtsstellung der Bürger regelt. Mit dem Begriff GG sollte auf den provisor. Charakter der BR Deutschland hingewiesen werden. Im Einigungsvertrag 1990 wurde die Aufhebung (Art. 23) und Änderung (Präambel, Art. 51, 143, 146) von Teilen des GG festgeschrieben, die sich

durch die Wiederherstellung der Einheit Deutschlands als überholt erwiesen hatten. Das GG ist in 15 Abschnitte gegliedert, denen eine Präambel vorangestellt ist. In Abschnitt I (Art. 1–19) sind die Grundrechte niedergelegt. Abschnitt II (Art. 20–37) enthält Regelungen über die Staatsform der BR Deutschland und über das Verhältnis von Bund und Ländern. Die Abschnitte III–VI (Art. 38–69) sind den Verfassungsorganen Bundestag, Bundesrat, Gemeinsamer Ausschuß, Bundespräs. und Bundesreg. gewidmet. Abschnitt VII (Art. 70–82) behandelt die Zuständigkeit und das Verfahren bei der Gesetzgebung des Bundes. In den Abschnitten VIII und VIII a (Art. 83–91 b) folgen Bestimmungen über die Ausführung der Bundesgesetze, die Bundesverwaltung und die Gemeinschaftsaufgaben. Der Rechtsprechung ist Abschnitt IX (Art. 92–104) gewidmet. In Abschnitt X (Art. 104 a–115) schließen sich Regelungen über das Finanzwesen, in Abschnitt X a (Art. 115 a–115 l) über den Verteidigungsfall an. In Abschnitt XI (Art. 116–146) finden sich Übergangs- und Schlußbestimmungen. Das GG geht als Verfassungsgesetz allen anderen Rechtsnormen vor. Es kann selbst nur durch ein Gesetz geändert werden, das den Wortlaut des GG ausdrücklich ändert oder ergänzt. Dieses Gesetz bedarf der qualifizierten Mehrheit von zwei Dritteln der Mgl. des Bundestages und zwei Dritteln der Stimmen des Bundesrates. Bestimmte elementare Verfassungsgrundsätze dürfen auch im Wege der Verfassungsänderung nicht beseitigt werden (Art. 79 Abs. 3 GG).
Der Anstoß zur Ausarbeitung einer Verfassung nach dem 2. Weltkrieg ging von den drei westl. Besatzungsmächten aus. Am 8. Mai 1949 wurde das GG vom Plenum des Parlamentar. Rates angenommen. Mit Ausnahme Bayerns stimmten die Landtage der Länder dem GG zu. Die westl. Besatzungsmächte genehmigten es mit Schreiben vom 12. Mai 1949 mit einigen Vorbehalten.

🕮 *Dt. Verfassungen. Hg. v. R. Schuster. Mchn. Neuaufl. 1990. – Jarass, H. D./Pieroth, B.: G. für die BR Deutschland. Mchn. 1989.*

Grundgewebe (Parenchym), bei *Pflanzen* häufigste Form des ↑Dauergewebes, gebildet in den krautigen Teilen, aber auch im Holzkörper der höheren Pflanzen. Das G. besteht aus lebenden, wenig differenzierten Zellen. Im G. laufen die wichtigsten Stoffwechselprozesse der Pflanze ab, außerdem gewährleistet es bei ausreichender Wasserversorgung durch seinen ↑Turgor die Festigkeit der krautigen Pflanzenteile.

Grundherrschaft, wiss. Bez. für einen Teilbereich adliger, kirchl. und königl. Herrschaft, der die europ. Agrar-, Sozial- und Verfassungsgeschichte vom Früh-MA bis zur Bauernbefreiung des 18. und 19. Jh. entscheidend bestimmte. Die ältere G. war „Herrschaft über Land und Leute“ mit der Pflicht des **Grundherrn** zu Schutz und Schirm gegenüber den **Grundholden.** Diese unterstanden in unterschiedl. Abhängigkeitsverhältnissen der Gerichtsbarkeit des Grundherrn und hatten für das von ihnen bewirtschaftete Land oder auch nur für den grundherrl. Schutz Naturalabgaben bzw. Geld zu entrichten und Fronen zu leisten **(Grundlasten).** Seit dem Spät-MA entwickelte sich die jüngere G. als „Herrschaft über Grund und Boden“. Ostmitteleurop. Ausprägung der G. war die ↑Gutsherrschaft.

Grundierung, Grundanstrich bei [Pigment]farbanstrichen: die erste auf einen Werkstoff aufgebrachte Schicht mit ausgeprägter Haftfestigkeit zur Verbindung des Untergrundes mit den folgenden Anstrichschichten.
◆ ↑Malgrund.

Grundig, Hans, * Dresden 19. Febr. 1901, † ebd. 11. Sept. 1958, dt. Graphiker und Maler. – ⚭ mit Lea G. Ab 1930 Mgl. der Asso. 1946–48 Rektor der Hochschule für bildende Künste in Dresden. Gestaltete sozial- und zeitkrit. Themen in einer expressiv-realist. Formensprache, deren Tiersymbolik der Entlarvung des Faschismus dient.

G., Lea, * Dresden 23. März 1906, † ebd. 10. Okt. 1977, dt. Malerin und Graphikerin. – ⚭ mit Hans G. (seit 1928). Ab 1930 Mgl. der Asso. Seit 1950 Prof. an der Hochschule für bildende Künste in Dresden. V. a. Porträts sowie große, politisch und sozial bestimmte Kompositionen.

Grundig AG, größtes europ. Unternehmen der Unterhaltungselektronik, Sitz Fürth, gegr. 1948 durch Max Grundig (* 1908, † 1989), der 1984 aus der Firma ausschied; seither zur Philips AG.

Grundkapital ↑Aktiengesellschaft.

Grundkarte ↑Karte.

Grundkurs (Normalkurs), in der gymnasialen Oberstufe Kurs, der das schul. Grundwissen in einem Fach vermittelt, während **Leistungskurse** ein erweitertes Lernangebot darstellen (zwei Leistungskurse sind Pflicht). G. der Oberstufe sind i. d. R. zwei- bis dreistündig, Deutsch, Mathematik und Fremdsprachen mindestens dreistündig.

Grundlagenbescheid, Feststellungsbescheid im Steuerfestsetzungsverfahren, der selbständig Rechtskraft erlangt; kann nicht über darauf aufbauende Folgebescheide angegriffen werden (z. B. Einheitswertbescheid).

Grundlagenforschung, Terminus der Wissenschaftstheorie: 1. Die wiss. Beschäftigung mit dem systemat. und method. Fundament einer wiss. Disziplin (z. B. mathemat.

G., zu der Beweistheorie und Philosophie der Mathematik gehören). G. in diesem Sinne wird auch **Grundlagentheorie** genannt. 2. Insbes. in den Natur- und Technikwiss. im wesentlichen die nicht auf Anwendungen hin orientierte, zweckfreie Forschung.

Grundlagenstreit, i. w. S. jede Kontroverse über die Grundlagen einer Wiss., d.h. über Begriffe, Sätze oder Verfahrensweisen, die zur Zeit dieser Auseinandersetzung als „grundlegend" für die betroffene Wiss. angesehen werden (z. B. der Streit zw. Newton bzw. seinem Sprecher Clarke und Leibniz über den Begriff des Raumes); sind zentrale theoret. Sätze und Verfahrensweisen sowie die Zielstellung der jeweiligen Wiss. in Frage gestellt, spricht man von einer **Grundlagenkrise.** Einen G. *im engeren Sinn* kennzeichnet, daß eine Grundlagenkrise vorausgeht und einflußreiche Gruppen von Wissenschaftlern versuchen, ihre mit den jeweils konkurrierenden Vorschlägen unverträgl. Vorschläge zur Behebung der bestehenden Grundlagenkrise durchzusetzen (z. B. der G. der modernen Mathematik, in dem sich als Hauptrichtungen Formalismus, Platonismus und Konstruktivismus gegenüberstehen).

Grundlagenvertrag, svw. ↑Grundvertrag.

Grundlasten ↑Grundherrschaft.

Grundlastwerk ↑Kraftwerke.

Grundlawine ↑Lawine.

Gründlinge (Gobioninae), Unterfam. kleiner bis mittelgroßer, bodenbewohnender Karpfenfische mit über 70 Arten in den Süßgewässern Eurasiens; Körper meist schlank, mit mehreren dunklen Flecken und einem Paar relativ langer Oberlippenbarteln. In M-Europa kommt der **Gewöhnliche Gründling** (Gobio gobio) vor, ein bis 15 cm langer Fisch mit graugrünem Rücken, je einer Reihe dunkler Flecken an den helleren Körperseiten und rötl.-silbriger Unterseite.

Grundlinie, Grenzlinie des Spielfeldes an den Schmalseiten (u. a. beim Tennis, Volleyball).

Grundlohn, (Mindestlohn) ↑Lohn.

◆ in der gesetzl. *Krankenversicherung* das auf den Kalendertag umgerechnete Arbeitsentgelt. Der G. bildet die Bemessungsgrundlage für die baren Leistungen der Krankenkassen (außer Krankengeld) sowie für die Beiträge (§ 180 Reichsversicherungsordnung).

Grundlsee, See im steir. Salzkammergut, Österreich, 4,2 km², 6 km lang, bis zu 1 km breit und 64 m tief, 709 m ü. d. M.

Grundmann, Herbert, * Meerane 14. Febr. 1902, † München 20. März 1970, dt. Historiker. – 1939 Prof. in Königsberg (Pr), 1944 in Münster, ab 1959 in München, dort auch Präsident der „Monumenta Germaniae historica".

Lea Grundig. Arbeiterinnen; 1967 (Pinselzeichnung; Privatbesitz)

Grundmauer, unter der Erde liegende, die Last des darauf errichteten Bauwerks auf den Baugrund übertragende Mauer.

Grundmine ↑Mine.

Grundmoräne ↑Gletscher.

Grundnetz ↑Schleppnetz.

Gründonnerstag [wohl nach dem Brauch, an diesem Tag etwas Grünes zu essen; vielleicht auch nach mittellat. dies viridium „Tag der Büßer" (eigtl. der „Grünen", d. h. derer, die durch ihre Buße wieder zu lebendigen [„grünen"] Zweigen der Kirche werden)] (lat. [Feria quinta] in Coena Domini, Feria quinta Hebdomadae sanctae), 5. Tag der ↑Karwoche, nach 1. Kor. 11, 23 Tag des letzten Abendmahles. Zu seinem Gedächtnis findet in allen christl. Liturgien ein seit dem 4. Jh. nachweisbarer Abendgottesdienst statt. In zahlr. kath. Kirchen wird dabei traditionell die Fußwaschung symbolisch nachvollzogen.

Grundordnung, Bez. für die nach 1945 beschlossenen Verfassungen der dt. ev. Landeskirchen, v. a. der EKD. Die erste G. der EKD vom 13. Juli 1948 wurde durch die G. vom 7. Nov. 1974 ersetzt.

Grundpfandrechte, Oberbegriff für Hypothek, Grundschuld und Rentenschuld; das sind dingl. Verwertungsrechte an Grundstücken, auf Grund deren der Berechtigte eine bestimmte Geldsumme aus dem belasteten Grundstück [im Wege der Zwangsvollstreckung] beitreiben kann. Sie sind die Sicherheit beim Realkredit an Immobilien.

Grundpfandverschreibung, im *schweizer. Recht* eine wichtige Art des Grundpfandrechts. Die G. (Art. 824ff. ZGB) dient der Sicherung einer persönl. Forderung; sie wird nicht in einem Wertpapier verbrieft.

Grundrechenarten, Bez. für die vier Rechenarten Addition (Zusammenzählen), Subtraktion (Abziehen), Multiplikation (Malnehmen) und Division (Teilen).

Grundrechte, [außer im Falle der ↑Koalitionsfreiheit] nur gegen den Staat gerichtete Fundamentalrechte des Bürgers, die i. d. R. verfassungsmäßig gewährleistet sind. In der BR Deutschland sind die wichtigsten G. im GG, Abschnitt I, enthalten: der Schutz der Menschenwürde; die freie Entfaltung der Persönlichkeit; das Recht auf Leben und körperl. Unversehrtheit und die Freiheit der Person; der Gleichheitssatz; die Religions- einschl. der Glaubens-, Gewissens- und der Bekenntnisfreiheit; Meinungs-, Informations- und Pressefreiheit; die Wissenschaftsfreiheit; der Schutz von Ehe und Familie; die Privatschulfreiheit; die Versammlungsfreiheit; Vereinigungs- und Koalitionsfreiheit; Brief-, Post- und Fernmeldegeheimnis; die Freizügigkeit; die Berufsfreiheit; die Unverletzlichkeit der Wohnung; das Recht auf Eigentum und das Erbrecht; das Verbot der Auslieferung und das Asylrecht; das Beschwerde- und Petitionsrecht. Außerhalb des Grundrechtskatalogs enthält das GG weitere Grundrechtsbestimmungen, u. a.: die Freiheit der Parteien; das Recht auf gleichen Zugang zu jedem öff. Amt nach Eignung, Befähigung und Leistung; das Wahlrecht; das Recht auf den gesetzl. Richter; das Verbot der mehrmaligen Bestrafung wegen derselben Tat und das Verbot der Rückwirkung von Strafgesetzen; den Anspruch auf rechtl. Gehör vor Gericht.

Einige G. stehen nicht allen Menschen, sondern nur den Deutschen im Sinne des Art. 116 GG zu. Außer den natürl. Personen können sich auch inländ. jurist. Personen und sonstige Personengemeinschaften auf G. berufen, sofern diese ihrem Inhalt nach auf sie anwendbar sind.

Die G. wenden sich an alle drei Staatsgewalten und binden daher auch die gesetzgebende Gewalt. Diese darf ein G. durch Gesetz grundsätzlich nur dann einschränken, wenn das G. diese Beschränkung ausdrücklich vorsieht *(Gesetzesvorbehalt)*. Das eingeschränkte G. muß außerdem unter Angabe seines Art. gen. werden (Art. 19 Abs. 1). In keinem Falle darf ein G. in seinem Wesensgehalt angetastet werden (Art. 19 Abs. 2). Wer bestimmte G. zum Kampfe gegen die freiheitl. demokrat. Grundordnung mißbraucht, verwirkt sie (Art. 18 GG). Hierüber entscheidet das Bundesverfassungsgericht. Gegen eine Verletzung der G. durch die öff. Gewalt kann jedermann Verfassungsbeschwerde erheben. Außerhalb des GG finden sich G. in vielen Landesverfassungen. Diese G. bleiben gemäß Art. 142 GG insoweit in Kraft, als sie mit dem GG übereinstimmen oder einen weitergehenden G.schutz gewähren (vgl. Art. 142 GG). G. finden sich u. a. auch in der Europ. Menschenrechtskonvention; sie haben jedoch keinen Verfassungsrang. – ↑Menschenrechte, ↑Drittwirkung der Grundrechte.

In *Österreich* fehlt es derzeit noch an einer umfassenden Kodifikation der G. Enthalten sind G. im B-VG, im StaatsgrundG vom 21. 12. 1867 und in der als östr. Verfassungsrecht in Geltung gesetzten Europ. Menschenrechtskonvention.

In der *Schweiz* sind die G. (auch **Freiheitsrechte** gen.) in der BV und in den Kantonsverfassungen aufgeführt. Die BV garantiert u. a. das Eigentum, die Handels- und Gewerbefreiheit, die Niederlassungsfreiheit für Schweizer Bürger, die Glaubens- und Gewissensfreiheit, die Kultusfreiheit, das Recht auf Ehe, die Presse-, die Vereins-, die Petitionsfreiheit, das Recht auf den verfassungsmäßigen Richter und das Verbot von Ausnahmegerichten. Seit 1960 anerkennt das Bundesgericht ungeschriebene G. der BV, z. B. persönl. Freiheit, Meinungs-, Sprachen-, Versammlungsfreiheit. Gemäß bundesgerichtl. Rechtsprechung bedarf der Eingriff in G. gesetzl. Grundlage und eines überwiegenden öff. Interesses; der Eingriff muß verhältnismäßig sein und den Kerngehalt der G. wahren.

Geschichte: Die Vorstellung von G., die dem Menschen von Natur aus zu eigen sind (↑Menschenrechte, ↑Naturrecht), fand sich bereits in der Antike. In einem vielschichtigen Prozeß verbanden sich im MA antike Naturrechtsphilosophie, christl. Staatsphilosophie und german. Volksrechtstraditionen und bildeten eine Basis zunächst ständisch beschränkter G. gegenüber dem Herrscher (Widerstandsrecht). Die berühmteste ma. G.verbriefung ist die Magna Carta libertatum von 1215, die die engl. Lehnsleute vor dem Mißbrauch der königl. Gewalt sicherte. Auch die Petition of Right von 1628 bestätigte nur feudale Vorrechte. Über den aus den Kreisen der engl. Independenten hervorgegangenen demokratisch orientierten Verfassungsentwurf des „Agreement of the people" 1647 führte der Weg zur verfassungsrechtl. Anerkennung individueller G. in der Habeaskorpusakte 1679 und in der Bill of Rights 1689. In N-Amerika erlangten die G. bei der Trennung von Großbritannien eine bes. Bed. Sie wurden in verfassungsgesetzl. Katalogen der Einzelstaaten (Virginia Bill of Rights, 1776) und in den Zusatzart. I–X der Unionsverfassung von 1787 gewährleistet. Unter dem maßgebl. Einfluß des nordamerikan. Vorbilds und der rationalist. Ideen der Aufklärung (Voltaire, Montesquieu, Rousseau) wurde in der Frz. Revolution 1789 das klass. Dokument der G. in der „Erklärung der Menschen- und Bürgerrechte" proklamiert (↑Déclaration des droits de l'homme et du citoyen). Während die vormärzl. dt. Verfassungen G. nur in beschränktem Umfang kodifizierten (am ausführlichsten Bayern und Baden 1818, Württemberg 1819), sah die Frankfurter Nationalversammlung in ihrer Reichsverfassung (1849) einen ausführl. Katalog von „G. des dt. Volkes" vor (u.a. Rechtsgleichheit, Niederlassungsfreiheit, Freiheit und Unverletzlichkeit der Person, Unverletzlichkeit der Wohnung, Briefgeheimnis, Pressefreiheit, Freiheit der Wissenschaft und Lehre). Den Verfassungen des Norddt. Bundes von 1867 und des Dt. Reiches von 1871 fehlten G. Dagegen enthielt die Weimarer Reichsverfassung von 1919 in Anknüpfung an die 1848er Tradition einen Katalog von G. und Grundpflichten (auch sozialer Natur). Der Nationalsozialismus lehnte G. als Relikte des liberalen Staates ab und beseitigte sie durch die Reichstagsbrand-Notverordnung vom 28. Febr. 1933. In den Verfassungen sozialist. Staaten waren G. kodifiziert. Sie wurden jedoch nicht als gegen den Staat gerichtete Rechte verstanden, sondern als allg. Rechtsgrundsätze. Ein wirksamer, gerichtlich abgesicherter Schutz der G. war nicht vorhanden. G.schutz enthalten auch internat. Abkommen, z.B. die Europ. Menschenrechtskonvention vom 4. 11. 1950, die Europ. Sozialcharta vom 18. 10. 1961, die UN-Rassenkonvention, der UN-Pakt über bürgerl. und polit. Rechte sowie der UN-Pakt über wirtsch., soziale und kulturelle Rechte, beide vom 19. 12. 1966. G.fragen waren auch Gegenstand der ↑Konferenz über Sicherheit und Zusammenarbeit in Europa.

🕮 *Pieroth, B./Schlink, B.: G. – Staatsrecht II. Hdbg. [4]1988. – Even, B.: Die Bed. der Unantastbarkeitsgarantie des Art. 79 Abs. 3 GG für die G. Ffm. 1988.*

Grundrente, (Bodenrente) in der *funktionellen Verteilungstheorie* das Einkommen, das aus dem Eigentum an Grund und Boden bezogen wird. Die G. hat die volkswirtsch. Funktion, den Produktionsfaktor Boden, sofern er kein freies Gut mehr ist, der produktivsten Verwendungsart zuzuführen.

◆ in der *Kriegsopferversorgung* nach dem BundesversorgungsG gewährter einkommensunabhängiger Rentenbestandteil, der eine Minderung der Erwerbsfähigkeit um mindestens 25% voraussetzt. Die G. kann durch eine Ausgleichsrente ergänzt werden.

Grundriß, die senkrechte Parallelprojektion eines Gegenstandes auf eine waagerechte Ebene.

Grundschicht (Peplosphäre), Bez. für den untersten Bereich der Troposphäre (↑Atmosphäre): die rund 1 bis 2,5 km mächtige, dem Erdboden aufliegende Luftschicht.

Grundschleier, ohne Lichteinwirkung entstehende, sehr geringe Schwärzung einer photograph. Schicht.

Grundschuld, Grundpfandrecht, das von einer zu sichernden Forderung rechtlich unabhängig ist (§ 1191 BGB). Entstehung durch formlose Einigung und Eintragung ins Grundbuch sowie (bei der Brief-G.) Übergabe des G.briefes. Die G. erlischt durch Befriedigung des G.gläubigers aus dem Grundstück, ferner durch Aufhebung. Dagegen entsteht eine **Eigentümergrundschuld,** wenn der Eigentümer des belasteten Grundstücks die G. tilgt oder der Gläubiger auf die G. verzichtet. Häufigste Art der G. ist die [der Sicherung einer Forderung dienende] **Sicherungsgrundschuld;** ihr liegt als kausales Rechtsgeschäft ein Sicherungsvertrag zw. einem Kreditgeber und dem Eigentümer zugrunde.
Im *östr.* und im *schweizer. Recht* ist die G. unbekannt.

Grundschule, gemeinsame Pflichtschule für alle Kinder ab vollendetem 6. Lebensjahr (vorzeitige Einschulung und Rückstellung sind möglich). Eingeführt in der Weimarer Republik (Art. 146 der Verf.). Die Dauer der G. beträgt in den Ländern der BR Deutschland i.d.R. vier Jahre. Die G. führt vom anfängl. Gesamtunterricht (die ersten zwei Jahre) zur Aufgliederung in Fächer (dt. Sprache, Mathematik, Religion, Kunst, Musik, Sport und Sachunterricht). Der Übergang in die weiterführenden Schulen folgt teils nach dem 4. Schuljahr, teils nach dem Besuch einer Orientierungsstufe (5. und 6. Schuljahr). In *Österreich* wird die vierjährige G. Volksschule gen., auf die die Hauptschule folgt. In der *Schweiz* besteht im Rahmen einer 7- bis 10jährigen Volksschule eine Primarschule, die je nach Kt. 3–6 Jahre umfaßt.

Grundschwingung, die mit der niedrigsten Frequenz erfolgende harmon. [Teil]schwingung eines schwingenden Gebildes. Beliebige unharmon. Schwingungsvorgänge lassen sich stets in eine G. und eine Folge von harmon. ↑Oberschwingungen zerlegen.

Grundsee, eine kurze, steile, oft auch überkammende Welle, die durch Auflaufen einer aus tiefem Wasser kommenden langen Welle auf Untiefen und vor flachen Küsten entsteht.

Grundsprache, die gemeinsame Vorstufe mehrerer verwandter Sprachen; z.B. ist das Lat. die G. der roman. Sprachen.

grundständig, unmittelbar über dem Boden stehend; auf Blätter bezogen, die an der Basis eines Pflanzensprosses entspringen.

Grundsteuer, Steuer auf alle Formen des Grundbesitzes (bebaute und unbebaute Grundstücke, Eigentumswohnungen), deren Erhebung auf Grund des GrundsteuerG vom 7.8.1973 (mit Änderungen) erfolgt. Sie ist neben der Gewerbesteuer die wichtigste Gemeindesteuer; ihr Aufkommen betrug 1990 8724 Mill. DM. Bei der Erhebung der G. gilt als maßgebende Größe der Einheitswert des betreffenden Grundstücks, von dem mit Hilfe einer Steuermeßzahl der G.meßbetrag festgestellt wird. Den Steuermeßbetrag multipliziert die Gemeinde mit ihrem Hebesatz und ermittelt so die G.schuld als Jahresbetrag.

Grundstimme, 1. die tiefste (Baß-)Stimme einer Komposition; 2. bei der Orgel bezeichnet man als Grundstimmen die Prinzipale aller Oktavlagen, im Ggs. zu den ↑Aliquotstimmen und den ↑gemischten Stimmen.

Grundstoffindustrien, Sammelbez. für die Betriebe der eisenschaffenden Ind., des Kohlenbergbaus und der Energiewirtschaft. Durch ihre Tätigkeit schaffen sie die Grundlage für die Produktion von Investitions- und Konsumgütern. Da die Betriebe kapitalintensiv und daher für konjunkturelle Schwankungen bes. anfällig sind, werden sie häufig staatlich subventioniert.

Grundstück, 1. im Sinne des BGB und der Grundbuchordnung ein räumlich abgegrenzter Teil der Erdoberfläche, der im Bestandsverzeichnis eines Grundbuchblattes unter einer bes. Nummer gebucht ist, ohne Rücksicht auf die Art seiner Nutzung; 2. in den Bau- und Bodengesetzen die eine wirtsch. Einheit bildenden Bodenflächen (*G. im wirtsch. Sinn,* u.U. bestehend aus mehreren G. im Rechtssinn).
Steuerl. Bewertung bei bebauten G.: Der **Sachwert** setzt sich zus. aus dem Wert des Bodens, des Gebäudes und der Außenanlagen. Dabei wird der Boden mit dem **gemeinen Wert** oder **Verkehrswert** angesetzt. Bei der Errechnung des Gebäudewerts wird vom Gebäudenormalherstellungswert ausgegangen, der um Wertminderungen auf Grund des Zeitablaufs, baul. Mängel oder Schäden berichtigt wird. Bei der Ermittlung des Werts der Außenanlagen wird ähnlich verfahren. Der **Ertragswert** wird durch Kapitalisierung der erwarteten durchschnittl. Reinerträge ermittelt. Voraussetzung ist die Kenntnis der zu erwartenden Mieteinnahmen oder zumindest die Möglichkeit ihrer Schätzung. Bei *unbebauten G.* wird der gemeine Wert angesetzt.

grundstücksgleiche Rechte, dingl. Rechte an Grundstücken, die rechtlich wie Grundstücke behandelt werden, z.B. Erbbaurecht, Wohnungseigentum.

Grundstückskaufvertrag, Kaufvertrag, durch den die Verpflichtung zur Übertragung des Eigentums an einem Grundstück begründet wird. Der gesamte Vertrag mit allen Nebenabreden bedarf der notariellen Beurkundung (§313 BGB) und in den neuen B.ländern der Genehmigung durch das Landratsamt bzw. die Stadtverwaltung.

Grundstücksrechte, dingl. Rechte an einem Grundstück. *Arten:* 1. Grundeigentum; 2. grundstücksgleiche Rechte; 3. beschränkte dingl. Rechte, nämlich Dienstbarkeiten sowie Grundstücksverwertungsrechte (= Grundpfandrechte), Grundstückerwerbsrechte (= dingl. Vorkaufsrecht). – Zur rechtsgeschäftl. Begründung und inhaltl. Abänderung eines G. sowie zur rechtsgeschäftl. Begründung und Übertragung von Rechten an einem G. (z.B. einem Pfandrecht an einer Hypothek) sind i.d.R. erforderlich: Einigung [zw. den Beteiligten] und Eintragung ins Grundbuch. Die Aufhebung eines G. erfolgt durch Aufgabeerklärung [gegenüber dem Grundbuchamt oder dem Begünstigten] und Eintragung ins Grundbuch.

Grundstücksverkehr, im Sinne des GrundstücksverkehrsG vom 28.7.1961 die Veräußerung land- oder forstwirtsch. Grundstücke. Sie bedarf einer Genehmigung der nach Landesrecht zuständigen Landwirtschaftsbehörde.

Grundstufe ↑Komparation.

Grundton, in der *Akustik* der tiefste Ton eines Klanges.
◆ in der *Musik* der Ton, auf dem eine Tonleiter bzw. eine Tonart oder ein Akkord aufgebaut ist.

Grundtvig, Nicolai Frederik Severin [dän. 'grondvi], * Udby (Seeland) 8. Sept. 1783, † Kopenhagen 2. Sept. 1872, dän. ev. Theologe, Pädagoge und Schriftsteller. – Bemühte sich um religiöse und nat. Erneuerung **(Grundtvigianismus),** übersetzte altnord. Sagen, dichtete über 400 Kirchenlieder und gab den Anstoß zur dän. Volkshochschulbewegung.

Grundumsatz (Basalumsatz, Erhaltungsumsatz, Ruheumsatz), Abk. GU, diejenige Energiemenge, die ein lebender Organismus bei völliger geistiger und körperl. Entspannung in nüchternem Zustand und bei Indifferenztemperatur (Temperatur, die geringste Energie zur Wärmeregulation erfordert; 20°C) zur Aufrechterhaltung seiner Lebensvorgänge benötigt. Die Höhe des G. ist abhängig von Gewicht, Alter, Geschlecht, Körperoberfläche, Hormonproduktion und Ernährung. Er wird gemessen in Joule je Tag. Der Durchschnittswert beträgt beim Erwachsenen 5800–7500 kJ/d (1400–1800 kcal/d). Der G. der Frau liegt um 10–15% unter dem des Mannes. Eine Erhöhung des G. tritt bei

Fieber, Schilddrüsenüberfunktion, Tumoren, Schwangerschaft, Hunger u. a. auf.

Gründung, (Fundament) ↑ Grundbau.
◆ rechtl., finanzielle und organisator. Errichtung eines Unternehmens entsprechend der für die einzelnen Unternehmungsformen geltenden Vorschriften.

Gründüngung, Düngungsart, bei der Grünpflanzen als Ganzes oder nur die Stoppel- und Wurzelrückstände von Futterpflanzen untergepflügt werden. Zur G. bevorzugt angebaut werden z. B. Lupinen, die mit Hilfe ihrer Wurzelknöllchen Luftstickstoff binden können und so den Boden zusätzlich mit Stickstoff anreichern.

Grundurteil ↑ Zwischenurteil.

Grundvermögen, im *Steuerrecht* immobiler Teil des Gesamtvermögens von Privatpersonen, Einzelunternehmen, Personen- und Kapitalgesellschaften, bestehend aus: Grund und Boden, Gebäuden, sonstigen Bestandteilen und Zubehör, dem Erbbaurecht, dem Wohnungseigentum, dem Teileigentum, dem Wohnungs- und dem Teilerbbaurecht; nicht zum G. gehören land- und forstwirtsch. Vermögen sowie Betriebsgrundstücke.

Grundvertrag (Grundlagenvertrag), Kurzbez. für den Vertrag über die Grundlagen der Beziehungen zw. der BR Deutschland und der DDR vom 21. Dez. 1972, in Kraft getreten am 21. Juni 1973. Der G. sollte „gutnachbarl. Beziehungen" zw. beiden Staaten „auf der Grundlage der Gleichberechtigung" dienen; er umfaßte einen Gewaltverzicht mit der Bekräftigung der „Unverletzlichkeit" der Grenze zw. beiden Staaten und der „uneingeschränkten Achtung ihrer territorialen Integrität". Die Vertragspartner verpflichteten sich, Sicherheit und Zusammenarbeit in Europa sowie eine kontrollierte internat. Rüstungsbegrenzung und Abrüstung zu fördern. Sie versicherten ihre Bereitschaft, prakt. und humanitäre Fragen zu regeln (z. B. Verbesserung des Post- und Fernmeldeverkehrs, Schaffung von Reiseerleichterungen, Familienzusammenführung) und vereinbarten den Austausch ständiger Vertretungen. Im „Brief zur dt. Einheit" bekräftigte die Bundesreg. gleichzeitig, daß der G. nicht im Widerspruch zu dem polit. Ziel der BR Deutschland stehe, auf einen Zustand des Friedens in Europa hinzuwirken, in dem das dt. Volk in freier Selbstbestimmung seine Einheit wiedererlangt.

Grundwasser, alles ehem. Sickerwasser, das unterird. Hohlräume zusammenhängend ausfüllt und nur der Schwerkraft unterliegt. Die obere Grenzfläche zw. lufthaltiger und wassergesättigter Zone ist der **Grundwasserspiegel.** Bei **Grundwasserstockwerken** werden mehrere **Grundwasserleiter** durch schwer- oder undurchlässige Schichten getrennt. Tritt G. zutage, so bildet es Quellen. – Die Höhe des G.spiegels schwankt jährlich. Die im Vergleich zur G.neubildung größere G.nutzung führt zur G.absenkung, oft mit ökolog. Schäden verbunden.

Grundwehrdienst ↑ Wehrdienst.

Grundwort, in einer Zusammensetzung (Kompositum) das nachstehende, übergeordnete Wort, das Wortart, Genus und Numerus des ganzen Wortes bestimmt, z. B. Regen*schirm.*

Grundzahl ↑ Potenz.

Grundzeit, nach der REFA-Lehre Teil der Ausführungszeit; die Summe der Zeiten, die regelmäßig anfallen und durch Berechnung oder Zeitaufnahme zu ermitteln sind. G. kann untergliedert werden in: 1. **Hauptzeit** (der Teil der G. je Einheit, bei dem ein unmittelbarer Fortschritt an den Einheiten oder Arbeitsgegenständen im Sinne des Auftrags entsteht) und **Nebenzeit** (der Teil der G., der regelmäßig auftritt, jedoch lediglich mittelbar zum Fortschritt im Sinne des Auftrags beiträgt); 2. **Bearbeitungszeit** (Zeit vom Beginn bis zur Beendigung der Bearbeitung der einzelnen – oder gleichzeitig mehrerer – Auftragseinheiten) und **Zwischenzeit** (Zeit vom Ende der Bearbeitung der einen – oder gleichzeitig mehrerer – Einheiten bis zum Beginn der Bearbeitung der nächsten Einheit); 3. **Tätigkeitszeit** in der G. (die Zeit, in der bei Fließarbeit zur Erreichung der täglich geforderten Sollmenge jeweils eine Mengeneinheit fertigzustellen ist) und **Wartezeit** in der G. (bei Zusammenwirken von Arbeiter, Betriebsmittel und Werkstoff der für den Arbeiter auftretende Zeitverlust, der vorzugeben ist).

Grundzustand, der stationäre, quantenmechanisch zu beschreibende Zustand eines mikrophysikal. Systems, der die niedrigste mögl. Energie besitzt. – ↑ angeregter Zustand.

Grüne (Die Grünen), polit. Partei der BR Deutschland, gebildet Anfang 1980 aus verschiedenen regionalen Gruppen („grüne Listen") sowie der „Grünen Aktion Zukunft"; bekennt sich zu den Grundwerten „ökologisch – sozial – basisdemokratisch – gewaltfrei". Seit 1983 im B.tag vertreten (1983 5,6%; 27 Abg.; 1987 8,3%; 42 Abg.) und bis Ende der 80er Jahre in eine Reihe von Länderparlamenten gewählt, gerieten die G. nach der B.tagswahl vom 2. Dez. 1990 (4,9%; keine Abg.) in eine ernsthafte Krise; wesentl. Gründe dafür lagen wohl in dem Dauerkonflikt zw. den sog. Fundamentalisten (u. a. J. Ditfurth) und Realpolitikern (u. a. J. Fischer, A. Vollmer), dem Scheitern der Reg.koalitionen mit der SPD in Hessen (1985–87) und Berlin ([„Alternative Liste"] 1989/90) sowie der Übernahme von Teilen der ökolog. Programmatik durch die anderen Parteien. – Im

Zuge der gewaltfreien Revolution 1989/90 entstand auch in der DDR eine Grüne Partei (Gründungsparteitag Jan. 1990), die nach der Volkskammerwahl vom 18. März 1990 mit den Bürgerbewegungen die Fraktionsgemeinschaft ↑Bündnis 90/Grüne bildete und in dieser Verbindung nach dem 2. Dez. 1990 auch in den ersten gesamtdt. B.tag einzog (zus. 8 Abg.). 1990/91 schlossen sich ostdt. Landesverbände der G. an. Der radikal linke Flügel um J. Ditfurth spaltete sich im Mai 1991 ab und bildete die Ökolog. Linke/Alternative Liste als neue Sammlungsbewegung.

Grüne Front, allg. Bez. für eine agrarpolit. Interessengemeinschaft und -vertretung. 1929–33 Bez. für den lockeren Zusammenschluß von Reichslandbund, Vereinigung der dt. christl. Bauernvereine, Dt. Bauernschaft und Dt. Landwirtschaftsrat.

Grüne Insel, Bez. für Irland.

Grüne Jagdbirne ↑Birnen (Übersicht).

grüne Lunge, Bez. für Grünflächen im Bereich städt. Siedlungen.

Grüne Mandel ↑Pistazie.

Grüner Bericht (seit 1971: Agrarbericht), seit 1956 jährlich erstellter agrar- und ernährungspolit. Bericht der Bundesreg., der seit 1968 auch die von der Bundesreg. zugunsten der Landw. getroffenen und noch beabsichtigten Maßnahmen enthält **(Grüner Plan).** Der G. B. enthält Angaben u.a. über die Lage der Agrarwirtschaft, Ziele der Agrar- und Ernährungspolitik, Erzeugungs-, Markt- und Preispolitik, Weltagrarprobleme, Strukturpolitik, Umweltpolitik im Agrarbereich, Naturschutz und Landschaftspflege.

Grüner Graf ↑Amadeus VI., Graf von Savoyen.

Grüner Knollenblätterpilz (Grüner Giftwulstling, Grüner Wulstling, Amanita phalloides), Ständerpilz aus der Fam. der Wulstlinge, verbreitet in mitteleurop. Laub- und Nadelwäldern; Hut 5–15 cm im Durchmesser, jung eiförmig, später gewölbt, zuletzt flach; Oberseite oliv- bis gelbgrün, Lamellen weiß bis schwach grünlich, Stiel 5–12 cm lang, 1–2 cm dick, zylinderförmig, weiß bis schwach grünlich mit weißer Manschette. Der häufig mit dem Champignon verwechselte Pilz ist einer der giftigsten einheim. Pilze.

grüner Pfeffer, konservierte Pfefferbeeren, bes. aromatisch.

Grüner Plan ↑Grüner Bericht.

Grüner Punkt ↑duales Abfallsystem.

grüner Star, svw. ↑Glaukom.

grüner Strahl (Green-flash), seltene atmosphär. Erscheinung bei Sonnenaufgängen und -untergängen: Im Augenblick der Berührung des oberen bzw. unteren Sonnenrandes mit dem Horizont tritt eine farbige, meist grüne, intensive Lichterscheinung von zwei bis drei Sekunden Dauer auf.

grüner Tee ↑Tee.

grüner Tisch, früher mit grünem Stoff bezogener Kanzleitisch; übertragen für: Beamtenregiment, wirklichkeitsfremder Bürokratismus.

Gruner + Jahr AG & Co. ↑Verlage (Übersicht).

Grünes Gewölbe, eine der bedeutendsten Schatzkammern Europas, die heute zu den Staatl. Kunstsammlungen in Dresden gehört, meist aus dem 16.–18. Jh. stammende Goldschmiedearbeiten u.ä. Das G.G. wurde 1721 von August dem Starken gegründet.

grüne Versicherungskarte (Internat. Versicherungskarte für Kraftverkehr), im internat. Kfz-Verkehr Nachweis, daß ein ausländ. Fahrzeugführer über eine den inländ. Anforderungen genügende Kfz-Haftpflichtversicherung verfügt.

Grünewald, Matthias, vielleicht ident. mit Mathis Gothart, gen. Nithart (Neithart), * um 1470/80, † nach 1529 (letzte – umstrittene – Signatur), dt. Maler. – In jüngster Zeit wurden neue Hypothesen über die Identität des Malers aufgestellt. Stilkritisch gesichert ist die Begegnung mit Dürer, der italien. Renaissance und der niederl. Kunst. Andererseits zeigt das Werk tiefe Verwurzelung in der ma. Welt, u.a. sind Einflüsse der Visionen der Seherin Brigitta nachweisbar (die gekrönte Maria des Isenheimer Altars). Der Bildraum ist von visionärem Licht erfüllt, dem sich eine leuchtende Farbigkeit verbindet. Die Gestalten sind in ihrer vollen Plastizität erfaßt, Darstellungen des Leidens sind bis zum Naturalismus geführt. Zu den frühen Werken gehört die wahrscheinlich 1504 begonnene Verspottung Christi (München, Alte Pinakothek). Die Tafeln zum Frankfurter Heller-Altar dürften um 1510–11 entstanden sein (z.T. Frankfurt am Main, Städel; z.T. Donaueschingen, Gemäldegalerie). Zw. 1512/15 darf der Künstler im Isenheimer Antoniterkloster, Elsaß, vermutet werden, wo sein Hauptwerk, der Isenheimer Altar (heute Colmar, Unterlindenmuseum), entstand. Der Aschaffenburger Rahmen der Tafel des Maria-Schneewunders in Freiburg im Breisgau (Augustinermuseum) ist 1519 datiert, die Tafel war Teil eines Altars, zu dem wohl nicht die Stuppacher „Maria mit Kind" gehörte. 1522 entstand die Erasmus-Mauritius-Tafel in München (Alte Pinakothek). Röntgenaufnahmen haben unter dem Wappen des Mainzer Erzbischofs das der Grafen von Erbach zum Vorschein gebracht. Zum Spätwerk zählen die beiden Tafeln in Karlsruhe (Kunsthalle) mit der Kreuztragung und der Kreuzigung Christi, die Aschaffenburger Beweinung Christi (Stiftskirche) und die Hl. Katharina (Cleveland Museum of Art), vermutlich Teil eines verschollenen Marienaltars für den Mainzer

Dom (1974 erworben). Nur wenige Zeichnungen sind erhalten. Es wird angenommen, daß G. auch Bildhauer gewesen ist.

📖 *Fraenger, W.: M. G. Neuausg. Mchn. 1988. – Nissen, W.: Der Isenheimer Altar. Freib. 1985. – Lücking, W.: Mathis, Nachforschungen über G. Bln. 1983.*

grüne Welle, Steuerung der Verkehrssignale eines Straßenzuges derart, daß die Fahrzeuge an allen aufeinanderfolgenden Kreuzungen das Signal Grün vorfinden.

Grünfilter ↑ Filter.

Grünfink (Grünling, Carduelis chloris), etwa 15 cm großer Finkenvogel in Europa, NW-Afrika und Vorderasien; Gefieder des ♂ olivgrün mit gelbgrünem Bürzel und leuchtendem Gelb an Flügeln und Schwanzkanten; ♀ weniger lebhaft gefärbt.

Grüningen, Dietrich von, *um 1210, † 3. Sept. (?) 1258, Land- und Deutschmeister des Dt. Ordens. – 1238 Landmeister in Livland und Preußen; unterwarf Kurland und war maßgeblich am Ausbau der Ordensherrschaft in Preußen beteiligt. In der Reichspolitik unterstützte er als Deutschmeister (1254–56) die antistauf. Gegenkönige Heinrich Raspe und Wilhelm von Holland.

Grunion [span.] (Amerikan. Ährenfisch, Leuresthes tenuis), etwa 15 cm langer, silbrig glänzender Ährenfisch im Küstenbereich flacher Sandstrände Kaliforniens.

Grünkern, unreif geerntetes, gedörrtes und geschältes Korn des Dinkels; Suppeneinlage.

Grünkohl (Braunkohl, Winterkohl, Krauskohl, Brassica oleracea var. acephala), Form des Gemüsekohls mit krausen Blättern; anspruchslose, winterharte, in mehreren Sorten angebaute Gemüsepflanze.

Grünkreuzkampfstoffe, Bez. für alle während des 1. Weltkriegs eingesetzten chem. Kampfstoffe (Kampfgase), die auf die Atemorgane einwirkten.

Grünland, landwirtschaftl. Nutzfläche, die mit Gräsern, Grünlandkräutern und Schmetterlingsblütlern bewachsen ist, v. a. Wiese und Weide, aber auch Feldfutterflächen.

Grünlilie (Graslilie, Chlorophytum), Gatt. der Liliengewächse mit über 100 Arten in den Tropen. Die meist in der Kulturform **Variegatum** (mit weißgestreiften oder weißgerandeten Blättern) kultivierte G. ist eine beliebte Zimmerpflanze.

Grünling, (Echter Ritterling, Tricholoma flavovirens) in sandigen Kiefernwäldern und auf Heiden häufig vorkommender Ständerpilz; Hut 4–8 cm breit, olivgelb bis olivgrün, Lamellen schwefelgelb, dicht stehend; Fleisch fest, weiß, nach außen zu gelblich; Speisepilz.

◆ svw. ↑ Grünfink.

Grünordnung, Teilbereich der Landespflege; erarbeitet Vorschriften für die Gestaltung, Erhaltung und Pflege von Gärten, Grünflächen und Grünanlagen sowie deren Einordnung in die Ortsanlage zur Erzielung eines gesunden Lebensraums nach sozialen, biolog., ökolog., klimat., lufthygien. und techn. Gesichtspunkten. Die G. umfaßt Grünanalyse und -planung, Grünflächenbau und -pflege. Rechtsgrundlagen geben u. a. das Baugesetzbuch, das Landesplanungs-, Kleingarten- und Friedhofsrecht.

Grünsand, durch Anreicherung von Glaukonit grüngefärbte Meeresablagerung.

Grünschiefer, Bez. für metamorphe Gesteine, die durch ihre Hauptbestandteile, u. a. Chlorite und Epidot, grün gefärbt sind.

Grünschwäche ↑ Farbenfehlsichtigkeit.

Grünspan [Lehnübersetzung von mittellat. viride Hispanum „spanisches Grün" (weil der künstl. hergestellte Farbstoff dieses Namens urspr. aus Spanien eingeführt wurde)], Gemisch bas. Kupfer(II)-acetate von grüner oder blauer Farbe; entsteht bei Einwirkung von Essigsäure[dämpfen] auf Kupfer oder Messing in Gegenwart von Luft sowie durch Reaktion von Kupfersulfat mit Cal-

Matthias Grünewald. Die Begegnung der Heiligen Erasmus und Mauritius; zwischen 1520 und 1524 (München, Alte Pinakothek)

ciumacetat; ferner bildet sich G. an Kupfergefäßen bei Aufbewahrung saurer Speisen. Der für den Menschen mäßig giftige G. wurde früher in der Malerei als Pigment *(span. Grün)* verwendet. – ↑Patina.

Grünspecht (Picus viridis), 32 cm langer Specht in Europa und Vorderasien; mit grau- bis dunkelgrüner Oberseite, hellgrauer Unterseite, gelbl. Bürzel und roter Kopfplatte, die bis zum Nacken reicht.

Grünstadt, Stadt am Rande der nördl. Haardt, Rhld.-Pf., 174 m ü. d. M., 12 100 E. Herstellung von Ton- und Schamottewaren, Konserven. – 1556 erhielt G. Marktrechte. – Mehrere barocke Kirchen.

Grupello, Gabriel de, *Geraardsbergen (Ostflandern) 22. Mai 1644, †Ehrenstein bei Kerkrade (Prov. Limburg) 20. Juni 1730, fläm. Bildhauer italien. Abkunft. – Schüler von A. Quellinus d. Ä., brachte die Tradition der Rubensschule und die Kenntnis des frz. Hofstils nach Düsseldorf; u. a. „Jan Wellem“-Reiterstandbild (1703–11; Düsseldorf), Bronzepyramide (1716; 1743–1978 und seit 1992 Mannheim, Paradeplatz).

Gruppe [italien.-frz.], in den Sozialwissenschaften unscharfer und mehrdeutig benutzter Begriff für eine Menge, Masse bzw. abgrenzbare Anzahl von Personen, die bes. soziale Beziehungen untereinander und gegenüber Außenstehenden unterhalten; mitunter auch synonym gebraucht für Schicht, Klasse, Bev.teil oder eine sozialstatist. Personengesamtheit mit gleichen Merkmalen. In Psychologie und Soziologie ist G., neben Organisation, der wichtigste Begriff für soziale Gebilde, durch die das Individuum mit seiner Gesellschaft verbunden wird. Die G. hat eine bestimmte, mehr oder weniger verbindend gefügte soziale Struktur: die Beziehungen zw. den ihr angehörenden Personen verlaufen relativ regelmäßig und zeitlich überdauernd, die Gruppen-Mgl. haben ein gewisses Bewußtsein der Zusammengehörigkeit und Abgrenzung gegenüber Dritten **(Gruppenbewußtsein),** ihr gemeinsames Handeln ist an gemeinsamen Zielen und Interessen ausgerichtet, die Gruppen-Mgl. bilden in Verfolgung dieser Ziele ein System arbeitsteiliger Rollen und einen Status aus. Im Hinblick auf solche Strukturierung werden Typen von G. unterschieden: Als **Primärgruppen** gelten die auf spontanen oder engen persönl.-emotionalen Beziehungen beruhenden und die beteiligten Personen untereinander relativ umfassend zusammenführenden sozialen Gebilde (Familie, Freundschaft, Nachbarschaft); **Sekundärgruppen** sind rational organisierte, lediglich auf spezielle Zielsetzungen ausgerichtete Strukturen gemeinsamen Handelns (Arbeits-G., Spielmannschaft). Innerhalb von Organisationen unterscheidet man die aus dem geplanten System der Arbeitsteilung sich ergebenden **formalen Gruppen** von den spontan entstehenden **informellen Gruppen,** die wichtige von der Organisation nicht berücksichtigte Bedürfnisse der Gruppen-Mgl. befriedigen.

📖 *Marsh, P./Morris, D.: Die Horde Mensch. Mchn. 1989. – Homans, G. C.: Theorie der sozialen G. Wsb. [7]1978.*

◆ *militär.:* nach dem Trupp kleinste Teileinheit aller Truppengatt. des Heeres (7–12 Soldaten unter Führung eines Unteroffiziers).

◆ in der *Mathematik* eine algebraische Struktur $(G, *)$ mit einer Verknüpfung $*$, die folgende Eigenschaften besitzt: Für die Verknüpfung $(*)$ gilt das Assoziativgesetz: $(a*b)*c = a*(b*c)$ für alle Elemente a, b, c aus G. 2. Es existiert ein neutrales Element (Einselement) e mit der Eigenschaft: $e*a = a*e = a$ für alle a aus G. 3. Es existiert zu jedem Element a aus G ein inverses (reziprokes) Element a^{-1} aus G mit der Eigenschaft: $a*a^{-1} = a^{-1}*a = e$. Gilt außerdem das Kommutativgesetz: $a*b = b*a$, spricht man von einer *kommutativen* oder *abelschen G.* Beispiel für eine G. bezüglich der Addition als Verknüpfung ist die Menge aller ganzen Zahlen.

◆ in der *Chemie:* 1. Bestandteil eines Moleküls, u. a. die ↑funktionellen Gruppen, viele Molekülreste und Radikale; 2. die jeweils in einer Spalte des Periodensystems der chem. Elemente untereinanderstehenden Elemente mit ähnl. chem. Eigenschaften.

◆ im *Sport* bestimmte Anzahl von Mannschaften oder Einzelspielern, die zur Ermittlung eines Siegers oder einer Meisterschaft Qualifikationsspiele gegeneinander austragen.

Gruppe 47, fluktuierende Gruppierung dt. Schriftsteller und Publizisten, gegr. im Bestreben, die „junge Literatur ... zu sammeln und zu fördern“ und zugleich für ein neues, demokrat. Deutschland zu wirken. Als Gründungsdatum gilt der 10. Sept. 1947, an dem sich H. W. Richter, A. Andersch, H. Friedrich, W. Kolbenhoff, W. Schnurre, W. Bächler, W. M. Guggenheimer, N. Sombart und F. Minssen trafen, um die erste, dann verbotene Nummer einer neuen Zeitschrift vorzubereiten. Sie veranstalteten fortan jährl. Tagungen mit Lesungen (über 200 Autoren trugen vor). Träger des Literaturpreises der Gruppe 47 seit 1950: G. Eich, H. Böll, I. Aichinger, I. Bachmann, A. Morriën, M. Walser, G. Grass, J. Bobrowski, P. Bichsel, Jürgen Becker. 1968 fand die letzte Tagung im alten Stil statt, am 19. Sept. 1977 wurde die Gruppe aufgelöst. Im Juni 1990 holten rd. 40 Autoren der alten Gruppe (darunter auch H. W. Richter) auf Einladung des tschech. PEN ein Treffen in der ČSFR nach, das 1968 geplant, aber durch den Einmarsch der Warschauer-Pakt-Staaten verhindert worden war.

Gruppe 61, Arbeitskreis von Schriftstellern und Publizisten; Anstoß zur Gründung gab eine Anthologie von Bergmannsgedichten (1960); Absicht: künstler. Auseinandersetzung mit den sozialen und menschl. Problemen der industriellen Arbeitswelt und (Formulierung 1971) Sachverhalte der Ausbeutung ins öff. Bewußtsein zu bringen. Mitte der 60er Jahre Abspaltung des „Werkkreises Literatur der Arbeitswelt". Mgl. u.a.: F. Hüser, F. C. Delius, M. von der Grün, G. Wallraff.

Gruppe der 77, loser Zusammenschluß von urspr. 77 Entwicklungsländern; formierte sich 1964, traf sich erstmals als Vorauskonferenz zur Vorbereitung der 2. Welthandelskonferenz (UNCTAD II, 1968) in Algier (10.-25. Okt. 1967) und verabschiedete die „*Charta von Algier* über die wirtsch. Rechte der Dritten Welt" (u.a. Forderung nach Umwandlung der Weltbank in eine Entwicklungsbank, bis 1970 Abzweigung von jährlich 1% des Bruttosozialprodukts der Ind.nationen für die Entwicklungsländer, vermehrte handelspolit. Konzessionen der kommunistisch regierten Länder). Die G. d. 77 tritt bei internat. Konferenzen der UN geschlossen auf als Sprachrohr der Länder der dritten Welt; inzwischen gehören ihr rd. 130 Länder an.

Gruppenakkord ↑Akkordarbeit.

Gruppenarbeit, ein v.a. in der Sozialarbeit und Sozialerziehung angewandtes Verfahren, das darauf abzielt, gruppendynam. Prozesse erzieherisch zu nutzen. Der Gruppenpädagoge versucht eine fruchtbare Zusammenarbeit der Mgl. zu gewährleisten und positive Aktivitäten aus der Gruppe zu fördern.

◆ (Gruppenunterricht) didakt. Prinzip, bei dem einzelne Themenkreise von Gruppen erarbeitet werden (Schule und Hochschule).

Gruppenarbeitsverhältnis, Arbeitsverhältnis mehrerer Arbeitnehmer zu einem Arbeitgeber, das auf eine gemeinsame Arbeitsleistung ausgerichtet ist. Bei der **Betriebsgruppe** werden die Gruppen-Mgl. vom Arbeitgeber zur gemeinsamen Arbeitsleistung zus.gefaßt und nach dem Arbeitsergebnis der Gruppe entlohnt (z.B. *Gruppenakkordkolonnen*). Bei der **Eigengruppe** beruht der Zus.schluß auf dem Willen der Arbeitnehmer, die gemeinschaftlich ihre Dienste dem Arbeitgeber anbieten (z.B. Musikkapellen).

Gruppenbewußtsein ↑Gruppe.

Gruppenbild, Darstellung zusammengehöriger Menschen, wobei die Auftraggeber Porträtähnlichkeit erwarten. Im 17.Jh. in der niederl. Malerei das ↑Schützenstück und ↑Regentenstück, in der Romantik das Freundschaftsbild, daneben bis heute das Familienbildnis.

Gruppendynamik, Bez. für psychologisch erfaßbare Kräfte und Prozesse, die durch wechselseitige Einflüsse zw. den Mgl. sozialer ↑Gruppen entstehen und u.a. pädagogisch (↑Gruppenarbeit) und psychotherapeutisch (↑Gruppentherapie) genutzt werden.

Gruppenehe, kollektive Ehegemeinschaft, die nur für einige wenige Naturvolkgruppen nachgewiesen ist.

Gruppengeschwindigkeit, die Geschwindigkeit, mit der sich eine Wellengruppe, d.h. das Intensitätsmaximum mehrerer sich überlagernder Wellen, bewegt. Ist die Phasengeschwindigkeit für alle Teilwellen gleich, so sind G. und Phasengeschwindigkeit identisch. Die G. ist diejenige Geschwindigkeit, mit der sich die Energie in einem Wellenvorgang ausbreitet (sie ist daher mit der **Signalgeschwindigkeit** identisch).

Gruppenkommunikation ↑Kommunikation.

Gruppenpädagogik, v.a. in der sozialen Gruppenarbeit mit Jugendlichen praktizierte Gemeinschaftserziehung, die ihre Aufgabe ausschließlich und ohne weitere Bildungsabsichten darin sieht, sozial integratives Verhalten, d.h. den Willen zur Einfügung in eine Gemeinschaft und zu gemeinschaftl. Handeln, zu wecken.

Gruppensex, sexuelle Handlungen, an denen mindestens drei Personen beteiligt sind; meist als Partnertausch praktiziert; in Deutschland nicht strafbar.

Gruppensprachen, Sonderausprägungen innerhalb der Gemeinsprache bei bestimmten sozialen oder altersmäßig fixierten Gruppen einer Sprachgemeinschaft. Man unterscheidet die Standessprachen, Berufssprachen und Fachsprachen von dem näher bei der Umgangssprache stehenden ↑Jargon und den Geheimsprachen (bes. Gaunersprachen wie Rotwelsch, Argot).

Gruppentest (Gruppenuntersuchung), Bez. für psycholog. Testverfahren für Eignungs- und Leistungsprüfungen, die in Gruppen durchgeführt werden; vorwiegend schriftlich, um gegenseitige Beeinflussung der Probanden auszuschließen.

Gruppentheorie, Teilgebiet der Mathematik, das sich mit der Untersuchung endl. und unendl. ↑Gruppen befaßt.

Gruppentherapie (Gruppenpsychotherapie), Methode der Psychotherapie, bei der mehrere Personen gleichzeitig bes. unter Ausnutzung der Gruppendynamik behandelt werden. Die G. will soziale Kontaktschwierigkeiten und psych. Spannungen beseitigen sowie soziale Fehlanpassungen korrigieren.

Optimale Bedingungen der G. scheinen in der Gruppe von fünf bis sechs Personen bei Integration eines tiefenpsychologisch geschulten Therapeuten (der keine autoritäre, sondern eine ausgleichende Funktion hat) gegeben zu sein. Eine bes. Form der G. ist das **Psychodrama:** Dazu wählen und spielen die Gruppen-Mgl. bestimmte soziale Rollen, und im Verlauf dieser G. eröffnet sich dem Therapeuten die Gelegenheit, Symptome und Ursachen psych. Konflikte zu ermitteln und zugleich entsprechende therapeut. Maßnahmen durchzuführen. – ↑Sozialtherapie.

Gruppenunterricht ↑Gruppenarbeit.

Gruppenversicherung ↑Versicherungsvertrag.

Gruppo 63 [italien. 'gruppo ses'santa 'tre], Zusammenschluß italien. literar. Avantgardisten im Okt. 1963 in Palermo. A. Giuliani und E. Sanguineti verhalfen neben G. Manganelli sowohl durch ihre Experimente in Lyrik und Roman als auch bes. durch ihre Bemühungen um neue Theaterformen dem G. 63 zu internat. Beachtung.

Grus [lat.] (Kranich) ↑Sternbilder (Übersicht).

Grus [niederdt.], durch Verwitterung gebildeter, feiner, bröckeliger Gesteinsschutt.

Grusinien ↑Georgien.

Grusinier ↑Georgier.

Grusinische Heerstraße ↑ Georgische Heerstraße.

Gruß, Handlungen und Wortformeln bei Begegnung und Abschied. – Nach psycholog. Deutung sind G. und Gegen-G. oft nur zeremonielle Maßnahmen zur Verhütung gegenseitiger Aggression. Dem entspricht, daß die Verweigerung des G. oder Gegen-G. („Schneiden") als relativ starke negative Sanktion (Beleidigung) aufgefaßt wird. Die Formen der Begrüßung sind von der sozialen Stellung der Grüßenden zueinander und von regionalen Traditionen abhängig.

Die verbindende Kraft des G. wird in den sog. G.gemeinschaften bes. deutlich. Glaubens-, Arbeits-, Berufs-, Standes- und Lebensgemeinschaften haben eigene G.formen entwickelt, deren Benutzung die Mgl. als zu ihnen gehörig erweist und darum für sie verpflichtend ist (z. B. das „Glückauf!" der Bergleute). Die G.gebärden sind ebenso wie die G.formen regional und historisch mannigfach geschichtet. Neben sehr altertüml. G.gesten (Ablegen der Waffen, des Hutes, der Kleidung [noch heute in der Aufforderung „Bitte, legen Sie ab"], Handheben, Verbeugen, Niederknien) finden sich jüngere politisch motivierte Gesten, z. B. das mit dem Heben des rechten Armes verbundene „Heil Hitler" der NS-Zeit.

Militär: Alle Armeen verfügen über ein bes. G.reglement. In der dt. Bundeswehr besteht G.pflicht gegenüber dem militär. Vorgesetzten, ferner gegenüber dem Bundespräs. und dem Bundeskanzler, außerdem beim Hissen der Fahnen und Standarten sowie beim Erklingen der Nationalhymnen. Der G. erfolgt durch Anlegen der rechten Hand an die Kopfbedeckung, bei geschlossenen Abteilungen auch durch Kopf- und Blickwendung.

Grüssau (poln. Krzeszów), Gem. in der Woiwodschaft Breslau, Polen, bei Landeshut i. Schles. Ehem. Zisterzienserkloster, 1427 (Hussitenkriege) zerstört, erneute Blüte unter Abt Bernhard Rosa (1660–96), 1810 säkularisiert, 1919–46 von Benediktinern besetzt. Die Abteikirche (1728–38) ist eine bed. Kirche des schles. Barock.

Grützbeutel, svw. ↑Atherom.

Grütze, enthülste und grob bis fein gemahlene Getreidekörner (Hafer, Hirse, Gerste, Buchweizen) zur Herstellung von Suppen, Brei, Grützwurst.

Grützke, Johannes, *Berlin 30. Sept. 1937, dt. Maler und Graphiker. – Vertreter eines krit.-iron. Realismus, der sich kunstgeschichtl. Zitate sowie manierist. und barocker Stilmuster bedient (u. a. „Bach, von seinen Kindern gestört"; 1975, Berlin, Berlin. Galerie; Wandbild für die Wandelhalle der Paulskirche in Frankfurt am Main, 1987–90).

Gruyères [frz. gry'jɛ:r] ↑Greyerz.

Gruyter & Co., Walter de [de 'grɔʏtər] ↑Verlage (Übersicht).

Grynäus (Grüner, Gryner), Johann Jakob, *Bern 1. Okt. 1540, †Basel 13. Aug. 1617, schweizer. ref. Theologe. – Führte die kalvinist. Lehre in Basel wieder ein und gab die ↑Basler Konfession von 1534 neu heraus (1590).

Gryphaea [...'fɛ:a; zu griech. grypós „gekrümmt"], Gatt. überwiegend fossiler Austern; im Lias Leitfossilien **(Gryphitenkalk);** linke Schale hoch gewölbt, rechte Schale dekkelartig flach.

Gryphius, Andreas, eigtl. A. Greif, *Glogau 2. Okt. 1616, †ebd. 16. Juli 1664, dt. Dichter. – Hatte nach dem frühen Tod der Eltern eine schwere Kindheit; besaß auf Grund seiner vorzügl. Ausbildung hervorragende Kenntnisse klass. und neuer Sprachen. Seit seinem 15. Lebensjahr als Privatlehrer tätig. 1637 wurde er vom Hofpfalzgrafen Schönborner zum Poeta laureatus gekrönt. 1638–43 studierte und lehrte er an der Univ. Leiden, wo er sich mit der Theorie des Dramas auseinandersetzte und Vondels Werk kennenlernte. 1644–47 Studienreise durch Europa, seit 1650 Syndikus der Stände des Fürstentums Glogau; 1662 als „der Unsterbliche" Mgl. der Fruchtbringenden Gesellschaft. – G. ist der bedeutendste Lyriker und Dramatiker des dt. Barock, der zugleich auf lat. und volkssprachl. Traditionen zurückgriff. Im

Rahmen der normativen, emblemat. Regelpoetik der Zeit fand er in seinen „Sonetten“ (1637, 1643, 1650) und „Oden“ (1643) einen eigenständigen lyr. Ausdruck. Als Dramatiker verband er Momente des antiken (Seneca), holländ. (Vondel) und frz. (Corneille) Schauspiels zur Begründung eines dt. Trauerspiels. Gegenstand seiner Trauerspiele („Leo Armenius“, 1650; „Carolus Stuardus“, 1650(?); „Catharina von Georgien“, 1651; „Aemilius Paulus Papinianus“, 1659) ist die menschl. Geschichte, die unter dem Eindruck des Dreißigjährigen Krieges vom zentralen Motiv der „Vanitas“, der Vergänglichkeit alles ird. Glücks, bestimmt ist. Das christlich gefärbte stoische Ideal der „Constantia“ (Beständigkeit) ist hier wie im ersten dt. Trauerspiel um bürgerl. Personen („Cardenio und Celinde“, 1657) melanchol. Trost. Daneben schrieb G. zwei von Wandertruppen gern gespielte Komödien („Peter Squentz“, 1657; „Horribilicribrifax“, 1663).

Mannack, E.: A. G. Stg. ²1986.

Grzesinski, Albert [kʃeˈzɪnski], * Treptow a. d. Tollense (= Altentreptow) 28. Juli 1879, † New York 31. Dez. 1947, dt. Politiker (SPD). – 1925/26 Polizeipräs. von Berlin, 1926–30 bemüht um eine Demokratisierung von Verwaltung und Polizei wie um die Eindämmung des Nationalsozialismus; 1930–32 preuß. Innenmin., 1932 amtsenthoben, floh 1933 nach Frankreich, 1937 in die USA.

Grzimek, Bernhard [ˈgʒɪmɛk], * Neisse 24. April 1909, † Frankfurt am Main 13. März 1987, dt. Zoologe. – Urspr. Tierarzt; leitete 1945–74 den Zoolog. Garten in Frankfurt am Main. 1969–73 war er Naturschutzbeauftragter der dt. Bundesregierung. G. setzte sich für den Naturschutz und die Erhaltung freilebender Tiere ein. Verfaßte u. a. „Kein Platz für wilde Tiere“ (1954), „Serengeti darf nicht sterben“ (1959).

G., Waldemar, * Rastenburg 5. Dez. 1918, † Berlin (West) 26. Mai 1984, dt. Bildhauer. – Nach archaisierenden, in sich ruhenden Figuren konzentrierte er sich seit 1960 auf dynam. Gestaltungen stürzender, fliehender, bedrängter Körper. Er schuf u. a. die Plastikgruppe für die Gedenkstätte KZ Sachsenhausen (1959/60).

Gs, Einheitenzeichen für ↑ Gauß.

G-Schlüssel, in der Musik das aus dem Tonbuchstaben G entwickelte Zeichen, der Violinschlüssel, mit dem im Liniensystem die Lage des eingestrichenen g (g′) festgelegt wird. Der in der Barockmusik häufige „frz.“ Violinschlüssel (1) auf der untersten Linie wurde durch den heute übl. G-S. (2) auf der zweiten Linie verdrängt.

1 2

Gsovsky, Tatjana [ˈksɔfski], * Moskau 18. März 1901, † Berlin 29. Sept. 1993, dt. Tänzerin, Choreographin und Tanzpädagogin russ. Herkunft. – Nach ersten Choreographien in Leipzig (1942–44) ging sie an die Dt. Staatsoper in Berlin (1945–52), war 1952–54 in Buenos Aires tätig und 1954–66 an der Städt. bzw. Dt. Oper in Berlin; bed. v. a. in der Gestaltung dramat. Ballette.

GST, Abk. für: ↑ Gesellschaft für Sport und Technik.

Gstaad, schweizer. Kurort im Saanetal, Kt. Bern, 1050 m ü. d. M., Ortsteil von Saanen; Seilbahnen; Yehudi-Menuhin-Musikakademie.

GT (GT-Wagen), Kurzbez. für ↑ Grand-Tourisme-Wagen.

Guadagnini [italien. gu̯adaɲˈɲiːni], italien. Geigenbauerfamilie, deren nachweisbare Instrumente vom Ende des 17. bis zur Mitte des 20. Jh. reichen. Bekannteste Vertreter: *Lorenzo G.* (* vor 1695, † nach 1760) in Cremona und Piacenza (wahrscheinlich Schüler und Gehilfe von A. Stradivari); dessen Sohn *Giovanni Battista* (Giambattista) *G.* (* 1711, † 1786) in Piacenza, Mailand, Cremona, Parma und Turin, bezeichnete sich ebenfalls als Schüler („alumnus“) von Stradivari. Letzte Vertreter: *Francesco G.* (* 1863, † 1948) und dessen Sohn *Paolo G.* (* 1908, † 1942), beide in Turin tätig.

Guadalajara [span. gu̯aðalaˈxara], span. Stadt im Tajobecken, am Henares, 679 m ü. d. M., 58 000 E. Verwaltungssitz der Prov. G.; Bibliothek (Handschriftensammlung). – In röm. Zeit **Arriaca.** – Zahlr. Kirchen, u. a. Santa María de la Fuente (13. Jh.; Mudejarstil); Paläste (15. und 16. Jh.).

G., span. Prov. in Kastilien-La Mancha.

G., Hauptstadt des mex. Staates Jalisco, im W des Hochlandes von Mexiko, 1590 m ü. d. M., 2,24 Mill. E. Erzbischofssitz; zwei Univ. (gegr. 1792 und 1935), Museen, Theater; Zoo. Handelszentrum des westl. Z-Mexiko, wichtiger Ind.standort; ✈. – 1531 gegr. – Palacio de Gobierno (vollendet 1774) und die Kathedrale (geweiht 1616).

Guadalcanal [engl. gwɔdlkəˈnæl], mit 6475 km² größte Insel der Salomoninseln, im Mount Popomanasiu 2447 m hoch, 70 000 E. – 1568 entdeckt; wurde 1893 brit. Protektorat. Im 2. Weltkrieg 1942 von Japanern besetzt und danach in schweren Kämpfen (Aug. 1942–Febr. 1943) von amerikan. Truppen erobert, Schauplatz zahlr. See- und See-Luft-Schlachten.

Guadalquivir [span. gu̯aðalkiˈβir], Fluß in S-Spanien, entspringt in der Bet. Kordillere, mündet in den Golf von Cádiz; 657 km lang; Seeschiffahrt bis Sevilla möglich.

Guadalupe [span. gu̯aða'lupe], span. Gem. und Marien-Wallfahrtsort 90 km östl. von Cáceres, 650 m ü. d. M., 3 000 E. Kloster Nuestra Señora de G. (1340 gestiftet) mit zweistöckigem Kreuzgang (1405/06) im Mudejarstil; reiche Kunstschätze.

Guadalupe Hidalgo, Friede von [span. ɣu̯aða'lupe i'ðalɣo] ↑Mexikanischer Krieg.

Guadarrama, Sierra de, östl. Gebirgsmassiv des Kastil. Scheidegebirges in Zentralspanien nördl. von Madrid; im Pico de Peñalara 2 430 m ü. d. M.

Guadeloupe [frz. gwa'dlup], frz. Überseedepartement im Bereich der Kleinen Antillen, 1 780 km², 340 000 E (1989), 191 E/km². Hauptstadt Basse-Terre. Besteht aus der Doppelinsel G. (im W **Basse-Terre** mit 848 km², bergig, Vulkan Soufrière 1 467 m ü. d. M.; im O **Grande-Terre** mit 590 km²), den Inseln Marie-Galante, Îles des Saintes, Îles de la Petite Terre, La Désirade, Saint-Barthélemy und dem N-Teil von Saint-Martin. Die Bev. ist überwiegend afrikan. Abstammung. Fast alle Ind.erzeugnisse und viele Nahrungsmittel müssen eingeführt werden. Wichtigster Seehafen und internat. ✈ ist Pointe-à-Pitre. – G. wurde 1493 von Kolumbus entdeckt. Als erste Europäer besiedelten seit 1635 die Franzosen die Insel (Vernichtung der einheim. Kariben); 1674 frz. Kronkolonie; seit 1946 Überseedepartement mit vier Abg. in der Nationalversammlung und zwei Mgl. im Senat.

Guadiana [span. gu̯a'ði̯ana, portugies. guɐ'ði̯ɐnɐ], Fluß in Spanien und Portugal, entspringt in der Mancha, bildet im Unterlauf z. T. die span.-portugies. Grenze. 778 km lang.

Guadix [span. gu̯a'ðiks], span. Stadt onö. von Granada, 915 m ü. d. M., 19 000 E. Bischofssitz; Alfagrasverarbeitung. – Kathedrale (16.–18. Jh.), Alcazaba (9. Jh., im 15. Jh. erneuert), Höhlenwohnungen.

Guainía, Río [span. 'rrio ɣu̯ai̯'nia] ↑Negro, Río (Kolumbien).

Guairá [span. gu̯ai̯'ra], Dep. im südl. Paraguay, 3 846 km², 149 600 E (1985), Hauptstadt Villarrica.

Guajakbaum [indian.-span./dt.] (Guajacum), Gatt. der Jochblattgewächse mit sechs Arten in M-Amerika; Bäume oder Sträucher mit gegenständigen, unpaarig gefiederten Blättern und radiären, blauen oder purpurroten Blüten. Die Arten **Guajacum officinale** und **Guajacum sanctum** liefern das olivbraune bis schwarzgrüne, stark harzhaltige **Guajakholz,** aus dem **Guajakharz** gewonnen wird, das zur Herstellung des dickflüssigen bis festen, wohlriechenden äther. **Guajakholzöls** dient (in der Parfümerie als Fixator verwendet).

Guajakol [Kw. aus **Guajak** und Alkohol] (Brenzcatechinmonomethyläther, o-Methoxyphenol), Phenolderivat, aus dem u. a. Husten-, Bronchialkatarrh- und Grippemittel hergestellt werden.

Guajakprobe [indian.-span./dt.], Untersuchung von Stuhl, Urin oder Magensaft auf Blutbeimengungen durch Zusatz von Wasserstoffperoxid und Guajakharzlösung zum Untersuchungsmaterial; bei positiver Reaktion Blaufärbung.

Guajavabaum [indian.-span./dt.] (Psidium guayava), in den Tropen und Subtropen oft als Obstbaum in vielen Sorten angepflanztes Myrtengewächs aus dem trop. Amerika; Früchte **(Guajaven, Guayaven, Guaven)** birnen- bis apfelförmig, rot oder gelb mit rosafarbenem, weißem oder gelbem Fruchtfleisch, reich an Vitamin C; hauptsächlich für Marmelade, Gelee und Saft verwendet.

Guajira, Península de [span. pe'ninsula ðe ɣu̯a'xira], Halbinsel am Karib. Meer, nördlichster Teil des südamerikan. Kontinents, gehört zu Kolumbien und Venezuela.

Guam, größte und südlichste Insel der Marianen, untersteht dem Innenministerium der USA; 541 km², bis 396 m hoch, Hauptstadt Agaña, 128 000 E. Militäreinrichtungen, Fremdenverkehr. – 1521 von F. de Magalhães entdeckt, später in span. Hand; nach dem Span.-Amerikan. Krieg 1898 an die USA abgetreten; 1941–44 von Japan besetzt; strategisch wichtige Militärbasis.

Guanabara, Baía de [brasilian. ba'ia di guɐna'bara], Bucht des Atlantiks an der SO-Küste Brasiliens. An der 1,5 km breiten Einfahrt liegen sich Rio de Janeiro und Niterói gegenüber.

Guanajuato [span. gu̯ana'xu̯ato], Hauptstadt des mex. Staates G., 2 080 m ü. d. M., 44 000 E. Univ. (gegr. 1732), Zentrum eines Bergbau- und Agrargebiets. – 1548 gegr., bald bed. Silberbergbauzentrum. – Kolonialzeitl. Bauten: barocke Basilika Nuestra Señora de G. (17. Jh.), Jesuitenkirche (18. Jh.). Das histor. Zentrum sowie die Bergwerksanlagen wurden von der UNESCO zum Weltkulturerbe erklärt.

G., Staat in Z-Mexiko, 30 491 km², 3,59 Mill. E (1989). Hauptstadt G. Im N liegen die bis über 3 000 m hohen Ausläufer der Sierra Madre Occidental, den S nimmt eine in 1 700–1 800 m ü. d. M. gelegene Beckenlandschaft ein (Bewässerungsfeldbau). – Von den Spaniern erstmals 1529 unter Nuño de Guzmán durchquert; seit 1924 eigener Staat.

Guanako [indian.-span.] (Huanako, Lama guanicoe), wildlebende Kamelart, v. a. im westl. und südl. S-Amerika; Schulterhöhe 90–110 cm, Fell lang und dicht, fahl rotbraun, Unterseite weißlich, Gesicht schwärzlich.

Guanare [span. gu̯a'nare], Hauptstadt des venezolan. Staates Portuguesa, in den Llanos, 64000 E. Bischofssitz; Wallfahrtszentrum durch das 15 km ssö. gelegene Santuario Nacional de Nuestra Señora de la Coromoto; ✡. - Gegr. 1593.

Guanchen [gu'antʃən], die Urbev. Teneriffas, i. w. S. der Kanar. Inseln (mit neolith. Kultur), die in der seit dem 14. Jh. eingewanderten span. Bev. aufgegangen ist; urspr. 25-30000 Menschen.

Guangdong [chin. guaŋdʊŋ] (Kwangtung), Prov. in SO-China, am Südchin. Meer; 186000 km^2, 62,9 Mill. E (1990), Hauptstadt Kanton. Die Prov. erstreckt sich im südchin. Bergland und umfaßt außerdem die Halbinsel Leizhou. Auf Grund des subtrop. bis trop. Klimas ist G. ein bed. Produzent von Zuckerrohr, Reis, Zitrusfrüchten, Bananen, Ananas, Tee, Tabak und Erdnüssen; Seidenraupenzucht; Fischerei im Südchin. Meer. Abbau von Ölschiefer, Wolframerz, Kohle, Eisenerzen; Seesalzgewinnung; vorwiegend Nahrungsmittelind., Metallverarbeitung, Maschinenbau, Papier-, chem. Ind. An der Küste Wirtschaftssondergebiete Shenzhen, Zhuhai und Shantou für Auslandsinvestitionen.

Guangxi [chin. gu̯aŋɕi] (Guangxi Zhuang; Kwangsi), autonome Region in S-China, grenzt an Vietnam, 236300 km^2, 42,3 Mill. E (1990), Hauptstadt Nanning. Die im Einzugsgebiet des oberen Xi Jiang gelegene Region ist überwiegend ein von kleinen Bekken und Talungen gegliedertes Bergland. Das subtrop. Monsunklima erlaubt v. a. im S den Anbau von Reis und Zuckerrohr, daneben von Mais, Gerste, Hirse und Tee. Im waldreichen N Gewinnung von Sandelholz und Kork, Abbau von Zinnerz, Kohle und Manganerz; Verarbeitung landw. Produkte, Maschinenbau, chem., Zement- und Elektronikindustrie. - 1958 gegründet.

Guang Xu [chin. gu̯aŋcy] (Kuang Hsü), * Peking 14. Aug. 1871, † ebd. 14. Nov. 1908, chin. Kaiser (seit 1875). - Vorletzter Kaiser der Qing-Dyn.; wurde wegen seiner Reformversuche gestürzt.

Guangzhou [chin. gu̯aŋdʒɔu̯] ↑ Kanton.

Guanidin [indian.] (Iminoharnstoff), $(NH_2)_2C=NH$, organ. Base. Bestandteil von Arginin, Kreatin und Kreatinin; wird u. a. zur Herstellung von Kunstharzen, Arzneimitteln und Farbstoffen verwendet.

Guanin [indian.], Purinbase (2-Amino-6-hydroxypurin), $C_5H_3N_4(NH_2)(OH)$, eine der vier am Aufbau der Nukleinsäuren beteiligten Hauptbasen. Ablagerungen von G. in Haut und Schuppen bei Fischen führen zu einem metall. Glanz; bedingt durch die hohe Brechzahl von kristallinem Guanin.

Guano [indian.], v. a. aus Exkrementen von Kormoranen und anderen Seevögeln zusammengesetzter, hauptsächlich Calciumphosphat und Stickstoff enthaltender organ. Dünger, der sich an den Küsten von Peru und Chile angesammelt hat; künstlich hergestellt wird der sog. Fisch-G. aus Seefischen und Fischabfällen.

Guanosin [Kw.] (Guaninribosid), Nukleosid aus ↑ Guanin und ↑ Ribose; Bestandteil der Ribonukleinsäuren.

Guantánamo [span. gu̯an'tanamo], Hauptstadt der gleichnamigen Prov. im östl. Kuba, in der Küstenebene, 174400 E. Zuckerfabriken u. a. Industrie; ✡. - 12 km südl. von G. liegt die Bucht von G. (Bahía de G.). - 1903 mußte Kuba die Bucht als Flottenstützpunkt (insges. 114 km^2, heute mit Befestigungen und Flughafen) für 99 Jahre an die USA abtreten; für kuban. Handelsschiffe wurde die freie Durchfahrt zugesichert. Gegen den 1934 erneuerten Vertrag protestiert Kuba seit 1959 und fordert die Rückgabe der Bucht.

Guaporé, Rio [brasilian. 'rriu gu̯apo'rɛ] (span. Río Iténez), rechter Nebenfluß des Río Mamoré, entspringt in der Chapada dos Parecis, 1800 km lang; Grenzfluß zw. Bolivien und Brasilien.

Guarana [indian.], bitter schmeckendes Genuß- und Heilmittel der Indianer Brasiliens; wird aus den Samen des Seifenbaumgewächses Paullinia cupana hergestellt; enthält 3-6,5 % Koffein und 5-8 % Gerbstoffe.

Guaranda [span. gu̯a'randa], Hauptstadt der zentralecuadorian. Prov. Bolívar, in den Anden, 2608 m ü. d. M., 14200 E. Bischofssitz; Handelszentrum eines Agrargebiets.

Guaraní [guara'ni:], Abk. ₲., Währungseinheit in Paraguay; 1 ₲ = 100 Céntimos (cts).

Guarda [portugies. 'gu̯ardɐ], portugies. Stadt onö. von Coimbra, 1056 m ü. d. M., 13000 E. Kath. Bischofssitz; Zentrum der histor. Prov. Beira Alta und des Distr. G.; Textilind. und Kfz-Montage; Luftkurort. - Kathedrale (1390-1516).

Guardafui, Kap [italien. gu̯arda'fu:i], äußerste NO-Spitze der Somalihalbinsel.

Guardi, Francesco, * Venedig 5. Okt. 1712, † ebd. 1. Jan. 1793, italien. Maler. - Berühmt seine von Licht und flirrender Atmosphäre erfüllte Vedutenmalerei (Venedig).

Guardia civil [span. 'ɣu̯arðia θi'βil], span. Gendarmerie, gegr. 1844; Teil des Heeres, untersteht dem Innenminister.

Guardian, The [engl. 'gɑ:djən „der Wächter"], brit. Tageszeitung. - ↑ Zeitungen (Übersicht).

Guardini, Romano [italien. gu̯ar'di:ni], * Verona 17. Febr. 1885, † München 1. Okt. 1968, dt. kath. Theologe und Religionsphilosoph italien. Herkunft. - Führende Persönlichkeit in der kath. Jugendbewegung und in der liturg. Bewegung. Befaßte sich in zahlr.

Werken mit bed. Gestalten der Dichtung und Philosophie, mit Grundfragen des christl. Glaubens und mit Zeit- und Kulturfragen. Erhielt 1952 den Friedenspreis des Börsenvereins des Dt. Buchhandels.

Guareschi, Giovanni [italien. gu̯a'reski], * Fontanelle (= Roccabianca, Prov. Parma) 1. Mai 1908, † Cervia 22. Juli 1968, italien. Schriftsteller. – Sein heiter-satir. Roman „Don Camillo und Peppone" (1948) behandelt den Ggs. zw. Kirche und Kommunismus im Gewand eines modernen Schelmenromans.

Guárico [span. 'gu̯ariko], venezolan. Staat, 64986 km², 465500 E (1988), Hauptstadt San Juan de los Morros. G. liegt in den Llanos; die S-Grenze bildet der Orinoko mit seinen Nebenflüssen. Feldbau, Förderung von Erdöl und Erdgas.

Guarini [italien gu̯a'ri:ni], Giovanni Battista, * Ferrara 10. Dez. 1538, † Venedig 7. Okt. 1612, italien. Dichter. – Für verschiedene Höfe als Diplomat tätig (v.a. Ferrara). Mit dem Drama „Il pastor fido" (1590; dt. 1619 u.d.T. „Der treue Schäfer") in formvollendeten Versen schuf er die Gattung des Schäferspiels, das er in „Dialogen" verteidigte.

G., Guarino, * Modena 17. Jan. 1624, † Mailand 6. März 1683, italien. Baumeister des Barock. – Seine Bauten in Turin (Fassade des Palazzo Carignano, 1679ff.; Kapelle Santa Sindone im Dom, 1667 ff.; San Lorenzo, 1668 ff.) sind in der Durchdringung der einzelnen Raumteile von außerordentl. Kompliziertheit, die auf genauen Berechnungen beruht. Nachwirkung v.a. im süddt. Raum.

Guarino von Verona [italien. gu̯a'ri:no], * Verona 1374, † Ferrara 1460, italien. Humanist. – Lehrmeister der ersten italien. Humanistengeneration; 1403–08 in Konstantinopel, wo er Griechisch lernte, das er in Florenz, Venedig, Verona und Ferrara lehrte.

Guarneri [italien. gu̯ar'nɛ:ri] (Guarnieri, Guarnerius), berühmte italien. Geigenbauerfamilie in Cremona. Nach *Andrea G.* (* vor 1626, † 1698), einem angesehenen Schüler N. Amatis, und seinen Söhnen *Pietro Giovanni G.* (* 1655, † 1720; in Mantua tätig) und *Giuseppe Giovanni Battista G.* (* 1666, † um 1739) gilt des letzteren Sohn *Giuseppe Antonio G.* (* 1698, † 1744) als der bedeutendste Meister neben A. Stradivari. Das von ihm auf den Vignetten benutzte Zeichen IHS (= Iesum Habemus Socium) trug ihm den Beinamen „del Gesù" ein. Sein Bruder *Pietro G.* (* 1695, † 1762) war ab 1725 in Venedig tätig.

Guastalla [italien. gu̯as'talla], italien. Stadt in der Emilia-Romagna, 25 m ü.d.M., 13500 E. Bischofssitz; Museum; Käsereien, Leder- und Holzindustrie. – Langobard. Gründung des 7. Jh.; 1428 Gft., 1621 Hzgt., ging 1746 in östr. Besitz über, 1748 dem Hzgt. Parma und Piacenza einverleibt. 1806 bekam Napoleons Schwester Pauline das Hzgt.; 1815 wurde es mit Parma und Piacenza der Gemahlin Napoleons, Marie Louise, überlassen; fiel 1848 an Modena und 1860 an das Kgr. Italien. – Dom (16.Jh.) mit Fassade des 18.Jh.; barocker Palazzo Gonzaga (16.Jh.).

Guatemala, Hauptstadt der Republik und des Dep. Guatemala, in einem Tal des zentralen Hochlandes, 1500 m ü.d.M., 2 Mill. E. Sitz eines Erzbischofs, fünf Univ., zwei wiss. Akad., Konservatorium, Militärakad., Museen, u.a. archäolog.-ethnolog. Museum, Nationalarchiv, -bibliothek, meteorolog.-seismolog. Observatorium, Zoo, botan. Garten. Hauptind.standort des Landes, an der Carretera Interamericana; internat. ✈. – 1776 durch ein Dekret König Karls III. von Spanien als 3. Hauptstadt des Generalkapitanats Guatemala gegr. (die erste wurde 1541 durch einen Vulkanausbruch zerstört, die zweite, das heutige, von der UNESCO zum Weltkulturerbe erklärte Antigua G., 1773 durch ein Erdbeben); seit 1839 Hauptstadt von Guatemala. – 1917/18 durch Erdbeben zerstört, modern oder in nachgeahmtem Kolonialstil wieder aufgebaut.

Guatemala

(amtl. Vollform: República de Guatemala), Republik in Zentralamerika zw. 13° 45′ und 17° 49′ n.Br. sowie 88° 14′ und 92° 13′ w.L. **Staatsgebiet:** G. erstreckt sich vom Pazifik zum Karib. Meer, es grenzt im W und N an Mexiko, im NO an Belize, im SO an Honduras und El Salvador. **Fläche:** 108889 km². **Bevölkerung:** 9,74 Mill. E (1992), 89 E/km². **Hauptstadt:** Guatemala. **Verwaltungsgliederung:** 22 Dep. **Amtssprache:** Spanisch. **Nationalfeiertag:** 15. Sept. (Unabhängigkeitstag). **Währung:** Quetzal (Q) = 100 Centavos. **Internat. Mitgliedschaften:** UN, OAS, ODECA, ECLA, SELA. **Zeitzone:** Central Standard Time, d.i. MEZ – 7 Std.

Landesnatur: Im nw. Zentrum liegen die bis 3800 m hohen Altos Cuchumatanes (nördl. Zweig der Kordilleren). Der südl. Zweig der Kordilleren, wie in Mexiko Sierra Madre genannt, setzt sich aus Kettengebirgen, Massenbergländern und Hochflächen zus. Am Abfall zur 30–50 km breiten pazif. Küstenebene liegt längs einer erdbebenreichen Bruchzone eine Reihe von z.T. noch aktiven Vulkanen (Tajamulco, 4210 m ü.d.M.). Im N (Petén) hat G. Anteil an der Hügellandschaft der Halbinsel Yucatán, im O am karib. Küstentiefland.

Klima: G. hat randtrop. Klima; die Temperaturen nehmen von 25/26 °C im Tiefland auf 18–20 °C im mittleren Hochland ab.

Vegetation: Der N ist von immerfeuchtem Regenwald, im Z-Teil auch von Kiefernsavannen bedeckt. Die luvseitigen Gebirge sind von trop. Berg- und Nebelwald bedeckt, im trockeneren Binnenhochland treten Eichen-Kiefern-Mischwälder und Savannen auf.

Bevölkerung: Sie setzt sich aus 44% Indianern, 49% Mestizen, 5% Weißen und 2% Schwarzen zus., 96% sind Katholiken. Über 60% der Bev. leben im südl. Hochland; der N und das karib. Küstentiefland sind dünn besiedelt. G. hat eine der höchsten Analphabetenquoten (45%) Zentralamerikas. Neben Grund-, Mittel-, höheren und Berufsschulen gibt es Lehrerseminare und 5 Universitäten.

Wirtschaft: G. gehört zu den industriell am weitesten entwickelten Ländern Zentralamerikas, obwohl auch hier die Landwirtschaft dominiert. Großbetriebe produzieren vor allem für den Export Kaffee (größter Produzent Zentralamerikas), Baumwolle, Zuckerrohr, Bananen und Kardamom. Für den Binnenmarkt werden Mais, Weizen, Reis und Kartoffeln angebaut, wobei der Eigenbedarf aber nicht gedeckt werden kann. Der in den Wäldern von Petén gesammelte Chiclegummi dient als Rohstoff für die Kaugummiind. der USA. Trotz reicher Bodenschätze ist der Bergbau noch gering entwickelt. Abgebaut werden Eisen-, Kupfer-, Blei-, Zink-, Nickelerze; seit 1976 geringe Erdölförderung. Nahrungsmittel-, Getränke-, Tabak-, Textil- und Lederind. sind die wichtigsten Zweige des verarbeitenden Gewerbes. Das indian. Handwerk ist hoch entwickelt.

Außenhandel: Wichtigste Handelspartner sind die USA, Japan, die EG-Länder (v.a. Deutschland) und El Salvador. Ausfuhr von Kaffee (53% des Exportwertes), Bananen, Zucker, Kardamom und Rohbaumwolle; eingeführt werden Maschinen, chem. Grundstoffe, Getreide.

Verkehr: Das Eisenbahnnetz hat eine Länge von 953 km. Das Straßennetz ist rd. 17300 km lang, davon sind rd. 3000 km asphaltiert. Die Carretera Interamericana durchzieht das Hochland, zu ihr parallel verläuft die Carretera Pacifica im pazif. Tiefland. Die wichtigsten Häfen sind an der Karibik San Tomás de Castilla (ehem. Puerto Barrios), am Pazifik Puerto Quetzal (San José) und Champerico; staatl. Fluggesellschaft AVIATECA; internat. ✈ bei der Hauptstadt.

Geschichte: Man unterscheidet in G. 2 voreurop. Kulturgebiete: Die Mayakultur 1. im trop. Tiefland des Petén und 2. in Hochland-G. Seit 1000 v.Chr. existierte Kaminaljuyú, ein bed. polit. und Handelszentrum mit starken Einflüssen aus dem zentralmex. Teotihuacán zw. 400/700. 1200–1524 wurde Hochland-G. u.a. durch die Quiché und die Cakchiquel beherrscht.

Guatemala. Übersichtskarte

1524 drangen Spanier erstmals im heutigen G. ein. Die nördl. Teile wurden ab 1537 unter span. Einfluß gebracht. 1570 wurde die Audiencia de G. gegr. Die Loslösung von Spanien erfolgte 1821. 1823 erklärte G. (nach zeitweiliger Zugehörigkeit zum mex. Kaiserreich) zum 2. Mal die Unabhängigkeit, verblieb aber bis 1838 im Rahmen der Zentralamerikan. Föderation. Die inneren Kämpfe zw. Liberalen und Konservativen prägten bis weit ins 20. Jh. die Politik von G. Seit Beginn des 20. Jh. mischten sich die großen amerikan. Pflanzungsgesellschaften, v.a. die United Fruit Company, und in der Folge die Reg. der USA selbst in wachsendem Maße in die Innenpolitik G. ein. Präs. General J. Ubico (1931–44) stabilisierte den Staat. Nach der Vertreibung Oberst J. Arbenz Guzmáns, der als Präs. (1951–54) eine radikale Bodenreform gewagt hatte und durch einen von den USA offen unterstützten Putsch gestürzt worden war, folgte eine Zeit der Putsche und Gegenputsche einzelner Teile der Armee. Durch die Verfassung von 1965 wurde zwar 1966 der Übergang zu einer Zivilreg. unter Präs. J.C. Méndez Montenegro (1966 bis 1970) möglich; die Armee blieb jedoch nach wie vor der eigtl. Machthaber. Durch Wahlen (z.T. mit gefälschten Ergebnissen) gelangten als Nachfolger Militärs an die Macht: 1970–74 C. Araña Osorio (* 1918), 1974–78 K. Laugerud García (* 1930) und 1978–82 F.R. Lucas García (* 1925). Nach den Präsidentschaftswahlen vom März 1982 stürzte am 23. März eine Gruppe von Offizieren den noch amtierenden Präs. Lucas García; eine dreiköpfige

Militärjunta unter General J. E. Ríos Montt (* 1926) übernahm die Macht; die Verfassung wurde außer Kraft gesetzt, die Bekämpfung von Oppositionsgruppen verstärkt fortgesetzt, wobei es wiederholt zu Massakern an der Zivilbev. kam. Anfang Aug. 1983 trat General O. H. Mejía Victores (* 1930) an die Stelle Ríos Montts; er suchte die zunehmenden Gewalttaten einzudämmen. Er ersetzte schrittweise die Militärs in den öff. Ämtern und ließ Wahlen zu einer Verfassunggebenden Versammlung im Juli 1984 zu. Aus ihnen ging die Mitte-Links-Partei der Christdemokraten (PDCG) als Sieger hervor, die auch die Ende 1985 folgenden Präsidentschafts-, Parlaments- und Kommunalwahlen gewann. Am 14. Jan. 1986 trat M. V. Cerezo Arévalo (* 1942) sein Amt als erster gewählter Präs. seit 16 Jahren an. Das Militär blieb aber ein bedeutender Machtfaktor (drei erfolglose Putschversuche 1988/89); Gewalt, Terror und Armut bestimmten weiterhin die innenpolit. Situation. Gespräche mit dem linksgerichteten Guerilladachverband „Nationale Revolutionäre Einheit Guatemalas" (URNG) 1987/88 und 1990 über die Beendigung des Bürgerkrieges blieben ergebnislos. Die Präsidentschafts- und Parlamentswahlen im Nov. 1990 gewann die „Union des Nat. Zentrums" (UCN), eine Partei der Mitte; die bisherige Reg.partei PDCG wurde zweitstärkste Fraktion. Nach einer Stichwahl im Jan. 1991 trat der Protestant J. Serrano Elias (* 1945) von der 1987 gegr. konservativen „Bewegung der solidar. Aktion" (MAS) sein Amt als Präs. und Reg.chef an. Nach einem vom amtierenden Präs. inszenierten Staatsstreich Ende Mai 1993 wurde dieser abgesetzt, neuer Staatspräs. wurde am 6. Juni der bisherige Menschenrechtsbeauftragte R. de León Carpio. Aus den vorgezogenen Parlamentswahlen im Aug. 1994 gingen die neuen Rechtsparteien „Republikan. Front" (FRG, 32 von 80 Sitzen) und „Partei des Nat. Fortschritts" (PAN, 24 Sitze) als stärkste Kräfte hervor. Zw. Reg. und URNG wurde im März 1994 ein Menschenrechtsabkommen geschlossen.

Politisches System: G. ist nach der Verfassung vom Mai 1985 (in Kraft seit Jan. 1986) eine präsidiale Republik. *Staatsoberhaupt* und Inhaber der *Exekutive* (Reg.chef) ist der für eine einmalige Amtszeit von 5 Jahren durch allg. Wahlen gewählte Präs. Er ist verantwortlich für die nat. Sicherheit nach innen und außen und Oberbefehlshaber der Streitkräfte, er ernennt und entläßt die Min., hohen Beamten und Diplomaten und koordiniert die Reg.politik. Die *Legislative* liegt beim Kongreß, dessen Abg. für 5 Jahre gewählt werden. Die wichtigsten *Parteien* sind: Partido Democracia Cristiana Guatemalteca (PDCG), Unión del Centro Nacional (UCN), Movimiento de Acción Solidaria (MAS), Partido Avanzada Nacional (PAN) und Republicano Guatemalteco (FRG). Der *Gewerkschafts*verband Frente Nacional Sindical (FNS) repräsentiert mit den in ihm zusammengeschlossenen 11 Einzelgewerkschaften rd. 97 % der Gewerkschaftsmgl. Das *Gerichtswesen* ist dreistufig aufgebaut. Höchstes Gericht ist der Oberste Gerichtshof, dessen 7 Richter für 4 Jahre vom Kongreß gewählt werden. Die Richter der unteren Instanzen werden vom Obersten Gericht ernannt.

📖 *Helfritz, H.: G.-Honduras-Belize. Köln [4]1988.*

Guaviare, Río [span. 'rrio ɣu̯a'βi̯are] (im Oberlauf Río Guayabero), linker Nebenfluß des Orinoko, entspringt in der Ostkordillere der Anden, mündet bei San Fernando de Atabapo, etwa 1 000 km lang.

Guayana, Großlandschaft im nördl. S-Amerika, zw. den Llanos del Orinoco und dem Amazonastiefland; etwa 1,5 Mill. km². Den größten Teil nimmt das 1 000–1 500 m hohe Bergland von G. ein.

Guayaquil [span. gu̯aja'kil], Hauptstadt der ecuadorian. Prov. Guayas, am Río Guayas, 1,57 Mill. E. Erzbischofssitz; drei Univ. (gegr. 1867, 1962, 1966), Forschungsinst., Museen; zweitwichtigstes Ind.zentrum des Landes; Haupthafen Ecuadors, für Ozeanschiffe erreichbar; internat. ✈. – 1537 gegr.; 1942 schwere Erdbebenschäden.

Guayas [span. 'gu̯ajas], ecuadorian. Prov. am Pazifik, 21 078 km², 2,57 Mill. E (1987), Hauptstadt Guayaquil.

Gubaidulina, Sofia, * Tschistopol 24. Okt. 1931, Komponistin tatar.-russ. Herkunft. – Verbindet in ihren Kompositionen Elemente der westl. und der östl. Musikkultur. V. a. bekannt durch Vokal- und Instrumentalwerke, bes. Kammermusik; u. a. Kantate „Nacht in Memphis" (1968), elektron. Komposition „Vivente – non vivente" (1970), „Widmung an Thomas St. Eliot" für Sopran und Oktett (1987), „Im Anfang war der Rhythmus" für Schlagzeugensemble (1988), Filmmusiken.

Gubbio, italien. Stadt in Umbrien, nnö. von Perugia, 529 m ü. d. M., 32 000 E. Bischofssitz; Inst. für umbr. Studien, Museum, Gemäldegalerie; Wollverarbeitung, Kunsthandwerk, Fremdenverkehr. – In der Antike **Iguvium;** im MA **(Eugubium)** seit dem 11. Jh. freie Gem. 1384 fiel G. an die Montefeltro, Grafen von Urbino; 1631–1860 gehörte es zum Kirchenstaat. – Zahlr. Kirchen, u. a. Dom (13. und 14. Jh.), San Francesco (13. Jh.), San Domenico (1278 geweiht). Wahrzeichen von G. ist der Palazzo dei Consoli (1332 ff., im 16. Jh. ausgebaut). Röm. Theater aus augusteischer Zeit.

Guben, Stadt in Brandenburg, in der Niederlausitz, an der Lausitzer Neiße, 47 m ü. d. M., 33 000 E. Chemiefaserwerk, Tuch-, Hutherstellung. – Als Brückenort von Markgraf Konrad von Meißen (1123–56) gegr., erhielt 1235 Magdeburger Recht. Die Stadt unterstand der Landeshoheit der Niederlausitz; 1635 an Kursachsen, 1815 an Preußen; schwere Zerstörungen im 2. Weltkrieg.

G., (poln. Gubin) Ind.stadt an der Lausitzer Neiße, Polen, 40 m ü. d. M., 17 000 E. Entstand 1945, umfaßt die rechts der Lausitzer Neiße gelegenen Stadtteile von Guben.

Gubernium [zu lat. gubernare „steuern"], in Österreich seit 1763 Bez. für die kollegiale landesfürstl. Verwaltungsbehörde eines östr. Kronlandes; 1848 durch die Statthalterei (bis 1918) ersetzt.

Gubin ↑Guben (Polen).

Gubkin, russ. Stadt nö. von Belgorod, 75 000 E. Geologisches Forschungsinstitut und Museum; Eisenerzbergbau im Bereich der Kursker Magnetanomalie. – Seit 1955 Stadt.

Guckkastenbühne ↑Theater.

Gudbrandsdal [norweg. ˌgʉbransda:l], norweg. Talschaft, umfaßt das 199 km lange Tal des Gudbrandsdalslågen und seine Seitentäler, zw. den Gebirgslandschaften Jotunheim im W und Rondane im O. Bed. Fremdenverkehrsgebiet.

Gudbrandsdalslågen [norweg. ˌgʉbransda:lslo:gən], Fluß in O-Norwegen, entfließt dem Lesjaskogvatn, mündet in den Mjøsensee, 230 km lang; Kraftwerke.

Gudden, Bernhard [Friedrich Adolf], * Pützchen (= Bonn) 14. März 1892, † Prag 3. Aug. 1945, dt. Physiker. – Prof. für Experimentalphysik in Erlangen und in Prag. Mitbegr. der Halbleiterphysik.

Gudea, neusumer. Stadtfürst (etwa 2080–2060) der sog. 2. Dynastie von Lagasch. – Beherrschte den größten Teil S-Babyloniens, hingegen ist seine Unabhängigkeit von Ur umstritten. Als Idealtyp des altoriental. Herrschers und Hirte seines Volkes dargestellt in einer auf zwei Tonzylindern überlieferten, literarisch bedeutsamen Tempelbauhymne, die sich heute im Louvre in Paris befindet.

Gudenå [dän. 'gu:ðənɔ:'], längster dän. Fluß in Jütland, entspringt nw. von Vejle, durchfließt zahlr. Seen, mündet in den Randersfjord; 158 km lang.

Gudensberg, hess. Stadt 8 km nö. von Fritzlar, 221 m ü. d. M., 7 300 E. – Um G. sind Siedlungen vom Spätneolithikum bis in die röm. Kaiserzeit nachgewiesen. Die Wallburgen auf dem Odenberg gehören wahrscheinlich dem Früh- bzw. Hoch-MA an. – Vermutlich um 1130 kam G. an die Landgrafen von Thüringen, die es vor 1200 befestigten; 1254 als Stadt bezeichnet. – Got. Pfarrkirche (13. und 14. Jh.).

Guderian, Heinz, * Culm 17. Juni 1888, † Schwangau 15. Mai 1954, dt. General. – Organisator der dt. Panzertruppe nach 1934; 1938 Chef der schnellen Truppen und General der Panzertruppe; 1940 Generaloberst; Ende 1941 von Hitler wegen Differenzen in takt. Fragen seines Postens enthoben, 1943 Generalinspekteur der Panzertruppen, 1944 Chef des Generalstabs des Heeres; im März 1945 erneut verabschiedet.

Guðmundsson, Kristmann [isländ. 'gvʏðmʏndsɔn], * Þverfell (Borgarfjörður) 23. Okt. 1902, † Reykjavík 20. Nov. 1983, isländ. Schriftsteller. – Von Hamsun beeinflußter Romancier, der seine isländ. Heimat darstellt, u. a. „Kinder der Erde" (R., 1935).

Gudrun, Epos, ↑Kudrun.

Gudschar, ind. Volksstamm, lebt v. a. in den ind. B.-Staaten Gujarat, Punjab und Haryana; rd. 2 Mill. Menschen.

Gudscharati, offizielle Sprache des ind. B.-Staates Gujarat, etwa 37 Mill. Sprecher. Die heutige Literatursprache mit eigener Schrift entstand in der 2. Hälfte des 19. Jh. Sie wurde von M. K. Gandhi verwendet.

Guebwiller, Ballon de [frz. balõdgebvi'lɛ:r], frz. für ↑Großer Belchen.

Guedes, Joaquim, * São Paulo 18. Juni 1932, brasilian. Architekt und Städteplaner. – Einer der wichtigsten Vertreter der postmodernen Architektur in Brasilien. Als sein Hauptwerk gilt die Neuplanung der Stadt Caraîba in Bahia (1977).

Guelfen [gu'ɛlfən, 'gɛlfən] ↑Ghibellinen und Guelfen.

Guelma [frz. gɛl'ma, gɥɛl'ma], alger. Stadt sw. von Annaba, 85 000 E. Hauptstadt des Wilayats G., landw. Handelszentrum; Fahrrad- und Motorradbau. – G. ist das röm. **Calama,** von dem noch die Ruinen der Thermen und des Theaters erhalten sind.

Guêpière, Philippe de la [frz. gɛ'pjɛ:r], * vermutl. 1715, † Paris 30. Okt. 1773, frz. Baumeister. – Neben der Ausgestaltung des Stuttgarter Neuen Schlosses Pläne (1750–52) für das Schloß in Karlsruhe (1752–59 Bauberater); Lustschloß Solitude bei Stuttgart (zus. mit J. F. Weyhing, 1763–67) in einem kühlen, klassizist. Spätbarock.

Guéranger, Prosper-Louis-Pascal [frz. gerã'ʒe], * Sablé-sur-Sarthe (Sarthe) 4. April 1805, † Kloster Solesmes (Sarthe) 30. Jan. 1875, frz. kath. Theologe und Benediktiner (seit 1837). – Erneuerte mit der Gründung von ↑Solesmes, das er 1832 kaufte (1837 Abtei), im Zuge der romant. Restauration den Benediktinerorden in Frankreich. Gilt als Vater der ↑liturgischen Bewegung.

Guéret [frz. ge'rɛ], frz. Stadt im nw. Zentralmassiv, 436 m ü. d. M., 15 700 E. Verwaltungssitz des Dep. Creuse und Zentrum der Marche; Museum; Schmuckwarenind. - G. entstand um ein im 7. Jh. gegr. Kloster.

Guericke (Gericke), Otto von (seit 1666) ['ge:rɪkə], * Magdeburg 30. Nov. 1602, † Hamburg 21. Mai 1686, dt. Naturforscher und Politiker. - 1626 Ratsherr und 1630 Bauherr der Stadt Magdeburg, trat 1631 nach ihrer Zerstörung als Ingenieur in schwed., dann in kursächs. Dienste und war nach seiner Rückkehr 1646-78 einer der vier Bürgermeister von Magdeburg (u. a. dessen Gesandter in Osnabrück und Regensburg). Seine öff. physikal. Demonstrationsversuche machten ihn weithin berühmt; mit der von ihm erfundenen Luftpumpe (vor 1650) führte er Versuche mit luftleer gepumpten Kesseln durch und zeigte, daß sich im Vakuum der Schall nicht ausbreiten und eine Kerze nicht brennen kann. G. konstruierte zur Veranschaulichung der Größe des Luftdruckes die **Magdeburger Halbkugeln,** mit denen er 1657 in Magdeburg und 1663 am brandenburg. Hof Schauversuche veranstaltete. Er erfand außerdem ein Manometer (vor 1661) und baute ein über 10 m langes, mit Wasser gefülltes Heberbarometer, an dem er neben der Höhenabhängigkeit auch die wetterabhängigen Schwankungen des Luftdruckes erkannte, was ihm Wettervorhersagen ermöglichte. Ein weiteres wichtiges Arbeitsgebiet von G. war die Reibungselektrizität (erste Elektrisiermaschine).

Guerilla [ge'rɪl(j)a; span., zu guerra „Krieg"], während des span. Unabhängigkeitskrieges aufgekommene Bez. für den Kleinkrieg, den irreguläre Einheiten der einheim. Bev. gegen eine Besatzungsmacht (oder auch im Rahmen eines Bürgerkrieges) führen; auch Bez. für diese Einheiten selbst bzw. ihre Mgl. (G.; in Lateinamerika auch Guerilleros gen.). Nach geltendem Völkerrecht sind G. von Partisanen zu unterscheiden († Kombattanten). Eine Völkerrechtskonferenz beschloß in Genf im Mai 1977, daß G. im Fall ihrer Gefangennahme den Status von Kriegsgefangenen haben, sofern sie die Waffen offen trugen. Die G.strategie spielt im Prozeß der Entkolonisation eine maßgebl. Rolle. Erhebl. Bed. erlangten die G. auch in einigen Ländern Lateinamerikas, wo sie sich gegen die herrschenden sozialen und polit. Verhältnisse wenden und z. T. als Stadt-G. auftreten.

Guérin, Jean [Urbain] [frz. ge'rɛ̃], * Straßburg 1760, † Oberehnheim (Bas-Rhin) 8. Okt. 1836, frz. Maler. - Schöpfer feiner Porträtminiaturen (u. a. Maria Antoinette und Ludwig XVI.).

Guernica [span. gɛr'nika] (amtl. G. y Luno), span. Ort onö. von Bilbao, 4 m ü. d. M., 18 000 E. 1937 durch die † Legion Condor zerstört; weltberühmt durch das Gemälde „G." von P. Picasso. - Die Könige von Kastilien (später die von Spanien) garantierten in G. seit dem MA mit einem öffentlich abgelegten Eid bask. Autonomierechte. Vom 9. Jh. bis 1877 Versammlungsort der bask. Landtage.

Guernsey [engl. 'gə:nzɪ] (frz. Guernesey), westlichste der † Kanalinseln, 15 km lang, bis 8 km breit, 63 km², 55 500 E (1986); Hauptort ist Saint Peter Port.

Guerrero [span. gɛ'rrɛro], Staat in S-Mexiko, am Pazifik, 63 794 km², 2,56 Mill. E (1988), Hauptstadt Chilpancingo de los Bravo. Den südl. Teil nimmt die Sierra Madre del Sur ein; im N hat G. Anteil am Tal des Río Balsas und der Cordillera Volcánica. - Kam um 1500 unter aztek. Herrschaft; entstand als Staat 1849.

Guerrini, Olindo [italien. gu̯er'ri:ni], * Forlì 4. Okt. 1845, † Bologna 21. Okt. 1916, italien. Dichter. - Berühmt durch die Gedichtsammlung „Postuma" (1877), angeblich der Nachlaß eines fiktiven Lorenzo Stecchetti. Angriffe auf seine Verwendung der Alltagssprache, den oft derben Realismus und die antiklerikale Tendenz beantwortete er in polem. Gedichten.

Guesclin, Bertrand du [frz. dyge'klɛ̃], * Schloß La Motte Broons bei Dinan (Côtes-du Nord) 1320, † bei Châteauneuf de Randon 13. Juli 1380, frz. Feldherr. - Besiegte 1364 bei Cochorel Karl von Navarra; als Konnetabel von Frankreich (seit 1370) an der Vertreibung der Engländer von frz. Boden im Hundertjährigen Krieg maßgeblich beteiligt.

Guesde, Jules [frz. gɛd], * Paris 11. Nov. 1845, † Saint-Mandé (bei Paris) 28. Juli 1922, frz. Politiker (Sozialist). - 1880 maßgeblich an der Bildung einer sozialist. Partei mit marxist. Programm beteiligt; 1893-98 und 1906-22 Abg. Sein Widerstand gegen den Eintritt A. Millerands in eine bürgerl. Regierung führte 1901 zum Bruch mit J. Jaurès und zur Spaltung der frz. Sozialisten. 1914-16 Min. ohne Geschäftsbereich. - Als **Guesdisten** werden in Frankreich die Anhänger G. bzw. die Vertreter eines marxist. Sozialismus mit nat. Orientierung bezeichnet.

Guevara Serna, Ernesto [span. ge'βara 'sɛrna], gen. Che Guevara, * Rosario (Argentinien) 14. Juni 1928, † in Bolivien 9. Okt. 1967 (erschossen), kuban. Politiker. - Arzt; beteiligte sich, ab 1955 mit F. Castro in Verbindung, an der Aufstandsbewegung gegen Batista auf Kuba; 1959-61 Präs. der kuban. Nationalbank, 1961-65 Industriemin.; seit 1966 in Bolivien als Guerillaführer tätig. G. S. wurde eine Leitfigur für Befreiungsbewegungen, bes. in der dritten Welt. Er war eines der Idole der Studentenbewegung von 1968.

Gugel [zu lat. cucullus „Kapuze"], im späten MA (12.-15. Jh.) von Männern getragene Kapuze mit kragenartigem Schulterstück.

Gugelhupf (Gugelhopf, Kugelhupf), Napfkuchen aus Hefeteig mit Rosinen.

Guggenbichler, Johann Meinrad, ≈ Einsiedeln 17. April 1649, † Mondsee 10. Mai 1723, östr. Bildhauer schweizer. Herkunft. – Seit 1679 in Mondsee nachweisbar (großer Werkstattbetrieb), von T. Schwanthaler beeinflußt. Schnitzaltäre in Irrsdorf (Gem. Straßwalchen, Salzburg; 1684), Michaelbeuern (Stiftskirche; 1691) und Sankt Wolfgang im Salzkammergut (1706).

Guggenheim, amerikan., aus der Schweiz ausgewanderte Industriellenfamilie. Bed.:

G., Daniel, * Philadelphia 9. Juli 1856, † Hampstead (N. Y.) 28. Sept. 1930, Industrieller. – Errichtete u. a. Zinnminen in Bolivien, Goldminen in Alaska und Kupferminen in Chile. Er entwickelte die sog. G.-Strategie, d. h., er legte die Erschließung, den Abbau und die Verarbeitung von Rohstoffen in eine Hand. Stifter der „Daniel and Florence G. Foundation" und des „G. Fund for the Promotion of Aeronautics".

G., Solomon R., * Philadelphia (Pa.) 2. Febr. 1861, † Long Island (N. Y.) 3. Nov. 1949, amerikan. Unternehmer und Kunstsammler. – Gründete 1937 in New York die „Solomon R. Guggenheim Foundation" zur Förderung abstrakter Kunst und eröffnete das „Museum of Non-Objective Painting", das den Grundstock für das Guggenheim-Museum bildete.

Guggenheim, Paul, * Zürich 15. Sept. 1899, † Genf 31. Aug. 1977, schweizer. Völkerrechtler. – Prof. in Genf, Mgl. des Internat. Schiedshofes in Den Haag (seit 1952); veröffentlichte bed. Arbeiten v. a. zum Völkerrecht und zur Völkerrechtsgeschichte.

Guggenheim-Museum † Museen (Übersicht).

Guggenmos, Josef, * Irsee bei Kaufbeuren 2. Juli 1922, dt. Schriftsteller. – Verf. eigenwillig-poet. Kinderbücher („Mutzebutz", 1961; „Was denkt die Maus am Donnerstag?", 1967; „Sonne, Mond und Luftballons", 1984).

Guglielmi, Pietro Alessandro [italien. guʎ'ʎɛlmi], * Massa Carrara (= Massa) 9. Dez. 1728, † Rom 18. Nov. 1804, italien. Komponist. – Schüler von F. Durante, einer der erfolgreichsten Vertreter der Opera buffa.

Guglielmini, Domenico [italien. guʎʎel'mi:ni], * Bologna 27. Sept. 1655, † Padua 11. Juli 1710, italien. Naturforscher. – Sein 1697 erschienenes Werk „Della natura dei fiumi" war grundlegend für die Hydraulik. G. befaßte sich außerdem mit Kristallographie; ermittelte das Gesetz der Winkelkonstanz.

Guicciardini, Francesco [italien. guit-tʃar'di:ni], * Florenz 6. März 1483, † Arcetri bei Florenz 22. Mai 1540, italien. Politiker und Historiker. – Jurist; in florentin. und päpstl. Diensten; betrieb das Zustandekommen der Liga von Cognac (1526), wurde deren Generalkommissar. Sein 1537–40 verfaßtes Hauptwerk „Storia d'Italia" ist die erste Darstellung der Geschichte ganz Italiens.

Solomon R. Guggenheim. Guggenheim-Museum in New York von Frank Lloyd Wright; 1956–59

Guide [frz. gid, engl. gaɪd „Führer"], v. a. in Buchtiteln vorkommende Bez. für Reiseführer.

Guido II. [gu'i:do, 'gi:do] (Wido), † Herbst 894, Hzg. von Spoleto und Camerino. – Wurde 889 nach siegreicher Schlacht gegen Berengar I. von oberitalien. Bischöfen in Durchbrechung karoling. Vorrechtsansprüche zum König gewählt und 891 zum Kaiser gekrönt.

Guido von Arezzo [italien. 'gui:do] (G. Aretinus), * Arezzo (?) um 992, † 17. Mai 1050 (?), italien. Musiktheoretiker. – Führte die Notierung der Melodien auf Linien im Terzabstand (Tonbuchstaben als Schlüssel, Kolorierung der c- und f-Linie) sowie die Benennung der Hexachordtöne c-a mit den Silben ut-re-mi-fa-sol-la († Solmisation) ein. Die sog. **Guidonische Hand,** die Darstellung der Tonbuchstaben bzw. Solmisationssilben auf der geöffneten linken Hand zur Veranschaulichung von Tönen und Intervallen im Musikunterricht, kam erst nach G. auf.

Guido (Guy) **von Lusignan** [gu'i:do, 'gi:do], † 1194, König von Jerusalem (1186–90). – ⚭ mit Sibylle, Schwester König Balduins IV.; verlor 1187 sein Kgr. an Sultan Saladin und mußte 1190 abdanken; 1192 entschädigte ihn Richard Löwenherz durch die Belehnung mit dem Kgr. Zypern.

Guignol [frz. gi'ɲɔl], lustige Person des frz. Marionetten- und Handpuppentheaters, auch Bez. für das frz. Puppentheater.

Guigou, Paul [frz. gi'gu], * Villars (Vaucluse) 15. Febr. 1834, † Paris 21. Dez. 1871, frz. Maler. – Landschaften in der Tradition Corots. Seine pastos gemalten, lichterfüllten Bilder aus der Provence und der Camargue erwachsen aus präziser Naturbeobachtung.

Guilbert, Yvette [frz. gil'bɛ:r], * Paris 20. Jan. 1867, † Aix-en-Provence 2. Febr. 1944, frz. Diseuse. – Toulouse-Lautrec stellte sie als gefeierte Sängerin in Pariser Varietés in mehreren Lithographien dar. Später sang sie v. a. Volkslieder; auch Filmschauspielerin (u. a. in F. W. Murnaus Faustfilm, 1926).

Guildford [engl. 'gɪlfəd], engl. Stadt am Wey, 56 700 E. Verwaltungssitz der Gft. Surrey; anglikan. Bischofssitz; Univ., Museum; Theater. Maschinenbau und Braugewerbe. – Angelsächs. Gründung, mindestens seit 1257 Stadtrecht. – Spätnormann. Kirche Saint Mary (12. Jh.), Kathedrale (1936 ff.).

Guilhem de Cabestanh [frz. gijɛmdəkabɛs'tã], provenzal. Troubadour der 2. Hälfte des 12. Jh. aus dem Roussillon. – Held der ältesten europ. Fassung der „Herzmäre"; einige kunstvolle Minnelieder sind überliefert.

Guillaume de Machault (Machaut) [frz. gijomdəma'ʃo], * in der Champagne (Reims ?) zwischen 1300 und 1305, † Reims April 1377, frz. Dichter und Komponist. – Außer Gedichten sowie Versromanen sind mehr als 140 Kompositionen (Motetten, 1 Messe, Lais, Balladen, Rondeaux, Virelais) überliefert; bed. Vertreter der Ars nova. Neben die grundlegende Technik der isorhythm. Motette tritt bei ihm erstmals gleichrangig der Kantilenensatz.

Guillaume, Charles Édouard [frz. gi'jo:m], * Fleurier (Kt. Neuenburg) 15. Febr. 1861, † Paris 13. Juni 1938, frz. Physiker schweizer. Herkunft. – Entwickelte ab etwa 1897 die Nickellegierungen Invar und Elinvar mit extrem niedrigen Wärmeausdehnungskoeffizienten bzw. temperaturkonstanter Elastizität und setzte sie mit Erfolg in der Zeitmeßtechnik ein. Hierfür erhielt er 1920 den Nobelpreis für Physik.

Guillaume-Affäre [gi'jo:m], Spionagefall in der BR Deutschland, der u. a. zum Rücktritt W. Brandts als B.-Kanzler führte. In der Nacht vom 24. zum 25. April 1974 wurden Günter Guillaume (* 1927), persönl. Referent des B.-Kanzlers, und seine Ehefrau Christel (* 1927), Verwaltungsangestellte beim Bevollmächtigten des Landes Hessen in Bonn, wegen des dringenden Verdachts der Spionage für die DDR verhaftet. Das Ehepaar Guillaume wurde 1975 wegen schweren Landesverrats verurteilt; 1981 im Austauschverfahren in die DDR entlassen.

Guillaume d'Orange [frz. gijomdɔ'rã:ʒ] (Wilhelm von Orange, Wilhelm von Oranien), altfrz. Sagenheld, als dessen histor. Vorbild der karoling. Graf Wilhelm von Aquitanien († 812) gilt.

Guillemin, Roger [Charles Louis] [frz. gij'mɛ̃], * Dijon 11. Jan. 1924, amerikan. Biochemiker frz. Herkunft. – Prof. am Salk Institute in San Diego (Calif.), extrahierte aus dem Hypothalamus von Schafen bestimmte Substanzen, die die Hypophyse zur Produktion und Abgabe bestimmter Hormone veranlassen. 1969 konnte er den Releaserfaktor TSH-RF des schilddrüsenstimulierenden (thyreotropen) Hormons TSH isolieren, dessen chem. Struktur (aus drei Aminosäuren bestehendes Peptid) aufklären und es auch synthetisieren. Später gelang ihm die Isolierung weiterer Peptide aus dem Hypothalamus. Er erhielt für diese Forschungsarbeiten (mit A. Schally und R. S. Yalow) 1977 den Nobelpreis für Physiologie oder Medizin.

Guillén [span. gi'ʎen], Jorge, * Valladolid 18. Jan. 1893, † Málaga 6. Febr. 1984, span. Dichter. – Lebte 1938–77 in den USA. Klass. Formstreben verpflichtete Gedichte über Erscheinungen des Alltags, voller Begeisterung und Dank für die Wunder der Schöpfung, u. a. „Cántico" (1928: 75 Gedichte; bis 1950 auf 334 Gedichte erweitert).

G., Nicolás, * Camagüey 10. Juli 1902, † Havanna 16. Juli 1989, kuban. Lyriker. – Knüpft an die Folklore der Schwarzen und Mulatten an und verbindet sprachl., bildl. und rhythm. Intensität mit sozialrevolutionärer Aussage („Bitter schmeckt das Zuckerrohr", dt. Ausw. 1952; „Bezahlt mich nicht, daß ich singe", dt. Ausw. 1961).

Guilleragues, Gabriel Joseph de Lavergne, Vicomte de [frz. gij'rag], * Bordeaux 18. Nov. 1628, † Konstantinopel 5. März 1685, frz. Schriftsteller. – Gilt als Verf. der lange M. † Alcoforado zugeschriebenen „Portugies. Briefe" (1669; dt. 1913 von R. M. Rilke).

Guilloche [gɪl'jɔʃ; gi'jɔʃ; frz.], sehr genau ausgeführte, feine, verschlungene Linienzeichnung auf Wertpapieren, Urkunden u. a., um Fälschungen zu erschweren.

Guillotine [gɪljo'ti:nə, gɪjo'ti:nə; frz.], Hinrichtungsgerät der Frz. Revolution, durch das mittels eines in Führungsschienen schnell herabfallenden Beils der Kopf vom Rumpf getrennt wird (auch als *Fallbeil* bezeichnet); benannt nach dem frz. Arzt J. I. Guillotin (* 1738, † 1814). Mit dem frz. Strafrecht wurde sie auch in dt. Ländern westlich der Elbe eingeführt.

Guimarães [portugies. gimɐ'rɐ̃iʃ], portugies. Stadt nö. von Porto; 22 000 E. Textilind. – 1250–1401 tagten in G. sechsmal die Cortes; erhielt 1853 Stadtrecht. – Auf einem Hügel liegt die mächtige Burg (10./11. Jh.), etwas tiefer der got. Palast der Bragança (1420).

Guimarães Rosa, João [brasilian. gima'rɐ̃iz 'rrɔza], * Cordisburgo 1908, † Rio de Janeiro 19. Nov. 1967, brasilian. Schriftsteller. – Sein Roman „Grande Sertão“ (1956) gilt als das Epos Brasiliens. – *Weitere Werke:* Sagarana (En., 1946), Corps de ballet (En., 1956), Das dritte Ufer des Flusses (En., 1962).

Guimard, Hector [frz. gi'ma:r], * Paris 10. März 1867, † New York 20. Mai 1942, frz. Architekt und Dekorationskünstler. – Bed. Vertreter des Art nouveau (frz. Jugendstil), schuf u. a. das Castel Béranger (Paris, 1894–98) und die Pariser Metrostationen.

Guimerà, Ángel [katalan. gimə'ra], * Santa Cruz de Tenerife 6. Mai 1849, † Barcelona 18. Juli 1924, katalan. Dichter. – Vorkämpfer der katalanischen Autonomiebestrebungen; schrieb neben lyr. Gedichten romant. und zeitweilig naturalist. [Vers]dramen: „Gala Placídia“ (Trag., 1879), „Judith de Welp“ (Trag., 1883) u. a.; bekanntestes Stück ist das Drama „Terra baixa“ (1896), das die Grundlage für d'Alberts Oper „Tiefland“ wurde.

Guinea

(amtl.: République de Guinée), Republik in Westafrika, zw. 7° und 12° n. Br. sowie 8° und 15° w. L. **Staatsgebiet:** G. grenzt im NW an Guinea-Bissau, im N an Senegal und Mali, im SO an die Elfenbeinküste, im S an Liberia und Sierra Leone, im W an den Atlantik. **Fläche:** 245 857 km². **Bevölkerung:** 6,12 Mill. E (1992), 25 E/km². **Hauptstadt:** Conakry. **Verwaltungsgliederung:** 4 Regionen, untergliedert in 29 Prov. **Amtssprache:** Französisch. **Nationalfeiertag:** 2. Okt. (Unabhängigkeitstag). **Währung:** Guinea-Franc (F. G). **Internationale Mitgliedschaften:** UN, OAU, Lomé-Abkommen. **Zeitzone:** MEZ −1 Std.

Landesnatur: G. ist weitgehend ein Berg- und Tafelland. Hinter der 300 km langen, nur 50–90 km breiten Küstenebene erhebt sich der Fouta Djalon (durchschnittlich 1 500 m ü. d. M.). Hier entspringen die großen Flüsse Westafrikas (Niger, Senegal, Gambia u. a.). Nach O Übergang in das um 300 m ü. d. M. liegende Mandingplateau. Die höchste Erhebung liegt im äußersten SO, im Inselgebirge der Nimbaberge (1 752 m ü. d. M.).
Klima: G. liegt im Bereich der wechselfeuchten Tropen mit einer Regenzeit (April–Nov. an der Küste und im SO, Mai–Okt. im NO).
Vegetation: Dem Klima entsprechend sind im S Regenwälder verbreitet, im SO Feucht-, im N und NO Trockensavannen. Die Hochflächen sind durch Beweidung und Brandrodung weitgehend entwaldet, sie tragen Grasfluren. An der Küste wachsen Mangroven und Kokospalmen.
Tierwelt: Verbreitet sind u. a. Elefanten, Büffel, Antilopen, Krokodile, Hyänen.
Bevölkerung: 47 % der Bev. gehören zur Manding-Sprach- und Kulturgruppe, 36 % sind Fulbe, daneben zahlr. kleinere ethn. Gruppen. 69 % sind Muslime, 30 % Anhänger traditioneller Religionen, daneben christl. Minderheiten. Eine 6jährige Grundschulpflicht besteht vom 7.–13. Lebensjahr. In Conakry gibt es eine Univ. (1984 gegr.), in Kankan eine polytechn. Hochschule.
Wirtschaft: Über 80 % der Bev. sind in der Landw. tätig. Vorherrschend sind kleinbäuerl. Betriebe, die für die Eigenversorgung bes. Reis, Hirse, Mais und Maniok erzeugen, den Lebensmittelbedarf des Landes aber nicht abdecken können. Für den Export werden Kaffee, Ananas, Bananen und Ölpalmen angebaut. Forstwirtschaft, Küsten- und Flußfischerei dienen ausschließlich dem Eigenbedarf. Wichtigster Wirtschaftszweig ist der Bergbau (95 % des Exportwertes). G. verfügt über etwa 30 % der gesamten Bauxitvorräte der Erde, die u. a. in Fria (hier Tonerderaffinerie), Boké, Dabola, bei Kindia und Tougué und in Ayékoyé abgebaut werden. Diamanten werden im Schwemmsand verschiedener Flüsse, Gold im NO gewonnen. Conakry und Kankan sind Hauptstandorte der verarbeitenden Ind. (Nahrungs- und Genußmittelind., Kfz- und Fahrradmontage, Zementwerk, Möbel-, Textil- und Schuhfabriken).
Außenhandel: Ausgeführt werden Bergbau- und Agrarerzeugnisse, eingeführt Lebensmittel, Textilien u. a. Gebrauchsgüter, Erdölprodukte, Ind.einrichtungen. Die wichtigsten Handelspartner sind die EG-Länder (bes. Frankreich), die USA und Kamerun.
Verkehr: Neben der Staatsbahn (Conakry–Kankan [662 km]) existieren Privatbahnen der Bergbauunternehmen (4 Linien mit insgesamt 399 km). Das Straßennetz ist 29 000 km lang, davon 1 300 km asphaltiert. Binnenschiffahrt auf dem oberen Niger. Überseehäfen in Conakry (Haupthafen) und Kamsar (Bauxitexport). Die nat. Air Guinée fliegt inländ. Orte sowie westafrikan. Hauptstädte an. Internat. ✈ bei Conakry.
Geschichte: Mindestens der O-Teil von G. lag im Einflußbereich der beiden afrikan. Großreiche Ghana und Mali; der Fouta Djalon bot einem kleineren, meist unabhängigen Herrschaftsbereich Schutz. 1880 gründeten die Franzosen am Rio Nunez Handelsniederlassungen; aber erst um 1890 hatten sie die ganze Küste des heutigen G. fest in der Hand. Bei der Durchdringung des Hinterlandes konnte der Widerstand Samory Tourés und des von ihm gegr. Reichs erst 1898 gebrochen werden. Die 1882 gegr. frz. Kolonie Rivières du Sud wurde zunächst von Senegal aus verwaltet; ab 1893 hieß sie Frz.-G.; gleichzeitig erhielt sie eine selbständige Verwaltung mit eigenem Gouverneur. 1946 wurde G. Mgl. der Frz. Union; 1957, als Frankreich seinen Überseeterritorien beschränkte innere Auto-

nomie gewährte, wurde Sékou Touré (Enkel Samory Tourés) Min.präs.; 1958 erhielt G. die volle Selbständigkeit. Sékou Touré wurde Staatspräs., die Demokrat. Partei G. (PDG) Einheitspartei. Lücken in der Versorgung und daraus resultierende Unzufriedenheit in der Bev. wurden kompensiert durch häufige Aufdeckungen von Verschwörungen mit darauf folgenden Verhaftungswellen und Hinrichtungen. Ab 1978 normalisierte G. seine Beziehungen zu zahlr. Staaten innerhalb und außerhalb Afrikas. Bei den Parlamentswahlen Anfang Jan. 1980 wurden die Kandidaten der Einheitspartei, bei den Präsidentschaftswahlen vom Mai 1982 Sékou Touré als Präs. bestätigt. Wenige Tage nach seinem Tod (26. März 1984) übernahm das Militär am 3. April 1984 in einem unblutigen Putsch die Macht. Neuer Staatspräs. wurde Oberst L. Conté als Vors. des Militärkomitees für Nat. Erneuerung (CMRN). Die Staatspartei PDG und das Parlament wurden aufgelöst, die Verfassung von 1982 außer Kraft gesetzt. Ein Putschversuch des ehemaligen Min.präs. Oberst Traore im Juli 1985 scheiterte an der Loyalität der Armee. Im Febr. 1991 wurde das CMRN durch ein „Übergangskomitee für Nat. Erneuerung" ersetzt, das die Schaffung einer demokrat. Ordnung nach spätestens 5 Jahren organisieren soll. Bei den Präsidentschaftswahlen im Dez. 1993 wurde Conté im Amt bestätigt.
Politisches System: Die am 23. Dez. 1990 durch ein Referendum angenommene und ein Jahr später in Kraft getretene Verfassung bezeichnet G. als präsidiale Republik. *Staatsoberhaupt* ist der Staatspräs., zugleich Vors. des Übergangskomitees für Nat. Erneuerung (CTRN) und Vors. des Min.rats. Beim CTRN liegen *Exekutiv-* und *Legislativgewalt*. Als *Gewerkschaft* wurde 1984 die Conféderation des travailleurs de Guinée gegründet. Das *Gerichtswesen* ist praktisch ein Teil der allg. Verwaltung. Neben einem Hochgericht (für polit. Fälle) existieren Appellationsgerichtshof, Anklagekammer, Oberstes Kassationsgericht sowie Gerichte für Zivil- und Strafsachen.
🕮 *Ein Land im Aufbruch – die Republik G. Hg. v. der Ev. Akad. Bad Boll. Bad Boll 1988. – O'Toole, T.: Historical dictionary of G. Metuchen (N.J.) 1978.*

Guinea [engl. 'gɪnɪ] ↑Guineamünzen.

Guinea, Golf von [gi...], Bucht des Atlantiks vor der westafrikan. Küste, zw. Kap Palmas und Kap Lopez mit den Inseln Bioko, Príncipe und São Tomé.

Guinea-Bissau

(amtl. Vollform: República da Guiné-Bissau), Republik in Westafrika, zw. 10° 52′ und 12° 40′ n. Br. sowie 13° 38′ und 16° 43′ w. L. **Staatsgebiet:** G.-B. grenzt im N an Senegal, im O und S an Guinea, im W an den Atlantik, in dem die vorgelagerten Bissagosinseln liegen. **Fläche:** 36 125 km². **Bevölkerung:** 1 Mill. E (1992), 28 E/km². **Hauptstadt:** Bissau. **Verwaltungsgliederung:** 8 Regionen und das Stadtgebiet von Bissau. **Amtssprache:** Portugiesisch. **Nationalfeiertag:** 24. Sept. (Ausrufung der Republik). **Währung:** Guinea-Peso (PG) = 100 Centavos (CTS). **Internationale Mitgliedschaften:** UN, OAU, Lomé-Abkommen. **Zeitzone:** MEZ – 1 Std.

Landesnatur: G.-B. ist ein Flachland in 30–40 m Meereshöhe. Die 160 km lange Küste (mit ausgedehnten Wattzonen) ist stark gegliedert durch vorgelagerte Inseln und tief ins Land eingreifende Ästuare. In den Ästuaren sind die Gezeiten bis über 100 km flußaufwärts bemerkbar, durch den dadurch bewirkten Rückstau kommt es v. a. in der Regenzeit zu weiten Überschwemmungen.
Klima: Es herrscht randtrop. Klima mit einer Regenzeit von Mai–Anfang Nov.
Vegetation: Auf den Inseln und im Küstenbereich Regen- und Mangrovewälder, die nach O in Feuchtsavanne übergehen.
Bevölkerung: Insgesamt leben etwa 25 Stämme in G.-B., bes. Balante, Fulbe, Malinke und Mandyak. 65% sind Anhänger traditioneller Religionen, 30% Muslime, 5% Christen. Für das 7.–13. Lebensjahr besteht eine allg. Schulpflicht.
Wirtschaft: Es überwiegt die Landw. zur Selbstversorgung mit dem Hauptnahrungsmittel Reis, außerdem Bohnen, Mais und Maniok. Hauptexportkulturen sind Cashewnüsse, ferner Ölpalmen und Erdnüsse. Bedeutung gewinnt die Küstenfischerei. Die Ind. beschränkt sich auf die Verarbeitung landw. Produkte.
Außenhandel: 80–90% der Ausfuhrgüter entstammen dem Agrarsektor. Eingeführt werden Lebensmittel, Maschinen und Fahrzeuge, Baustoffe und Erdölprodukte. Wichtigste Handelspartner sind die EG-Staaten (bes. Portugal), gefolgt von Thailand und Senegal.
Verkehr: Keine Eisenbahn. Vom 2 500 km langen Straßennetz sind 400 km asphaltiert. Überseehafen ist Bissau. Die nat. Fluggesellschaft Transportes Aéros da Guiné-Bissau (TAGB) befliegt In- und Auslandsrouten; internat. ✈ bei Bissau.
Geschichte: Die Portugiesen entdeckten diesen Teil der westafrikan. Küste 1446, besiedelten ihn aber erst 1588. 1879 wurde das Gebiet als „Portugies.-Guinea" selbständige Kolonie, 1951 Überseeprov. 1963 begann der bewaffnete Kampf der 1956 gegr. Unabhängigkeitspartei PAIGC, am 24. Sept. 1973 wurde der Staat G.-B. proklamiert. Vors. des Staatsrates und damit Staatspräs. wurde

L. Cabral. Nach der Revolution in Portugal 1974 erkannte die neue portugies. Reg. am 10. Sept. 1974 die Unabhängigkeit von G.-B. an. Die Furcht vor einer Vorherrschaft der Kapverdier in Partei und Staat löste am 14. Nov. 1980 einen Militärputsch einheim. Offiziere gegen Präs. Cabral aus. Nach dessen Sturz übernahm ein Revolutionsrat unter J. B. Vieira (* 1939) die Macht, 1984 vereinte Vieira (seit 1981 auch Generalsekretär der PAIGC) die Ämter des Staats- und Regierungschefs auf sich. Ende 1991 wurde das Amt des Premiermin. wieder eingeführt (Reg. C. Correia). Bei den Parlaments- und Präsidentschaftswahlen im Sommer 1994 setzte sich die regierende PAIGC klar durch (62 von 100 Sitzen), Präs. Vieira jedoch nur knapp im zweiten Wahlgang.

Politisches System: Nach der Verfassung vom 16. Mai 1984 ist G.-B. eine „antikolonialist. und antiimperialist. Rep." und „revolutionäre Staatsdemokratie". *Staatsoberhaupt* und oberster Inhaber der *Exekutive* ist der Staatspräs. Er ist Vors. des Staatsrats und Oberbefehlshaber der Streitkräfte. Das Amt des Premiermin. wurde im Dez. 1991 wieder eingeführt. Die *Legislative* liegt bei der Nat. Volksversammlung, deren 150 Mgl. aus den 8 Regionalräten entsandt werden. Einzige polit. *Partei* war die Partido Africano de Independência da Guiné e Cabo Verde (PAIGC). Sie hat im Mai 1991 ihren Anspruch auf Alleinherrschaft aus der Verfassung gestrichen und die Zulassung weiterer politischer Parteien vorgesehen. Im *Rechtswesen* ernennt der Präs. des Staatsrates die Richter des Obersten Gerichtshofs.

Guineamünzen ['gi...], aus Guineagold von verschiedenen europ. Kolonialmächten geprägte Münzen: Seit 1657 in Dänemark **(Guineadukaten),** 1683–96 auch von Brandenburg nachgeahmt; 1663–1816 war die **Guinea** die Hauptgoldmünze Englands (bzw. Großbritanniens), 1816 durch den Sovereign abgelöst, hielt sich als inoffizielle Rechnungseinheit bis in neueste Zeit.

Guinea-Peso [gi...], Währungseinheit in Guinea-Bissau; 1 PG = 100 Centavos (CTS).

Guineapfeffer [gi...] (Mohrenpfeffer, Xylopia aethiopica), baumartiges Annonengewächs der Regenwälder und Buschsteppen W-Afrikas mit gelben Blüten und längl., pfefferartig schmeckenden Früchten.

Guineastrom [gi...], warme, ostwärts fließende atlant. Meeresströmung vor der SW- und S-Küste W-Afrikas; Fortsetzung des nordäquatorialen Gegenstroms.

Guinizelli, Guido [italien. guinit'tsɛlli], * Bologna zw. 1230/40, † Monselice (Prov. Padua) um 1276, italien. Dichter. – Gilt als Begründer des ↑ Dolce stil nuovo; von Dante „Vater der italien. Dichtkunst" genannt.

Guinness, Sir (seit 1959) Alec [engl. 'gɪnɪs], * London 2. April 1914, engl. Schauspieler. – Sein subtiler, mit sparsamsten Mitteln größte Wirkung erzielender Spielstil macht G. zu einem der führenden brit. Schauspieler, bes. Shakespearerollen, spielte auch Ionesco. Zahlr. Filmrollen, u. a. „Adel verpflichtet" (1950), „Ladykillers" (1955), „Die Brücke am Kwai" (1957), „Unser Mann in Havanna" (1959), „Reise nach Indien" (1984).

Sir Alec Guinness

Güiraldes, Ricardo [span. gui'raldes], * Buenos Aires 13. Febr. 1886, † Paris 8. Okt. 1927, argentin. Schriftsteller. – Bekannt v. a. durch den z. T. autobiograph. Bildungsroman „Das Buch vom Gaucho Sombra" (1926); außerdem avantgardist. Lyrik.

Guiro [span. 'gi:ro] (Guero), aus Kuba stammendes, lateinamerikan. Rhythmusinstrument, das aus einem mit Rillen versehenen ausgehöhlten Flaschenkürbis besteht.

Guisan, Henri [frz. gi'zã], * Mézières (Waadt) 21. Okt. 1874, † Pully (Waadt) 7. April 1960, schweizer. General. – 1939–45 General und Oberkommandierender der schweizer. Armee. Strategisch bedeutsam war seine Konzeption eines Réduit national im Alpenmassiv.

Guiscard, Robert, Hzg. von Apulien, ↑ Robert Guiscard.

Guise [frz. gɥi:z, gi:z], frz. Hzg.familie, Seitenlinie des Hauses Lothringen. – Stammvater war Claude I. de Lorraine (* 1496, † 1550). 1528 wurde die Gft. G. zur herzogl. Pairie erhoben. Maria (* 1515, † 1560), die Tochter von Claude I., war die Mutter Maria Stuarts. In den Hugenottenkriegen Anführer der Hl. Liga; 1675 erloschen. Bed. Vertreter:

G., Charles de Lorraine, Herzog von G., gen. Kardinal von Lothringen, * Joinville (Haute-Marne) 17. Febr. 1524, † Avignon 26. Dez. 1574, Erzbischof von Reims (seit 1538), Kardinal (seit 1547). – Unversöhnl. Gegner der Hugenotten; führte die Inquisition in Frankreich ein, entschied auf dem Tridentinum die Reformfrage im Sinne des Papstes.

G., Charles de Lorraine, Hzg. von Mayenne, * Alençon 26. März 1554, † Soissons 4. Okt. 1611, Thronprätendent. – Sohn von François I. de Lorraine. Ab 1588 Führer der Hl. Liga, übernahm er 1589 für den von der kath. Partei zum König proklamierten Kardinal Charles de Bourbon die Regentschaft und nach dessen Tod (1590) die Anwartschaft auf den Thron; konnte sich gegen Heinrich IV. nicht durchsetzen und unterwarf sich 1595.

G., François I. de Lorraine, Hzg. von G., * Bar-le-Duc 17. Febr. 1519, † Saint-Mesmin bei Orléans 24. Febr. 1563 (ermordet), Feldherr. – Sohn von Claude I. de Lorraine. Kämpfte erfolgreich gegen die Engländer und Kaiser Karl V.; 1558 nahm er Calais ein. Entfesselte durch das „Blutbad von Vassy" (1. März 1562) die Hugenottenkriege.

G., Henri I. de Lorraine, Hzg. von G., gen. Le Balafré [„der Narbige"], * Joinville (Haute-Marne) 31. Dez. 1550, † Blois 23. Dez. 1588, Generalstatthalter. – Sohn von François I. de Lorraine; bei der Vorbereitung und Ausführung der Morde in der Bartholomäusnacht maßgeblich beteiligt. Gründete 1576 die ↑ Heilige Liga und schloß 1585 ein Bündnis mit Spanien, um die frz. Krone zu erlangen; zwang Heinrich III. zu einem Vertrag, der die kath. Konfession als einzige im Staat duldete. Der König widersetzte sich v. a. der spanienfreundl. Politik, weshalb der Hzg. ihn durch den Pariser „Barrikadenaufstand" (Mai 1588) in seine Gewalt brachte. Heinrich III. ernannte ihn zum Generalstatthalter, ließ ihn aber bald darauf ermorden.

G., Marie de ↑ Maria, Regentin von Schottland.

Guisui [chin. gueisuei], früherer Name der chin. Stadt ↑ Hohhot.

Guitarre [gi...] ↑ Gitarre.

Guitry, Sacha [frz. gi'tri], eigtl. Alexandre Pierre Georges G., * Petersburg 21. Febr. 1885, † Paris 24. Juli 1957, frz. Schriftsteller. – Urspr. Schauspieler; schrieb rund 130 Bühnenwerke, meistens Komödien, die bestes Pariser Boulevardtheater darstellen. Amüsant seine Autobiographie „Wenn ich mich recht erinnere" (1935); außerdem u. a. „Roman eines Schwindlers" (1936, auch als Film).

Guittone d'Arezzo [italien. guit'to:ne da'rettso], gen. Fra G., * Arezzo um 1225, † Florenz um 1294, italien. Dichter. – Vorzüglich ausgebildet; bed. Prediger des Ordens „Cavalieri di Santa Maria"; schrieb der Troubadourlyrik verpflichtete Liebeslyrik, später als Geistlicher polit., religiöse und moral.-didakt. Lieder.

Guiyang [chin. guei-iaŋ] (Kweijang), Hauptstadt der chin. Prov. Guizhou, 1,4 Mill. E. Univ. (gegr. 1958), TU, Fachhochschulen für Landw. und Medizin; Aluminium-, Eisen-, Stahlind., Maschinenbau; ✈.

Guizhou [chin. gueidʒɔu] (Kweitschou), Prov. in W-China, 170 000 km², 32,4 Mill. E (1990), Hauptstadt Guiyang. Überwiegend dünn besiedeltes, stark zerschnittenes Kalksteinplateau in durchschnittlich 1 000 m Höhe; den N durchziehen SW–NO streichende Bergketten. In den grundwassernahen Talungen und Becken werden Reis, Weizen, Mais, Kartoffeln und Tabak angebaut; außerdem Seidenraupenzucht und Tungölgewinnung. Die wichtigsten Bergbauprodukte sind Quecksilber, Kohle, Bauxit sowie Manganerze. Die Eisen- und Stahl-, Maschinenbau-, Elektro-, Reifen-, Zement- und Düngemittelind. ist v. a. in den Städten Guiyang und Zunyi ansässig.

Guizot, François [Pierre Guillaume] [frz. gi'zo], * Nîmes 4. Okt. 1787, † Val-Richer (Calvados) 12. Sept. 1874, frz. Historiker und Politiker. – Seit 1812 Prof. an der Sorbonne. Die reaktionäre Politik Karls X. machte ihn zum oppositionellen Vertreter der „Doktrinäre"; als Publizist von Einfluß auf den Ausbruch der Revolution von 1830. Unter dem Bürgerkönig Louis Philippe 1832–37 Erziehungsmin., 1840–48 Außenmin. und 1847/48 zugleich Min.präs. Widersetzte sich den Bestrebungen nach Wahlrechtsreform und Sozialgesetzgebung; nach der Februarrevolution 1848, zu der sein starres Verhalten entscheidend beitrug, zeitweilig im Exil. Schrieb historiograph. Werke.

Gujarat [gu:dʒə'rɑt], ind. B.-Staat, grenzt an Pakistan und das Arab. Meer; 196 024 km², 39,3 Mill. E (1988), Hauptstadt Gandhinagar. G. besteht fast gänzlich aus Tiefland. Das Klima wird durch den Monsunwechsel bestimmt. G. zählt zu den wichtigsten Baumwollanbaugebieten Indiens. Neben der Landw. stellen Forstwirtschaft sowie die Gewinnung von Erdöl, Kalkstein, Manganerzen, Bauxit, Gips und Salz bed. Erwerbszweige dar. Neben der [petro]chem. Ind. sind v. a. Textil- und Zementind. zu nennen.
Im 4./5. Jh. Teil des Guptareiches; im 8./9. Jh. von den Gudscharas beherrscht, nach denen das Gebiet seinen Namen erhielt; kam 1298 unter muslim. Herrschaft; 1403–1572 bestand ein unabhängiges Sultanat. Danach dem Mogulreich eingegliedert. Die Marathen beherrschten es seit 1758, mußten es aber 1818 an Brit.-Indien abtreten. 1960, als der ind. B.-Staat Bombay geteilt wurde, entstanden G. und Maharashtra.

Gujranwala [engl. gʊdʒ'rɑ:nwɑ:lə], pakistan. Stadt im mittleren Pandschab, 659 000 E. Traditionsreiches Handwerk, Metallverarbeitung, elektrotechn. Industrie.

Gujrat [engl. gu:dʒ'rɑ:t], pakistan. Stadt im nördl. Pandschab, 155 000 E. Möbel-,

Lederwaren-, Textil- und Elektroind. – Im 16. Jh. gegründet.

Gu Kaizhi [chin. gukaidʒɨ] (Ku K'ai-chih), * Wuxi 345 (?), † 406 (?), chin. Maler. – Berühmtester Vertreter der frühen chin. Figurenmalerei. In Haltung und Bewegung der Figuren wird deren seel. Reaktion ausgedrückt; Kopien sind erhalten.

Gül [pers. „Rose"], Achteckornament der turkmen. Teppiche.

Gulasch [zu ungar. gulyás (eigtl. „Rinderhirt") hús (eigtl. „Fleisch") „Pfefferfleischgericht, wie es von Rinderhirten gekocht wird"], urspr. ungar. Gericht aus in Würfel geschnittenem geschmortem Fleisch, Paprika und Tomaten.

Gulaschkanone † Feldküche.

Gulbarga, ind. Stadt im B.-Staat Karnataka auf dem Dekhan, 454 m ü. d. M., 219 000 E. Baumwollind. und -handel. – Zahlr. Baudenkmäler aus dem 14. Jahrhundert.

Gulbenkian, Calouste [Sarkis], * Istanbul 14. April 1869, † Lissabon 20. Juli 1955, brit. Ölmagnat armen. Herkunft. – G. erwarb durch seine Ölgeschäfte eines der größten Vermögen der Erde; G. brachte nahezu sein gesamtes Vermögen, darunter eine umfangreiche Kunstsammlung, in eine Stiftung ein (Calouste-G.-Stiftung).

Gulbranssen, Trygve [norweg. 'gʉlbransən], * Christiania 15. Juni 1894, † Gut Hobøe bei Eidsberg 10. Okt. 1962, norweg. Schriftsteller. – Bekannt v. a. die Romantrilogie über ein norweg. Bauerngeschlecht auf Björndal („Und ewig singen die Wälder", „Das Erbe von Björndal" [2. und 3. Teil], 1933–35).

Gulbransson, Olaf [norweg. 'gʉlbransɔn], * Christiania 26. Mai 1873, † Tegernsee 18. Sept. 1958, norweg. Maler, Zeichner und Karikaturist. – In München v. a. für den „Simplicissimus" tätig; auch Buchillustrator und Porträtist.

Gulda, Friedrich, * Wien 16. Mai 1930, östr. Pianist und Komponist. – Sein Repertoire umfaßt Werke vom Barock bis zur Moderne. G. tritt auch als Jazzpianist und -saxophonist hervor. Veröffentlichung: „Worte zur Musik" (1971).

Guldberg, Cato Maximilian [norweg. 'gulbærg], * Christiania 11. Aug. 1836, † ebd. 14. Jan. 1902, norweg. Mathematiker und Chemiker. – Auf Grund von experimentellen Untersuchungen, die G. mit P. Waage durchführte, stellten beide 1864 das † Massenwirkungsgesetz auf.

G., Ove [dän. 'gulbɛr'], eigtl. O. Høgh-G., * Horsens 1. Sept. 1731, † Hald 7. Febr. 1808, dän. Politiker. – 1761 Prof. in Sorø; schrieb die erste „Weltgeschichte" in dän. Sprache. G. leitete 1772 die Palastverschwörung gegen Struensee und bestimmte nach dessen Sturz als Sekretär des Geheimen Kabinetts die dän. Politik; 1784 entlassen.

Gulden [zu mittelhochdt. guldin pfennic „goldene Münze"] (mundartl. Gülden), numismat. Begriff mit sehr unterschiedl. Bed.; in vereinfachter Darstellung: 1. urspr. der Goldgulden; 2. Silbermünzen gleichen Wertes; 3. verschiedenwertige Rechnungs-G., die nicht immer auch als Münzen ausgeprägt wurden; 4. münztechn. Begriff für die nächste Zahlgröße unterhalb des Talers. *Deutschland* und *Österreich:* Der Gold-G. wurde als Zahlwert zunächst dem älteren Rechnungspfund gleichgestellt (= 20 Schillinge = 240 Pfennige) und verdrängte vielfach das Pfund als Rechnungsbegriff, als er im Kurswert stieg, ohne daß ihm noch ein geprägtes Geldstück entsprach (sog. Rechnungs-G., auch Zähl-G.); im 15. Jh. drang von Österreich aus die Neueinteilung des G. in 60 Kreuzer vor. Frühe Versuche, dem Gold-G. neue Silber-G. zur Seite zu stellen, knüpften teils an den inzwischen erreichten Kurswert des Gold-G. an, teils an ungeprägte Rechnungs-G. Das Bemühen, das G.-Kreuzer-System zur Grundlage der Reichswährung zu erheben, scheiterte am Widerstand der „Talerländer", endgültig 1566. Seit 1623 gab es nebeneinander v. a. den „G. rheinisch" = $^2/_3$ Reichstaler und den „G. fränkisch" = $^5/_6$ Reichstaler = $^5/_4$ „G. rheinisch"; als Münze geprägt wurde nur der „G. rheinisch", stärker erst wieder seit etwa 1670. Er wurde als Münzeinheit der kaiserl. Erblande maßgeblich für den techn. Sprachgebrauch im Reichsmünzwesen. Dieser Zahl-G. oder Münz-G. entsprach vielfach $^2/_3$ Rechnungstaler (in Österreich 1750/53 abgewertet, 1857 in 100 Neu-Kreuzer eingeteilt). In Süddeutschland brachte erst der Münchner Münzvertrag von 1837 eine einheitl. G.währung mit Ausprägung auch der Hauptrechnungseinheit als Münze (bis 1875). Nach 1871 setzte sich im Dt. Reich jedoch die Mark durch. Nach Einführung der Kronenwährung in Österreich (1892) blieben die Silber-G. als Zweikronenstücke kursfähig. – *Ungarn:* † Forint. – *Niederlande:* Unabhängig von dt. G.sorten entstand 1601 ein Silber-G. zu 28 Stüvern; 1679 entstand ein neuer holländ. G. zu 20 Stüvern, seit 1816 zu 100 Cent, bis 1967 in Silber geprägt, seitdem in Kupfernickellegierung; 1973 ohne Goldbindung.

Guldengroschen † Taler, † Reichsguldiner.

Guldentaler † Reichsguldiner.

Guldinsche Regeln [nach dem schweizer. Mathematiker P. Guldin, * 1577, † 1643], Regeln zur Berechnung von Oberfläche und Volumen. 1. Die Oberfläche eines Rotationskörpers ist gleich dem Produkt aus der Länge der erzeugenden Kurve und der Länge des Weges, den ihr Schwerpunkt beschreibt.

2. Das Volumen ist gleich dem Produkt aus dem Flächeninhalt der erzeugenden Fläche und der Länge des Weges, den ihr Schwerpunkt beschreibt.

Gulf Oil Corp. [engl. 'gʌlf 'ɔɪl kɔ:pə'rɛɪʃən], eine der bedeutendsten Mineralölfirmen der Erde mit Aktivitäten auf den Gebieten Kohlenbergbau, Urangewinnung, Bau von Atomreaktoren; gegr. 1901, Sitz Pittsburgh (Pa.).

Güll, Friedrich Wilhelm, * Ansbach 1. April 1812, † München 23. Dez. 1879, dt. Kinderliederdichter. – Sehr beliebte Lieder, am bekanntesten „Vom Büblein auf dem Eis“.

Gülle [zu mittelhochdt. gülle, eigtl. „Pfütze“], Gemisch aus Kot und Harn von Nutztieren (v. a. Rindern), das mit Wasser versetzt als Wirtschaftsdünger verwendet wird.

Gullstrand, Allvar, * Landskrona 5. Juni 1862, † Stockholm 30. Aug. 1930, schwed. Augenarzt. – Prof. in Uppsala. Forschungsarbeiten auf verschiedenen Gebieten der Augenheilkunde, u. a. Einführung der nach ihm benannten Spaltlampe (G.-Lampe) und des Augenspiegels; 1911 Nobelpreis für Physiologie oder Medizin.

Gully ['gʊli; engl., zu gullet „Schlund“ (von lat. gula „Kehle“)], in die Fahrbahndekke eingelassener Schachtkasten, der oben zur Aufnahme des Regenwassers mit einem Rost abgedeckt ist und das Wasser in die Kanalisation abführt.

Güls, Ortsteil von † Koblenz.

Gült [mhd. gülte „Einkommen“, „Zins“, zu gelten], im *schweizer. Recht* wenig gebräuchl. Art des Grundpfandrechts, bei der Pfandrecht und Forderung in einem Wertpapier *(Pfandtitel)* verkörpert sind. Der Schuldner haftet nicht persönlich, sondern nur mit dem Verwertungserlös des Pfandes.

Gültigkeit † Validität.

GUM, Abk. für: Gossudarstwenny universalny magasin („staatl. Kaufhaus“), größtes Moskauer Kauf- und Warenhaus.

Gumbinnen (russ. Gussew), russ. Stadt an der Mündung der Rominte in die Pissa, Geb. Kaliningrad, 42 m ü. d. M., 20 000 E. Elektrotechn. Ind., Futtermittel-, Trikotagenfabrik. – 1722 Stadt; 1732–38 nach einem Plan des Königsberger Architekten J. L. Schultheiß von Unfried neu angelegt; im 2. Weltkrieg schwere Schäden.

Gumiljow, Nikolai Stepanowitsch [russ. gumi'ljɔf], * Kronstadt 15. April 1886, † Petrograd 24. Aug. 1921, russ. Dichter. – 1910–18 ∞ mit A. A. Achmatowa; wegen Verdachts der Beteiligung an einer Verschwörung erschossen; 1986 rehabilitiert. Begann als Symbolist, später Akmeist. Mit seiner Begeisterung für alles Heroische und Abenteuerliche, seiner Entdeckung russ. Volksdichtung sowie frz. und exot. Volkspoesie von großem Einfluß.

Gumma [ägypt.-griech.-lat.], derb-elast., knotige Geschwulst, die im 3. Stadium der Syphilis auftreten kann; heute selten vorkommend.

Gummersbach, Krst. im Berg. Land, NRW, 203–330 m ü. d. M., 48 300 E. Verwaltungssitz des Oberberg. Kr.; Abteilung der Fachhochschule Köln; u. a. Metall-, Elektro-, Kunststoff- und Textilind. – 1109 erstmals erwähnt; seit 1857 Stadt. – Roman. Kirche (12. Jh). mit spätgot. Querhaus und Chor (15. Jh.); barockes ehem. Vogteihaus (1700).

Gummi [ägypt.-griech.-lat.], Vulkanisationsprodukt von Naturkautschuk oder Synthesekautschuk, das im Ggs. zu den Ausgangsmaterialien die Elastizität beibehält. Der Herstellungsprozeß umfaßt † Mastikation und † Vulkanisation, z. T. unter Zusatz von Kautschukhilfsmitteln.

Geschichte: Der mittelamerikan. Naturkautschuk ist in Europa seit der Entdeckung Amerikas bekannt. Pietro Martire d'Anghiera beschrieb 1530 ein Ballspiel der Azteken, das mit G.bällen gespielt wurde. Ebenso kannten die Indianer auf Haiti, mit denen Kolumbus auf seiner zweiten Reise zusammentraf, den G.ball. Die Maya fertigten aus G. grobe Schuhe und Flaschen. – Seit einem Vorschlag von J. Priestley (1770) wurde Kautschuk zum Radieren verwendet. Schläuche, luft- und wasserdichte Gewebe und elast. Stoffe waren die ersten industriell hergestellten Produkte. Der eigentl. Aufschwung der G.industrie begann mit der Erfindung der Vulkanisierung durch C. Goodyear (1844).

Gummiarabikum [nlat.], aus der Rinde verschiedener Akazienarten gewonnene, erhärtete, quellbare, wasserlösl. pektinartige Substanz als Klebstoff und Bindemittel.

Gummibaum, (Ficus elastica) Feigenart in O-Indien und im Malaiischen Archipel; bis 25 m hoher Baum mit lederartigen, auf der Oberseite glänzend dunkelgrünen, bis 30 cm langen und bis 18 cm breiten Blättern; liefert Kautschuk; als Zimmerpflanze kultiviert.
◆ svw. † Kautschukbaum.

gummieren, eine Klebstoffschicht auf ein Material auftragen.
◆ in der *Textilindustrie* Latex oder Kunststoff (oft in mehreren Schichten) auf ein Gewebe auftragen, um es wasserdicht zu machen.

Gummifeder, aus einem Gummiklotz, der meist zwischen zwei Metallplatten oder -ringen einvulkanisiert ist **(Gummimetall),** bestehendes elast. Konstruktionselement, eingesetzt z. B. zur geräusch- und schwingungsisolierenden Aufhängung von Maschinen.

Gummifluß, Erkrankung von Steinobst- und Waldbäumen; aus der Rinde tritt ein gelber bis bräunl., gummiartiger Saft aus; Ursachen sind u.a. zu hohe Bodenfeuchtigkeit und Stammverletzungen.

Gummiglocken (Boots), über den Huf der Pferde gestreifte Gummiüberzüge; dienen dem Schutz der Füße, v.a. im Trab- und Springsport gebraucht.

Gummigutt [ägypt./malai.] (Gutti), grünlichgelbes Harz aus dem Wundsaft der südostasiat. Guttibaumgewächsart Garcinia hanburyi; Verwendung in der Farbenind. und als Abführmittel in der Tiermedizin.

Gummiharze, eingetrocknete Säfte und Harze v.a. von Guttibaumgewächsen. Sie bestehen aus einem in Wasser lösl. oder quellbaren gummiartigen Anteil und einem meist in Alkohol lösl. Harzanteil. G. (z.B. Gummiarabikum, Mastix) werden u.a. als Klebemittel, Verdickungsmittel sowie als Textilhilfsmittel verwendet.

Gummilinse ↑Zoomobjektive.

Gummimetall ↑Gummifeder.

Gummistrumpf, aus elast. Gewebe gefertigter Strumpf zur Verhütung und Behandlung von Krampfadern oder zur Vermeidung von Thrombosen; verbessert u.a. bei erweiterten Beinvenen durch Zusammenpressen die Durchblutung und vermindert den im Stehen auftretenden Blutstau in den Beinen.

Gum-Nebel [engl. 'gʌm; nach dem austral. Astronomen C. Gum (*1924, †1960), der ihn 1952 entdeckte], größtes Objekt des Milchstraßensystems; eine Wasserstoffgaswolke, die den Überrest einer vor ungefähr 11000 Jahren explodierten Supernova darstellt.

Gump ↑Gumpp.

Gumplowicz, Ludwig [...vitʃ], *Krakau 9. März 1838, †Graz 19. Aug. 1909 (Selbstmord), östr. Jurist und Volkswirt. – Prof. in Graz (1882–1908); einflußreicher Vertreter des Sozialdarwinismus, der in der Gewalt das primäre Element der Staatsentwicklung sah und den Klassenkampf als „Rassenkampf" deutete. Seine naturalist. Soziologie steht im Vorfeld faschist. Rassenideologie.

Gumpoldskirchen, Weinbauort am S-Rand des Wiener Beckens, Niederösterreich, 210 m ü.d.M., 3000 E. Landw. Fachschule. – Pfarrkirche St. Michael (15.Jh.), ehem. Deutschordensschloß (15.–18.Jh.).

Gumpp (Gump), Tiroler Baumeisterfam., die im 17. und 18. Jh. v.a. in Innsbruck tätig war. **Christoph G. d. J.** (*1600, †1672) baute die frühbarocke Mariahilfkirche (1648/49) und die Wiltener Stiftskirche (1651–65), sein Sohn **Johann Martin G. d. Ä.** (*1643, †1729) die Spitalkirche (1701–05) und das Palais Fugger-Taxis (1679ff.), dessen Sohn **Georg Anton G.** (*1682, †1754) das Landhaus der Tiroler Stände (1725–28).

Gumppenberg, Hanns Freiherr von, Pseud. Jodok Immanuel Tiefbohrer, *Landshut 4. Dez. 1866, †München 29. März 1928, dt. Schriftsteller. – Kabarettist („Die elf Scharfrichter") und Dramatiker; „Das teutsche Dichterroß in allen Gangarten geritten" (1901) enthält glänzende Parodien.

Gümri (1924–91 Leninakan, 1991–92 Kumairi), Stadt im westlichen Armenien, etwa 1500 m ü.d.M., 1200000 E. PH, 2 Theater; Zentrum der Textilind. in Armenien. – Schon im 5.Jh. v.Chr. nachgewiesen, im MA eine große Siedlung, gen. K.; als Stadt **Alexandropol** (Name bis 1924) 1834 gegr.; 1988 durch Erdbeben stark zerstört.

Gundahar (Gundaharius) ↑Gundikar.

Gundebald ↑Gundobad.

Gundelfingen a.d. Donau, Stadt am N-Rand des Donaurieds, Bay., 434 m ü.d.M., 6500 E. Metallverarbeitung, keram. Ind. – Stauf. Gründung, erhielt 1251 das Stadtrecht. 1268 kam die Stadt an die Wittelsbacher und gehörte 1505–1777 zu Pfalz-Neuburg.

Gundelfinger, Friedrich Leopold, dt. Literarhistoriker, ↑Gundolf, Friedrich.

Gundelsheim, Stadt am Neckar, Bad.-Württ., 154 m ü.d.M., 6500 E. Heimatmuseum. U.a. Konservenfabrik, Pelzwarenveredelung, Weinbau. – Erstmals 766 erwähnt; 1378 Stadtrecht; 1805 an Württ. – Deutschordensschloß Horneck (im Bauernkrieg zerstört, 1724–28 wiederaufgebaut).

Gundermann (Glechoma), Gatt. der Lippenblütler mit fünf Arten im gemäßigten Eurasien. Einzige einheim. Art ist die **Gundelrebe** (Efeu-G., Glechoma hederacea), Blätter rundlich bis nierenförmig; Blüten violett oder blau, bisweilen rosa oder weiß, zu wenigen in Blütenständen; an Weg- und Waldrändern.

Gundersen-Methode, in der Nord. Kombination angewendeter Austragungsmodus für den Kombinationslanglauf. Die Startreihenfolge ergibt sich aus dem Resultat des Sprunglaufs, der Führende startet zuerst, die anderen in entspr. Abständen (9 Punkte = 1 Minute). Wer den Langlauf als erster beendet, ist Sieger der Kombination.

Gundestrup [dän. 'gonəsdrob], dän. Ort bei Ålborg in Jütland, in dem 1891 in einem Moor der **Silberkessel von Gundestrup** gefunden wurde, ein reliefverziertes Kultgefäß, das bisher als ostkelt. Arbeit des 2. oder 1.Jh. v.Chr. angesehen wurde, möglicherweise aber auch eine keltisch beeinflußte thrak. Arbeit des 2.Jh. v.Chr. aus N-Bulgarien ist.

Gundikar (Gundichar, Gundahar, Gundaharius), †436, burgund. König (nachweisbar seit 413) aus der Dyn. der Gibikungen. – Residenz war Worms; fiel 435 in die Prov. Belgica I ein, sein Heer wurde jedoch von den im Dienst des Aetius stehenden Hunnen vernichtet. G. ist der Gunther des „Nibelungenlieds".

Gundlach, Gustav, * Geisenheim 3. April 1892, † Mönchengladbach 23. Juni 1963, dt. Sozialwissenschaftler, Jesuit (seit 1912). – Seit 1961 Leiter der „Kath. Sozialwissenschaftl. Zentralstelle" in Mönchengladbach; Berater von Pius XI. und Pius XII.; Vertreter des ↑ Solidarismus.

Gundobad [...bat] (Gundebald), † 516, König der Burgunder (seit 480). – Ältester Sohn König Gundowechs; bestieg 480 mit seinen Brüdern gemeinsam den Thron; errang 501 die Alleinherrschaft und kämpfte 507 zus. mit Chlodwig I. gegen die Westgoten. Sein Name ist v. a. verbunden mit der burgund. Volksgesetzgebung, der **Lex Burgundionum** oder auch **Lex Gundobada.**

Gundolf, Friedrich, eigtl. F. Leopold Gundelfinger, * Darmstadt 20. Juni 1880, † Heidelberg 12. Juli 1931, dt. Literarhistoriker. – Seit 1916 Prof. in Heidelberg; stellte v. a. große Dichterpersönlichkeiten als Symbolgestalten ihrer Epoche dar, u. a. „Shakespeare und der dt. Geist" (1911), „Goethe" (1916), „George" (1920).

Gundremmingen, Gemeinde nö. von Günzburg, Bay., 1 100 E. Altes Kernkraftwerk (Inbetriebnahme 1966, 1977 stillgelegt), seit 1984 neues Kernkraftwerk (1 300 MW).

Gundulić, Ivan (Dživo) [serbokroat. ˌgundulitɕ], italien. Giovanni Gondola, * Ragusa (= Dubrovnik) 8. Jan. 1589 (1588 ?), † ebd. 8. Dez. 1638, ragusan. (kroat.) Dichter. – Schrieb große religiöse und histor. Epen („Die Osmanide", entstanden zw. 1622/38) und ein allegor. Schäferspiel.

Gunn, Neil Miller [engl. gʌn], * Dunbeath bei Wick 8. Nov. 1891, † Inverness 15. Jan. 1973, schott. Erzähler. – Stellt in seinen Romanen v. a. das Leben der Fischer und Hochlandbewohner seiner Heimat dar, u. a. „Frühflut" (R., 1931).

Gunnar, germanische Sagengestalt, ↑ Gunther.

Gunnarsson, Gunnar [isländ. 'gʏnarsɔn], * Valbjófsstaður 18. Mai 1889, † Reykjavík 21. Nov. 1975, isländ. Schriftsteller. – Schrieb zunächst in dän., später in isländ. Sprache Dramen, Erzählungen und v. a. große Romanzyklen über Leben und Geschichte in Island in künstlerisch vollendeter Prosa. – *Werke:* Die Leute auf Borg (R., 4 Bde., 1912–14), Strand des Lebens (R., 1914), Die Eidbrüder (R., 1918), Jon Arason (R., 1930), Die Eindalssaga (R., 1952).

Gunn-Diode [engl. gʌn], ein Halbleiterbauelement insbes. zur Erzeugung von Mikrowellen, dessen Wirkungsweise auf dem ↑ Gunn-Effekt beruht; wird in Oszillatoren und Verstärkern im Mikrowellenbereich eingesetzt.

Gunn-Effekt [engl. gʌn], die von dem amerikan. Physiker J. B. Gunn 1963 entdeckte Erscheinung, daß eine konstante, relativ hohe elektr. Spannung (elektr. Feldstärken über 2 000 V/cm) in bestimmten Halbleitern elektromagnet. Schwingungen im Mikrowellenbereich verursacht.

Gunnera [nach dem norweg. Botaniker J. E. Gunnerus, * 1718, † 1773], Gatt. der Meerbeerengewächse mit rd. 30 Arten auf der südl. Halbkugel; als riesige, rhabarberstaudenähnl. Blattzierpflanzen für Gärten und Parks wird u. a. **Gunnera chilensis** aus Chile, Ecuador und Kolumbien kultiviert; Blätter 1–2 m breit, stark runzelig, mit Stacheln auf Rippen und Blattstiel; Blütenstand bis 50 cm hoch, kolbenartig.

Gunpowder Plot [engl. 'gʌnpaʊdə'plɔt] ↑ Pulververschwörung.

Güns, dt. für ↑ Kőszeg.

Günsel [zu dem lat. Pflanzennamen consolida (von consolidare „festmachen"; wohl wegen der Wunden schließenden Wirkung)] (Ajuga), Gatt. der Lippenblütler mit rd. 50 Arten in Eurasien, Afrika und Australien; niedrige Kräuter oder Stauden mit rötl., blauen oder gelben Blüten in dichten Wirteln in den oberen Blattachseln; in M-Europa u. a. **Kriechender Günsel** (Ajuga reptans) mit blauen oder rötl. Blüten, auf Wiesen und in Laubwäldern.

Günstigkeitsprinzip ↑ Tarifvertrag.

Gunther (Gunnar), german. Sagengestalt; im „Nibelungenlied" und in der Walthersage Bruder von Gernot, Giselher und Kriemhild, Gatte der Brunhild; mitschuldig an der Ermordung seines Schwagers Siegfried. – ↑ Gundikar.

Gunther von Pairis, * in der 2. Hälfte des 12. Jh., † Anfang des 13. Jh., mittellat. Schriftsteller. – Mönch im Zisterzienserkloster Pairis bei Sigolsheim (Oberelsaß). Schrieb u. a. 1186/87 ein Epos über die Taten Kaiser Friedrichs I. („Ligurinus") und 1217/18 eine Geschichte Konstantinopels.

Günther, Agnes, geb. Breuning, * Stuttgart 21. Juli 1863, † Marburg a. d. Lahn 16. Febr. 1911, dt. Schriftstellerin. – Schrieb den schwärmer., religiös gefärbten Roman „Die Heilige und ihr Narr" (hg. 1913).

G., Anton, * Lindenau (= Lindava, Nordböhm. Geb.) 17. Nov. 1783, † Wien 24. Febr. 1863, östr. kath. Theologe und Philosoph. – Versuchte auf der Basis einer Anthropologie eine Begründung des Christentums als Wiss., zugleich in der apologet. Absicht einer Neubegründung des kath. Dogmas **(Güntherianismus).** Seine Werke wurden 1857 auf den Index gesetzt.

G., Dorothee, * Gelsenkirchen 8. Okt. 1896, † Köln 18. Sept. 1975, dt. Gymnastiklehrerin und Schriftstellerin. – Gründete 1924 mit C. Orff die nach ihr ben. Schule für Gymnastik, Musik und Tanz, aus der das „Orff-

Schulwerk" und die Lehrmethode „Elementarer Tanz" hervorgingen; verfaßte zahlr. Fachbücher.

G., Egon, * Schneeberg 30. März 1927, dt. Filmregisseur und Schriftsteller. - Dreht Filme meist nach literar. Vorlagen; 1978-89 Drehverbot bei der DEFA; u. a.: „Lots Weib" (1965), „Junge Frau von 1914" (1969), „Erziehung vor Verdun" (1973), „Lotte in Weimar" (1975), „Die Leiden des jungen Werthers" (1976), „Exil" (1981), „Morenga" (1985), „Heimatmuseum" (1988), „Stein" (1991). - Schrieb auch Romane („Einmal Karthago und zurück", 1974).

G., Hans [Friedrich Karl], * Freiburg im Breisgau 16. Febr. 1891, † ebd. 25. Sept. 1968, dt. Naturwissenschaftler. - Prof. in Jena, Berlin und Freiburg i. Breisgau. Seine vereinfachenden rassenkundl. Schriften (v. a. über das dt. und das jüd. Volk sowie die nord. Rasse) bildeten eine maßgebl. theoret. Grundlage der nat.-soz. Rassenideologie.

G., Herbert, * Berlin 26. März 1906, † München 19. März 1978, dt. Schriftsteller. - 1948 bis 1961 in Paris; verfaßte Lyrik, Erzählungen, Biographien, Essays sowie Reisebücher.

G., Ignaz, * Altmannstein (Oberpfalz) 22. Nov. 1725, † München 28. Juni 1775, dt. Bildhauer. - Seine Bildwerke vereinigen die frische Anmut des Rokoko mit der reinen Formgesinnung des Klassizismus. - Werke v. a. in süddt. Kirchen: Rott a. Inn (1761/62), Weyarn (Oberbayern; um 1764), Starnberg (1766-68), Sankt Peter und Paul bei Freising (um 1765), Mallersdorf (1768), Nenningen bei Göppingen (1774).

G., Johann Christian, * Striegau 8. April 1695, † Jena 15. März 1723, dt. Dichter. - Seine Satiren führten zum Zerwürfnis mit der Familie; starb im Elend. Sein bed. Werk, Höhepunkt der dt. Barocklyrik, ist Ausdruck persönl. Erlebens und Leidens und weist damit über den Barock hinaus. - *Werke:* Die von Theodosio bereute Eifersucht (Trauerspiel, 1715), Dt. und lat. Gedichte (4 Bde., hg. 1724-35).

G., Matthäus, * Tritschenkreut (= Peißenberg) 7. Sept. 1705, † Haid bei Weilheim i. OB. 30. Sept. 1788, dt. Freskomaler. - Schüler von C. D. Asam; lichte, weiträumige Kompositionen, u. a. in der ehem. Benediktinerabteikirche in Amorbach (1745-47), in der Wiltener Pfarrkirche in Innsbruck (1754) und in der ehem. Benediktinerabteikirche in Rott a. Inn (1763).

Güntherianismus † Günther, Anton.

Guntur [engl. gʊn'tʊə], Stadt im ind. Bundesstaat Andhra Pradesh, am W-Rand des Krishnadeltas, 367 000 E. Kath. Bischofssitz; Handels- und Verarbeitungszentrum für landwirtschaftl. Produkte, insbes. Tabak und Baumwolle.

Ignaz Günther. Schutzengelgruppe; 1763 (München, Bürgersaal)

Gunung Jaya [indones. 'dʒaja] (Puncak Jaya), Berg auf Neuguinea, mit 5 033 m höchste Erhebung Indonesiens.

Günz, rechter Nebenfluß der Donau, entspringt (2 Quellflüsse) im Allgäu, mündet bei Günzburg; 54 km lang.

Günzburg, Krst. an der Mündung der Günz in die Donau, Bay., 448 m ü. d. M., 18 200 E. Verwaltungssitz des Landkr. G.; Heimatmuseum. Maschinenbau, Textil- und Nahrungsmittelind. - Das 1065 erstmals erwähnte, am Ort einer röm. Niederlassung gelegene G. kam 1301 an Habsburg und erhielt vermutlich 1303 das Stadtrecht. Seit Mitte des 15. Jh. Hauptstadt der Markgft. Burgau; 1805 an Bayern. - Liebfrauenkirche (1736-41; Rokoko); Renaissanceschloß (1560-1609; im 18. Jh. umgebaut); histor. Marktplatz.

G., Landkr. in Bayern.

Günzeiszeit [nach der Günz], Phase der † Eiszeit in S-Deutschland.

Gunzenhausen, Stadt am Oberlauf der Altmühl, Bay., 14 900 E. Elektro-, Metall- und Textilindustrie. - G. entwickelte sich im 13. Jh. zur Stadt und kam 1368 an die Burggrafen von Nürnberg; fiel 1805/06 an Bayern. - Spätgot. Pfarrkirche (Langhaus 1496), moderne Stadtpfarrkirche (1959/60), Türme der ehem. Stadtbefestigung.

Guo Moruo (Kuo Mojo) [chin. guɔmɔruɔ], * Luoshan (Sichuan) 16. Nov. 1892, † Peking 12. Juni 1978, chin. Gelehrter und Schriftsteller. – Bed. Lyriker und Dramatiker, auch Übersetzer (u. a. Goethes „Faust"); Forschungen v. a. zum chin. Altertum.

Guo Xi (Kuo Hsi) [chin. guɔɕi], * Wenxian (Prov. Henan) um 1020, † um 1090, chin. Maler. – Schuf symbolhafte heroische Landschaften; gilt als einer der größten chin. Landschaftsmaler.

Guppy ['gʊpi, engl. 'gʌpɪ; nach R. J. L. Guppy (19. Jh.), der von Trinidad aus ein Exemplar an das Brit. Museum sandte] (Millionenfisch, Poecilia reticulata), im nö. S-Amerika, auf Trinidad, Barbados und einigen anderen Inseln heim. Art der Lebendgebärenden Zahnkarpfen; ♂ bis 3 cm lang, zierlich, schlank, mit äußerst variabler bunter Zeichnung; ♀ bis 6 cm lang, gedrungener, sehr viel unscheinbarer gefärbt; beliebter Warmwasseraquarienfisch.

Guptareich, Herrschaftsgebiet der nordind. Dynastie Gupta (Herkunft unbekannt); entstand unter Tschandragupta I. (320 bis um 335). Die Großmachtstellung der Dynastie begründete dessen Sohn Samudragupta (um 335–375). Von den ↑Hephthaliten um 500 vernichtet, gilt das G. als die klass. Zeit v. a. der Sanskritliteratur (Kalidasa).

Guragedialekte, 12 Sprachen sw. von Addis Abeba, gehören zum südäthiop. Zweig der semit. Sprachen Äthiopiens.

Guramis [malai.] ↑Fadenfische.

◆ Bez. für verschiedene Fischarten, z. T. Warmwasseraquarienfische; u. a. **Küssender Gurami** (Helostoma temmincki), südl. Hinterindien, Große Sundainseln, bis 30 cm lang, gelblichgrün, dunkel längsgestreift.

Gurdschara-Pratihara-Reich, hinduist. Großreich in N-Indien, das von 750 bis 850 von den Gurdscharas (↑Gudschar) beherrscht wurde. Letztes hinduist. Bollwerk gegen den Islam; das Reich endete 1018 mit der Eroberung von Kanauj durch Mahmud von Ghazni.

Gurjew [russ. 'gurjɪf] ↑Atyrau.

Gurjewsk ↑Neuhausen.

Gurk, östr. Marktgem. in den sö. Gurktaler Alpen, Kärnten, 664 m ü. d. M., 1 400 E. Dommuseum; Wallfahrtsort; Wintersport. – Die Pfarr- und ehem. Domkirche Mariä Himmelfahrt (um 1140–1200) ist eines der bedeutendsten roman. Bauwerke Österreichs; in der Krypta (1174) mit 100 Marmorsäulen das Grab der hl. Hemma.

G., östr. Bistum in Kärnten, Suffragan von Salzburg, 1070/72 errichtet; seit 1787 ist Klagenfurt Sitz von Bischof und Domkapitel. – ↑katholische Kirche (Übersicht).

G., linker Nebenfluß der Drau, entfließt dem Torersee, Gurktaler Alpen, mündet östl. von Klagenfurt gemeinsam mit der Drau in den Völkermarkter Stausee; 120 km lang.

Gurke [mittelgriech.-westslaw.] (Garten-G., Cucumis sativus), Kürbisgewächs aus dem nördl. Vorderindien; einjährige, kriechende Pflanze mit großen, herzförmigen, 3- bis 5lappigen, rauhhaarigen Blättern, unverzweigten Blattranken, goldgelben, glockigen Blüten und fleischigen, längl. Beerenfrüchten mit platten, eiförmigen Samen (G.kerne); häufig in Treibhäusern gezogen. Man unterscheidet 1. nach der Anbauweise: Freiland-G., Gewächshaus-G. und Kasten-G., 2. nach der Verwendung: Salat-, Einlege-, Schäl- (Senf-) und Essig-G.; 3. nach der Form der Früchte: Schlangen-, Walzen- und Traubengurken.

Gurkenbaum (Baumstachelbeere, Averrhoa), Gatt. der Sauerkleegewächse mit zwei Arten: **Echter Gurkenbaum** (Blimbing, Averrhoa bilimbi) und **Karambole** (Averrhoa carambola) im malaiischen Gebiet; 10–12 m hohe Bäume mit säuerl., gurkenartigen, eßbaren Beerenfrüchten; als Obstbäume in den Tropen kultiviert.

Gurkenkraut, svw. ↑Borretsch.

Gurkha, Bez. für die autochthonen Bergvölker Nepals sowie für die polit. Führungsschicht Nepals. Als Söldner bildeten die G. seit 1815 eine Elitetruppe in der brit. Armee, in der es heute noch die „Brigade of Gurkhas" gibt (rd. 8 000 Mann; 6 Infanteriebataillone); die G. sind überwiegend in Hongkong stationiert.

Gurktaler Alpen, zur Drau, Gurk und Mur entwässernde Gebirgsgruppe der Ostalpen, Österreich, im Eisenhut 2 441 m hoch.

Gurlitt, Cornelius, * Nischwitz bei Wurzen 1. Jan. 1850, † Dresden 25. März 1938, dt. Kunsthistoriker. – 1890–1920 Prof. an der TH in Dresden. Als Bahnbrecher der Barock- und Rokokoforschung übte er großen Einfluß auf die neubarocke Architektur aus.

G., Wilibald, * Dresden 1. März 1889, † Freiburg im Breisgau 15. Dez. 1963, dt. Musikforscher. – Sohn von Cornelius G.; studierte u. a. bei H. Riemann; gab das „Riemann Musiklexikon – Personenteil" (2 Bde [12]1959–61) heraus und schrieb u. a. „J. S. Bach" (1936).

G., Wolfgang, * Berlin 15. Febr. 1888, † München 26. März 1965, dt. Kunsthändler und -verleger. – Gab in seinem Verlag für Graphik Blätter der dt. Expressionisten heraus und setzte sich für die Künstler der Brücke ein (1915 ff. in Berlin).

Gurnemanz, greiser Ritter in Wolfram von Eschenbachs „Parzival"; führt den Knaben Parzival in das höf. Leben ein.

Gursprachen (Voltasprachen, voltaische Sprachen), eine der sechs Gruppen der Niger-Kongo-Sprachfam., rd. 5,5 Mill. Sprecher. Verbreitungsgebiet: Mali, Burkina Faso und südlich angrenzende Gebiete. Wichtige Sprachen: Senufo, Mossi, Dagbane, Gurenne, Gurma, Bargu.

Gurt, Band aus unterschiedl., sehr fest gewebtem textilem Material oder aus Leder.
◆ durchgehender oberer oder unterer Stab *(Ober-* oder *Unter-G.)* eines Fachwerkträgers bzw. Flansch eines Formstahls oder Holms.

Gürtelechsen (Gürtelschwänze, Wirtelschweife, Cordylidae), Fam. der Echsen in Afrika; starke Hautverknöcherungen bes. an Kopf und Schwanz; Schuppen in längs- und gürtelartigen Querreihen. Die Gatt. **Gürtelschweife** (Cordylus) hat 17 etwa 18–40 cm lange Arten, die am Nacken und v.a. am Schwanz stark bedornt sind; Färbung meist braun bis rotbraun. Bekannt sind das **Riesengürteltier** (Cordylus giganteus), bis 40 cm lang, mit großen, gebogenen Dornen bes. an Hinterkopf, Halsseiten und Schwanz und das **Panzergürteltier** (Cordylus cataphractus), bis 20 cm lang, mit kräftigen Stacheln an Hinterkopf, Rumpf, Seiten und Schwanz. Einen extrem langgestreckten und schlanken Körper haben die 40–65 cm langen Arten der **Schlangengürtelechsen** (Chamaesaura); Schwanz von etwa dreifacher Körperlänge, kann abgeworfen werden; Gliedmaßen weitgehend rückgebildet. Die Arten der Unterfam. **Schildechsen** (Gerrhosaurinae) sind etwa 15–70 cm lang; Schuppen panzerartig; mit dehnbarer Hautfalte längs der Körperseiten.

Gürtellinie ↑Boxen.

Gürtelmäuse, svw. Gürtelmulle (↑Gürteltiere).

Gürtelmulle ↑Gürteltiere.

Gürtelreifen ↑Reifen.

Gürtelringen ↑Glima.

Gürtelrose (Zoster, Herpes zoster), im Versorgungsgebiet einzelner Hautnerven halbseitig auftretende, bläschenbildende, schmerzhafte Viruskrankheit. Die Erkrankung beginnt mit leichter Beeinträchtigung des Allgemeinbefindens, leicht erhöhter Temperatur und neuralg. Schmerzen. Innerhalb von 2–3 Tagen treten dann gruppenweise hellrote, kleine Knötchen auf, die sich nach einigen Stunden in Bläschen umwandeln. Betroffen ist meist der Rumpf, auch das Gesicht im Bereich des Drillingsnervs. Die örtl. Lymphknoten sind regelmäßig beteiligt. Die G. dauert 2–4 Wochen, verläuft bei jüngeren Menschen gewöhnlich leicht, kann jedoch bei älteren Personen nach Abklingen der Hauterscheinungen noch unangenehme neuralg. Schmerzen hinterlassen.

Gürtelschweife ↑Gürtelechsen.

Gürtelskolopender ↑Skolopender.

Gürteltiere (Dasypodidae), Fam. der Säugetiere (Unterordnung Nebengelenker) mit rd. 20 Arten in S- und N-Amerika; Körperoberseite von lederartigem oder verknöchertem, mit Hornplatten versehenem Panzer bedeckt, der sich am Rumpf aus gürtelartigen Ringen zusammensetzt, die durch eine unterschiedl. Anzahl von Hautfalten gegeneinander beweglich sind; ungeschützte Unterseite behaart; Kopf zugespitzt, mit stark verknöchertem Schild auf der Oberseite und vielen (bis 90) gleichgebauten Zähnen; Gliedmaßen relativ kurz, vordere sehr kräftig entwickelt, mit starken Grabkrallen. Das größte G. ist das rd. 1 m lange, sandfarbene bis schwarzbraune **Riesengürteltier** (Priodontes giganteus), Schwanz 50 cm lang. Die Gattungsuntergruppe **Gürtelmulle** (Gürtelmäuse, Chlamyphorina) hat zwei 12–18 cm lange Arten; Körper maulwurfähnlich, am Hinterende abgestutzt, vom verknöcherten Beckenschild bedeckt, übriger Knochenpanzer reduziert; Schwanz sehr kurz. Die Gatt. **Weichgürteltiere** (Dasypus) hat vier dunkel- bis gelblichbraune, 35–55 cm lange Arten in S- und im südl. N-Amerika; Schwanz etwa 25–45 cm lang, mit Knochenringen bedeckt; Hautknochenpanzer dünn und weich; Kopf schmal, mit großen, tütenförmigen Ohren.

Gürteltiere. Riesengürteltier

Gürtelwürmer (Clitellata), weltweit verbreitete Klasse etwa 0,1 cm–3 m langer Ringelwürmer, v.a. im Süßwasser und an Land; zwittrige Tiere mit einem (zumindest zur Fortpflanzungszeit) gürtelartigen Wulst **(Clitellum),** der Schleim zur Bildung des Eikokons ausscheidet. Man unterscheidet die beiden Ordnungen Wenigborster und Blutegel.

Gürtner, Franz, * Regensburg 26. Aug. 1881, † Berlin 29. Jan. 1941, dt. Jurist und Politiker. – Mgl. der Bayer. Mittelpartei; 1922–32 bayr. Justizmin., 1932–41 Reichsjustizmin. (1934–41 zugleich preuß. Justizmin.); schloß 1935 durch die Reichsjustizreform die Übertragung der Landesjustizverwaltungen auf das Reich ab.

Gurtung, in der *Bautechnik* die Gesamtheit der ↑Gurte eines Fachwerkträgers.

◆ im *Wasserbau* die zur Versteifung einer Spundwand dienende Konstruktion.

Guru [Sanskrit-Hindi, eigtl. „gewichtig", „ehrwürdig"], in Indien geistl. Lehrer und Führer zum Heilsweg.

Gurvitch, Georges [frz. gyr'vitʃ], * Noworossisk 2. Nov. 1894, † Paris 12. Dez. 1965, frz. Soziologe. – 1940–45 Emigrant in den USA, ab 1948 Prof. in Paris; Vertreter einer dialektisch orientierten Wissenssoziologie, die die engen wechselseitigen Beziehungen zw. der Gesellschaft und den jeweiligen Theorien über die Gesellschaft betont.

Gürzenich, Festsaalbau in Köln, 1441–47 als städt. Fest- und Tanzhaus erbaut; 1952–55 nach Kriegszerstörung wiederhergestellt. Im G. finden die Konzerte des städt. (seit 1888) *G.orchesters* (gleichzeitig Orchester des Kölner Opernhauses) und des *G.chores* statt. Das Orchester geht zurück auf die 1827 begründete „Concert-Gesellschaft in Cöln", deren Konzerte seit 1857 im G. stattfanden. Zu den G.-Kapellmeistern zählen F. Hiller (1850–84), F. Wüllner (1884 bis 1902), F. Steinbach (1902–14), H. Abendroth (1915–34), E. Papst (1936–44), G. Wand (1946–73), Y. Ahronovitch (1975–86), M. Janowski (1986–90), James Conlon (* 1950, seit 1990).

GUS, Abk. für: Gemeinschaft Unabhängiger Staaten [russ. Sodruschestwo nesawisimych gossudarstw], am 8. Dez. 1991 in Minsk zunächst von ↑Rußland, der ↑Ukraine und ↑Weißrußland gegr. lockerer Staatenbund, dem am 21. Dez. 1991 bei einem Treffen in Alma-Ata 8 weitere ehem. sowjet. Republiken (↑Aserbaidschan, ↑Armenien, ↑Kasachstan, ↑Kirgisien, ↑Moldawien, ↑Tadschikistan, ↑Turkmenistan und ↑Usbekistan) beitraten.
Höchstes Organ der GUS ist der Rat der Staatsoberhäupter (mit rotierender Präsidentschaft); weitere koordinierende Institutionen (u. a. ministerielle Komitees) wurden gebildet. Die GUS übernahm als Nachfolgeorganisation der ehem. ↑Sowjetunion deren völkerrechtl. Verbindlichkeiten (insbes. die internat. Abrüstungsverträge).

Gusana, Ruinenstätte, ↑Tall Halaf.

Gusinde, Martin, * Breslau 29. Okt. 1886, † Mödling 19. Okt. 1969, dt. Ethnologe. – Mgl. der Steyler Missionare, Prof. in Santiago de Chile, Innsbruck, Sevilla, Washington, Nagoya; Forschungsreisen nach Südamerika und Afrika. Schrieb u. a. „Die Feuerland-Indianer" (3 Bde., 1931–38), „Von gelben und schwarzen Buschmännern" (1966).

Gusle (Gusla) [serbokroat.], südslaw. Streichinstrument mit ovalem Korpus, gewölbtem Boden, einer Decke aus Fell und einem griffbrettlosen, mit geschnitztem Tierkopf verzierten Hals. Die einzige, über einen Steg laufende Saite aus Roßhaar wird mit einem halbmondförmigen Bogen angestrichen und mit den Fingern von der Seite her abgeteilt. Mit der in Kniehaltung gespielten G. begleitet sich der **Guslar** gen. Spieler beim Vortrag ep. Gesänge.

Gusli [russ.], russ. Volksmusikinstrument, ähnlich der finn. ↑Kantele, eine Brettzither unterschiedl. Größe und Form (Flügel-, Trapez-, Rechteckform) mit früher 5–7, später 18–32 Saiten, die mit den Fingern oder mit Plektron angerissen werden.

Gußeisen, verschiedene, durch Gießen zu verarbeitende Eisensorten, deren Kohlenstoffgehalt um oder über 2% liegt. Die Gefügeausbildung wird wesentlich vom C- und vom Si-Gehalt beeinflußt, wie aus dem *G.diagramm (Maurer-Diagramm)* deutlich wird. Darin bedeuten:

stabiles System	ferritisch: kein Eisencarbid, nur Graphit in Ferrit (weich)
⋮	
metastabiles System	ledeburitisch: Ledeburit und Perlit; Hartguß.

Die G.sorten werden durch Gußzeichen folgendermaßen gekennzeichnet: GG Grauguß, GGL Grauguß mit lamellarem Graphit, GGG Grauguß mit Kugelgraphit (Sphäroguß), GH Hartguß, GT Temperguß, GTW Temperguß weiß, GTS Temperguß schwarz.
Grauguß *(graues G.):* Eisengußwerkstoff mit meist mehr als 2% Kohlenstoff, dessen größerer Teil als lamellarer Graphit im Gefüge enthalten ist und dem Bruch eine graue Farbe verleiht. Wegen der niedrigen Festigkeit des Graphits und seiner Anordnung im Gefüge hat Grauguß nur eine geringe Zugfestigkeit, der Graphit dämpft aber Schwingungen.
Sphäroguß *(sphärolith. G.):* Durch Behandlung der G.schmelze z. B. mit Cer oder Magnesium wird die Ausscheidung des Graphits

Gußeisendiagramm (Maurer-Diagramm) für 30 mm dicke Proben

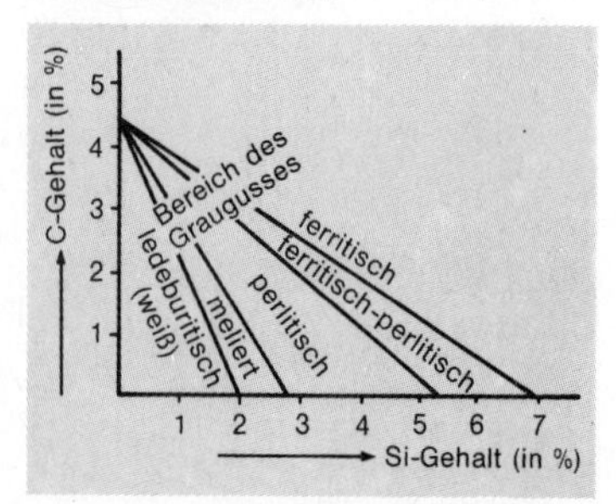

in Form von Kugeln (Sphärolithen) erreicht. Sphäroguß ist schmiedbar.
Hartguß *(weißes G.)*: Durch Manganzusatz zur G.schmelze und schnelles Abkühlen wird eine Erstarrung nach dem metastabilen Eisen-Kohlenstoff-Diagramm erzielt, d.h., der Kohlenstoff scheidet sich in Form von Zementit aus. Hartguß hat weit höhere Härte als Grauguß, bessere Festigkeitseigenschaften, hohe Verschleißfestigkeit und ein helles, weißes Bruchaussehen.
Temperguß: Durch langdauerndes Glühen *(Tempern)* über mehrere Tage läßt sich aus *Temperrohguß* (entspricht dem Hartguß) der sog. Temperguß herstellen, der sich gegenüber Grauguß durch seine Zähigkeit und Bearbeitbarkeit auszeichnet. Der Kohlenstoff wird dabei flockenförmig als *Temperkohle* ausgeschieden. Der Temperguß vereinigt in sich die guten Gießeigenschaften des Graugusses mit einer nahezu stahlähnl. Zähigkeit, ist schweißbar und gut zerspanbar.
Die Gießverfahren wurden auch künstlerisch genutzt. In Europa trat der Eisenkunstguß seit Ende des 15. Jh. auf, insbes. wurden reliefverzierte *Ofenplatten* für Kastenöfen hergestellt, im Barock kamen Gitter, Brunnen und Türen hinzu. Die Feingußverfahren des 18. Jh. führten zu einer Blüte im Klassizismus. Im 19. Jh. wurde G. zunehmend im Brücken- und Hallenbau eingesetzt.

Gussew [russ. 'gusɪf] ↑Gumbinnen.

Güssing, östr. Bez.hauptstadt im Burgenland, 229 m ü. d. M., 4200 E. Mittelpunkt eines landw. Umlandes; Fremdenverkehr; Mineralwasserversand. – Burg (12./13. Jh., 16. und 17. Jh.); Stadtpfarrkirche (um 1200).

Gußstahl ↑Stahlguß.

Gustafsson [schwed. ˌgʊstavsɔn], Lars, * Västerås 17. Mai 1936, schwed. Schriftsteller. – Lebt seit 1983 v.a. in den USA. Sein von der Sprachphilosophie L. Wittgensteins geprägtes Prosawerk setzt sich in oft bizarren Wendungen mit den verschiedensten Wirklichkeitsebenen menschl. Wahrnehmung auseinander; auch Lyrik. – *Werke:* Herr Gustafsson persönlich (autobiograph. R., 1971), Wollsachen (R., 1973), Das Familientreffen (R., 1975), Der Tod eines Bienenzüchters (R., 1978), Trauermusik (R., 1984), Die Sache mit dem Hund (R., 1993).

Gustav, Name von Herrschern:
Schweden:
G. I. (G. Eriksson Wasa), * Rydboholm 12. Mai 1496 oder 3. Mai 1497, † Stockholm 29. Sept. 1560, König (seit 1523). – 1521 zum Reichsverweser, 1523 auf dem Reichstag zum König gewählt (Stammvater des königl. Hauses Wasa). Die Einführung der Reformation (1527) ermöglichte ihm, durch Einziehung der Klöster- und Kirchengüter die Schulden bei Lübeck zu tilgen und eine Kriegsflotte zu bauen. Durch Teilnahme an der Grafenfehde auf dän. Seite befreite er Schweden von der Macht Lübecks und der Hanse. Auf dem Reichstag 1544 machte er Schweden zur Erbmonarchie des Hauses Wasa.
G. II. Adolf, * Stockholm 19. Dez. 1594, ⚔ bei Lützen 16. Nov. 1632, König (seit 1611). – Sohn Karls IX. Ermöglichte unter maßgebl. Mitwirkung seines Kanzlers, A. G. Graf Oxenstierna, mit einer Reihe innerer Reformen (u.a. Neuordnung der Zentralverw. und der Rechtsprechung, Heeresreform, Forcierung der wirtschaftl. Entwicklung) die schwed. Großmachtpolitik des 17. Jh. Führte siegreiche Kriege gegen Dänemark (1611–13), Rußland (1614–17) und Polen (1621–29; Eroberung Livlands). Da er die Ausbreitung der kaiserl. Macht an der Ostsee und eine kath. Restauration befürchtete, griff G. II. A. 1630 in den ↑Dreißigjährigen Krieg ein. Schloß mit Frankreich den Vertrag von Bärwalde (1631) gegen Habsburg; rettete die schwer bedrängten prot. Fürsten durch Siege bei Breitenfeld (1631) und bei Rain am Lech (1632); fiel in der Schlacht bei Lützen gegen Wallenstein.
📖 *Barudio, G.: Gustav Adolf – der Grosse. Eine polit. Biographie. Ffm. 1985.*
G. III., * Stockholm 24. Jan. 1746, † ebd. 29. März 1792 (ermordet), König (seit 1771). – Schränkte durch einen unblutigen Staatsstreich 1772 die Rechte des Reichstags ein; begrenzte das Ämterrecht des Adels; führte 1788–90 einen erfolglosen Krieg gegen Rußland; förderte Kunst und Wissenschaft.
G. IV. Adolf, * Stockholm 1. Nov. 1778, † Sankt Gallen 7. Febr. 1837, König (1792–1809). – Sohn Gustavs III.; schloß sich 1805 der 3. Koalition gegen Napoleon I. an, verlor jedoch 1806 Vorpommern mit Rügen an Frankreich; mußte 1808 Finnland an Rußland abtreten; durch einen Staatsstreich 1809 abgesetzt und des Landes verwiesen.
G. V., * Schloß Drottningholm 16. Juni 1858, † ebd. 29. Okt. 1950, König (seit 1907). – Sohn Oskars II., ⚭ seit 1881 mit Prinzessin Viktoria von Baden (* 1862, † 1930). Während seiner Regierungszeit setzte sich die parlamentar. Demokratie in Schweden durch. Während des 1. und 2. Weltkriegs trat G. für eine strikte Neutralität ein.
G. VI. Adolf, * Stockholm 11. Nov. 1882, † Hälsingborg 15. Sept. 1973, König (seit 1950). – Sohn Gustavs V.; in 2. Ehe seit 1923 ⚭ mit Lady Louise Mountbatten († 1965); führte als Archäologe v.a. Grabungen in Griechenland und Italien durch.

Gustav-Adolf-Werk der Evangelischen Kirche in Deutschland, seit 1946 Vereinigung zur materiellen und geistl. Unterstützung der ev. Diaspora, hervorgegangen aus dem 1832 gegr. Gustav-Adolf-Verein.

Gustav-Wasa-Lauf ↑Wasa-Lauf.

Güster, svw. ↑Blicke (Karpfenfisch).

Gusto [lat.-italien.], Geschmack, Neigung.

Guston, Philip [engl. 'gʌstən], * Montreal (Kanada) 27. Juni 1913, † Woodstock (N.Y.) 7. Juni 1980, amerikan. Maler. – Bed. Vertreter des amerikan. Action painting (↑abstrakter Expressionismus).

gustoso [italien.], musikal. Vortragsbezeichnung: mit Geschmack, zurückhaltend.

Güstrow. Westflügel des Schlosses

Güstrow [...tro], Krst. südl. von Rostock, Meckl.-Vorp., 8 m ü. d. M., 37000 E. PH, Museen. Landmaschinenbau, Textil- und Zuckerind. – Von Heinrich von Rostock (1219–26) auf dem linken Nebelufer als Stadt gegr.; 1235–1436 Residenz von Mecklenburg-Werle sowie von 1520/56 bis 1695 von Mecklenburg-G. – Renaissanceschloß (1558–94; im 19. Jh. und 1964–70 restauriert); got. Dom (nach 1226) mit bed. Ausstattung, u. a. Apostelfiguren von C. Berg (nach 1530) und Ehrenmal von Barlach (1927); spätgot. Marktkirche (nach 1503 bis um 1522 und 19. Jh.); klassizist. Rathaus; Theater (1828/29); Bürgerhäuser (16.–18. Jh.); spätgot. Gertrudenkapelle heute Barlach-Gedenkstätte, ebenso sein ehem. Atelier.
G., Landkr. in Mecklenburg-Vorpommern.

Gut, Besitz (z. B. in der Formel Hab und Gut), insbes. landw. [Großgrund]besitz.
◆ in der *Wirtschaft* Mittel zur Befriedigung menschl. Bedürfnisse. Es werden unterschieden: **freie** und **wirtschaftl. Güter,** wirtschaftl. Güter sind durch Knappheit gekennzeichnet, freie stehen in beliebiger Menge zur Verfügung; **Real-** und **Nominalgüter,** Nominalgüter sind Geld oder Ansprüche auf Geld, ihnen stehen alle anderen Güter als Realgüter gegenüber; **materielle** und **immaterielle Güter,** materielle Güter sind körperlich, immaterielle unkörperlich, materielle Realgüter sind die sog. Sachgüter, die unbewegl. (Immobilien) oder bewegl. Natur (Mobilien) sein können, immaterielle Realgüter sind z. B. Arbeitsleistungen und Dienste sowie Informationen, Nominalgüter sind stets immaterielle Güter; **Konsum-** und **Investitionsgüter,** Konsumgüter dienen unmittelbar der Bedürfnisbefriedigung, Investitionsgüter der Herstellung von Konsumgütern, wobei ein und dasselbe G. sowohl als Konsum- als auch als Investitions-G. verwendet werden kann; **private** und **öffentl. Güter,** private Güter können unter Ausschluß anderer Wirtschaftssubjekte individuell genutzt bzw. konsumiert werden, während bei öffentl. Gütern die Möglichkeit einer gemeinsamen Nutzung besteht; **komplementäre** und **substitutive Güter,** komplementäre Güter ergänzen einander, z. B. Pkw und Reifen, substitutive Güter ersetzen einander, z. B. Süßstoff und Zucker.
◆ in der *Technik* Bez. für den einem bestimmten Prozeß zu unterwerfenden oder unterworfenen Stoff (z. B. Fördergut).
◆ *seemänn. Bez.* für die Gesamtheit der Taue und Seile in der Takelage eines Schiffes (stehendes G., z. B. Wanten, Stage, Pardunen; laufendes G., z. B. Fallen, Schoten).

Gutach (Schwarzwaldbahn), Gem. und Luftkurort im Mittleren Schwarzwald, Bad.-Württ., 300 m ü. d. M., 2200 E. Freilichtmuseum Vogtsbauernhof (1570); bekannte Volkstracht (Bollenhut).

Gutachten, allg. [mündl. oder schriftl.] Aussage eines Sachverständigen in einer sein Fachgebiet betreffenden Frage. – Im Recht: 1. Aussagen eines Sachverständigen über den Beweisgegenstand vor Gericht. Sie betreffen gewöhnlich Tatsachenfragen. Durch das G., das der freien Beweiswürdigung unterliegt, soll dem Gericht fehlende Sachkunde ersetzt werden. Ein nicht von Amts wegen, sondern von einer Prozeßpartei in Auftrag gegebenes G. (Privat-G., bes. im Zivilprozeß) kann nur als Urkunde gewürdigt oder der Gutachter als Zeuge vernommen werden. 2. Beurteilung der Rechtslage in einem bestimmten Einzelfall *(Rechts-G., Votum)*. 3. bindende Feststellung von bestimmten Tatsachen (z. B. Schaden, Wert, Preis) durch den Schiedsgutachter.

Gutäer, altoriental. Bergvolk aus Gutium im nordwestiran. Sagrosgebirge, das um 2100 v. Chr. das zerfallende Reich von Akkad zerstörte und etwa 40 Jahre Babylonien weitgehend beherrschte; in der Überlieferung als Schreckensherrschaft dargestellt.

Gutbrod, Rolf, * Stuttgart 13. Sept. 1910, dt. Architekt. – Lehrte ab 1953 an der TH bzw. Univ. Stuttgart; bes. hervorragende Bauten sind die mit A. Abel entworfene Stuttgarter Liederhalle (1954–56), der mit F. Otto erbaute Dt. Pavillon in Montreal (1966/67) sowie das Kunstgewerbemuseum in Berlin (1981–85).

Gute (das Gute), Maßstab (Prinzip) für die zustimmende Beurteilung von Gegenständen, Zuständen, Ereignissen, insbes. Handlungen oder Sätzen; v. a. im philosoph., theolog. und religionswiss. Sprachgebrauch für den Seinsbereich, dem meist das ↑Böse entgegengesetzt wird. – In der *Religionswissenschaft* bezeichnet „das G." ein sittl. Verhalten, das einer übergreifenden und daher verpflichtenden Ordnung entspricht, die in monotheist. Religionen auf Gott als „das höchste Gut" („summum bonum") zurückgeführt wird und keine Autonomie des Ethischen gegenüber dem Religiösen, sondern nur ein sakrales Ethos des persönl. Angerufenseins kennt. – In der *Philosophie* wird der Maßstab „gut" verschieden bestimmt und angewendet (↑Wertphilosophie). Die Frage nach dem G. ist primär als die Frage nach dem Begründungsmaßstab menschl. Handlungsnormen gestellt worden. Grundlegend ist dafür die von Aristoteles ausgearbeitete Unterscheidung des „um eines anderen willen" G. und des „um seiner selbst willen" G., die von der gesamten nachfolgenden Tradition übernommen oder variiert worden ist; hierbei wird unterschieden zw. der Nützlichkeit (Geeignetheit, Dienlichkeit) eines Mittels zu einem angegebenen Zweck und der Gerechtfertigtheit des Zweckes, für den ein Mittel nützlich ist. Der Rechtfertigungsmaßstab für Zwecke ist dabei seit Platon und Aristoteles immer wieder in einem allerdings verschieden bestimmten höchsten Gut[en] („summum bonum") gesehen worden.

Gutedel (Chasselas, Fendant), Rebsorte; Trauben groß, mit runden, hell- bis gelbgrünen *(Weißer G.)* oder zartbraunen *(Roter G.)* Beeren; liefert leichte, säurearme Weine (v. a Markgräfler Land, Elsaß, Westschweiz und Südfrankreich).

gute Dienste (frz. bons offices, engl. good offices), im *Völkerrecht* die Herstellung von Verbindungen zw. Staaten, die sich miteinander im Streit befinden, durch einen am Streit nicht beteiligten Dritten, um direkte Verhandlungen zw. den Beteiligten und damit eine friedl. Streitbeilegung zu ermöglichen.

Gutehoffnungshütte Aktienverein AG, Abk. GHH, dt. Maschinenbauunternehmen; fusionierte 1986 mit der MAN Maschinenfabrik Augsburg-Nürnberg AG zur MAN AG; Sitz München.

Gute Luise ↑Birnen (Übersicht).

Gutenberg, Johannes, eigtl. Gensfleisch zur Laden gen. G., * Mainz zw. 1397/1400, † ebd. 3. Febr. 1468, erster dt. Buchdrucker. – Erfinder des Buchdrucks mit bewegl. Metalllettern. 1434–44 in Straßburg nachweisbar, 1448 in Mainz bezeugt, seit Anfang 1450 war J. Fust Teilhaber. G. muß um 1450 die Technik der Herstellung völlig gleicher, auswechselbarer Metalltypen (Legierung aus Blei, Zinn, Antimon und Zusatz von Wismut) mittels Handgießinstrument beherrscht haben. Er hatte mehrere Typen: die Bibeltype, kleine und große Psaltertype, Donat-Kalender-(DK-)Type sowie zwei kleinere „Brotschriften" (Ablaßbriefe). Die 42zeilige Bibel („G.bibel") ist das Haupterzeugnis der G.-Fustschen Gemeinschaftsdruckerei. Sie war spätestens im Frühsommer 1456 vollendet. Wie groß der Anteil P. Schöffers († 1502 oder 1503) ist, der um 1452 zum Bibeldruck kam, ist unsicher. Die 30zeiligen Ablaßbriefe stammen wohl ebenfalls aus der Gemeinschaftsdruckerei, während die 31zeiligen Ablaßbriefe (1454) und die Kleindrucke der DK-Type vielleicht von einem Gesellen G.s in dessen „Hausdruckerei" hergestellt wurden, denn zw. Fust und G. kam es zum Prozeß, und anscheinend ist Fust das Druckgerät mitsamt einem Teil der Typen zugesprochen worden. Jedenfalls nennt das prachtvolle (Dreifarbendruck) Mainzer Psalter (1457) in seinem – dem ältesten – Impressum als Drucker nur J. Fust und P. Schöffer. 1458 war G. zahlungsunfähig (Straßburger Zinsschulden). Die verbesserte DK-Type hat er offenbar nach Bamberg verkauft (Bibeldruck). Mit finanzieller Hilfe des Stadtsyndi-

Johannes Gutenberg. Rekonstruktion seiner Werkstatt (Mainz, Gutenberg-Museum)

kus K. Humery konnte G. um 1459 eine neue Druckerei einrichten, aus der das 1460 vollendete „Mainzer Catholicon" hervorging (ein lat. Lexikon für die Bibelexegese). – In Mainz wurde 1900 ein G.-Museum eingerichtet.

🕮 *Kapr, A.: Johannes G. Mchn. [2]1988. – Geske, M.: Johannes G. Kevelaer 1985. – Presser, H.: Johannes G. in Zeugnissen u. Bilddokumenten. Rbk. 34.–37. Ts. 1979.*

Güterabwägungsprinzip, das Prinzip, ein rechtlich geschütztes höherwertiges Gut im Konfliktfall dem geringerwertigen Gut vorzuziehen, z. B. beim ↑Notstand.

Güterbahnhof ↑Bahnhof.

Güterfernverkehr, nach dem GüterkraftverkehrsG i. d. F. vom 10. 3. 1983 die für andere erfolgende Beförderung von Gütern mit Kraftfahrzeugen über die Grenzen der **Nahzone** (↑Güternahverkehr) hinaus. Zugelassene Lastzüge tragen ein Genehmigungsschild mit farbigem Schrägstrich (mit folgenden Bedeutungen): *rot:* allg. G., zugelassen für In- und Ausland; *blau:* Bezirks-G., 150 km um den Standort; *rosa:* internat. G., grenzüberschreitende Transporte; *gelb:* Möbelfernverkehr.

Gütergemeinschaft, der kraft Ehevertrags eintretende Güterstand, bei dem das Vermögen der Ehegatten grundsätzlich gemeinschaftl. **(Gesamtgut)** Vermögen ist (§§ 1415–1482 BGB). Zum Gesamtgut gehört auch das Vermögen, das Mann oder Frau während der G. erwerben. Vom Gesamtgut ausgenommen sind nur einzelne Gegenstände, die als ↑Sondergut oder als ↑Vorbehaltsgut jedem Ehegatten allein gehören. Das Gesamtgut wird je nach Vereinbarung vom Mann oder der Frau, mangels Vereinbarung von beiden Ehegatten verwaltet. Für Verbindlichkeiten beider Ehegatten haftet grundsätzlich das Gesamtgut. Für die persönl. Schulden jedes Ehegatten gegenüber Dritten haften zunächst Vorbehalts- und Sondergut, außerdem aber auch das Gesamtgut. Die G. endet durch Auflösung der Ehe (für den Todesfall eines Ehegatten kann fortgesetzte G. [mit den Kindern] festgelegt werden), durch Ehevertrag oder Gestaltungsurteil (das einen *wichtigen Aufhebungsgrund* voraussetzt). Die G. ist dann auseinanderzusetzen (↑Auseinandersetzung).
Nach *östr. Recht* (§§ 1233 ff. ABGB) kann die G. im Ehepakt vereinbart werden. Sie begr. Miteigentum am Gesamtgut nach vereinbarten Quoten. – Im *schweizer. Recht* gilt eine dem dt. Recht im wesentlichen entsprechende Regelung.

guter Glaube (lat. bona fides), im Recht die Überzeugung, daß man sich bei einer bestimmten Handlung oder in einem bestimmten Zustand in seinem guten Recht befinde, bes., daß man Rechte vom Berechtigten erworben habe; Ggs.: böser Glaube. – ↑Gutglaubensschutz, ↑gutgläubiger Erwerb.

Guter Hirt, im Anschluß an Joh. 10, 1–16 entstandenes Bildmotiv der christl. Kunst: der Hirte symbolisiert Jesus Christus.

Güterkraftverkehrsgesetz, BG i. d. F. vom 10. 3. 1983 über die Beförderung von Gütern mit Kraftfahrzeugen. Es macht *Güterfernverkehr* und *Güternahverkehr* von der Erteilung einer Genehmigung bzw. einer Erlaubnis abhängig und begr. bes. Tarifpflichten [zur Bildung marktgerechter Beförderungsentgelte]; es regelt ferner die Pflichten der am Beförderungsvertrag Beteiligten. Das G. ist Instrument zur volkswirtsch. sinnvollen Aufgabenteilung der Verkehrsträger und dient u. a. zur Regelung des Verhältnisses von Schiene und Straße.

Güterkursbuch ↑Fahrplan.

Güternahverkehr, die für andere erfolgende Beförderung von Gütern mit Kraftfahrzeugen in der **Nahzone,** d. h. innerhalb eines Umkreises von 50 km vom **Standort** (= Sitz des Unternehmens) des Fahrzeugs.

Güterrecht ↑Güterstände.

Güterrechtsregister, öff., beim Amtsgericht geführtes Register, das dazu bestimmt ist, für den Rechtsverkehr bedeutsame, von der gesetzl. Allgemeinregelung abweichende güterrechtl. Verhältnisse von Ehegatten zu verlautbaren (z. B. Eheverträge; einseitige Rechtsgeschäfte, v. a. Entziehung der sog. Schlüsselgewalt). Einsicht ist jedermann gestattet. Eintragungen werden auf Antrag beider (ausnahmsweise eines) Ehegatten bewirkt. Die Richtigkeit der Eintragung wird nicht vermutet.

Gütersloh, Albert Paris, eigtl. A. Conrad Kiehtreiber, * Wien 5. Febr. 1887, † Baden bei Wien 16. Mai 1973, östr. Schriftsteller. – War Schauspieler und Maler, schrieb expressionist., später sinnenbejahende Romane mit kath. Grundhaltung: „Die tanzende Törin" (R., 1913), „Sonne und Mond" (R., 1962), „Die Fabel von der Freundschaft" (R., 1969).

Gütersloh, Krst. im östl. Münsterland, NRW, 78 m ü. d. M., 83 000 E. Museum, botan. Garten; Druckerei- und Verlagswesen. Herstellung von Haushaltsmaschinen, Möbelind., Metallverarbeitung. – Vermutlich im 11. Jh. gegr., stand unter der Landeshoheit der Grafen von Tecklenburg; 1815 an Preußen, seit 1825 Stadt.
G., Kreis in Nordrhein-Westfalen.

Güterstände (ehel. G.), verschiedenartige Gestaltungstypen für das **ehel. Güterrecht,** d. h. die vermögensrechtl. Beziehungen von Ehegatten, über die sie weitgehend frei bestimmen können. Sie haben die Wahl zw. den durch Ehevertrag zu vereinbarenden vertragl. G. (Gütergemeinschaft oder Gütertrennung)

und dem gesetzl. Güterstand, der Zugewinngemeinschaft. Für Ehegatten in den Ländern der ehem. DDR, die beim Wirksamwerden des Beitritts zur BR Deutschland im gesetzl. Güterstand der Eigentums- und Vermögensgemeinschaft des Familiengesetzbuches der DDR gelebt und nichts anderes vereinbart haben, gilt ab 3. 10. 1990 der gesetzl. Güterstand der Zugewinngemeinschaft. Bis zum Ablauf von 2 Jahren nach dem Beitritt kann jedoch jeder Ehegatte vor dem Kreisgericht erklären, daß die Eigentums- und Vermögensgemeinschaft fortgelten soll.
Nach *östr. Recht* ist die Gütertrennung gesetzl. Güterstand, durch Ehepakt kann die Gütergemeinschaft vereinbart werden. – In der *Schweiz* ist seit 1. 1. 1988 die **Errungenschaftsbeteiligung** gesetzl. Güterstand. Das Eigentum der Ehegatten bleibt getrennt, jeder benutzt und verwaltet sein Vermögen selbst. Bei der Auflösung des Güterstandes wird jeder Ehegatte am Gewinn des anderen beteiligt.

Gütertrennung, nicht im BGB geregelter Güterstand, bei dem jeder Ehegatte sein eigenes Vermögen selbst verwaltet und (soweit nicht für den Familienunterhalt erforderlich) auch selbst nutzt; jedoch kann ihm die Pflicht zur Rücksichtnahme auf den anderen Ehegatten gewisse Schranken auferlegen. *G. tritt ein:* 1. als vertragl. Güterstand kraft Ehevertrags; 2. als außerordentl. gesetzl. Güterstand kraft Gesetzes bei Aufhebung der ↑Zugewinngemeinschaft durch rechtskräftiges Urteil auf vorzeitigen Zugewinnausgleich, bei Beendigung der Gütergemeinschaft durch rechtskräftiges Aufhebungsurteil, bei ehevertragl. Ausschluß oder bei Aufhebung der Zugewinngemeinschaft ohne Vereinbarung eines anderen Güterstandes, ferner bei Ausschluß des Zugewinn- oder Versorgungsausgleichs und bei Aufhebung der Gütergemeinschaft. – Zum *östr.* und *schweizer. Recht* ↑Güterstände.

Güterverkehr, Beförderung von Gütern durch Verkehrsmittel wie Eisenbahn, Kraftfahrzeuge, Schiffe, Luftfahrzeuge und Rohrleitungen.

Güterwagen ↑Eisenbahn.

gute Sitten ↑Sittenwidrigkeit.

Güteverfahren, obligator. Verfahren im arbeitsgerichtl. Prozeß erster Instanz mit dem Zweck, zu Beginn der mündl. Verhandlung vor dem Vors. eine gütl. Einigung der Parteien herbeizuführen (§ 54 ArbeitsgerichtsG). Der Vors. hat mit den Parteien das gesamte Streitverhältnis zu erörtern; bei gütl. Einigung wird ein Prozeßvergleich abgeschlossen. Andernfalls wird die streitige Verhandlung anberaumt.

Güteverhandlung, Teil der mündl. Verhandlung, welcher der gütl. Beilegung des Rechtsstreits oder einzelner Streitpunkte im Rahmen eines ↑Sühneversuchs dient.

gute Werke, in der Religionsgeschichte Bez. für Taten, die dem Willen Gottes oder den Forderungen der Ethik entsprechen. Sie gehören in den Bereich der sittl. Tugenden (z. B. Almosengeben), können aber auch in kult. Handlungen bestehen. – In der *christl. Theologie* sind die g. W. umstritten. Die Theologie der reformator. Kirchen erwartet ↑Rechtfertigung allein aus dem Glauben, nicht von der Leistung g. W.; die kath. Theologie hält die im Stand der Gnade vollbrachten g. W. für den Menschen verdienstlich und heilsnotwendig.

Gütezeichen, Wort- und/oder Bildzeichen, die eine bestimmte Qualität von Erzeugnissen und Leistungen garantieren und dem Verbraucher den Warenvergleich erleichtern sollen (z. B. „Wollsiegel"). G. können in die ↑Zeichenrolle eingetragen werden.

Gutglaubensschutz, der Schutz des redl. Partners eines Rechtsgeschäfts vor Rechtsnachteilen. Er vollzieht sich zumeist in der Weise, daß Wirksamkeitsmängel eines Rechtsgeschäfts geheilt werden. – Ein Rechtsgeschäft ist grundsätzlich nur wirksam, wenn seine sämtl. Tatbestandsmerkmale (= Wirksamkeitsvoraussetzungen) erfüllt sind. In bes. geregelten Ausnahmefällen, in denen auf seiten eines Beteiligten ein bestimmtes Tatbestandsmerkmal fehlt, läßt die Rechtsordnung jedoch aus Gründen der *Verkehrssicherheit* und des *Vertrauensschutzes* die *Heilung* dieses Mangels zu, sofern für das fehlende Tatbestandsmerkmal ein sog. *Rechtsschein* besteht und darüber hinaus der andere Beteiligte das in Wirklichkeit nicht erfüllte Tatbestandsmerkmal für gegeben hält. Ein Rechtsschein kann u. a. auf einer unrichtigen Eintragung im Grundbuch oder auf einer inhaltlich unrichtigen Urkunde (z. B. Erbschein) beruhen. Kein G. findet z. B. beim Fehlen der Geschäftsfähigkeit statt. – In *Österreich* und in der *Schweiz* gelten dem dt. Recht im wesentlichen entsprechende Regelungen.

gutgläubiger Erwerb, ein Ausfluß des Gutglaubensschutzes. Hauptfall: der Rechtserwerb von einem Nichtberechtigten. Gutgläubig können von einem Nichtberechtigten erworben werden: 1. *Eigentum:* a) an bewegl. Sachen, die jedoch nicht abhanden gekommen sein dürfen (↑abhandengekommene Sachen), § 935 BGB. Erforderlich ist zum g. E. neben der Einigung, daß der Erwerber vom Veräußerer den unmittelbaren Besitz an der Sache erlangte und guter Glaube (hier = keine Kenntnis und auch nicht auf grober Fahrlässigkeit beruhende Unkenntnis vom fehlenden Eigentum des Veräußerers) vorlag; b) an Grundstücken. Voraussetzungen: vorhandene Eintragung des Veräußerers im Grundbuch, Fehlen eines Widerspruchs, guter Glaube (hier = Unkenntnis vom fehlenden Eigentum des Veräußerers [ohne Rücksicht auf Verschulden]); 2. *andere dingl. Rechte:* an bewegl. Sachen und an einem Grundstück; 3. *Forderungen:* wenn sie in Inhaberpapieren oder in ordnungsgemäß indossierten Orderpapieren verkörpert sind.

Guthaben, Habensaldo eines Kontos (Gutschriften übersteigen Belastungen).

Guthrie [engl. 'gʌθri], Sir (seit 1961) Tyrone, * Royal Tunbridge Wells 2. Juli 1900, † Newbliss (Irland) 15. Mai 1971, engl. Regisseur. – Bed. Shakespeareinszenierungen, u. a. am Old Vic und Sadler's Wells Theatre, deren Leitung er 1939–45 innehatte. 1962 Gründung des ersten ständigen Repertoire-Theaters Nordamerikas in Minneapolis.

G., Woody, eigtl. Woodrow Wilson G., * Okemah (Okla.) 14. Juli 1912, † New York 3. Okt. 1967, amerikan. Folksänger. – Stellte in über 1 000 Songs das arme Amerika dar. Viele seiner Kompositionen, die sein Sohn, der Folk- und Bluessänger **Arlo Guthrie** (* 1947), z. T. in sein Repertoire übernahm, wurden Bestandteil der US-Folklore.

Guti [indian.] (Goldaguti, Dasyprocta aguti), im nördl. S-Amerika weit verbreitete, bis 40 cm körperlange Agutiart mit hohen, sehr dünnen Beinen; Haare dicht und glänzend, überwiegend dunkel graubraun.

Gutland, Gebiet südl. der Ardennen und der Eifel in Luxemburg und östl. der Sauer um Bitburg, Deutschland, etwa 1 760 km².

Gutschein, Urkunde, mit der sich der Aussteller zu einer Leistung an den Inhaber oder den in der Urkunde Genannten verpflichtet. G. können Inhaberzeichen (§ 807 BGB) oder ↑ Schuldscheine sein.

Gutschkow, Alexandr Iwanowitsch [russ. gutʃ'kɔf], * Moskau 26. Okt. 1862, † Paris 14. Febr. 1936, russ. Politiker. – 1905 Mitbegründer und Vors. der ↑ Oktobristen, 1910/11 Präs. der Duma. Nahm zus. mit W. Schulgin am 15. März 1917 in Pleskau von Kaiser Nikolaus II. dessen Abdankungsurkunde entgegen. Emigrierte 1918.

Gutschrift, 1. in der doppelten Buchführung jede Buchung auf der Habenseite eines Kontos, Ggs. Lastschrift; 2. Mitteilung an den Begünstigten über eine entsprechende Buchung (z. B. Rechnungsnachlaß).

Gutsgerichtsbarkeit ↑ Patrimonialgerichtsbarkeit.

Gutsherrschaft, Bez. für eine vom 15. bis 19. Jh. in O-Mitteleuropa vorherrschende fortentwickelte Form der Grundherrschaft. Kennzeichen sind der ausgedehnte, arrondierte Besitz, der Besitz der Ortsherrschaft und meist die beherrschende Stellung der herrschaftl. Gutswirtschaft im Dorfverband. Der **Gutsherr** war Obrigkeit in vollem Umfang, der **Gutsbezirk** ein Territorialstaat im kleinen. Im Verlauf der ↑ Bauernbefreiung entfielen die polit. und rechtl. Seite der G., während die wirtschaftl. Vorherrschaft des Großgrundbesitzes in O-Deutschland erhalten blieb. 1927 wurden in Deutschland die Gutsbezirke durch Gesetz praktisch völlig aufgelöst.

Guts Muths, Johann Christoph Friedrich, * Quedlinburg 9. Aug. 1759, † Ibenhain bei Schnepfenthal (= Waltershausen) 21. Mai 1839, dt. Reform- und Turnpädagoge. – Schuf als Verfechter einer philanthrop. Leibeserziehung ein beispielhaftes System des Schulturnens und wirkte v. a. durch sein Werk „Gymnastik für die Jugend" (1793) für die Entwicklung und Verbreitung der Leibesübungen.

Gutswirtschaft, Bez. für einen Großgrundbesitz, der einheitlich landwirtschaftlich genutzt wird. Ihre Anfänge nahm die G. im 18. Jh. in Großbritannien. Sie wirkte zunächst auf Mittelschweden und NW-Deutschland und wurde dann im Bereich der Gutsherrschaft in O-Mitteleuropa bes. auf Eigengut oder auf gepachteten Domänen betrieben.

Guttapercha [zu malai. getah „Gummi" und percha „Baum" (der es absondert)], kautschukähnl., aus Isoprenresten (C_5H_8) aufgebautes Produkt, das durch Eintrocknen des Milchsaftes von Guttaperchabaumarten (v. a. Palaquium gutta) gewonnen wird. Im Gegensatz zum Naturkautschuk ist G. in der Kälte unelastisch und hart, erweicht jedoch bei leichtem Erwärmen.

Guttaperchabaum (Palaquium), Gatt. der Seifenbaumgewächse mit rd. 115 Arten im indomalaiischen Gebiet; bis 25 m hohe, immergrüne Bäume mit bis 2 m dicken Stämmen; einige Arten liefern ↑ Guttapercha.

Guttation [zu lat. gutta „Tropfen"], aktive, tropfenförmige Wasserausscheidung durch zu Wasserspalten (Hydathoden) umgewandelte Spaltöffnungen oder Drüsen an Blatträndern und -spitzen verschiedener Pflanzen (z. B. Kapuzinerkresse, Gräser); bes. nach feuchtwarmen Nächten.

Guttemplerorden, 1852 in Utica (N. Y.) zum Kampf gegen den Alkoholismus gegr. Bund; die Mitglieder verpflichten sich zur Abstinenz; die Weltloge **(International Order of Good Templars)** gliedert sich in Groß-, Distrikts- und Grundlogen; gehört nicht zu den Freimaurern.

Guttibaumgewächse (Guttiferae, Clusiaceae), Pflanzenfam. der Zweikeimblättrigen mit 49 Gatt. und rd. 900 Arten, v. a. in den Tropen und Subtropen; häufig immergrüne Bäume oder Sträucher mit Öldrüsen und Harzgängen; z. B. ↑ Butterbaum.

Renato Guttuso. Wandzeitung – Mai 1968; 1968 (Aachen, Neue Galerie, Sammlung Ludwig)

Güttler, Ludwig, * Sosa (Erzgebirge) 13. Juni 1943, dt. Trompeter. – Bis 1980 Solotrompeter an der Dresdner Philharmonie, seitdem ausschließlich solistisch tätig; zählt zu den führenden Trompetenvirtuosen der Gegenwart. Interpret v. a. von Bläsermusiken des 17./18. Jh.; Leiter des von ihm 1986 gegr. Kammerorchesters „Virtuosi Saxoniae".

guttural [lat.], allg.: kehlig klingend; in der Phonetik auf Laute bezogen, die im Bereich der Kehle gebildet werden.

Gutturalreihen, die für das Phonemsystem der indogerman. Grundsprache rekonstruierten drei Reihen von palatalen *(k̂, ĝ, ĝh)*, velaren *(k, g, gh)* und labiovelaren *(kᵘ, gᵘ, gᵘh)* Verschlußlauten, von denen in den sog. Kentumsprachen die Palatale und Velare zusammenfallen, in den Satemsprachen die Velare und Labiovelare.

Guttuso, Renato, * Bagheria bei Palermo 2. Jan. 1912, † Rom 18. Jan. 1987, italien. Maler und Graphiker. – Hauptvertreter des sozialist. und Vorläufer des sozialkrit. Realismus in Italien.

Gutzkow, Karl [...ko], * Berlin 17. März 1811, † Frankfurt am Main 16. Dez. 1878, dt. Schriftsteller. – Führende Persönlichkeit des Jungen Deutschland; schrieb scharfe Literaturkritiken, gesellschaftskrit., z. T. satir. Romane sowie Dramen. Einen Skandal und ein Verbot seiner Werke verursachte der Roman „Wally, die Zweiflerin" (1835). – *Weitere Werke:* Zopf und Schwert (Lsp., 1844), Das Urbild des Tartüffe (Lsp., 1844), Die Ritter vom Geiste (R., 9 Bde., 1850/51), Der Zauberer von Rom (R., 9 Bde., 1858–61).

Guy von Lusignan [frz. gi] ↑ Guido von Lusignan.

Guyana

(amtl. Vollform: Cooperative Republic of Guyana), Republik an der N-Küste Südamerikas zw. 1° und 8° 30′ n. Br. sowie 56° 27′ und 61° 28′ w. L. **Staatsgebiet:** G. wird von Venezuela im W, von Brasilien im SW und S, von Surinam im O und vom Atlantik im N begrenzt. **Fläche:** 214 969 km². **Bevölkerung:** 808 000 E (1992), 4 E/km². **Hauptstadt:** Georgetown. **Verwaltungsgliederung:** 10 Regionen. **Amtssprache:** Englisch. **Nationalfeiertag:** 23. Febr. (Tag der Republik). **Währung:** Guyana-Dollar (G$) = 100 Cents (c). **Internationale Mitgliedschaften:** UN, Commonwealth, CARICOM, SELA, WTO, Lomé-Abkommen, Amazonaspakt, OAS. **Zeitzone:** Atlantikzeit, d. i. MEZ – 5 Stunden.

Landesnatur: G. liegt im Bereich der NO-Abdachung des Berglandes von Guayana. Im Roraima an der Grenze gegen Venezuela werden 2 810 m ü. d. M. erreicht. Gegen N ist das Bergland in ein Hügelland aufgelöst; hier liegen die für G. wichtigen Bauxitvorkommen. Nach N folgt ein 20–70 km breites Tiefland (Hauptsiedlungsgebiet und -wirtschaftsgebiet), dessen küstennaher Teil 1–1,5 m unter dem Flutspiegel des Meeres liegt und mit dessen Einpolderung die Niederländer bereits im 17. Jh. begonnen hatten.

Klima: Es ist tropisch mit hohen Temperaturen, im N mit einer Hauptregenzeit (April–Aug.) und einer kurzen Regenzeit (Dez.–Anfang Febr.).

Vegetation: Trop. Regenwald bedeckt rd. 70% der Landfläche. Im Küstentiefland und im SW befinden sich Savannen.

Bevölkerung: Durch die geschichtl. Entwicklung bedingt, setzt sich die Bev. aus rd. 51% Indern, 31% Schwarzen, 11% Mulatten und Mestizen, 2% Europäern und Chinesen zus.;

Restgruppen der urspr. Indianerbevölkerung leben v. a. im Landesinneren. Als Umgangssprachen sind Hindi, Urdu, Portugiesisch, Niederländisch sowie afrikan. und indian. Dialekte verbreitet. Hauptreligionen sind Christentum, Hinduismus und Islam. G. verfügt über eine Univ. in Georgetown (gegr. 1963).

Wirtschaft: 80% der Wirtschaft werden durch den Staat kontrolliert; seit 1986 Privatisierungsprogramme. Wichtigste Zweige sind die Landw., deren Schwerpunkte Zukkerrohr- und Reiskulturen bilden, die Bauxitförderung und die Tonerdegewinnung; weiterhin Abbau von Gold, Diamanten und Mangan.

Außenhandel: Wichtigste Partner sind die EG (v. a. Großbritannien), die USA, Trinidad und Tobago sowie Japan. Ausgeführt werden Rohrzucker, Bauxit, Reis, Tonerde, Rum, Diamanten, eingeführt Erdölprodukte, Maschinen und Fahrzeuge, Nahrungsmittel u. a.

Verkehr: Das Straßennetz ist rd. 4850 km lang, Hauptverkehrswege ins Landesinnere sind die Flüsse. Wenige Eisenbahnlinien dienen dem Bauxittransport. Georgetown und New Amsterdam sind wichtige Überseehäfen. Staatl. Fluggesellschaft G. Airways Corporation; ✈ bei Georgetown.

Geschichte: Kolumbus erkundete 1498 die Küste von G. Im 17. bis Anfang des 19. Jh. von Engländern, Franzosen und Niederländern umkämpft, wurde G. auf dem Wiener Kongreß 1815 zw. Großbritannien und den Niederlanden (Surinam) aufgeteilt. 1961 erhielt die Kolonie die volle Selbstverwaltung. Am 26. Mai 1966 erlangte G. die Unabhängigkeit. Es blieb zunächst als parlamentar. Monarchie im Verband des Commonwealth of Nations, am 23. Febr. 1970 wurde es in eine Republik umgewandelt. Nach Verabschiedung einer neuen Verfassung 1980 übernahm der seit 1964 als Min.präs. amtierende L. F. S. Burnham (* 1923, † 1985; PNC) das Amt des Staatspräs., sein Nachfolger wurde im Aug. 1985 D. Hoyte (* 1929; PNC). Nach dem Sieg der PPP bei den Parlaments- und Präsidentschaftswahlen im Okt. 1992 wurde Hoyte von C. Jagan (* 1918) abgelöst.

Politisches System: Die Verfassungsänderung von 1980 führte anstelle des parlamentar. Systems ein Präsidialsystem ein. *Staatsoberhaupt* und oberster Inhaber der *Exekutive* ist der Präs. Er ernennt die Mgl. der Reg. und den Kommandanten der Streitkräfte und kann vom Parlament beschlossene Gesetze durch sein Veto zu Fall bringen. Die *Legislative* wird vom Einkammerparlament, der Nationalversammlung (mit 65 Abg.), ausgeübt. Die beiden wichtigsten *Parteien* sind der gemäßigt sozialist. People's National Congress (PNC) und die sozialist.-marxist. People's Progressive Party (PPP). Nat. Dachverband der 23 *Gewerkschaften* mit insgesamt über 75000 Mgl. ist der Trades Union Congress (TUC). Das *Rechtswesen* ist im allg. am brit. Vorbild orientiert.

📖 *Spinner, T. J.: A political and social history of G. Epping 1985. – Polit. Lex. Lateinamerika. Hg. v. P. Waldmann. Mchn. ²1982. – Glasgow, R. A.: G. Race and politics among Africans and East Indians. Den Haag 1970.*

Guyane Française [frz. gɥijan frã'sɛ:z] ↑Französisch-Guayana.

Guyenne [frz. gyi'jɛn], seit dem MA frz. Name für ↑Aquitanien.

Guy Fawkes Day [engl. 'gaɪ 'fɔ:ks 'dɛɪ] ↑Fawkes, Guy.

Guyot [frz. gɥi'jo; nach dem schweizer.-amerikan. Geographen A. H. Guyot, * 1807, † 1884], submarine tafelbergartige Aufragung aus vulkan. Gestein; häufig im Pazifik.

Guys, Constantin [frz. gɥi, gɥis], * Vlissingen 3. Dez. 1802, † Paris 13. März 1892, frz. Zeichner und Aquarellist. – 1848–60 Kriegs- und Reisezeichnungen für die „Illustrated London News", geistreicher Chronist des mondänen Pariser Lebens.

Guyton de Morveau, Louis Bernard Baron (seit 1811) [frz. gitõdmɔr'vo], * Dijon 4. Jan. 1737, † Paris 2. Jan. 1816, frz. Jurist, Politiker und Chemiker. – Errichtete 1783 die erste frz. Sodafabrik; arbeitete u. a. über die Kristallisation von Eisen, über Bariumsalze sowie Diamanten. 1798 gelang ihm mit Hilfe einer Eis-Calciumchlorid-Mischung erstmals die Verflüssigung des Ammoniaks. G. erarbeitete eine neue chem. Nomenklatur.

Guzmán, Alonso Pérez de [span. guð'man] ↑Pérez de Guzmán, Alonso.

Gwalior, ind. Stadt am Rande des Dekhan zur Gangesebene, B.-Staat Madhya Pradesh, 224 m ü. d. M., 543000 E. Univ. (gegr. 1964), archäolog. Museum. Textil-, Leder-, Papier-, Nahrungsmittelind., Teppichherstellung. – Seit dem 6. Jh. n. Chr. erwähnt; 1771–1947 war G. mit Unterbrechungen die Hauptstadt des Reichs der Sindhia-Dyn. – Über der Stadt die 525 erwähnte Hinduburg mit 6 Palästen, 6 Tempeln u. a. Gebäuden.

Gwardeisk ↑Tapiau.

Gwent, Gft. in Wales.

Gweru (früher Gwelo), simbabw. Prov.-hauptstadt, nö. von Bulawayo, 1420 m ü. d. M., 79000 E. Kath. Bischofssitz; Zentrum eines Bergbaugebiets (Chrom, Nickel, Lithium, Wolfram, Asbest); Chromerzverhüttung, Asbestverarbeitung; Straßen- und Bahnknotenpunkt; ✈.

Gwisdek, Michael, * Berlin 14. Jan. 1942, dt. Schauspieler. – Spielte ab 1973 an der Berliner Volksbühne, gehört seit 1983 zum Ensemble des Dt. Theaters Berlin; profilierte sich zunehmend in Filmen, u. a. „Der

Fall Bachmeier – Keine Zeit für Tränen" (1984), „Ärztinnen" (1985), „Treffen in Travers" (1989; auch Regie), „Der Tangospieler" (1991).

Gwynedd [engl. 'gwɪnɛð], Gft. in Wales.

Gy, Einheitenzeichen für ↑Gray.

Gydangebirge ↑Kolymagebirge.

Gyges, ⚔ etwa 652 v. Chr., König von Lydien seit 685 (?). – Begründer der Dynastie der Mermnaden; dehnte seinen Herrschaftsbereich allmählich über die griechisch besiedelten Gebiete Westkleinasiens aus. Der Sage nach soll G. Kandaules, den letzten König der Herakliden, mit Hilfe eines unsichtbar machenden Ringes getötet haben. – Drama „Gyges und sein Ring" (1856) von Hebbel.

Gyllenborg, Carl Graf [schwed. ˌjylənbɔrj], * Stockholm 17. März 1679, † ebd. 20. Dez. 1746, schwed. Politiker. – Gründete die Partei der ↑Hüte; Kanzleipräs. seit 1739.

Gyllensten, Lars Johan Wictor [schwed. ˌjylənste:n], * Stockholm 12. Nov. 1921, schwed. Schriftsteller. – Experimentierfreudige Romane, die um moral. und existentialist. Grundprobleme kreisen und in denen er jegl. weltanschaul. Dogmatismus ablehnt; u. a. „Kains Memoiren" (R., 1963), „Im Schatten Don Juans" (R., 1975), „Sju vise mästare om Kärlek" (Nov.n, 1986).

Gyllenstierna, Johan Graf [schwed. ˌjylənʃæ:rna], * Brännkyrka (= Stockholm) 18. Febr. 1635, † Landskrona 10. Juni 1680, schwed. Staatsmann. – Seit 1668 Reichsrat; im Krieg gegen Dänemark zum maßgebl. Berater Karls XI. berufen; versuchte, die schwed. Hegemonie im N Europas zu erhalten; erreichte den für Schweden nur mit geringen Gebietsverlusten verbundenen Frieden von Lund (1679).

Gymkhana [Hindi], Geschicklichkeitswettbewerb, z. B. für Läufer, Reiter, Motor- und Wassersportler.

gymn..., Gymn... ↑gymno..., Gymno...

Gymnaestrada [gymnɛs...; griech./span.], Weltfest der Gymnastik; bisher veranstaltet in Rotterdam (1953), Zagreb (1957), Stuttgart (1961), Wien (1965), Basel (1969), Berlin (1975), Zürich (1982), Herning (1987).

Gymnasium [griech.-lat. (zu ↑Gymnastik)], in der BR Deutschland weiterführende Schule, die mit dem Abitur die allg. Hochschulreife vermittelt; das Ablegen des Abiturs ist auch an einer Gesamtschule möglich, wenn dort eine gymnasiale Oberstufe eingerichtet ist. Die *Aufbauform* des G. schließt an die Realschule oder an die Hauptschule an und umfaßt drei bis vier Schuljahre; sie wird auch zum Teil als *Abend-G.* geführt, das neben dem Beruf besucht wird. Die *Normalform* erstreckt sich über die Sekundarstufen I und II, umfaßt im allgemeinen neun Schuljahre und schließt an die (vierjährige) Grundschule (Primarstufe) an; z. T. werden die Klassen 5 und 6 als schulformbezogene oder schulformunabhängige Orientierungs-(Förder-)Stufe geführt. Daneben gibt es Gymnasialformen mit kürzerer Schulzeit und bes. Eingangsvoraussetzungen. In der reformierten gymnasialen Oberstufe (ab Klasse 11, Sekundarstufe II) können Schüler ihren (individuellen) Unterrichtsplan in Grund- und Leistungskursen aus Pflicht- und Wahlbereichen (Fächern) in den drei Aufgabenfeldern (sprachl.-literar.-künstler., gesellschaftswiss., mathemat.-naturwiss.-techn.) sowie Religion, Sport und anderen Fächern zusammenstellen. Mit diesen Wahlmöglichkeiten sollen die Schüler ihren Neigungen und Interessen gerecht werden; dabei wird der bisherige Klassenverband zugunsten des Kurssystems aufgegeben.

Die Zulassung zum Abitur setzt eine bestimmte Anzahl von Kursen aus den Pflicht- und Wahlbereichen aller Aufgabenfelder und weiterer Fächer voraus; beim Abitur findet in bestimmten Leistungs- und Grundkursfächern eine schriftl. und mündl. Prüfung statt.

Geschichte: Im antiken Griechenland war das G. urspr. Übungs- und Wettkampfstätte zur körperl. Erziehung und vormilitär. Ausbildung der Jugendlichen, in das seit etwa 400 v. Chr. zunehmend mus. und geistige Bildung einbezogen wurden. – Seit dem 16. Jh. heißen Schulen, die den Klerikernachwuchs heranbildeten und deshalb einen vollständigen Kursus in den humanist. Fächern (Griechisch und Latein) vermittelten, Gymnasium. Im 17. Jh. begann man, Mathematik und dt. Sprachunterricht in den Lehrplan des G. aufzunehmen. Seit den Humboldt-Süvernschen Reformen (1812) wurden in Preußen – später auch in anderen dt. Ländern – alle Schulen, die auf das Universitätsstudium vorbereiteten, G. genannt. Mit zunehmender Bed. der Naturwissenschaften und der neueren Sprachen prägten sich neben dem *humanist. G.* verschiedene Typen des G. aus: 1890 wurden die lateinlose *Oberrealschule* (mathemat.-naturwissenschaftl. Schule), 1900 das *Realgymnasium* (neusprachl. Schule) als gleichberechtigte Bildungswege anerkannt; 1925 (Richertsche Schulreform) kam als vierter Schultyp die *dt. Oberschule* hinzu. 1937 und 1945 wurde einerseits die Zahl der humanist. G. drastisch verringert, andererseits Anzahl und System der übrigen Oberschulen variiert und erweitert und teilweise – mit ergänzendem Zusatz – als G. bezeichnet. Zur Sicherung einer umfangreichen Allgemeinbildung der Abiturienten und ihrer ausreichenden Befähigung zum Studium wurden die Bestimmungen zur gymnasialen Oberstufe durch die Kultusministerkonferenz am 1. Okt. 1987 gesetzlich fixiert.

In *Österreich* gliedern sich die allgemeinbildenden höheren Schulen (früher „Mittelschulen"), Gymnasien, Realgymnasien und wirtschaftskundl. Realgymnasien in der Oberstufe in jeweils mehrere Zweige. – In der *Schweiz* führen fünf Gymnasialtypen A bis E („höhere Mittelschulen") zur Hochschulreife: das humanist., das Latein-, das mathemat.-naturwissenschaftl., das neusprachl. und das Wirtschaftsgymnasium. Nicht jeder Kanton bietet alle fünf Typen an.

🕮 *Schmoldt, B.: Zur Gesch. des G. Baltmannsweiler 1989. – Reinert, G. B.: Leitbild Gesamtschule versus G.? Ffm. 1984. – Borucki, J.: G. in neuerer Zeit. Würzburg 1980.*

Gymnastik [zu griech. gymnázesthai „nackt Leibesübungen machen"], systematisch betriebene Bewegungsschulung ohne Gerät oder mit Handgeräten wie Ball, Keule, Reifen, Sprungseil. Im weiteren Sinn als Beweglichkeits- und Haltungsschulung jedes körperl. Training ohne festes Gerät (wobei Übungen, die im engeren Sinn zum Bodenturnen gehören, einbezogen werden) oder auch mit bestimmten Großgeräten wie Sprossenwand, Schwebebalken. Als **funktionelle Gymnastik** dient sie der Erhaltung oder Erneuerung der körperl. Funktionen (z. B. Säuglings-G., Schwangerschafts-G., ↑Krankengymnastik, orthopäd. G. bzw. orthopäd. Turnen bei fortgeschrittenen Schäden oder nach chirurg. Eingriffen). Die als „Fitnesstraining" allgemein auf Kondition ausgerichtete G. baut ebenfalls auf funktionellen Gesichtspunkten auf, bes. im Hinblick auf Haltungsfehler, labilen Kreislauf, muskuläre Verspannung oder Schwäche und Bandscheibenbeschwerden, auch unter Berücksichtigung spezieller Funktionen wie z. B. Fuß-G., ↑Atemgymnastik. Als **Zweckgymnastik** bezeichnet man G., wenn gymnast. Bewegungsabläufe und Übungen als Trainingsgrundlage für andere Sportarten dienen (z. B. Skigymnastik). G. im engeren Sinne ist **rhythm. Gymnastik,** die Erziehung zur fließenden, durch den Rhythmus geformten Bewegung. Die *Grundbewegungen* der G. umfassen Gehen, Laufen, Hüpfen, Springen und Schwingen; sie werden durch die Bewegung mit dem *Handgerät* unterstützt. Am Ende der Bewegungsschulung steht einerseits deren Gestaltung (Körperbewegung als Ausdruck) und andererseits der Tanz in den unterschiedlichsten Konzeptionen (Ausdrucks-, Jazz-, Volkstanz).

Geschichte: G. war im griech. Verständnis die Wissenschaft (Kunst) von der Leibespflege, die v. a. als Leichtathletik betrieben wurde. Vom MA bis ins 18. Jh. wurden bes. Ballspiele gepflegt. Die Philanthropen verstanden unter G. die verschiedensten Sportarten. J. C. F. GutsMuths („G. für die Jugend", 1793) beeinflußte neben F. L. Jahn insbes. skand. Turn- bzw. G.pädagogen. Der Schweizer P. H. Clias forderte in seiner „Calisthénie..." (1829) bes. „Übungen zur Schönheit und Kraft der Mädchen", J. Werner trennte funktionelle und emotionelle G. (künstler. Ausdrucks-G.). Die eigtl. G.bewegung (seit etwa 1900) richtete sich gegen das inzwischen erstarrte Turnen. Begründer dieser musisch verstandenen rhythm. G. waren u. a. B. Mensendieck und R. Bode, der die eigtl. Ausdrucks-G. begründete, sowie H. Medau. Die tänzer. G. (Ausdruckstanz) geht auf I. ↑Duncan zurück und wurde insbes. von R. von Laban und M. Wigman gepflegt. Seit 1958 wird die sportl. Form als Rhythm. Sport-G. (Wettkampf-G.) betrieben.

🕮 *Forstreuter, H.: G. Bad Homburg v. d. H. [32]1986.*

gymno..., Gymno... (vor Vokalen gymn..., Gymn...) [griech.], Bestimmungswort mit der Bed. „nackt, unbedeckt".

Gymnopädien [griech.], Fest in Sparta zu Ehren des Apollon.

Gymnospermae [griech.], svw. ↑Nacktsamer.

gynäko..., Gynäko... [griech.], Bestimmungswort mit der Bed. „Frau", z. B. Gynäkologie.

Gynäkologe [griech.] (Frauenarzt), Arzt für Frauenheilkunde und Geburtshilfe.

Gynäkologie (Frauenheilkunde), Fachrichtung der Medizin; befaßt sich mit der Erkennung, Verhütung und Behandlung der Frauenkrankheiten und mit Geburtshilfe.

Gynäkomastie [griech.], weibl. Brustbildung bei Männern durch Zunahme des Drüsengewebes oder Fettablagerung; tritt u. a. bei endokrinen Erkrankungen, chron. Leberkrankheiten und nach Behandlung mit bestimmten Hormonen auf.

Gynander [griech.] (Mosaikzwitter), Bez. für Individuen, die mosaikartig aus Bezirken mit ♂ und ♀ Geschlechtsmerkmalen bestehen. Im Extremfall sind die Unterschiede auf die beiden Körperhälften verteilt *(Halbseiten-G.).* G. kommen v. a. bei Insekten vor.

Gynandrie [griech.], im Ggs. zur ↑Androgynie eine Scheinzwittrigkeit beim genotyp. ♀, bei dem typ. ♂ Geschlechtsmerkmale auftreten.

◆ svw. ↑Gynandromorphismus.

Gynandromorphismus [griech.] (Gynandrie, Mosaikzwittertum), Geschlechtsabnormität bei ↑Gynandern; beruht auf dem Vorkommen unterschiedl. Geschlechtschromosomenkombinationen in den Körperzellen desselben Individuums, die die Ausprägung der entsprechenden Geschlechtsmerkmale bewirken.

Gynomonözie [griech.], in der Botanik das gleichzeitige Vorkommen von weibl. Blüten und Zwitterblüten auf derselben Pflanze.

Gynözeum (Gynoeceum, Gynaeceum, Gynäzeum) [griech.], Gesamtheit der ♀ Organe der Blüte der bedecktsamigen Pflanzen, bestehend aus den Fruchtblättern mit den auf ihnen gebildeten Samenanlagen.

Gyöngyös [ungar. 'djøndjøʃ], ungar. Stadt am S-Fuß des Matragebirges, 36 000 E. Mittelpunkt eines der wichtigsten ungar. Wein- und Obstbaugebiete; agrarwiss. Univ. (gegr. 1945). – Franziskanerkirche (um 1400), Sankt-Bartholomäus-Kirche (14. Jh.), klassizist. Schloß (jetzt Museum).

Győr [ungar. djø:r] (dt. Raab), ungar. Bez.-hauptstadt an der Mündung von Raab und Rabnitz in die Kleine Donau, 131 000 E. Fahrzeug- und Maschinenbau. – In röm. Zeit **Arrabona;** 896 wurde G. von den Magyaren erobert; 1271 königl. Freistadt. – Barockisierter Dom (13. Jh.) mit Fresken von A. Maulpertsch (18. Jh.), Jesuitenkirche (17. Jh.), Bischofsburg (v. a. 16. Jh.), zahlr. Bürgerhäuser (16.–18. Jh.).

Gypsophila [griech.], svw. ↑ Gipskraut.

Gyre [griech.], in der Kristallographie Bez. für eine Symmetrieachse (Drehachse).

Gyri [griech.] ↑ Gehirn.

Gyroantrieb (Elektrogyroantrieb) [griech./dt.], Fahrzeugantrieb, der die kinet. Energie eines Schwungrades ausnutzt. Gyroomnibusse (Gyrobusse) werden z. B. mit einem Schwungrad betrieben, das an Ladestationen beschleunigt wird. Auf diese Weise läßt sich Energie speichern. Der mit dem Schwungrad verbundene Elektromotor wird im Fahrbetrieb als Generator benutzt, der den Strom für die Fahrmotoren des Busses liefert.

Gyroeder [griech.] ↑ Ikositetraeder.

gyromagnetische Effekte [griech./lat.] (magnetomechan. Effekte), physikal. Erscheinungen, die auf der Verknüpfung von atomaren magnet. Momenten und mechan. Drehimpuls beruhen. Auf Grund des Satzes von der Erhaltung des Drehimpulses muß jeder (mit einer gleichzeitigen Änderung der Magnetisierung eines Körpers verbundenen) Änderung des mechan. Drehimpulses der Elektronen auch eine Änderung des Drehimpulses des gesamten Körpers in umgekehrter Richtung entsprechen. Dies wurde im ↑ Einstein-de-Haas-Effekt beobachtet, die Umkehrung im ↑ Barnett-Effekt.

Gyroskop [griech.], Gerät zum Nachweis von Drehbewegungen (z. B. der Erde) mit Hilfe eines Kreisels; auch Bez. für ein Gerät zur Demonstration der Wirkung äußerer Kräfte auf einen Kreisel.

Gysi, Gregor, * Berlin 16. Jan. 1948, dt. Politiker (PDS). – Jurist; 1989–93 Vors. der SED-Nachfolgepartei; März–Okt. 1990 Vors. der PDS-Volkskammerfraktion; seit Okt. 1990 MdB.

Gyttja [schwed. ˌjytja], bituminöses Sediment (Halbfaulschlamm).

H

H, der achte Buchstabe des Alphabets, der Form nach dem griech. Eta entsprechend. Zugrunde liegt das nordwestsemit. (phönik.) Heth, das einen stimmlosen Reibelaut, etwa [x], bezeichnet. Auf älteren griech. Inschriften wird H, 日 mit verschiedenen Lautwerten verwendet, als [h], [ɛ:], und [he], im klass.-gemeingriech. Alphabet hat es dagegen nur den Wert [ɛ:]. In das lat. Alphabet gelangte der Buchstabe H, 日 aus dem Westgriech. mit dem Lautwert [h]; in den roman. Sprachen (außer Rumän.) ist H stumm.

◆ (h) in der *Musik* die Bez. für die 7. Stufe der Grundtonleiter C-Dur, durch ♯ (Kreuz) erhöht zu *his,* durch ♭-(b-)Vorzeichnung erniedrigt zu B (b).

◆ (Münzbuchstabe) ↑ Münzstätte.

H, chem. Symbol für ↑ Wasserstoff.

H, Abk. für: ↑ **H**ochdruckgebiet.

H, physikal. Zeichen für: die Härte.

◆ *(H)* die ↑ Enthalpie.

◆ (*H, H*) die magnet. Feldstärke (↑ Magnetfeld).

H, Einheitenzeichen für ↑ Henry.

h *(h),* physikal. Zeichen für das ↑ Plancksche Wirkungsquantum. Für die Größe $h/2\pi$ setzt man im allg. das Zeichen $\hbar$ *(lies: h quer).*

h, Kurzzeichen für:

◆ die Zeiteinheit Stunde (lat. hora); bei Angabe des Zeitpunktes hochgesetzt (^{h}); 8 h = 8 Stunden, 8^{h} = 8 Uhr.

◆ den Vorsatz ↑ Hekto...

ha, Einheitenzeichen für ↑ Hektar.

Haack, Hermann, * Friedrichswerth bei Gotha 29. Okt. 1872, † Gotha 22. Febr. 1966, dt. Kartograph und Geograph. – Seit 1897 in Justus Perthes' Geograph. Anstalt in Gotha tätig, die 1955 nach ihm umbenannt wurde.

Gab geograph. und histor. Wandkarten, Schulatlanten, wirtschaftsgeograph. Karten und 1909–25 die Hundertjahrausgabe von „Stielers Handatlas“ heraus.

H., Käthe, *Berlin 11. Aug. 1892, † ebd. 5. Mai 1986, dt. Schauspielerin. – Neben Engagements an verschiedenen Berliner Bühnen (u. a. unter Gründgens) zahlr. Filmrollen, u. a. in den Filmen „Pygmalion“ (1935), „Der Biberpelz“ (1949), „Ich kann nicht länger schweigen“ (1961).

Haacke, Hans, *Köln 12. Aug. 1936, dt. Künstler. – Seit 1965 in New York; widmet sich der modellhaften Darstellung opt., physikal. und biolog. Abläufe, seit 1969 auch soziolog. Systeme (u. a. Dokumentation zur Rassendiskriminierung „Kontinuität“, 1987).

Haag, Herbert, *Singen (Hohentwiel) 11. Febr. 1915, dt. kath. Theologe. – Seit 1960 Prof. für A. T. in Tübingen. H. stellt, ausgehend von der Exegese des A. T., krit. Fragen an die traditionelle Dogmatik, deren Beantwortung, z. B. seine Deutung der Begriffe Erbsünde und Teufel, in der kath. Kirche nicht unbestritten ist.

Haag, Den [niederl. dɛn'ha:x] (amtl. ’s-Gravenhage), Residenzstadt sowie Regierungs- und Parlamentssitz der Niederlande, Verwaltungssitz der Prov. Südholland, an der Nordseeküste, 444 000 E. Sitz des Internat. Gerichtshofes sowie des Ständigen Schiedshofs; Völkerrechtsakad., Königl. Akad. der Bildenden Künste; Niederl. Inst. für Information, Dokumentation und Registratur, Zentralamt für Statistik, Sitz von Banken und Gesellschaften; Königl. Musikkonservatorium, Hochschule für Sozialstudien, Staatsarchiv, Königl. Bibliothek, mehrere Museen, u. a. Internat. Pressemuseum, Niederl. Postmuseum; Theater, Miniaturstadt „Madurodam“; Wohnstadt mit zahlr. Klein- und Mittelbetrieben, die sich um die Hafenanlagen und im Stadtteil **Scheveningen** konzentrieren, dem größten Seebad der Niederlande mit Fischerei- und Handelshafen, ✈. – 1370 erstmals urkundlich erwähnt; blühte im späten 14. und im 15. Jh. auf, v. a. auf Grund seiner Tuchwebereien. Einen neuen Aufschwung erlebte D. H., als ab 1580 die holländ. Stände und auch die Generalstaaten im Binnenhof tagten. Unter Moritz von Oranien wurde der Binnenhof Residenz der Statthalter; 1811 Stadtrecht. – Siedlungskern ist der sog. Binnenhof, das 1250 erbaute Schloß der Grafen von Holland. Spätgot. Grote Kerk (15. Jh.), Nieuwe Kerk (1649–56); im holländ. Renaissancestil u. a. das Mauritiushuis (17. Jh.; jetzt Gemäldegalerie), der ehem. königl. Palast Noordeinde (17. Jh.), der königl. Palast Voorhout (18. Jh.), das Alte Rathaus (16.–18. Jh.); Friedenspalast (1909–1913; Sitz des Internat. Gerichtshofes).

Haager Abkommen (Haager Konventionen, Haager Übereinkommen), in Den Haag unterzeichnete völkerrechtl. Verträge, in deren [Kurz]titel der Unterzeichnungsort zum gebräuchl. Bestandteil geworden ist, insbes.: ↑Haager Landkriegsordnung, ↑Haager Kulturgüterschutzabkommen, ↑Haager Luftpiraterieübereinkommen. Als H. A. wird auch die Gesamtheit der auf den Haager Friedenskonferenzen von 1899 und 1907 verabschiedeten Verträge bezeichnet. Außerhalb des völkerrechtl. Bereichs stehen mehrere H. A. über Internat. Privatrecht, Familienrecht und Zivilprozeßrecht. Als ständige Einrichtung besteht seit 1955 die Haager Konferenz für Internat. Privatrecht (Satzung von 1951).

Haager Friedenskonferenzen, die in den Jahren 1899 und 1907 auf Initiative des russ. Kaisers Nikolaus II. bzw. des amerikan. Präsidenten T. Roosevelt in Den Haag abgehaltenen internat. Konferenzen.
Durch die **Erste Haager Friedenskonferenz** (1899), an der 26 Staaten teilnahmen, wurden am 29. 7. 1899 drei Abkommen angenommen (zur friedl. Erledigung internat. Streitfälle; über die Gesetze und Gebräuche des Landkriegs; über die Anwendung der Grundsätze der Genfer Konvention vom 22. 8. 1864 auf den Seekrieg), die nach Ratifikation 1900 bzw. 1901 in Kraft traten.
Die **Zweite Haager Friedenskonferenz** (1907) verabschiedete am 18. 10. 1907 13 Abkommen, u. a. das Abkommen zur friedl. Erledigung internat. Streitfälle (brachte die Einrichtung einer internat. Schiedsgerichtsbarkeit mit dem Ständigen Schiedshof in Den Haag); das Abkommen betreffend die Gesetze und Gebräuche des Landkriegs (↑Haager Landkriegsordnung); das Abkommen betreffend die Rechte und Pflichten der neutralen Mächte und Personen im Falle eines Landkrieges; das Abkommen über die Anwendung der Grundsätze der Genfer Konvention auf den Seekrieg.
Obwohl die 12 (von 13) in Kraft getretenen Abkommen der H. F. bis heute formell in Kraft sind, haben viele Staaten sie mißachtet.
📖 *Wörterb. des Völkerrechts. Hg. v. K. Strupp u. a. Bd. 1. Bln. [2]1960.*

Haager Garantievertrag (Assoziationstraktat), 1681 geschlossener schwed.-östr.-niederl. Vertrag, in dem sich die von B. G. Graf Oxenstierna geleitete Außenpolitik König Karls XI. von Schweden dem gegen die frz. Hegemonialpolitik gerichteten Kurs der beiden anderen Mächte anschloß.

Haager Große Allianz ↑Große Allianz.

Haager Kulturgüterschutzabkommen (amtl.: Konvention zum Schutz von Kulturgut bei bewaffneten Konflikten), ein im Rahmen der UNESCO ausgearbeiteter völkerrechtl. Vertrag vom 14. 5. 1954, der die

Bestimmungen der Art. 27 und 56 der Haager Landkriegsordnung ergänzt und das bewegl. und das unbewegl. Kulturgut (z. B. Bauwerke, Gemälde, Kunstgegenstände) ohne Rücksicht auf ihre Herkunft oder Eigentumsverhältnisse einem bes. Schutz im Kriege unterstellt.

Haager Landkriegsordnung, Abk. HLKO, auf den Haager Friedenskonferenzen von 1899 und 1907 formulierte Gesetze und Gebräuche des Landkriegs. Der 1. Abschnitt *(Kriegführende)* definiert den Begriff des Kriegführenden und regelt ausführlich die Rechtsstellung der Kriegsgefangenen (u. a. Arbeitspflicht für gefangene Soldaten mit Ausnahme der Offiziere). Im 2. Abschnitt *(Feindseligkeiten)* werden bestimmte Mittel zur Schädigung des Feindes verboten (z. B. die Verwendung von Gift, Plünderung) und die Rechtsstellung der Spione und Parlamentäre sowie der Waffenstillstand behandelt. Der 3. Abschnitt *(militär. Gewalt auf besetztem feindl. Gebiete)* garantiert der Bev. eines besetzten Gebietes eine Reihe von Rechten, u. a. Schutz des Privateigentums. Ergänzende und weiterführende Vorschriften enthalten v. a. das Genfer Protokoll vom 17. 6. 1925 gegen den Gaskrieg, die Genfer Konventionen von 1949 sowie das Haager Kulturgüterschutzabkommen. Die HLKO wird auch gegenüber Nichtunterzeichnerstaaten als verbindlich angesehen.

Haager Luftpiraterieübereinkommen, Kurzbez. für das Übereinkommen zur Bekämpfung der widerrechtl. Inbesitznahme von Luftfahrzeugen; im Rahmen der Internat. Zivilluftfahrtorganisation (ICAO) ausgearbeitetes, am 16. Dez. 1970 in Den Haag unterzeichnetes Übereinkommen, mit dem die weltweite strafrechtl. Verfolgung von Luftpiraten sichergestellt werden soll.

Haakon ↑Håkon.

Haar (Haarstrang), Höhenrücken am S-Rand der Westfäl. Bucht, bis 390 m hoch.

Haarausfall (Haarschwund, Alopezie), vorübergehender oder dauernder, örtlich begrenzter oder völliger Verlust der Kopf- oder Körperbehaarung. Bes. im Hinblick auf die Kopfbehaarung unterscheidet man je nach Ursache, Lokalisation und Verlauf verschiedene Formen: 1. **kreisförmiger Haarausfall** (Alopecia areata, Pelade): plötzl. Auftreten runder, kahler Stellen am behaarten Kopf, u. U. auch im Bereich der Bart-, Augenbrauen- und Körperbehaarung; Heilung erfolgt meist spontan; 2. **atroph. Haarausfall** (Alopecia atrophicans): kreisförmiger H. mit zusätzl. narbigen Veränderungen, bes. im Bereich der Scheitelgegend; Ursache wahrscheinlich verschiedene Hauterkrankungen; 3. **kleinfleckiger Haarausfall** (Alopecia parvimaculata): bei Kleinkindern endemisch auftretender H.; Folge einer infektiösen Entzündung der Haarfollikel; 4. **vorzeitiger Haarausfall** (Alopecia praematura): erblich bedingter, um das 25. Lebensjahr mit zunehmenden „Geheimratsecken" beginnender, vorwiegend bei Männern vorkommender H., wobei sich eine Stirnglatze entwickelt und nur ein seitl. Haarkranz bestehen bleibt; 5. **symptomat. Haarausfall:** meist hinter den Ohren beginnender H. als Begleiterscheinung verschiedener Krankheiten.

Haarbalg ↑Haare.

Haarbalgdrüsen ↑Haare.

Haarbalgmilbenausschlag, svw. ↑Demodikose.

Haar der Berenike ↑Sternbilder (Übersicht).

Haardt, an das Oberrhein. Tiefland grenzender östl. Teil des Pfälzer Waldes, in der Kalmit 673 m hoch; bekanntes Weinbaugebiet.

Haare, (Pili) ein- oder mehrzellige, meist fadenförmige Bildungen aus Keratin der Epidermis mancher *Tiere* und des *Menschen.* Unter den Wirbeltieren haben nur die Säugetiere H. Sie dienen v. a. der Temperaturregulation und als Strahlenschutz, haben aber auch Tastsinnesfunktion und stellen einen Schmuckwert oder Tarnschutz dar.

Man unterscheidet den über die Epidermis herausragenden **Haarschaft** und die in einer grubenförmigen Einsenkung steckende **Haarwurzel,** die an ihrem Ende zur **Haarzwiebel** verdickt ist. In diese ragt von unten her eine zapfenförmige, bindegewebige Lederhautpapille **(Haarpapille)** hinein. Sie enthält ein Blutgefäßnetz sowie Pigmentzellen und versorgt die teilungsfähigen Zellen der Haarzwiebel. Von dieser H.matrix aus wächst und regeneriert sich das H. (bei Zerstörung der Matrix oder der Papille ist keine H.bildung mehr möglich). Nach oben zu sterben die H.zellen ab und verhornen. Aus unvollständig verhornten und eingetrockneten Zellen bildet sich das **Haarmark.** Um das Mark herum liegt die **Haarrinde,** in deren Zellen Farbstoffe abgelagert sind, die die H.farbe bedingen. Außen umgeben verhornte Zellen eines einfachen Plattenepithels das H. dachziegelartig. Wie das H. außen, besitzt der H.follikel innen eine Abschlußschicht aus bes. kleinen, flachen Zellen, die *H.scheidenkutikula.* Sie gehört zur inneren Wurzelscheide. Darauf folgt die äußere Wurzelscheide, die nach dem H.bulbus zu schmaler wird und nach außen eine stark verdickte, kutikuläre Basalmembran *(innere Glashaut)* ausscheidet. Die H.wurzel ist außen vom **Haarbalg,** einer bindegewebigen Schicht aus verdickten Zellen der Lederhaut, umgeben. Ihre Basalmembran liegt der inneren Glashaut als *äußere Glashaut* auf. – Die H. sitzen meist schräg in der

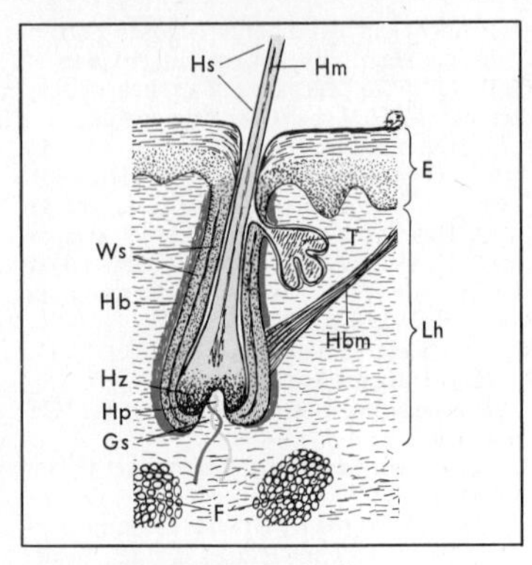

Haare. Längsschnitt durch eine behaarte Hautstelle

Haut. Sie können durch einen kleinen glatten Muskel **(Haarbalgmuskel)** aufgerichtet werden. Zw. Muskel und H. liegen ein bis zwei Talgdrüsen **(Haarbalgdrüsen),** die in den H.balg münden. Ihr öliges Sekret hält das H. geschmeidig.

Die Gesamtzahl der H. des Menschen beträgt etwa 300 000–500 000; davon entfallen rd. 25% auf die Kopf-H. Ein menschl. H. ist etwa 40–100 µm dick. Es wächst täglich (mit Ausnahme der Augenbrauen, die nur etwa halb so schnell wachsen) zw. 0,25 und 0,40 mm. Ist das Wachstum beendet, löst sich das H. unter Verdickung seines untersten Endes von der Papille ab. Nach einer Ruhezeit bildet diese ein neues H., das im gleichen Kanal wächst, das alte H. mitschiebt, bis dieses ausfällt. Wenn die Pigmentzellen keinen Farbstoff mehr haben, wird das neue H. grau. Treten zw. den verhornten Zellen feine Luftbläschen auf, werden die H. weiß. Die Dichte des H.kleides felltragender Säugetiere der gemäßigten Breiten liegt zw. 200 (Sommerkleid) und 900 (Winterkleid) H. je cm^2. Auf größeren Haut- bzw. Fellbezirken liegen die H. im allg. in bestimmten Richtungen **(Haarstrich).** Der H.strich ist häufig der Hauptfortbewegungsrichtung angepaßt (verläuft also von vorn nach hinten) oder entspricht der Schutzfunktion des H.kleides (v.a. gegen Regen; daher meist vom Rücken zum Bauch verlaufend).

🕮 *Grenzebach, M. A.: Medizin. Haar-Analyse. Diagnose v. Mineralienmangel. Mchn. [2]1990. – Ulrich, W.: Gesundes u. schönes Haar. Pflegen u. erhalten. Düss. 1987.*

◆ (Trichome) bei *Pflanzen* meist aus Einzelzellen der Epidermis hervorgehende Anhangsgebilde. Man unterscheidet **einzellige Haare** (Papillen, Borsten-H., Brenn-H.) und aus unverzweigten Zellreihen bestehende **mehrzellige Haare** (Drüsen-H.). Lebende H. fördern die Transpiration durch Oberflächenvergrößerung. Dichte, filzige Überzüge aus toten H. dagegen verringern sie durch Schaffung windstiller Räume und schützen gegen direkte Sonnenbestrahlung.

Haarentfernungsmittel ↑Enthaarung.

Haarfärbemittel, Präparate, die den natürl. Farbton der Haare verändern. Temporäre Farbänderungen werden durch wasserlösl. Farbstoffe erzeugt, die leicht wieder ausgewaschen werden können (z. B. Tönungsfestiger). Neben Metallsalzlösungen (z. B. Silbernitrat) und pflanzl. H. (z. B. Henna) werden heute fast ausschließlich *Oxidationshaarfarben* verwendet. Sie enthalten leicht oxidierbare Substanzen, die in die Haarschäfte eindringen. Eine *direkte Haarfärbung* wird ohne zusätzl. Oxidationsmittel erreicht, da sich die Farbe bereits unter Einwirkung von Luftsauerstoff bildet. – ↑Blondiermittel.

Haarfedergras ↑Federgras.

Haargarne, gröbere Garne aus tier. Haaren von Rindern, Ziegen, Kamelen usw., die v. a. zur Herstellung von Teppichen verwendet werden.

Haargefäße, svw. ↑Kapillaren.

Haargerste (Elymus), Gatt. der Süßgräser mit rd. 45 Arten in den gemäßigten Zonen der Erde; Hüllspelzen kurz begrannt, schmallinealisch. In Deutschland kommen vor: **Waldhaargerste** (Elymus europaeus) mit rauh behaarten Blättern; **Strandroggen** (Elymus arenarius), dessen Blätter sich bei trockenem Wetter zusammenrollen.

Haarhygrometer ↑Hygrometer.

Haarkristall (Faserkristall, Whisker), außerordentlich dünner, haarförmiger ↑Einkristall (Länge bis zu einigen cm, Dicke einige µm), der sich durch spontanes Wachstum aus Lösungen, Schmelzen oder (bei großer Übersättigung) aus der Gasphase, auch durch elektrolyt. Abscheidung bildet. Auf Grund ihrer ungestörten, versetzungsfreien Kristallstruktur besitzen H. gegenüber gewöhnl. Kristallen eine 1 000–10 000fach größere mechan. Festigkeit; Einsatz zur Verstärkung von Verbundwerkstoffen.

Haarlem, niederl. Stadt, 18 km westl. von Amsterdam, 149 000 E. Verwaltungssitz der Prov. Nordholland; röm.-kath. und altkath. Bischofssitz; Niederl. Geolog. Dienst, Fachhochschulen; Frans-Hals-Museum, seit dem 16. Jh. Zentrum der niederl. Blumenzwiebelzucht; Wohnstadt mit zahlr. Ind.betrieben. – H. erhielt 1245 Stadtrechte. Nach dem Ende der span. Besetzung (1573–77) wurde H. bald eine der reichsten Städte in Holland. Eine große Anzahl fläm. Glaubensflüchtlinge ließ sich hier nieder. – Zahlreiche Kirchen, u. a. spätgot. Grote Kerk (15. Jh.), Janskerk

(14.–16. Jh.), Nieuwe Kerk (1645–49). Rathaus (14. und 17. Jh.), Stadtwaage (1598), Fleischhalle (1602–03; jetzt Provinzialarchiv).

Haarlemmermeer-Polder, niederl. Poldergebiet zw. Haarlem, Amsterdam und Leiden. 185 km², z. T. u. d. M.; Anbau von Getreide, Gemüse, Blumen; Metallindustrie. – Das Haarlemmermeer wurde zw. 1837 und 1852 trockengelegt, die gleichnamige Gemeinde 1855 gegründet. Zum Gemeindegebiet gehört u. a. der Flughafen Schiphol.

Haarlineal, Stahllineal mit messerartiger Kante zum Prüfen der Ebenheit von Werkstückkanten und -flächen durch Beobachten des zw. Werkstück und Linealkante sichtbaren Lichtspalts.

Haarlinge ↑ Federlinge.

Haare. Histologischer Längsschnitt durch die Haarwurzelbasis.
äG äußere Glashaut, äW äußere Wurzelscheide, E Epidermis, F Fettgewebe im Unterhautbindegewebe, Gs Gefäßschlinge, Hb Haarbalg, Hbm Haarbalgmuskel, Hk Haarkutikula, Hm Haarmark, Hp Haarpapille, Hr Haarrinde, Hs Haarschaft, Hz Haarzwiebel, iG innere Glashaut, iW innere Wurzelscheide, Lh Lederhaut, Sch Haarscheidenkutikula, T Haarbalgdrüse (Talgdrüse), Ws innere und äußere Wurzelscheide des Haarfolikels

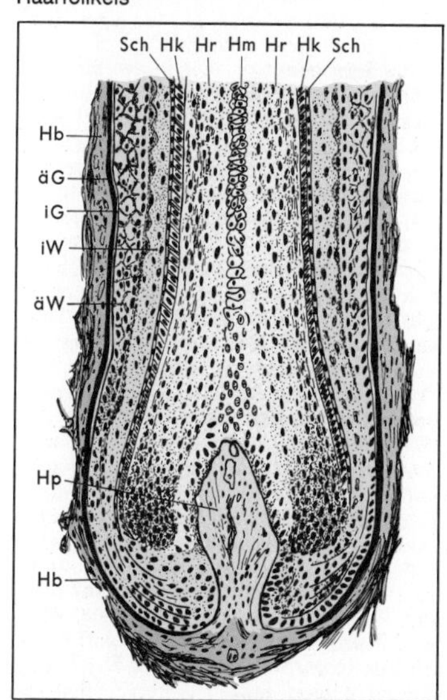

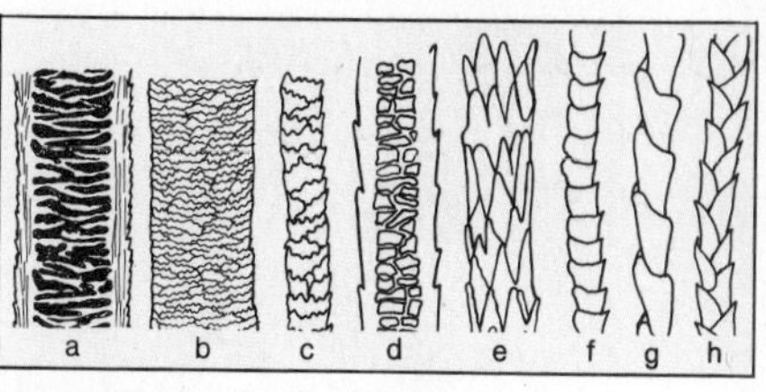

Haare. Haarstrukturen a der Katze (Markstruktur), b des Schweins (Kutikularstruktur), c des Schafs (Kutikularstruktur), d und e des Mauswiesels (d Markstruktur, e Kutikularstruktur des Schaftunterteils), f, g und h verschiedener Fledermausarten (Kutikularstrukturen)

Haarmoose (Polytrichaceae), Fam. der Laubmoose mit 15 Gatt. und rd. 350 in den gemäßigten Zonen und in trop. Gebirgen verbreiteten Arten; z. B. ↑ Frauenhaar.

Haarmücken (Bibionidae), mit rd. 400 Arten weltweit verbreitete Fam. 3–13 mm langer Mücken; fliegenartig aussehende Insekten mit stark behaartem, meist schwarzem Körper.

Haarnixe (Fischgras, Cabomba), Gatt. der Seerosengewächse mit sechs Arten im trop. und subtrop. Amerika; Wasserpflanzen mit fein zerteilten Unterwasserblättern und schildförmigen Schwimmblättern; Blüten klein, weiß bis gelb; Aquarienpflanzen.

Haarpapille ↑ Haare.

Haarraubwild, wm. Bez. für alles Raubwild aus der Klasse der Säugetiere.

Haarrisse, feinste, für das bloße Auge oft unsichtbare [Oberflächen]risse bei Materialien verschiedenster Art.

Haarsterne (Federsterne, Crinoidea), Klasse meerbewohnender Stachelhäuter mit rd. 620 Arten; oft bunt gefärbte Tiere, die entweder nur im Jugendstadium (**Eigentl. Haarsterne;** Flachwasserbewohner) oder zeitlebens (**Seelilien;** in Tiefen unter 1000 m) mit einem Stiel am Untergrund festsitzen.

Haarstrang (Peucedanum), Gatt. der Doldengewächse mit rd. 120 Arten in Eurasien und S-Afrika; bis 2 m hohe Pflanzen mit fiederteiligen Blättern und kleinen, weißen, gelbl. oder rötl. Blüten. In Deutschland kommen sieben Arten vor, darunter der **Sumpfhaarstrang** (Peucedanum palustre) auf sauren, nassen Böden.

Haartracht (Frisur), die Art, das Haar zu tragen; sie ist in der Kulturgeschichte vielfach durch soziale Stellungen und religiöse Ansichten bestimmt. – *Altertum:* Ägypter, Hethiter, Assyrer und Babylonier trugen

Haartracht. 1 assyrische Haar- und Barttracht (8. Jh. v. Chr.), 2 griechische Haartracht (um 500 v. Chr.), 3 römische Haartracht (50 n. Chr.), 4 männliche Haartracht (13. Jh.), 5 weibliche Haartracht (14. Jh.), 6 niederländische Haartracht (um 1630), 7 Hochfrisur im späten Rokoko (um 1770), 8 und 9 Empirefrisuren (um 1805), 10 Biedermeierfrisur (um 1830), 11 Frisur um 1900, 12 Bubikopf (um 1925), 13 Tellerfrisur (1947/48), 14 und 15 Frisuren der 1970er Jahre

meist lange, zu Locken gedrehte Haare oder Perücken. Lange Haare sahen die Griechen anfangs als Göttergeschenk an, weshalb den Sklaven die Haare gekürzt wurden; seit dem 5. Jh. v. Chr. waren auch bei den männl. Freien kurze Haare üblich; die Frauen faßten ihre Haare zu einem Schopf oder Knoten. Im 3. Jh. v. Chr. übernahmen die Römer die griech. H.; die Römerinnen der Kaiserzeit türmten die gefärbten oder gebleichten Haare zu dichten Locken. Die Germanen trugen die Haare lang, halblang oder zu einem Knoten über der Schläfe zusammengebunden; die german. Frauen steckten das Haar auf, die Mädchen trugen es herabfallend. **Zöpfe** sind gegen Ende der Völkerwanderungszeit nachweisbar. Bei den Franken waren lange Haare dem König vorbehalten. – *Mittelalter:* Bei den Männern überwogen lange, gelockte und seit dem 14. Jh. kurze Haare; unverheiratete Frauen trugen die Haare offen oder in Zöpfen, verheiratete verbargen sie unter vielfältigen Kopfbedeckungen, v. a. der Haube. – *Neuzeit:* Im 16. Jh. wurde die Frisur der allg. übl. span. Tracht angepaßt; Männer hatten kurzes, Frauen zu Locken gebauschtes, oftmals toupiertes Haar **(Kegelfrisur).** Im 17. Jh. trugen die Männer schulterlanges Haar, das in die Stirn gekämmt oder in der Mitte gescheitelt wurde. Ludwig XIV. verhalf der **Perücke** als Inbegriff der höf. H. zum Durchbruch. Höhepunkt ist die **Allongeperücke.** Aus der Mode, langes Haar am Hinterkopf in einem **Haarbeutel** zu tragen, entwickelte sich die **Zopftracht.** Im 18. Jh. gipfelte die höf. weibl. Frisur in der künstlich gesteiften, schmucküberladenen **Turmfrisur.** Nach der Frz. Revolution setzte sich eine kürzere, gelockte H. durch (bei Frauen der sog. **Tituskopf**). Im Biedermeier wurde das Haar der Frau wieder länger; danach setzten sich die **Scheitelfrisur** mit Mittelscheitel, **Korkenzieherlocken, Haarnest, Schnecken** oder **Chignon** (Ende des 19. Jh.) durch. Um 1920 begünstigte v. a. die erstarkende Frauenbewegung den kurzen Haarschnitt, der vom glatten **Bubikopf** (nach Entwicklung der Dauerwelle) zu zahlr. mehr oder weniger lockigen oder welligen, kurzen oder langen Frisuren führte. In diese Zeit fällt auch der **Herrenschnitt.** Seit den 1950er Jahren ist der Wechsel der Haarmode auch bei Jugendlichen bes. auffallend; oftmals von Musikstars (z. B. E. Presley, Beatles) kreiert, fanden diese Frisuren, zunächst schichtenspezif. als zur Schau getragene gesellschaftl. Überzeugung („Langhaarige") und dann als sog. **Look,** allg. Verbreitung. In den 1970er Jahren wurde einer von Hippiebewegung und Studentenrevolte geförderten Antimode (lange, betont ungepflegte H.) mit gestylten Punkfrisuren und „Skinhead"-Glatzen neue Ausrichtung gegeben.

Haarwasser, meist 40–50prozentige alkohol. Lösung mit verschiedenen Wirkstoffen (Schwefelverbindungen, Pantothensäure, Vitamine, durchblutungsfördernde Substanzen, Lezithin), die den Haarboden günstig beeinflussen sollen.

Haarwechsel, bei Säugetieren (einschl. Mensch) kontinuierl. oder period. Ausfall von Haaren, die durch gleich- oder andersartige, verschiedentlich auch anders gefärbte Haare ersetzt werden. Der period., hormonell gesteuerte und erblich festgelegte H. bei fast allen Säugetieren der gemäßigten Gebiete wird ↑Mauser genannt.

Haarwild, die jagdbaren Säugetiere.

Haarwürmer (Trichuridae), Fam. kleiner, schlanker Fadenwürmer mit sehr dünnem, haarartig ausgezogenem Vorderende; leben endoparasitisch in Vögeln und Säugetieren (einschl. Mensch), wo sie **Haarwurmkrankheiten** (v. a. im Bereich des Darms, der Nieren und der Lunge) verursachen.

Haarwurzel ↑Haare.

Haarzunge, grünlich bis schwärzlich verfärbte Zunge mit haarartig verlängerten verhornten Papillen. Als Ursache der H. wird eine Störung der Mundflora vermutet, tritt gelegentlich nach Chemotherapie auf.

Haas, Arthur Erich, * Brünn 30. April 1884, † Chicago 20. Febr. 1941, östr. Physiker und Physikhistoriker. – Prof. in Leipzig, Wien und Notre Dame (Ind.). H. verknüpfte 1910 als erster das Plancksche Wirkungsquantum mit atomaren Größen und formulierte eine Quantenbedingung, die mit der späteren Bohrschen Bedingung für den Grundzustand des Wasserstoffatoms übereinstimmte.

H., Ernst, * Wien 2. März 1921, † New York 12. Sept. 1986, östr. Photograph. – Lebte in den USA; poet. Landschafts- und Städteaufnahmen in zahlr. Illustrierten. Hielt als einer der ersten in Farbaufnahmen Bewegung fest. Bildbände: „Die Schöpfung" (1971), „In Amerika" (1975), „In Deutschland" (1976).

H., Joseph, * Maihingen bei Nördlingen 19. März 1879, † München 30. März 1960, dt. Komponist. – Schüler von M. Reger; schrieb v. a. Opern, u. a. „Die Hochzeit des Jobs" (1944), Oratorien, Chorwerke, Orchesterwerke, Kammermusik und Lieder.

H., Monique [frz. ɑ:s], * Paris 20. Okt. 1909, † ebd. 9. Juni 1987, frz. Pianistin. – ∞ mit dem Komponisten M. Mihalovici; bed. Interpretin klass., romant. und bes. zeitgenöss. Klaviermusik.

H., Wander Johannes de [niederl. ha:s], * Lisse (Prov. Südholland) 2. März 1878, † Bilthoven (Prov. Utrecht) 26. April 1960, niederl. Physiker. – Lieferte 1915 – einem Vorschlag von A. Einstein folgend – die experimentelle Bestätigung des daraufhin so benannten ↑Einstein-de-Haas-Effektes.

H., Willy, * Prag 7. Juni 1891, † Hamburg 4. Sept. 1973, dt. Kritiker und Essayist. – Gehörte in Prag zum Kreis um F. Kafka; leitete seit 1925 in Berlin die Zeitschrift „Die literar. Welt". Emigrierte 1933 nach Prag, 1939 nach Indien. Nach seiner Rückkehr 1947 Theater- und Literaturkritiker, Drehbuchautor. – *Werke:* Das Spiel mit dem Feuer (Essays, 1923), Gestalten der Zeit (Essays, 1930), Bert Brecht (Monographie, 1958), Fragmente eines Lebens (Essays, 1970).

Haase, Friedrich, * Berlin 1. Nov. 1825, † ebd. 17. März 1911, dt. Schauspieler, Regisseur und Theaterleiter. – Als Regisseur des Hoftheaters in Coburg (1866–68) beeinflußte er den Stil der ↑Meininger durch seine Hamletinszenierung nach engl. Vorbild. 1883 Mitbegr. des Dt. Theaters in Berlin.

H., Hugo, * Allenstein 29. Sept. 1863, † Berlin 7. Nov. 1919 (an den Folgen eines Attentats), dt. Jurist und Politiker. – MdR (SPD) 1897–1907 und 1912–19; 1911–17 Parteivors. (ab 1913 zus. mit F. Ebert); plädierte 1915 gegen die Kriegskredite. Ab März 1916 leitete H. die Sozialdemokrat. Arbeitsgemeinschaft (ab Ostern 1917 USPD). Nov./Dez. 1918 Mgl. des Rats der Volksbeauftragten.

Haavelmo, Trygve Magnus, * Skedsmo (bei Oslo) 19. Dez. 1911, norweg. Volkswirtschaftler und Statistiker. – 1948–79 Prof. in Oslo. H. erhielt 1989 für die Erarbeitung wahrscheinlichkeitstheoret. Grundlagen zur empir. Überprüfung ökonom. Theorien (z. B. in der Investitions- und Wachstumstheorie) und deren Anwendung bei der Wirtschaftsprognose den sog. Nobelpreis für Wirtschaftswissenschaften.

Hába, Alois [tschech. 'ha:ba], * Wisowitz (bei Zlín) 21. Juni 1893, † Prag 18. Nov. 1973, tschech. Komponist. – Lehrte seit 1923 am Prager Konservatorium, war 1945–61 Prof. an der Akademie für mus. Künste in Prag. H., ein Verfechter des Vierteltonsystems, schrieb selbst Werke im Viertel-, Fünftel-, Sechstel- und im diaton.-chromat. Tonsystem. Sein Werk umfaßt u. a. 16 Streichquartette, 4 Nonette, Suiten, Phantasien und Sonaten für Bläser, Streicher oder für Klavier, Solokonzerte, Orchesterwerke, drei Opern („Die Mutter", 1931; „Die neue Erde", 1936; „Dein Reich komme", 1942).

Habakuk, alttestamentl. Prophet und das von ihm verfaßte bibl. Buch (Abk. Hab.); Datierung (zw. 609 und 303 v. Chr.) und Deutung des *Buches H.* sind umstritten. Es enthält die prophet. Klage über ein nat. Unglück Israels, Flüche gegen einen Gottlosen, einen Psalm und Gottesworte.

Habaner, späterer Name der ↑Hutterer in der Slowakei und in Siebenbürgen.

Habanera [span., nach Havanna (span. La Habana)], seit Anfang des 19. Jh. bekannter, kubanisch-span. Paartanz im 2/4-Takt, gelangte Ende des 19. Jh. über Spanien nach Europa. Bekannt aus Bizets Oper „Carmen".

Habasch, Georges, * Lod (bei Tel Aviv) 1925, Palästinenserführer. – Urspr. Arzt; seit 1967 Führer der Volksfront zur Befreiung Palästinas, mit der er als scharfer Kritiker der PLO die Errichtung eines palästinens. Staates unter Auflösung Israels verfolgt.

Habdala (Havdala) [hebr. „Scheidung"], vom jüd. Hausherrn in der häusl. Feier beim Ausgang des Sabbats oder eines Feiertags gesprochener Lobpreis, verbunden mit einer Segnung eines von Wein überfließenden Bechers (Symbol überströmenden Segens) und einer Benediktion über Gewürz (dessen Wohlgeruch als Symbol der Sabbatwonne gilt), das in oft künstlerisch reich gestalteten Büchsen **(Besomimbüchsen)** aufbewahrt wird.

Habe, Hans, urspr. H. Bekessy, * Budapest 12. Febr. 1911, † Locarno 30. Sept. 1977, amerikan. Schriftsteller und Publizist östr. Herkunft. – Erfolgreich mit Tatsachenberichten und Unterhaltungsromanen. – *Werke:* Drei über die Grenze (R., 1937), Ob Tausend fallen (Bericht, 1941), Ich stelle mich (Autobiographie, 1954), Ilona (R., 1960), Die Tarnowska (R., 1962), Die Mission (R., 1965), Das Netz (R., 1969), Palazzo (R., 1975).

Habeaskorpusakte [nach dem lat. Anfang alter Haftbefehle: habeas corpus „du sollst den Körper haben"], 1679 erlassenes engl. Staatsgrundgesetz zum Schutz der persönl. Freiheit: Kein engl. Untertan darf ohne richterl. Haftbefehl verhaftet oder ohne gerichtl. Untersuchung in Haft gehalten werden.

Habelschwerdt (poln. Bystrzyca Kłodzka), Krst. an der Glatzer Neiße, Polen, 365 m ü. d. M., 12 000 E. Phillumenist. Museum. Holzind. – Um die Mitte des 13. Jh. als Stadt gegr. Ab 1742 zu Preußen gehörend. – Got. Pfarrkirche, Reste von Wehranlagen (14. Jh.).

Habelschwerdter Gebirge, Gebirge in den Mittelsudeten, Polen, im Heidelberg 977 m hoch.

Habemus Papam [lat. „wir haben einen Papst"], die Worte, mit denen der Kardinal-Protodiakon die vollzogene Wahl des Papstes bekanntgibt.

Haben, die rechte Seite eines Kontos; bei Aktivkonten Eintragung der Vermögensabnahme, bei Passivkonten der Schuldenzunahme; bei den Erfolgskonten auf der H.seite Ausweis der Erträge. – Ggs. ↑Soll.

Habenzinsen ↑Zinsen.

Haber, Fritz, * Breslau 9. Dez. 1868, † Basel 29. Jan. 1934, dt. Chemiker. – 1898 Prof. an der TH Karlsruhe, 1911–33 Direktor des neugegründeten Kaiser-Wilhelm-Instituts für physikal. Chemie und Elektrochemie in Berlin. 1933 emigrierte er nach Großbritannien. Seine größte wiss. Leistung, für die er 1918 den Nobelpreis für Chemie erhielt, ist die Darstellung von Ammoniak aus Stickstoff und Wasserstoff unter hohem Druck (↑Haber-Bosch-Verfahren).

H., Heinz, * Mannheim 15. Mai 1913, † Hamburg 13. Febr. 1990, dt. Physiker und Publizist. – Autor allgemeinverständlicher naturwiss. Sachbücher und Fernsehsendungen; Hg. der Zeitschrift „Bild der Wissenschaft" (1964 ff.).

Haber-Bosch-Verfahren (nach F. Haber und C. Bosch], bedeutendstes großtechn. Verfahren zur Herstellung von ↑Ammoniak. Die Synthese erfolgt aus Wasserstoff und Stickstoff bei Drücken von über 20 MPa (200 bar) und Temperaturen um 500 °C mit Hilfe eines Eisenkatalysators nach folgender Gleichung: $N_2 + 3\,H_2 \rightarrow 2\,NH_3$. Das einzusetzende ↑Synthesegas wird aus Luft, Wasser und Koks gewonnen. Die exotherme Reaktion benötigt, durch einen elektr. Brenner in Gang gesetzt, keine zusätzl. Heizung. 11 % des eingesetzten Synthesegases werden zu Ammoniak umgesetzt. Das den Ofen verlassende Gasgemisch wird auf −20 bis −30 °C gekühlt; dabei fällt Ammoniak flüssig an.

Haberfeldtreiben, Bez. für ein im 18./19. Jh. im bayr. Oberland abgehaltenes Rügegericht zur Verächtlichmachung von Gemeindemgl., die gegen „Sitte und Brauch" verstoßen hatten; später nur noch scherzhaftes Faschingsgericht.

Haberlandt, Gottlieb, * Wieselburg-Ungarisch-Altenburg (ungar. Mosonmagyaróvár) 28. Nov. 1854, † Berlin 30. Jan. 1945, östr. Botaniker. – Prof. in Graz und Berlin; erforschte v. a. die Zusammenhänge zw. Bau und Funktion der Pflanzen, wies pflanzl. Hormone nach und erkannte deren Bed. für die Zellteilung und -differenzierung bzw. Embryonalentwicklung.

Häberlin, Paul, * Kesswil (Thurgau) 17. Febr. 1878, † Basel 29. Sept. 1960, schweizer. Philosoph und Pädagoge. – 1914 Prof. in Bern, 1922 in Basel. Das Schwergewicht der Arbeiten H. liegt in einer dualistisch (Geist–Trieb) aufgefaßten Anthropologie (Der Mensch. Eine philosoph. Anthropologie, 1941). Auf ihr begründete H. eine vom Gedanken der Triebüberwindung getragene Pädagogik, Psychologie und Kulturtheorie.

Habermann, Johann, latinisiert Avenarius, * Eger 1516, † Zeitz 5. Dez. 1590, dt. ev. Theologe. – H. ist der älteste bekannte Erbauungsschriftsteller der luth. Kirche und Verfasser eines der verbreitetsten, in mehrere Sprachen übersetzten Gebetbücher: „Christl. Gebeth für allerley Noth ...".

Habermas, Jürgen, * Düsseldorf 18. Juni 1929, dt. Philosoph und Soziologe. – 1961 Prof. in Heidelberg, 1964–71 und seit 1983 in Frankfurt am Main, 1971–80 in Starnberg als Direktor am Max-Planck-Institut zur Erforschung der Lebensbedingungen der wiss.-techn. Welt, dann bis 1983 Direktor am Max-Planck-Institut für Sozialwiss. H. ist in der Nachfolge von T. W. Adorno und M. Horkheimer einflußreichster Vertreter der † kritischen Theorie. Er will auf der Basis der analyt. Sozialwiss. die Möglichkeiten normativer Orientierung in komplexen pluralist. Gesellschaften aufdecken. Sein Hauptwerk „Theorie des kommunikativen Handelns" (2 Bde., 1981) verweist auf die normative Grundlegung gesellschaftl. Prozesse in der Sprache. Bereits in den 50er Jahren trat H. für demokrat. Reformen des Bildungswesens ein. Seine Kritik an neokonservativen Tendenzen löste 1986 den † Historikerstreit aus. H. hat seine Konzeption in zahlr. Werken begründet und erweitert, u. a.: „Strukturwandel der Öffentlichkeit" (1962), „Erkenntnis und Interesse" (1968), „Der Positivismusstreit in der dt. Soziologie" (mit T. W. Adorno u. a., 1969), „Zur Logik der Sozialwiss." (1970), „Zur Rekonstruktion des Histor. Materialismus" (1976), „Der philosoph. Diskurs der Moderne" (1985).

Habgier, im strafrechtl. Sinn (§ 211 StGB Mord): ein noch über die Gewinnsucht hinaus gesteigertes abstoßendes Gewinnstreben um jeden Preis.

Habib Ullah Khan, * Taschkent 3. Juli 1872, † Kallagusch (im Laghmantal) 20. Febr. 1919 (ermordet), Emir von Afghanistan (seit 1901). – Nachfolger seines Vaters Abd Ur Rahman Khan; erneuerte das Heeres- und Erziehungswesen nach angloind. Vorbild.

Habichtartige (Accipitridae), mit rd. 200 Arten weltweit verbreitete Fam. 0,2–1,2 m körperlanger Greifvögel. Unterfam. sind † Gleitaare, † Milane, † Weihen, † Bussarde, † Wespenbussarde, † Habichte, † Adler und Altweltgeier († Geier).

Habichte [zu althochdt. habuch, eigtl. „Fänger, Räuber"] (Accipitrinae), mit über 50 Arten weltweit verbreitete Unterfam. etwa 25–60 cm körperlanger Greifvögel; mit meist kurzen, runden Flügeln, relativ langem Schwanz und langen, spitzen Krallen. H. schlagen ihre Beute (bes. Vögel) im Überraschungsflug. Die umfangreichste Gatt. ist *Accipiter* mit 45 Arten; in M-Europa kommen

Habichte. Hühnerhabicht

Hühnerhabicht (Accipiter gentilis), 50–60 cm körperlang, und **Sperber** (Accipiter nisus), bis 38 cm körperlang, vor.

Habichtsadler (Hieraaetus fasciatus), etwa 70 cm großer Adler in S-Eurasien und Großteilen Afrikas; Gefieder oberseits dunkelbraun, unterseits weiß mit braunen Längsflecken, Schwanz mit schwarzer Endbinde.

Habichtsburg † Habsburg.

Habichtskauz † Eulenvögel.

Habichtskraut (Hieracium), Gatt. der Korbblütler mit rd. 800 Sammelarten auf der Nordhalbkugel und in den Anden; Kräuter mit meist gelben, orangefarbenen oder roten, ausschließlich Zungenblüten enthaltenden Blütenkörbchen. In Deutschland u. a. das häufige **Waldhabichtskraut** (Hieracium silvaticum) sowie das **Kleine Habichtskraut** (Mausohr, Hieracium pilosella) mit meist einköpfigem Stengel und langen Ausläufern.

Habichtswald, Gebirge im Hess. Bergland, westl. von Kassel, im Hohen Gras 615 m hoch; z. T. Naturpark (80 km²).

Habilitation [zu mittellat. habilitare „geschickt, fähig machen"], förml. Verfahren zum Erwerb der Lehrerlaubnis **(venia legendi)** an Hochschulen. Nach Einreichung (früher Annahme) einer wiss. Arbeit als **Habilitationsschrift** wird ein Kolloquium im Rahmen der Fakultät oder des Fachbereichs mit dem **Habilitanden,** der einen Fachvortrag hält, abgehalten. Verläuft das Verfahren positiv, findet es seinen Abschluß in einem öffentl. Vortrag (Antrittsvorlesung). Bis 1976 war die H. grundsätzlich Voraussetzung für eine Berufung auf einen Lehrstuhl einer Universität.

Habima (Habimah) [hebr. „Bühne"], 1916 in Moskau von Naum L. Zemach gegr.

hebr. Theater, seit 1931 mit dem größten Teil des Ensembles in Palästina, seit 1958 „National-Theater Israels". Die H. vertrat bis 1926 ein „synthet. Theater" und führte die drei „Klassiker" des hebr. Theaters, „Der Ewige Jude" (D. Pinski, 1919), „Der Dybuk" (S. Anski, 1922) und „Der Golem" (H. Leivick, 1924) zum Erfolg.

Habiru (Hapiru) ↑Chapiru.

Habit [frz., zu lat. habitus „Aussehen, Kleidung"], [Amts]kleidung, Ordenstracht; auch wunderl., merkwürdige Kleidung.

Habit [engl. 'hæbɪt „Gewohnheit, Verhaltensweise"], v. a. in der amerikan. Psychologie und Pädagogik verwendete Bez. für das zur (ererbten) ↑Anlage Hinzuerworbene, Erlernte; auch Bez. für die kleinste Einheit im Lernprozeß.

Habitat [zu lat. habitare „wohnen"], in der *Biologie* der Standort einer bestimmten Tier- oder Pflanzenart.

◆ in der *Anthropologie* Bez. für den Wohnplatz von Ur- und Frühmenschen.

habituell [lat.-frz.], regelmäßig, gewohnheitsmäßig, ständig. – In der *Medizin:* gewohnheitsmäßig, oft wiederkehrend, z. B. von Fehlgeburten.

Habitus [lat.], Gesamterscheinungsbild (Aussehen und Verhalten) von Lebewesen; auch gleichbedeutend mit ↑Konstitution.

Haboob [engl. hə'bu:b; arab.-engl.] ↑Habub.

Habrecht, Isaac, * Schaffhausen 23. Febr. 1544, † Straßburg 11. Nov. 1620, dt. Uhrmacher. – Baute 1572–74 in Straßburg, 1579/80 in Heilbronn und 1580/81 in Ulm Kunstuhren.

Habsburg (Habichtsburg), 1020 erbauter Stammsitz der ↑Habsburger, über dem rechten Aareufer, sw. von Brugg (Schweiz).

Habsburger, europ. Dyn., seit Mitte des 10. Jh. am Oberrhein als Dynastengeschlecht nachweisbar, das sich nach der Habsburg benannte. Der Aufstieg der im Elsaß, am Oberrhein und zw. Aare und Reuß begüterten H. begann mit der Wahl Rudolfs I. 1273 zum Röm. König und mit der Belehnung seiner Söhne Albrecht I. und Rudolf II. († 1290) 1282 mit den Hzgt. Österreich und Steiermark. Mit dem Erwerb von Kärnten und Krain (1335), Tirol (1363), Freiburg im Breisgau (1368), Triest (1383) und Görz (1500) wurden die Voraussetzungen für die Hausmacht der H. geschaffen; seit dem 15. Jh. wurde dafür die Bez. **Haus Österreich (Casa d'Austria)** gültig. Im 14. und 15. Jh. Verlust der althabsburg. schweizer. Besitzungen; 1379 Teilung in die **Albertin. Linie** (Nieder- und Oberösterreich) und die **Leopoldin. Linie** (Steiermark, Kärnten, Krain, Tirol), die sich 1411 in den jüngeren steier. und Tiroler Zweig teilte. Seit Albrecht II. (1438/39) Röm. Könige, gewannen die H. mit Friedrich III. (1440–93) 1452 die Krone des Hl. Röm. Reiches, dessen Träger sie (außer 1742–45) bis 1806 blieben. Friedrichs Sohn, Maximilian I., konnte den gesamthabsburg. Besitz wieder vereinigen. Durch seine dynast. Heiratspolitik, bes. durch das herzogl. burgund. Erbe, den Anfall der span. Kgr. und den Erwerb der Wenzels- und der Stephanskrone (1526), vollzog sich der Aufstieg der H. zur europ. Großmacht (↑Bella gerant alii, tu, felix Austria nube!). Nach der Trennung der span. und der dt. Linie der Gesamtdyn. nach dem Tode Karls V. (1556) bestimmte die span. Linie mit Philipp II. den Höhepunkt der Macht des Gesamthauses; der dt. Linie gelang (bei neuen dynast. Teilungen 1564–1619) erst seit 1683 die östr. Großmachtbildung. Trotz der zahlr. Verwandtenehen zw. beiden Linien konnten die H. nach dem Erlöschen der span. Linie (1700) nur die europ. Nebenländer des span. Erbes gewinnen (↑Spanischer Erbfolgekrieg). Nachdem die Dyn. mit dem Tode Karls VI. (1740) im Mannesstamm erloschen war, entstand durch die Ehe seiner Tochter Maria Theresia mit dem lothring. Hzg., dem späteren Röm. Kaiser Franz I. Stephan, die als **Habsburg-Lothringer** (genealog. Lothringer) bezeichnete, im 19. und 20. Jh. weitverzweigte Dyn. 1804 errichtete Franz II. (I.) das östr. Kaisertum, das mit dem Thronverzicht Karls I. 1918 endete.

📖 *Reifenscheid, R.: Die H. in Lebensbildern. Graz u. a. [4]1990. – Die H. Hg. v. B. Hamann. Mchn. 1988. – Wandruszka, A.: Das Haus Habsburg. Gesch. einer europ. Dyn. Wien [7]1989. – Kann, R. A.: Gesch. des H.reiches 1526–1918. Dt. Übers. Wien u. a. [2]1982.*

Habsburgergesetz, östr. Gesetz vom 3. 4. 1919, das die Herrscherrechte des Hauses Habsburg-Lothringen für Österreich aufhob und alle Habsburger, die nicht auf ihre Vorrechte verzichteten, des Landes verwies; seit 1955 Bestandteil des östr. Staatsvertrages.

Habsburg-Lothringen, Otto (von), * Schloß Wartholz bei Reichenau an der Rax (Niederösterreich) 20. Nov. 1912, östr. polit. Schriftsteller. – Ältester Sohn des letzten östr. Kaisers, Karls I., und Erbe der habsburg. Thronansprüche, auf die er 1961 verzichtete; ab 1919 im Exil, heute in der BR Deutschland (seit 1978 dt. Staatsbürgerschaft); seit 1973 Präs. der Paneuropa-Union, seit 1979 MdEP für die CSU; zahlr. polit. Schriften.

Habsburg-Lothringen ↑Habsburger.

Habub (Haboob) [arab.], heißer Sand- oder Staubsturm in Ägypten und im Sudan; meist aus nördl. Richtung wehend.

Háček [tschech. 'ha:tʃɛk „Häkchen"], diakrit. Zeichen, das, bes. in den slaw. Sprachen, einen Zischlaut oder einen stimmhaften Reibelaut angibt, z. B. tschech. č [tʃ], ž [ʒ].

Hácha, Emil [tschech. 'ha:xa], * Trhové Sviny (Südböhm. Bez.) 12. Juli 1872, † Prag Juni 1945 (im Gefängnis), tschechoslowak. Politiker. – Wurde nach Abtretung des Sudetenlandes 1938 Staatspräs. der ČSR; schloß am 15. März 1939 unter Druck Hitlers einen Protektoratsvertrag ab und blieb bis 1945 formell Staatspräs. des „Protektorats Böhmen und Mähren".

Hachenburg, Stadt 25 km sw. von Siegen, Rhld.-Pf., 380 m ü. d. M., 5 200 E. Luftkurort; Möbelherstellung. – Gegen Ende des 12. Jh. gegr., 1247 Stadt. – Barocke Pfarrkirche (1775/76) mit spätgot. Chor und Turm; Schloß (ma. Kern, im 18. Jh. erweitert).

Hachette S. A., Librairie [frz. librɛriaʃɛtɛ'sa] ↑ Verlage (Übersicht).

Hachinohe [hatʃi...] (Hatschinohe), jap. Hafenstadt an der NO-Küste von N-Honshū, 241 000 E. Fischereizentrum, Textil-, Baustoffind.; ⚓.

Hachiōji [hatʃiodʒi] (Hatschiodschi), jap. Stadt auf Honshū, 30 km westlich von Tokio, 433 000 E. Seidenverarbeitung, feinmechan.-opt. Ind.; ⚓.

Hachse (Haxe), volkstüml. Bez. für den Unterschenkel der Vorder- und Hinterbeine geschlachteter Kälber und Schweine.

Hacienda [span. a'si̯enda] ↑ Hazienda.

Hacılar [türk. 'hadʒɨlar], prähistor. Fundstätte bei Burdur (SW-Anatolien); brit. Ausgrabung (1957–60) eines Siedlungshügels, dessen Bed. in der gesicherten Abfolge mehrerer Kulturen vom 8. Jt. v. Chr. bis zum frühen Chalkolithikum und im Nachweis früher dörfl. und städt. Organisationsformen liegt.

Hackbau, primitive Ackerbauform, bei der der Boden mit einer Hacke gelockert wird.

Hackbraten, Braten in Form eines längl. Laibs aus Hackfleisch.

Hackbrett (engl. dulcimer, frz. tympanon, italien. salterio tedesco, ungar. cimbalom), zitherartiges Saiteninstrument mit meist trapezförmigem Schallkasten und etwa 25 Saitenchören (zu durchschnittlich vier Metallsaiten), die jeweils zur Hälfte über einen von zwei Stegen laufen und mit Klöppeln angeschlagen werden. Der Tonumfang reicht von g bis g^2 oder g^3. Das **Cimbalom,** das seit dem 19. Jh. mit Baßsaiten, Chromatik und Dämpfungspedal ausgebaute H. der Zigeunerkapellen, wird bis heute in der osteurop. Volksmusik verwendet.

Hacken, im Bergbau, im Erd- und Straßenbau sowie in der Landw. und im Gartenbau verwendete, meist beidhändig geführte Arbeitsgeräte, bestehend aus einem Holzstiel und einem aufgesetzten, mit einer Spitze oder Schneide versehenen stählernen Hackblatt (Arm). Für schwere Erdarbeiten, Gesteinszerkleinerungen u. a. werden ein- oder zweiarmige **Spitz-** und **Breithacken** sowie die (im Bergbau auch als **Lettenhauen** bezeichneten) **Kreuzhacken** eingesetzt; zum Befestigen des Oberbaus von Gleisen u. a. dienen **Stopfhakken** (speziell die zweiarmigen **Stopfspitzhakken**). In der Landw. werden H. mit unterschiedl. Blattformen verwendet. **Ziehhacken** besitzen ein nur wenige Zentimeter hohes, sehr dünnes, schräg zum Stiel gestelltes Blatt und werden durch den Boden gezogen.

Hackepeter (Thüringer Mett, Schweinemett), mit Gewürzen zubereitetes Hackfleisch vom Schwein, wird roh verzehrt.

Hacker, Friedrich, * Wien 19. Jan. 1914, † Mainz 23. Juni 1989, amerikan. Psychiater östr. Herkunft. – Emigrierte 1938 in die USA; Prof. in Los Angeles, Gründer und Präs. der Sigmund-Freud-Gesellschaft; arbeitete v. a. über das Phänomen der Gewalt in der Massengesellschaft („Aggression. Die Brutalisierung der modernen Welt", 1971; „Terror", 1973; „Freiheit, die sie meinen", 1978).

Hacker [engl. 'hækə], urspr. Bez. für Menschen, die begeistert und intensiv mit und an Computern arbeiten; heute auch Computerbenutzer, die versuchen, über Datennetze unbefugt in fremde Computersysteme einzudringen.

Hacken. 1 Spitzhacke, 2 Breithacke, 3 Kreuzhacke, 4 Stopfhacke, 5 Stopfspitzhacke, 6 Platthacke, 7 Ziehhacke, 8 Kartoffelhacke

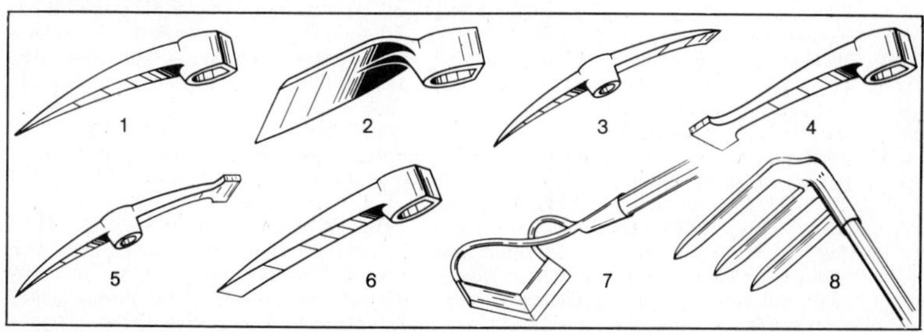

Hackert, [Jacob] Philipp, * Prenzlau 15. Sept. 1737, † San Piero di Careggi (= Fiesole) 28. April 1807, dt. Maler und Radierer. – Mit heroischen Landschaften Vertreter der ↑ Deutschrömer.

Hackethal, Julius, * Reinholterode (Kr. Heiligenstadt) 6. Nov. 1921, dt. Chirurg und Orthopäde. – Wurde bekannt als Sachverständiger bei Prozessen um ärztl. Kunstfehler durch sein engagiertes Eintreten für die betroffenen Patienten; kritisierte die ärztl. Berufsordnung und -ethik sowie die medizin. Versorgung und Krebsvorsorge und trat für Reformen im Gesundheitswesen ein. H. löste als Arzt und Ärztekritiker wie mit seinen Publikationen Kontroversen in der Öffentlichkeit und den Standesorganisationen aus. – *Werke:* Auf Messers Schneide. Kunst und Fehler der Chirurgen (1976), Keine Angst vor Krebs (1978), Operation – ja oder nein (1980).

Hackfleisch (Gehacktes, Gewiegtes, Geschabtes, Faschiertes), rohes, heute meist durch den Wolf gedrehtes Fleisch von Rind und/oder Schwein („halb und halb"); leicht verderblich. Zubereitung roh als ↑ Hackepeter oder ↑ Tatar, gegart als ↑ Hackbraten oder ↑ Frikadelle bzw. ↑ Hamburger. – Das gewerbsmäßige Herstellen und Inverkehrbringen von H. unterliegt bes. strengen lebensmittelrechtl. Vorschriften.

Hackfrüchte, Kulturpflanzen, bei denen während ihrer Entwicklung der Boden wiederholt gehackt werden muß; z. B. Rüben, Kartoffeln, Topinambur, Tabak, Zwiebeln.

Hackmaschinen, in der *Landwirtschaft* verwendete Maschinen zur Lockerung und Krümelung der Bodenoberfläche sowie zur Unkrautvernichtung.

Hackordnung, Form der ↑ Rangordnung in Tiergesellschaften, v. a. bei Vögeln. Bei Haushühnern zeigt sich die festgelegte Rangordnung im Weghacken des Rangniederen durch den Ranghöheren vom Futterplatz.

Hacks, Peter, * Breslau 21. März 1928, dt. Dramatiker. – Schreibt Zeitstücke und Komödien mit gesellschaftskrit. und utop. Tendenz und geschichtsinterpretierendem Charakter, meist in histor. Gewand; auch Libretti, Gedichte, Kinderbücher, Essays.
Werke: Eröffnung des ind. Zeitalters (Dr., uraufgeführt 1954), Die Schlacht bei Lobositz (1954 entstanden), Die Sorgen und die Macht (Dr., 1958 entstanden), Moritz Tassow (Dr., uraufgeführt 1965), Der Schuhu und die fliegende Prinzessin (Märchenstück, uraufgeführt 1967), Adam und Eva (Kom., uraufgeführt 1973), Die Maßgaben der Kunst. Ges. Aufs. (1976), Historien und Romanzen (1985), Die Gedichte (1988), Jona (Trauerspiel und ein Essay, 1989), Genofeva (Dr., uraufgeführt 1995).

Häcksel (Häckerling), mit der H.maschine kurzgeschnittenes Getreidestroh oder grobstengelige Grünfutterpflanzen.

Hacksilber, in vielen Funden (schon aus dem Alten Orient) erhaltenes primitives Zahlungsmittel, bestehend aus einem Gemisch von zerhackten, zerbrochenen, z. T. auch ganzen Silberteilen (Münzen, Barren, Schmuck); im 9.–12. Jh. v. a. in N- und O-Europa verbreitet.

Hadamar von Laber, mittelhochdt. Dichter des 14. Jh. – Wohl Mgl. eines oberpfälz. Rittergeschlechts, schrieb die Minneallegorie „Die Jagd".

Hadamar, hess. Stadt im Limburger Bekken, 130 m ü. d. M., 10 500 E. Staatl. Glasfachschule, Textil- und Glasind. – Seit 1190 belegt, erhielt 1324 Stadtrecht. – In der 1894 gegr. Landesheil- und Pflegeanstalt wurden im Rahmen des nat.-soz. Euthanasieprogramms in den ersten Jahren des 2. Weltkriegs zahlr. Menschen ermordet. – Schloß (17. Jh.) mit 4 Höfen; spätgot. Liebfrauenkirche, Nepomukkirche (18. Jh.). Zahlr. Fachwerkbauten des 17. Jahrhunderts.

Hadamard, Jacques [Salomon] [frz. ada'ma:r], * Versailles 8. Dez. 1865, † Paris 17. Okt. 1963, frz. Mathematiker. – Prof. in Paris; Mgl. der Académie des Sciences. H. war einer der führenden Mathematiker seiner Zeit und ist einer der Begründer der Funktionalanalysis.

Haden, Charles Edward (Charlie) [engl. 'hɛɪdn], * Shenandoah (Ia.) 6. Aug. 1937, amerikan. Jazzmusiker (Baß). – Arbeitete seit 1966 u. a. mit O. Colemann, K. Jarrett und C. Bley zusammen. Schrieb mit G. Barbieri die Filmmusik zu „Der letzte Tango in Paris" (1972).

Hadera, israel. Stadt am Mittelmeer, 40 900 E. Zentrum eines Gebietes mit Zitrus- und Bananenkulturen; Reifen- und Papierfabrik. – Gegr. 1890 als kooperative Siedlung.

Hadern [zu althochdt. hadara, eigtl. „Schafpelz"], als Rohstoff für die Papierherstellung verwendete Lumpen, die nach Gewebeart sortiert, gereinigt, zerkleinert und in H.kochern unter Ätzkalkzusatz gekocht werden. Enthält Papier mindestens 10% H., so wird es als *hadernhaltiges Papier* bezeichnet.

Hadersleben (dän. Haderslev), dän. Stadt in SO-Jütland, 30 300 E. Ev.-luth. Bischofssitz; Museum; Garnison, Handelszentrum; Hafen. – 1292 Stadtrecht, bis 1920 zu Schleswig-Holstein. – Dom (urspr. roman., im 15. Jh. got. umgebaut), got. Severinskirche (13. Jh.).

Hades, griech. Gott der Unterwelt. Ältester Sohn der Titanen Kronos und Rhea, Bruder von Poseidon und Zeus, mit denen er nach dem Sturz des Vaters die Weltherrschaft teilt: Zeus erhält Himmel und Erde, Poseidon das Meer, H. die Unterwelt, in deren ewigem Dunkel er fortan mit seiner Gemahlin Persephone über die Schatten der Toten herrscht. Der Name H. bezeichnet später die Unterwelt überhaupt.

Hadewig ↑Hadwig.

Hadith [arab. „Bericht"], Textsammlung aus dem 9. Jh., die Aussprüche Mohammeds enthält; neben dem Koran Quelle des islam. Gesetzes.

Haditha, Stadt im W Iraks, am Euphrat; 50 000 E. Erdölraffinerie; Knotenpunkt mehrerer Pipelines von Kirkuk zum Pers. Golf (Al Fao) bzw. nach Jordanien; bei H. Staudamm mit Kraftwerk (seit 1986; 600 MW).

Hadloub (Hadlaub), Johannes, † an einem 16. März vor 1340, mittelhochdt. Minnesänger. – Gehörte zum Kreis um den Züricher Patrizier Rüdiger Manesse und war wohl selbst Züricher Bürger. Erhalten sind 54 traditionelle Minne- sowie Herbst-, Ernte- und Tagelieder und drei Leiche.

Hadr, Al ['al'hadər], nordirak. Ort, 90 km ssw. von Mosul, das antike **Hatra**; bed. Ruinen der parth. Kunst aus dem 2. Jh. n. Chr. – Von der UNESCO zum Weltkulturerbe erklärt.

Hadramaut, Gebiet im S der Arab. Halbinsel, im O der Jemenit. Republik. Der Küste parallel verläuft ein bis 2 100 m ü. d. M. ansteigendes Gebirge mit flacher Abdachung nach N und O. Hauptlebensraum ist das **Wadi Hadramaut** mit seinen Nebentälern. – Seit dem 1. Jt. v. Chr. bed. Kulturlandschaft; Niedergang seit dem MA; kam Ende 19. Jh. durch Protektoratsverträge unter brit. Einfluß und wurde später Teil des Eastern Aden Protectorate; gehörte 1967–90 zur Demokrat. VR Jemen.

Hadrian, Name von Päpsten:

H. II., * Rom 792, † ebd. 14. Dez. 872, Papst (seit 14. Dez. 867). – Unter H. Pontifikat verdammte eine röm. Synode 869 ↑Photios, ebenso das 4. Konzil von Konstantinopel 869/70; H. gestattete die slaw. Sprache in der Liturgie.

H. IV., * Langley (Hertford) zw. 1110 und 1120, † Anagni 1. Sept. 1159, vorher Nikolaus Breakspear, Papst (seit 4. Dez. 1154). – Einziger engl. Papst; H. krönte Friedrich I. Barbarossa zum Kaiser; Friedrichs Auffassung von einem starken Kaisertum führte jedoch bald zum Konflikt mit Hadrian.

H. VI., * Utrecht 2. März 1459, † Rom 14. Sept. 1523, vorher Adriaan Florisz. Boeyens (Adrian von Utrecht), Papst (seit 9. Jan. 1522). – Erzieher und Ratgeber des späteren Kaisers Karl V.; strebte nach durchgreifender Kirchenreform, um der luth. Reformation in Deutschland entgegenzuwirken.

Hadrian (Publius Aelius Hadrianus), * Italica (Spanien) 24. Jan. 76, † Baiae (= Baia) 10. Juli 138, röm. Kaiser (seit 117). – Verwandter des Trajan; 117 nach umstrittener Adoption zum Kaiser ausgerufen; Griechenfreund und Philosoph. Seiner Politik des Verzichts auf kostspielige Reichsexpansion und verstärkter Grenzsicherung (intensive Fortführung des Limesausbaues) entspricht das Bemühen um Ausbau im Innern: v. a. Straßen-, Städte- und Wasserleitungsbau im ganzen Reich, Verbesserung und Verstärkung des Verwaltungsapparates, Neueinrichtung von Prov., Heeresreform. Ließ u. a. in Rom das Pantheon, das Mausoleum (Engelsburg), bei Tivoli die Hadriansvilla, in Athen die Stoa mit Bibliothek bauen.

Hadrianopolis ↑Edirne.

Hadriansvilla (italien. Villa Adriana), sw. unterhalb von Tivoli gelegene Ruinenstätte, Reste einer ausgedehnten Villenanlage Kaiser Hadrians, erbaut 118–138, u. a. mit Gärten, Bassins, Inselvilla (sog. Teatro Marittimo).

Hadrianswall, seit 122 (bis etwa 136) n. Chr. auf Befehl Kaiser Hadrians angelegter Limes zum Schutz des N der röm. Prov. Britannia; etwa 120 km lang; der größere, östl. Abschnitt teils als Steinmauer, teils als Erdwall ausgeführt. Mehrfach von Pikten überrannt und nach 383 aufgegeben. Von der UNESCO zum Weltkulturerbe erklärt.

Hadronen [zu griech. hadrós „stark"], Elementarteilchen, die der starken Wechselwirkung unterliegen, die Baryonen und Mesonen. Alle H., zu denen auch Proton und Neutron gehören, sind aus ↑Quarks aufgebaut.

Hadrumetum ↑Sousse.

Hadsch [arab.], die Pilgerfahrt nach Mekka, die jedem volljährigen Muslim einmal im Leben vorgeschrieben ist, sofern er körperlich und finanziell dazu imstande ist.

Hadschar [arab. „der schwarze Stein"], ein Meteorit an der SO-Ecke der ↑Kaaba zu Mekka, den der Mekkapilger nach seinem Rundgang um die Kaaba küßt; schon vor dem Islam verehrt.

Hadschi, islam. Ehrentitel desjenigen, der die Mekkapilgerfahrt durchgeführt hat.

Häduer ↑Äduer.

Hadwig (Hadewig, Hedwig), * um 940, † 28. Aug. 994, „Herzogin" („dux") von Schwaben (seit 973). – Tochter Hzg. Heinrichs I. von Bayern, heiratete 955(?) Burchard II. von Schwaben. Nach dessen Tod (973) versuchte sie, das Hzgt. ihrem Haus zu erhalten. Gönnerin ihres Lehrers Ekkehard II.

Haebler, Ingrid ['hɛ:blər], * Wien 20. Juni 1926, östr. Pianistin. – Tritt als Interpretin v. a. Mozarts bei Festspielen (u. a. Salzburg) auf; lehrt seit 1969 am Salzburger Mozarteum.

Haeckel, Ernst ['hɛkəl], *Potsdam 16. Febr. 1834, †Jena 9. Aug. 1919, dt. Zoologe und Philosoph. – Prof. der Zoologie in Jena. Führender Vertreter der Deszendenztheorie bzw. Evolutionstheorie. H., der morphologisch, systematisch und entwicklungsgeschichtlich wichtige Arbeiten über Medusen, Radiolarien und Kalkschwämme verfaßte, benutzte die Theorie Darwins zum Aufbau seiner generellen Morphologie als eines „natürl. Systems" unter konsequenter Einbeziehung des Menschen. Er vertrat die These, daß das „Prinzip des Fortschritts" auch auf die Analyse und polit. Gestaltung der Gesellschaft anwendbar sei. Auf der Basis der Ergebnisse vergleichender anatom. und embryolog. Untersuchungen formulierte H. das †biogenetische Grundgesetz. Über Darwin hinausgehend, forderte H. die Anwendung der Evolutionstheorie sowohl auf die anorgan. Natur als auch auf die Entstehung der Organismen (Hypothese der Entstehung sog. Moneren, kernloser Einzeller, aus anorgan. Materie) und glaubte somit eine Synthese von kausal-mechan. Materialismus und berechtigten Anliegen der Religion herbeigeführt zu haben („Der Monismus als Band zw. Religion und Wissenschaft", 1892).
Weitere Werke: Generelle Morphologie der Organismen (2 Bde., 1866), Natürl. Schöpfungsgeschichte (1868), Anthropogenie, Entwicklungsgeschichte des Menschen (1874), Systemat. Phylogenie. Entwurf eines natürl. Systems der Organismen auf Grund ihrer Stammesgeschichte (3 Bde., 1894–96).

Haecker, Theodor ['hɛkər], *Eberbach (Hohenlohekreis) 4. Juni 1879, †Usterbach bei Augsburg 9. April 1945, dt. philosoph. Schriftsteller, Essayist und Kulturkritiker. – 1921 unter Einfluß J. H. Newmans Konversion zum Katholizismus. Seine Arbeiten zielten auf den Aufbau von [existentiellen] Positionen „christl. Philosophie" in Auseinandersetzung mit Problemen seiner Gegenwart; Interpretationen und Übersetzungen u. a. von Werken Kierkegaards, Newmans und Vergils. Als Gegner des Nationalsozialismus 1936 Rede-, 1938 Publikationsverbot. – *Werke:* Christentum und Kultur (1927), Vergil, Vater des Abendlandes (1931), Der Begriff der Wahrheit bei Sören Kierkegaard (1932), Der Christ und die Geschichte (1935), Der Geist des Menschen und die Wahrheit (1937), Tag- und Nachtbücher 1939–45 (hg. 1947).

Haeften ['ha:ftən], Hans von, *Gut Fürstenberg bei Xanten 13. Juni 1870, †Gotha 9. Juni 1937, dt. Offizier und Militärhistoriker. – Ab 1920 Direktor der Histor. Abteilung, 1931–34 Präs. des Reichsarchivs; Hg. der amtl. Darstellungen des 1. Weltkrieges.
H., Hans Bernd von, *Berlin 18. Dez. 1905, †ebd. 15. Aug. 1944 (hingerichtet), dt. Diplomat und Widerstandskämpfer. – Sohn von Hans von H. und Bruder von Werner Karl von H.; Jurist, seit 1933 im Auswärtigen Amt; Mgl. des „Kreisauer Kreises", Freund und Mitarbeiter Stauffenbergs.
H., Werner Karl von, *Berlin 9. Okt. 1908, †ebd. 21. Juli 1944 (standrechtlich erschossen), dt. Jurist und Widerstandskämpfer. – Sohn von Hans von H.; Syndikus; als Ordonnanzoffizier Stauffenbergs (ab Ende 1943) dessen engster Helfer beim Attentat vom 20. Juli 1944.

Haeju [korean. hɛdʒu], Ind.- und Hafenstadt am Gelben Meer, Nord-Korea. 131 000 E. Verwaltungssitz einer Provinz.

Haensel, Carl ['hɛnzəl], *Frankfurt am Main 12. Nov. 1889, †Winterthur 25. April 1968, dt. Schriftsteller. – Rechtsanwalt; Bekannt v. a. seine Tatsachenromane, u. a. „Der Kampf ums Matterhorn" (R., 1928).

Haese, Günter ['hɛ:zə], *Kiel 18. Febr. 1924, dt. Plastiker. – Einer der ersten kinet. Plastiker; v. a. vibrierende Drahtplastiken.

Hafelekarspitze, Gipfel nördlich von Innsbruck, Österreich, 2 334 m hoch; Bergbahn.

Hafen [zu niederdt. havene, urspr. „Umfassung, Ort, wo man etwas bewahrt"], natürl. oder künstl., gegen Sturm und Seebrandung, auch gegen Eisgang schützender Anker- und Anlegeplatz für Schiffe, ausgerüstet mit den für Verkehr und Güterumschlag, Schiffsreparatur und -ausrüstung erforderl. Anlagen und Einrichtungen. **Binnenhäfen** liegen in den Ind.ballungsgebieten (z. B. Duisburg-Ruhrort) oder an Knotenpunkten der Binnenwasserstraßen (z. B. Minden an der Überführung des Mittellandkanals über die Weser). Binnenhäfen müssen strömungsfrei sein; deshalb sind sie meist als Becken mit stromabwärts gerichteter Einfahrt ausgebaut. **Seehäfen** werden als **Tidehäfen** gebaut (offene Verbindung zum Meer bei geringem Tidenhub, z. B. Hamburg) oder als **Dockhäfen** mit Schleusen (z. B. Emden). Für die Küstenschiffahrt sind oft **Fluthäfen** eingerichtet, deren H.tor bei Einsetzen des Ebbstroms geschlossen wird. Für Schiffe mit großem Tiefgang sind **Tiefwasserhäfen** entstanden (Europoort). Die **Umschlagseinrichtungen** sind den jeweiligen Ladungsarten angepaßt. *Stückgüter* werden mit Kaikränen verladen oder palettiert von Gabelstaplern auf sog. Ro-Ro-Schiffe „gerollt". Dem Beladen von Containerschiffen dienen *Containerterminals* mit großen Freiflächen und bes. Verladebrücken (z. B. Bremerhaven). Für Fahrgastschiffe und Fährschiffe sind sog. *Seebahnhöfe* angelegt worden (z. B. Travemünde). *Schüttgut* wie Getreide, Zucker wird mit Getreidehebern aus dem Laderaum in Silos gesaugt. Für *Massengüter* wie Kohle, Kies, Erz wird Greiferbe-

trieb mit Verladebrücken und Portalkränen bevorzugt. Strenge Sicherheitsanforderungen werden an die *Flüssiggasterminals* gestellt, in denen Flüssiggastanker entladen werden.
Geschichte: Natürl. H. der Frühzeit waren Flußmündungen und Buchten. Im 13. Jh. v. Chr. legten die Phöniker bei Küstenstädten die ersten künstl. Häfen an (Byblos, Tyros, Sidon). Altgriech. H.bauten befanden sich in Piräus und Rhodos. Da sich die Römer bei ihren gewaltigen Anlagen oft über die natürl. Verhältnisse hinwegsetzten, versandeten viele ihrer Häfen (Pozzuoli, Anzio, Ostia u. a.). Nachdem im 17. Jh. die Grundlagen der Hydrodynamik gelegt worden waren, begann im 18. Jh. der Aufstieg des H.- und Wasserbaus.
📖 *Biebig, P./Wenzel, H.: Seehäfen der Welt. Stg. 1989. – Hdb. der europ. Seehäfen. Hg. v. H. Sanmann. Hamb. 1967–80.*
◆ zum Schmelzen von Glas verwendetes Gefäß aus feuerfester Keramik.

Hafenbehörde, die auf Grund landesrechtl. Vorschriften zur Hafenverwaltung bestimmten Landesbehörden (Hafenkapitän, Hafenkommissar; u. U. die örtl. Ordnungsbehörden, die Kreisordnungs- oder Kreisverwaltungsbehörden sowie die Gemeinden).

Hafer (Avena), Gatt. der Süßgräser mit rd. 35 Arten vom Mittelmeergebiet bis Z-Asien und N-Afrika; einjährige Pflanzen mit zwei- bis mehrblütigen Ährchen in Rispen. Die bekannteste Art ist der in zahlr. Sorten, v. a. in feuchten und kühlen Gebieten Europas, W-Asiens und N-Amerikas angebaute **Saathafer** (Avena sativa). Deckspelzen begrannt; Körner (auch reif) von weißen, gelben, braunen oder schwarzen Hüllspelzen umgeben. Der Saat-H. wird v. a. als Körnerfutter für Pferde sowie als Futterstroh verwendet. Aus den entspelzten und gequetschten Körnern werden u. a. H.flocken, H.grieß und H.mehl hergestellt. In Deutschland wild vorkommende Arten sind u. a. **Windhafer** (Avena fatua) mit dreiblütigen Ährchen und **Sandhafer** (Avena strigosa) mit zweiblütigen Ährchen. – *Geschichte.* Im Mittelmeerraum ist seit der Antike nur die Art Avena byzantina (als Unkraut, Futtergetreide und Arzneimittel) bekannt. Der Saat-H. entstand zur Germanenzeit aus dem Wind-H., der aus Asien stammt. Die Germanen bauten den H. als eines ihrer wichtigsten Nahrungsmittel an.

Haferflocken, durch Spezialbehandlung (u. a. gedämpft) auch roh gut verdaul. glattgewalzte Haferkörner.

Haferkamp, Wilhelm, * Duisburg 1. Juli 1923, dt. Gewerkschafter und Politiker. – 1962–67 Mgl. des DGB-Vorstands; 1958–66 und 1967 MdL (SPD) in NRW; EG-Kommissar für Energie 1967–73, für Wirtschaft 1973–76, für Außenbeziehungen 1977–85.

Haferpflaume ↑ Pflaumenbaum.

Hafenumschlag
Güterumschlag in den größten deutschen Häfen (in 1000 Tonnen)

Hafen	1000 t
Binnenhäfen (1992):	
Duisburg	44 863
Berlin	7 531
Köln	9 462
Karlsruhe	11 049
Ludwigshafen am Rhein	8 331
Hamburg	9 116
Mannheim	7 539
Frankfurt am Main	5 155
Dortmund	5 063
Seehäfen (1992):	
Hamburg	59 858
Rostock	9 980
Bremerhaven	13 605
Bremen Stadt	13 646
Wilhelmshaven	31 576
Lübeck	12 254
Brunsbüttel	7 793
Brake	4 649
Wismar	2 035
Emden	1 673
Stralsund	990

Hafes, Schamsoddin Mohammad (Hafis), * Schiras um 1325, † ebd. 1390 (?), pers. Lyriker. – War mit der Begriffswelt der islam. Mystiker eng vertraut, seine Liebeslyrik wurde deshalb oft in mystisch-allegor. Sinne interpretiert, jedoch ist sie offenbar auch auf eine reale Umwelt zu beziehen. Neben Ghaselen besteht sein lyr. Werk (nach seinem Tode in einem „Diwan" zusammengefaßt) auch aus einigen Vierzeilern, Kassiden, Bruchstükken und zwei Verserzählungen. Goethes „West-östl. Divan" entstand unter dem Eindruck von H. Dichtung.

Haff [niederdt. „Meer"] ↑ Küste.

Haffkine, Waldemar Mordecai Wolff [engl. 'hɑːfkɪn], * Odessa 15. März 1860, † Lausanne 26. Okt. 1930, russ. Bakteriologe. – 1889–93 Assistent am Institut Pasteur in Paris, 1893–1915 Tätigkeit in Indien; führte als erster eine Pestschutzimpfung durch; machte sich auch um die Bekämpfung anderer Infektionskrankheiten verdient.

Haffner, Sebastian, eigtl. Raimund Pretzel, * Berlin 27. Dez. 1907, dt. Publizist. – Seit 1934 journalistisch tätig (u. a. für die „Voss. Zeitung"), emigrierte 1938 nach Großbritannien (seit 1948 brit. Staatsbürger); nach Arbeit bei dem Emigrantenblatt „Die Zeitung" in London ab 1942 Redakteur des „Observer", 1945–61 dessen Auslandskorrespondent; kehrte 1954 nach Berlin zurück; zunächst Kolumnist der „Welt“, dann 1963–78 Kolumnist und Serienautor des „Stern“; Buch-, Hörfunk- und Fernsehautor, der v. a. zeitgeschichtl. Themen aufgreift. Schrieb u. a. „Winston Churchill“ (1967), „Anmerkungen zu Hitler“ (1978), „Von Bismarck zu Hitler“ (1987).

Hafis, pers. Lyriker, ↑Hafes.

Hafis, in islam. Ländern Ehrentitel eines Mannes, der den Koran auswendig kennt.

Haflinger [nach dem Dorf Hafling (italien. Avelengo) bei Meran], kleine, gedrungene, muskulöse (Stockmaß 142 cm) Pferderasse mit edlem Kopf, sehnigen Beinen und harten Hufen; meist dunkle Füchse mit heller Mähne und hellem Schweif; genügsame, trittsichere Gebirgspferde; auch als Reitpferd beliebt.

Hafner, Philipp, * Wien 27. Sept. 1731, † ebd. 30. Juli 1764, östr. Dramatiker. – Seine frühen Stücke sind der Wiener Hanswurstkomödie und dem Stegreifspiel stark verpflichtet. Die realist. Mundartpossen machten ihn zum „Vater des Wiener Volksstücks“.

Hafner (Häfner), in Süddeutschland, Österreich und in der Schweiz Bez. für Töpfer, [Kachel]ofensetzer.

Hafnerkeramik, mit Bleiglasuren glasierte Irdenware (Krüge, Teller, Ofenkacheln), die bei Temperaturen bis höchstens 800 °C gebrannt wird. Zentren waren im 16. Jh. Nürnberg, Oberösterreich, Köln, Schlesien, Sachsen und die Schweiz.

Hafnium [nach Hafnia, dem latinisierten Namen Kopenhagens (dem Wohnsitz N. Bohrs, der auf H. noch vor der Entdekkung hingewiesen hatte)], chem. Symbol Hf; metall. Element aus der IV. Nebengruppe des Periodensystems. Ordnungszahl 72; relative Atommasse 178,49. Das glänzende, leicht walz- und ziehbare Metall hat eine Dichte von 13,31 g/cm^3; Schmelzpunkt 2227 ± 20 °C, Siedepunkt 4602 °C. In seinen Verbindungen tritt H. vierwertig auf. Chemisch verhält es sich sehr ähnlich dem Zirkonium und findet sich deswegen in der Natur vergesellschaftet mit Zirkonmineralen. Das für die Darstellung des Elements wichtigste Mineral ist der ↑Zyrtolith. Die Gewinnung erfolgt durch Reduktion von H.chlorid oder H.oxid. Neben seiner Verwendung als Legierungsmetall gebraucht man H. vorwiegend für Steuerstäbe in Kernreaktoren.

Hafsiden, Dyn. in Tunesien 1229–1574.

Haft, 1. früher die leichteste Freiheitsstrafe; durch das 1. StrafrechtsreformG vom 25. 6. 1969 aufgehoben; 2. Sicherungsmittel: ↑Untersuchungshaft; ↑Ordnungsmittel.
Im *östr. Recht* gibt es nur die einheitl. Freiheitsstrafe. – In der *Schweiz* sind **Haftstrafen** von einem Tag bis zu drei Monaten (Art. 39 StGB) vorgesehen.

Haftbefehl, schriftl. Anordnung der Untersuchungshaft durch den zuständigen Richter (§§ 112 ff. StPO). Im H. sind der Beschuldigte und die Tat, deren er dringend verdächtig sein muß, der **Haftgrund,** nämlich Flucht, Flucht- oder Verdunkelungsgefahr, Wiederholungsgefahr oder Schwere des Delikts, anzugeben. Auf das Vorliegen von Flucht-, Verdunkelungs- und Wiederholungsgefahr müssen bestimmte, im H. aufzuführende *Tatsachen* hinweisen. Ebenfalls darzulegen ist, daß die Anordnung der Untersuchungshaft nicht außer Verhältnis zu der zu erwartenden Strafe oder Maßnahme steht, falls sich die Frage der Verhältnismäßigkeit stellt oder der Beschuldigte sich auf den Haftausschließungsgrund der Unverhältnismäßigkeit beruft. Der H. ist dem Beschuldigten bei der Verhaftung bekanntzugeben. Von der Verhaftung und jeder weiteren Entscheidung über die Haftfortdauer ist ein Angehöriger des Verhafteten oder eine Person seines Vertrauens zu benachrichtigen. – Wird der Beschuldigte auf Grund eines H. ergriffen, ist er spätestens am Tage nach der Verhaftung dem zuständigen Richter oder dem nächsten Amtsrichter vorzuführen und von diesem zum Gegenstand der Beschuldigung zu vernehmen. Er ist auf die belastenden Umstände und sein Recht, sich zu äußern oder zur Sache nichts auszusagen, hinzuweisen und über die Rechtsbehelfe (↑Haftbeschwerde, ↑Haftprüfungsverfahren) zu belehren. Der H. kann *außer Vollzug gesetzt* werden, wenn weniger einschneidende Maßnahmen ausreichen, um eine geordnete Durchführung des Strafverfahrens sicherzustellen. *Aufzuheben* ist der H., wenn die Voraussetzungen der Untersuchungshaft wegfallen oder sein weiterer Vollzug außer Verhältnis zur Bed. der Sache stehen würde.
Ähnl. Regelungen enthalten die §§ 175 ff. der *östr. StPO* (der Untersuchungshaft kann eine vorläufige Verwahrung von höchstens 5 Tagen vorangehen) und die kantonalen StPO der *Schweiz,* wo das Prinzip des richterl. H. nicht anerkannt ist.

Haftbeschwerde, unbefristetes Rechtsmittel gegen einen Haftbefehl gemäß § 304 Abs. 1 StPO. Hilft ihr der Haftrichter nicht ab, ergeht Entscheidung der Strafkammer des Landgerichts.

Haftdolde (Caucalis), Gatt. der Doldengewächse mit fünf Arten in M-Europa und im Mittelmeergebiet und einer Art im westl. N-Amerika; Kräuter mit weißen oder rötl. Blüten, die Früchte mit hakigen Stacheln.

Hafte (Planipennia), mit über 7000 Arten weltweit verbreitete Unterordnung 0,2 bis 8 cm langer, meist zarter Insekten (Ordnung ↑Netzflügler).

Haftentschädigung, Entschädigung für den erlittenen Vermögensschaden, der

durch den letztlich nicht gerechtfertigten Vollzug der Untersuchungshaft, Freiheitsentziehung auf Grund gerichtl. Entscheidung sowie anderer Strafverfolgungsmaßnahmen (z. B. vorläufige Festnahme, Beschlagnahme, Durchsuchung, vorläufige Entziehung der Fahrerlaubnis) eingetreten ist; geregelt im Gesetz über die Entschädigung für Strafverfolgungsmaßnahmen vom 8. 3. 1971 (findet in den Ländern der ehem. DDR für Strafverfolgungsmaßnahmen, die vor dem Wirksamwerden des Beitritts zur BR Deutschland angeordnet wurden, keine Anwendung).
Ähnl. Regelungen gelten im *östr.* und *schweizer. Recht.*

Haftkiefer (Tetraodontiformes), fast rein marine Ordnung der Knochenfische, überwiegend in trop. Meeren; Kopf groß mit kleinem Maul und kleinen Kiemenspalten. Bekannte Fam. sind: ↑Drückerfische, ↑Feilenfische, ↑Kofferfische, ↑Kugelfische, ↑Igelfische und ↑Mondfische.

Häftlingshilfe, soziale Entschädigung für gesundheitl. Schäden nach dem HäftlingshilfeG i. d. F. vom 4. 2. 1987; Leistungen können Deutsche beanspruchen, die nach der Besetzung ihres früheren Aufenthaltsortes oder nach dem 8. Mai 1945 in der sowjet. Besatzungszone oder den Vertreibungsgebieten oder aus polit., von ihnen nach freiheitlich demokrat. Auffassung nicht zu vertretenden Gründen in Gewahrsam genommen worden sind und dadurch eine gesundheitl. Schädigung erlitten.

Haftmann, Werner, * Głowno 28. April 1912, dt. Kunsthistoriker. – Förderer der modernen Kunst, schrieb das Standardwerk „Malerei im 20. Jh." (1944–55, erweitert 1962), auch „Verfemte Kunst" (1986); maßgeblich an der Konzeption der ↑documenta beteiligt.

Haftmine ↑Mine.

Haftorgane, morpholog. Bildungen, mit deren Hilfe manche Pflanzen und Tiere an [glatten] Flächen Halt finden können. Dies geschieht durch Reibung, Adhäsion und/oder Saugkraft.
Bei *Pflanzen* unterscheidet man: **Hapteren,** wurzelähnl. Ausstülpungen an der Basis des Vegetationskörpers bei verschiedenen Algen, Flechten und Moosen; **Haftscheiben,** scheibenförmige H. an der Basis bes. größerer mariner Braun- und Rotalgen; **Haftwurzeln,** umgebildete, auf Berührungsreize ansprechende, negativ phototrope sproßbürtige Wurzeln mancher Kletterpflanzen (z. B. Efeu). Zu den pflanzl. H. zählen ferner Haar- und Borstenbildungen an den Früchten von Korbblütlern (z. B. Kletten) und Doldenblütlern, die der Festheftung an Tieren (und damit der Artverbreitung) dienen.
Bei *Tieren* kommen ebenfalls unterschiedl. Formen von H. vor. Nesseltiere besitzen die als **Glutinanten** bezeichneten Nesselkapseln, die über Klebfäden wirken. Die **Arolien** der Insekten sind häutige, unpaare Bildungen zw. den Krallen des Fußes, die bei der Ordnung Blasenfüße einziehbare Haftblasen darstellen. – **Haftlappen** an der Basis der Krallen kommen v. a. bei Fliegen und Hautflüglern vor. Heuschrecken haben verbreiterte Sohlenflächen an den Fußgliedern, viele Käfer eine Sohlenbürste aus feinen Härchen. Bekannte H. sind auch die Saugnäpfe oder -gruben der Saug- und Bandwürmer, der Egel und verschiedener Kopffüßer. – Die Stachelhäuter besitzen **Saugfüßchen,** einige Fische (v. a. Saugschmerlen, Schiffshalter) bes. **Saugscheiben,** Neunaugen ein **Saugmaul.** – Bei manchen Wirbeltieren sind die Sohlenballen auf Grund ihrer Adhäsionseigenschaft als H. anzusehen, z. B. bei Laubfröschen und Molchen, bei Siebenschläfern und Klippschliefern sowie bei manchen Affen (z. B. den Meerkatzen). Bei den Geckos, deren Sohlen häufig mit einem Schwellapparat und mit **Haftlamellen** ausgestattet sind, bewirken v. a. feinste Borsten mit Häkchen die hervorragende Haftfähigkeit ihrer Finger und Zehen.

Haftpflicht, die Pflicht zum Ersatz fremden Schadens aus ↑unerlaubter Handlung, ferner die von verschiedenen Gesetzen (u. a. H.gesetz i. d. F. vom 4. 1. 1978, LuftverkehrsG i. d. F. vom 14. 1. 1981, AtomG) auferlegte Pflicht, einem anderen den Schaden zu ersetzen, der ihm auch durch ein nicht schuldhaft herbeigeführtes Ereignis entstanden ist. Schutz gewährt die H.versicherung.

Haftpflichtgesetz, BG i. d. F. vom 4. 1. 1978, das u. a. die Haftung für Schäden (Personen- und Sachschäden) beim Betrieb von Schienen- und Schwebebahnen, von Energieanlagen, Bergwerken regelt (Neufassung des Reichs-H. vom 7. 6. 1871).

Haftpflichtversicherung, Schadenversicherung, die den Versicherungsnehmer davor schützt, daß er aus seinem eigenen Vermögen in bestimmten Haftpflichtfällen von einem geschädigten Dritten auf Schadenersatz in Anspruch genommen wird, z. B. bei einem Unfall als Kraftfahrzeughalter. Im Versicherungsfall muß der Versicherer den Versicherungsnehmer von [begründeten] Schadenersatzansprüchen [durch Leistung an den geschädigten Dritten] freistellen und ihm Rechtsschutz (u. U. Führen eines Rechtsstreits für den Versicherungsnehmer zur Abwehr unberechtigter Ansprüche, Tragen der Prozeßkosten) gewähren. Bei vorsätzl. Handeln des Versicherungsnehmers ist der Versicherungsschutz jedoch ausgeschlossen. Der Versicherungsnehmer hat das schädigende Ereignis, das eine Haftpflicht zur Folge haben könnte, binnen einer Woche dem Versi-

cherer anzuzeigen, ebenso die Geltendmachung von Ansprüchen durch den Dritten, ferner unverzüglich eine gegen ihn erhobene Klage und die Einleitung eines Ermittlungsverfahrens. Ersetzt werden i. d. R. Personen- und Sachschäden, auf Grund bes. Vereinbarungen auch Vermögensschäden.
Im *östr.* und im *schweizer. Recht* gelten im wesentlichen entsprechende Regelungen.

Haftprüfungsverfahren, gerichtl. Verfahren während der Untersuchungshaft zur Prüfung, ob der Haftbefehl aufzuheben oder Haftverschonung anzuordnen ist. Der Beschuldigte, sein Verteidiger und u. U. sein gesetzl. Vertreter können jederzeit die Haftprüfung beantragen, auch wiederholt, wenn 2 Monate nach erfolgloser Haftprüfung oder Verwerfung der Haftbeschwerde vergangen sind. Nach dreimonatiger Untersuchungshaft wird das H. von Amts wegen durchgeführt, wenn der Beschuldigte keinen Verteidiger hat.
Im *östr.* und *schweizer. Recht* gilt Entprechendes.

Haftpsychose, Bez. für Erregungszustände, die meist mit Angst verbunden sind und sich zuweilen in Affekthandlungen unter weitgehender Desorientiertheit entladen („Haftknall", „Haftkoller"). Die H. ist durch starken Erregungsstau bedingt und tritt v. a. nach längerer Isolierung auf.

Haftschalen, svw. ↑Kontaktlinsen.

Haftspannung, die mechan. Spannung, die an der Grenzfläche zw. einer Flüssigkeit und einem festen Körper wegen der unterschiedl. Größe der molekularen Anziehungskräfte auftritt und die ↑Benetzung kennzeichnet.

Haftstellen, Störstellen in einem Halbleiter, die Elektronen oder Löcher binden können.

Haftstrafe ↑Haft.

Haftunfähigkeit, körperl. oder geistiger Zustand eines Untersuchungs- oder Strafgefangenen, der wegen drohender Schäden für dessen Umwelt, Gesundheit oder Leben die Durchführung der Haft verbietet oder als zwecklos erscheinen läßt. H. kann zur Aufhebung des Haftbefehls oder zum Vollzug der Untersuchungshaft in einer Krankenanstalt führen. Die Strafvollstreckungsbehörde (i. d. R. Staatsanwaltschaft) entscheidet über Maßnahmen bei H. von Strafgefangenen.

Haftung, (je nach dem Zusammenhang, in dem der Begriff gebraucht wird:) 1. svw. Verbindlichkeit, ↑Schuld (im Zivilrecht); auch die Verpflichtung zum Einstehen für fremde Schuld. 2. Verantwortlichkeit für den Schaden eines anderen mit der Folge, daß dem Geschädigten Ersatz zu leisten ist. Eine solche Verantwortlichkeit kann sich ergeben: a) aus einem von der Rechtsordnung mißbilligten schuldhaften Verhalten **(Verschuldenshaftung),** nämlich aus unerlaubter Handlung oder schuldhafter Vertragsverletzung; b) aus einem bestimmten, mit der Gefährdung anderer verbundenen (schadensgeeigten) Verhalten **(Gefährdungshaftung),** z. B. aus dem Betrieb eines Eisenbahnunternehmens, eines Kraftfahrzeugs. Die Gefährdungs-H. setzt weder Rechtswidrigkeit noch Verschulden voraus; sie erfordert nur, daß der Schaden in ursächl. Zusammenhang mit der spezif. Sach- oder Betriebsgefahr steht. Bei höherer Gewalt oder einem unabwendbaren Ereignis greift meist keine Gefährdungs-H. ein. Der Umfang der Ersatzpflicht ist bei Gefährdungs-H. i. d. R. begrenzt; c) aus erlaubter Inanspruchnahme fremden Gutes **(Eingriffshaftung),** etwa im Falle des Notstandes; d) aus einem bestimmten, den anderen zum Vertrauen veranlassenden Verhalten **(Garantie- und Vertrauenshaftung).** 3. das Unterworfensein des Schuldners unter den Vollstrekkungszugriff des Gläubigers **(persönl. Haftung).** Grundsätzlich ist mit jeder Schuld eine persönl. Haftung des Schuldners verbunden. Das hat zur Folge, daß der Gläubiger, dessen Anspruch nicht freiwillig erfüllt wird, einen Vollstreckungstitel erwirken und daraus die Zwangsvollstreckung gegen den Schuldner betreiben kann. 4. die Verwertbarkeit einer fremden Sache durch den Gläubiger eines an der Sache bestehenden Pfandrechts oder Grundpfandrechts **(dingl. Haftung).**
Im *östr.* und *schweizer. Recht* gelten dem dt. Recht im wesentlichen entsprechende Regelungen.

Haftungsausschluß, die vertragl. Vereinbarung, daß die Verantwortlichkeit einer Person in bestimmten Fällen ausgeschlossen wird. Haftung für Vorsatz kann nicht erlassen werden (§ 276 BGB). Ein H. findet sich meist als sog. *Freizeichnungsklausel* in allg. Geschäftsbedingungen.

Haftungsbescheid, Bescheid des Finanzamts, der immer dann ergeht, wenn ein anderer neben oder anstelle des eigentl. Steuerpflichtigen für die Zahlung der Steuer haftet; z. B. haftet unter bestimmten Voraussetzungen der Arbeitgeber für die Lohnsteuer des Arbeitnehmers.

Haftungsbeschränkung, vertragl. Vereinbarung über die Beschränkung der Schadenersatzverpflichtung auf bestimmte Schadenhöchstbeträge. Davon zu unterscheiden ist die *beschränkte Haftung,* die in der Haftung mit nur bestimmten Teilen des Schuldnervermögens (z. B. beim Erben) besteht.

Hafturlaub, Beurlaubung eines Strafgefangenen aus der Haft. Kann gemäß StrafvollzugsG bis zu 21 Kalendertagen im Jahr gewährt werden; der Gefangene soll sich vorher i. d. R. mindestens sechs Monate im Strafvollzug befunden haben.

Haftverschonung, Aussetzung des Vollzugs eines Haftbefehls, wenn weniger einschneidende Maßnahmen den Zweck der Untersuchungshaft zu gewährleisten versprechen (z. B. das Melden zu bestimmten Zeiten bei einer Behörde, Leistung einer Kaution).

Haftwasser, das nicht frei zirkulierende Boden- und Grundwasser.

Haftwurzeln ↑Haftorgane.

Haftzeher, svw. ↑Geckos.

Hafun, Kap, östlichster Punkt des afrikan. Kontinents, in NO-Somalia.

Hag, Dorngesträuch, Gebüsch; Umzäunung, Gehege, [umfriedeter] Wald.

Hagana, Selbstschutzorganisation des Jischuw, der jüd. Gemeinschaft in Palästina z.Z. des brit. Mandats; nach den Unruhen von 1920 aus der 1909 in Galiläa gegr. jüd. Schutzorganisation *Haschomer* zur Abwehr arab. Übergriffe entstanden; am 31. Mai 1948 zur Armee des Staates Israel erklärt.

Hagar (Vulgata: Agar), bibl. Gestalt, Sklavin der Sara und Nebenfrau des Abraham, der mit ihr den ↑Ismael zeugte; die Muslime verehren das Grab der H. in Mekka.

Hagebutte [zu mittelhochdt. hagen „Dornbusch" und butte „Frucht der Heckenrose"], Bez. für die rote Sammelnußfrucht der verschiedenen Rosenarten, v. a. der Heckenrose. Die Fruchtschalen und Samen enthalten Kohlenhydrate, Gerbstoffe, Fruchtsäuren, Pektine und v. a. viel Vitamin C.

◆ volkstüml. Bez. für die Heckenrose.

Hagedorn, Friedrich von, * Hamburg 23. April 1708, † ebd. 28. Okt. 1754, dt. Dichter. – Von Horaz, engl. (v. a. Prior, Gay), später frz. (bes. La Fontaine) Dichtern inspirierter anakreont. Lyriker und Fabeldichter, der in heiter-verspielter, anmutiger Manier und musikal. Sprache einem unbeschwerten, kultivierten Lebensgenuß huldigte; Neubelebung der Tierfabel.

Hagel [zu althochdt. hagal, eigtl. „kleiner, runder Stein"], Niederschlag von erbsen- bis hühnereigroßen Eiskugeln oder Eisstücken. H. setzt Graupelbildung voraus, die in hochreichenden Gewitterwolken mit starken Auf- und Abwinden auftritt.

Hagelabwehr, Versuche zur Verhinderung von Hagelschlag in bedrohten Gebieten (v. a. im Lee von Gebirgen der gemäßigten Breiten und der Subtropen) durch das Einschießen von Gefrierkernen (Silberjodid) in Quellwolken.

Hagelschnur (Chalaza), paarig angelegter Eiweißstrang im Eiklar von Vogeleiern.

Hagelstange, Rudolf, * Nordhausen 14. Jan. 1912, † Hanau 5. Aug. 1984, dt. Schriftsteller. – Schrieb von christlich-humanist. Grundhaltung geprägte Lyrik; auch Romane, Erzählungen, Reiseberichte und Essays; Übersetzer Boccaccios, Leonardo da Vincis und Polizianos. – *Werke:* Venezian. Credo (Ged. [1944 heiml. gedruckt], 1946), Strom der Zeit (Ged., 1948), Spielball der Götter (R., 1959), Gast der Elemente (Ged., 1972), Der große Filou (R., 1976).

Hagelversicherung, Schadenversicherung, in der nach § 108 VersicherungsvertragsG der Versicherer für den Schaden haftet, der an den versicherten Bodenerzeugnissen durch Hagel entsteht.

Hagemann, Walter, * Euskirchen 16. Jan. 1900, † Potsdam 16. Mai 1964, dt. Publizistikwissenschaftler. – 1928–33 Redakteur, 1934–38 Chefredakteur der „Germania"; Prof. 1946–59 in Münster; emigrierte 1961 nach Berlin (Ost) und wurde Prof. an der Humboldt-Universität. H. leitete mit seiner Lehre vom publizist. Prozeß den Übergang zur Kommunikationswiss. ein.

Hagen, Friedrich Heinrich von der, * Schmiedeberg (Landkr. Angermünde) 19. Febr. 1780, † Berlin 11. Juni 1856, dt. Germanist. – Prof. für dt. Literatur in Berlin, in Breslau und seit 1824 wieder in Berlin. Gab 1807 das „Nibelungenlied" in einer neuhochdt. und 1810 in einer mittelhochdt. Ausgabe heraus. Besorgte zahlr. [philolog.] Editionen alt- und mittelhochdt. Texte; u. a. „Minnesinger. Dt. Liederdichter des 12.–14. Jh." (5 Teile, 1838–56, Neudr. 1962).

H., Theodor, * Düsseldorf 24. Mai 1842, † Weimar 12. Febr. 1919, dt. Maler. – Von der Schule von Barbizon und dem Impressionismus beeinflußte zarte Landschaften.

Hagen, Stadt im westl. Sauerland, NRW, 90–435 m ü. d. M., 209 000 E. Fernuniv. (seit 1976), Fachhochschule, Konservatorium; Städt. Bühnen; Museum. Eisen-, Stahl-, Metall-, Papier- und Nahrungsmittelind. – Der um 1000 nachweisbare Ort H. fiel 1398 an Kleve und 1521 an Jülich-Berg; 1746 zur Stadt erhoben. – Ev. Johanniskirche (1748–50); Haus Hohenhof, Krematorium u. a. Jugendstilbauten; Rathaus (1960–65).

Hagen von Tronje (in altnord. Fassungen: Högni), Gestalt der Nibelungensage. Im alten „Atli-Lied" („Atlakviða") ist Högni der Bruder des Burgundenkönigs Gunnar; beide werden von ihrem Schwager Atli ermordet, weil sie den Nibelungenschatz nicht verraten. Im Unterschied zum mittelhochdt. „Nibelungenlied" begeht Högni in keinem nord. Lied den Mord an Sigurd bzw. Siegfried, den er dort für seine Herrin Brunhilde, Gemahlin Gunnars, ausführt. Er wird im zweiten Teil des Epos von Kriemhild erschlagen. Auch Gestalt der Walthersage („Waltharius" des Mönches Ekkehart I.).

Hagenau, Nikolaus von ↑Niclas Hagnower.

H., Reinmar von ↑Reinmar der Alte.

Hagenau (amtl. Haguenau), frz. Stadt im Elsaß, Dep. Bas-Rhin, 26600 E. Prähistor. Museum, Bibliothek, Handelszentrum. – Die um die Pfalz Kaiser Friedrichs I. Barbarossa liegende Siedlung erhielt 1164 Mauer- und Stadtrecht, wurde 1260 Reichsstadt und war im 14. Jh. Hauptort des Elsässer Zehnstädtebundes sowie Sitz der kaiserl. Landvogtei H. im Unterelsaß. 1648 wurde H. französisch. – Kirche Sankt Georg (12./13. Jh.), Kirche Sankt Nikolaus (13./14. Jh.), Reste der ma. Stadtummauerung.

Hagenauer, Friedrich, *Straßburg zw. 1490 und 1500, †Köln nach 1546, dt. Medailleur. – Sohn von ↑Niclas Hagnower (?); tätig v. a. in München, Augsburg und Köln. Schnitzte Holzmodelle für (235) Medaillen, u. a. von Philipp Melanchthon.

H., Johann Baptist, *Straß (= Ainring, Bay.) 22. Juni 1732, †Wien 9. Sept. 1810, dt. Bildhauer. – Schuf nach Entwürfen seines Bruders **Wolfgang H.** (*1726, †1801, leitender Baumeister des Erzstifts Salzburg) die Mariensäule am Salzburger Domplatz (1766–71).

H., Nikolaus ↑Niclas Hagnower.

Hagenbach-Bischoffsches Verfahren, von dem Basler Mathematiker E. Hagenbach-Bischoff (*1833, †1910) vorgeschlagene Methode zur Ermittlung einer proportionalen Sitzverteilung bei der Verhältniswahl (z. B. in der Schweiz angewandt). Dabei wird die Gesamtzahl der gültigen Stimmen durch die um eins vermehrte Zahl der zu Wählenden geteilt und der sich so ergebende Quotient auf die nächsthöhere ganze Zahl aufgerundet. Jede Partei erhält so viele Mandate zugeteilt, wie dieser Quotient in ihrer Parteistimmenzahl enthalten ist **(Erstverteilung).** Können so nicht alle Mandate vergeben werden, wird die Stimmenzahl jeder Partei durch die um eins vermehrte Zahl der ihr bereits zugewiesenen Mandate dividiert und das erste noch zu vergebende Mandat derjenigen Partei zugewiesen, die hierbei den größten Quotienten aufweist; dies wird so lange wiederholt, bis alle Mandate vergeben sind **(Restmandatsverteilung).** Sofern sich bei der Restmandatsverteilung zwei oder mehr gleiche Quotienten ergeben, erhält diejenige Partei den Vorzug, die bei der Erstverteilung den größten Rest aufwies; sind auch diese Restzahlen gleich groß, so fällt das noch zu vergebende Mandat derjenigen Partei zu, deren in Frage stehender Bewerber die größere Stimmenzahl aufweist.

Hagenbeck, Carl, *Hamburg 10. Juni 1844, †ebd. 14. April 1913, dt. Tierhändler. – Baute die väterl. Tierhandlung zu einer der größten der Erde aus, gründete 1907 in Hamburg-Stellingen den nach ihm benannten Tierpark und leitete ein Zirkusunternehmen; schrieb „Von Tieren und Menschen“ (1908, Neuausgabe 1967).

Hagenow [...no], Krst. in Meckl.-Vorp., 50 m ü. d. M., 13500 E. Zentrum eines Agrargebiets; Lebensmittel-, Bauind. – H. erhielt 1754 volles Stadtrecht.

H., Landkr. in Mecklenburg-Vorpommern.

Hagen-Poiseuillesches Gesetz [frz. pwa'zœj; nach dem dt. Wasserbauingenieur G. Hagen, *1793, †1884, und dem frz. Mediziner J. L. M. Poiseuille, *1799, †1869], Gesetz für die laminare Strömung von Flüssigkeiten durch kreiszylindr. Röhren: Das in der Zeit dt durch jeden Rohrquerschnitt strömende Flüssigkeitsvolumen ist

$$dV = \frac{\pi r^4}{8\eta l}(p_1 - p_2)\,dt,$$

wobei r der Rohrradius, l die -länge, p_1 und p_2 der Druck am Rohranfang bzw. -ende und η die dynam. Viskosität der Flüssigkeit ist.

Hager, Kurt, *Bietigheim 24. Juli 1912, dt. Politiker. – 1930 Mgl. der KPD; 1937–39 auf republikan. Seite im Span. Bürgerkrieg, danach Emigrant in Frankreich und Großbritannien; 1946 Mgl. der SED, ab 1954 ihres ZK; ab 1958 Abg. der Volkskammer; ab 1963 Mgl. des Politbüros der SED; ab 1976 Mgl. des Staatsrates; hatte als Chefideologe der SED wesentl. Anteil an der staatl. Lenkung von Kunst und Kultur in der DDR. Im Nov. 1989 von allen Ämtern entbunden; im Jan. 1990 aus der SED ausgeschlossen.

H., Leopold, *Salzburg 6. Okt. 1935, östr. Dirigent. – Schüler u. a. von B. Paumgartner, 1968–81 Chefdirigent des Mozarteum-Orchesters in Salzburg, seit 1981 Chefdirigent des Radio-Symphonieorchesters Luxemburg.

Hagesander (Agesander), einer der Schöpfer der ↑Laokoongruppe.

Hagestolz, früher nachgeborene Söhne, die nur ein kleines Nebengut (althochdt. hag „umzäuntes Grundstück“) besaßen, das zur Gründung einer Familie nicht ausreichte; heute [scherzhaft] für älteren Junggesellen.

Haggada [hebr. „Erzählung“], Teil der sog. „mündl. Lehre“ und damit des rabbin. und ma. jüd. Schrifttums. Im Ggs. zur ↑Halacha werden von der H. alle nichtgesetzl. Bereiche erfaßt; haggad. Material findet sich im ↑Talmud und in der ↑Tosefta.

Haggai (Vulgata: Aggäus), alttestamentl. Prophet und das von ihm verfaßte Buch.

Haggard, Sir (seit 1912) Henry Rider [engl. 'hægəd], *Bradenham Hall (Norfolk) 22. Juni 1856, †London 14. Mai 1925, engl. Schriftsteller. – Bekannt v. a. der Roman „Die Schätze des Königs Salomo“ (1885).

Haghbat (armen. Haghpat, russ. Achpat), Kloster in Armenien, 80 km nö. von Kumairi. – Das Kloster H. wurde zw. 931 und 951 gegr. und bis zum 13. Jh. ausgebaut und befestigt; u. a. Heiligenkreuzkirche (967–991), Kirche der Heiligen Jungfrau und Sankt-Gregor-Kirche (um 1000).

Hagi, jap. Ind.- und Hafenstadt an der N-Küste von W-Honshū, 54 000 E. Fischverarbeitung, Töpferei (seit über 300 Jahren).

Hagia Sophia [griech. „Heilige Weisheit"], Krönungskirche der oström. Kaiser in Konstantinopel, erbaut 532–37 unter Kaiser Justinian an Stelle eines Vorläuferbaus des 4. Jh., Kuppel 563 erneuert, reiche Innenausstattung (6. Jh.). Die Baumeister Anthemios aus Tralles und Isidoros von Milet verbanden in diesem gewaltigen Bauwerk der byzantin. Kunst (Höhe 55,6 m, Durchmesser der Kuppel 33 m) in einmaliger Weise einen kuppelgewölbten Zentralbau mit der axial ausgerichteten Basilika. Nach 1453 Moschee, seit 1934 Museum.

Hagia Triada, am W-Rand der Mesara an der S-Küste Kretas gelegene minoische Siedlung und Palastanlage; urspr. meeresnaher Hafen- und Handelsplatz, der wahrscheinlich zu ↑Phaistos gehörte; Zerstörung um 1450 v. Chr. durch ein Erdbeben. Im Palast wurden Fresken und Reliefgefäße aus Steatit gefunden, in der Nekropole ein bemalter Steinsarkophag (um 1400 v. Chr.).

Hagiographen [griech.], 1. hl. Schriften, die dritte Gruppe der Bücher des A. T.; 2. die Verfasser der hl. Schriften; 3. Verfasser von Heiligenviten.

Hagiographie [griech.], Darstellung des Lebens der Heiligen und die wissenschaftl. Arbeit an Überlieferung, Geschichte und Kult der Heiligen. Die H. beginnt mit den altkirchl. Märtyrerakten (2. Jh.), den Lebensbeschreibungen von Asketen und Mönchen.

Hagnower, Niclas ↑Niclas Hagnower.

Hague, Kap [frz. ag], Kap an der NW-Spitze der Halbinsel Cotentin, Frankreich; Leuchtturm; Anlage zur Wiederaufbereitung von Kernbrennstoffen.

Otto Hahn

Hagia Sophia, Ansicht von Südwesten. Die vier Minarette sind Anbauten aus der Zeit nach der türkischen Eroberung (1453)

Haguenau [frz. ag'no] ↑Hagenau.

Häher, allgemeine Bez. für Rabenvögel, die andere Tiere durch kreischende Rufe vor näherkommenden Feinden warnen. In Eurasien u. a. Eichelhäher, Tannenhäher.

Hahn, Kurt [Martin], * Berlin 5. Juni 1886, † Ravensburg 14. Dez. 1974, brit. Pädagoge dt. Herkunft. – 1920–33 Leiter des Landerziehungsheimes Schloß Salem, dann der British Salem School in Gordonstoun (Schottland); richtete ↑Kurzschulen ein; schrieb „Erziehung zur Verantwortung" (1958).

H., Otto, * Frankfurt am Main 8. März 1879, † Göttingen 28. Juli 1968, dt. Chemiker. – 1910–34 Prof., 1928–45 Direktor des Kaiser-Wilhelm-Instituts für Chemie in Berlin; 1948–60 Präsident der Max-Planck-Gesellschaft; befaßte sich seit 1904 mit Untersuchungen radioaktiver Stoffe (1904/05 bei Sir W. Ramsay in London, 1905/06 bei E. Rutherford in Montreal). Diese führten ihn – seit 1907 in Zusammenarbeit mit L. Meitner – zur Entdeckung einer großen Anzahl radioaktiver Elemente bzw. Isotope. 1938 entdeckte H. – nach Vorarbeiten mit L. Meitner – in Zusammenarbeit mit F. Straßmann die Spaltung von Urankernen bei Neutronenbestrahlung (↑Kernspaltung). Für diese Entdeckung wurde ihm nach Kriegsende der Nobelpreis für Chemie des Jahres 1944 verliehen.

Hahn [zu althochdt. hano, eigtl. „Sänger"], Bez. für ♂ Hühnervögel. – Durch seine Wachsamkeit Gefahren gegenüber und als

Künder des neuen Tages wurde der H. zur Wächter- und Zeitfigur in der Symbolik.
◆ (Schlaghahn) hebelartiger Teil im Schloß von Handfeuerwaffen.

Hähne, Absperrorgane zum schnellen Öffnen oder Schließen von Rohrleitungen durch Drehen des konischen oder zylindr., mit einer Bohrung versehenen *Hahnkükens.* Der *Dreiwegehahn* erlaubt beliebige Verbindungen zw. zwei von drei Zu- oder Abgängen.

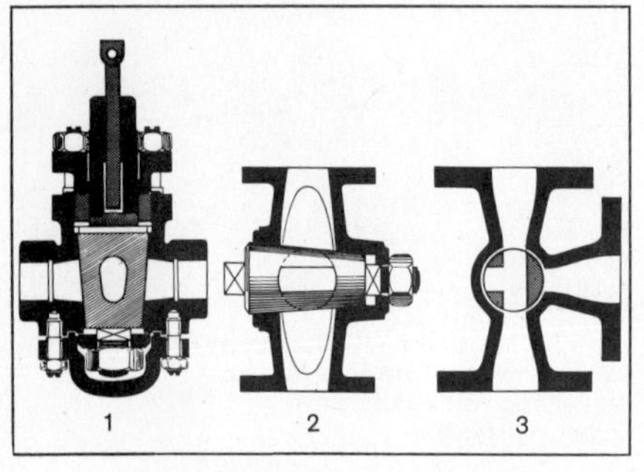

Hähne. 1 Packhahn, 2 Durchgangshahn, 3 Schnitt durch einen Dreiwegehahn

Hahnemann, [Christian Friedrich] Samuel, * Meißen 10. April 1755, † Paris 2. Juli 1843, dt. Arzt. – Seine Therapie sah vor, dasjenige Heilmittel in sehr kleinen Gaben anzuwenden, das „eine andere, möglichst ähnl. Krankheit zu erregen imstande ist"; gilt damit als Begründer der ↑ Homöopathie.

Hahnenfuß (Ranunculus), Gatt. der Hahnenfußgewächse mit über 400 weltweit verbreiteten Arten; meist ausdauernde Kräuter mit gelben oder weißen Blüten und hahnenfußartig geteilten Blättern. In M-Europa kommen rd. 40 Arten vor, u. a. **Scharfer Hahnenfuß** (Ranunculus acris), häufig auf Wiesen und Weiden, mit goldgelben Blüten; **Kriechender Hahnenfuß** (Ranunculus repens), auf feuchten Böden, mit dottergelben, bis 3 cm großen Blüten. Beide Arten sowie der **Gifthahnenfuß** (Ranunculus sceleratus) mit kleinen blaßgelben Blüten sind giftig. In den Alpen bis in 4 000 m Höhe wächst der **Gletscherhahnenfuß** (Ranunculus glacialis) mit großen, innen weißen, außen meist rosaroten oder tiefroten Blüten. Als Zierpflanze und Schnittblume beliebt ist v. a. die **Ranunkel** (Asiat. H., Ranunculus asiaticus), mit verschiedenfarbigen, einzelnen, gefüllten Blüten.

Hahnenfußgewächse (Ranunculaceae), Pflanzenfam. mit etwa 60 Gatt. und rd. 2 000 Arten von weltweiter Verbreitung (bes. auf der Nordhalbkugel); meist Kräuter, seltener Halbsträucher oder Lianen (z. B. Waldrebe); Blätter meist hahnenfußartig zerteilt; Blütenhülle meist fünfteilig, lebhaft gefärbt. Die H. enthalten häufig Alkaloide.

Hahnenkamm, östr. Berg sw. von Kitzbühel, 1 655 m hoch; Kabinenschwebebahn und Sessellift; jährl. internat. Skirennen.

Hahnenkamm, (Brandschopf, Celosia argentea f. cristata) bis 60 cm hohes, einjähriges Fuchsschwanzgewächs mit lineal- bis lanzenförmigen Blättern und im oberen Teil hahnenkammartig verflachtem Blütenstand.
◆ (Italien. H., Span. Esparsette, Hedysarum coronarium) bis über 1 m hohe Süßkleeart in S-Spanien, M- und S-Italien; Blätter gefiedert; Blütenähren mit großen, leuchtend purpurroten Blüten; als Zierpflanze kultiviert.
◆ (Traubenziegenbart, Rötl. Koralle, Clavaria botrytis) Ständerpilz in Buchenwäldern; Fruchtkörper bis 10 cm hoch, blaßweiß, mit verzweigten Ästen und krausen Endästen, die in der Jugend fleischrot und im Alter ockergelb gefärbt sind; jung eßbar, im Alter bitter.

Hahnenkampf, seit alters in Indien und China bekannte, in Europa seit der Antike beliebte Volksbelustigung (sehr oft mit Wetten verbunden), bei der man zwei für diesen Zweck gezüchtete und mit scharfen Stahlsporen versehene Hähne miteinander kämpfen läßt; heute hauptsächlich noch in Lateinamerika, SO-Asien und selten in S-Europa üblich.

Hahnenklee-Bockswiese (Oberharz), heilklimat. Kurort und Wintersportplatz, Teil der Stadt Goslar, Niedersachsen.

Hahnentritt, die kleine, weißl. Keimscheibe auf dem Dotter von Vogeleiern.
◆ (Zuckfuß) Bewegungsanomalie beim Pferd, bei der das eine oder beide Hinterbeine plötzlich ungewöhnlich hoch gehoben werden; wird durch Entzündung oder Nervenlähmung verursacht.

Hahn-Hahn, Ida Gräfin von, * Tressow (= Lupendorf, Landkreis Waren) 22. Juni 1805, † Mainz 12. Jan. 1880, dt. Schriftstellerin. – 1850 Übertritt zum Katholizismus und 1852 Eintritt ins Kloster; setzte sich für die Emanzipation der Frau ein, schrieb Bekehrungsromane, Lyrik, auch Reisebücher. – *Werke:* Gräfin Faustine (R., 1841), Von Babylon nach Jerusalem (Autobiogr., 1851).

Hahnium, von einer amerikan. Arbeitsgruppe vorgeschlagener Name für das Element 105; vorgeschlagenes chem. Symbol Ha.

Hahnrei [niederdt.], eigtl. verschnittener Hahn; zunächst Bez. für den Mann, der seinen ehel. Pflichten nicht nachkommt, dann für den betrogenen („gehörnten") Ehemann.

Hai [altnord.-niederl.] ↑ Haifische.

Haida, einer der bekanntesten Indianerstämme der NW-Küste N-Amerikas, zur Nadene-Sprachfam. gehörend; spezialisierte

Hochseefischer; große, reich verzierte Plankenhäuser und Kanus, Totempfähle mit myth. Tierahnen; rd. 1 560 Menschen.

Haidar Ali, * Budikote (bei Kolar Gold Fields) 1722, † Chittoor (Andhra Pradesh) 7. Dez. 1782, muslim. Herrscher in S-Indien. – Urspr. Offizier des Maharadschas von Mysore; machte sich um 1761 selbst zum Herrscher des südind. Fürstentums. Von den Franzosen unterstützt, führte er 2 Kriege gegen die Briten, die ihn 1781 besiegten.

Haider, Jörg, * Bad Goisern (Oberösterreich) 26. Jan. 1950, östr. Politiker (FPÖ). – Jurist; 1971–75 Sprecher des Rings Freiheitl. Jugend, 1979–83 Mgl. des Nationalrats; seit 1983 Vors. der FPÖ in Kärnten, seit 1986 Bundesvors. seiner Partei; 1989–91 Landeshauptmann von Kärnten; seit März 1992 FPÖ-Fraktionsvors. in Wien.

H., Karl, * Neuhausen (= München) 6. Febr. 1846, † Schliersee 29. Okt. 1912, dt. Maler. – Malte v. a. schwermütige Stimmungslandschaften in altmeisterl. Manier. Stilistisch steht er dem Kreis von W. Leibl und H. Thoma nahe.

Haiducken † Heiducken.

Haifa, israel. Hafenstadt am Fuß des Karmels, 223 000 E. Verwaltungssitz des Distrikts H., Sitz des melkit. Erzbischofs von Akko; Zentrum des Bahaismus; Univ. (seit 1963), TH (gegr. 1912); Bibliotheken und Museen, u. a. ethnolog. Museum, Schiffahrtsmuseum; Kunstgalerien, Konzerthallen, Theater, Amphitheater; Zoo. Bed. Handels- und Ind.-stadt: Zentrum der Schwerind., größte Raffinerie des Landes, Werft, chem., petrochem. u. a. Ind.; Fremdenverkehr; ✈. – Im 2. Jh. erstmals erwähnt; z. Z. der Kreuzzüge zweimal zerstört, erlangte erst wieder Bed. im 19. Jh., als der Hafen von Akko versandete, v. a. aber seit der jüd. Einwanderung.

Haifische (Haie, Selachii), Ordnung bis 15 m langer Knorpelfische mit rd. 250 fast ausschließlich marinen Arten; Körper meist torpedoförmig schlank, mit Plakoidschuppen, daher von sehr rauher Oberfläche; Maul unterständig; Zähne meist sehr spitz und scharf, in mehreren Reihen hintereinander stehend; Geruchssinn sehr gut entwickelt; viele Arten lebendgebärend, die übrigen legen von Hornkapseln überzogene Eier. Nur wenige Arten werden dem Menschen gefährlich (z. B. Blauhai, Weißhai). Einige H. (wie † Dornhaie, † Katzenhaie, Heringshai, † Hammerhaie) haben als Speisefische Bed., wobei die Produkte meist unter bes. Handelsbezeichnungen (Seeaal, Schillerlocken) auf den Markt kommen. Die Leber vieler Arten liefert hochwertigen Lebertran, die Haut mancher Arten wird zu Leder (Galuchat) verarbeitet. – Weiterhin gehören zu den H. † Grauhaie, † Stierkopfhaie, † Menschenhaie, † Makrelenhaie, † Glatthaie, † Engelhaie, † Sägehaie, † Sandhaie und † Nasenhaie.

Haig [engl. hɛɪg], Alexander M[eigs], * Philadelphia 2. Dez. 1924, amerikan. General und Politiker. – 1969/70 militär. Berater im Nat. Sicherheitsrat; 1973/74 Stabschef des Weißen Hauses, 1974–79 Oberbefehlshaber der amerikan. Truppen und NATO-Oberbefehlshaber in Europa; 1981/82 Außenmin. der USA.

H., Douglas, Earl of (seit 1919), * Edinburgh 19. Juni 1861, † London 29. Jan. 1928, brit. Feldmarschall (seit 1917). – Reorganisierte das brit. Heer; 1909/10 Generalstabschef in Indien; befehligte im 1. Weltkrieg seit Dez. 1915 die brit. Streitkräfte an der W-Front.

Haigerloch, Stadt an der Eyach, Bad.-Württ., 420–492 m ü. d. M., 9 400 E. Staatl. Verwaltungsschule; Textilind., Kunststoffwerk. – Stadt seit dem 13. Jh., seit 1576 Sitz der Linie Hohenzollern-H., fiel 1633 an Hohenzollern-Sigmaringen. – Auf einem Felssporn das Schloß (Hauptbau und Innenausstattung im 17. Jh.); barocke Wallfahrtskirche Sankt Anna (1753–55) in der Unterstadt.

Hai He (Haiho), Zufluß der Bucht von Bo Hai, NO-China, 69 km lang; entsteht bei Tientsin durch Vereinigung von 5 Flüssen.

Haikal, Muhammad Husain, * Kafr Al Ghannama (Prov. Ad Dakalijja) 20. Aug. 1888, † Kairo 8. Dez. 1956, ägypt. Schriftsteller und Politiker. – 1922 Mitbegr. der Liberalen Konstitutionspartei und Hg. einer Zeitung; 1937–44 mehrmals Erziehungsmin., auch Senatspräs. Schrieb Erzählungen, Biographien (u. a. über Mohammed) und Reisebeschreibungen sowie 1914 den in bäuerl. Milieu spielenden Roman „Sainab".

Haikou [chin. xaikɔu], Hauptstadt der chin. Prov. Hainan und Hauptort der Insel, 200 000 E. Konservenind.; See- und Fischereihafen, ✈.

Haiku (Haikai) [jap. „Posse"], Gatt. der jap. Dichtkunst; urspr. die 17silbige Anfangsstrophe eines † Tanka, bestehend aus drei Versen zu 5–7–5 Silben. Höhepunkt mit Bashō (* 1644, † 1694).

Hail ['haːɪl], Oasenstadt in der nördl. Nefud, Saudi-Arabien, etwa 41 000 E. Verkehrsknotenpunkt (früher Karawanenstation) an der Pilgerstraße von Bagdad nach Mekka; ✈.

Haile Selassie I. (amhar. „Macht der Dreifaltigkeit"), urspr. Tafari Makonnen, * Edjersso (Prov. Harar) 23. Juli 1892, † Addis Abeba 27. Aug. 1975, äthiop. Kaiser (seit 1930). – 1916 Regent und Thronfolger; 1928 zum Negus („König") mit dem Thronnamen H. S. I., 1930 zum Negus Negest („König der Könige", d. h. Kaiser) gekrönt; gab 1931 Äthiopien die erste Verfassung; während der italien. Okkupation (1936–41) in Großbritannien im Exil; an der Gründung der OAU

(1963) maßgeblich beteiligt; trat wiederholt als Vermittler in afrikan. Angelegenheiten auf (u. a. im Konflikt zw. Biafra und Nigeria); 1974 durch das Militär abgesetzt.

Hailey, Arthur [engl. 'heɪlɪ], * Luton 5. April 1920, kanad. Schriftsteller engl. Herkunft. – Bestsellerautor; Vertreter des gut recherchierten Unterhaltungsromans und Mitbegr. des Politthrillers; u. a. „Auf höchster Ebene“ (1962), „Airport“ (1968), „Reporter“ (1989).

Hailsham of St. Marylebone, Quintin McGarel Hogg, Viscount H. of St. M. (seit 1950) [engl. 'heɪlʃəm əv snt'mærələbən], Baron von Herstmonceux (seit 1970), * London 9. Okt. 1907, brit. konservativer Politiker. – 1938–50 und 1963–70 Mgl. des Unterhauses, 1950–63 und seit 1970 des Oberhauses; 1957–59 und 1960–64 Lordpräsident des Staatsrates; 1959/60 Lordsiegelbewahrer; 1959–64 Wissenschaftsmin., 1960–63 zugleich Führer des Oberhauses; 1970–74 und 1979–87 Lordkanzler (Justizmin.).

Haimonskinder, die vier Söhne des Grafen Aymon de Dordogne (Allard, Renaut, Guiscard und Richard), Helden des altfrz. Heldenepos des 12. Jh. Im 16. und 17. Jh. in Deutschland als Volksbuch verbreitet. Histor. Grundlage ist die Auflehnung der Brüder gegen Karl d. Gr.

Hain, heute überwiegend in der Dichtersprache gebräuchl. Wort für „Wald; Lustwäldchen“; geht auf althochdt. „hagan“ (↑ Hag) zurück. Heilige H. kommen im Kult zahlr. Religionen vor und galten als Asylorte.

Hainan (Hainandao [chin. xainandau]), chin. Insel mit trop. Klima vor der S-Küste Chinas, als Prov. (seit 1988) 34 000 km², 6,6 Mill. E (1990), Hauptstadt Haikou; im Wuzhi Shan 1 867 m hoch; Entwicklung zur größten Wirtschaftssonderzone Chinas.

Hainanstraße (Qiongzhou Haixia [chin. tɕiʊŋdʒɔuxaiɕia]), Meeresstraße zw. der Halbinsel Leizhou und der Insel Hainan.

Hainaut [frz. ɛ'no] ↑ Hennegau.

Hainbuche (Weißbuche, Carpinus betulus), bis 25 m hoch und bis 150 Jahre alt werdendes Haselnußgewächs im gemäßigten Europa bis Vorderasien; Stamm glatt, grau, seilartig gedreht, oft durch Stockausschläge mehrstämmig und strauchartig; Blätter zweizeilig gestellt, elliptisch, scharf doppelt gesägt; Blüten in hängenden, nach ♂ und ♀ getrennten Kätzchen; Früchte büschelig hängende, dreilappig geflügelte Nüßchen.

Hainbund ↑ Göttinger Hain.

Hainburg an der Donau, niederöstr. Stadt nahe der slowak. Grenze, 161 m ü. d. M., 5 750 E. Tabakind. – Seit 1244 Stadt. – Stadtbefestigung (13. Jh.); Burg mit Wohnturm des 13. Jh.; Renaissance- und Barockhäuser.

Hainfarn (Alsophila), Gatt. der Cyatheagewächse mit rd. 300 Arten in den Bergwäldern der alt- und neuweltl. Tropen und Subtropen. Die in Australien vorkommende, bis 20 m hohe Art *Alsophila australis* wird häufig in Gewächshäusern kultiviert.

Hainich, Höhenzug am W-Rand des Thüringer Beckens, bis 494 m hoch.

Hainichen, Krst. im Mittelsächs. Hügelland, Sa., 303 m ü. d. M., 9 600 E. Gellert-Museum; Kfz-Bau, Textil-, Leder-, Möbelind. – 1342 als Stadt bezeichnet.

H., Landkr. in Sachsen.

Hainisch, Marianne, * Baden bei Wien 25. März 1839, † Wien 5. Mai 1936, östr. Politikerin. – Seit 1870 Vorkämpferin für Bildung und für Sicherung besserer Erwerbsmöglichkeiten für Frauen; gründete 1902 den Bund östr. Frauenvereine.

H., Michael, * Aue (= Gloggnitz, Niederösterreich) 15. Aug. 1858, † Wien 26. Febr. 1940, östr. Politiker. – Sohn von Marianne H.; liberal-demokrat. und gemäßigt großdt. Grundhaltung; 1920–28 Präs. der Republik Österreich; 1929/30 Handelsminister.

Hainleite, Höhenzug im N des Thüringer Beckens, bis 463 m hoch. Setzt sich nach W im **Dün** (520 m), östl. der Thüringer Pforte in der bis 386 m hohen **Schmücke** fort.

Hainschnecken, svw. ↑ Schnirkelschnecken.

Hainschnirkelschnecke ↑ Schnirkelschnecken.

Hainsimse (Marbel, Luzula), Gatt. der Binsengewächse mit rd. 80 Arten in der nördl. gemäßigten Zone; Stauden mit grasähnl., am Rande bewimperten Blättern und bräunl. bis gelbl. oder weißen, sechszähligen Blüten. In Deutschland kommen 12 Arten vor, darunter häufig die **Behaarte Hainsimse** (Luzula pilosa) mit weiß bewimperten Grundblättern.

Haiphong, Stadt mit Prov.status (1 515 km²) im NO des Tonkindeltas, Vietnam, 1,39 Mill. E (städt. Agglomeration). Sitz eines kath. Bischofs; Haupthafen N-Vietnams; Schiffbau, Eisen- und Zinkerzschmelze, Maschinenbau, Zementfabrik, Kunststoff-, Textil-, Nahrungsmittel- u. a. Ind.; Bahnlinie nach Hanoi; ✈.

Haithabu [altnord. „Heidewohnstätte“], ein 804 als **Sliasthorpe,** um 850 als **Sliaswich** bezeugter Handelsplatz an der Schlei, südl. von Schleswig. Vermutlich um die Mitte des 8. Jh. gründeten fries. Kaufleute eine erste Niederlassung als Umschlagplatz. Der zentrale Siedlungskern nahm seit dem 9. Jh. immer mehr an Umfang und Bed. zu. H. erhielt eine Münzstätte und wurde im 10. Jh. mit einem Halbkreiswall befestigt. Um 900 kam das bisher dän. H. an schwed. Wikinger, wurde 934 und endgültig 983/84 wieder dänisch. Seine Funktion übernahm in der Folgezeit

Schleswig. Seit 1900 wurden in H. umfangreiche Ausgrabungen durchgeführt (1980 vorläufig abgeschlossen; u. a. Fund eines Wikingerschiffs). 1985 nahebei Eröffnung des „Wikinger-Museums Haithabu".

Haitham, Al ↑Alhazen.

Haiti

(amtl. Vollform: République d'Haïti), Republik im Bereich der Westind. Inseln, zw. 72° und 74° 30′ w. L. sowie 18° und 20° n. Br. **Staatsgebiet:** Umfaßt den W der Insel Hispaniola, grenzt im O an die Dominikan. Republik. **Fläche:** 27750 km². **Bevölkerung:** 6,75 Mill. E (1992), 243 E/km². **Hauptstadt:** Port-au-Prince. **Verwaltungsgliederung:** 9 Dep. **Amtssprache:** Französisch, Umgangssprache: Kreolisch. **Staatsreligion:** Röm.-kath. **Nationalfeiertag:** 1. Jan. (Unabhängigkeitstag). **Währung:** Gourde (Gde.) = 100 Centimes. **Internat. Mitgliedschaften:** UN, OAS, SELA, WTO, ECLA, Lomé-Abkommen. **Zeitzone:** Eastern Standard Time, d. i. MEZ −6 Std.

Landesnatur: H. ist durch vier Gebirgszüge des Kordillerensystems mit dazwischen liegenden Becken bzw. [Küsten]ebenen gegliedert. Die höchste Erhebung liegt im SO (Pic de la Selle, 2680 m ü. d. M.).
Klima: Das randtrop. Klima mit sommerl. Regenzeit und winterl. Trockenzeit wird durch das Relief differenziert.
Vegetation: Das urspr. Pflanzenkleid mit seinem Wandel von immergrünem Regen- und Bergwald an den N-Hängen zu regengrünem Feucht- und Trockenwald, Feucht- und Trokkensavanne an den S-Hängen ist durch die Land- und Forstwirtschaft (Brandrodung, Raubbau an Wäldern) stark dezimiert.
Bevölkerung: Sie ist aus den Nachkommen der im 18. Jh. aus Afrika für die Plantagenarbeit eingeführten Sklaven entstanden (80% Schwarze, rd. 20% Mulatten); starke Auswanderung. Offiziell gehören rd. 90% der Bev. der kath. Kirche an, doch ist der Wodukult stark verbreitet. H. weist die höchste Analphabetenquote Lateinamerikas auf (62%, in ländl. Gebieten rd. 85%), obwohl Schulpflicht (6–12 Jahre) besteht. In der Hauptstadt wurde 1944 eine Univ. gegründet.
Wirtschaft: H. gehört zu den ärmsten Entwicklungsländern Amerikas. 75% der Erwerbstätigen sind in der Landw. beschäftigt, die aber durch ungünstige klimat. Bedingungen (Trockenperioden, Wirbelstürme), wachsende Erosionsschäden und uneffektive Anbaumethoden nicht den Nahrungsmittelbedarf decken kann. In kleinbäuerl. Betrieben werden, abgesehen von Kaffee, fast nur für den Eigenbedarf Mais, Reis, Bataten, Maniok u. a. angebaut. Großbetriebe in den Küstenebenen erzeugen Kakao, Zucker, Sisal und Baumwolle für den Export. Neben der überwiegend auf der Landw. basierenden Kleinind. erfolgt, begünstigt durch niedrige Löhne, die Weiterverarbeitung von importierten Halbfertigwaren der Bekleidungs-, Spielzeug- und Elektronikind. durch ausländ. Unternehmen. Der Fremdenverkehr hat steigende Tendenz.
Außenhandel: Die wichtigsten Partner sind die USA (75%), die EG-Länder (Frankreich, Deutschland, Belgien), Kanada, die Dominikan. Rep. und Japan. Der Anteil der Agrarerzeugnisse am Exportwert ging zugunsten der Leichtind.produkte (über 60%) stark zurück. Eingeführt werden Nahrungsmittel, Brennstoffe, Maschinen und Transportmittel.
Verkehr: In Betrieb sind nur Plantagenbahnen. Das Straßennetz ist rd. 4000 km lang, z. T. in schlechtem Zustand. Wichtigste Häfen sind Port-au-Prince, Cap-Haïtien und Miragoâne; internationaler ✈ in Port-au-Prince.
Geschichte: 1492 von Kolumbus entdeckt, das westl. Drittel der Insel **Hispaniola** trat Spanien 1697 an Frankreich ab, **Saint-Domingue** wurde im 18. Jh. zur reichsten frz. Kolonie. Die Frz. Revolution brachte die Sklavenbefreiung und Aufstände der Schwarzen und Mulatten gegen die dünne weiße Oberschicht, die bald in einen allg. Krieg mündeten. F. D. Toussaint Louverture gelang es Ende des 18. Jh., brit. und span. Invasionen abzuwehren und seine schwarzen Landsleute unter seinem Kommando zu einen. 1802–04 war die Insel von einem frz. Expeditionskorps besetzt. Das unabhängige H. (ab 1. Jan. 1804) wurde zunächst von einem Kaiser (Jakob I., eigtl. J. J. Dessalines) beherrscht und spaltete sich 1806 in eine Mulattenrepublik im S (Präs. A. S. Pétion bis 1818, dann J. P. Boyer) und einen Schwarzenstaat im N (Präs. H. Christophe, seit 1811 als König Heinrich I.); erst 1820 wurden beide Teile wieder vereint. 1822–44 beherrschte H. auch den span. Teil der Insel; eine Erhebung der span. Kreolen nach der Vertreibung des Diktators Boyer ließ die ↑Dominikanische Republik entstehen. 1849–59 hatte H. nochmals einen Kaiser (Faustin I., eigtl. F. Soulouque), danach versank es in Anarchie. 1915 besetzten die USA H. Auch nach dem Abzug der US-Truppen (1934) blieb H. bis 1947 unter amerikan. Finanzkontrolle. Nach Unruhen, Streiks und polit. Machtkämpfen wurde 1957 F. Duvalier zum Präs. gewählt, der seine Herrschaft auf die Schwarzen stützte und die Mulatten, die bis dahin herrschende Schicht, von der Reg. ausschloß. Wegen seiner Willkürherrschaft kam es wiederholt zu Aufständen und Putschversuchen, die aber alle scheiterten. Die polit. Verhältnisse änderten sich auch

nach dem Amtsantritt (1971) seines Sohnes J.-C. Duvalier (* 1951) nicht grundlegend. Nach starken Unruhen (seit Mai 1984) ging dieser 1986 ins frz. Exil. Eine Reg.junta unter General H. Namphy führte die Reg.geschäfte. Andauernde Unruhen führten zum Abbruch der Wahlen vom Nov. 1987. Erst im Jan. 1988 wurde ein neuer Präs. gewählt, der durch Putsch unter General Namphy im Juni 1988 gestürzt wurde. Nach einem weiteren Putsch kam im Sept. 1988 P. Avril an die Macht, der nach Unruhen im März 1990 zurücktrat. Eine zivile Übergangsreg. bereitete Wahlen vor; aus ihnen ging im Dez. 1990 der Befreiungstheologe J. B. Aristide (* 1953) als Sieger hervor. Er trat sein Amt – gestützt auf eine Koalition aus linken Splitterparteien (FNCD) – im Febr. 1991 an. Am 30. Sept. 1991 wurde Aristide durch einen Militärputsch unter General R. Cedras gestürzt und floh ins Exil. Nach starkem internat. Druck auf das Militärregime (u. a. Wirtschaftssanktionen, Interventionsdrohungen) konnten im Sept. 1994 der Rücktritt der Militärmachthaber und die Wiedereinsetzung des gewählten Präs. vereinbart werden, zu deren Durchsetzung internat. Streitkräfte unter Führung der USA auf H. landeten. Mit der Rückkehr Aristides im Okt. 1994 wurden die Wirtschaftssanktionen aufgehoben.

Politisches System: Nach der Verfassung vom 28. April 1987 (durch Volksabstimmung gebilligt) ist H. eine präsidiale Republik. *Staatsoberhaupt* und oberster Inhaber der *Exekutivgewalt* ist der Präs., er wird für 5 Jahre direkt vom Volk gewählt. Der Präs. ernennt den Min.präs., der vom Parlament bestätigt werden muß. *Legislativorgan* ist ein Zweikammerparlament, bestehend aus Senat (27 Mgl.) und Deputiertenkammer (83 Abg.). Im Parlament vertreten sind folgende *Parteien* und Bündnisse: Front National pour le Changement et la Démocratie (FNCD), Alliance Nationale pour la Démocratie et le Progrès (ANDP), Parti Agriculturel et Industriel National (PAIN), Parti Démocrate Chrétien Haïtien (PDCH). Die *Rechtsordnung* fußt auf frz. Recht.

𝕄 *Donner, W.: H. Naturraumpotential u. Entwicklung. Tüb. 1980.*

haitianische Kunst, die von indian. und v. a. von afrikan. Einflüssen geprägte Kunst der Bev. Haitis. Die Gründung eines Kunstzentrums (1944) in Port-au-Prince brachte der h. K. einen bes. Aufschwung und weltweite Anerkennung. Zu den bekanntesten Künstlern gehören P. Obin (* 1892, † 1986), H. Hyppolite (* 1894, † 1948), P. Duffaut (* 1923), J.-E. Gourgue (* 1930), W. Bigaud (* 1931).

Haitink, Bernard (Haïtink), * Amsterdam 4. März 1929, niederl. Dirigent. – 1964–88 Dirigent des Concertgebouworkest in Amsterdam, 1967–79 des London Philharmonic Orchestra, leitete 1977–88 die Festspiele in Glyndebourne, seit 1986 Musikdirektor der Covent Garden Opera in London. Bed. Mahler-Interpret.

Hajdu, Étienne [frz. aj'du; ungar. 'hɔjdu:], * Turda (Siebenbürgen) 12. Aug. 1907, frz. Bildhauer ungar. Abkunft. – 1937 Griechenlandreise; abstrakte, von Brancusi und der kret.-myken. Idolplastik beeinflußte Plastik.

Hajdúszoboszló [ungar. 'hɔjdu:sobos-lo:], ungar. Stadt 20 km sw. von Debrecen, 24 500 E. Kurort mit Thermalquellen; Mineralwasserversand; Erdgasförderung.

Hajek, Otto Herbert, * Nové Hutě (Südböhm. Geb.) 27. Juni 1927, dt. Bildhauer und Maler. – Seine urspr. von innen aufgelösten Volumen verfestigten sich später zu kompakten Formen, oft farbige Großplastik, z. T. begehbar (seit 1963); auch Gemälde.

Hájek [tschech. 'ha:jɛk], Jiří, * Krhanice (Mittelböhm. Bez.) 6. Juni 1913, † Prag 22. Okt. 1993, tschechoslowak. Politiker. – Jurist und Historiker, zunächst Mgl. der Sozialdemokrat. Partei, ab 1948 der Kommunist. Partei, in deren ZK 1948–69. Mgl. der Nationalversammlung 1945–54; April–Sept. 1968 Außenmin.; förderte maßgeblich die reformkommunist. Ideen, die 1968 zum „Prager Frühling" führten. Nach dessen gewaltsamer Unterdrückung verlor er 1969 alle Partei- und Staatsämter und wurde 1970 aus der KP ausgeschlossen. Mitverfasser der „Charta 77".

H., Jiří, * Pacov (Südböhm. Bez.) 17. Juli 1919, tschech. Literaturkritiker. – 1939–42 im KZ Sachsenhausen; Redakteur verschiedener Literaturzeitschriften; übersetzte F. Hölderlin; einer der Sprecher der „Charta 77".

Hajek-Halke, Heinz, * Berlin 1. Dez. 1898, † ebd. 11. Mai 1983, dt. Photograph. – Seit 1925 Pressephotograph. Widersetzte sich 1933 der Forderung des NS-Propagandaministeriums, Dokumentaraufnahmen zu fälschen. Seit den 1950er Jahren wurde er mit photokünstler. Experimenten als „Meister des photograph. Informel" bekannt.

Hajigakpaß † Hindukusch.

Häkelarbeit, mit nur einer Nadel (Häkelnadel) mit Widerhaken (zum Durchziehen des Fadens) ausgeführte Handarbeit.

Häkelgarn, scharf gedrehtes 4- bis 6fach gezwirntes, im Baumwollspinnverfahren hergestelltes Garn.

Haken, winklig oder rund gebogener Metall- oder Kunststoffteil, der zum Auf- oder Einhängen von Gegenständen dient. – † Karabinerhaken.

◆ svw. † Grandeln.

◆ Ausgangsform von Nehrungen. – † Küste.

◆ *Boxen:* mit angewinkeltem Arm geführter Schlag.

Hakenkäfer (Klauenkäfer, Dryopidae), weltweit verbreitete Fam. meist nur 3–5 mm langer Käfer an und in Gewässern, mit fast 1000 Arten, davon in M-Europa 36; meist olivgrüne bis braune Käfer, die im Wasser an Wasserpflanzen, Steinen umherlaufen. Zum Anheften dienen große, spitze Klauen.

Hakenkreuz (Sanskrit: Swastika [„heilbringendes Zeichen"]; althochdt.: fyrfos [„Vierfuß"]), gleichschenkliges Kreuz, dessen 4 gleichlange Balken (rechtwinklig oder bogenförmig angeordnet) das H. wie ein laufendes Rad erscheinen lassen. Aus der Frühgeschichte überliefert und in Europa, Asien, seltener in Afrika und Mittelamerika nachweisbar; als religiöses Symbol von umstrittener Bed. (Sonnenrad, Spiralmotiv, Thors Hammer, doppelte Wolfsangel). Emblem des NS und anderer faschist. Bewegungen in Ungarn, Schweden, den Niederlanden, Großbritannien und den USA; auch nach 1945 von neofaschist. Bewegungen verwendet. Diente nach 1918 als polit. und militär. Emblem in Lettland und Finnland.

Hakenkreuzflagge, seit 1920 offizielles Parteibanner der NSDAP; seit 1933 zus. mit der schwarz-weiß-roten Fahne Flagge des Dt. Reiches; 1935–45 alleinige Reichs- und Nationalflagge.

Hakenlilie (Crinum), Gatt. der Amaryllisgewächse mit über 100 Arten, v.a. in den Küstenländern der Tropen und Subtropen; Zwiebelpflanzen mit langen, meist schmalen Blättern; Blüten in mehrblütiger Dolde.

Hakenpflug ↑Pflug.

Hakenwurm, svw. ↑Grubenwurm.

Hakenwürmer (Ankylostomen, Ancylostomatidae), Fam. bis etwa 3 cm langer, parasit. Fadenwürmer; hauptsächlich im Dünndarm von Säugetieren und des Menschen; beißen sich in der Darmwand fest und saugen Blut; verursachen die ↑Hakenwurmkrankheit. Beim Menschen kommen v.a. ↑Grubenwurm und ↑Todeswurm vor.

Hakenwurmkrankheit (Ankylostomiasis), von Hakenwürmern hervorgerufene chron. Erkrankung; Symptome sind Anämie, Wechsel von Verstopfung und Durchfall, Nasenbluten, Kräfteverfall.

Hakim [arab.], Herrscher, Gouverneur; Richter.

Hakim, Al, Bi Amrillah, *985, †auf dem Mokattam (Kairo) 13. Febr. 1021, fatimid. Kalif. – 996 Nachfolger seines Vaters Al-Asis; religiöser Fanatiker; zerstörte Kirchen und Synagogen, u.a. die Grabeskirche in Jerusalem. Die Drusen verehren in ihm die Verkörperung der göttl. Urkraft.

Hakka, Volks- und Sprachgruppe in S-China, auf Taiwan, Hainan und in Hongkong.

Hakko ↑Akko.

Hakodate, jap. Hafenstadt auf Hokkaidō, an der Tsugarustraße, 312000 E. Fischereiwirtschaft, daneben Erdölraffinerie, petrochem. u.a. Ind.; Fährverbindung und ↑Saikantunnel nach Aomori auf Honshū; ✈. – Urspr. eine Siedlung der Ainu; seit 1800 war H. wichtigster Hafen Hokkaidōs.

Håkon (Haakon) [norweg. 'ho:kɔn], Könige von Norwegen:

H. IV. Håkonsson, der Alte [norweg. 'ho:kɔnsɔn], *1204, †Kirkwall (Orkneyinseln) 17. Dez. 1263, König (seit 1217). – Führte das Erbkönigtum ein; erwirkte 1261 die Anerkennung der norweg. Oberhoheit durch Grönland, 1262 die durch Island.

H. VI. Magnusson [norweg. 'magnusɔn], *1339, †1. Mai 1380, König (seit 1355), von Schweden (1362/63). – Sohn des norweg.-schwed. Königs Magnus V. Eriksson; seine Ehe (seit 1363) mit Margarete I., der Tochter des dän. Königs Waldemar IV. Atterdag, begr. die skand. Staatenunion (Kalmarer Union).

H. VII., *Charlottenlund (= Kopenhagen) 3. Aug. 1872, †Oslo 21. Sept. 1957, König (seit 1905). – Trat im 1. wie beim Ausbruch des 2. Weltkriegs für eine neutrale Haltung Norwegens, Dänemarks und Schwedens ein; befahl bei der dt. Besetzung Norwegens 1940 den Widerstand der norweg. Truppen; ging nach deren Niederlage und seiner Weigerung, die Reg. Quisling anzuerkennen, nach Großbritannien ins Exil, 1945 Rückkehr.

Hal [frz. al], Stadt in Belgien, ↑Halle.

Halacha [hebr. „Wandel"], Bez. sowohl des gesetzl. Teils der jüd. Überlieferung im ganzen als auch einer Einzelbestimmung. – Die H. umfaßt als *schriftl. Thora* die Gebote der fünf Bücher Moses, als *mündl. Thora* deren Interpretation sowie nicht in der Bibel enthaltene, bibl. Geboten jedoch gleichgeachtete Vorschriften.

Halali [hala'li:, ha'la:li; frz.], 1. urspr. der Jagdruf (auch Jagdhornsignal), wenn das gehetzte Wild auf einer Parforcejagd gestellt ist; 2. das Signal, das das Ende einer Jagd anzeigt.

Halbacetal ↑Acetale.

Halbaffen (Prosimiae), Unterordnung 13–90 cm körperlanger Herrentiere mit rd. 35 Arten, v.a. auf Madagaskar, in Afrika und S-Asien; Schwanz sehr lang bis stummelförmig, Kopf mit mehr oder minder langer, spitzer, hundeähnl. Schnauze; Augen sehr groß. Zu den H. gehören die Loris, Koboldmakis, Galagos, Lemuren, Indris und das Fingertier.

Halbbild, in der *Stereoskopie* Bez. für eines der beiden stereoskop. Teilbilder.

Halbblut, in der *Pferdezucht* Sammelbez. für die unterschiedl. Pferderassen und -schläge, die nicht eindeutig einer der großen Gruppen Ponys, Kaltblut und Vollblut zugeordnet

Halbesel. Onager

werden können. In Deutschland werden als H. v.a. Pferde bezeichnet, deren einer Elter zu 100% Vollblut ist.

◆ svw. ↑Mischling.

Halbdach ↑Dach.

Halbdeckung, Begriff aus der gesetzl. Rentenversicherung; bedeutet, daß die Zeit zw. dem Eintritt in die Versicherung und dem Versicherungsfall zur Hälfte mit Beiträgen belegt ist; wichtig für die Anrechnung von Ausfall-, Ersatz- und Zurechnungszeiten.

Halbe, Max, *Güttland bei Danzig 4. Okt. 1865, †Gut Neuötting (Oberbay.) 30. Nov. 1944, dt. Schriftsteller. - Seine Dramen (v.a. „Jugend", 1893; „Mutter Erde", 1897) veranschaulichen die naturalist. Thesen von der Bed. des Milieus und der Unausweichlichkeit des Schicksals; auch Romane, Novellen sowie Autobiographien.

Halbedelsteine ↑Schmucksteine.

halbe Note, Zeichen 𝅗𝅥, ↑Noten.

halbe Pause, Zeichen 𝄼, ↑Noten.

Halberstadt, Krst. in Sa.-Anh., Mittelpunkt des nördl. Harzvorlandes, 115 m ü.d.M., 45000 E. Vogelkundemuseum Heineanum, Domschatzmuseum, Gleimhaus; Theater; Maschinenbau, Textil-, Gummi-, elektron., Möbel-, Nahrungsmittel- u.a. Ind. - H. wurde vor 827 Bischofssitz und erhielt nach der Verleihung von Markt-, Münz- und Zollrecht (996) eine stadtgleiche Stellung. Durch den Westfäl. Frieden fiel die Stadt 1648/50 an Brandenburg. - Nach schweren Zerstörungen im 2. Weltkrieg wiederaufgebaut, u.a. Dom (13.-15. Jh., bed. Ausstattung), Dompropstei (16./17. Jh.), Liebfrauenkirche (12. Jh., Chorschranken um 1200); Bürgerhäuser (15.-17. Jh.); Reste der Stadtbefestigung.

H., Landkr. in Sachsen-Anhalt.

H., ehem. Bistum, um 827 durch Ludwig den Frommen geschaffen. H. war der äußerste Vorposten christl. Mission für die slaw. Gebiete; es unterstand dem Erzbistum Mainz. Schon 1541 ging H. zur Reformation über. Im Westfäl. Frieden (1648) kam das Hochstift als Ft. an Brandenburg.

Halberzeugnis (unfertiges Erzeugnis), im Produktionsprozeß eines Betriebes erst teilweise erstelltes bzw. bearbeitetes Erzeugnis.

Halbesel (Asiat. Wildesel, Pferdeesel, Equus hemionus), knapp 1-1,5 m schulterhohe Art der Unpaarhufer (Fam. Pferde) in den Steppen und Wüsten Asiens; mit esel- und pferdeartigen Merkmalen; Fell oberseits fahlgelb bis rotbraun, mit Aalstrich ohne „Schulterkreuz", Bauch weiß; Ohren relativ lang. Man unterscheidet mehrere Unterarten, u.a. Mongol. H. (**Kulan,** Equus hemionus kulan), fahlbraun mit schwärzl., weiß abgesetztem Aalstrich; Pers. H. (**Onager,** Equus hemionus onager), fahl gelbbraun, mit schwärzlich gesäumten Hufen und bis zum Schwanzende reichendem Aalstrich; Tibet. H. (**Kiang,** Equus hemionus kiang), mit rotbrauner Oberseite. H. lassen sich nicht abrichten.

halbe Stimmen (halbe Register), Bez. für Orgelregister, die nur die Hälfte einer Klaviatur umfassen. Sie finden sich bereits in Orgeln des 16. Jh. (z.B. bei C. Antegnati).

Halbfabrikat, svw. ↑Halbzeug.

Halbfigurenbild, gemalte Darstellung eines Menschen in halber Figur; seit dem 15. Jh. bes. in Italien und in den Niederlanden. In der Plastik entspricht dem H. die Büste.

Halbfinale (Vorschlußrunde), vorletzte Runde eines sportl. Wettkampfes.

Halbfliegengewicht ↑Sport (Gewichtsklassen, Übersicht).

Halbfreie, nach den ma. Volksrechten ein Stand mit geminderter Freiheit zw. Freien und Unfreien. Die Abhängigkeit dieser Bev.schicht von einer Herrschaft reichte von Schollengebundenheit bis zu persönl. Freizügigkeit bei Zahlung eines Anerkennungszinses. - ↑Leibeigenschaft.

Halbgänse (Tadornini), mit Ausnahme von N-Amerika weltweit verbreitete Gattungsgruppe der Enten; gänseähnl. Merkmale sind die Gleichfärbung der Geschlechter und das Abweiden von Gras. Die bekanntesten der rd. 20 Arten sind: ↑Brandente; **Rostgans** (Rote Kasarka, Tadorna ferruginea), etwa 65 cm lang, vorwiegend rostrot, v.a. an flachen Süßwasserseen S-Spaniens, NW-Afrikas und der südl. gemäßigten Regionen Eurasiens; Irrgast in M-Europa; **Nilgans** (Alopochen aegyptiacus), etwa 70 cm lang, vorwiegend gelblich-braun, an Gewässern Afrikas; mit dunkelbraunem Augen- und Brustfleck, rötl. Schnabel und rötl. Füßen; **Hühnergans** (Cereopsis novae-hollandiae), rd. 70 cm groß, auf den Inseln vor der W- und S-Küste Australiens; Gefieder aschgrau, Schnabel sehr kurz, gelbgrün, Beine rosarot. Die Gatt. **Spiegelgänse** (Chloephaga) hat mehrere Arten in S-Amerika. Die bekannteste ist die **Magellangans** (Chloephaga picta), etwa 65 cm groß, schwarzschnäbelig, in den Grassteppen S-Argentiniens und S-Chiles; ♂ vorwiegend weiß, ♀ vorwiegend braun.

Halbgeschwister ↑Geschwister.

Halbgott ↑Heros.

Halbholz, durch einmaliges Zerschneiden eines kantig zugerichteten Stammes in Längsrichtung entstandenes Bauholz.

halbimmergrüner Wald, dem Regenwald ähnl. Waldtypus, bei dem während oder nach der Trockenzeit die Blätter nur im obersten Baumstockwerk abgeworfen werden.

Halbinsel, inselartig in ein Gewässer vorspringender Teil des festen Landes.

Halbkammgarn, in vereinfachtem Kammgarnverfahren gesponnenes Garn, das nicht gekämmt ist und daher außer den langen auch kürzere Wollfasern enthält.

Halbkantone, Schweizer Kantone, die aus histor. Gründen in je zwei Teile geteilt sind: Unterwalden in Obwalden und Nidwalden, Appenzell in Innerrhoden und Außerrhoden, Basel in Basel-Stadt und Basel-Landschaft. Die H. zählen bei Verfassungsrevisionen im Bund nur mit einer halben Stimme und entsenden nur je einen Vertreter in den Ständerat. Im übrigen sind die H. den anderen Kt. gleichberechtigt.

Halbkonserve ↑Konserve.

Halbkonsonant ↑Halbvokal.

Halbleichtgewicht ↑Sport (Gewichtsklassen, Übersicht).

Halbleinen, Gewebe mit mindestens 40 Gewichts-% Leinen.

Halbleiter, kristalliner oder amorpher Festkörper (auch organ. Stoff), dessen elektr. Leitfähigkeit über der der Isolatoren und unter der der Metalle, d. h. zw. 10^{-8} und 10^{6} s/m liegt. Praktisch bed. H. sind Elemente der IV. Gruppe des Periodensystems (Silicium, Germanium), Verbindungen aus Elementen der III. und V. Gruppe (z. B. Galliumphosphid, -arsenid, Indiumarsenid und verschiedene Legierungen), der II. und VI. Gruppe (z. B. Zinksulfid, Cadmiumtellurid) sowie Bleichalkogenide (z. B. Bleisulfid, -tellurid) und Selen. Reine H. haben ein vollbesetztes Valenzband und ein leeres Leitungsband (↑Bändermodell). Entscheidend für die Größe der elektr. Leitfähigkeit sind neben der Breite der Energielücke zw. Leitungs- und Valenzband auch Art und Konzentration der im Kristall vorhandenen ↑Störstellen sowie Temperatur und äußerer Druck. Durch therm. oder opt. Anregung werden Elektronen ins Leitungsband gehoben, sie lassen im Valenzband *Löcher (Defektelektronen)* zurück. Sowohl Elektronen als auch Löcher ermöglichen den Stromfluß *(Eigenleitung);* die elektr. Leitfähigkeit nimmt mit steigender Temperatur zu. *Störstellenleitung* entsteht durch ↑Dotierung, z. B. kann man in die H. Silicium und Germanium leicht Atome der Elemente der III. Hauptgruppe (z. B. Bor) als ↑Akzeptoren und Atome der V. Hauptgruppe (z. B. Phosphor) als Elektronenspender (↑Donatoren) mit gewünschter Konzentration einbauen, wodurch sich die elektr. Eigenschaften gegenüber dem reinen H. radikal ändern. Donatoren geben Elektronen ins Leitungsband ab (es entsteht **n-Leitung**), Akzeptoren nehmen Elektronen aus dem Valenzband auf **(p-Leitung).** Durch ↑Rekombination von Elektronen und Löchern wird Energie frei, die zu einer Erwärmung des H. führt oder unter günstigen Umständen als elektromagnet. Strahlung (Licht) den Kristall verläßt. Die Eigenschaften der H. führten zu ihrer Anwendung in einer Vielzahl von elektron. und optoelektron. Bauelementen.

📖 *Möschwitzer, A./Lunze, K.: H.-Elektronik. Hdbg. [8]1988. – Müller, Rudolf: Grundll. der*

Halbleiter. Schema der Ladungsträger eines metallischen Leiters, eines undotierten, eines n-dotierten, und eines p-dotierten Halbleiters mit dazugehörenden Bändermodellen

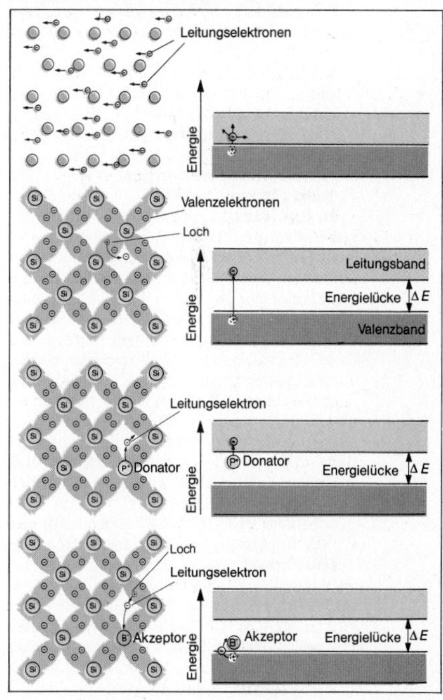

H.-Elektronik. Bln. u. a. [5]1987. – Ruge, I.: H.-Technologie. Bln. u. a. [2]1984.

Halbleiterbauelement, elektron. Bauelement, dessen Wirkungsweise bzw. Funktion auf dem Verhalten von Ladungsträgern in Halbleiterkristallen und in Strukturen, die aus verschiedenen Halbleiterkristallen sowie aus Metallen und Isolatoren bestehen können, beruht. In H. werden physikal. Effekte ausgenutzt, z. B. der Volumeneffekt als Gunn-Effekt, ebenso in und an Halbleiteroberflächen oder -grenzflächen, z. B. beim pn-Übergang. Nach den beim ausgenutzten Effekt beteiligten Energieformen unterscheidet man (rein) elektr. H. (z. B. Bipolartransistoren und Feldeffekttransistoren), thermoelektr. H. (z. B. Heißleiter), optoelektron. H. (z. B. Lumineszenzdiode und Solarzelle), galvanomagnet. H. (z. B. Hall-Element und Magnetdiode), akustoelektron. H. und piezoelektr. H. (z. B. Piezotransistor). H. können jedoch auch nach technolog. Gesichtspunkten (z. B. Anzahl der pn-Übergänge) eingeteilt werden. Als H. lassen sich passive Bauelemente (Widerstände und Kondensatoren), Dioden, Transistoren und integrierte Schaltungen realisieren.

📖 *Tietze, U./Schenk, C.: Halbleiter-Schaltungstechnik. Bln. [10]1993. – Rötzel, A.: Halbleiter-Bauelemente. Stg. 1985. – Hilpert, H. W.: H. Stg. [3]1983.*

Halbleiterblocktechnik ↑Mikroelektronik.

Halbleiterdiode ↑Diode.

Halbleitergleichrichter ↑Gleichrichter.

Halbleiterkühlelement svw. Peltier-Element (↑Peltier-Effekt).

Halbleiterspeicher, aus integrierten Halbleiterschaltkreisen aufgebauter Arbeitsspeicher eines Computers, zuweilen auch die einzelnen *Speicherchips* oder *-schaltkreise.* Man unterscheidet dabei Fest[wert]speicher oder Nur-Lese-Speicher (**ROM,** Abk. für **r**ead **o**nly **m**emory) mit fest eingegebenem und nicht veränderbarem Inhalt und Schreib-Lese-Speicher mit wahlfreiem Zugriff (Direktzugriffsspeicher; **RAM,** Abk. für **r**andom **ac**cess **m**emory), bei denen jede Speicherzelle einzeln adressierbar und inhaltlich veränderbar ist. Bei den RAM gibt es **SRAM** (stat. RAM) und **DRAM** (dynam. RAM mit refresh = period. Auffrischung). Bei den ROM gibt es u. a. **PROM** (programmierbare) und **EPROM** (erasable = löschbare PROM).

Hälbling, 1. (halbierte Münze) eine zur Behebung von Kleingeldmangel (in meist halbe Stücke) zerteilte Münze; schon in der Antike üblich; 2. (Helbling) Bez. für das Halbstück des mittelalterl. Pfennigs, auch als Obolus bezeichnet.

Halbmakis ↑Lemuren.

halbmast (halbstocks), auf halber Höhe; zum Zeichen der Trauer werden Flaggen h. gehißt.

Halbmesser, Verbindungsstrecke irgendeines Punktes auf einer ebenen Mittelpunktskurve (z. B. Kreis, Ellipse, Hyperbel) oder einer gekrümmten Mittelpunktsfläche (z. B. Kugel, Ellipsoid) mit dem Mittelpunkt der Kurve oder Fläche; bei Kreis und Kugel auch als **Radius** bezeichnet.

Halbmetalle, chem. Elemente, die teils metall., teils nichtmetall. Eigenschaften besitzen; zu ihnen gehören Antimon, Arsen, Bor, Germanium, Polonium, Selen, Silicium und Tellur. Die H. kommen meist in einer metall. und einer nichtmetall. Modifikation vor; sie sind auch in der metall. Modifikation relativ schlechte elektr. Leiter, während sie in der nichtmetall. Modifikation Halbleiter darstellen und als solche von techn. Bed. sind.

Halbmittelgewicht ↑Sport (Gewichtsklassen, Übersicht).

Halbmond ↑Mond.

◆ in der *Heraldik* gemeine Figur in Form einer Mondsichel, oft von Sternen begleitet.

◆ seit dem 13. Jh. Wahrzeichen des Islams; zus. mit einem Stern wird er zu Beginn des 19. Jh. Emblem des Osman. Reichs; in islam. Ländern heißt die dem Roten Kreuz entsprechende Organisation **Roter Halbmond.**

Halbnomadismus ↑Nomadismus.

Halböl, aus Leinölfirnis und einem Verdünnungszusatz bestehendes Grundierungsmittel für Holzanstriche; auch als Bindemittel für Ölfarben verwendet.

halbpart [dt./lat.], zu gleichen Teilen.

Halbporzellan, svw. ↑Vitreous China.

halbregelmäßige Körper, svw. ↑archimedische Körper.

Halbschatten, der Bereich, in dem eine Lichtquelle aus optisch-geometr. Gründen nur teilweise abgeschattet erscheint.

Halbschluß, in der Musik Bez. für die den Ganzschluß (auf der Tonika) noch hinauszögernde ↑Kadenz, meist auf der ↑Dominante.

Halbschmarotzer, svw. Halbparasiten (↑Parasiten).

Halbschnabelhechte (Halbschnäbler, Hemirhamphidae), Fam. bis 45 cm langer hechtartig schlanker Knochenfische mit rd. 70 Arten in trop. und subtrop. Meeren und Brackgewässern; Unterkiefer schnabelartig verlängert; z. T. Warmwasseraquarienfische.

halbschweres Wasser ↑schweres Wasser.

Halbschwergewicht ↑Sport (Gewichtsklassen, Übersicht).

Halbseide, Gewebe in ↑Atlasbindung mit Seidenschuß und Baumwollkette. Durch die einseitige Bindung erscheint die Oberseite als Seidengewebe.

Halbseitenanästhesie (Hemianästhesie), Ausfall des Berührungssinns einer Körperhälfte, eventuell auch anderer Sinnesfunktionen (z. B. Temperatur-, Schmerzsinn), meist als Folge einer Schädigung der gegenseitigen Gehirnhälfte.

Halbseitenblindheit (Hemianopsie, Hemiablepsie), Sehstörung mit einem halbseitigen Ausfall des Gesichtsfeldes eines oder beider Augen bei krankhaften Prozessen im Bereich der Sehnervenkreuzung.

Halbseitenlähmung (Hemiplegie), die vollständige Lähmung einer Körperhälfte, z. B. bei Schlaganfall.

Halbsouveränität ↑Suzeränität, ↑Souveränität.

Halbstamm ↑Obstbaumformen.

Halbstarke, in den 1950er Jahren übl. Bez. für sozial aufsässige, unangepaßte und mit aggressivem Krawall- und Protzverhalten die Gesellschaft der Erwachsenen provozierende (fast ausnahmslos männl.) Jugendliche zw. 15 und 20 Jahren in zahlr. Ind.ländern (in den angelsächs. Ländern „hooligans").

Halbstrauch (Hemiphanerophyt), Bez. für Pflanzen, deren untere Sproßteile verholzen und ausdauern, während die oberen, krautigen Sproßteile absterben.

Halbtagsbeschäftigung ↑Teilzeitbeschäftigung.

Halbtaucher ↑Off-shore-Technik.

Halbton, in der *Musik* die kleine ↑Sekunde (große Sekunde = Ganzton). Unterschieden werden der diaton. H. (z. B. e–f), der chromat. H. (z. B. c–cis) und der enharmon. H. (z. B. cis–eses). – ↑Intervall.

◆ in der *Malerei* Abdeckung der Farben (Lokalfarben) zu einem farbigen Grau, um den Effekt des Übergangs vom Licht zu Schatten zu erzielen.

◆ in der *graph. Technik* und in der Photographie kontinuierlich ineinander übergehende Grau- oder Farbhelligkeitswerte einer Vorlage, eines Negativs oder Positivs.

Halbunziale, spätantike, vom 4.–8. Jh. gebräuchl. Schrift, die Elemente der Majuskelcharakter tragenden Unziale mit solchen der Minuskelkursive (Betonung der Ober- und Unterlängen) verbindet.

Halbvokal, unsilb. Laut, nicht als Silbenträger auftretender Vokal, z. B. das i in Nation (gesprochen als j und damit in konsonant. Funktion auftretend, daher auch als **Halbkonsonant** bezeichnet).

Halbwachs, Maurice [frz. alb'vaks], * Reims 11. März 1877, † KZ Buchenwald 16. März 1945, frz. Soziologe. – Beeinflußt v. a. von E. Durkheim; 1919–35 Prof. in Straßburg und Paris, 1938 Präs. der Académie des Sciences morales et politiques, 1944 Prof. am Collège de France; betonte v. a. die verhaltensprägende Kraft der sozialen Klassen und stellte so die Verbindung zw. Soziologie und Sozialpsychologie her.

Halbwelt [Lehnübersetzung von frz. demi-monde (nach dem Titel einer Komödie von A. Dumas d. J.)], Bez. für eine wohl elegante, im bürgerl. Sinne jedoch moralisch anrüchige und deshalb verachtete Gesellschaftsschicht, v. a. des 19. Jahrhunderts.

Halbweltergewicht ↑Sport (Gewichtsklassen, Übersicht).

Halbwertsbreite, die Breite einer glokkenähnl. Kurve (z. B. Intensitätsverteilung einer Spektrallinie) in halber Höhe der Ordinate des Kurvenmaximums.

Halbwertszeit, Formelzeichen $T_{1/2}$, allg. die Zeitspanne, in der eine abfallende physikal. Größe auf die Hälfte ihres Anfangswertes abgesunken ist. Speziell beim *radioaktiven Zerfall* bezeichnet man mit H. diejenige Zeitdauer, innerhalb der von den urspr. vorhandenen Atomen die Hälfte zerfallen ist. Die H. ist für jedes radioaktive Nuklid eine charakterist., von äußeren Bedingungen (Druck, Temperatur usw.) unabhängige Konstante. Die *biolog. H.* ist die (meist in Tagen angegebene) Zeitspanne, in der die halbe Menge eines zugeführten Radioisotops aus dem betreffenden Organ biologisch wieder ausgeschieden ist.

Halbwertszeiten radioaktiver Nuklide

Nuklid	Wert	Einheit
Thorium 219	1,05	Mikrosekunden
Stickstoff 13	9,96	Minuten
Kalium 42	12,36	Stunden
Jod 131	8,02	Tage
Strontium 90	28,5	Jahre
Cäsium 137	30,17	Jahre
Radium 226	1 600	Jahre
Kohlenstoff 14	5 730	Jahre
Plutonium 239	24 100	Jahre
Uran 235	703,8	Mill. Jahre

Halbwollgolfers ↑Reißwolle.

Halbwüste, Übergangsform von der eigtl. Wüste zur Savanne bzw. Steppe.

Halbzeit, die halbe Spielzeit bei zahlreichen Sportspielen mit feststehender Spielzeit; auf die 1. H. folgt eine kürzere Pause (H. auch Bez. für diese Pause), danach wechseln die Mannschaften die Seiten.

Halbzeug (Halbfabrikat), in der *Fertigungstechnik* und in der *Hüttentechnik* jedes zw. Rohstoff und Fertigerzeugnis stehende Produkt, das noch weitere Fertigungsstufen zu durchlaufen hat.

Haldane [engl. 'hɔːldɛin], John Scott, * Edinburgh 2. Mai 1860, † Oxford 14. März 1936, brit. Physiologe und philosoph. Schriftsteller. – Prof. in Birmingham; seine Arbeiten über die Physiologie der Atmungsorgane waren von prakt. Bedeutung für die Vorbeugung von Berufskrankheiten, bes. im Bergbau; Vertreter des Neovitalismus.

H., Richard Burdon, Viscount H. of Cloan (seit 1911), * Edinburgh 30. Juli 1856, † Cloan (Perthshire, Schottland) 19. Aug. 1928, brit. Politiker. – Jurist; Bruder von John Scott H.; 1885–1911 liberales Mgl. des Unterhauses; führte als Kriegsmin. (1905–12) eine Neuordnung des Heeres nach preuß.-dt. Muster durch. Die Vermittlerrolle gegenüber Deutschland, die H. im Febr. 1912 mit seiner Reise nach Berlin zur Entschärfung der dt.-brit. Flottenrivalität übernahm **(Haldane-Mission),** scheiterte v. a. am Widerstand von Großadmiral Tirpitz; 1912–15 und 1924 Lordkanzler (Justizmin.).

Halde, Aufschüttung von bergbaulich gewonnenen Produkten, Bergen, Abraum und Rückständen aus der Aufbereitung.

Halden, südnorweg. Stadt an der schwed. Grenze, 25 800 E. Holzverarbeitende Ind.; unterird. Kernreaktor.

Haldensleben, Krst. in der Altmark, Sa.-Anh., 50 m ü. d. M., 19 500 E. Museum (mit Nachlaß der Gebrüder Grimm); Zuckerfabrik, chem., keram., Steingut- und Baustoffind. – Erstmals 966 erwähnt; Magdeburger Stadtrecht und Ratsverfassung; kam 1680 mit dem Erzstift an Brandenburg. – Marienkirche (14./15. Jh.), Rathaus (1703; klassizistisch umgebaut), reitende Rolandfigur, 2 Stadttore (14. und 16. Jh.).

H., Landkr. in Sachsen-Anhalt.

Halder, Franz, * Würzburg 30. Juni 1884, † Aschau i. Chiemgau 2. April 1972, dt. General. – 1938 Generalstabschef des Heeres. 1940 zum Generaloberst ernannt, verlor wegen des Ggs. zu Hitlers Strategie im Rußlandfeldzug ständig an Einfluß; 1942 entlassen und nach dem 20. Juli 1944 im KZ inhaftiert.

Hale, George [Ellery] [engl. hɛɪl], * Chicago 29. Juni 1868, † Pasadena (Calif.) 21. Febr. 1938, amerikan. Astronom. – Errichtete das Yerkes-Observatorium, das Mount-Wilson-Observatorium und das Mount-Palomar-Observatorium mit dem H.-Teleskop (Spiegeldurchmesser 5,08 m); entdeckte 1908 die Magnetfelder der Sonnenflecken.

Haleakala Crater [engl. hɑ:lɛɪɑ:kɑ:'lɑ: 'krɛɪtə], größter Krater der Erde, auf der Hawaii-Insel Maui, USA, 3 055 m ü. d. M., 32 km Umfang, 600 m tief, Nationalpark.

Halebid, Dorf im ind. Bundesstaat Karnataka, 240 km westl. von Bangalore, an der Stelle der um 1000 gegr., im 13. Jh. neu erbauten und 1326 zerstörten Hauptstadt Dwarasamudra (Dorasamudra) der Hoysaladynastie. Erhalten u. a. der Haupttempel Hoysaleschwara (Baubeginn etwa 1141).

Hálek, Vítězslav [tschech. 'ha:lɛk], * Dolínek 5. April 1835, † Prag 8. Okt. 1874, tschech. Dichter. – Journalist. Vorwiegend Lyriker, auch realist. Novellen über das Landleben, ep. Dichtungen, histor. Dramen und Balladen.

Halemaumau ↑ Mauna Loa.

Hales, Alexander von [engl. hɛɪlz] ↑ Alexander von Hales.

Halesia [nach dem brit. Physiologen G. Hales, * 1677, † 1761], svw. ↑ Schneeglöckchenbaum.

Halevi, Juda ↑ Juda Halevi.

Halévy [frz. ale'vi], Daniel, * Paris 12. Dez. 1872, † ebd. 4. Febr. 1962, frz. Historiker und Essayist. – Sohn von Ludovic H.; verfaßte Biographien (u. a. über Nietzsche und Clemenceau) sowie Studien zur Kultur- und Sozialgeschichte des 19. und beginnenden 20. Jahrhunderts.

H., Jacques Fromental Élie, eigtl. Elias Lévy, * Paris 27. Mai 1799, † Nizza 17. März 1862, frz. Komponist. – Großonkel von Daniel H.; Schüler von L. Cherubini. Schrieb etwa 40 kom. und große Opern, u. a. „Die Jüdin" (1835).

H., Ludovic, * Paris 1. Jan. 1834, † ebd. 8. Mai 1908, frz. Librettist. – Neffe von Jacques Fromental Élie H.; schrieb v. a. Textbücher zu Offenbachs Operetten, meist zus. mit Meilhac („Die schöne Helena", 1864; „Pariser Leben", 1866), und zu „Carmen" (1875) von Bizet.

Haley [engl. 'hɛɪlɪ], Alex, * Ithaca (N. Y.) 11. Aug. 1921, † Seattle 10. Febr. 1992, amerikan. Schriftsteller. – Die Fernsehverfilmung seines Buches „Roots" (1976, dt. „Wurzeln"), in dem er seine als Sklaven nach Amerika verbrachten Vorfahren aufspürt, wurde in den USA 1977 ein großer Erfolg. Mitverf. der Autobiographie von Malcolm X (1965).

H., Bill, * Highland Park (Mich.) 6. Juli 1927, † Harlingen (Tex.) 9. Febr. 1981, amerikan. Rockmusiker (Sänger und Gitarrist). – Schuf aus Elementen von Country and Western, Rhythm and Blues und Dixieland den Rock 'n' Roll; berühmtester Hit „Rock around the clock" (allein 16 Mill. Singles).

Halffter Jiménez, Cristóbal [span. 'alftɛr xi'menɛθ], * Madrid 24. März 1930, span. Komponist und Dirigent. – 1960–66 Kompositionslehrer am Konservatorium von Madrid, 1964–66 dessen Direktor. In seinen frühen Werken an de Falla orientiert; wandte sich dann seriellen und postseriellen Techniken zu.

Halfter, Kopfgeschirr (ohne Gebiß und Trensen) für Pferde und Rinder; dient zum Führen oder Anbinden der Tiere.

Halfterfische ↑ Doktorfische.

Halifax [engl. 'hælɪfæks], Edward Frederick Lindley Wood, Earl of H. (1944), * Powderham Castle (Devonshire) 16. April 1881, † Garrowby Hall (Yorkshire) 23. Dez.

1959, brit. Politiker. – 1910–25 konservativer Abg. im Unterhaus; Vizekönig in Indien 1925–31; 1935 Kriegsmin., dann bis 1938 Lordsiegelbewahrer und Führer des Oberhauses. Als Außenmin. (1938–40) Vertreter der Politik des Appeasement; 1940–46 Botschafter in den USA.

H., George Savile, Marquess of, * Thornhill (Yorkshire) 11. Nov. 1633, † London 5. April 1695, brit. Staatsmann. – Verhinderte 1680 als Min. das Gesetz zur Ausschließung Jakobs II. vom Thron; 1682–85 Staatsmin.; versuchte, den drohenden Bürgerkrieg durch Vermittlung zw. Jakob II. und Wilhelm von Oranien abzuwenden; stellte sich 1688 auf die Seite Wilhelms III.; 1689/90 Lord Privy Seal.

Halifax [engl. 'hælɪfæks], engl. Stadt in den Pennines, Gft. West Yorkshire, 87 500 E. Textil- und Volkskundemuseum. U. a. Textilind., Maschinenbau. – Nach 1086 kam der Ort an das Kloster Lewes. – Pfarrkirche (15. Jh.) im Perpendicular style.

H., Hauptstadt der kanad. Prov. Nova Scotia, eisfreier Hafen an der SO-Küste der Halbinsel, 113 600 E. Sitz eines kath. Erzbischofs und eines anglikan. Bischofs; fünf Univ. (gegr. 1789, 1802, 1818, 1907, 1925), naturwiss. Forschungsinst.; Fischfang und -verarbeitung, Werften, Erdölraffinerie, Elektro-, Nahrungsmittel- u. a. Ind.; Marinebasis, internat. ✈ (40 km entfernt). – 1749 von brit. Einwanderern gegr.; City seit 1841. – Zitadelle (1749, im 19. Jh. wiedererrichtet); Saint Paul's Church (1750), Regierungsgebäude (1800), Parlamentsgebäude (1818).

Halikarnassos, antike, urspr. kar. Stadt an der Küste SW-Kleinasiens, heute Bodrum, ein türk. Ort mit 9 900 E. Seit dem 11. Jh. v. Chr. dorisch besiedelt; Hauptstadt des ↑ Mausolos, von dessen Mausoleum nichts erhalten ist.

Halit [zu griech. háls „Salz"] ↑ Steinsalz.

Halitherium [griech.], nur aus dem europ. Oligozän und Miozän bekannte Gatt. ausgestorbener Seekühe.

Halitose [lat.], svw. ↑ Mundgeruch.

Hall [engl. hɔ:l], Edmond, * New Orleans 15. Mai 1901, † Cambridge (Mass.) 12. Febr. 1967, amerikan. Jazzmusiker (Klarinettist). – Wirkte seit 1928 v. a. in New York im Bereich zw. Dixieland und Swing.

H., James Stanley (Jim), * Buffalo 4. Dez. 1930, amerikan. Jazzmusiker (Gitarre). – Spielte u. a. mit J. Guiffre; bed. Gitarrist des Cool Jazz; seit den 70er Jahren stilistisch ungebunden.

H., Sir (seit 1977) Peter, * Bury Saint Edmunds 22. Nov. 1930, brit. Regisseur und Theaterleiter. – Erster Erfolg 1955 mit „Warten auf Godot" (S. Beckett); seit 1956 am Stratford Memorial Theatre; 1960–68 Leiter der Royal Shakespeare Company. 1969–73 Direktor des königl. Opernhauses Covent Garden, 1973–88 des National Theatre in London; 1984–90 künstler. Leiter der Festspiele in Glyndebourne. Inszenierte 1983 Wagners „Ring des Nibelungen" für die Bayreuther Festspiele. Drehte auch Filme.

Hall, Bad ↑ Bad Hall.

Halland, histor. Landschaft und Verw.-Geb. in S-Schweden, am Kattegat (zahlr. Seebäder), 5 454 km², 247 000 E (1988), Hauptort Halmstad. – H., seit dem 7. Jh. eines der Kerngebiete der Wikinger, gehörte seit dem 11. Jh. zu Dänemark; 1216 wurde es Gft., 1285 Hzgt. Im Frieden von Brömsebro (1645) wurde H. an Schweden abgetreten.

Halle [niederl. 'hɑl] (frz. Hal), belg. Ind.-stadt und Wallfahrtsort 15 km ssw. von Brüssel, 35 m ü. d. M., 32 000 E. – Basilika Notre-Dame in Brabanter Gotik (1341–1467) mit „Schwarzer Madonna" (13. Jh.); Renaissancerathaus (1616).

Halle [zu althochdt. halla, eigtl. „die Bergende"], weiter und hoher Raum, Teil eines Bauwerkes oder ein gesonderter Bau. In der Antike ein nach mehreren Seiten offenes, überdecktes Bauwerk. Das MA kannte die geschlossene H. als Markt-H., Tuch-H., Rathaus-H., Vor-H. bei Kirchen sowie die ↑ Hallenkirche, in den Burgen gab es den ↑ Palas. Einen Höhepunkt erreichte der ma. H.bau mit der ↑ Westminster Hall in England. Im 19. und v. a. 20. Jh. entstanden große H.bauten für Handel, Industrie, Gewerbe und Verkehr, auch für den Sport. Als H. bezeichnet man auch den Hauptraum des nordwesteurop. Hauses (Diele) und von daher u. a. den Empfangsraum von Hotels.

Hall-Effekt [engl. hɔ:l], von dem amerikan. Physiker E. H. Hall (* 1855, † 1938) 1879 entdeckte physikal. Erscheinung: In einem stromdurchflossenen elektr. Leiter tritt in einem homogenen Magnetfeld, dessen Feldlinien senkrecht zur Richtung des elektr. Stromes verlaufen, ein elektr. Spannungsgefälle senkrecht zur Stromrichtung und senkrecht zur Richtung der magnet. Feldlinien auf. Die durch den Leiter fließenden Ladungsträger werden durch die dabei auf sie wirkende Lorentz-Kraft seitlich abgelenkt und häufen sich so lange an den seitl. Begrenzungsflächen des Leiters, bis sich ein von ihrer Raumladung erzeugtes elektr. Gegenfeld, das sog. **Hall-Feld,** ausgebildet hat. In dem sich dann einstellenden stationären Zustand fließt wieder ein unabgelenkter Strom. – ↑ Quanten-Hall-Effekt.

Hallein, östr. Stadt an der Salzach, B.-Land Salzburg, 445 m ü. d. M., 16 400 E. Bundesfachschule für Holz- und Steinbearbeitung; Keltenmuseum; histor. Sudhütte. Im Ortsteil **Dürrnberg** (800 m ü. d. M.) Salzbergwerk und Kurbetrieb, auch Winter-

Hallenkirche. Grundriß und Querschnitt der Kirche Sankt Martin in Amberg

sport. – Bereits frühgeschichtl. Salzgewinnung; H. war bis zum 16. Jh. die bedeutendste Saline im östr.-bayr. Raum; seit 1230 Stadt. – Dekanatspfarrkirche mit klassizist. Innenausstattung. Häuser (17. und 18. Jh.). In Dürrnberg Wallfahrtskirche (1594–1612).

Halleluja [hebr. „Preiset Jahwe!"], Aufruf zum Lob Gottes in der jüd.-christl. Tradition. In den meisten *ev. Gottesdienstformen* wird das H. nach dem Evangelium oder nach der Epistel von der Gemeinde dreifach gesungen. In der *kath.* und *ostkirchl. Liturgie* ↑Alleluja.

Halle-Neustadt, Stadt westl. von Halle/Saale. Wohnstadt für die Beschäftigten der chem. Ind. im Raum Halle/Saale-Merseburg-Bitterfeld; 1990 Halle/Saale zugemeindet.

Hallenhandball ↑Handball.

Hallenhockey ↑Hockey.

Hallenkirche, Kirchentyp aus mehreren, etwa gleich hohen Schiffen, wobei die inneren Stützen nur Lasten zu tragen brauchen, keinen Gewölbeschub. H. erhalten ihre Beleuchtung vom Chor, der seit 1300 meist als **Hallenchor,** d. h. in etwa gleicher Höhe wie das Schiff, ausgebildet ist, oder von einem Westfenster sowie von den Seitenschiffen her. Häufig fehlen bei den H. die Türme. – Die H. ist v. a. eine spätgot. Erscheinung, Vorläufer gibt es z. B. in der Auvergne und in Westfalen, got. H. bauten bes. die Bettelorden (Predigtkirche).

Hallenser Synode, Sondertagung der 4. Bekenntnissynode der Ev. Kirche der altpreuß. Union vom 10. bis 13. Mai 1937 zur Konfessionsfrage, auf der die ↑Barmer Theologische Erklärung von 1934 zum rechten Verständnis der geltenden Bekenntnisse für unentbehrlich erklärt wurde.

Hallé Orchestra [engl. 'hæleı 'ɔ:kıstrə], 1857 von C. Hallé (* 1819, † 1895) in Manchester gegr., ältestes engl. Sinfonieorchester.

Haller, aus dem Kt. Sankt Gallen stammende ratsfähige Berner Familie. Bed. Vertreter:

H., Albrecht von (seit 1749), * Bern 16. Okt. 1708, † ebd. 12. Dez. 1777, Arzt, Naturforscher und Dichter. – Prof. für Medizin und Botanik in Göttingen; seit 1753 in Bern tätig. Seine experimentell gefundenen medizin., v. a. physiolog. Erkenntnisse waren bis ins 19. Jh. gültig; bewies, daß Sensibilität und Reizbarkeit an lebende Gewebestrukturen gebunden sind. Sein dichter. Frühwerk gilt als Beginn einer philosoph. Lyrik im dt. Sprachraum. Verfaßte nach dem Vorbild der „Georgica" Vergils und des Lehrgedichtes „De rerum natura" des Lukrez sein erstes großes Gedicht „Die Alpen" (in: „Versuch Schweizer. Gedichten", 1732); schrieb weitere Lehrgedichte, Staatsromane („Usong...", 1771; „Alfred, König der Angel-Sachsen", 1773; „Fabius und Cato ...", 1774) sowie Tagebücher.

H., Karl Ludwig von, * Bern 1. Aug. 1768, † Solothurn 20. Mai 1854, Staatstheoretiker und Politiker. – Enkel von Albrecht von H.; 1806 Prof. für Staatsrecht und Geschichte in Bern; 1814–20 Mgl. des Großen Rats von Bern; konvertierte zum Katholizismus und verlor sein Amt; seit 1825 im frz. Außenministerium; 1834–37 Mgl. des Großen Rats von Solothurn. – Den Ideen der Frz. Revolution stellte er in seinem Hauptwerk „Die Restauration der Staatswiss." (1816–34), das der Epoche der Restauration den Namen gab, eine altständisch-patriarchal., legitimist. Staatstheorie auf christl. Grundlage entgegen, die stark auf den preuß. Konservatismus wirkte.

Haller, Hermann, * Bern 24. Dez. 1880, † Zürich 23. Nov. 1950, schweizer. Bildhauer. – Schuf [weibl.] Aktfiguren in zurückhaltender Bewegung und Porträtbüsten.

H., Johannes, * Keinis (Estland) 16. Okt. 1865, † Tübingen 24. Dez. 1947, dt. Historiker. – 1902 Prof. in Marburg, seit 1904 in Gießen, seit 1913 in Tübingen; erforschte v. a.

Kaiser- und Papstgeschichte; deutschnat. Gegner der Weimarer Republik; von nat. Pathos getragene Darstellung in „Epochen der dt. Geschichte" (1923).

Hallertau (Holledau), Landschaft zw. der Münchener Ebene im S und dem Donaumoos im N, Ilm im W und Kleiner Laaber im O; größtes dt. Hopfenanbaugebiet; wichtige Hopfenmärkte: Mainburg und Wolnzach.

Halle/Saale, kreisfreie Stadt an der Saale, 80–90 m ü. d. M., in Sa.-Anh., 320000 E. Verwaltungssitz des Landkr. Saalkreis; Dt. Akad. der Naturforscher Leopoldina; Martin-Luther-Univ. Halle-Wittenberg, Franckesche Stiftungen; Hochschule für Kunst und Design, PH Halle-Köthen, Konservatorium, Max-Planck-Institut für Mikrostrukturphysik, mehrere wiss. Inst., Landes- und Univ.-Bibliothek, Museen, u. a. Geiseltalmuseum, Staatl. Galerie Moritzburg; Landestheater, Händelhaus und Händelfestspiele; botan. Garten, Zoo. Maschinen- und Waggonbau, elektrotechn., chem. und pharmazeut., Nahrungsmittel- und Genußmittelind.; Hafen. – Salzgewinnung ist im Gebiet von H./S. seit der jüngeren Bronzezeit (etwa 1000 v. Chr.) nachgewiesen. 806 Errichtung eines Kastells, Neuanlage einer Salzsiedersiedlung (die Saline wird 961 gen.). Noch im 12. Jh. Stadtrecht (1150 als Civitas gen.). Ein Stadtrat ist 1258 belegt, seit 1260 Mgl. der Hanse, 1503–1680 Residenz der Erzbischöfe von Magdeburg, die die Zwingfeste Moritzburg errichten ließen. Fiel 1680 an Brandenburg; 1694 Gründung der Univ.; Mittelpunkt der Aufklärung und des Pietismus (Francke, Thomasius, Wolff). 1952–90 Hauptstadt des DDR-Bez. Halle. – Nach Zerstörungen im 2. Weltkrieg wiederaufgebaut bzw. erhalten: am Marktplatz der Rote Turm (15. Jh.), die Marktkirche (16. Jh.) und das Händeldenkmal (1859). In der Altstadt u. a. Häuser des 16.–18. Jh., die Moritzkirche (14.–16. Jh.), der Dom (13. Jh.; im 16. Jh. umgebaut), die Neue Residenz (16. Jh.); Moritzburg (15./16. Jh., 1637 zerstört), im 1901–13 ausgebauten O- und S-Flügel die Staatl. Galerie. – An der Saale Burg Giebichenstein.

Halle (Westf.), Stadt am S-Hang des Teutoburger Waldes, NRW, 110–130 m ü. d. M., 18200 E. Genußmittelind. – Das zur Gft. Ravensberg gehörende Halle erhielt 1346 Weichbildrechte und ging an Jülich-Berg über; Stadt seit 1719. – Nahebei Wasserschloß Tatenhausen (16.–18. Jh.).

Halley, Edmond [engl. 'hælı], * Haggerston (= London) 8. Nov. 1656, † Greenwich (= London) 25. Jan. 1742, engl. Mathematiker, Physiker und Astronom. – Seit 1720 Direktor der Sternwarte Greenwich; beobachtete als erster einen vollständigen Merkurdurchgang, gab 1679 einen Sternkatalog des Südhimmels heraus und 1701 die ersten Karten der magnet. Deklination. 1705 sagte er die Wiederkehr des (H.schen) Kometen von 1682 für 1758/59 voraus. 1718 entdeckte er die Eigenbewegung der Fixsterne.

Halleyscher Komet [engl. 'hælı; nach E. Halley], seit dem Jahre 239 v. Chr. regelmäßig beobachteter Komet; Umlaufzeit 76,2 Jahre; bei seinem Erscheinen 1985/86 konnte er als erster Komet durch Raumsonden (v. a. ↑ Giotto) näher erforscht werden. Kern unregelmäßig geformt ($8 \times 8 \times 16$ km^3), dunkle, vermutlich poröse Oberfläche, auffällige Aktivitätszonen, aus denen in Sonnennähe große Mengen an Staub und Gasen austreten, Koma mit rund 80% Wasserdampf.

Hall-Generator [engl. hɔ:l; nach dem amerikan. Physiker E. H. Hall, * 1855, † 1938], Bauelement zur Nutzbarmachung der beim ↑ Hall-Effekt auftretenden elektr. Spannungen. Zur Magnetfeldmessung verwendete H.-G. bezeichnet man meist als **Hall-Sonden; Hall-Köpfe** werden als kontaktlose Signalgeber in der Ind. zur Steuerung von Werkzeugmaschinen u. a. eingesetzt.

Halligen, Marschinseln im Wattenmeer, zw. Eiderstedt im S und Föhr im N, vor der W-Küste von Schl.-H. Die zehn H. umfassen insgesamt 2281 ha mit etwa 330 E. Sie sind Teil des Marschlandes, das im Zusammenhang mit dem nacheiszeitl. Meeresspiegelanstieg durch Schlickablagerungen entstanden. Die größeren H. haben Sommerdeiche, die nicht eingedeichten H. werden bei Sturmfluten ganz oder teilweise überschwemmt. Die Gehöfte stehen auf Warften (↑ Wurt); Milchviehwirtschaft, Fremdenverkehr.

Hallimasch (Armillariella mellea), eßbarer Lamellenpilz; Hut 3–13 cm breit, gelb bis bräunlich, mit dunklen, abwischbaren Schüppchen und gerieftem Rand; Lamellen blaßweiß; Stiel 5–12 cm hoch, mit häutigflockigem Ring; Fleisch weiß bis blaßbräunlich; im Spätherbst an Baumstümpfen.

Hallingdal [norweg. ˌhaliŋda:l], Talschaft im zentralen S-Norwegen, 120 km lang, 132–1300 m ü. d. M.; Zentrum ist **Geilo,** der größte skandinav. Wintersportort.

Hall in Tirol, östr. Stadt am Inn, 574 m ü. d. M., 12900 E. Fachschule für Optiker und Photographen; Stadt-, Bergbaumuseum; Heilbad (Solbad), Textil-, Metall-, Holz-, Nahrungsmittel- und Futtermittelind. – Die ab 1232 nachweisbare Saline (1967 stillgelegt) gab dem bald zum Markt aufgestiegenen Ort den Namen **Hall;** erhielt 1303 Stadtrecht; 1477–1809 Münzstätte; seit 1875 zum Kurort entwickelt. – Maler. Stadtbild mit ma. Stadtbefestigung; Burg Hasegg (1567) mit ehem. Bergfried und Münzertor; got. Stadtpfarrkirche (13./14. Jh., im Innern barockisiert); Rathaus (15. und 16. Jh.).

Halloween [engl. 'hæləwi:n, hæle'wi:n], auf den brit. Inseln und in den USA der Vorabend (31. Okt.) von Allerheiligen; urspr. ein kelt.-angelsächs. Fest („Samhain") zur Feier des Winteranfangs, das mit Opfern, Feuer, Maskeraden u. a. Geister, Hexen und Dämonen vertreiben sollte.

Hallstatt, Marktgemeinde am südl. W-Ufer des Hallstätter Sees, Oberösterreich, 512 m ü. d. M., 1 100 E. Museum prähistor. Funde; Salzbergbau, Keramikwerk; Fremdenverkehr. – Die Grundlage der Bed. H. als namengebender Fundort der H.kultur bildete der Bergbau auf das Salzgestein, dessen Stollen bis zu 330 m unter die Oberfläche reichten. Zum Bergwerk gehörte ein ehem. über 2 500 Brand- und Körperbestattungen umfassendes Gräberfeld, von dem etwa 1 300 Gräber seit 1846 ausgegraben und untersucht werden konnten. Sie wurden vom Ende der Urnenfelderzeit bis zur Mitte der La-Tène-Zeit belegt. Die wohl in der Römerzeit unterbrochene Salzgewinnung ist erstmals 1305 wieder bezeugt; 1311 Marktrechtsverleihung an die Salzsiedersiedlung.

Hallstattkultur, nach dem Gräberfeld oberhalb von Hallstatt ben. mitteleurop. Kultur der älteren Eisenzeit (von NO-Frankreich bis zum nw. Balkan). Aus verschiedenen Gruppen von Urnenfelderkulturen erwachsen, bildeten sich in ihr – bei wachsendem Kontakt mit dem mediterranen Kulturraum – wirtsch. und soziale Verhältnisse heraus, die größere Teile Europas zur Randzone der „antiken Welt" werden ließen. Da die H. aus verschiedenen eigenständigen Gruppen bestand, ist ihre Abgrenzung gegenüber benachbarten Gruppen umstritten. Die ältere H. zeigt bei östl. Gruppen stärkere soziale Unterschiede, die in den jüngeren H. auch bei den westl. Gruppen deutlich werden. Im allg. werden die Stufen „Hallstatt C" und „Hallstatt D" als **Hallstattzeit** bezeichnet, die Stufen „Hallstatt A" und „Hallstatt B" als Urnenfelderzeit (↑ Urnenfelderkulturen). Die ältere Hallstattzeit („Hallstatt C") begann um 700 v. Chr. und ging um 600 in die jüngere Hallstattzeit („Hallstatt D") über, die in der 2. Hälfte des 5. Jh. v. Chr. von der La-Tène-Zeit abgelöst wurde.

Hallstattkultur. Kegelhalsgefäß; Hallstatt C (Stuttgart, Württembergisches Landesmuseum)

Hallstein, Ingeborg, * München 23. Mai 1937, dt. Sängerin (lyr. Koloratursopran). – Seit 1961 Mgl. der Bayer. Staatsoper in München; wurde bes. mit Rollen aus Opern von W. A. Mozart und R. Strauss bekannt, auch Interpretin zeitgenöss. Musik.

H., Walter, * Mainz 17. Nov. 1901, † Stuttgart 29. März 1982, dt. Jurist und Politiker. – 1930–41 Prof. in Rostock, 1941–48 in Frankfurt am Main; 1950/51 Staatssekretär im Bundeskanzleramt, 1951–58 im Auswärtigen Amt, 1958–67 Präs. der Kommission der EWG; 1968–74 Präs. der Europ. Bewegung, 1969–72 MdB (CDU).

Hallsteindoktrin, nach W. Hallstein ben. und 1955 formulierter außenpolit. Grundsatz, wonach die BR Deutschland – auf Grund des von ihr vertretenen demokratisch legitimierten Alleinvertretungsanspruchs für das gesamte dt. Volk – mit keinem Staat diplomat. Beziehungen aufnehmen oder unterhalten solle, der seinerseits in diplomat. Beziehungen mit der DDR steht oder solche eingeht; nach qualitativem Wandel in der Handhabung seit 1969 schließlich mit dem Dt.-Sowjet. Vertrag 1970 und dem Grundvertrag 1972 endgültig aufgegeben.

Halluzination [zu lat. (h)al(l)ucinari „gedankenlos sein, träumen"], Sinnestäuschung, Trugwahrnehmung. Obwohl kein entsprechender Umweltreiz vorliegt, wird die halluzinator. Wahrnehmung von dem Betroffenen als real empfunden.

Halluzinogene [lat./griech.] (Psychotomimetika, Psychodysleptika), „psychotrope", d. h. auf das Zentralnervensystem (und die Psyche) wirkende Substanzen (Rauschgifte wie LSD, Haschisch, Meskalin), die im allg. ohne Trübung des Bewußtseins einen psychoseähnl. Zustand (v. a. mit Symptomen, die denen bei Schizophrenie ähnlich sind) hervorrufen können.

Hallwachs-Effekt [nach dem dt. Physiker W. Hallwachs, * 1859, † 1922], der äußere ↑ Photoeffekt.

Hallwiler See, See im Schweizer. Mittelland, 15 km sö. von Aarau, 449 m ü. d. M., bis 8,5 km lang, 1,5 km breit und bis 47 m tief.

Halm, August, * Großaltdorf (= Vellberg, Landkr. Schwäbisch Hall) 26. Okt. 1869, † Saalfeld 1. Febr. 1929, dt. Musikpädagoge und Komponist. – Musikerzieher an der Freien Schulgemeinde Wickersdorf, einer der maßgebl. Initiatoren der Jugendmusikbewegung. Bed. sind seine Schriften, in denen die musikal. Form als Prozeß betrachtet wird, u. a. „Von zwei Kulturen der Musik" (1913).

Halm (Culmus), hohler, deutlich durch Knoten gegliederter Stengel der Gräser.

Halma [griech. „Sprung"], Brettspiel für 2 bzw. 4 Personen mit je 19 bzw. 13 Steinen, die in den Ecken („Höfe") des Spielbrettes aufgestellt und durch Ziehen bzw. Springen über eigene oder fremde Steine in die gegenüberliegende Ecke zu bringen sind.

Halmahera, größte Insel der Molukken, Indonesien, durch die Molukkensee von Celebes und die **Halmaherasee,** einen Teil des Australasiat. Mittelmeers, von Neuguinea getrennt, 17 800 km², bis 1 908 m hoch, weitgehend von trop. Regenwald bedeckt; tätige Vulkane. Die Bev. (altmalai. Alfuren mit papuan. Einschlag, an der Küste auch Jungmalaien) lebt von der Landw. - Kam 1683 unter niederl. Herrschaft (1810-14 britisch).

Halmfliegen (Chloropidae), mit rd. 1 200 Arten weltweit verbreitete Fam. etwa 2 mm großer, meist schwarz und gelb gezeichneter Fliegen. Die Larven minieren meist in Stengeln von Gräsern; z. T. Getreideschädlinge (z. B. Fritfliege).

Halmstad, Hauptstadt des schwed. Verw.-Geb. Halland, am Kattegat, 78 600 E. Garnison; Metall-, Textil- und Nahrungsmittelind.; Hafen. - 1231 erstmals erwähnt, erhielt 1307 vom dän. König Stadtrecht; 1645 kam es mit Halland an Schweden. - Got. Kirche (14. Jh.), ehem. Schloß (16./17. Jh.).

Halmwespen (Cephidae), fast weltweit verbreitete Fam. der Pflanzenwespen mit rd. 100 (in Deutschland 13) schlanken, bis 18 mm großen, dunklen Arten. Vorderbrust auffallend lang. Die gelbl. Larven minieren in Getreidehalmen. Bekannt ist die 6-10 mm große, glänzend schwarze **Getreidehalmwespe** (Cephus pygmaeus), mit gelben Flecken auf der Brust und gelben Ringen am Hinterleib.

Halo [lat., zu griech. hálōs, eigtl. „Tenne"], meist in Form von Ringen um Sonne und Mond auftretende, gelegentlich aber auch streifen- oder fleckenförmige Lichterscheinung, die durch Brechung oder Spiegelung, selten durch Beugung an den Eiskristallen in der Atmosphäre entsteht.

◆ (galakt. H.) ↑ Milchstraßensystem.

Haloeffekt (Hofeffekt), in der Psychologie Bez. für die Fehlerquelle, die bei Psychodiagnosen wirksam werden kann, wenn diese Diagnosen nicht an objektive Testergebnisse gebunden sind.

Halogene [zu griech. háls „Salz"], Sammelbez. für die Hauptgruppenelemente Fluor, Chlor, Brom, Jod und Astat der VII. Gruppe des Periodensystems der chem. Elemente. Die H. bilden als sehr reaktionsfähige Nichtmetalle mit den anderen Elementen die ↑ Halogenide, speziell mit Wasserstoff die Halogenwasserstoffe (↑ Halogenwasserstoffsäuren); sie vermögen auch untereinander Verbindungen einzugehen (Interhalogenverbindungen).

Hallstattkultur. Fibel mit angehängten Klapperblechen; Hallstatt D (Linz, Oberösterreichisches Landesmuseum)

Halogenide [zu griech. háls „Salz"], Sammelbez. für die Verbindungen der Halogene mit stärker elektropositiven Elementen. Man unterscheidet *salzartige H.* (z. B. Koch- oder Steinsalz, NaCl), *kovalente H.* (Halogenwasserstoffe und -kohlenwasserstoffe, Interhalogenverbindungen) sowie *komplexe H.* (mit Halogenidionen als Komplexliganden).

Halogenierung [griech.], die v. a. in der organ. Chemie wichtige Einführung von Halogenatomen in die Moleküle von [organ.] chem. Verbindungen.

Halogenkohlenwasserstoffe, Bez. für Kohlenwasserstoffverbindungen, bei denen Wasserstoffatome durch Halogenatome ersetzt sind, z. B. Tetrachlorkohlenstoff, CCl_4. Die Anwendung von H. ist ab 1995 in Deutschland verboten. – ↑Chlorkohlenwasserstoffe, ↑Fluorkohlenwasserstoffe, ↑Fluorchlorkohlenwasserstoffe.

Halogenlampe, Glühlampe großer Lichtausbeute mit langer Lebensdauer, konstantem Lichtstrom und kleiner Abmessung. Der Kolben besteht aus Quarz- oder Hartglas. Der Edelgasfüllung ist eine genau bemessene Menge eines Halogens beigegeben; früher Jod (Jodlampe), heute überwiegend Bromverbindungen. Der Glühfaden besteht aus Wolfram. Die bei der Glühtemperatur verdampfenden Wolframpartikel gehen mit dem Halogen eine Verbindung ein (Wolframbromid), die gasförmig bleibt. An der Wendel zerfällt diese Verbindung infolge der hohen Temperatur; das Wolfram schlägt sich auf der Wendel nieder (keine Kolbenschwärzung durch Bromablagerungen).

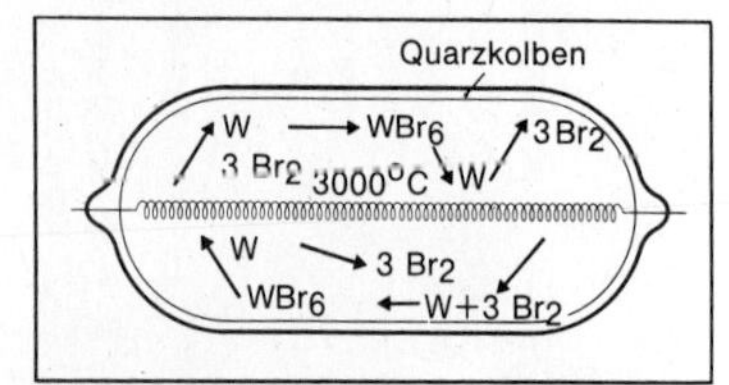

Halogenlampe. Schema des Wolframkreislaufs (W Wolfram, Br_2 Brom, WBr_6 Wolframbromid)

Halogenwasserstoffsäuren, Sammelbez. für die wässrige Lösung der **Halogenwasserstoffe** (Fluorwasserstoff HF, Chlorwasserstoff HCl, Bromwasserstoff HBr und Jodwasserstoff HJ).

Halokinese [griech.], i. e. S. das plast. Fließen von Salzgesteinen, i. w. S. alle mit der Salzbewegung verknüpften Vorgänge; z. B. Salzstockbildung.

Halone, internat. Bez. für Halogenkohlenwasserstoffe, die als Fluorlöschmittel verwendet werden.

Halophyten [griech.], svw. ↑Salzpflanzen.

Halothan [Kw.] (Bromchlortrifluoräthan), $CF_3-CHClBr$, ein Halogenkohlenwasserstoff; Mittel für die Inhalationsanästhesie.

Halothermen [griech.], salz-, insbes. kochsalzhaltige Quellen.

Hals, Frans, * Antwerpen zw. 1580 und 1585, ▭ Haarlem 1. Sept. 1666, niederl. Maler. – Bed. Porträtist, dessen gestalter. Können von der Charakterisierung des Erfolgsmenschen bis zu der des zerstörten Daseins reicht. Durch Mimik und Gesten erfolgt die Einbeziehung des Betrachters. Seine ungewöhnlich sichere Malweise, anfänglich den Umriß fest umgreifend und detailliert, wurde zu einer suggestiven Pinselschrift: flüssig, mit breiter Pinselführung („impressionistisch"). Schuf zw. 1616 und 1664 neun große Gruppenbilder, u. a. „Die Regentinnen des Altmännerhauses in Haarlem" (1664, Haarlem, Frans-Hals-Museum). Die zahlr. Einzelporträts sind oft zugleich Genrebilder oder Allegorien (u. a. „Malle Babbe", um 1629, Berlin-Dahlem).

Hals [zu althochdt. hals, eigtl. „Dreher" (des Kopfes)], (Cervix, Collum) Körperteil zw. Kopf und Rumpf, der Bewegungen des Kopfes gegenüber dem Rumpf ermöglicht. Beim Menschen besteht die Halswirbelsäule aus sieben **Halswirbeln,** von denen die beiden oberen (Atlas und Dreher) zu einem speziellen Kopfdrehgelenk umgebildet sind. Mit dem Schädel ist die H.wirbelsäule bzw. der Atlas über den paarigen Hinterhauptshöcker ebenfalls gelenkig verbunden. In der H.wirbelsäule verläuft das **Halsmark** mit 8 H.nervenpaaren. Dorsal von der Wirbelsäule liegt die Nackenregion, ventral Schlund und Speiseröhre, davor die Luftröhre, der Kehlkopf und das Zungenbein. Der Luft- und Speiseröhre und dem Kehlkopf liegen die Schilddrüse und die Nebenschilddrüsen an. Zu beiden Seiten des Eingeweidestrangs verlaufen H.schlagader (Karotis) und obere Hohlvene, dicht dabei als Nervenstränge der Vagus und Sympathikus. – Die **Halsmuskulatur** bildet einen Mantel um den Eingeweidestrang und erlaubt Kopfbewegungen nach allen Richtungen.

◆ bei Streich- und Zupfinstrumenten Bez. für die stielartige Verlängerung, über die die Saiten gespannt sind.

◆ *seemänn.* die vordere untere Ecke eines Segels.

Halsbandaffäre, Skandalaffäre am frz. Hof 1785/86; J. de Valois, Gräfin de La Motte, hatte Kardinal L. R. von Rohan durch gefälschte Briefe vorgespiegelt, er könne die Gunst Königin Marie Antoinettes wieder erlangen, wenn er dieser beim Erwerb eines Diamanthalsbandes behilflich sei. Rohan übernahm eine Bürgschaft für die Summe von 1,6 Mill. Livres und händigte das Halsband der Gräfin aus, die die Diamanten einzeln nach Großbritannien verkaufte. Nach Entdeckung des Betruges wurden in einem aufsehenerregenden Prozeß Rohan und sein Vertrauter, A. Graf von Cagliostro, freigesprochen, die Gräfin zu lebenslängl. Kerker verurteilt. Die H. trug zur weiteren Erschütterung des Ansehens der Krone bei.

Halsbandeidechsen ↑Eidechsen.

Halsbandschnäpper ↑Fliegenschnäpper.

Halsberge (Ringkragen), metallener Halsteil der ma. Ritterrüstung. Im MA wurde auch das Kettenhemd als H. bezeichnet.

Halsberger (Halsbergerschildkröten, Cryptodira), Unterordnung der Schildkröten, die den Kopf (im Unterschied zu den ↑Halswendern) durch S-förmige Biegung der Halswirbelsäule in senkrechter Ebene geradlinig in den Panzer zurückziehen. Man unterscheidet 10 Fam., darunter Sumpf-, Land-, Weich-, Meeres-, Alligator-, Leder-, Tabasco- und Großkopfschildkröten.

Halsbräune, svw. ↑Diphtherie.

halsen [von „Hals" in der seemänn. Bed.], ein segelndes Schiff vor dem raumen (d.h. von schräg hinten einfallenden) Wind wegdrehen (Ggs. ↑wenden).

Halsentzündung ↑Angina.

Halsfistel, Fehlbildung im mittleren oder seitl. Halsbereich, bedingt durch Zurückbleiben von Resten embryonaler Gänge oder Schlundfurchen; erkennbar an kleinen absondernden Öffnungen in der Haut.

Halsgericht ↑Leib- und Lebensstrafen.

Hälsingborg ↑Helsingborg.

Hälsingland, histor. Prov. im südl. N-Schweden, beiderseits des unteren Ljusneälv. Ausgedehnte Nadelwälder; Holzwirtschaft. – Seit 1762 selbständige Provinz.

Halske, Johann Georg, *Hamburg 30. Juli 1814, †Berlin 18. März 1890, dt. Elektrotechniker. – H. gründete 1847 mit W. Siemens die „Telegraphen-Bauanstalt von Siemens & Halske" in Berlin, aus der der Siemenskonzern hervorging.

Halskrause, Fältelung am Halsausschnitt des Hemdes, urspr. im 16. Jh.; entwikkelte sich zum selbständigen Kragen.

Hals-Nasen-Ohren-Heilkunde (Otorhinolaryngologie), Abk. HNO, Fachgebiet der Medizin, das die Erkennung und Behandlung aller Erkrankungen des Ohrs (einschl. Gleichgewichtsorgan), der Nase und Nasennebenhöhlen, der Mundhöhle, des Rachens, des Kehlkopfs, der Luftröhre und der oberen Anteile von Speiseröhre und Bronchien umfaßt. Teilgebiete sind Phoniatrie und Pädaudiologie (Behandlung von Sprach- und Stimmstörungen sowie von Hörbehinderungen im Kindesalter).

Halsschild (Pronotum), der bei manchen Insekten (z. B. Käfern, Wanzen) durch Vergrößerung bes. in Erscheinung tretende Rükkenteil des ersten Brustsegments.

Halsschlagader (Halsarterie, Kopfschlagader, Karotis, Arteria carotis communis), paarige Arterie des Halses der Wirbeltiere, die den Kopf und das Gehirn mit Blut versorgt. Die H. verläuft beim Menschen beiderseits der Luftröhre und des Kehlkopfes. Beide H. verzweigen sich in Höhe des Schildknorpels des Kehlkopfes in zwei gleich starke Äste: die tieferliegende *Arteria carotis interna* (liefert die Mrz. der Gehirnarterien und versorgt das Auge und innere Ohr) und die oberflächlicher verlaufende, am Vorderrand des Kopfwendermuskels als Puls fühlbare *Arteria carotis externa* (versorgt die übrigen Kopforgane sowie Teile der Halsmuskulatur und -eingeweide).

Halsschmerzen, Schmerzen im Rachenbereich, meist Symptom für Schleimhautentzündung, verbunden mit Rachenrötung, Fieber, Engegefühl und Schluckbeschwerden. Am häufigsten treten H. als Früh- oder Begleitsymptom bei Rachenkatarrh, Angina oder spezifischen Infektionskrankheiten (Scharlach, Diphtherie) auf.

Halstenbek, Gemeinde am S-Rand der Pinneberger Geest, Schl.-H., 11 m ü. d. M., 14300 E. Forstbaumschulen.

Hals und Hand ↑Leib- und Lebensstrafen.

Halswender (H.schildkröten, Pleurodira), Unterordnung der Schildkröten mit rd. 40 Arten in den Süßgewässern der Südhalbkugel. Der Hals kann durch waagerechte Krümmung seitlich unter den Panzer gelegt werden. Zwei Fam.: Pelomedusaschildkröten und Schlangenhalsschildkröten.

Halswirbelsäulensyndrom, svw. ↑Schulter-Arm-Syndrom.

Halt, Karl Ritter von, *München 2. Juni 1891, †ebd. 5. Aug. 1964, dt. Sportfunktionär. – 1929–64 Mitgl. des Internat. Olymp. Komitees; 1936 Präs. des Organisationskomitees für die Olymp. Winterspiele; 1951–61 Präs. des Nat. Olymp. Komitees.

Halter eines Kraftfahrzeugs, nach der Rechtsprechung derjenige, der ein Kfz für eigene Rechnung gebraucht und die Verfügungsgewalt darüber besitzt, die ein solcher Gebrauch voraussetzt. Halter und Eigentümer müssen nicht identisch sein. Die Feststellung des Halters ist für die Pflicht zum Abschluß einer Kraftfahrzeughaftpflichtversicherung und für die Straßenverkehrshaftung wichtig.

Halteren [griech.-lat.] (Schwingkölbchen), rückgebildete Hinterflügel der Fliegen und Mücken mit Bewegungs- und Lagesinnesorganen; sind für die Stabilisierung des Fluges von Bedeutung.

Haltern, Stadt an der Lippe, NRW, 35–60 m ü. d. M., 33000 E. Kalksandsteinwerke, Trinkwasserwerk. – Erstmals 1017 genannt; erhielt 1288 von den Fürstbischöfen von Münster stadtähnl. Rechte. – Reste von umfangreichen röm. Militäranlagen aus der Zeit um Christi Geburt; Funde im Röm.-German. Museum; Rathaus (16. Jh.).

Haltiatunturi (norweg. Raisduoddarhaldde, schwed. Haldefjäll), höchster Berg Finnlands, im äußersten NW des Landes, an der norweg. Grenze, 1328 m ü. d. M.

Haltlosigkeit ↑ Labilität.

Haltung ↑ Körperhaltung.

◆ im *Wasserbau* Bez. für den gestauten Teilabschnitt eines Flusses oder Kanals, der zw. zwei Stauanlagen bzw. Schleusen liegt.

Haltungsfehler ↑ Körperhaltung.

Haltungsschäden ↑ Körperhaltung.

Halunke [zu tschech. holomek „Diener, Knecht"], Schuft, Spitzbube; Lausbube.

Halys, antiker Name des ↑ Kızılırmak.

Halysschlange ↑ Mokassinschlangen.

Ham (Vulgata: Cham), bibl. Gestalt, Sohn Noahs, Bruder von Sem und Japhet (1. Mos. 5,32); legendärer Stammvater der ↑ Hamiten.

Häm [zu griech. haîma „Blut"], Eisenporphyrinverbindung, die als reduzierte Farbstoffkomponente des Blutfarbstoffes Hämoglobin, des Muskelfarbstoffes Myoglobin und als prosthet. Gruppe einiger Enzyme auftritt.

häm..., Häm... ↑ hämato..., Hämato...

Hama, Stadt in Syrien, 120 km ssw. von Aleppo, 177000 E. Hauptstadt der Prov. H., Handelszentrum, Verkehrsknotenpunkt. – Der seit dem Neolithikum besiedelte Ort war im 2. vorchristl. Jt. eine bed. Siedlung. H. ist das bibl. **Hamath.** Der Seleukidenkönig Antiochos IV. Epiphanes (♔175–164) nannte die Stadt **Epiphaneia.** Seit 64 v. Chr. gehörte sie zum Röm. Reich, seit der Mitte des 7. Jh. stand H. unter arab. Herrschaft und gehörte 1516–1918 zum Osman. Reich. – Zahlr. Moscheen, u. a. Nurimoschee (1172). Wahrzeichen der Stadt ist die Große ↑ Noria (14. Jh.). Bei dän. Ausgrabungen (1931–38) kamen 12 verschiedene Schichten (seit dem 5. Jt. v. Chr. bis etwa 1400 n. Chr.) zutage.

Hamadan, iran. Stadt am Fuß der östl. Sagrosvorberge, 1868 m ü. d. M., 274000 E. Hauptstadt der Prov. H., wichtigstes Handelszentrum in W-Iran; Textilind., Herstellung von Kupfer- und Lederwaren; Straßenknotenpunkt, ✈. – H. ist das alte **Ekbatana.**

Hamadan ↑ Orientteppiche (Übersicht).

Hamamatsu, jap. Stadt auf Honshū, 522000 E. Museum; größtes Ind.zentrum zw. Yokohama und Nagoya; u. a. Musikinstrumenten- und Fahrzeugbau, Textil-, chem. Industrie.

Hamamelis [griech.], svw. ↑ Zaubernuß.

Ham and eggs [engl. 'hæm ənd 'ɛgz „Schinken und Eier"], gebackenes oder gebratenes [Frühstücks]gericht aus Schinken und Spiegeleiern.

Hämangiom [zu griech. haîma „Blut" und angeîon „Gefäß"] (Blutschwamm, Kurzbez. Angiom), Sammelbez. für alle von Blutgefäßen ausgehenden, angeborenen, gutartigen Geschwulstbildungen *(Gefäßgeschwülste).* Das einfache H. (**Feuermal,** Naevus flammeus) äußert sich in einer dunkelroten bis violetten, zuweilen recht ausgedehnten, meist unregelmäßig begrenzten Verfärbung der Haut. Das tiefe H. (**Blutschwamm,** kavernöses H.) überragt die Hautebene meist in unregelmäßigen Vorwölbungen, fühlt sich schwammartig an und reicht bis zu 3 cm in die Tiefe.

Hamann, Johann Georg, * Königsberg (Pr) 27. Aug. 1730, † Münster 21. Juni 1788, dt. Philosoph. – Eng befreundet mit F. H. Jacobi, Kant und Herder; wandte sich, beeinflußt von G. Bruno, Leibniz und Spinoza sowie von pietist. und neuplaton. Positionen, gegen den die Geschichtlichkeit des Menschen nicht berücksichtigenden aufklärer. Rationalismus. Nach H. ist die Vernunft von Verstehen, Intuition und histor. Erfahrung nicht zu trennen und das Wissen von Gott nicht unabhängig von histor. Erfahrung zu erklären; Denken ohne Sprache, die von der Sinneserfahrung abhängt, ist unmöglich. H. beeinflußte den Sturm und Drang, v. a. Hegel und Schelling sowie die existentialist. Philosophie (bes. Kierkegaard). – *Werke:* Sokrat. Denkwürdigkeiten (1759), Golgatha und Scheblimini (1784), Metakritik über den Purismus der reinen Vernunft (1784).

H., Richard, * Seehausen 29. Mai 1879, † Immenstadt i. Allgäu 9. Jan. 1961, dt. Kunsthistoriker. – 1913–49 Prof. in Marburg (1947–50 auch in Berlin), wo er das „Bildarchiv Foto Marburg" und 1929 das Forschungsinstitut für Kunstgeschichte gründete. Sein Hauptwerk ist die „Geschichte der Kunst" (2 Bde., 1933–52).

Hamar, norweg. Stadt am O-Ufer des Mjøsensees, 16000 E. Hauptstadt der Prov. Hedmark; Sitz eines luth. Bischofs. Auf einer Landzunge im See Ruinen des Doms (12. Jh.) und des Bischofshofs.

Hamasa [arab. „Tapferkeit"], Sammlung alter (vorislam.) arab. Lieder und Sprüche, u. a. von Abu Tammam.

hämat..., Hämat... ↑ hämato..., Hämato...

Hämatemesis [griech.], svw. ↑ Bluterbrechen.

Hamath, altoriental. Stadt, ↑ Hama.

Hämatin [griech.], eisenhaltiger Bestandteil des roten Blutfarbstoffs.

Hämatinon [griech.], mit Kupferoxid dunkelrot gefärbtes, opakes Glas der ägypt. und röm. Glaskunst.

Hämatit [zu griech. haîma „Blut"], formenreiches, stahlgraues bis schwarzes, meist farbig angelaufenes trigonales Mineral der chem. Zusammensetzung α-Fe_2O_3; weit verbreitetes wichtiges Eisenerz, oft titanhaltig. H. wird nach Farbe und Aussehen unterteilt

Hamburg. Links ehemalige Hauptkirche Sankt Nikolai, in der Bildmitte Sankt Katharinen

in den feinkörnigen **Roteisenstein,** den grobkörnigen **Eisenglanz** und in den radialfaserigen **Roten Glaskopf.** Eine bes. dichte Varietät, der **Blutstein,** wird als Schmuckstein verwendet. Mohshärte 6 bis 6,5; Dichte 5,2 bis 5,3 g/cm³.

hämato..., Hämato... (hämo..., Hämo...; vor Selbstlauten meist hämat..., Hämat... bzw. häm..., Häm...) [griech.], Bestimmungswort von Zusammensetzungen mit der Bed. „Blut".

Hämatoblasten (Hämoblasten) [griech.], undifferenzierte blutbildende Zellen, v. a. im roten Knochenmark.

Hämatokritwert [griech./dt.], prozentualer Volumenanteil der Blutzellen an der Gesamtblutmenge; Normalwert 37–52 %.

Hämatologie [griech.], die Lehre vom Blut, von den blutbildenden Organen und ihren Erkrankungen als Teilgebiet der inneren Medizin.

Hämatom [griech.], svw. ↑Bluterguß.

Hämatopathien [griech.], svw. ↑Blutkrankheiten.

Hämatopoese [griech.], svw. ↑Blutbildung.

Hamatorrhö [griech.], svw. ↑Blutsturz.

Hämatothorax (Hämothorax) [griech.], Blutansammlung im Rippenfellraum, meist nach Verletzungen; bedarf der raschen Entleerung wegen Atembehinderung und Herzverdrängung.

Hämatoxylin [griech.], aus ↑Blauholz gewonnene farblose Substanz. H.lösungen erhalten ihr Färbungsvermögen erst nach der Oxidation des H. zu *Hämatein,* einem roten Farbstoff, und werden in der Histologie zum Anfärben von Zellbestandteilen verwendet.

Hämaturie [griech.], svw. ↑Blutharnen.

Hambach an der Weinstraße, Ortsteil von Neustadt an der Weinstraße. – Auf dem Schloß (Kästenburg, Maxburg; seit 1688 Ruine; 1981/82 restauriert) fand vom 27. bis 30. Mai 1832 die erste dt. demokratisch-republikan. Massenversammlung **(Hambacher Fest)** statt. Mit den Hauptrednern J. G. A. Wirth (* 1798, † 1848) und P. J. Siebenpfeiffer (* 1785, † 1849) forderten etwa 20000–30000 Menschen unter den Farben Schwarz-Rot-Gold Deutschlands Einheit und Freiheit. Der Dt. Bund antwortete mit weiterer Unterdrükkung der Versammlungs- und Pressefreiheit und der Demagogenverfolgung.

Hamborn ↑Duisburg.

Hambraeus, Bengt [schwed. ham'bre:ʊs], * Stockholm 29. Jan. 1928, schwed. Komponist, Organist und Musikschriftsteller. – Komponiert neben Werken für traditionelles Instrumentarium (Orchester-, Kammermusik, Orgel- und Chorwerke) auch elektron. Musik („Fresque sonore", 1967).

Hambro, Carl Joachim [norweg. 'hambru], * Bergen 5. Jan. 1885, † Oslo 15. Dez. 1964, norweg. Politiker. – 1919–57 Abg. im Storting, 1926–40 und ab 1945 Vors. der Konservativen Partei und Präs. des Storting; 1926–45 Präs. des Völkerbundes.

Hamburg (amtl. Freie und Hansestadt H.), Land der BR Deutschland, Stadtstaat, beiderseits der Elbe, 110 km oberhalb ihrer Mündung, 755 km², 1,661 Mill. E (1992), 2199 E/km². Sitz der Landesreg. (Senat), zahlr. B.-Ämter und B.-Anstalten: staatl. Münzprägeanstalt; Univ. H. (gegr. 1919) mit Univ.krankenhaus Eppendorf, TU H.-Harburg (gegr. 1979), Hochschulen für Wirtschaft und Politik, für Musik und darstellende Kunst, für bildende Künste, Sitz einer Bundeswehruniv. Wiss. Gesellschaften und Forschungsstellen, u. a. Dt. Elektronensynchrotron, Max-Planck-Inst. für Meteorologie, Max-Planck-Inst. für ausländ. und internat. Privatrecht, Dt. Übersee-Inst., Schiffbau-Versuchsanstalt. Zahlr. Bibliotheken, Museen, Theater, u. a. Staatsoper (gegr. 1678), Thalia-Theater. Botan. Garten, Zoo, Sporthalle, Volksparkstadion, zwei Trabrennbahnen. H. ist der bedeutendste Presseplatz Deutschlands mit mehreren Nachrichtenagenturen (u. a. dpa), zahlr. Zeitungs-, Zeitschriften- und Buchverlagen, mit Film- und Fernsehstudios. Messegelände, modernes Kongreßzentrum.

Wirtschaft: H. hat als Handels-, Verkehrs- und Dienstleistungszentrum überregionale, z. T. weltweite Bedeutung, ist Sitz von über 2 000 Import- und Exportfirmen, von Generalkonsulaten und Konsulaten, ist nach Frankfurt am Main wichtigster dt. Bankenplatz und gilt als ältester und heute größter dt. Versicherungsplatz. H. verfügt über eine Wertpapier-, Versicherungs- sowie zwei Warenbörsen. Bed. sind der Seefischmarkt, Blumen-, Gemüse- und Obstgroßmärkte. Bei der Wirtschaftsstrukturveränderung in den letzten Jahrzehnten entwickelten sich solche zukunftsträchtigen Branchen wie die zivile Luftfahrtind., Elektrotechnik und der Maschinenbau im Vergleich zum traditionellen Schiffbau. Weitere wichtige Zweige sind die Mineralölverarbeitung, die chem. Ind., die Nichteisenmetall- und Nahrungsmittel- und Genußmittelind. (Kaffee, Tee u. a.).

Verkehr: Gemessen am Seegüterumschlag ist H. der größte dt. Seehafen und bedeutendste dt. Transithafen und gehört mit dem Containerzentrum Waltershof zu den 12 größten Containerhäfen der Erde. Über die Hälfte der dt. Seeschiffsreedereien haben in H. ihren Hauptsitz. Den natürl. Gunstraum für die Hafenanlagen (Gesamtfläche ohne Erweiterungsgebiet 63 km^2) bildet das hier 8–12 km breite Urstromtal der Elbe mit seinem Stromspaltungsgebiet (Marsch). Elbtunnels wurden 1911 und 1974 dem Verkehr übergeben. Mit dem Hinterland und der Ostsee ist H. durch Binnenwasserstraßen (Oberelbe, Elbe-Seitenkanal, Nord-Ostsee-Kanal) verbunden. Sö. der Stadt wurde in Maschen (Gem. Seevetal, Nds.) 1980 einer der modernsten Rangierbahnhöfe Europas in Betrieb genommen. Ein Verkehrsverbund (u. a. U- und S-Bahn) bedient den Nahverkehr; ✈ in H.-Fuhlsbüttel.

Geschichte: Um 825 entstand das Kastell **Hammaburg,** 834 und 1043–72 Erzbistum, 1188 Erweiterung durch die Neustadt (ab 1189 Handels-, Zoll- und Schiffahrtsprivilegien auf der Niederelbe), 1215 Zusammenschluß von Alt- und Neustadt. Eines der ersten Mgl. der Hanse (im 14. Jh. deren wichtigster Umschlagplatz zw. Nordsee- und Ostseeraum). Seit dem Spät-MA durch den 1190 (?) erstmals nachweisbaren, vom Patriziat gewählten Rat regiert. Seit etwa 1460 und endgültig seit 1510 Reichsstadt. Einführung der Reformation 1529; 1558 Gründung der ersten Börse in Deutschland und im nördl. Europa. 1616–25 entstand die Befestigung. Kulturelle Blüte im 17./18. Jh. (u. a. 1678 Gründung der ersten dt. Oper; 1767 des Hamburg. Nationaltheaters). 1806 frz. Besetzung; trat 1815 als Freie Stadt dem Dt. Bund, 1867 dem Norddt. Bund und 1871 dem Dt. Reich, erst 1888 dem Dt. Zollverein bei. 1921 parlamentarisch-demokrat. Verfassung (mit Senat und Bürgerschaft). 1937 durch Eingliederung von Altona (mit Blankenese), Harburg-Wilhelmsburg und Wandsbek sowie 28 Landgemeinden Bildung von **Groß-H.** (bei Ausgliederung von Cuxhaven und Geesthacht). Mitte 1946 als dt. Land innerhalb der brit. Besatzungszone neu gebildet. Führende Partei wurde die SPD, die seit 1946, außer 1953–57 (Block aus CDU, FDP und DP) den Ersten Bürgermeister stellt (seit 1988 H. Voscherau). 1987–91 regierte eine SPD-FDP-Koalition, 1991–93 eine reine SPD-Reg., seither ein von SPD und Statt-Partei (1993 gegr. Wählervereinigung) gestelltes Kabinett.

Verfassung: Nach der Verfassung von 1952 liegt die Gesetzgebung beim Landesparlament, der *Bürgerschaft,* deren 120 Mgl. auf 4 Jahre gewählt werden. Die Landesreg. *(Senat)* besteht aus den von der Bürgerschaft gewählten (10–15) Senatoren und wählt zwei von ihnen zu Bürgermeistern, von denen einer zugleich Senatspräs. ist.

Bauten: 1842 richtete ein Brand, im 2. Weltkrieg Luftangriffe schwere Zerstörungen an. Wiederhergestellt wurden u. a. die barocke Kirche Sankt Michaelis (18. Jh.), deren Turm (sog. Michel) das Wahrzeichen der Stadt ist, Sankt Jacobi (14. Jh.) mit Schnitgerorgel (1689–93), Sankt Katharinen (14./15. Jh.), die Börse (1839–41), die Staatsoper (19. Jh.). In der Altstadt sind das Rathaus (1886–97), die Ellerntors- und die Zollenbrücke sowie einige Häuser des 17./18. Jh. erhalten. Im Bereich um die Binnenalster liegen exklusive Einkaufsstraßen, u. a. der Jungfernstieg. Der Hauptbahnhof wurde 1902–06 erbaut. Nach dem 1. Weltkrieg entstanden bed. Bürobauten, u. a. das Chilehaus, der Sprinkenhof, das Shellhaus. Neubauten nach dem 2. Weltkrieg sind das Hochhaus des Axel-Springer-Verlags, das Postscheckamt, die Gemüsegroßmarkthalle, das Amerikahaus, IBM-Haus, Congreß Zentrum u. a. – Auch die Außenbez. und Vororte verfügen über bemerkenswerte Baudenkmäler. In *Altona* wurde die barocke Hauptkirche wiederhergestellt; erhalten sind klassizist. Gebäude (1801–25) an der Palmaille, das Neue Rathaus (1896–98). In *Blankenese* befinden sich bed. Wohnhäuser von H. van de Velde, H. Muthesius und P. Behrens. In *Wandsbek* liegt das Schimmelmann-Mausoleum (1782–91), in *Bergedorf* die Kirche Sankt Petri und Pauli (um 1500 und 17. Jh.). – Weltbekannt ist das Vergnügungsviertel *Sankt Pauli* mit der Reeperbahn zw. Innenstadt und Altona.

📖 *Klessmann, E.: H. Ffm. 1991. – Architektur in H. Jb. Hg. v. der Hamburg. Architektenkammer. Hamb. 1989. – Bracker, J.: H. v. den Anfängen bis zur Gegenwart. Hamb. 1988. – Klessmann, E.: Gesch. der Stadt H. Hamb. 61988.*

H., seit 1994 Erzbistum („Nordbistum") und Kirchenprovinz, ↑katholische Kirche (Übersicht).

Hamburger, Käte, *Hamburg 21. Sept. 1896, †Stuttgart 8. April 1992, dt. Literaturwissenschaftlerin. – Prof. in Stuttgart. Mit dem Werk „Die Logik der Dichtung" (1957) nahm sie eine Neuordnung der Dichtungsgattungen auf sprachtheoret. Grundlage vor.

Hamburger [engl. 'hæmbə:gə], heißer Bratklops aus Rindfleischhack in einem Brötchen.

Hamburger Abendblatt, dt. Zeitung, ↑Zeitungen (Übersicht).

Hamburger Abkommen, zur Vereinheitlichung auf dem Gebiete des allgemeinbildenden Schulwesens 1964 (letzte Fassung 1971) in Hamburg durch die Min.präs. der Länder vereinbart. Es enthält u. a. Regelungen über Ferien, Notenstufen; Vollzeitschulpflicht beträgt neun Schuljahre, ihre Ausdehnung auf ein weiteres Schuljahr ist zulässig; einheitl. Bez. der Schultypen: Grundschule, Hauptschule, Realschule, Gymnasium, Sonderschulen, Kolleg; die Einführung der Orientierungsstufe wird anheimgestellt.

Hamburger Gruppe, nach Fundplätzen nördlich von Hamburg (Ahrensburg) ben. jungpaläolith. Kulturgruppe (etwa 13. und 12. Jt. v. Chr.) in NW-Deutschland und in den Niederlanden. Mit dem südl. Magdalénien verwandt.

Hamburgisches Welt-Wirtschafts-Archiv ↑HWWA – Institut für Wirtschaftsforschung Hamburg.

Hamdaniden, arab. Fürstendyn. in Mosul (934–979) und Aleppo (944–1030), die in der 1. Hälfte des 10. Jh. Nordmesopotamien beherrschte.

Häme (schwed. Tavastland), histor. Prov. im W-Teil der Finn. Seenplatte.

Hämeenlinna, Stadt in S-Finnland, beiderseits des langgestreckten Sees Vanajavesi, 42 300 E. Hauptstadt der Prov. Häme; Schulstadt, Museum; Holzverarbeitung; Garnison; Fremdenverkehr.

Hameln, Stadt an der Weser, Nds., 68 m ü. d. M., 58 200 E. Verwaltungssitz des Landkr. H.-Pyrmont. Museum (mit Sammlung zur Sage vom ↑Rattenfänger von Hameln), Theater; jährl. Rattenfängerspiele. Metall-, Elektro-, Textil- u. a. Ind., Hafen. – Bei einem sächs. Dorf gründeten Mönche von Fulda im 8. Jh. ein Kloster; um 1200 planmäßige Stadtanlage; zw. 1260 und 1277 kam H. an das Hzgt. Braunschweig-Lüneburg. – Münsterkirche (12. und 13. Jh.), Marktkirche (13. Jh.); bed. Bauten der Weserrenaissance, u. a. Hochzeitshaus (1610–17), Rattenfängerhaus (1602/03).

Hameln-Pyrmont, Landkr. in Niedersachsen.

Hamen, sackförmige Fisch- und Garnelenfangnetze unterschiedl. Konstruktion.

Hamersley Range [engl. 'hæməzlı 'rɛındʒ] ↑Pilbara.

Hamhung, nordkorean. Stadt 15 km nw. von Hungnam (gemeinsames Wirtschaftsgebiet), 775 000 E. Verwaltungssitz einer Prov.; Bahnknotenpunkt, ✈. – Hochschulen für Veterinärmedizin und Chemie.

Hamilkar Barkas, *um 290, ⚔ 229 oder 228, karthag. Heerführer und Politiker. – Vater Hannibals; eroberte 237–229/28 den südl. Teil Spaniens für Karthago.

Hamilton [engl. 'hæmilton], seit dem 13. Jh. nachgewiesene schott. Fam. (seit 1314 Baron of Cadzow, seit 1503 Earl of Arran, seit 1599 Marquess of H., seit 1643 Hzg. von H.); entschiedene Parteigänger der Stuarts. Der Hzg.titel der H. ging 1660 an *William Douglas,* Earl of Selkirk (seit 1711 auch Hzg. von Brandon) über. 1761 trat der Hzg. von H. als Marquess of Douglas auch an die Spitze der Fam. Douglas.

Hamilton [engl. 'hæmıltən], Alexander, *auf Nevis (Kleine Antillen) 11. Jan. 1755, †New York 12. Juli 1804, amerikan. Politiker. – Jurist; nahm am Nordamerikan. Unabhängigkeitskrieg teil, ab 1777 als Adjutant und Sekretär G. Washingtons; nach Kriegsende Anwalt; trat als Mgl. der gesetzgebenden (1786) und der verfassunggebenden Bundesversammlung (1787) an der Spitze der „Föderalisten" für eine starke Bundesgewalt ein und war wesentlich an der Ausarbeitung der amerikan. Verfassung beteiligt; ordnete als erster Schatzmin. der USA (1789–95) erfolgreich die durch den Krieg zerrütteten Finanzen und die Wirtschaft; führte bis 1799 die Federalist Party, bekämpfte das demokrat. Programm Jeffersons. Seine polit. Ideen wirkten v. a. auf die Republikan. Partei.

H., Lady Emma, geb. Lyon, * Great Neston (Cheshire) um 1765, † Calais 15. Jan. 1815. – Seit 1791 ⚭ mit dem brit. Gesandten in Neapel, Altertumsforscher und Sammler Sir William H. (* 1730, † 1803). Vertraute der Königin Karoline von Neapel. Seit 1798 Geliebte Lord Nelsons.

H., Richard, * London 24. Febr. 1922, brit. Maler und Graphiker. – Wegbereiter und Hauptvertreter der engl. Pop-art.

H., Sir (seit 1816) William, * Glasgow 8. März 1788, † Edinburgh 6. Mai 1856, schott. Philosoph und Logiker. – 1821 Prof. für Geschichte, 1836 für Metaphysik und Logik in Edinburgh. Vertreter der späten ↑ Schottischen Schule; Grundlage seiner Metaphysik ist die Analyse des Bewußtseins; das Absolute ist unerkennbar, da Glaubenssache. Einer der Wegbereiter der Algebra der Logik.

H., Sir (seit 1835) William Rowan, * Dublin 4. Aug. 1805, † ebd. 2. Sept. 1865, ir. Mathematiker und Physiker. – Prof. und Präsident der Royal Irish Academy in Dublin. H. entwickelte die geometr. Optik aus Extremalprinzipien und übertrug dieses Konzept 1834/35 auf die Dynamik. In der Algebra entwickelte er als Verallgemeinerung der komplexen Zahlen das System der ↑ Quaternionen, wichtiger Wegbereiter der abstrakten Algebra.

Hamilton [engl. 'hæmɪltən], schott. Stadt in der Conurbation Central Clydeside, 51 500 E. – Seit 1456 Burgh, 1670 Hauptort des Hzgt. Hamilton.

H., kanad. Stadt am W-Ufer des Ontariosees, 307 000 E. Sitz eines kath. und eines anglikan. Bischofs; Univ. (gegr. 1887 in Toronto, 1930 nach H. verlegt); technolog. Inst.; Zentrum der kanad. Eisen- und Stahlind.; Bahnknotenpunkt, Hafen für Ozeanschiffe. – 1813 von Loyalisten angelegt; Town seit 1833, City seit 1846.

H., Hauptort und -hafen der Bermudainseln, auf H. Island, 1 700 E. Sitz eines anglikan. und eines kath. Bischofs. – Gegr. 1790, Verwaltungssitz seit 1815, Stadt seit 1897.

H., Stadt auf der Nordinsel von Neuseeland, 100 km ssö. von Auckland, 104 000 E. Univ. (gegr. 1964); Kunstgalerie; Nahrungsmittelind., Herstellung von landw. Geräten u. a.; ✈.

Hamilton-Funktion [engl. 'hæmɪltən; nach Sir W. R. Hamilton], eine in der Mechanik verwendete Funktion

$$H = H(q_k, p_k; t)$$

der verallgemeinerten Koordinaten q_k und Impulse $p_k (k = 1, 2, ..., f)$, der sog. *kanon. Variablen,* eines physikal. Systems von Teilchen bzw. Massenpunkten (f Anzahl der Freiheitsgrade des Systems). Aus der H.-F. lassen sich die Bewegungsgleichungen ableiten. Für abgeschlossene Systeme ist die H.-F. die Summe von kinet. und potentieller Energie.

Hamilton-Operator [engl. 'hæmɪltən; nach Sir W. R. Hamilton], grundlegender hermitescher Operator der Quantentheorie, der auf die mögl. Zustandsvektoren des betrachteten mikrophysikal. Systems wirkt und die quantentheoret. Bewegungsgleichungen festlegt. In einem abgeschlossenen System stellt der H.-O. den Operator der Gesamtenergie des Systems **(Energieoperator)** dar.

Hamiltonsches Prinzip [engl. 'hæmɪltən; nach Sir W. R. Hamilton], svw. ↑ Prinzip der kleinsten Wirkung.

Hamina (schwed. Fredrikshamn), finn. Hafenstadt 130 km onö. von Helsinki, 10 300 E. Holzind. – 1653 Stadtrecht. 1743 an Rußland abgetreten; nach dem 1. Weltkrieg an den neuen finn. Staat.

Hamiten (Chamiten), in der bibl. Völkertafel (1. Mos. 10, 6–20) auf ↑ Ham zurückgeführte Völker in Nordafrika und Südarabien.

Hamiten, 1880 eingeführte Bez. für eine Sprachgruppe von Völkern verschiedener Rassen in N- und NO-Afrika, später mißverständlich als rass. und kultureller Begriff gebraucht, heute vermieden bzw. auf die Kuschiten beschränkt.

hamitosemitische Sprachen (Afroasiatisch), afrikan. Sprachfam., in N-, NO- und Z-Afrika verbreitet, rd. 250 Sprachen. Die Zweige sind in sich unterschiedlich strukturiert; *Semitisch:* Gruppe eng verwandter Sprachen mit z. T. langer Überlieferung; *Ägyptisch:* nur eine Sprache, die mit ihrer Nachfolgerin, dem Koptischen, die längste ununterbrochene schriftl. Tradition hat; *Lybico-Berberisch:* etwa 300 verschiedene Sprachen und Dialekte; *kuschit.* und *tschad. Sprachen:* zahlr. nur ungenügend erforschte Sprachen, über deren inneren Zusammenhang ebenfalls nur wenig bekannt ist.

Hamlet ['hamlɛt, engl. 'hæmlɪt], Prinz der altdän. Sage. Die älteste Aufzeichnung der bereits in der Lieder-Edda erwähnten Sage findet sich bei Saxo Grammaticus (* um 1150, † um 1220). Ein nicht erhaltenes, T. ↑ Kyd zugeschriebenes H.-Drama (sog. **Ur-Hamlet**) scheint Vorlage für Shakespeares Tragödie „H., Prinz von Dänemark" gewesen zu sein, die in zwei Versionen (1603 und 1604) überliefert ist. Prinz H. erhält vom Geist seines kurz zuvor vom eigenen Bruder Claudius ermordeten Vaters, des Königs von Dänemark, den Auftrag, das an ihm begangene Verbrechen zu rächen. Der Mörder hatte sich des Throns bemächtigt und die Witwe des Königs geheiratet. H., bei Shakespeare ein sensibler Grübler, führt den Auftrag schließlich aus, findet jedoch in einem Zweikampf selbst den Tod. *Neuere Bearbeitungen* des H.-Stoffes schufen F. Freiligrath, A. Döblin, G. Hauptmann, K. Gutzkow, T. Stoppard, G. Britting und Heiner Müller.

Hamm, Stadt an der Lippe, NRW, 63 m ü. d. M., 171 200 E. Gustav-Lübcke-Museum; Herstellung von Röhren, Draht, Büromaschinen u. a.; Straßen- und Bahnknotenpunkt (großer Rangierbahnhof), mehrere Häfen. Im Stadtteil Uentrop Kernkraftwerk (296 MW; z. Z. stillgelegt). – 1227 gründete Graf Adolf von Altena-Mark die Stadt H., die bald befestigt wurde (1279 Stadtrechtsbestätigung); im 16. Jh. gemeinsam mit Unna hans. Prinzipalstadt; 1614/66 fiel H. an Brandenburg; 1763 Schleifung der Festungswerke; bis 1809 war H. Hauptstadt der Gft. Mark. – U. a. Pauluskirche (13./14. Jh.), St. Agnes (1507–15), in H.-Mark ev. Pfarrkirche (12.–14. Jh.).

Hammada [arab.] (Hamada, Felswüste), durch nacktes Gestein und grobe Gesteinsscherben gekennzeichneter Typ der Wüste.

Hammamet, tunes. Seebad sö. von Tunis, 31 000 E. Traditionelles Handwerk; Fischereihafen. – Ummauerte Altstadt mit Moscheen und Kasba (12. und 15. Jh.).

Hammarskjöld, Dag [schwed. ˌhamarʃœld], * Jönköping 29. Juli 1905, † auf dem Flug von Léopoldville (= Kinshasa) nach Ndola (Absturz) 18. Sept. 1961, schwed. Politiker. – 1952/53 Leiter der schwed. UN-Delegation; seit 1953 Generalsekretär der UN; versuchte, die Rolle der UN als friedenstiftende Macht in der Welt durchzusetzen und die UN zu einer treibenden Kraft im Prozeß der Entkolonisation zu machen. Friedensnobelpreis 1961 (postum).

Hamm-Brücher, Hildegard, * Essen 11. Mai 1921, dt. Politikerin (FDP). – 1950–66 und 1970–76 MdL in Bayern; 1967–69 Staatssekretärin im hess. Kultusministerium, 1969–72 im B.ministerium für Bildung und Wiss.; 1972–76 stellv. Bundesvors. der FDP; 1976–90 MdB; 1976–82 Staatsmin. im Auswärtigen Amt; kandidierte 1994 für das Amt des Bundespräsidenten.

Hammel [zu althochdt. hamal „verstümmelt"] (Schöps), im Alter von 2–6 Wochen kastriertes ♂ Schaf.

Hammelburg, Stadt an der Fränk. Saale, Bay., 189 m ü. d. M., 11 500 E. Kugellagerherstellung; Bundeswehrstandort (Infanterieschule). – Um 1277 Stadt. – Spätgot. Pfarrkirche (1389–1461), Rathaus (1524–29), barockes Schloß (1726–33).

Hammelsprung [weil die Abg. den Saal hinter ihren „Leithammeln" her wieder betreten], übl. Bez. des parlamentar. Abstimmungsverfahrens, bei dem alle Abg. den Saal verlassen und ihn durch die mit „Ja", „Nein" oder „Stimmenthaltung" bezeichnete Tür wieder betreten und dabei gezählt werden (§ 51 Abs. 2 Geschäftsordnung des Bundestages); erfolgt, wenn trotz einer Gegenprobe Unklarheiten über das Abstimmungsergebnis bestehen.

Hammer [zu althochdt. hamer, eigtl. „(Werkzeug aus) Stein"], (Handhammer) Handwerkszeug für alle Arbeiten, die eine Schlagwirkung erfordern; besteht aus dem *H.kopf* und dem *H.stiel* (Helm), der meist mit Hilfe eines Keils im sog. Auge des Kopfes befestigt ist. Der (meist stählerne) Kopf hat je nach Verwendungszweck unterschiedl. Form und Größe, z. B. eine ebene oder nur schwach gewölbte quadrat. Schlagfläche *(Bahn)* und eine keilförmige *Finne (Pinne).* Für Spezialzwecke sind H. aus Holz, Kupfer, Kunststoff oder Gummi gebräuchlich.

◆ Werkzeugmaschine zum spanlosen Umformen von Werkstücken, bei der die Schlagenergie durch eine in Führungen schnell bewegte Masse, den **Hammerbär,** auf das Werkstück übertragen wird.

◆ mit Filz (früher Leder) bezogener Klöppel, der beim Hammerklavier († Klavier) die Saiten anschlägt.

◆ † Hammerwerfen.

Hammer. Verschiedene Arten

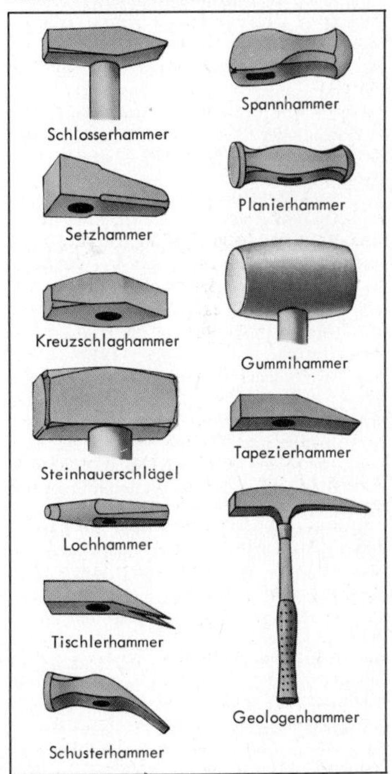

◆ (Malleus) Gehörknöchelchen, das beim Menschen hammerförmig ausgebildet ist.

Hammerfest, Hafenstadt in N-Norwegen, an der W-Küste der Insel Kvaløy, 7400 E. Nördlichste Stadt Europas; Filetierungs- und Fischmehlfabrik; Werften; Fremdenverkehr. – H. wurde als Handelsfaktorei gegr. und bekam 1789 Stadtrecht. 1945 von der dt. Besatzungsmacht niedergebrannt; Wiederaufbau in Steinbauweise.

Hammerhaie (Sphyrnidae), Fam. bis etwa 5,5 m langer Haifische mit 12 Arten in trop. und subtrop. Meeren; Kopfende mit T-förmiger (hammerartiger) Verbreiterung.

Hammerklavier ↑Klavier.

Hammer-Purgstall, Joseph Frhr. von (seit 1835), eigtl. J. Edler von Hammer, * Graz 9. Juni 1774, † Wien 23. Nov. 1856, östr. Orientalist. – Trug entscheidend zur Erforschung des Orients und der osman. Geschichte bei.

Hammerschlag, beim Schmieden von glühendem Stahl abspringende feine Teilchen aus ↑Zunder.

Hammerstein, berg., seit 1412 nachweisbares Uradelsgeschlecht; kam im 17. Jh. nach Niedersachsen und teilte sich in die Linien H.-Equord, H.-Gesmold und H.-Loxten; bed:

H.-Equord, Kurt Freiherr von ['e:kvɔrt], * Hinrichshagen (Landkr. Waren) 26. Sept. 1878, † Berlin 25. April 1943, dt. General. – 1930 Chef der Heeresleitung; trat 1934 als Gegner des NS zurück; 1939 Chef einer Armeegruppe im Westen; seine baldige Entlassung 1939 verhinderte die von ihm geplante Festnahme Hitlers.

Hammer und Sichel, vorwiegend kommunist. Symbol der Solidarität von Arbeitern (Hammer) und Bauern (Sichel); 1924 in das Wappen der UdSSR aufgenommen; auch in den Wappen und Flaggen der Teilrepubliken. – Im östr. Bundeswappen (1919–34, seit 1945) symbolisieren H. u. S. (in den Fängen des Adlers) und Mauerkrone Arbeiter, Bauern und Bürger Österreichs.

Hammer und Zirkel, seit 1955 das Hoheitssymbol der DDR (eigtl. H. u. Z. im Ährenkranz); seit 1959 in der Nationalflagge der DDR.

Hammerwerfen, Disziplin der Leichtathletik für männl. Athleten, Weitwurf (nach dem internat. Reglement von 1908) eines **Hammers** (eine 7,26 kg schwere Metallkugel, die mit einem Verbindungsdraht, der an einem dreieckigen Griff endet, verbunden ist, Gesamtlänge höchstens 121,5 cm) nach 3–4 schnellen Körperdrehungen aus einem Abwurfkreis (Durchmesser 2,135 m) heraus.

Hammerzehe, angeborene oder erworbene Abknickung einer (meist der zweiten) Zehe im Mittelgelenk.

Hammett, [Samuel] Dashiell [engl. 'hæmɪt], * im County Saint Marys (Md.) 27. Mai 1894, † New York 10. Jan. 1961, amerikan. Schriftsteller. – Klassiker des Detektivromans. Die spröden Dialoge seiner einsamen Detektive und patholog. Delinquenten prägten Filme der „schwarzen Serie" nach seinen Vorlagen, v. a. „Der Malteser Falke" (R., 1930; Film mit H. Bogart).

Hammondorgel [engl. 'hæmənd], ein von L. Hammond 1934 gebautes mechanisch-elektron. Tasteninstrument. **Tonerzeugung:** Insges. 91 von einem Elektromotor gleichzeitig angetriebene [Metall-]„Tonräder" (Zahnräder mit sinusförmigem Zahnprofil) induzieren in ebenso vielen kleinen Spulen mit stiftförmigem Magnetkern sinusförmige Wechselspannungen (Frequenz entsprechend der Drehzahl und Zahl der „Zähne"). Beim Drücken der Taste (= Schalter) wird der entsprechende Spulenstrom elektronisch verstärkt und über Lautsprecher hörbar gemacht. Obertöne (z. B. Oktaven, Quinten und Terzen) können in verschiedenen Lautstärken jeweils zugemischt werden; auf diese Weise lassen sich unterschiedl. Klangfarben erzeugen.

Hammurapi (Chammurapi, Hammurabi), König (1728–1686) der altbabylon. 1. Dyn. von Babylon. – Schuf durch geschickte Verbindung von Bündnispolitik und Kriegszügen um 1700 v. Chr. wieder ein ganz Mesopotamien umfassendes Reich. Von seiner umsichtigen Politik im Inneren, die dem Lande wirtsch. Blüte schenkte, zeugt der sog. **Kodex Hammurapi,** wichtigste Rechtssammlung des Alten Orients; überliefert u. a. auf der nach Susa verschleppten Dioritstele H. (1902 wiedergefunden, heute im Louvre [Paris]).

hämo..., Hämo... ↑hämato..., Hämato...

Hämoblasten, svw. ↑Hämatoblasten.

Hämoblastosen (volkstümlich Blutkrebs), Sammelbez. für bösartige Erkrankungen des blutbildenden Systems, i. e. S. die Formen der Leukämie, i. w. S. auch Retikulose, bösartiges Lymphom, Lymphogranulomatose und Plasmozytom.

Hämochromatose [griech.] (Siderophilie, Eisenspeicherkrankheit), seltene, erbl. Eisenstoffwechselstörung *(primäre H.)* mit übersteigerter Eisenaufnahme im Darm und Eisenablagerung in zahlr. Organen, bes. in Haut, Bauchspeicheldrüse, Leber, Herzmuskel, Hoden und Hirnanhangdrüse. Folgen sind Organschäden mit entsprechenden Funktionsverlusten. Zu einer Ablagerung von Hämosiderin in Körpergeweben *(sekundäre H.)* kommt es infolge Eisenüberangebots, z. B. durch starken Blutzerfall bei perniziöser Anämie, nach häufigen Bluttransfusionen, nach übermäßiger Eisenzufuhr.

Hämocyanin (Hämozyanin), kupferhaltiges Chromoproteid von sehr hoher Molekularmasse (bis 7 Mill.), das bei wirbellosen Tieren (z. B. Tintenfischen, Schnecken, Krebsen, Spinnentieren) als Blutfarbstoff fungiert.

Hämodialyse ↑ künstliche Niere.

Hämoglobine (rote Blutfarbstoffe), umfangreiche Gruppe von Chromoproteiden, die im Tierreich die verbreitetsten Atmungspigmente sind und im allg. aus mehreren miteinander verknüpften Hämen als Farbstoffkomponente und einem artspezif. Globin als Proteinanteil bestehen. I. e. S. versteht man unter **Hämoglobin** (Abk. Hb) das als färbender Bestandteil in den roten Blutkörperchen des menschl. Bluts enthaltene Chromoproteid dieser Art. Die Funktion der H. besteht sowohl darin, in den Atmungsorganen Sauerstoff aufzunehmen und an die Orte des Verbrauchs im Körpergewebe zu transportieren und dort abzugeben, als auch das dort gebildete Kohlendioxid aufzunehmen und dieses den Atmungsorganen zuzuführen, wo es nach außen freigesetzt wird. Bei vielen Wirbellosen tritt das Hämoglobin frei im Blutplasma auf. Bei den Wirbeltieren sind die H. ausschließlich an die roten Blutkörperchen gebunden; sie bestehen hier aus 4 Untereinheiten, die jeweils aus einer Hämgruppe und einer Polypeptidkette aufgebaut sind und von denen je zwei gleich sind. Das menschl. Hämoglobin hat ein Molekulargewicht von etwa 68 000, seine α-Kette enthält 141, seine β-Kette 146 Aminosäuren bekannter Sequenz. – Kohlenmonoxid wird von den H. wesentlich fester gebunden als Sauerstoff und verdrängt diesen, worauf die hohe Giftigkeit schon geringer CO-Mengen beruht.
Bei den meisten Säugetieren unterscheidet sich das fetale vom mütterl. Hämoglobin durch eine höhere Bindungsfähigkeit für Sauerstoff, wodurch die O_2-Versorgung des Fetus sichergestellt wird. – 5,5 l menschl. Blutes enthalten etwa 745 (bei der Frau) bis 820 g (beim Mann) H. Ein zu niedriger H.gehalt führt zur ↑ Anämie.

Hämoglobinopathien [griech.], Sammelbez. für auf erbl. Degeneration des Hämoglobins beruhende Blutkrankheiten.

Hämoglobinurie [griech./lat./griech.], Auftreten von Blutfarbstoff im Harn als Folge eines Zerfalls roter Blutkörperchen; u. a. bei schweren Vergiftungen und Infektionskrankheiten.

Hämogramm, svw. ↑ Blutbild.

Hämolymphe, meist farblose Körperflüssigkeit wirbelloser Tiere ohne geschlossenen Blutkreislauf (z. B. Weichtiere, Gliederfüßer). In ihrer Funktion entspricht die H. dem Blut der Wirbeltiere.

Hämolyse [griech.], mechanisch, chemisch (Toxine, Antikörper) oder durch Strahlung bewirkte Zerstörung der Hüllmembran der roten Blutkörperchen mit nachfolgendem Austritt von rotem Blutfarbstoff (Hämoglobin).

hämolytische Anämie [griech.] ↑ Anämie.

Hämophilie [griech.], svw. ↑ Bluterkrankheit.

Hämoptyse (Hämoptoe) [griech.], svw. ↑ Bluthusten.

Hämorrhagie [griech.], svw. ↑ Blutung.

hämorrhagische Diathese (Blutungsübel), Sammelbez. für alle mit erhöhter Blutungsneigung einhergehenden Erkrankungen.

Hämorrhoiden [zu griech. haimorrhoídēs, eigtl. „Blutfluß"], sackartige, zuweilen knotenförmige Erweiterungen der Venen im unteren Mastdarm- und Afterbereich. H. entstehen meist auf der Grundlage einer anlagebedingten Bindegewebsschwäche durch Druckerhöhung im Bauchraum, also etwa durch Pressen (bes. bei hartem Stuhlgang). **Äußere Hämorrhoiden** sitzen außerhalb des Afterschließmuskels. Sie schwellen beim Pressen gewöhnlich zu weichen Knoten an. **Innere Hämorrhoiden** sind innerhalb des Afterschließmuskels lokalisiert. Anfangs machen innere H. keine Beschwerden, doch bluten sie häufig, v. a. bei hartem Stuhl. Die Behandlung besteht zunächst in einer Stuhlregulierung (viel Bewegung, ballaststoffreiche Kost) und der Anwendung schmerzlindernder und entzündungshemmender Zäpfchen oder Salben. Bei stärkerer Ausprägung ist eine Verödung durch Injektion oder die operative Entfernung erforderlich.

Hämosiderin [griech.], eisenhaltiger Proteinkomplex, der durch Zerfall des Blutfarbstoffs nach Blutaustritt ins Gewebe entsteht; findet sich auch in Organen, v. a. in Leber und Milz, und dient als Eisenspeicher.

Hämostase [griech.], svw. ↑ Blutstillung.

Hämothorax [griech.], svw. ↑ Hämatothorax.

Hämozyten [griech.], svw. Blutkörperchen (↑ Blut).

Hampe, Karl, * Bremen 3. Febr. 1869, † Heidelberg 14. Febr. 1936, dt. Historiker. – Ab 1903 Prof. in Heidelberg; schrieb, ausgehend von krit. Quellenforschung zur ma. Geschichte, u. a. „Dt. Kaisergeschichte in der Zeit der Salier und Staufer" (1909), „Herrschergestalten des dt. MA" (1927).

Hampel, Gunter, * Göttingen 31. Aug. 1937, dt. Jazzmusiker (Vibraphon, Klarinette, Saxophon, Flöten, Klavier). – Mit seiner „Galaxy Dream Band" einer der bekanntesten Vertreter des Free Jazz.

Hampelmann, meist flache Gliederpuppe für Kinder, die mit Hilfe von Fäden oder Bändern bewegt werden kann.

Hampshire [engl. 'hæmpʃɪə], südengl. Grafschaft.

Hampton, Lionel [engl. 'hæmptən], * Louisville (Ky.) 12. April 1909, amerikan. Jazzmusiker (Schlagzeuger, Vibraphonist, Sänger, Pianist und Orchesterleiter). – Als Mgl. des Benny-Goodman-Quartetts (1936 bis 1940) führte H. erstmals das Vibraphon als vollgültiges Jazzinstrument ein. 1940 gründete er ein sehr populäres Orchester, mit dem er v. a. Rhythm and Blues und Swing spielte.

Hampton [engl. 'hæmptən], Ind.- und Hafenstadt am N-Ufer der **Hampton Roads** (sö. Teil des Ästuars des James River), Virginia, USA, 122 600 E. NASA-Forschungszentrum; Lkw-Montagewerk. – H. ist die älteste von Engländern gegr. Dauersiedlung in den USA (1610), 1887 zur City erhoben.

Hampton Court [engl. 'hæmptən 'kɔ:t], königl. Schloß im SW Londons. 1514–22 von Kardinal Wolsey erbaut, 1526 als Geschenk an Heinrich VIII.; bis in die Regierungszeit Georgs II. Residenz. Im Auftrag Wilhelms III. 1689 ff. Umbau von Schloß und Garten durch C. Wren.

Hamra, Al Hammada Al, Steinwüste im westl. Libyen, zw. Dschabal Nafussa und Edeien Ubari; Erdölvorkommen.

Hamster [slaw.] (Cricetini), Gattungsgruppe 5–35 cm körperlanger Nagetiere (Fam. Wühler) mit 16 Arten in Eurasien; Körper gedrungen mit mäßig langem bis stummelartigem Schwanz und meist großen Backentaschen, in denen die Tiere Nahrungsvorräte (v. a. Getreidekörner) für den Winterschlaf in ihre unterird. Wohnbauten eintragen. – In M-Europa kommt nur die Gatt. Cricetus mit dem **Feldhamster** (Schwarzbauch-H., H. im engeren Sinne, Cricetus cricetus) als einziger Art vor; Körper bis über 30 cm lang, Rücken und Körperseiten bräunlich, Kopf rötlichgelb, mit großen weißl. Flecken an Maul, Wangen und vorderen Körperseiten. Der Feld-H. unterbricht seinen Winterschlaf etwa alle 5 Tage, um zu fressen. Zu den H. gehört auch der **Goldhamster** (Mesocricetus auratus), etwa 18 cm lang, Schwanz rd. 1,5 cm lang; Fell oberseits grau bis goldbraun, Bauchseite weißlich, an Kehle und Halsseiten helle Zeichnung. Alle heute gehaltenen Gold-H. stammen von der 1930 bei Aleppo (Syrien) gefangenen Unterart Syr. Gold-H. ab. Der Gold-H. wird im Alter von 8–10 Wochen geschlechtsreif, hat bis 7 oder 8 Würfe mit durchschnittlich 6–12 Jungen im Jahr (Tragezeit 16–19 Tage) und wird etwa zwei bis vier Jahre alt. Als **Zwerghamster** werden einige Gatt. bes. kleiner H. in Asien und SO-Europa bezeichnet.

Hamsun, Knut, eigtl. K. Pedersen, * Lom (Oppland) 4. Aug. 1859, † Nørholm bei Grimstad 19. Febr. 1952, norweg. Schriftsteller. – Harte Jugend; kritisierte die amerikan. Lebensweise und stellte ihr eine bäuerl.-aristokrat. Lebenshaltung entgegen; verklärte das Bauerntum und den freien Vagabunden. Begrüßte 1941 den Einmarsch dt. Truppen in Norwegen. Wurde 1947 wegen Landesverrats verurteilt. 1920 Nobelpreis. – *Werke:* Hunger (R., 1890), Mysterien (R., 1892), Neue Erde (R., 1893), Pan (R., 1894), Victoria (Nov., 1898), Schwärmer (R., 1904), Segen der Erde (R., 1907), Landstreicher (R., 1927), August Weltumsegler (R., 1930).

H., Marie, geb. Andersen, * Elverum (Hedmark) 19. Nov. 1881, † Nørholm bei Grimstad 5. Aug. 1969, norweg. Schriftstellerin. – ⚭ seit 1909 mit Knut H.; schrieb die vielbeachtete Kinderbuchreihe über die „Langerudkinder".

Han, chin. Dyn., ↑ chinesische Geschichte.

Han, Ulrich (Udalricus Gallus), * Ingolstadt um 1425, † Rom 1479 (1480 ?), dt. Buchdrucker in Rom. – Druckte 1467–78 in Rom über 110 Schriften. War der zweite Drucker, der Holzschnitte (1467), und der erste, der Musiknoten druckte.

Hanafiten ↑ Hanefiten.

Hanau, ehem. Gft. Die Herren von Dorfelden (1166 erwähnt) nannten sich seit 1191 nach der Burg H. (am Main) und wurden 1429 Reichsgrafen; 1736 erloschen. 1458 bis 1625 Gft.teilung in die ältere Linie **Hanau-Lichtenberg,** die 1480 Besitzungen v. a. im Unterelsaß erbte (1736 an Hessen-Darmstadt; elsäss. Gebiete 1697 an Frankreich; rechtsrhein. Gebiete 1803 an Baden), und die Linie **Hanau-Münzenberg** (1736 an Hessen-Kassel).

H., hess. Stadt am Untermain, 104 m ü. d. M., 83 400 E. Verwaltungssitz des Main-Kinzig-Kr., staatl. Zeichenakad., Histor. Museum; auf Grund der Lage im Rhein-Main-Gebiet ein bed. Ind.standort (u. a. Reifenwerke, Nukleartechnik, Quarzlampen-, Schmuckherstellung). – Neben der vor 1143 errichteten

Hamster. Feldhamster

Wasserburg Hagenowa entstand im 13. Jh. der Ort H. (1303 Stadtrecht), dem 1597 in der Neustadt angesiedelte Niederländer und Wallonen Wohlstand brachten. 1736 an Hessen-Kassel. – Nach schweren Zerstörungen im 2. Weltkrieg wieder aufgebaut bzw. erhalten: u. a. spätgot. Marienkirche (15./16. Jh.), Wallon.-Niederl. Kirche (17. Jh.), Altstädter Rathaus (16. Jh.; heute Dt. Goldschmiedehaus), Neustädter Rathaus (18. Jh.); Schloß Philippsruhe (18. Jh.), Wilhelmsbad mit klassizist. Parktheater (18. Jh.).

Hanbaliten, Anhänger der von ↑Ahmad Ibn Hanbal begründeten (wenig verbreiteten) Schulrichtung der islam. Gesetzeslehre; in Moralfragen die rigoroseste Haltung einnehmend.

Hancock, Herbert Jeffrey (Herbie) [engl. 'hæŋkɔk], * Chicago 12. April 1940, amerikan. Jazzmusiker (Keyboardspieler, Komponist). – Spielte u. a. bei M. Davis (1963–68); gründete 1968 seine eigene Combo; einer der führenden Jazzpianisten; hatte seit den 1970er Jahren zahlr. Schallplattenerfolge mit einem Soul-Funk-Jazz; auch Filmmusiken (u. a. zu „Blow up").

Hand [zu althochdt. hant, eigtl. „die Greiferin"] (Manus), Bez. für den unteren (distalen) Abschnitt des Arms beim Menschen und bei Menschenaffen. Die H. ist über das **Handgelenk** (ein Kugelgelenk mit zahlr. Nebengelenken durch die Verschiebbarkeit der H.wurzelknochen) mit Speiche und Elle verbunden. Das H.skelett hat insgesamt 27 Knochen mit 36 gelenkigen Verbindungen. Man unterscheidet an der H. die ↑Handwurzel, die Mittel-H. (↑Mittelhandknochen) und die ↑Finger.

Im *Rechtsleben* des MA, dessen Schriftwesen noch unterentwickelt war, kam der H. in Rechtsbrauchtum und Symbolik als Zeichen der bestimmenden Gewalt bes. Bed. zu; in diesem Zusammenhang stehen z. B. Handfeste, -geld, -gemal, -lehen, -schlag, -schuh; ärgere H., linke H., Schwur-H., tote Hand.

Handarbeit, körperl. Arbeit, in Abgrenzung zur geistigen Arbeit (Schreibtischarbeit) oder zur maschinellen Fertigung.

◆ zusammenfassende Bez. für nicht maschinell, handwerklich hergestellte Arbeiten aus textilen Stoffen, z. B. Stickerei, Strick-, Häkel-, Filet-, Knüpf-, Durchbrucharbeit, Applikationen und Spitze.

Handauflegung (Cheirotonie), religionsgeschichtlich weit verbreiteter Gestus mit Auflegen der Hände oder einer Hand, der generell der Übermittlung des Segens dient, aber auch der Heilung und der Weihe bei der Übertragung eines priesterl. oder herrscherl. Amtes (z. B. bei der Firmung [kath. Kirche] und bei den höheren Weihen [kath., anglikan. und östl. Kirchen]).

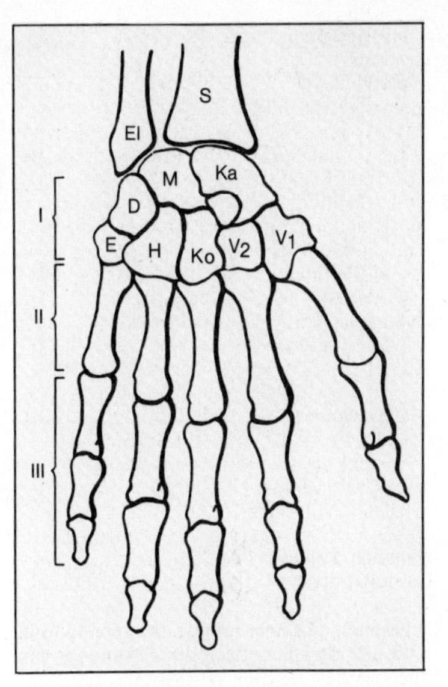

Hand. Rückseite des Skeletts der rechten Hand: El Elle, S Speiche; I Handwurzelknochen, Ka Kahnbein, M Mondbein, D Dreiecksbein, E Erbsenbein, V_1 großes Vielecksbein, V_2 kleines Vielecksbein, Ko Kopfbein, H Hakenbein; II Mittelhandknochen; III Fingerhandknochen

Handball, urspr. als **Großfeldhandball** auf Rasenplätzen von 110 m × 65 m Größe mit Fußballtoren und Torräumen von 13 m Radius betriebenes Torspiel zweier Mannschaften von je elf Spielern (ein Torwart und zehn Feldspieler), jetzt ohne Bedeutung; heute ausschließlich im Freien oder in Hallen gespieltes Kleinfeldspiel **(Kleinfeldhandball, Hallenhandball)** zw. zwei Mannschaften von sieben Spielern (ein Torwart und sechs Feldspieler) sowie fünf ständigen Auswechselspielern. Das ideale Spielfeld ist 40 m × 20 m groß, die Tore haben die lichten Maße von 3 m × 2 m, der Torraum wird 6 m vor der Grundlinie markiert, um die Torpfosten schließen sich Viertelkreise an. Ebenso wird in 9 m Abstand die Freiwurflinie markiert. Der Hohlball ist 425–475 g schwer und hat 58–60 cm Umfang (für Männer) bzw. 54–60 cm Umfang und 325–400 g Masse (für Frauen). Die Spielzeit beträgt 2 × 30 Minuten. Unentschieden endende Pokal- und Entscheidungsspiele werden unter Umständen um 2 × 5 Minuten verlängert. Der Ball muß nach einer Aufnahme (Festfassen des Balles)

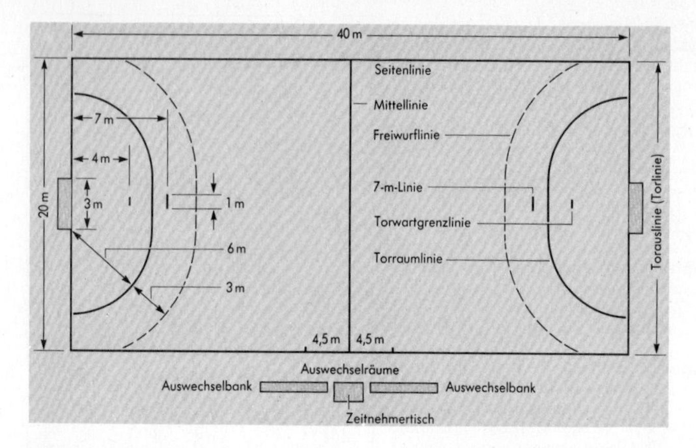

Handball. Spielfeld beim Hallenhandball

abgespielt, darf aber unbegrenzt geprellt und muß alle drei Schritte (oder Sekunden) getippt werden. Es gibt kein Abseits, der Torraum darf von den Feldspielern nicht betreten werden. Verboten ist die Ballberührung mit Unterschenkel oder Fuß.

Handbremse ↑Bremse.

Handbuch, systemat. und/oder lexikal. Nachschlagewerk für ein bestimmtes Sachgebiet.

Handbuchbinderei ↑Buchbinderei.

Handdruck, eines der ältesten Textildruckverfahren, bei dem die Farbe mittels Models per Hand auf den Stoff gebracht wird.

Handel, 1. die Beschaffung von Waren und deren Verkauf, ohne daß eine nennenswerte Veränderung an den Waren stattfindet, i. w. S. jeder Austausch von wirtsch. Gütern; 2. die Gesamtheit der Handelsbetriebe. Nach dem Merkmal der Abnehmergruppe und der Absatzmenge wird zw. Groß-H. und Einzel-H. unterschieden. Großhandelsbetriebe setzen ihre Waren an Wiederverkäufer oder Weiterverarbeiter (Produzenten) ab, Einzelhandelsbetriebe verkaufen ihre Waren an Verbraucher oder Produzenten in relativ kleinen Mengen. Nach dem Kriterium des Absatzgebiets wird zw. Binnen-H. und Außen-H. unterschieden.

Geschichte: Von bes. geschichtl. Interesse ist die Entwicklung des Fern-H., die wohl bereits im 4. Jt. v. Chr. von Mesopotamien aus ihren Anfang nahm. Mit der weiteren Ausdehnung des Fern-H., der nacheinander von den Kretern, Phönikern, Griechen und Karthagern beherrscht wurde, wurden auch Indien, der westl. Mittelmeerraum und – insbes. durch die Karthager – die europ. Atlantikküste sowie die westafrikan. Küste einbezogen. Mit der Entstehung des röm. Weltreiches erfuhr der Fern-H. einen großen Aufschwung, weniger durch H.aktivitäten Roms selbst als vielmehr durch die entstehende Sicherheit der H.wege und die Vereinheitlichung von Münzen, Maßen und Gewichten. Nach dem vorübergehenden Rückgang des H. während der Zeit der Völkerwanderung gewannen die neuen Fernhandelsverbindungen, die einerseits bis nach Indien und China, andererseits durch Europa in den slaw. Osten reichten, zunehmend an Bedeutung. Im MA konzentrierte sich der Fern-H. v. a. auf die neu entstandenen Städte, insbes. in Italien, aber auch z. B. Augsburg und Nürnberg in Süddeutschland. Im Norden wurde zu dieser Zeit der H. u. a. von der ↑Hanse beherrscht. Von großer Wichtigkeit für die Entwicklung des H. war die Entdeckung des Seewegs nach Ostindien und die Entdeckung Amerikas. Die H.zentren verlagerten sich mehr nach W-Europa. Spanien und Portugal, die zunächst ein Monopol auf den überseeischen H. hatten, erhielten Konkurrenz von den engl. bzw. brit. ↑Handelskompanien, aber auch von niederl. Kaufleuten. Der moderne, alle Länder einbeziehende ↑Welthandel entwickelte sich mit der durch die industrielle Revolution bewirkten Steigerung der Produktion und den zu dieser Zeit stattfindenden Umwälzungen im Verkehrs- und Nachrichtenwesen. – ↑Handelsstraßen.

🕮 *Berekoven, L.: Gesch. des dt. Einzel-H. Ffm. [4]1988. – Dichtl, E.: Grundzüge der Binnenhandelspolitik. Stg. 1979. – Weller, T.: H. u. Markt. Wsb. 1978. – Day, L.: A history of commerce. New York 1951.*

Händel, Georg Friedrich (engl. Handel), * Halle/Saale 23. Febr. 1685, † London 14. April 1759, dt. Komponist. – H. war in Halle/Saale Schüler von F. W. Zachow und erhielt dort 1702 seine erste Organistenstelle. 1703 wurde er Geiger und bald darauf „maestro al cembalo“ an dem von R. Keiser geleiteten Hamburger Opernhaus. 1705 entstand seine erste Oper „Almira“. 1707–09 bereiste H. Italien. 1710 wurde er kurfürstl. Kapellmeister in Hannover und reiste nach London, wo die Aufführung seiner Oper „Rinaldo“ (1711) zu einem großen Erfolg wurde. Im Herbst 1712 ließ er sich endgültig in England nieder (1727 naturalisiert). Neben Opern entstanden in der ersten Londoner Zeit das „Utrecht Te Deum and Jubilate“ und die „Ode for the birthday of Queen Anne“ (beide 1713). 1719 erhielt er den Auftrag, ein königl. Opernhaus (Royal Academy of Music) zu gründen, für das zw. 1720 und 1728 14 italien. Opern entstanden, u.a. „Radamisto“ (1720), „Giulio Cesare“ (1724), „Tamerlano“ (1724), „Rodelinda“ (1725), „Scipione“ (1726), „Admeto“ (1727). Diese Werke machten H. in ganz Europa berühmt. 1728 mußte sich das königl. Opernunternehmen wegen wirtschaftl. Mißerfolge auflösen. In der Folgezeit versuchte H. noch zweimal, sich durch Neugründungen der Konkurrenten G. B. Bononcini, N. Porpora und J. A. Hasse zu erwehren. Schließlich zwang ihn 1737 der gesundheitl. Zusammenbruch endgültig zur Aufgabe des Unternehmens. Seit etwa 1740 widmete sich H. mehr und mehr der Komposition von Oratorien. Unter den 22 Werken dieser Gattung ist der „Messias“ (1742) dasjenige, das im 19. Jh. zum Standardwerk der Chorvereine wurde. H. trat auch wieder stärker als Organist an die Öffentlichkeit, u.a. mit Orgelkonzerten, in denen er große Teile während der Aufführung improvisierte. 1743 entstand das „Dettinger Te Deum“ zur Feier des Sieges König Georgs II. über die Franzosen und anläßlich des Aachener Friedens von 1748 die „Feuerwerksmusik“ (1749). Während der Komposition an seinem Oratorium „Jephta“ (1751/52) erblindete Händel.

Mit der genialen Beherrschung der musikal. Ausdrucks- und Stilmittel sowie der überkommenen Formen seiner Zeit führte er in der Instrumentalmusik den italien. Sonaten- und Konzertstil, auf musikdramat. Gebiet die italien. Barockoper und das Oratorium zu einer Vollendung, die ihm als erstem dt. Musiker Weltruf verschaffte.

Weitere Werke: Opern: Agrippina (1709), Il pastor fido (1712, 1734), Ottone (1723), Ezio (1732), Orlando (1733), Arianna (1734), Alcina (1735), Atalanta (1736), Serse (1738, darin das bekannte „Largo“), Deidamia (1741). – *Oratorien:* Esther (1718, 1732), Deborah (1733), Athalia (1733), Saul (1739), Israel in Ägypten (1739), Samson (1743), Belsazar (1745), Judas Makkabäus (1747). – *Sonstige Vokalwerke:* Acis und Galatea (1718), Alexanderfest (1736), Cäcilienode (1739), L'allegro, il pensieroso ed il moderato (1740), Hercules (1745); Johannes-Passion (1704), Passion nach Brockes (1716); 22 Anthems (darunter 12 Chandos Anthems, 4 Coronation Anthems); Italien. Duette, Trios, Kantaten; 9 Dt. Arien (1729). – *Instrumentalwerke:* 6 Concerti grossi op. 3 (1733), 12 Concerti grossi op. 6 (1739), Wassermusik (1717), 3 Concerti für Doppelorchester (1747/48), etwa 20 Orgelkonzerte; zahlreiche Trio- und Solosonaten (u.a. für Violine, Oboe, Block- und Querflöte); über 20 Klaviersuiten.

🕮 *Baselt, B.: G. F. H. Lpz. 1988. – Friedenthal, R.: G. F. H. Rbk. 70.–74. Tsd. 1985.*

Handel-Mazzetti, Enrica (Freiin von), * Wien 10. Jan. 1871, † Linz 8. April 1955, östr. Schriftstellerin. – Ihr religiös-humanist. geprägter histor. Roman „Meinrad Helmpergers denkwürdiges Jahr“ (1900) ist dem östr.-kath. Barock verpflichtet.

Handeln, Sonderform des tier. und menschl. Verhaltens als Ausführung einer instinktiv und/oder intelligenzmäßig gesteuerten und somit wohlkoordinierten und zielgerichteten Tätigkeit. *Soziales H.* entsteht, sofern H. mehrerer (Individuen, Gruppen, Organisationen, Institutionen) aufeinander bezogen wird. Relativ regelmäßige, in bestimmten Situationen wiederkehrende und darum von den Beteiligten abschätzbare, vorhersehbare Abfolgen des H. lassen feste Strukturen des H. und so Gesellschaft entstehen.

Handelsakademien, in Österreich berufsbildende höhere Schulen des kaufmänn. Bildungswesens. Sie bauen in der Normalform auf dem Hauptschulabschluß auf und führen in fünf Jahren zu einem qualifizierten Abschluß.

Handelsbilanz, 1. ↑Zahlungsbilanz; 2. die durch § 242 HGB vorgeschriebene und nach handelsrechtl. Vorschriften aufgestellte Jahresbilanz.

Handelsbrauch, kaufmänn. Verkehrssitte, auf die zw. Kaufleuten Rücksicht zu nehmen ist. Der H. entsteht durch tatsächl., einverständl. Übung, ist aber kein Gewohnheitsrecht.

Handelsbücher, Bücher, in die ein Vollkaufmann seine Handelsgeschäfte und die Lage seines Vermögens nach den Grundsätzen einer ordnungsmäßigen Buchführung einzutragen verpflichtet ist (§ 238 ff. HGB).

Handelsembargo (Handelssperre) ↑Embargo.

Handelsflagge ↑Flaggen.

Handelsflotte, Gesamtheit der v.a. zur Güterbeförderung eingesetzten Seeschiffe einer nat. Flagge, die in das Seeschiffsregister des betreffenden Staates eingetragen sind. Die Größe der H. wird in der Regel noch in Bruttoregistertonnen (BRT) gemessen. – ↑billige Flaggen.

Handelsgeschäft, 1. Bez. für das Unternehmen eines Kaufmanns; 2. Rechtsgeschäft oder Rechtshandlung eines Kaufmanns, die zum Betrieb seines Handelsgewerbes gehört (§343 HGB). Dazu zählen auch für den Kaufmann ungewöhnl. Geschäfte *(Neben-H.)* sowie diejenigen Geschäfte, die zur Einrichtung und Förderung des Unternehmens abgeschlossen werden *(Hilfs-H.)*. Ein H. verpflichtet u. a. zur Sorgfalt eines ordentl. Kaufmanns, läßt gewisse Formerfordernisse entfallen, schützt den guten Glauben an die Verfügungsbefugnis und unterliegt dem Handelsbrauch.

Handelsgesellschaft, Gesellschaft, für die Handelsrecht (§6 HGB) gilt, weil sie entweder ein Handelsgewerbe betreibt (OHG, KG, Reederei) oder weil das Gesetz ihr ohne Rücksicht auf den Gegenstand ihres Unternehmens die Kaufmannseigenschaft beilegt (AG, KGaA, GmbH, Europ. Wirtsch. Interessenvereinigung). Keine H., obgleich so behandelt, sind Genossenschaften und Versicherungsvereine auf Gegenseitigkeit, die Zusammenschlüsse von H. wie Kartelle, Konsortien.

Handelsgesetzbuch, Abk. HGB, Gesetz vom 10. 5. 1897, in Kraft getreten am 1. 1. 1900; wichtigste Kodifikation des Handelsrechts. Das HGB ist unterteilt in fünf Bücher, die sich wiederum in Abschnitte gliedern (1. Buch: Handelsstand; 2. Buch: Handelsgesellschaften und stille Gesellschaft; 3. Buch: Handelsbücher; 4. Buch: Handelsgeschäfte; 5. Buch: Seehandel).

Handelsgewerbe, jedes Gewerbe, das dem Handelsrecht unterliegt. Wer ein H. betreibt, ist kraft Gesetzes Kaufmann. Man unterscheidet: **Grundhandelsgewerbe** (alle Gewerbe, die infolge ihres Gegenstandes H. sind); **Handelsgewerbe kraft gesetzl. Fiktion** (alle sonstigen Gewerbe, sofern das Unternehmen nach Art und Umfang einen in kaufmänn. Weise eingerichteten Geschäftsbetrieb erfordert und die Firma des Unternehmers im ↑Handelsregister eingetragen ist); alle Gewerbe von solchen **Gesellschaften,** denen das Gesetz ohne Rücksicht auf den Gegenstand ihres Unternehmens die Kaufmannseigenschaft beilegt.

Handelsgut, Ware, die Gegenstand eines Handelskaufs sein kann.

Handelskammer ↑Industrie- und Handelskammern.

Handelskauf, Kauf von Waren oder Wertpapieren, wenn dies ein Handelsgeschäft ist. Das HGB regelt einige Abweichungen vom allg. Kaufrecht, das im übrigen auch dem H. zugrunde liegt. Die Pflichten der Parteien werden verstärkt, die Abwicklung der Verträge wird vereinfacht und beschleunigt. Der kombinierten Regelung aus BGB und HGB gehen allerdings Parteiabreden vor. Von dieser Möglichkeit wird in der Praxis, insbes. durch allgemeine Geschäftsbedingungen, häufig Gebrauch gemacht.

Bestand an Seeschiffen 1992 in 1000 BRT

Land	insgesamt	darunter Tanker
Liberia	55918	29580
Panama	52486	17853
Griechenland	25739	11433
Japan	25102	7423
Norwegen	22230	10667
Zypern	20487	5043
Russ. Föderation	16302	2546
USA	14448	5815
China	13899	1823
Italien	7513	2301
Großbritannien	5712	2024
Dänemark	5436	1386
Deutschland	5360	247

Handelskette, Folge von Betrieben, die eine Ware durchlaufen muß, um vom Erzeuger zum Verbraucher zu gelangen.

◆ Zusammenschluß von Groß- und Einzelhändlern, um günstiger ein- und verkaufen zu können.

Handelsklassen, Qualitätsnormen für land- und fischereiwirtschaftl. Erzeugnisse; die Festlegung von H. soll eine bestimmte Beschaffenheit, Güte und Eigenart der Waren garantieren und die Hersteller zur Qualitätssteigerung anregen. Die H. in Deutschland werden durch RVO oder durch EG-VO festgelegt.

Handelsklauseln (Vertragsklauseln), Abreden in Kaufverträgen, die die Willensentscheide der Vertragsparteien festlegen und die Lieferungs- und Zahlungsbedingungen regeln. H. sind für den internat. Geltungsbereich geregelt in den **Incoterms** (Abk. für: International Commercial Terms), einer Zusammenstellung der im internat. Warenverkehr gebräuchl. Vertragsklauseln. Sie wurden 1936 von der Internat. Handelskammer Paris aufgestellt. Für den nat. Geltungsbereich sind die H. in den **Trade terms** *(Termes commerciaux)* geregelt, die für jedes Land eine einheitl. Auslegung internat. gebräuchl. Lieferbedingungen enthalten. Die Incoterms wurden mit Wirkung vom 1. 7. 1990 neu gefaßt und nach gemeinschaftl. Merkmalen in vier Gruppen unterteilt. *Gruppe E:* Verkäufer stellt die Ware in seinem Betrieb zur Abholung bereit (ab Werk, Abk. EXW); *Gruppe F:* Verkäufer übergibt die Ware dem Frachtführer des Käufers; Verkäufer trägt nicht die Transportkosten (frei Frachtführer, Abk. FCA; frei Längsseite Seeschiff, Abk. FAS; frei an Bord, Abk. FOB); *Gruppe C:* Verkäufer trägt Transportkosten bis zum benannten Bestimmungshafen (Kosten und Fracht, Abk. CFR; Kosten, Versicherung, Fracht, Abk. CIF; frachtfrei, Abk. CPT; frachtfrei versichert, Abk. CIP); *Gruppe D:* Verkäufer trägt Kosten und Gefahr bis zum Eintreffen der Ware im Bestimmungsland (geliefert Grenze, Abk. DAF; geliefert ab Schiff, Abk. DES; geliefert ab Kai [verzollt], Abk. DEQ; geliefert unverzollt, Abk. DDU; geliefert verzollt, Abk. DDP).

Handelskompanien, mit Privilegien, Monopolen und oft auch Territorialhoheitsrechten ausgestattete Gesellschaften, die v.a. im Zeitalter des Merkantilismus den Überseehandel beherrschten. Die Kaufleute, die nach einer bestimmten Richtung Handel trieben, schlossen sich zunächst zu Genossenschaften, Gilden und Hansen zusammen, um gemeinsam Handelsprivilegien an fremden Orten zu erstreben. Die Mgl. einer solchen Kompanie reisten zwar gemeinsam, blieben aber Einzelkaufleute und handelten auf eigenes Risiko. Die Zusammenlegung der Einzelkapitalien erwies sich jedoch als so vorteilhaft, daß die engl. Levantekompanie 1591, die Ostind. Kompanie 1600 und eine Afrikakompanie 1618 auf dieser Basis gegründet wurden. Als engl./brit. H. sind noch die Hudson's Bay Company von 1670 und die 1711–48 bestehende Südseekompanie zu erwähnen. – Die Niederländer entwickelten ihren Kompaniehandel als Antwort auf den span.-portugies. Monopolanspruch. 1602 erteilten die Generalstaaten eine auf 21 Jahre lautende Konzession an die Vereinigte Ostind. Kompanie zum Handel im Bereich zw. dem Kap der Guten Hoffnung und dem Kap Hoorn. – Unter Richelieu wurden die H. zum zentralen Thema für alle maritimen Bestrebungen Frankreichs. J.-B. Colbert gründete bzw. reorganisierte 5 Kompanien. Auch die nord. Staaten Europas besaßen ihre Kompanien. Auf habsburg. Seite gab es u.a. die Ostendekompanie (1719–31), in Preußen sind erwähnenswert die 1772 von König Friedrich II. gestiftete und staatlich geleitete Seehandlungsgesellschaft, die sich bis ins 19.Jh. behauptete, die Rhein.-Westind. (1821–32) und die Sächs. Elb-Amerikan. Gesellschaft (1825–30).

Handelsmakler (Handelsmäkler), Kaufmann, der gewerbsmäßig und ohne festen Auftrag Verträge über Gegenstände des *Handelsverkehrs,* insbes. Waren, Wertpapiere, Versicherungen, vermittelt (§93 HGB). Dazu zählen auch **Börsenmakler.**

Handelsmarke, Warenzeichen, das von einem Handelsbetrieb verwendet wird.

Handelsmission ↑Handelsvertretung.

Handelsmünzen, über das Gebiet des Prägestaates hinaus verbreitete Münzen, die (auch) dem internat. Verkehr dienen; in der Neuzeit v.a. die Mariatheresientaler.

Handelsorganisation, Abk. HO, staatl. Betrieb im Konsumgüterhandel der ehem. DDR. Die HO diente urspr. (gegr. 1948) dem Verkauf von Lebensmitteln und Mangelwaren zu erhöhten Preisen, um den Schwarzmarkt zu bekämpfen und überschüssige Kaufkraft abzuschöpfen, wurde aber nach Verbesserung der Versorgungslage weiter ausgebaut; 1990/91 Umgestaltung und Privatisierung.

Handelspapiere, zum Umsatz und Handel geeignete Wertpapiere. H. müssen demnach einen Markt- oder Börsenpreis haben und leicht übertragbar sein. H. sind Inhaber- und Orderpapiere.

Handelsprivilegien, Vorrechte, die für die Zwecke des Handels erteilt wurden (z.B. das Recht, Zölle und Marktgebühren zu erheben). Im Hl. Röm. Reich vergab diese Privilegien zunächst der König bzw. Kaiser, doch fielen die Vergaberechte zunehmend an die Landesherren und die Städte. Als mit bes. Privilegien ausgestattete Städtegemeinschaft ragte die Hanse heraus. Seit Ende des 16.Jh. wurden v.a. Handelskompanien mit Privilegien ausgestattet.

Handelsrecht, Sonderrecht der Kaufleute als Teil des Privatrechts, hauptsächlich im Handelsgesetzbuch sowie in mehreren Nebengesetzen geregelt. Daneben gilt Gewohnheitsrecht sowie der Handelsbrauch. Eine große Bed. haben ↑allgemeine Geschäftsbedingungen. Das H. stellt keine abgeschlossene, erschöpfende Regelung dar, sondern ist aus dem allg. Privatrecht zu ergänzen. Zum H. gehören auch die öff.-rechtl. Bestimmungen über das Handelsregister, die Handelsfirma (↑Firma) und die Handelsbücher.

Handelsregister, vom Amtsgericht geführtes öff. Verzeichnis über Vollkaufleute (↑Kaufmann) und Handelsgesellschaften eines Bezirks. Das H. macht Firmeninhaber, Gesellschafter, Haftungs- und Vertretungsverhältnisse offenkundig. Jedermann kann das H. einsehen; Eintragungen werden auch im Bundesanzeiger und einer örtl. Zeitung bekanntgemacht. Wirkungen der Eintragung im H. gegenüber Dritten: 1. Vor Eintragung und Bekanntmachung kann eine einzutragende Tatsache einem Dritten nur entgegengehalten werden, wenn er sie kannte. 2. Eine richtig eingetragene und richtig bekanntgemachte Tatsache muß ein Dritter gegen sich gelten lassen. 3. Auf eine unrichtig bekanntgemachte Tatsache kann sich ein Dritter berufen, es sei denn, daß er die Unrichtigkeit kannte. Vielfach bestehen *Anmeldepflichten,* deren Erfüllung durch Ordnungsstrafen erzwungen werden kann. Eingetragen werden in Abteilung A des H. Einzelkaufleute und Personengesellschaften, in Abteilung B Kapitalgesellschaften.

Handelsrichter, ehrenamtl. Richter in einer Kammer für Handelssachen. Die H. werden von der Justizverwaltung auf Vorschlag der Industrie- und Handelskammer für drei Jahre ernannt.

Handelsschiffe, im Völkerrecht im Gegensatz zu Kriegsschiffen alle Schiffe, die ausschließlich friedl. Zwecken dienen. Feindl. H. können im Krieg auch dann vom Gegner aufgebracht werden, wenn sie im Privateigentum stehen (↑ Prisenrecht).

Handelsschule, 1. berufsvorbereitende Berufsfachschule auf kaufmänn. Gebiet (meist 2–3 Jahre), eine sich anschließende kaufmänn. Lehre wird um ein halbes Jahr verkürzt; der Abschluß gilt als Fachoberschulreife; 2. meist zweijährige, die Fachoberschulreife oder mittlere Reife voraussetzende *höhere H.;* der Abschluß gilt als Fachhochschulreife.
In *Österreich* sind H. dreijährige mittlere berufsbildende Schulen. Sie ersetzen die Lehrzeit. Sonderform für Berufstätige (drei Jahre). In der *Schweiz* gibt es die auf der Hauptschule aufbauende H., die i. d. R. in 3 Jahren zum Handelsdiplom führt.

Handelsspanne, im Handelsbetrieb die Differenz zw. Verkaufs- und Einkaufs- bzw. Einstandspreis, auch: Rohgewinn.

Handelsstraßen, Verbindungen zw. Handelsplätzen des Fernhandels. Im Altertum und MA wurden die den natürl. Gegebenheiten angepaßten H. (Wege, Pässe, Flüsse; ↑ Weihrauchstraße) für den Handel mit ganz bestimmten Gütern (z. B. Salz, Seide, Bernstein) benutzt. Hervorragend gestaltet war das röm. H.netz. Größere Bed. erlangten seit dem 7. Jh. die Routen in M-Europa. Während der Kreuzzüge verdichteten sich die Seeverbindungen nach dem Orient und von dort die Landrouten nach Asien (Seidenstraßen). Seit dem 13. Jh. gewannen die flandr.-niederl. Verbindungen nach Oberitalien (über Nürnberg–Augsburg) an Bedeutung. Die Zeit der Hanse intensivierte die Verbindungen nach dem Osten. Die überseeischen Entdeckungsfahrten brachten eine Verlagerung des wirtsch. Schwergewichts vom Mittelmeer an die atlant. Küste. Seit dem 17. Jh. entstanden bed. See-H. nach Asien, Afrika und Amerika durch das Aufblühen der Handelskompanien. Im 19. und 20. Jh. bildete sich mit der Entwicklung neuer Verkehrsträger ein die Welt umspannendes dichtes Netz von Handelswegen.

Handelsvertrag, Vereinbarung zw. Staaten über ihre gegenseitigen außenwirtsch. Beziehungen. Der H. i. e. S. umfaßt v. a. langfristige Regelungen über Handelsfreiheit, Niederlassungsfreiheit im Ausland, Erwerb von Eigentum im Ausland, Schutz der Investitionen im Ausland, gegenseitige Zollvereinbarungen usw. – Kurzfristige H. werden als **Handelsabkommen** bezeichnet.

Handelsvertreter, selbständiger Gewerbetreibender, der für einen oder mehrere andere ständig Geschäfte vermittelt **(Vermittlungsvertreter)** oder in deren Namen Geschäfte abschließt **(Abschlußvertreter).** Der H. bestimmt im wesentlichen frei über seine Tätigkeit und seine Arbeitszeit. Jedoch steht er zum Unternehmer in einem dauernden Vertragsverhältnis. Vom Kommissionär und vom Eigenhändler unterscheidet er sich dadurch, daß er erkennbar im Interesse des Unternehmers handelt. Als Vergütung erhält der H. regelmäßig eine Provision für alle auf seine Tätigkeit zurückzuführenden Geschäfte.

Handelsvertretung, 1. durch Staaten mit Außenhandelsmonopol eingerichtete, mit konsular. Befugnissen ausgestattete Stelle, die der Abwicklung des außenwirtsch. Verkehrs dient; 2. svw. **Handelsmission,** konsular. Vertretung, die insbes. die Förderung der Handelsbeziehungen zum Empfangsstaat wahrnimmt.

Handelswert (gemeiner Handelswert), der im gewöhnl. Geschäftsverkehr bei einem Verkauf zu erzielende Durchschnittspreis.

Händelwurz (Gymnadenia), Gatt. der Orchideen mit elf Arten in Europa und im gemäßigten Asien; Blüten im Blütenstand, Lippe gespornt. In Deutschland die **Mückenhändelwurz** (Gymnadenia conopea) mit rosa bis purpurlila gefärbten Blüten.

Handfeste (mlat. manufirmatio), in der älteren Rechtssprache eine Urkunde, insbes. ein öff.-rechtl. Privileg (z. B. Culmer H.).

Handfeuerwaffen, alle Feuerwaffen, die, im Unterschied zum Geschütz, von einer Person getragen und eingesetzt werden. Zu den H. gehören die Kurz- oder Faustfeuerwaffen mit einer Länge bis 60 cm (Revolver, Pistolen) sowie die Langwaffen mit einer Länge über 60 cm (Gewehre, Maschinenpistolen und -gewehre). I. w. S. werden zu den H. auch die leichten Formen rückstoßfreier Waffen gezählt (v. a. die Panzerfaust), sofern sie nicht Flugkörper verschießen.

Handfurchen, svw. ↑ Handlinien.

Handgeld, (Angeld, Drangeld, Treugeld) ma. Gottesheller, Rechtsbrauch der symbol. Anzahlung einer kleinen Geldsumme bei mündl. Abschluß eines Vertrages; bis ins 18. Jh. Werbungsgeld für Söldner.

◆ svw. ↑Draufgabe.
◆ im Sport der Geldbetrag, der einem Spieler bei Vertragsabschluß von seinem neuen Verein gezahlt wird.

Handgelenk ↑Hand.

Handgelübde (Handversprechen), in der Schweiz nichtreligiöses, feierl. Versprechen an Eides Statt, in der Verfassung und in Prozeßgesetzen vorgesehen.

Handgemal (Handmal), im dt. MA vererbl. Stammgut eines edlen, schöffenfähigen Geschlechts.

Handgeräte, zusammenfassende Bez. für die in der Rhythm. Sportgymnastik verwendeten Geräte wie Seil, Reifen, Ball, Keulen, Band.

Handgranate, für das Werfen mit der Hand (Stiel-H. oder Eier-H.) ausgebildeter Wurfkörper für den Nahkampf; gefüllt mit Spreng- oder Brandstoffen; i. d. R. mit Brennzünder (3–6 Sekunden Verzögerung).

Handharmonika, ein Harmonikainstrument, bei dem im Ggs. zum ↑Akkordeon auf Druck und Zug des Faltenbalgs verschiedene Töne erklingen und die Knopftasten diatonisch angeordnet sind. Speziell wird unter H. das mit einer Gleichtontaste und Hilfstasten für chromat. Töne versehene Instrument (Klubmodell) verstanden, während als **Ziehharmonika** die einfacheren, sog. Wiener Modelle bezeichnet werden.

Handheld [engl. 'hændhɛld], tragbarer, mit Batterien betriebener Mikrocomputer; weniger leistungsfähig als ein Laptop.

Handikap ['hɛndikɛp; engl.], urspr. Bez. für ein in Irland übl. Tauschverfahren. Im Pferdesport werden bei den **Handikaprennen** die Gewinnchancen dadurch ausgeglichen, daß der Unparteiische **(Handikapper)** leistungsschwächeren Teilnehmern eine Strekken- oder Zeitvorgabe gewährt oder die stärkeren mit einem Gewicht (↑Ausgleichsrennen) belastet; im Golf svw. ↑Vorgabe; **gehandikapt,** benachteiligt, behindert.

Handkäse ↑Käse.

Handke, Peter, *Griffen (Kärnten) 6. Dez. 1942, östr. Schriftsteller. – Wurde bekannt durch seine Provokation der Gruppe 47 (1966) und das unter Einfluß des Beat rhythmisch strukturierte Sprechstück „Publikumsbeschimpfung" (1966). Die grundsätzl. Nichtübereinstimmung von Sprache und Welt ist thematisiert im Titel der Textsammlung „Die Innenwelt der Außenwelt der Innenwelt" (1969), in „Kaspar" (1967) wie in dem Stück ohne Worte „Das Mündel will Vormund sein" (1969). H. versucht in weiteren Prosaarbeiten und monologartigen Stükken Sprach- und Bewußtseinsschablonen in Frage zu stellen, wobei häufig die Beziehungslosigkeit und Einsamkeit des modernen Menschen thematisiert wird.

Peter Handke (1987)

Weitere Werke: Die Hornissen (R., 1966), Der Hausierer (R., 1967), Die Angst des Tormanns beim Elfmeter (E., 1970), Der kurze Brief zum langen Abschied (R., 1972), Chronik der laufenden Ereignisse (Filmbuch, 1971), Wunschloses Unglück (E., 1972), Falsche Bewegung (Prosa, 1975), Die linkshändige Frau (E., 1976), Das Gewicht der Welt. Ein Journal (1977), Langsame Heimkehr (E., 1979), Die Wiederholung (1986), Versuch über die Jukebox (E., 1990), Versuch über den geglückten Tag (Essay, 1991), Mein Jahr in der Niemandsbucht (R., 1994).

Handkuß, urspr. Zeichen der Verehrung, mit dem sich der Küssende vor dem Geküßten erniedrigt. Die Sitte, v. a. verheirateten Damen die Hand zu küssen, ist in der Barockzeit aus dem span. Hofzeremoniell übernommen worden.

Handlehen ↑Lehnswesen.

Händler, im Handel tätige Kaufleute, auch im Börsengeschäft tätige Personen.

Handlesekunst (Handwahrsagung, Chiromantie, Chirognomie, Chirologie, Cheirologie), (umstrittene) Fähigkeit, Charakter und Schicksal eines Menschen aus Form und Furchen seiner [Innen]hand zu deuten.

Handlinien (Handfurchen), Beugefurchen in der Haut der Handinnenfläche. Neben kleineren Furchen unterscheidet man bei menschl. H. v. a. **Daumenfurche, Fünffingerfurche** und **Dreifingerfurche.** Die selten vorkommende Vierfingerfurche (↑Affenfurche) tritt gehäuft bei Chromosomenaberrationen auf.

Handlung, Akt, Vollzug oder Ergebnis eines in der Regel menschl. Tuns, wobei der Handelnde als Subjekt der H. vom H.ziel bzw. von den verschiedenen Objekten der H. zu unterscheiden ist. Die H.fähigkeit (das

Zielesetzenkönnen) gehört neben der Redefähigkeit (dem Argumentierenkönnen) seit der Antike zu den wichtigsten Bestimmungen des menschl. Individuums. Ermittlung und Begründung gesamtgesellschaftl. H., H.ziele sowie H.anweisungen bzw. -aufforderungen sind Gegenstand v. a. der Staats- und Rechtsphilosophie. Mit H.theorien (z. B. Lerntheorien, Wahrnehmungstheorie) wird versucht, H.prozesse zu interpretieren.

◆ Geschehnisfolge v. a. in dramat., aber auch in ep. Werken sowie im Film (z. B. Haupt- und Neben-H., äußere und innere Handlung).

◆ im *Strafrecht* eines der vier Glieder in der Definition des Straftatbegriffs, definiert u. a. als ein vom Willen beherrschtes menschl. Verhalten, das als verbotswidriges *Tun* bzw. als gebotswidriges *Unterlassen* der strafrechtl. Bewertung unterliegt. Der strafrechtl. H.begriff, der ein gemeinsames Grundelement aller strafrechtlich relevanten Verhaltensweisen bezeichnen soll, wird seit langem diskutiert. Keine der verschiedenen Auffassungen hat sich bisher durchsetzen können.

Handlungsfähigkeit, die Fähigkeit zum rechtswirksamen Handeln. Sie gliedert sich auf in: 1. die Geschäftsfähigkeit, 2. die Deliktsfähigkeit, 3. die Verschuldensfähigkeit (Einstehenmüssen für schuldhafte Pflichtverletzungen). Die H. setzt die natürl. Fähigkeit zur Willensbildung voraus und fehlt deshalb vielfach Kindern oder Entmündigten.

Handlungsgehilfe, Angestellter in einem Handelsgewerbe, der auf Grund entgeltl. Arbeitsvertrages zur Leistung kaufmänn. Dienste verpflichtet ist, z. B. Buchhalter, Kassierer.

Handlungsreisender, entweder ein Handlungsgehilfe (Angestellter) oder ein selbständiger Handelsvertreter.

Handlungsvollmacht, die von einem Voll- oder Minderkaufmann erteilte, nicht in einer Prokura bestehende Vollmacht zum Betrieb eines Handelsgewerbes **(Generalhandlungsvollmacht)** oder zur Vornahme einer bestimmten Art **(Gattungshandlungsvollmacht)** oder einzelner zu einem Handelsgewerbe gehöriger Geschäfte **(Spezialhandlungsvollmacht).**

Handmehr, ein vorzugsweise in der schweizer. ↑Landsgemeinde durch Handaufheben geübtes Verfahren der Mehrheitsermittlung bei der Abstimmung. Das Abstimmungsergebnis wird geschätzt; nur wenn dies nicht möglich ist, wird ausgezählt.

Handpferd, Bez. für das im Doppelgespann rechts von der Deichsel (von hinten gesehen) eingespannte Pferd.

Handpresse, im Buch- und Steindruck verwendete, von Hand betriebene Abziehpresse zur Herstellung von Probeabzügen, Liebhaberdrucken und Originalgraphik. Auf das gleitende Fundament der H. wird die Druckform gelegt, mit der Handwalze eingefärbt und, mit einem Papierbogen überdeckt, unter den Tiegel geschoben, der von oben den Papierbogen an die Druckform preßt.

Handpuppe, ein Torso aus Kopf (Holz, Papiermasse) und Kostüm mit Armen; die H. wird von Hand (Zeigefinger im Kopf, Daumen und Mittelfinger in den Armen) geführt. Alte Volksbelustigung als Puppenspiel und Kasperltheater.

Handschar (Kandschar, Chandschar) [arab.-türk.], zweifach gebogenes, zweischneidiges, bis 50 cm langes, messerartig auslaufendes Sichelschwert; etwa seit dem 16. Jh. im Vorderen Orient und auf dem Balkan gebräuchlich.

Handschlag, Ineinandergreifen der rechten Hände zweier Vertragspartner zum Zeichen, daß eine getroffene Vereinbarung Rechtskraft erlangt hat.

Handschrift (Abk. Hs., Mrz. Hss.), 1. das handgeschriebene Buch von der Spätantike bis zum Aufkommen des Buchdrucks (in Europa nach 1450); 2. für den Druck bestimmte Niederschrift (Manuskript); 3. eigenhändige Niederschrift überhaupt (Autograph).

Spätantike und MA: Vorläufer sind die ägypt. Totenbücher (Papyrusrollen), die starken Einfluß auf die spätantike westl. und byzantin. H.kunst ausübten. Geschrieben wurde auf den mit Zirkelstichen und blinden Prägestichen liniierten Pergamentblättern (seit dem 13. Jh. auch Papier) mit Rohrfedern und Tinte. Überschriften und wichtige Stellen im Text wurden durch rote Farbe hervorgehoben (rubriziert), die Anfangsbuchstaben kleinerer Absätze oft abwechselnd blau und rot geschrieben (Lombarden). Anfangsbuchstaben größerer Kapitel (Initialen), Randleistenverzierungen und Illustrationen (↑Buchmalerei) wurden meist von Miniatoren ausgeführt. Pracht-H. wurden v. a. im frühen und hohen MA in den Skriptorien der Klöster, bes. der Benediktiner und Zisterzienser, hergestellt. Wichtige Schreibschulen entstanden u. a. in Vivarium, Luxeuil, Bobbio, Corbie, in Sankt Gallen, auf der Reichenau, in Fulda und Regensburg. In der Renaissance wurden v. a. an den Fürstenhöfen kostbare Handschriften gefertigt.

◆ Niederschlag der durch Gehirnimpulse gesteuerten Schreibbewegung. Die H. ist zwar durch den schriftübl. Normalduktus in ihren Einzelformen festgelegt, sie trägt jedoch schon von Beginn des Schreibenlernens an so individuell charakterist. Züge, daß handgeschriebene Zeichen, insbes. der handgeschriebene Eigenname (Unterschrift), Rechtsverbindlichkeit erlangen konnten.

Darüber hinaus ist die H. auch ein Phänomen des Ausdrucks.

Handschriftenkunde, Wiss., die Mittel zur Datierung und Zuordnung zu Schreibstuben von alten Handschriften bereitstellt (z. B. Analyse des Einbandes, des Beschreibstoffes, der Schrift, der Interpunktion, des Bildschmucks).

Handschuhe, Bekleidung für die Hände, in ihrer ursprüngl. Form sackartig, dann mit gesondertem Daumenteil **(Fausthandschuh),** schließlich als **Fingerhandschuhe.** Alle diese Formen waren bereits in der Antike bekannt. Im MA wurden lederne **Stulpenhandschuhe** bei der Jagd getragen, **Eisenhandschuhe** beim Kampf. Im MA waren H. Herrschaftszeichen der Könige, sie gehörten zur Amtstracht der Päpste. In der **Frauenmode** wurden sie erst im 15. Jh. eingebürgert. Eine Neuerung des 19. Jh. waren die **Halbhandschuhe,** die die Fingerspitzen unbedeckt ließen.

Handstand, Turnübung, bei der der Körper mit dem Kopf nach unten, bei ausgestreckten Armen auf die Hände gestützt, im Gleichgewicht gehalten wird.

Hand- und Spanndienste, Fronen, die als Handarbeit und als Dienste mit zu stellenden Zugtieren zu leisten waren.

Handvermittlung, manuelle Herstellung von Fernsprech- und Fernschreibverbindungen.

Handwaffen, Sammelbez. für blanke Waffen und Handfeuerwaffen.

Handwerk, 1. nach der Handwerksordnung ein Gewerbe, das handwerksmäßig betrieben wird und das im Verzeichnis der Gewerbe, die als H. betrieben werden können, aufgeführt ist. Die Abgrenzung zw. Ind. und H. ist mitunter schwierig. **Wesentl. Merkmale des Handwerks** im Vergleich zur Ind.: geringere Betriebsgröße; geringerer Grad der Technisierung und Arbeitsteilung; persönl. Mitarbeit des Betriebsinhabers; Einzelfertigung auf Grund individueller Bestellung überwiegt, während für die Ind. die Massenfertigung auf Vorrat typisch ist. 2. H. als Bez. für eine Gruppe von Berufen: Von H.berufen wird gesprochen, wenn ein amtl. Berufsbild als Grundlage für die Ausbildung vorliegt. In der H.ordnung sind diejenigen Gewerbe aufgezählt, die handwerksmäßig betrieben werden können. Die Anzahl der H.berufe geht jedoch über diese Aufzählung hinaus. Die Ausbildung erfolgt keineswegs ausschließlich in H.betrieben, sondern z. B. auch in Industrieunternehmen, öff. Betrieben. 3. H. als Wirtschaftszweig: Unternehmen, in denen die handwerkl. Produktionsweise überwiegt, werden zu dem Wirtschaftszweig H. zusammengefaßt. Abgrenzungskriterium ist die Eintragung in die H.rolle.

Aufbau des Handwerks in der BR Deutschland: Die H.innung als freiwilliger Zusammenschluß selbständiger Handwerker eines H.zweigs in einem Bezirk bildet die Grundlage für den Aufbau der H.organisation. Die Innungen eines Kreises sind zu Kreishandwerkerschaften, H.kammern, Landeshandwerkskammertagen und zum Dt. H.kammertag zusammengeschlossen (regionaler Aufbau). Sie bilden gleichzeitig Landesinnungsverbände, Zentralfachverbände bzw. Hauptverbände und die Vereinigung der Zentralfachverbände (fachl. Aufbau). Die Gesamtvertretung des H. bildet der Zentralverband des Dt. Handwerks.

Geschichte: Bei den Germanen lassen sich kaum Spuren von (gewerbl.) H. feststellen, wenngleich für die Bronzezeit die Ausbildung von Weberei, Töpferei und Bronzegießerei als Gewerbe anzunehmen ist; seit etwa 500 v. Chr. tritt dazu die Tätigkeit des Schmiedes. Im Früh-MA gab es unfreie Handwerker auf grundherrl. Höfen, daneben aber auch schon freies H. in den Städten und auf dem Land (Mühlen). Mit dem Aufblühen des Städtewesens im Hoch-MA organisierten sich die einzelnen H. in ↑Zünften. Seit dem 15. Jh. vollzog sich in gewissen H.bereichen ein allmähl. Übergang vom produzierenden und selbst verkaufenden H. zum ↑Verlagssystem. Im 18. Jh. geriet das H. durch das Entstehen von Manufakturen in eine schwere Krise, die im 19. Jh. durch das Aufkommen industrieller Produktion noch verstärkt wurde (↑industrielle Revolution).

📖 *Das dt. H. im EG-Binnenmarkt. Bearb. von K. Müller. Gött. 1989. – Sinz, H.: Lexikon der Sitten u. Gebräuche im H. Freib. 1986. – Hamer, E./Linke, K.: Marketing-Hdb. f. das H. Hannover 1981.*

Handwerkergenossenschaften, Selbsthilfeeinrichtungen der selbständigen Handwerker, die Mitte des 19. Jh. zur Abwehr der wirtsch. Übermacht industrieller Großbetriebe und später auch des Handels entstanden und die gegenwärtig der wirtsch. Förderung ihrer Mgl. v. a. durch gemeinsamen Einkauf dienen (Einkaufsgenossenschaften). Die Genossenschaften erreichten im Handwerk nicht die gleiche Bedeutung wie in der Landwirtschaft.

handwerksähnliches Gewerbe, Gewerbe, das handwerksähnlich betrieben wird, für das aber keine vollhandwerkl. Ausbildung notwendig ist.

Handwerkskammern, Körperschaften des öff. Rechts zur Vertretung der Interessen des Handwerks. Sie werden von der obersten Landesbehörde jeweils für einen bestimmten Bezirk errichtet. Zu den H. gehören die selbständigen Handwerker in dem Bezirk sowie ihre Gesellen und Auszubildenden.

Handwerksordnung, Abk. HandwO, BG zur Ordnung des Handwerks i. d. F. vom 28. 12. 1965. Die H. vereinheitlichte das in der Gewerbeordnung und in zahlreichen anderen Bestimmungen geregelte Recht des Handwerks. Die H. enthält Vorschriften über die Ausübung des Handwerks, die Berufsbildung im Handwerk, die Meisterprüfung und den Meistertitel sowie über die Organisation des Handwerks.

Handwerksrolle, ein von den Handwerkskammern geführtes Verzeichnis, in das die selbständigen Handwerker mit dem von ihnen betriebenen Handwerk einzutragen sind. Ohne Eintragung ist der selbständige Betrieb eines Handwerks nicht gestattet. In die H. wird grundsätzlich nur derjenige eingetragen, der in dem von ihm betriebenen Handwerk oder in einem diesem verwandten Handwerk die Meisterprüfung bestanden hat; Ausnahmebewilligung ist möglich.

Handwühlen (Bipedinae), Unterfam. rd. 20 cm langer Doppelschleichen mit drei Arten in Mexiko; Bodenbewohner mit wohlentwickelten Vorderbeinen, Hinterbeine fehlen.

Handwurzel (Carpus), aus 8 H.knochen (Erbsenbein, Dreiecksbein, Mondbein, Kahnbein, Hakenbein, Kopfbein, kleines und großes Vielecksbein) bestehender, zum Körper hin gelegener Teil der Hand.

Handy, William Christopher [engl. 'hændɪ], * Florence (Ala.) 16. Nov. 1873, † New York 28. März 1958, amerikan. Jazzmusiker (Komponist, Kornettist und Orchesterleiter). – Wirkte als Leiter von Minstrel Shows und eigener Jazzgruppen sowie als Musikverleger; komponierte u. a. „Memphis Blues" (1912), „Saint Louis Blues" (1914).

Handzeichen, eigenhändiges Zeichen anstelle einer Unterschrift; genügt, wenn es *notariell* beglaubigt ist, der Schriftform.

Handzeichnung, die künstler. Zeichnung (im Unterschied zu vervielfältigter Graphik).

◆ skizzenhafte [techn.] Darstellung, die ohne Zeichengeräte angefertigt wurde.

Hanefiten (Hanafiten), Anhänger der von Abu Hanifa begründeten Schulrichtung der islam. (orth.-sunnit.) Gesetzeslehre mit großzügigerer Auslegung des Moralgesetzes.

Hanf (Cannabis), Gatt. der Hanfgewächse mit der einzigen Art **Gewöhnl. Hanf** (Cannabis sativa) und der Unterart **Indischer Hanf** (Cannabis sativa var. indica) in Indien, im Iran und O-Afghanistan; angebaut v. a. in Indien, Vorderasien und im trop. Afrika; bis 4 m hohe, einjährige, getrenntgeschlechtl. Pflanzen mit fingerförmig gefiederten Blättern. Die Drüsen der Blätter und Zweigspitzen der weibl. Pflanzen liefern ein Harz, das Haschisch. Die harzverklebten getrockneten Pflanzenteile ergeben das Marihuana. Eine Kulturform des Gewöhnl. H. ist der ↑ Faserhanf.

Älteste Angaben über den Anbau von H. im frühen 3. Jt. v. Chr. stammen aus China. In Indien wird H.anbau im 9. Jh. v. Chr. erwähnt. In Europa ist H. seit dem 1. Jt. v. Chr. bezeugt.

◆ Fasern aus den Sklerenchymfaserbündeln des Faserhanfs (Cannabis sativa ssp. sativa); etwas länger und gröber als Flachsfasern (Langfasern 1 bis 3 m, Werg 30–40 cm). Sie werden, häufig unter Beimischung anderer Fasern, zu *H.garnen* versponnen.

Hanfgewächse (Cannabaceae), Fam. der Zweikeimblättrigen mit den beiden Gatt. ↑ Hanf und ↑ Hopfen.

Hänflinge (Carduelis), Gatt. meist kleiner, bräunl. bis grauer Finkenvögel mit sechs Arten auf der Nordhalbkugel; ♂ (bes. zur Brutzeit) mit roten Gefiederpartien. Zu den H. gehören u. a. ↑ Berghänfling und der bis 13 cm lange, in Europa, Kleinasien und NW-Afrika vorkommende **Bluthänfling** (Carduelis cannabina); oberseits braun mit grauem Kopf, unterseits gelblichbraun mit rötl. Brust (zur Brutzeit Brust und Stirn blaurot); ♀ unscheinbar. In M- und N-Europa, im nördl. Asien und im nördl. N-Amerika kommt der ebenso große **Birkenzeisig** (Carduelis flammea) vor; hell- und dunkelbräunlich gestreift, mit leuchtend roter Stirn und schwarzem Kehlfleck; ♂ mit rötl. Brust und ebensolchem Bürzel.

Hang, geneigter Teil der Erdoberfläche. Unterschieden werden Berg- und Talhänge, bei ersteren Steil- und Flachhang, bei letzteren der flach geböschte **Gleithang** an der Innenseite einer Flußwindung und der steilkonkave **Prallhang** an der Außenseite.

◆ Haltung am Turngerät, v. a. an Reck, Ringen, Barren, Stufenbarren, bei der sich die Schulterachse immer unterhalb der Gerätachse befindet; alle Gelenke des Körpers sind gestreckt.

Hangar [frz., eigtl. „Schuppen"], Flugzeughalle, Luftschiffhalle.

Hängebahnen, meist elektrisch betriebene Bahnen, bei denen die Fahrzeuge unterhalb von Tragbalken oder Schienen hängen, auf denen ihr Laufwerk rollt; dienen entweder zur Personenbeförderung oder zum Transport von Schüttgut.

Hängebauchschwein, in Vietnam gezüchtete Rasse kleiner, meist schwarzer Hausschweine mit stark durchgebogenem Bauch.

Hängebirke (Betula pendula), in Europa und Asien verbreitete Birkenart; bis 60 m hoch und bis 120 Jahre alt werdender Baum mit weißer, quer abblätternder Rinde; Blätter dreieckig, mit lang ausgezogener Spitze; Blüten meist einhäusig, ♂ Blüten in schon im

Herbst erscheinenden Kätzchen, ♀ in grünen, im Frühjahr erscheinenden Kätzchen; Frucht: geflügeltes Nüßchen.

Hängebrücke ↑Brücken.

Hängebuche (Trauerbuche, Fagus sylvatica cv. pendula), Kulturform der Rotbuche mit waagerechten oder bogig nach oben weisenden Hauptästen und meist senkrecht nach unten hängenden Seitenästen.

Hängegleiter, von O. Lilienthal konstruiertes Gleitflugzeug ohne Sitz; heute Fluggerät für das Drachenfliegen.

hangeln, sich im Hang fortbewegen, wobei die Hände abwechselnd weitergreifen.

Hängematte [zu niederl. hangmat, volksetymolog. umgedeutet aus hangen „hängen" und mat „Matte", eigtl. jedoch zu indian. (h)amaca (frz. hamac)], geknüpftes, geflochtenes oder auch gewebtes rechteckiges Ruhenetz zum Sitzen und Schlafen, das, auf starken Tragschnüren ruhend, zw. Pfählen oder Bäumen aufgehängt wird. Heimisch in S- und M-Amerika, sekundär in W-Afrika und wohl auch in Neuguinea. Aus Segeltuch früher auf Schiffen (aus Raumnot) üblich.

hängende Gärten, ein in der antiken Tradition mit dem Namen der assyr. Königin Semiramis verbundenes Bauwerk in Babylon, das auch als Geschenk Nebukadnezars II. an seine med. Nebenfrau galt, eines der ↑Sieben Weltwunder. Unsichere Identifizierung mit Ruinen eines terrassierten Innenhofs der Südburg von Babylon (6. Jh. v. Chr.).

Hangendes, in Geologie und Bergbau Bez. für die über einer bestimmten Gesteinsschicht oder einer Lagerstätte liegende, bei ungestörter Lagerung jüngere Schicht. – ↑Geochronologie.

Hängepartie, eine Schachpartie, die in der vorgeschriebenen Zeit nicht beendet werden konnte und zu einem späteren Zeitpunkt fortgesetzt wird.

Hänger, lose fallendes, gürtelloses Kleid.

Hängetal, Seitental, dessen Sohle an der Einmündung höher liegt als die des Hauptttales; häufig in glazial überformten Tälern.

Hängewerk, aus Holz, Stahl oder Stahlbeton gefertigte Tragkonstruktion, mit der größere Spannweiten bei Decken und Brükken überspannt werden können. Das H. besteht im wesentlichen aus einem nicht unterstützten, waagerechten Spann- oder Hängebalken, dessen Last z. T. mit Hilfe einer Aufhängevorrichtung über sog. Hängesäulen und Hängestreben auf die Auflager übertragen wird.

Hangö ↑Hanko.

Hangover [engl. hæŋ'oʊvə], Bez. für Nachwirkungen (ähnlich denen eines Katers) von Medikamenten (bes. von Schlafmitteln), ionisierender Strahlung oder für den Zustand nach exzessivem Alkoholgenuß.

Hangtäter (frühere Bez.: Gewohnheitsverbrecher), ein Täter, der durch wiederholte Ausführung einen Hang zu erkennen gibt, erhebl. Straftaten zu begehen und der dadurch für die Allgemeinheit gefährlich ist (§ 66 Abs. 1 Ziffer 3 StGB). Gegen ihn kann Sicherungsverwahrung angeordnet werden.

Hangtschou ['haŋtʃaʊ] ↑Hangzhou.

Hangwinde, Luftströmungen an Berghängen, tagsüber als **Hangaufwind,** nachts als **Hangabwind.** Die H. sind Teile eines lokalen Windsystems (Bergwind, Talwind), das sich bei ungestörtem Wetter und kräftiger Sonneneinstrahlung ausbildet.

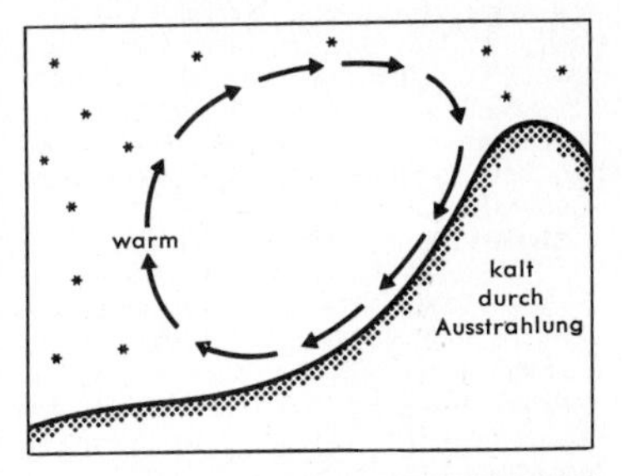

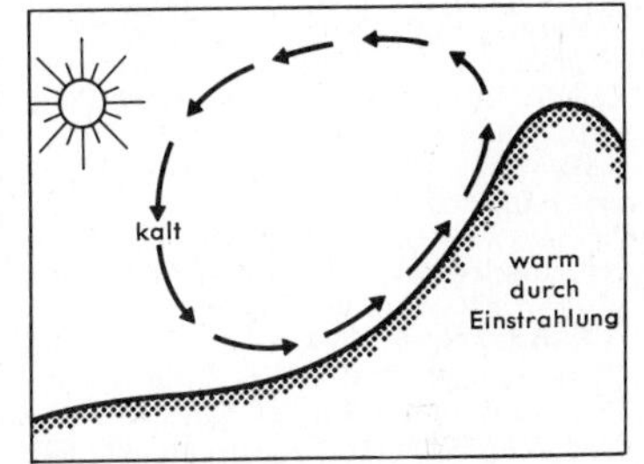

Hangwinde. Hangabwind (oben) und Hangaufwind

Hangzhou [chin. xaŋdʒoʊ] (Hangtschou), Hauptstadt der chin. Prov. Zhejiang, an der **Hangzhoubucht,** einer trichterförmigen Bucht des Ostchin. Meeres, 1,27 Mill. E. Univ. (gegr. 1959), TU, Observatorium; Seiden-, Papier-, Teeind., Maschinen-, Elektromotorenbau, Erdölraffinerie, Stahl-, chem. Ind. Die Hafenfunktionen sind auf die Schiffahrt auf dem unteren Fuchun Jiang und auf dem Kaiserkanal beschränkt. – Die Stadtentwicklung ist im 6./7. Jh. anzusetzen. Die durch den Überseehandel (S-Amerika, O-Afrika) reich gewordene Stadt erlebte ihre größte Blüte unter dem Namen **Linan** (seit 1129) als Hauptstadt (1138–1276) der Südl. Song(Sung)-Dynastie (1127–1279).

Hanifen [arab.], nach dem Koran diejenigen Gottsucher, die schon in vorislam. Zeit den reinen Glauben, den Gott in ihre Seele einpflanzte, unverfälscht bewahrten und somit „Muslime“ vor dem Islam darstellten; insbes. Abraham wird als Hanife betrachtet.

Han Jiang [chin. xandziaŋ] ↑Han Shui.

Hankiang ↑Han Shui.

Hanko ['haŋkɔ] (schwed. Hangö), finn. Hafenstadt und Seebad, 110 km sw. von Helsinki, 12100 E. – Seit 1270 als Handelsplatz belegt, seit 1878 Stadt.

Hankou [chin. xankɔu] (Hankow) ['haŋkaʊ], Teil von ↑Wuhan.

Hanks, Tom [engl. 'hæŋks], *Concord (Calif.) 9. Juli 1956, amerikan. Filmschauspieler. – Zunächst v.a. als Komiker („Splash“, 1984), später auch in ernsten Rollen erfolgreich („Philadelphia“, 1993). – *Weitere Filme:* Schlaflos in Seattle (1993), Forrest Gump (1994).

Hann, Julius [Ferdinand] Edler von (seit 1910), *Schloß Haus bei Linz 23. März 1839, †Wien 1. Okt. 1921, östr. Geophysiker. – 1874–97 Prof. in Wien, 1897–1900 in Graz und danach bis 1910 wieder in Wien; leistete bahnbrechende Arbeit auf dem Gebiet der Klimatologie; verfaßte u.a. das „Lehrbuch der Meteorologie“ (1901).

Hanna (Vulgata: Anna), nach Luk. 2, 36 bis 38 Prophetin am Tempel zu Jerusalem zur Zeit der Geburt Jesu und seiner Darstellung im Tempel.

Hannas (Vulgata: Annas), nach Luk. 3, 2 jüd. Hoherpriester (6–15), von den Römern ein- und abgesetzt; maßgeblich an den Prozessen gegen Jesus und die Apostel Petrus und Johannes beteiligt.

Hänneschen-Theater ['hɛnəsçən], Stabpuppenspiel, das sich im Rheinland Anfang des 19. Jh. aus dem volkstüml. Krippenspiel entwickelte. Die Komik entsteht aus dem Ggs. zw. den Bauern (in köln. Mundart) und der Stadtbevölkerung (in gemäßigter Dialektfärbung).

Hannibal [phönik. „Geschenk des Baal“], *247/246, †Libyssa 183 (Selbstmord), karthag. Feldherr und Staatsmann. – In Spanien nach dem Tod seines Vaters Hamilkar Barkas (229) und seines Schwagers Hasdrubal (221) von den Soldaten zum Oberbefehlshaber gewählt; zerstörte 219 Sagunt und brach durch Überschreitung des Ebro (Mai 218) den Ebrovertrag (226) mit Rom (Anlaß für den 2. Pun. Krieg, 218–201). Der röm. Offensive gegen Spanien kam H. durch Überschreitung der Alpen mit 38000 Mann, 8000 Reitern und 37 Elefanten zuvor, schlug die Römer am Ticinus und an der Trebia, vernichtete 217 das Heer des Konsuls Gajus Flaminius am Trasimenischen See, bezwang 216 bei Cannae in einer großangelegten Umfassungsschlacht das zahlenmäßig weit überlegene Heer der Konsuln Lucius Aemilius Paullus und Gajus Terentius Varro und schloß 215 ein Bündnis mit Philipp V. von Makedonien, konnte aber die Römer nicht bezwingen. Diese unterwarfen vielmehr 212/211 ihre abgefallenen Bundesgenossen Syrakus und Capua, was H. durch seinen Zug vor Rom (H. ad portas!) nicht verhindern konnte, und eroberten 211–206 Spanien. 203 wurde H. nach Afrika zurückgerufen, wo er 202 bei Zama von Scipio Africanus d.Ä. kriegsentscheidend geschlagen wurde. 195 floh er vor seinen Gegnern nach Syrien, nach dem röm.-syr. Krieg (192–188) nach Bithynien, wo er sich vergiftete, um einem röm. Auslieferungsantrag zu entgehen.

📖 *Faber, G.: Auf den Spuren von H. Rastatt 1988. – Schreiber, H.: H. Wien 1986. – Bradford, E.: H. Mchn. 1983.*

Hannibal ante portas! [lat. „Hannibal vor den Toren!“], falsch zitierter Schreckensruf der Römer, als Hannibal 211 v. Chr. vor Rom zog. Die richtige Fassung lautet nach Cicero: **Hannibal ad portas!** („Hannibal bei den Toren!“).

Hann. Münden (bis 1990 Münden), Stadt am Zusammenfluß von Fulda und Werra, Nds., 125 m ü.d.M., 24700 E. Herstellung von Verpackungsfolien, Gummiwaren und Luftgewehrmunition. – Seit 1182/85 als Stadt bezeugt; verdankt seinen Aufschwung dem Schiffsverkehr auf der Weser, dem 1247 verliehenen Stapelrecht (1823 aufgehoben) und dem Werraübergang. Bis 1866 gehörte die Stadt als *Hannoversch Münden* zum Königreich Hannover. – Got. Sankt-Blasius-Kirche (12.–15. Jh.); Rathaus (1603–19; Renaissanceportal), Schloß (16. Jh., Weserrenaissance; jetzt Städt. Museum) und zahlr. Fachwerkhäuser (15.–19. Jh.).

Hanno, karthag. Seefahrer des 5. Jh. v. Chr. – Segelte mit dem Auftrag, neue Handelswege zu erkunden und Kolonien anzulegen, durch die Straße von Gibraltar, an der afrikan. W-Küste entlang und am Senegal vorbei bis zum Golf von Guinea.

Hannover [...fər], Hauptstadt von Niedersachsen, zw. dem niedersächs. Bergland und dem Norddt. Tiefland, 54 m ü.d.M., 494900 E. Verwaltungssitz des Landkr. und des Reg.-Bez. H.; Sitz der niedersächs. Landesreg. und zahlr. Behörden; B.-Anstalt für Geowiss. und Rohstoffe, Akad. für Raumforschung und Landesplanung; Univ. (1879 bis 1968 TH), medizin. Hochschule, tierärztl. Hochschule, Hochschule für Musik und Theater, Fachhochschule, Verwaltungshochschule, Ev. Fachhochschule, Kirchenmusikschule der Ev.-luth. Landeskirche, Max-Planck-Institut für experimentelle Endokrinologie; bed. Museen und Kunstgalerien,

mehrere Theater; Kirchenkanzlei der EKD, Kirchenamt der Vereinigten Ev.-Luth. Kirche Deutschlands; Wasser- und Schiffahrtsdirektion, Bergamt; Zoo. Bed. Ind.- und Handelsstadt, u. a. Betriebe der Metall-, Elektro-, Gummi-, Nahrungsmittel-, opt., feinmechan., chem. Ind.; Verwaltungssitz von Ind.konzernen; Verkehrsknotenpunkt (Eisen- und Autobahn, vier Häfen am Mittellandkanal, ✈); Messestadt (seit 1947 Hannovermesse).
Geschichte: Am Leineübergang der Handelsstraße Hildesheim–Bremen entstand vor 1100 die Marktsiedlung **Honnovere** (1189 als Stadt bezeichnet, 1241 Bestätigung und Erweiterung der Stadtrechte durch den Hzg. von Braunschweig-Lüneburg). Im 13. Jh. rasche wirtsch. Entwicklung; 1368 Mgl. der Hanse. Im 14. Jh. erhielt H. weitgehende Selbständigkeit vom Stadtherrn, wurde aber 1636 Residenz des welf. Ft. Calenberg. 1837 Residenz des Kgr. H., 1866 Verwaltungssitz der preuß. Prov. H., 1946 Landeshauptstadt.
Bauten: Nach starken Zerstörungen im 2. Weltkrieg Aufbau einer modernen City. Erhalten bzw. wiederaufgebaut u. a. Marktkirche (14. Jh.), Kreuzkirche (1333), Altes Rathaus (15. Jh.), Neues Rathaus (1901–13), Leineschloß (1959–62 umgebaut als Landtagsgebäude), Opernhaus (1845–52). Im Stadtteil **Herrenhausen** die berühmten Herrenhäuser Gärten mit Gartentheater; Georgenpalais (18. Jh.; heute Wilhelm-Busch-Museum), Mausoleum (1892) u. a. Gebäude des 17.–19. Jahrhunderts.
📖 *Baudenkmale in Niedersachsen. Hg. v. H.-H. Möller. Bd. 10: Stadt H. Wsb. 1983–85. – H. und sein Umland. Festschr. zur Feier des 100jährigen Bestehens der Geograph. Gesellschaft zu H. 1878–1978. Hg. v. W. Eriksen u. A. Arnold. Hann. 1978.*

H., Landkr. in Niedersachsen.

H., Reg.-Bez. in Niedersachsen.

H., histor. Territorium, das auf das welf. Hzgt. Braunschweig-Lüneburg zurückgeht. Kristallisationskern war das Teil-Ft. Calenberg (Residenz H.), das 1635 an das Neue Haus Lüneburg fiel. Ernst August I. (👑 1679–98) erwarb 1692 die (9.) Kurwürde, sein Sohn Georg Ludwig (👑 1698–1727) erbte 1705 die übrigen lüneburg. Lande und bestieg 1714 den brit. Thron (Georg I.). In H. wurde ein Statthalter eingesetzt. 1720 Erwerb der Hzgt. Bremen und Verden, 1731 des Landes Hadeln. 1757/58 und 1803–13 frz. (1805/06 preuß.) Besetzung (Süd-H. 1807–13 Teil des Kgr. Westfalen). Auf dem Wiener Kongreß erhielt H. Ostfriesland, Hildesheim, Lingen und Meppen, seine Erhebung zum Kgr. (1814) wurde anerkannt. 1819 wurde eine Verfassung (2 Kammern mit nur beratender Stimme) oktroyiert. Der 1830 zum Vizekönig von H. ernannte Adolf Friedrich Hzg. von Cambridge (* 1774, † 1850) ließ eine neue Verfassung ausarbeiten (1833), die nach der Auflösung der Personalunion mit Großbritannien (1837) der neue König Ernst August II. (👑 1837–51) für ungültig erklärte (Protest der Göttinger Sieben). Die 1848 erlassene liberale Verfassung wurde 1855 wieder aufgehoben. Nach dem Dt. Krieg annektierte Preußen H. (3. Okt. 1866), das fortan eine Prov. des preuß. Staates bildete; Beschlagnahme des Vermögens der königl. Familie (Welfenfonds). 1946 wurde H. mit Braunschweig, Oldenburg und Schaumburg-Lippe zum Land Niedersachsen zusammengeschlossen.

Hannoveraner [...vər...], früher Bez. für Dt. Reitpferde aus dem Zuchtgebiet Hannover; meist braune Tiere (Widerristhöhe 160–170 cm) mit gutem Springvermögen; Reit-, Renn-, Turnier- und Arbeitspferde.

Hanoi ['hanɔʏ, ha'nɔʏ], Hauptstadt von Vietnam, im Tongkingdelta, als Stadtprov. 2 139 km² mit 2,88 Mill. E. Kath. Erzbischofssitz, Univ. (gegr. 1956) mit land- und forstwirtsch. Hochschule, TH (gegr. 1956), PH, medizin. Hochschule, Kunstakad.; Militärakad.; Wasserbauinstitut u. a. Forschungsinstitute; Museen, Bibliotheken; botan. Garten; zwei Theater; Metall-, Textil-, Nahrungsmittel-, Kunststoff- u. a. Ind.; Verkehrsknotenpunkt, Flußhafen, internat ✈. – 599 von den Chinesen unter dem Namen **Tong Binh** gegr., wurde die Stadt Zentrum des chin. Tongking; ab 1593 Reg.sitz unter der Ledynastie bzw. den Trinh; 1873 und 1882 von den Franzosen erobert, seit 1883 Verwaltungssitz des Protektorats Tongking, seit 1887 Sitz des Generalgouverneurs von Frz.-Indochina, 1940–45 von den Japanern besetzt, seit 1954 Hauptstadt Nord-Vietnams. Durch die amerikan. Bombenangriffe während des Vietnamkriegs wurde bes. der N der Stadt betroffen. Seit Juli 1976 Hauptstadt von Vietnam. – Bed. Bauten sind u. a. die Ein-Pfeiler-Pagode der Göttin Quan-Âm (Mitte des 11. Jh.) als Nationalheiligtum, der dem Konfuzius geweihte Tempel der Literatur (im wesentl. 15. Jh.) und der Quan-thanh-Tempel.

Hanotaux, Gabriel [frz. anɔ'to], * Beaurevoir (Aisne) 19. Nov. 1853, † Paris 11. April 1944, frz. Politiker und Historiker. – 1886–89 Abg., förderte als Außenmin. (1894/95 und 1896–98) die koloniale Ausdehnung Frankreichs (bes. in Afrika) und eine Annäherung an Rußland; verfaßte u. a. „Histoire de la nation française" (15 Bde., 1920–29); 1897 Mgl. der Académie française.

Hans von Aachen ↑ Aachen, Hans von.

Hans von Kulmbach ↑ Kulmbach, Hans von.

Hans von Tübingen, * um 1400–05, † Wiener Neustadt vor Febr. 1462, dt. Maler. – Die ihm zugeschriebenen Werke (umstritten), v. a.

„Votivtafel aus Sankt Lambrecht" (um 1425, Graz, Landesmuseum Joanneum), „Kreuztragung" und „Kreuzigung" (Wien, Östr. Galerie), Zeichnungen, Holzschnitte, Glasfenster, gehören zu den Hauptwerken des ↑Weichen Stils in Österreich.

Hansabund, für Gewerbe, Handel und Ind. 1909 gegr. wirtschaftspolit. Vereinigung, die eine liberale, antimonopolist. Wirtschafts- und Finanzpolitik (zunächst v. a. gegen den Bund der Landwirte) durchzusetzen suchte; löste sich Ende 1934 auf.

Hans Adam II., * Zürich 14. Febr. 1945, Fürst von Liechtenstein (seit 1989). – Ältester Sohn des Fürsten Franz Joseph II.

Hans-Böckler-Stiftung, gemeinnützige Stiftung des DGB, gegr. 1954 als „Stiftung Mitbestimmung"; 1977 Zusammenschluß mit der „Hans-Böckler-Gesellschaft" unter dem jetzigen Namen. Ziel der H.-B.-S. sind v. a. gewerkschaftl. Bildungs- und Kulturarbeit sowie die Förderung des Mitbestimmungsgedankens; Sitz Düsseldorf.

Hanse [zu althochdt. hansa „Kriegerschar, Gefolge"], im MA Bez. für Gemeinschaften von Kaufleuten im Ausland zu gemeinsamer Vertretung von Handelsbelangen sowie zu gegenseitigem Schutz.
Geschichte: Die Ursprünge liegen in der Privilegierung dt. Kaufmannsgenossenschaften im Ausland. Im Zuge der dt. Ostsiedlung verlagerte sich das Gewicht der H. zunehmend in den Ostseeraum (2. Hälfte des 12. Jh. Niederlassungen in Nowgorod [Peterhof] und Smolensk). Unter der Leitung Lübecks formierte sich ein (erst seit 1356 förml.) Bündnis der westfäl., sächs., wend., pommerschen und preuß. Städte (H.quartiere). In der Folgezeit wurde die H. immer wieder in Kämpfe mit den skand. Herrschern verwikkelt. Zur Zeit der größten Blüte, die mit dem Frieden von Stralsund (1370; Sieg über Waldemar IV. von Dänemark) begann, gehörten der H. alle bed. Städte nördlich der Linie Köln - Dortmund - Göttingen - Halle - Breslau–Thorn–Dünaburg–Dorpat an. Mit der Schließung des hans. Kontors von Nowgorod (1494) setzte der Niedergang der H. ein. 1598 wurde das Londoner Kontor (Stalhof) geschlossen. Nach dem Dreißigjährigen Krieg setzten Lübeck, Hamburg und Bremen die hans. Tradition fort (letzter H.tag 1669).
Organisation: Zum Kern der H. zählten 70 (vorwiegend dt.) Städte, weitere 130 Städte gehörten in einem lockeren Rahmen dazu. Leitendes Organ waren die H.tage als Hauptversammlungen der Mgl. Unterste Stufe der hans. Organisation war i. d. R. der Rat der jeweiligen H.stadt.
Handel: Der hans. Handel war überwiegend Seehandel. Die wichtigste Handelsroute verlief entlang der Linie Nowgorod–Reval–Lübeck–Hamburg–London. Handelsgüter waren v. a. Pelze und Wachs aus Rußland und O-Europa, Getreide aus O-Deutschland und Polen, Fisch aus Skandinavien, Salz aus Lüneburg und Frankreich, Wein aus dem Rheinland und aus Frankreich. – Karte S. 146.
📖 *Wernicke, H.: Die Städtehanse 1280–1418. Weimar 1983. – Bombach, J./Goetze, J.: Quellen zur H.gesch. Darmst. 1982.*

hänseln [zu ↑Hanse], necken, zum besten haben; urspr.: jemanden [unter bestimmten (scherzhaften) Zeremonien] in eine Körperschaft aufnehmen (Köln 1259 „hansin" in die Kaufgenossenschaft aufnehmen).

Hänsel und Gretel, Märchen der Brüder Grimm, in deren Fassung Kinder aus Not von den Eltern im Wald ausgesetzt werden und zu dem Kuchenhaus einer Hexe gelangen, die sie verzehren will. Sie täuschen sie jedoch, und Gretel gelingt es, die Hexe in den Ofen zu schieben. – Einzelne Motive gehen auf Märchen von G. Basile und C. Perrault zurück. Märchenoper von E. Humperdinck (1893).

Hansemann, David, * Finkenwärder (= Hamburg-Finkenwerder) 12. Juli 1790, † Schlangenbad 4. Aug. 1864, preuß. Politiker und Bankier. – Typ. Vertr. des gemäßigten, in der Wirtschaftspolitik weitsichtigen rhein. Liberalismus; März–Sept. 1848 preuß. Finanzmin., 1850/51 Direktor der Preuß. Bank, gründete 1851 eine der ersten dt. Großbanken, die Disconto-Gesellschaft.

Hansen, Christian, * Kopenhagen 20. April 1803, † Wien 2. Mai 1883, dän. Baumeister. – Bruder von Theophil Edvard H.; nahm an der Ausgrabung des Niketempels auf der Akropolis in Athen teil. Erbaute 1837–42 die Athener Univ. in „griech. Stil".

H., Christian Frederik, * Kopenhagen 29. Febr. 1756, † ebd. 10. Juli 1845, dän. Baumeister. – Vertreter eines strengen Klassizismus. Seit 1804 in Kopenhagen, wo er u. a. die Frauenkirche (1811–29) und das Rathaus (1815; seit 1903 Gerichtsgebäude) baute.

H., Hans Christian Svane, * Århus 8. Nov. 1906, † Kopenhagen 19. Febr. 1960, dän. Politiker. – 1945 und 1947–50 Finanz-, 1953–58 Außenmin.; wurde 1955 Vors. der Sozialdemokrat. Partei, 1955–60 Min.präsident.

H., Heinrich, * Klockries (= Risum-Lindholm, Landkreis Nordfriesland) 13. Okt. 1861, † Breklum (Landkreis Nordfriesland) 17. April 1940, dt. luth. Theologe. – Begründete 1918 zus. mit anderen Theologen und Laien die ↑Hochkirchliche Vereinigung.

H., Martin Alfred, * Strøby (Seeland) 20. Aug. 1909, † Kopenhagen 27. Juni 1955, dän. Schriftsteller. – Im Frühwerk Auseinandersetzung mit sozialer Problematik, sein Spätwerk ist von einem religiös gefärbten Existentialismus bestimmt. – *Werke:* Der Lügner (R., 1950), Die Osterglocke (Nov., dt. Ausw. 1953).

H., Theophil Edvard Freiherr von (seit 1884), * Kopenhagen 13. Juli 1813, † Wien 17. Febr. 1891, dän. Baumeister. – Seit 1846 in Wien, wo er mit neuklassizist. Bauten bestimmend für den Wiener Ringstraßenstil wurde, u. a. Musikvereinsgebäude (1867–69), Akad. der bildenden Künste (1872–76), Börse (1874–77) und Parlamentsgebäude (1873 bis 1883).

Hanser Verlag, Carl ↑ Verlage (Übersicht).

Hanshin [jap. hanʃin], i. e. S. die vor dem 2. Weltkrieg entstandene Hafengemeinschaft Kobe-Osaka in Japan; i. w. S. das Ind.gebiet an der Osakabucht, das nach **Keihin** das zweitwichtigste industrielle Ballungsgebiet Japans ist.

Han Shui [chin. xanʃui] (Han Jiang, Hankiang), linker Nebenfluß des Jangtsekiang in Mittelchina, entspringt im westl. Qin Ling, mündet in Wuhan, rd. 1 500 km lang; im Unterlauf Speicherbecken mit Schiffshebewerk.

Hans im Glück, Schwankerzählung von einem Burschen, der seinen Besitz aus freien Stücken immer wieder gegen einen weniger wertvollen umtauscht, bis er schließlich nichts mehr besitzt, dabei aber glücklich ist.

Hansischer Goethe-Preis der ↑ Stiftung F.V.S. zu Hamburg, 1950 geschaffener, mit 50 000 DM dotierter und mit einem Stipendium von 9 000 DM verbundener Preis für völkerverbindende und humanitäre Leistungen. Preisträger: C. J. Burckhardt (1950), M. Buber (1951), E. Spranger (1952), E. Berggraf (1953), T. S. Eliot (1954), G. Marcel (1955), W. Gropius (1956), A. Weber (1957), P. Tillich (1958), T. Heuss (1959), B. Britten (1961), W. Flitner (1963), H. Arp (1965), S. de Madariaga (1967), B. Minder (1969), G. Strehler (1971), A. Lesky (1972), M. Sperber (1973), C. Schmid (1975), W. A. Visser 't Hooft (1977), H.-G. Wormit (1979), A. Tovar (1981), K.-H. Hahn (1985), A. Sauvey (1988), C. F. von Weizsäcker (1989), Goethe-Gesellschaft, Weimar (1991), J. Starobinski (1994).

Hansjakob, Heinrich, Pseud. Hans am See, * Haslach im Kinzigtal 19. Aug. 1837, † ebd. 23. Juni 1916, dt. Schriftsteller. – Pfarrer. Populärer Volkserzähler, u. a. „Der Vogt auf Mühlstein" (En., 1895), „Bauernblut" (En., 1896), „Waldleute" (En., 1897).

Hanslick, Eduard, * Prag 11. Sept. 1825, † Baden bei Wien 6. Aug. 1904, östr. Musikforscher. – Seit 1861 Prof. in Wien; als Anhänger der Wiener Klassik, Verehrer von Brahms und Gegner Wagners wandte er sich in seinem Buch „Vom Musikalisch-Schönen" (1854) gegen die Gefühlsästhetik und entwikkelte die Theorie der ↑ absoluten Musik.

Hanson, Duane [engl. hænsn], * Alexandria (Minn.) 17. Jan. 1925, amerikan. Bildhauer. – Minutiös nachgebildete Einzelfiguren und Menschengruppen mit charakterisierender Kleidung und Objekten arrangiert er zu spezifisch sozialen Szenen; auch Environments.

Hansson, Ola, * Hönsinge (Schonen) 12. Nov. 1860, † Büyükdere bei Istanbul 26. Sept. 1925, schwed. Dichter. – Schildert in Gedichten und Erzählungen die heimatl. Landschaft und deren Menschen; bekämpfte Ibsen, Brandes und den Naturalismus; verließ Schweden 1889; im Spätwerk von Nietzsche beeinflußt; u. a. „Sensitiva amorosa" (En., 1887).

H., Per Albin, * Fosie (= Malmö) 28. Okt. 1885, † Stockholm 6. Okt. 1946, schwed. Politiker. – Seit 1918 Abg., bis 1925 wiederholt Min.; seit 1925 Vors. der Sozialdemokrat. Partei; 1932–46 Min.präs. (Unterbrechung 1936); verfolgte im 2. Weltkrieg einen strikten Neutralitätskurs.

Hanswurst, dt. Prototyp der kom. Figur oder lustigen Person. Der H. entstand aus der Verschmelzung heim. Figuren mit von engl. Komödianten im 16. und 17. Jh. populär gemachten Clowntypen (↑ Pickelhering) und dem ↑ Arlecchino der Commedia dell'arte, der in dt. Versionen Harlekin hieß und in Stegreifspielen **(Harlekinade, Hanswurstiade)** nach dem ernsten Stück („Hauptaktion") auftrat. Er wurde von Gottsched bekämpft und von der Theatertruppe der Neuberin in einem allegor. Spiel von der Bühne verbannt.

Hantel [niederdt., eigtl. „Handhabe"], Sportgerät aus zwei durch Stange oder Griff verbundenen unveränderlichen Gewichten; Verwendung als *Freiübungs-* oder *Kugel-H.* in der Gymnastik, als *Kurz-* oder *Lang-H.* zum Konditionstraining, im Gewichtheben als ↑ Scheibenhantel.

Hantzsch, Arthur [hantʃ], * Dresden 7. März 1857, † ebd. 14. März 1935, dt. Chemiker. – Professor an der ETH Zürich (1885–93), in Würzburg und (1903–29) in Leipzig. Er entwickelte 1881 eine Methode zur Darstellung von Pyridin und anderen heterocycl. Verbindungen, erklärte 1890 mit A. Werner die Isomerieerscheinung bei Aldoximen, stellte eine allg. Theorie der Säuren und Basen auf.

Hanum [pers., türk.], Anrede für Frauen in der Türkei und in Iran.

Hanuman [Sanskrit], im Hinduismus der Führer der Affen, der ↑ Rama half; genießt noch heute Verehrung, weshalb in Indien kaum Affen gejagt werden.

Han Yu (Han Yü; Han Wen-kung [Han Wengong]) * Nanyang (Henan) 768, † Chang'an (heute Xi'an) 824, chin. Dichter und Philosoph. – Bekämpfte als strenger

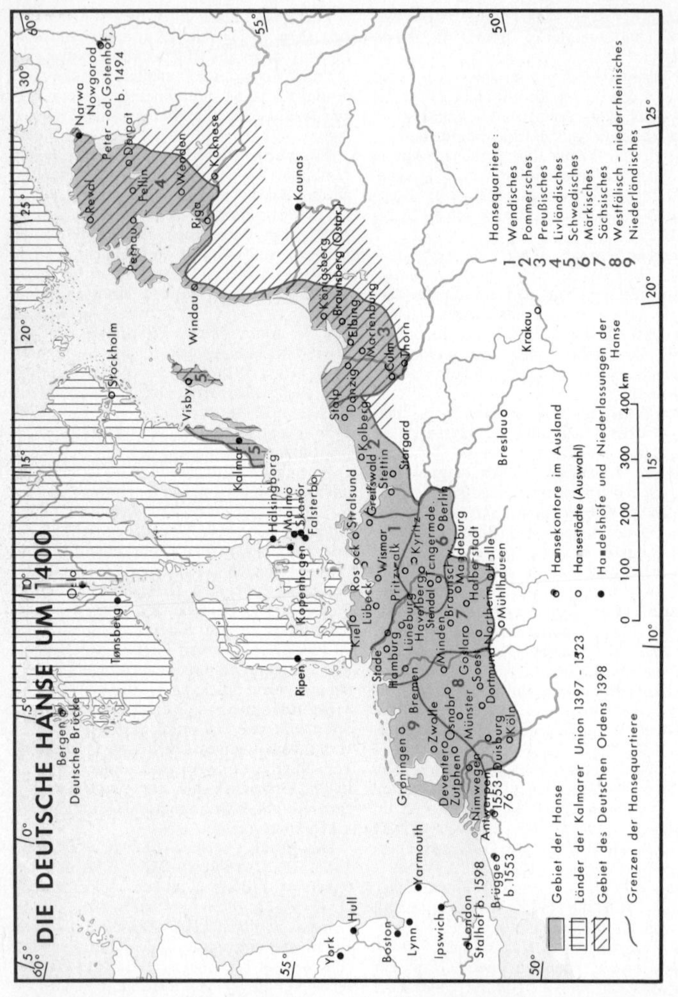

Konfuzianer den Buddhismus; Lyriker und Meister einer klar durchgebildeten Prosa.

Haora ↑Howrah.

Haori [jap.], weite „Jacke" der traditionellen jap. Tracht mit angeschnittenen Ärmeln, über dem Kimono getragen.

Hapag-Lloyd AG, dt. Schiffahrtsunternehmen, Sitz Hamburg. Entstanden 1970 durch Fusion der Hamburg-Amerikan. Packetfahrt-Actien-Gesellschaft (Hamburg-Amerika Linie), Abk.: Hapag, Sitz Hamburg, gegr. 1847, und des Norddt. Lloyd.

Haparanda, schwed. Stadt an der Mündung des Torneälv in den Bottn. Meerbusen, 10 000 E. Grenzstation an der schwed.-finn. Grenze. – 1812 gegr., seit 1842 Stadt.

Hapaxlegomenon [griech. „(nur) einmal Gesagtes"], ein nur an einer einzigen Stelle belegtes Wort einer nicht mehr gesprochenen Sprache.

haplo..., Haplo... [griech.], Bestimmungswort von Zusammensetzungen mit der Bed. „nur aus einem Teil bestehend, einfach", z. B. haplodont.

Haplobionten [griech.], svw. ↑Haplonten.

haploid [griech.], einen meist durch Reduktionsteilung auf die halbe Chromosomenzahl reduzierten Chromosomenbestand aufweisend; von Zellen (v.a. den Keimzellen) und Lebewesen gesagt, die nicht direkt aus der Vereinigung zweier [Keim]zellen hervorgegangen sind (z.B. bei Jungfernzeugung).

Haplologie [griech.] (Silbenschichtung, haplolog. Silbenschwund), Verschmelzung zweier aufeinanderfolgender gleicher oder ähnl. Laute bzw. Lautfolgen, z.B. *Zauberin* statt *Zaubererin, Adaption* statt *Adaptation*.

Haplonten (Haplobionten) [griech.], Organismen, deren Zellen stets einen einfachen (haploiden) Chromosomensatz enthalten. Nur die befruchtete Eizelle (Zygote) hat einen doppelten Chromosomensatz, ist also diploid. Aus ihr entstehen durch Meiose wieder haploide Nachkommen. H. sind z.B. Sporentierchen, niedere Algen.

Happening [engl. 'hæpənɪŋ, zu to happen „geschehen, sich ereignen"], Bez. für provokative aktionsreiche [Kunst]veranstaltungen (v.a. der 60er Jahre), bei denen die Zuschauer oft zur Beteiligung an den Handlungen aufgefordert werden. Diese Handlungen sollen Prozessen des tägl. Lebens möglichst nahe sein und diese zugleich in ihrer Fragwürdigkeit enthüllen. Zu den Hauptvertretern gehörten A. Kaprow in den USA und W. Vostell in Deutschland. Parallel zum H. entwickelten sich die Fluxusbewegung (↑Fluxus) und die Aktionskunst der Vertreter des „Wiener Aktionismus". Der Begriff H. wurde von der künstler. auf die polit. Szene übertragen. Heute in **Aktionen** lebendig, z.B. H. Voth, W. Vostell (1981 Fluxus-Zug). Die ↑Performance ist eine modifizierte Weiterentwicklung des Happenings.

Happy-End [engl. 'hæpɪ 'ɛnd „glückl. Ende"], [un]erwartet[er] glückl. Ausgang.

Haptene [zu griech. háptein „anfassen"], Halbantigene oder unvollständige Antigene; sie gehen zwar mit dem spezif. Antikörper eine Bindung ein, können aber die Bildung dieser Antikörper nicht hervorrufen; an Eiweiß gekoppelt werden H. zu Vollantigenen.

Hapteren [zu griech. háptein „anfassen"] ↑Haftorgane.

◆ bandartige Anhängsel der Sporen von Schachtelhalmen; dienen der Artausbreitung.

Haptik [zu griech. háptein „anfassen"], Lehre vom Tastsinn; **haptisch,** den Tastsinn betreffend.

Haptoglobin, Glykoprotein, das beim Transport und Abbau von Hämoglobin mitwirkt.

Haptonastie [griech.] ↑Nastie.

Haptotropismus [griech.] ↑Tropismus.

Harakiri (Seppuku) [jap.], bei jap. Adligen, insbes. bei den Samurai, übl. Art des rituellen Selbstmordes (seit dem 12. Jh.). Durch das H. stellte der jap. Adlige seine gekränkte Ehre wieder her oder entzog sich einer entehrenden Lebenslage. Seit dem 17. Jh. wurde H. als ehrenvolle Todesstrafe für Adlige verhängt: Der Verurteilte schnitt sich den Bauch auf, worauf ihm sein Sekundant den Kopf abschlug (bis 1873). Als ritueller Selbstmord vereinzelt bis heute.

Harald, angelsächs. Könige, ↑Harold.

Harald, Name von Herrschern:

Dänemark:

H. Blåtand [dän. 'blɔtan' „Blauzahn"], † Jomsburg um 986, König (seit etwa 940). – Sohn Gorms des Alten; ließ sich um 960 taufen; von Kaiser Otto II. besiegt; fiel im Verlauf krieger. Auseinandersetzungen mit seinem Sohn Svend Gabelbart.

Norwegen:

H. I. Hårfagre [norweg. ˌhoːrfaːgrə „Schönhaar"], * um 850, † 930, König (seit etwa 860). – Setzte nach 872 die Vereinigung aller norweg. Teilreiche durch.

H. III. Hardråde [norweg. ˌhaːrroˈdə „der Harte"], * 1015, ⚔ bei Stamford Bridge 25. Sept. 1066, König (seit 1047). – Zunächst Offizier der kaiserl. Leibgarde in Konstantinopel; übernahm nach dem Tod Magnus' I., des Guten, die Herrschaft; bei dem Versuch, England zu erobern, von Harold II. geschlagen.

H. V., * Asker bei Oslo 21. Febr. 1937, König (seit 1991). – Sohn Olavs V.; wurde 1957 Kronprinz; seit 1968 ∞ mit der bürgerl. Kaufmannstochter Sonja Haraldsen (* 1937).

Haram [arab.], Bez. für das hl. Gebiet von Mekka, das nur von Muslimen betreten werden darf; auch Medina mit dem Grab Mohammeds und der Tempelplatz in Jerusalem gelten als Haram.

Harappakultur (Induskultur), nach Harappa am Ravi (Pandschab, Pakistan), einem der Hauptausgrabungsplätze, ben. Hochkultur. 4.–Anfang des 2. Jt. v. Chr. v.a. im Industal, in Sind, Pandschab und Gujarat, auch auf der Halbinsel Kathiawar und an der Küste Belutschistans sowie in Afghanistan verbreitet. Die Städte Mohendscho Daro, Harappa, Chanhu Daro, Kot Diji, Kalibanga, Lothal und Sutkagen Dor sind relativ gut erforscht, sie zeigen gleichförmige Anlage (befestigte Zitadelle mit offener Unterstadt, rechtwinklige Straßenführung, komplizierte Entwässerungssysteme, Bauweise mit gebrannten Lehmziegeln). Hinter der Errichtung der großen Getreidespeicher, öffentl. Bäder, Versammlungsgebäude und der Verwendung der (noch unentzifferten) Hieroglyphenschrift und eines einheitl. Maß- und Gewichtssystems ist eine zentrale Verwaltung zu vermuten. Die Wirtschaft basierte auf der Verarbeitung von Getreide, Reis und Baumwolle; die Metallgegenstände sind aus Kupfer und vereinzelt aus Bronze. V. a. bed. Funde von Keramik.

Harar, Prov.hauptstadt in O-Äthiopien, 62000 E. Handelszentrum eines Kaffeeanbaugebietes.

Harare [engl. ha:'ra:rεɪ] (bis 1982 Salisbury), Hauptstadt von Simbabwe, im nördl. Mashonaland, 1470 m ü. d. M., 681000 E. Prov.hauptstadt, Sitz eines kath. und anglikan. Erzbischofs; Univ. (eröffnet 1957), Polytechnikum u. a. Hochschulen, mehrere Forschungsinst.; Nationalgalerie, -museum. Wirtschaftszentrum des Landes mit bed. Tabakhandel; Textil- Metall-, Nahrungsmittel- u. a. Ind.; Goldraffinerie; internat. ✈. – Gegr. 1890.

Harbig, Rudolf, * Dresden 8. Nov. 1913, ⚔ 5. März 1944, dt. Leichtathlet. – Stellte 1939 Weltrekorde über 400 m (46,0 Sek.) und 800 m (1:46,6 Min.) auf, von denen der 800-m-Weltrekord bis 1955 bestehenblieb.

Harbin (Charbin) [chin. xarbɪn], Hauptstadt der chin. Prov. Heilongjiang, am Songhua Jiang, 2,67 Mill. E. TU, Fachhochschulen für Land- und Forstwirtschaft, für Medizin, Baumaschinenwesen und Fremdsprachen; Prov.museum und -bibliothek. Verkehrszentrum NO-Chinas; ein Zentrum für die Ausrüstung von Kraftwerken, Maschinen-, Computerbau, Nahrungsmittel- u. a. Ind. – 1898 im Zusammenhang mit dem Bau (durch Rußland) der Ostchin. Eisenbahn zur Stadt ausgebaut. 1932 jap. besetzt und Mandschukuo zugeschlagen; seit 1949 Prov.hauptstadt.

Harbou, Thea von [ar'bu:, 'harbu], * Tauperlitz bei Hof 27. Dez. 1888, † Berlin 1. Juli 1954, dt. Schriftstellerin. – ⚭ mit Fritz Lang, für dessen Filme sie 1920–32 die Vorlagen adaptierte, u. a. „Metropolis" (R., 1926, verfilmt 1927).

Harburg, Landkr. in Niedersachsen.

Harburger Berge (Schwarze Berge), Höhenzug (Endmoräne) in der nördl. Lüneburger Heide, bis 155 m hoch; Naturpark.

Harburg (Schwaben), Stadt in der Fränk. Alb, Bay., 413 m ü. d. M., 5700 E. Fürstl. Oettingen-Wallerstein'sche Bibliothek und Kunstsammlung. – Die Burg Harburg wurde 1093 erstmals erwähnt. 1295 wurden Burg und Ort aus Reichsbesitz an die Grafen (später Fürsten) von Oettingen verpfändet, die 1493–1549 in Harburg residierten; 1806 an Bayern. – Schloß (16. Jh. ff.), Schloßkapelle (1720/21 barock umgestaltet).

Hardanger, Landschaft im südl. W-Norwegen, um den **Hardangerfjord** einschl. eines Teils der **Hardangervidda,** einem mit Seen überzogenen Hochgebirgsplateau, oberhalb der Baumgrenze.

Hardangerfiedel (norweg. hardingfele), volkstümliches norweg. Streichinstrument in Form einer kleinen Violine mit vier Griff- und vier Resonanzsaiten.

Hard-Bop [ha:d'bɔp; amerikan.], Jazzstil der 1950er und 60er Jahre, der an der O-Küste der USA v. a. von schwarzen Musikern als Gegenpol zum „weißen" West-Coast-Jazz ausgeprägt wurde. Der H.-B. stellt in stilist. Hinsicht die Fortsetzung des ↑Bebop dar, gleichzeitig jedoch dessen Glättung und z. T. Verflachung. Eine bed. Rolle im H.-B. spielten Rückgriffe auf traditionelle Modelle der afroamerikan. Folklore, bes. ↑Gospel und ↑Blues. Die zunehmende Schematisierung des H.-B. führte um 1960 zum ↑Free Jazz.

Hardcopy [engl. 'ha:d,kɔpɪ „feste Aufzeichnung"], in der Datenverarbeitung die Datenausgabe über Drucker auf Papier, im Ggs. zur ↑Softcopy.

Hard cover [engl. 'ha:d 'kʌvə „fester Einband"], Buch mit festem Einband.

Hard edge [engl. 'ha:d 'εdʒ, eigtl. „harte Kante"], innerhalb der ↑Farbfeldmalerei Richtung der modernen Malerei v. a. der 60er Jahre mit klar abgesetzten geometr. Formen bzw. Farbflächen; wird z. T. auch auf figurative Malerei angewendet.

Hardekopf, Ferdinand, * Varel 15. Dez. 1876, † Zürich 26. März 1954, dt. Dichter. – Gehörte zum Kreis der „Aktion", einer der führenden Berliner Frühexpressionisten; Lyriker („Privatgedichte", 1921) und Essayist; bed. als Übersetzer frz. Literatur.

Harden, Sir (seit 1936) Arthur [engl. ha:dn], * Manchester 12. Okt. 1865, † London 17. Juni 1940, brit. Biochemiker. – Bed. Arbeiten zur allg. Enzymologie; untersuchte u. a. die alkohol. Gärung von Kohlenhydraten und die Rolle der daran beteiligten Enzyme; erhielt 1929 zus. mit H. von Euler-Chelpin den Nobelpreis für Chemie.

H., Maximilian ['––], urspr. Felix Ernst Witkowski, * Berlin 20. Okt. 1861, † Montana (Wallis) 30. Okt. 1927, dt. Publizist. – Schauspieler, Journalist, 1889 Mitbegr. der ↑Freien Bühne, 1892 gründete er eine eigene polit. Wochenschrift, „Die Zukunft". Zugunsten seines polit. Engagements traten seine zahlr. literar. Fehden (z. B. gegen H. Sudermann und G. Hauptmann) in den Hintergrund. Führte unter dem Pseud. Apostata („Apostata", Essays, 1892) harte Polemiken für den gestürzten Bismarck gegen Wilhelm II. und dessen Berater H. von Moltke und P. Fürst Eulenburg, die in drei Skandalprozessen (1907–09) gipfelten. Wurde während des Krieges Pazifist, Gegner des Nationalismus. 1922 wurde von rechtsradikalen Kreisen ein Attentat auf ihn verübt, lebte seitdem in der Schweiz; Autobiographie „Von Versailles nach Versailles" (1927).

Hardenberg, Friedrich Freiherr von, dt. Dichter, ↑ Novalis.

H., Karl August Fürst von (seit 1814), * Essenrode bei Braunschweig 31. Mai 1750, † Genua 26. Nov. 1822, preuß. Staatsmann. – Aus hannoverschem Adel; verwaltete seit 1790 die Markgrafschaft Ansbach-Bayreuth als selbständige preuß. Prov. Nach maßgebl. Beteiligung am Basler Frieden Kabinettsmin., 1804–06 preuß. Außenmin., 1807 leitender Min. (nach dem Frieden von Tilsit auf Napoleons Befehl entlassen). Seit 1810 Staatskanzler in Preußen; setzte in seinem Bemühen, den preuß. Staat vom aufgeklärten Absolutismus zum Liberalismus zu führen, die von Stein in Gang gebrachten preuß. Reformen fort (Stein-Hardenbergsche-Reformen), v. a. den Abbau der städt. Zunftverfassung zugunsten der Gewerbefreiheit (1810), die Judenemanzipation (1812), auch die Regulierungsedikte (1811 und 1816) zur Ablösung der Grundherrschaft. Seine abwägende Koalitionspolitik in den Befreiungskriegen sicherte 1814/15 auf dem Wiener Kongreß für Preußen bed. Gebietszuwachs; unterstützte seitdem das „System Metternich", wenn er sich auch im Innern zu einer gemäßigten Weiterführung der Reform bekannte.

Harding [engl. 'hɑːdɪŋ], Stephan, hl., * in England 1059, † Cîteaux 1134, engl. Zisterzienser. – Kam auf der Flucht vor den Normannen nach Frankreich und Italien, wo er der monast. Reformbewegung der Zeit begegnete; wurde 1108 Abt von Cîteaux; wirkte entscheidend auf die Lebensform und Verfassung der ↑ Zisterzienser.

H., Warren Gamaliel, * Caledonia (= Blooming Grove, Ohio) 2. Nov. 1865, † San Francisco 2. Aug. 1923, 29. Präs. der USA (1921 bis 1923). – 1915–20 republikan. Senator; gewann als Gegner der Politik W. Wilsons die Präsidentschaftswahlen von 1920; lehnte den Eintritt der USA in den Völkerbund ab; leitete im Inneren die ökonom. Blüte der Golden Twenties ein.

Hardouin-Mansart, Jules [frz. ardwɛ̃mɑ̃'saːr] ↑ Mansart, Jules Hardouin.

Hard Rock [engl. 'hɑːd 'rɔk], ein Stilbereich der Rockmusik, der häufig auch als Heavy Rock oder Heavy Metal Rock (Schwermetall-Rock) bezeichnet wird. Typisch für den H. R. sind seine sehr einfache harmon. und rhythm. Struktur sowie extreme Lautstärke.

Hardt, Ernst, * Graudenz (= Grudziądz) 9. Mai 1876, † Ichenhausen 3. Jan. 1947, dt. Schriftsteller. – War Theaterintendant (Weimar, Köln) und 1924–33 Leiter des Westdt. Rundfunks; gestaltete v. a. Stoffe aus Sage und Geschichte, neben Lyrik und Novellen lyr. Dramen von barocker Überladenheit, u. a. „Tantris der Narr" (Dr., 1907).

Hardtop [engl. 'hɑːd'tɔp „festes Verdeck"], abnehmbares Verdeck von Kfz.

Harduin ↑ Arduin.

Hardwar [engl. 'hɛədwɑː], ind. Stadt am Ganges, B.-Staat Uttar Pradesh, 114 000 E. Univ. Hinduist. Wallfahrtsort.

Hardware [engl. 'hɑːdwɛə „Metallwaren"], Oberbegriff über die maschinentechn. Ausrüstung einer Rechenanlage, umfaßt alle elektron. und mechan. Bauteile der Zentraleinheit und der Peripherie. – ↑ Software.

Hardy, Alexandre [frz. ar'di], * Paris um 1570, † 1631 oder 1632, frz. Dramatiker. – Vermutlich Schauspieler; seit 1611 Bühnendichter der königl. Truppe; von seinen über 600, von phantast. Geschehen überquellenden Stücken sind 34 erhalten; führender Bühnendichter im 1. Drittel des 17. Jahrhunderts. – *Werke:* Didon (Trag., 1603), Coriolan (Trag., um 1607), Mariamne (Trag., 1610), La mort d'Alexandre (Trag., 1624).

H., Oliver Novelle [engl. 'hɑːdi], * Atlanta 18. Jan. 1892, † Los Angeles-Hollywood 7. Aug. 1957, amerikan. Schauspieler. – ↑ Dick und Doof.

H., Thomas [engl. 'hɑːdɪ], * Upper Bockhampton (Dorset) 2. Juni 1840, † Max Gate bei Dorchester 11. Jan. 1928; engl. Schriftsteller. – Schildert machtlos gegen Veranlagung, Milieu und unerbittlich waltende Mächte kämpfende, leidenschaftl. Menschen. Dem düsteren Schicksal angemessen ist die Schilderung der Landschaft. Am bekanntesten wurde der Roman „Tess von d'Urbervilles" (1891), bed. auch der Geschichtsroman „The dynasts" (3 Bde., 1903–08). – *Weitere Werke:* Die Liebe der Fancy Day (R., 1872), Die Rückkehr (R., 1878), Juda, der Unberühmte (R., 1895, 1956 u. d. T. Herzen in Aufruhr).

Hare [engl. hɛə], Stamm der Nördl. Athapasken westl. und nw. des Großen Bärensees, Kanada.

Hare-Krischna-Bewegung [Sanskrit/dt.], offiziell Internat. Gesellschaft für Krishna-Bewußtsein (engl. International Society for Krishna Consciousness; Abk. ISKCON), nach der Anrufungsformel ihres Gottes ben. religiöse Gesellschaft, die 1966 in New York von A. C. Bhaktivedanta Swami Prabhupada (* 1896, † 1977) gegr. wurde. Sie fußt auf der ↑ „Bhagawadgita", deren zentrale Gestalt der göttl. Offenbarer Krischna ist. Als Dienst und Hingabe an ihn verstehen – unter weitgehender Ausschaltung ihrer rational kontrollierten Persönlichkeit – die meist jugendl. Anhänger („Jugendreligion") ihr Leben. Die rigorosen Praktiken des Geldsammelns brachten die fast kahl geschorenen und mit langen gelben Gewändern bekleideten Anhänger 1976 in der BR Deutschland in den Verdacht des Bettelbetrugs. Die internat. Zentrale der ISKCON ist in Mayapur (Indien), die dt. in Jandelsbrunn (Kr. Passau). Die H.-K.-B. hat etwa 15000 Mgl. (in Deutschland ca. 200).

Harem [arab.-türk., eigtl. „verboten"], Bez. für die Frauenabteilung des Hauses islam. Länder. Der H. darf nur vom Ehemann und von männl. Verwandten 1. Grades betreten werden. Trotz langer Tradition und Festschreibung im Koran (Sure 33, 53) setzte sich der H. fast nur in den wohlhabenden Schichten, bei den Beduinen als Zeltabteilung, durch. Mit dem Eindringen westl. Lebensformen geht die Bed. des H. zurück.

Hare Meron, mit 1208 m ü. d. M. höchster Berg Israels (im N) mit Ruinen der ältesten Synagoge Galiläas (2. Jh.); Wallfahrtsort.

Haremheb (Haremhab, Horemheb), † 1306 v. Chr., letzter ägypt. König (seit 1333) der 18. Dynastie. – Stellte die innere Verwaltung durch scharfe Maßnahmen (↑ ägyptische Geschichte) wieder her.

Hare-Niemeyer-Verfahren [nach dem Engländer T. Hare und dem dt. Mathematiker H. Niemeyer], Verfahren zur Errechnung von Parlamentssitzen beim Verhältniswahlsystem: die Stimmenzahl für die jeweilige Partei wird mit den zu vergebenden Parlamentssitzen multipliziert und das Produkt durch die Gesamtzahl der Stimmen aller Parteien geteilt. Jede Partei erhält soviel Sitze, wie ganze Zahlen auf sie entfallen. Die dabei verbleibenden Restsitze werden in der Reihenfolge der höchsten Zahlen hinter dem Komma an die Parteien vergeben. Das H.-N.-V. hat in Deutschland weitgehend das d'Hondtsche Höchstzahlverfahren abgelöst.

Häresie [zu griech. haíresis „die Wahl, das Gewählte"], im *Griechentum* und im *Hellenismus* Bez. für ein Bekenntnis religiösen oder polit. Inhalts und für eine wiss. Denkweise. Der Begriff wurde im frühen Christentum zunehmend im Sinne einer willkürl. Auswahl aus dem Lehrgut der Kirche und einer Abweichung von deren Dogma verwendet. Damit gewann er eine Bed., die identisch ist mit dem im MA aufkommenden Begriff der Ketzerei. – Im *kath. Verständnis* ist H. eine schwerwiegende Abweichung vom christl. Glauben; im *prot. Verständnis* gilt als H., was die Wahrheit des Evangeliums entscheidend verkürzt oder entstellt.

Häretiker [griech.], Anhänger einer ↑ Häresie.

Harfe (engl. harp, frz. harpe, italien. arpa), zur Klasse der ↑ Chordophone gehörendes Musikinstrument, dessen Saitenebene senkrecht zur Decke des Resonanzkörpers verläuft. Die zw. Resonanzkörper und Hals gespannten Saiten werden mit den Fingerkuppen beider Hände angezupft. – Die heute gebräuchl. 46–48saitige **Doppelpedalharfe** wurde 1810 von S. Érard entwickelt und wird in Ces-Dur eingestimmt; durch sieben Doppelpedale kann jeder Ton der Ces-Dur-Tonleiter um einen Halb- oder Ganzton erhöht werden, so daß alle Töne der temperierten Stimmung erzeugt werden können. – Schon das alte Ägypten kannte die nach ihrer Form benannte 6saitige **Bogenharfe** (belegt seit 2703 v. Chr.), die schon vorher aus Babylon bekannte **Winkelharfe** und die **Rahmenharfe** (der Rahmen entsteht durch Hinzufügung einer Vorderstange). In dieser Form kam die H. im 8. Jh. nach Europa. Die im MA etwa 7–25 Saiten waren diatonisch, seit dem 16. Jh. auch chromatisch gestimmt. Die diaton. **Tiroler Hakenharfe** ermöglichte erstmals ein verhältnismäßig schnelles Umstimmen mit der Hand, wodurch der Tonvorrat vergrößert wurde. Verbessert wurde dieses Verfahren durch die **Pedalharfe** (5, später 7 Pedale) G. Hochbruckers (um 1720).

📖 *Zingel, H. J.: H. und Harfenspiel vom Beginn des 16. bis ins 2. Drittel des 18. Jh. Laaber [2]1979 – Zingel, H. J.: Lexikon der H. Laaber 1977.*

Hargeysa, zweitgrößte Stadt von Somalia, Zentrum einer Region, im NW des Landes, 400000 E. Handelszentrum eines Agrargebiets; ✈. – H. war 1941–60 Hauptstadt von Brit.-Somaliland.

Hargreaves [engl. 'hɑ:gri:vz] (Hargraves), James, * Stanhill (Lancashire) um 1740, † Nottingham 22. April 1778, brit. Weber. – Erfand um 1764 die 1770 patentierte und nach seiner Tochter ben. Jenny-Spinnmaschine, die gleichzeitig acht Fäden spinnen konnte.

Harich, Wolfgang, * Königsberg (Pr) 9. Dez. 1923, † Berlin 15. März 1995, dt. Philosoph. – 1945 Mgl. der KPD, 1946–56 der SED; Journalist (u. a. Leitartikler der „Weltbühne"), 1949 Prof. an der Humboldt-Univ. Berlin, 1953–56 Mit-Hg. und Chefredakteur der „Dt. Zeitschrift für Philosophie". Kritisierte die Kulturpolitik der DDR in liberalisierender Absicht, stellte durch Publikation der Arbeiten G. Lukács' dessen marxist. Literaturtheorie zur Diskussion. 1957 wegen „Bildung einer konspirativen, staatsfeindl. Gruppe" zu 10 Jahren Zuchthaus verurteilt, 1964 amnestiert, dann Verlagslektor in Berlin (Ost); lebte 1979–81 in der BR Deutschland. Verfaßte u. a. „Jean Pauls Kritik des philosoph. Egoismus" (1968), „Zur Kritik der revolutionären Ungeduld" (1969), „Kommunismus ohne Wachstum?" (1975).

Harig, Ludwig, * Sulzbach/Saar 18. Juli 1927, dt. Schriftsteller. – Stellt vorgefundene Sprache, Muster und Klischees mit experimentellen Techniken in Frage, demonstriert, zumeist witzig, „das Absurde der Logik", geht neue Wege in Kurzprosa („Zustand und

Harfe. Chromatische Harfe mit einander kreuzenden diatonischen und chromatischen Saiten von Gustav Lyon; 1894 (Brüssel, Musée Intrumental du Conservatoire de Musique)

Veränderung", 1963), Hörspiel, Reisebericht, Familienroman („Sprechstunden für die dt.-frz. Verständigung und die Mgl. des Gemeinsamen Marktes", 1971) und Traktat. H. schrieb außerdem „Heilige Kühe der Deutschen. Eine feuilletonistische Anatomie" (1981), „Trierer Spaziergänge" (1983), „Zum Schauen bestellt. Deidesheimer Tagebuch" (1984), „Das Rauschen des sechsten Sinnes" (Reden, 1985), „Ordnung ist das ganze Leben" (R., 1986) sowie „Weh dem, der aus der Reihe tanzt" (R., 1990).

Haring, Keith [engl. 'hærɪŋ], * Kutztown (Pa.) 4. Mai 1958, † 16. Febr. 1990, amerikan. Maler. – H. war ein Hauptvertreter der Graffiti-art (↑ Graffiti) in den USA.

Häring, Bernhard, * Böttingen (Landkr. Tuttlingen) 10. Nov. 1912, dt. kath. Theologe, Redemptorist (seit 1932). – Seit 1951 an der Lateranuniv. in Rom; theolog. Berater auf dem 2. Vatikan. Konzil und Konsultor des Sekretariats für die Nichtglaubenden. Verfaßte zahlr. Werke zur Moraltheologie und zu Zeitfragen.

H., Hugo, * Biberach an der Riß 22. Mai 1882, † Göppingen 17. Mai 1958, dt. Architekt. – Einer der führenden dt. Architekturtheoretiker („Wege zur Form", 1925). Seine Vorstellungen vom „organ. Bauen" suchte H. u. a. im Gut Garkau (1925) und in den Siedlungsbauten in Berlin-Zehlendorf (1926) und in Berlin-Siemensstadt (1929/30) zu realisieren.

H., Wilhelm, dt. Schriftsteller, ↑ Alexis, Willibald.

Haringer, Johann (Jan) Jakob, eigtl. Johann Franz H., * Dresden 16. März 1898, † Zürich 3. April 1948, dt. Schriftsteller. – Führte ein unstetes Leben, 1938 Flucht aus Österreich, schließlich in der Schweiz. Oft bittere expressionist. Lyrik, auch Prosa sowie Übers. – *Werke:* Hain des Vergessens (Ged., 1919), Abendbergwerk (Prosa, 1920), Weihnacht im Armenhaus (E., 1925), Abschied (Ged., 1930), Vermischte Schriften (1935), Lieder eines Lumpen (Ged., hg. 1962).

Haringvliet, Meeresarm im Rhein-Maas-Delta, Niederlande, durch einen Damm mit über 1 km breitem Schleusenkomplex (im Rahmen des Deltaplans) vom Meer abgeschlossen.

Hariri, Al, Abu Muhammad Al Kasim Ibn Ali, * Basra 1054, † ebd. 1122, arab. Dichter und Gelehrter. – Schrieb 50 virtuose Makamen, dt. von Rückert (1826 und 1837).

Hari Rud, asiat. Fluß, entspringt im Koh-i-Baba (Afghanistan), versiegt in der Karakum (Turkmenistan), etwa 1 100 km lang. Bildet z. T. die Grenze Afghanistan/Iran und Afghanistan/Turkmenistan.

Härjedalen, Landschaft im südlichen N-Schweden, überwiegend waldbestandenes, bis 950 m hohes Plateau im O, der W ist stärker reliefiert. Einzige Stadt ist Sveg. – H. gehörte im MA zu Norwegen; kam 1645 an Schweden.

Harke [niederdt.], svw. ↑ Rechen.

Harkort, Friedrich [Wilhelm], * Gut Harkorten bei Hagen 25. Febr. 1793, † Hombruch (= Dortmund) 6. März 1880, dt. Industrieller und Politiker. – Unternehmer der Frühindustrialisierung (Kupfer-, Walz- und Eisenwerke), der den engl. Maschinenbau in Deutschland einführte; als Liberaler 1848 Mgl. der bürgerl. Rechten in der preuß. Nationalversammlung, später Abg. verschiedener dt. Parlamente und MdR; gründete das Linke Zentrum des preuß. Abg.hauses, später Mgl. der Dt. Fortschrittspartei. Trat publizistisch und praktisch für die soziale Integration der Arbeiter in die bürgerl.-industrielle Gesellschaft ein.

Harlan, Veit, * Berlin 22. Sept. 1899, † Capri 13. April 1964, dt. Schauspieler und Regisseur. – Drehte nat.-soz. Tendenzfilme wie „Jud Süß" (1940), „Der große König" (1942), „Kolberg" (1944/45).

Harlekin, von Moscherosch 1642 eingeführte Bez. für frz. Harlequin, die lustige Per-

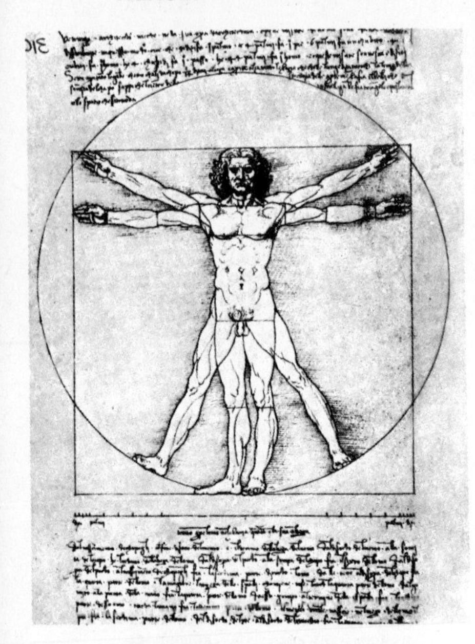

Harmonie. Aus der Proportionslehre des menschlichen Körpers von Leonardo da Vinci (um 1479)

son der italien. Commedia dell'arte, den ↑Arlecchino; prägte die Gestalt des ↑Hanswursts mit.

Harlem [engl. 'ha:ləm], v. a. von Farbigen bewohnter Stadtteil in New York, USA.

Harlem Brundtland, Gro [norweg. ˌha:ləm 'brʉntlan], * Oslo 20. April 1939, norweg. Politikerin. - Ärztin; 1974-79 Min. für Umweltschutz; seit 1981 Vors. der Arbeiterpartei; 1981, 1986-89 und seit Nov. 1990 Min.präsidentin; wurde 1983 Vors. der UN-Umweltkommission. 1994 erhielt sie den Internat. Karlspreis der Stadt Aachen.

Harlem-Jump [engl. 'ha:ləm 'dʒʌmp], in den 30er Jahren in Harlem entstandener Tanz, dessen charakterist. Bewegung der Sprung ist. Musikalisch ist der H.-J. als Vorläufer des ↑Rhythm and Blues anzusehen.

Harlingen, niederl. Hafenstadt an der Waddenzee, 16200 E. Versorgungshafen für Friesland, Fährverkehr nach Vlieland und Terschelling; Werften. - Im 16. Jh. zweitgrößte Stadt in Friesland (nach Leeuwarden). - Giebelhäuser des 16.-18. Jh.

Harlinger Land, Marschenlandschaft mit über 10 Deichlinien im nö. Ostfriesland, Nds., zentrale Orte Esens und Wittmund.

Harlow [engl. ha:loʊ], engl. Stadt 40 km nö. von London, Gft. Essex, 79300 E. Elektro-, Möbel-, Papier- und Druckereiind. - 1947 gegründet.

Harmattan [afrikan.], trocken-heißer, staubreicher Passatwind aus NO im Hinterland der Guineaküstenländer Afrikas.

Harmin [griech.] (Banisterin, Yagein), Alkaloid aus der in S-Europa und Asien beheimateten Steppenraute Peganum harmala und südamerikan. Banisteriaarten (Malpighiengewächse). Von den Indianern Südamerikas wird H. als halluzinogenes Rauschmittel gebraucht (Ayahuasca, Yagétee).

Harmodios, athen. Tyrannenmörder, ↑Aristogeiton.

Harmonie [zu griech. harmonía „Fügung, Ordnung"], allg.: Übereinstimmung, Einklang, Eintracht, Ebenmaß.

◆ der Begriff der H. wird bei den Griechen sowohl auf die richtige Tonhöhe in der festgelegten Folge der Töne als auch auf jede zusammenstimmende Einheit bezogen; H. gilt deshalb in der pythagoreischen Kosmologie (z. B. bei Philolaos von Kroton) mit ihrer Lehre von der ↑Sphärenharmonie als universale mathematisch-musikal. Struktur. Die ma. *Musikanschauung* übernahm die Idee der Sphärenharmonie als *„musica mundana"*, davon unterschied sie die *„musica humana"*, die menschl. Harmonie zw. Leib und Seele, und die *„musica instrumentalis"*, die erklingende Musik. In der Neuzeit verlor der kosmolog. Aspekt des H.begriffs an Bedeutung, und schließlich wurde H. nur noch gleichbedeutend mit ↑Akkord bzw. ↑Harmonik verwendet.

◆ in der *Ästhetik* der Renaissance wird nach dem Vorbild der Antike versucht, die Lehre von der H. als Gesetzmäßigkeit fester Verhältnisse auszuarbeiten, in denen Teile eines Kunstwerks zueinander stehen müssen, um als schön zu gelten. In der Architektur wird der Zentralbau, für den menschl. Körper ein [Proportions]kanon entworfen (Leonardo, Dürer). In der klass. Ästhetik entspricht H. dem Begriff des Schönen.

Harmonielehre, die aus der Generalbaßlehre entwickelte Lehre von den Akkorden und Akkordfolgen in der Dur-Moll-tonalen Musik des 18./19. Jh. (↑Dur, ↑Moll). Der aus Terzen geschichtete Grundakkord (z. B. c-e-g) mit dem Grundton als tiefstem Ton kann durch Oktavversetzung einzelner Töne in seine Umkehrungen überführt werden (e-g-c^1, g-c^1-e^1), die als Varianten des Grundakkords gelten. Die häufigsten Akkordfolgen (Tonika-Subdominante-Dominante-Tonika) stellt die H. in ↑Kadenzen dar, in der Modulationslehre (↑Modulation) gibt sie Regeln für den Übergang von einer Tonart in die andere an. Die harmon. Analyse abstrahiert aus dem Musikwerk ein Gerüst von Akkorden. – Heute ist die H. als System der ↑Stufenbezeichnungen und als Funktionstheorie in Gebrauch.

Harmonik [griech.], in der Musik Bez. für Zusammenklänge und ihre Beziehungen. Die H. bildet eines der musikal. Hauptelemente neben Melodik und Rhythmik. – In der frühen Mehrstimmigkeit des MA verwendete man zunächst nur Zweiklänge (Quinten und Quarten). Später wurde der aus zwei Terzen aufgebaute Dreiklang zur Regel. In der Generalbaßzeit (ab 1600) gewann der Akkordgrundton für die H. überragende Bedeutung; in der Klassik wurden Akkordfolgen überwiegend nach bestimmten bevorzugten Grundtonschritten gebildet. Mit stärkeren Dissonanzwirkungen durch die Zunahme der Tonzahl im Klang und der häufigeren Verwendung von chromat. Nebennoten trat in der Romantik das Leittonprinzip bei der Akkordverbindung schließlich in den Vordergrund und verdrängte das Grundtonprinzip; bei Schlüssen jedoch blieb der Dreiklang bis zum Ende des 19. Jh. verbindlich. A. Schönberg benutzte als erster (Kammersymphonie op. 9, 1906) systematisch den in der Folgezeit von vielen Komponisten (Strawinski, Bartók, Hindemith u. a.) übernommenen Quartaufbau statt des Terzaufbaus als Prinzip der Akkordbildung.

Harmonika [griech.], im 18. und 19. Jh. Bez. für Musikinstrumente mit aufeinander abgestimmten Röhren, Platten oder Stäben, Zungen oder Gefäßen, auf denen mehrstimmiges Spiel möglich war (z. B. die ↑Glasharmonika). Heute versteht man unter **Harmonikainstrumenten** kleine Aerophone mit durchschlagenden Zungen, wie Mundharmonika und Akkordeon.

harmonisch, in Übereinstimmung, in Einklang miteinander.

harmonische Analyse (Fourier-Analyse), allg. die Darstellung einer period. Funktion als ↑Fourier-Reihe, d. h. durch Summen sinus- bzw. kosinusförmiger Glieder. Speziell in der Schwingungslehre versteht man unter h. A. die Zerlegung einer ↑Schwingung in ihre harmon. = sinusförmigen Teilschwingungen (Partialschwingungen).

harmonische Reihe, Bez. für die keinem Grenzwert zustrebende unendl. Reihe

$$1 + \frac{1}{2} + \frac{1}{3} + \ldots + \frac{1}{n} + \ldots = \sum_{n=1}^{\infty} \frac{1}{n},$$

in der jedes Glied das harmon. Mittel seiner beiden Nachbarglieder ist.

harmonische Schwingung ↑Schwingung.

harmonisches Mittel ↑Mittelwert.

harmonische Teilung, in der Musiktheorie die Teilung der Länge einer schwingenden Saite nach der Formel:

$$\mathrm{b} = \frac{\mathrm{a}+\mathrm{c}}{2}.$$

Die h. T. einer Oktave (Verhältnis der Saitenlängen c : a = 1 : 2 bzw. 2 : 4) ergibt das Verhältnis 2 : 3 : 4 der Frequenzen und damit die Quinte (2 : 3) und die Quarte (3 : 4), die h. T. der Quinte ergibt das Verhältnis 4 : 5 : 6 eines Durdreiklangs mit großer Terz (4 : 5) und kleiner Terz (5 : 6). Der Molldreiklang ergibt sich durch Bildung des harmon. Mittels $1/b = 1/2\,(1/a + 1/c)$ wobei sich a : c wie 2 : 3 verhält und also einer Quinte entspricht.

◆ aus der Musiklehre übernommene Bez. für die Teilung einer Strecke $\overline{AB}$ durch einen inneren Punkt C und einen äußeren Punkt D in der Art, daß für die einzelnen Streckenabschnitte gilt:

$$\overline{AC} : \overline{BC} = \overline{AD} : \overline{BD}$$

A, B, C, D heißen **harmon. Punkte.**

Harmonische Analyse einer periodischen Rechteckkurve

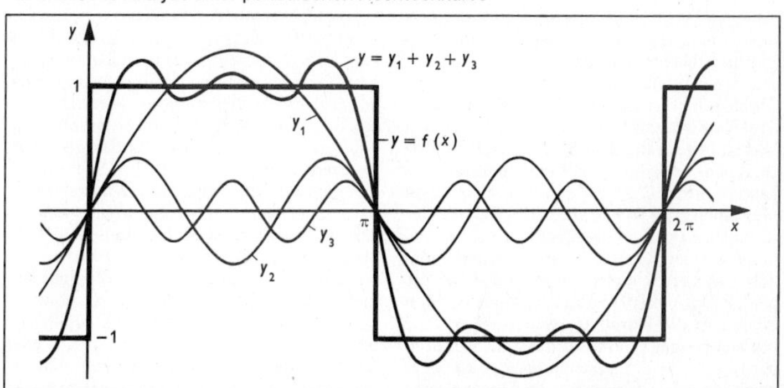

Harmonisierung [griech.], Teile eines übergeordneten Ganzen in Übereinstimmung bringen.

◆ im Rahmen der EWG die Abstimmung konjunktur-, finanz-, sozial- und außenhandelspolit. Maßnahmen und gesetzl. Regelungen der einzelnen Mgl. untereinander. Ziel der H. ist das Erreichen einer gemeinsamen Konzeption der Wirtschaftspolitik.

Harmonium [griech.], im 19. Jh. entwickeltes Tasteninstrument, das zu den Aerophonen gehört. Es hat eine Klaviatur von meist 4½ Oktaven (52 Tasten). Mit zwei Pedalen werden Blasebälge betätigt, die Druck- und Saugwind erzeugen; zur Stabilisierung des Winddruckes dient ein Magazinbalg. Unter jeder Taste befindet sich ein Ventil, das beim Niederdrücken der Taste den Wind zu den eigtl. Tonerzeugern, den Zungenstimmen, freigibt. Durch den Luftstrom werden die Zungen in Schwingungen versetzt, die den Luftstrom mit der Frequenz ihrer Eigenschwingung unterbrechen; die dadurch entstehenden period. Druckschwankungen breiten sich als Schall aus. Größere Instrumente besitzen mehrere Register, die sich in der Tonlage um jeweils eine Oktave unterscheiden. Bes. Vorrichtungen sind Perkussion, Expression und Prolongement.

Harms, [Christoph] Bernhard (Cornelius), * Detern bei Aurich (Ostfriesland) 30. März 1876, † Berlin 21. Sept. 1939, dt. Nationalökonom. – Prof. in Jena (1906), Hohenheim (1907) und Kiel (1908–39); gründete 1911 in Kiel das Inst. für Seeverkehr und Weltwirtschaft (heute Inst. für Weltwirtschaft), das er bis 1933 leitete. 1912 begründete er die Zeitschrift „Weltwirtsch. Archiv".

Harn [zu althochdt. har(a)n, eigtl. „das Ausgeschiedene"] (Urin), flüssiges, v. a. ↑Harnstoff enthaltendes Exkretionsprodukt der Nieren der Säugetiere und des Menschen. Durch den H. werden v. a. die stickstoffhaltigen Endprodukte aus dem Eiweiß- und Nukleinsäurestoffwechsel, aber auch nicht verwertbare, u. a. giftige oder im Überschuß zugeführte Nahrungsbestandteile sowie Blut- und Gewebesubstanzen als Schlacken- und Schadstoffe aus dem Körper ausgeschieden. Die **Harnbildung** (Uropoese) erfolgt in den Nieren, wobei aus dem Blut der stark wäßrige, ionen- und glucosehaltige *Primärharn* abgepreßt wird. Der größte Teil davon (beim Menschen etwa 99 %) wird in das Blut rückresorbiert, so daß die Schlackenstoffe im *Sekundär-* oder *Endharn* (beim Menschen täglich 1–2 l) stark angereichert sind. Über die beiden Harnleiter wird der H. dann von den Nieren in die Harnblase weitergeleitet. Die **Harnentleerung** (Harnlassen, Urese, Miktion) wird von einem Rückenmarkszentrum über parasympath. Fasern geregelt. Die Meldung an das Zentrum über den Füllungszustand der H.blase geht von Dehnungsrezeptoren in der Blasenwand aus. Ein Teil dieser Impulse wird aber auch an übergeordnete Hirnstrukturen weitergeleitet, die die Empfindung des „Harndrangs" vermitteln und das Rückenmarkszentrum im Sinne einer willkürlich gesteuerten Bahnung bzw. Hemmung des urspr. Entleerungsreflexes beeinflussen (wird im Kleinkindalter erlernt).

Harnack, Adolf von (seit 1914), * Dorpat 7. Mai 1851, † Heidelberg 10. Juni 1930, dt. ev. Theologe. – 1876 Prof. in Leipzig, 1879 in Gießen, 1886 in Marburg, 1888 in Berlin. 1890 Mgl. der Preuß. Akademie der Wissenschaften; von 1911 bis zu seinem Tod Präsident der „Kaiser-Wilhelm-Gesellschaft zur Förderung der Wissenschaften", die mit auf seine Initiative gegründet wurde. – H. war bemüht, die Einheit von Christentum und Bildung und das „Evangelium als die alleinige Grundlage aller sittl. Kultur" zu erweisen. Als Kirchenhistoriker hat er in zahlr. Schriften v. a. der Patristik entscheidende Impulse gegeben, u. a. durch seine „Geschichte der altchristl. Literatur" (3 Bde., 1893–1904) und durch seine Quelleneditionen. Zusammen mit E. Schürer begründete er die „Theologische Literaturzeitung". Sein wichtigstes Werk, das „Lehrbuch der Dogmengeschichte" (3 Bde., 1886–90), beschreibt Entstehung und Entwicklung der christl. Lehre.

🕮 *Döbertin, W.: A. v. H. Ffm. 1985.*

Harnblase (Vesica urinaria), stark dehnbares Hohlorgan als Sammelbehälter für den von den Nieren ausgeschiedenen und durch die Harnleiter zugeleiteten Harn bei vielen Wirbeltieren und beim Menschen. Bei der H. des Menschen werden H.scheitel, H.körper und H.grund unterschieden. Das Fassungsvermögen beträgt 300 bis 500 ml Harn. Nach Erschlaffung des willkürl. und des unwillkürl. Schließmuskels erfolgt die Entleerung (Miktion) durch die Harnröhre.

Harnblasenkrankheiten (Blasenkrankheiten), Erkrankungen der Harnblase. Die **Harnblasenentzündung** *(Blasenentzündung, Blasenkatarrh, Zystitis)* wird meist durch Kolibakterien, Strepto- oder Staphylokokken verursacht. Charakteristisch sind häufiger, starker Harndrang und schmerzhaftes Brennen beim Wasserlassen. Sehr oft treten auch durch schmerzhafte Kontraktionen der Blasenwand hervorgerufene **Blasenkrämpfe** auf. Die **Blasentuberkulose** entsteht meist absteigend von der zuerst erkrankten Niere aus; erste Anzeichen sind Blut im Harn und die Symptome einer chron. Harnblasenentzündung. – Die überwiegend aus Salzen bestehenden **Blasensteine** gelangen entweder aus dem Nierenbecken über die Harnleiter in die Harnblase oder sie wachsen, v. a. bei chronisch unvollständiger Blasenentleerung, in der Harnblase. Der **Blasenkrebs** ist eine bösartige Geschwulst der Harnblase; im allgemeinen handelt es sich um eine maligne Entartung der Blasenschleimhaut *(Blasenkarzinom)*, während die von Muskel- oder Bindegewebe der Harnblase ausgehenden *Blasensarkome* sehr selten sind. Ein frühes Anzeichen für Blasenkrebs ist oft ein schmerzloses Blutharnen. Später treten dann häufiger Harndrang, Schmerzen beim Wasserlassen, die auch auf den gesamten Unterleib ausstrahlen können, und schließlich Harnverhaltung auf. Zur Erkennung werden Harnuntersuchungen (Nachweis von Blut und Geschwulstzellen), rektale Abtastung des Blasenbodens, Blasenspiegelung (Zystoskopie) und Röntgenkontrastdarstellung der Harnblase (Zystographie) durchgeführt.

Harnentleerung ↑Harn.

Harnflut, svw. ↑Polyurie.

Harninkontinenz, unwillkürl. Harnabgang; leichte Formen **(Streßinkontinenz)** bei plötzl. Anspannung, schwere Formen z. B. bei Beschädigung des Blasenschließmuskels u. a.

Harnisch [zu altfrz. harnais „krieger. Ausrüstung"] ↑Rüstung.

◆ Spur von tekton. Bewegungen auf Gesteinsbruchflächen; **Harnischstriemung** in Form feiner, paralleler Rillen, **Spiegelharnisch** als glänzende Politur.

Harnleiter (Ureter), bei Wirbeltieren (einschl. Mensch) paarig ausgebildeter, häutig-muskulöser, harnableitender Verbindungsgang zw. Niere und Harnblase. Die beim Menschen fast 30 cm langen H. ziehen aus dem Nierenbecken abwärts in das kleine Becken und münden von hinten (dorsal) in die Harnblase ein.

Harnoncourt, Nikolaus [frz. arnõ'ku:r], * Berlin 6. Dez. 1929, östr. Dirigent, Violoncellist und Musikforscher. – Beschäftigt sich mit der Aufführungspraxis von Renaissance- und Barockmusik und den spieltechn. und klangl. Möglichkeiten alter Instrumente. Mit seinem 1952 gegr. Concentus musicus unternimmt er weltweite Tourneen. – Setzte sich seit 1981 in Zürich und Wien für eine historisch fundierte Wiedergabe der Opern W. A. Mozarts ein.

Härnösand [schwed. hærnø:'sand], schwed. Hafenstadt an der Mündung des Angermanälv in die Bottensee. 27 300 E. Hauptstadt des Verw.-Geb. Västernorrland, luth. Bischofssitz; Holzverarbeitung, elektrotechn., Tabak- und Textilind. – Der alte Teil der 1586 gegr. Stadt liegt auf der Insel **Härnö.**

harnpflichtige Substanzen, stickstoffhaltige Endprodukte des Eiweißstoffwechsels (z. B. Harnstoff, Harnsäure, Kreatinin) und andere Substanzen (z. B. Elektrolyte, Enzyme); im Harn ausgeschieden.

Harnröhre (Urethra), Ausführungsgang der Harnblase bei vielen Wirbeltieren (einschl. Mensch). Die H. der Frau ist 3–4 cm lang und mündet im oberen Teil des Scheidenvorhofs. Beim Mann beträgt die Länge der H. 18–20 cm; sie endet am vorderen Ende des männl. Gliedes und dient (wie bei fast allen Säugetieren) von der Einmündung der Samenbläschen an auch zur Ableitung des Samens **(Harnsamenleiter).** Sie wird von einem Schwellkörper umgeben.

Harnröhrenentzündung (Harnröhrenkatarrh, Urethritis), Entzündung der Harnröhrenschleimhaut (vorwiegend beim Mann); verursacht durch verschiedene Bakterien, Trichomonaden (Geißeltierchen) und Pilze.

Harnruhr, svw. ↑Diabetes.

Harnsamenleiter ↑Harnröhre.

Harnsäure (2,6,8-Trihydroxypurin), weiße, geruchlose Kristalle bildende chem. Verbindung von geringer Wasserlöslichkeit, die in zwei tautomeren Formen auftritt. Ihre Salze heißen *Urate.* H. ist das Endprodukt des Eiweißstoffwechsels von Reptilien und Vögeln; Ammoniumurat ist deshalb bis zu 90% in Schlangen- und Vogelexkrementen enthalten. Beim Menschen ist H. das Endprodukt des Purinstoffwechsels. Der Mensch scheidet pro Tag durchschnittlich 1 g H. aus, bei Ausscheidungsstörungen kann die Substanz in den Gelenken abgelagert werden (↑Gicht).

Harnsediment, Bodensatz des frisch gelassenen und 5 min zentrifugierten Harns; gibt, im Mikroskop betrachtet, wichtige Hinweise zum Erkennen von Nieren- und Blasenkrankheiten. Nichtorgan. Bestandteile sind Salze, die kristallin im Harn ausfallen. Organ., aber im Harn des Gesunden nicht oder kaum enthaltene Bestandteile sind Epithelien, weiße und rote Blutkörperchen und Harnzylinder.

Harnstauungsniere, svw. ↑Hydronephrose.

Harnsteine (Harnkonkremente, Nierensteine), vorwiegend in den Nieren entstehende steinartige Gebilde, die bei chron. Entzündungen oder bei Stoffwechselstörungen auftreten und aus unlösl. Harnsalzen, wie Uraten, Oxalaten, Phosphaten, Zystin, Xanthin oder Carbonaten, bestehen. Diese Konkremente können sandkorn- bis apfelgroß sein. Je nach Sitz unterscheidet man Nierenkelch-, Nierenbecken-, Harnleiter-, Blasen- und Harnröhrensteine.

Harnstoff (Carbamid, Kohlensäurediamid), $CO(NH_2)_2$, farb- und geruchlose chem. Verbindung mit schwach bas. Eigenschaften; wichtigstes Endprodukt des Eiweißstoffwechsels bei Säugetieren, das im ↑Harnstoffzyklus gebildet und dann im Harn ausgeschieden wird. Der Mensch scheidet bei normaler Ernährung etwa 30 g H. pro Tag aus. Technisch hergestellter H. wird als Kunstdünger und als Grundstoff bei der Kunstharzherstellung verwendet.

Harnstoffharze (Carbamidharze), zu den Aminoplasten zählende ↑Kunststoffe; Polykondensationsprodukte aus Harnstoff oder Thioharnstoff mit Formaldehyd. H. werden als Preßmassen und Lackharze verwendet.

Harnstoffzyklus (Ornithinzyklus), ein in den Mitochondrien der Leber von Säugetieren ablaufender, an den Eiweißstoffwechsel anschließender biochem. Reaktionszyklus, bei dem in mehreren Schritten unter erhebl. Energieaufwand das im Zellstoffwechsel anfallende, schädl. Ammoniak in die ungiftige Form des Harnstoffs übergeführt wird.

harntreibende Mittel, svw. ↑Diuretika.

Harnvergiftung, svw. ↑Urämie.

Harnverhaltung (Ischurie), akutes Unvermögen, die gefüllte Harnblase spontan zu entleeren; verursacht u. a. durch Harnsteine, Tumor, Operation, Harnröhrenverschluß.

Harnzwang (Strangurie), schmerzhafter Harndrang, v. a. bei Blasen- und Harnröhrenentzündungen.

Harold [engl. 'hærəld], Name von engl. Herrschern:

H. I. Harefoot [engl. 'hɛəfʊt; „Hasenfuß"], †Oxford 17. März 1040, angelsächs. König (seit 1037). – Illegitimer Sohn Knuts I., d. Gr., 1035 zum Regenten für Hardknut ernannt; verteidigte als König England gegen Angriffe der Waliser und Schotten.

H. II. Godwinson, * um 1020, ⚔ bei Hastings 14. Okt. 1066, letzter angelsächs. König (seit 1066). – Graf von East Anglia, Wessex und Kent, trat 1066 die Nachfolge Eduards des Bekenners an; schlug die Norweger unter Harald III. zurück, unterlag jedoch dem Angriff Hzg. Wilhelms von der Normandie bei Hastings.

Harpalos, Freund und Leiter der Finanzverwaltung Alexanders des Großen. – Nach erster Flucht 333 wegen Veruntreuung von Geldern floh er 324 bei der Rückkehr Alexanders aus Indien von Babylon erneut mit 5 000 Talenten und mit einem Söldnerheer nach Athen; dort inhaftiert, entkam aber und wurde Ende 324 in Kreta ermordet.

Harper & Row, Publishers, Inc. [engl. 'hɑːpə ənd 'roʊ 'pʌblɪʃəz ɪn'kɔːpəreɪtɪd] ↑Verlage (Übersicht).

Harpune [niederl., eigtl. = „Eisenklammer" (zu frz. harpe „Kralle, Klaue")], Wurfspieß mit Widerhaken, meist an einem Schaft befestigt und mit langer Leine. Verwendung beim Walfang (Abschuß der H. aus einer Kanone) und bei der Unterwasserjagd auf Fische (H. mit gewehrähnl. Abschußvorrichtung).

Harpyie [har'py:jə; griech., nach den Harpyien] (Harpia harpyia), bis 1 m langer,

Harnstoffzyklus

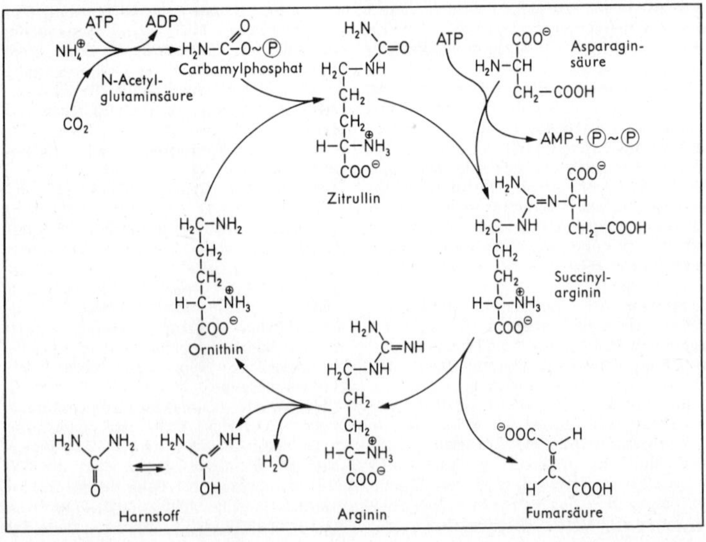

adlerartiger Greifvogel, v.a. in M- und S-Amerika; Gefieder oberseits schieferschwarz, unterseits weiß, Kopf (mit aufrichtbarer, dunkler Haube) und Hals grau.

Harpyien [har'py:jən], Fabelwesen der griech. Mythologie; urspr. Sturmdämonen; später als häßl. Riesenvögel mit Frauenköpfen gedacht. Motiv der bildenden Kunst in Antike, MA und der Renaissance, im MA v.a. als ein Symbol der Habsucht; bei Goya ein Symbol des Bösen.

Harrach, oberöstr. Uradelsgeschlecht, 1195 erstmals urkundlich erwähnt, erwarb 1524 die Herrschaft Rohrau in Niederösterreich; 1552 Reichsfreiherrn, 1627 Reichsgrafen.

Harrassowitz Verlag, Otto †Verlage (Übersicht).

Harrer, Heinrich,* Hüttenberg (Kärnten) 6. Juli 1912, östr. Naturforscher. - 1939 Mgl. der dt. Himalajaexpedition, in Indien interniert, 1944-51 in Lhasa, danach Expeditionen weltweit. Schrieb u.a. „Sieben Jahre in Tibet" (1952), „Ladakh, Götter und Menschen hinter dem Himalaya" (1978).

Harriman, William Averell [engl. 'hærımən], * New York 15. Nov. 1891, † Yorktown Heights (N.Y.) 26. Juli 1986, amerikan. Industrieller und Politiker. - Botschafter in Moskau 1943-46; leitete 1946-48 das Handelsministerium; Sonderbeauftragter für die Marshallplanhilfe 1948-50, Gouverneur des Staates New York 1955-59 und Unterstaatssekretär für Fernostfragen 1961-63; außenpolit. Berater der Präs. Roosevelt, Truman, Kennedy und Johnson.

Harriot, Thomas [engl. 'hærıət], * Oxford 1560, † Gut Sion bei London 2. Juli 1621, engl. Mathematiker und Naturforscher. - Er bewies die Winkeltreue der stereograph. Projektion und berechnete die ballist. Kurve (noch vor G. Galilei) als schiefe Parabel; entdeckte 1601 das Brechungsgesetz (das von W. Snellius neu entdeckt wurde), fand 1603 die Inhaltsformel für das sphär. Dreieck und verbesserte die Gleichungslehre F. Viètes. H. zeichnete nach Fernrohrbeobachtungen eine erste Mondkarte, zählte die Sonnenflecken und berechnete danach die Rotationsdauer der Sonne.

Harris [engl. hærıs], Bill, eigtl. Willard Palmer H., * Philadelphia 28. Okt. 1916, † Holindale (Fla.) 6. Aug. 1973, amerikan. Jazzmusiker (Posaunist). - Wurde v.a. durch seine Mitwirkung im Orchester von W. Herman bekannt. Seine techn. Perfektion wirkte schulbildend.

H., Don „Sugar Cane", * Pasadena (Calif.) 18. Juni 1938, amerikan. Jazzmusiker. - Spielte zuerst in Blues- und Rockgruppen elektrisch verstärkte Violine und Baß; gehört zu den führenden Jazzrockgeigern.

H., Joel Chandler, * bei Eatonton (Ga.) 9. Dez. 1848, † Atlanta 3. Juli 1908, amerikan. Schriftsteller. - Berühmt durch die Sammlungen der Sagen, Lieder und Märchen der Schwarzen von den Plantagen in den Südstaaten, die er „Uncle Remus" humorvoll erzählen läßt.

H., Roy, eigtl. Leroy H., * Chandler (Okla.) 12. Febr. 1898, † Santa Monica (Calif.) 1. Okt. 1979, amerikan. Komponist. - Schüler von N. Boulanger; gilt als Klassiker der amerikan. Musik. Schrieb u.a. 13 Sinfonien, Konzerte, Kammermusik, Ballette, Chorwerke und Filmmusiken.

Harris [engl. 'hærıs], Südteil der Hebrideninsel † Lewis with Harris.

Harrisburg [engl. 'hærısbə:g], Hauptstadt des B.-Staates Pennsylvania, USA, am unteren Susquehanna River, 53000 E. Sitz eines kath., eines anglikan. und eines methodist. Bischofs. Bed. Ind.zentrum; im März 1979 ereignete sich bei H. ein schwerer Unfall in dem Kernkraftwerk Three Mile Island. - Siedlungsbeginn 1727; Hauptstadt seit 1812.

Harrison [engl. 'hærısən], Benjamin, * North Bend (Ohio) 20. Aug. 1833, † Indianapolis 13. März 1901, 23. Präs. der USA (1889-93). - Enkel von William Henry H.; im Sezessionskrieg Brigadegeneral der Union; 1881-87 republikan. Senator für Indiana; förderte den Flottenausbau und leitete den Wirtschaftsimperialismus der USA sowohl im Pazifik als auch in Lateinamerika ein; innenpolitisch für die Schutzzollpolitik verantwortlich.

H., George, Mitglied der † Beatles.

H., Sir (seit 1989) Rex, eigtl. Reginald Carey H., * Huyton (Lancashire) 5. März 1908, † New York 3. Juni 1990, engl. Schauspieler. - H. verkörperte meist den Typ des eleganten, leicht iron. Gentlemans, u.a. als Professor Higgins in dem Musical „My fair Lady" (seit 1956 am Broadway und in London, 1963 im Film).

H., Wallace, * Worcester (Mass.) 28. Sept. 1895, † New York 2. Dez. 1981, amerikan. Architekt. - Zus. mit M. Abramowitz maßgeblich an Planung und Bau des Hauptquartiers der UN (1947-52) in New York beteiligt; sein Hauptwerk ist das Metropolitan Opera House in New York (1962-66).

H., William Henry, * Berkeley (County Charles City, Va.) 9. Febr. 1773, † Washington 4. April 1841, 9. Präs. der USA (1841). - Kämpfte als Gouverneur von Indiana (ab 1801) gegen die Indianerkonföderation unter Führung des Shawneehäuptlings Tecumseh und sicherte die amerikan. Herrschaft im NW während des Krieges mit Großbritannien (1812-15); 1825-28 Senator von Ohio; starb einen Monat nach seinem Amtsantritt als Präsident.

Harrogate [engl. 'hærəgɪt], engl. Stadt 30 km nördl. von Leeds, Gft. North Yorkshire, 66 500 E. Spielwarenmesse; Kurbad (88 Quellen). – Kurort schon im 17. Jh.; 1884 Stadtrecht.

Harrow [engl. 'hæroʊ], Stadtbez. in NW-London, England, 202 000 E. – 767 erstmals erwähnt; die berühmte Public School in H. wurde 1571 gegr. und 1611 eröffnet.

Harsanyi, John Charles [engl. 'hɑːsənɪ], * Budapest 29. Mai 1920, amerikan. Wirtschaftswissenschaftler ungar. Herkunft. – Ging 1948 nach Australien, lehrte 1954–56 in Brisbane. Anschließend Tätigkeiten in Stanford (Calif.) und Canberra, 1961–63 Prof. an der Wayne State University in Detroit (Mich.), 1964 bis zu seiner Emiritierung 1990 an der University of California in Berkeley. Für seine Beiträge zu Gleichgewichtsanalysen in der nichtkooperativen Spieltheorie wurde H. zus. mit R. Seiten und J. Nash der Nobelpreis für Wirtschaftswiss. 1994 zuerkannt.

Harsányi, Zsolt [ungar. 'hɔrʃaːnji], * Krompach (Krompachy, Ostslowak. Bez.) 27. Jan. 1887, † Budapest 29. Nov. 1943, ungar. Schriftsteller. – Erfolgreich v. a. seine biograph. Romane, u. a. „Ungar. Rhapsodie" (1936), „Und sie bewegt sich doch" (1937).

Harsch (Harst) [niederdt.], verfestigter Schnee; **Windharsch** entsteht durch Oberflächenverdichtung infolge von Winddruck, **Sonnenharsch** durch Schmelzen der Schneeoberfläche und erneutes Gefrieren.

Harsdörffer (Harsdörfer), Georg Philipp, * Fischbach bei Nürnberg 1. Nov. 1607, † Nürnberg 17. Sept. 1658, dt. Dichter. – Gründete mit J. Klaj 1644 den ↑ Nürnberger Dichterkreis. H. schrieb Lieder sowie kleine anekdot. Erzählungen, außerdem eine Poetik („Poet. Trichter...", 3 Bde., 1647–53); gesellschaftl. Lebensformen suchte er durch „Gesprächsspiele" zu fördern.

Harsprång [schwed. ˌhɑːrsprɔŋ], schwed. Großkraftwerk 100 km südl. von Kiruna. Bis 1946 bildete der Stora Luleälv hier die H.wasserfälle mit 75 m Fallhöhe, wurde 1945–52 zu einem Wasserkraftwerk mit 350 MW Leistung ausgebaut.

Hart, Heinrich, * Wesel 30. Dez. 1855, † Tecklenburg 11. Juni 1906, dt. Schriftsteller. – Durch das mit seinem Bruder Julius H. veröffentlichte Literaturorgan „Krit. Waffengänge" (1882–84) wurde er einer der Vorkämpfer des Naturalismus. Mgl. des Friedrichshagener Kreises. Das auf 24 Bände berechnete Epos „Das Lied der Menschheit" blieb Fragment (3 Tle., 1888–96).

Hartberg, östr. Bez.hauptstadt 50 km nö. von Graz, Steiermark, 360 m ü. d. M., 6 200 E. – 1147 erstmals erwähnt. – Stadtpfarrkirche (12.–16. und 18. Jh.) mit roman. Karner (12. Jh.), Wallfahrtskirche Maria-Lebing (1472) mit Barockausstattung; Burg Neuberg (12., 16./17. Jh.).

Hartbetonbeläge, aus Zementmörtel mit bes. Zuschlagstoffen *(Hartbetonstoffen)* hergestellte Fußboden- und Treppenbeläge von hoher Druckfestigkeit und großem Abnutzungswiderstand.

Hartblei, Bleilegierung mit einem Anteil von bis zu 13 % Antimon zur Erhöhung des Härtegrades.

Hartbonbons [-bõ'bõːs] ↑ Bonbons.

Harte, [Francis] Bre[t] [engl. hɑːt], * Albany (N. Y.) 25. Aug. 1836, † Camberley (= Frimley and Camberley, England) 5. Mai 1902, amerikan. Schriftsteller. – Erfolgreich seine frühen Erzählungen aus dem Goldgräbermilieu.

Härte, (H. des Wassers) im wesentlichen durch Calcium- *(Kalk-H.)* und Magnesiumsalze *(Magnesia-H.)* bewirkter Gehalt des Wassers an Erdalkaliionen; die sog. *temporäre H.* wird durch Hydrogencarbonate der Erdalkalimetalle hervorgerufen; durch Kochen werden diese nach der Gleichung

$$Ca(HCO_3)_2 \rightarrow CO_2 + H_2O + CaCO_3$$

ausgefällt (im Ggs. zu der v. a. durch Calcium- und Magnesiumsulfate verursachten *permanenten H.).* Temporäre und permanente H. ergeben die *Gesamt-H.* Die H. des Wassers wird in *H.graden* angegeben. Ein *deutscher H.grad* (Kurzzeichen °d) entspricht 10 mg CaO je Liter Wasser oder der äquivalenten Menge eines anderen Erdalkalioxids. Die H. des Wassers bewirkt in Rohren u. a., die Warmwasser enthalten, die Bildung von Kesselstein; darüber hinaus durch Ausfällung fettsaurer Calcium- oder Magnesiumsalze eine stark reduzierte Waschwirkung der auf Fettsäurebasis hergestellten Seifen.

Wassercharakter in Abhängigkeit von der Härte

dt. Härtegrad	Wassercharakter
0 bis 4	sehr weich
4 bis 8	weich
8 bis 12	mittelhart
12 bis 18	ziemlich hart
18 bis 30	hart
über 30	sehr hart

◆ Widerstand, den ein Körper dem Eindringen eines anderen, härteren Körpers entgegensetzt (↑ Härteprüfverfahren)

◆ (Mohshärte) in der *Mineralogie* qualitative Größe zur Bestimmung und Einordnung eines Minerals nach der von F. Mohs vorgeschlagenen **Mohsschen Härteskala.**

◆ (H. einer Strahlung) Bez. für die Fähigkeit einer Strahlung, Materie zu durchdringen. Größerer H. entspricht eine größere Durchdringungsfähigkeit, eine höhere Energie und Frequenz und eine kürzere Wellenlänge.

Hartebeests [Afrikaans] ↑Kuhantilopen.

Härtegrade ↑Härte.

◆ die Gradationsabstufungen handelsübl. Photopapiere; z. B. unter den Bez. extraweich, weich, spezial, normal, hart, extrahart.

Härten (Härtung) ↑Wärmebehandlung.

Härteprüfverfahren, Methoden zur Ermittlung der Härte eines [Werk]stoffs. Die ermittelte *Härtezahl* ist abhängig vom Prüfverfahren; dieses muß bei Angaben vermerkt werden. **Statische Härteprüfverfahren:** Das älteste H. ist das von F. Mohs für die Mineralogie geschaffene *Ritzhärteverfahren* (↑Härte). Bei dem von J. A. Brinell eingeführten *Brinell-H.* (Zeichen *HB*) wird eine Stahlkugel vom Durchmesser D (in mm) mit einer Last P senkrecht in die ebene, metall. blanke Probenoberfläche eingedrückt und der Durchmesser d (in mm) des dabei entstehenden Eindrucks mikroskopisch auf 1/100 mm genau gemessen. Beim *Vickers-H.* wird als Eindringkörper eine vierseitige, regelmäßige Diamantpyramide mit 136° Spitzenwinkel zwischen den gegenüberliegenden Flächen benutzt. Die Pyramide wird mit einer Last P senkrecht in die Probe eingedrückt, die Eindruckdiagonalen d_1 und d_2 werden auf 0,002 mm genau unter dem Mikroskop bestimmt, ihr Mittelwert d und damit die Eindruckoberfläche $d^2/(2 \cos 22°)$ und die *Vickers-* oder *Pyramidenhärte* (Zeichen *HV*) errechnet. Bis 3 000 N/mm² stimmt die Vickershärte mit der Brinellhärte überein. Darüber hinaus bleibt die Brinellhärte hinter der Vickershärte zurück. Beim *Rockwell-C-Verfahren* wird als Eindringkörper ein Diamantkegel (C: Abk. für engl. cone = Kegel) mit einem Spitzwinkel von 120° verwendet. **Dynamische Härteprüfverfahren:** Können die stat. H. an einem Werkstoff nicht durchgeführt werden, so geben die dynam. zumindest einen gewissen Aufschluß über die Härte. Hierzu zählen v. a. das *Schlaghärteprüfverfahren mit dem Poldi-Hammer* (ergibt die *Poldi-Härte,* Formelzeichen *HBp*), das *Schlaghärteprüfverfahren mit dem Kugelschlaghammer* (*Baumann-Hammer;* ergibt die bedingt mit der Brinellhärte übereinstimmende *Schlaghärte*) und das *Rückprall-, Rücksprung-* oder *Fallhärteprüfverfahren mit dem Skleroskop* (*Shore-Rückprallhärteprüfer;* ergibt die *Shore-, Rückprall-, Fall-* oder *Skleroskophärte*), bei dem die Härte einer Probe nach ihrer Elastizität beurteilt wird und bei dem im Ggs. zu den übrigen H. die bleibende Verformung von geringerer Bedeutung ist.

📖 *Weiler, W.: Härteprüfung an Metallen u. Kunststoffen. Sindelfingen 1985.*

Härter ↑Härtung.

harter Schanker, ältere Bez. für ↑Syphilis.

Härteskala ↑Härte.

harte Währungen, Währungen, die sich durch volle Konvertibilität auszeichnen und die wegen ihrer bes. Wertstabilität von anderen Ländern als Verrechnungseinheiten und Währungsreserven benutzt werden.

Hartfasern, die aus Stengeln, Blättern oder Früchten einiger einkeimblättriger trop. Pflanzen gewonnenen steifen, harten Fasern (z. B. Manila-, Sisal- und Kokosfasern). H. eignen sich bes. für Seilerwaren, Tauwerk, grobe Gewebe und Matten.

Hartfaserplatten, svw. Holzfaserhartplatten (↑Holzfaserplatten).

Hartford [engl. 'hɑ:tfəd], Hauptstadt des B.-Staates Connecticut, USA, am unteren Connecticut River, 136 000 E. Sitz eines kath. Erzbischofs und eines anglikan. Bischofs; Colleges; Staatsbibliothek, Kunstmuseum, Hauptsitz des amerikan. Versicherungsgewerbes; Präzisionsinstrumentenbau, elektrotechn. Industrie. – 1635 gegr., eine der ältesten Siedlungen in den USA. – Klassizistisches Old State House (1796), State Capitol (1878/79).

Hartgummi, aus Natur- oder Kunstkautschuk, Schwefel und anderen Zusätzen gewonnener, durch Heißvulkanisation gehärteter Werkstoff.

Hartguß ↑Gußeisen.

Hartheu, svw. ↑Johanniskraut.

Hartholz, durch hohen Anteil an Holzfasern und enge Gefäße sehr festes und schweres Holz, z. B. Guajakholz, Ebenholz, Buchsbaum.

Härte. Mohssche Härteskala. Die zehn Standardminerale sind so angeordnet, daß Minerale mit niedrigeren Härtezahlen von solchen mit höheren Härtezahlen geritzt werden können, diese aber nicht zu ritzen vermögen

Härtestufe	Mineral		
1	Talk	mit Fingernagel ritzbar	mit Taschenmesser oder Stahlnagel ritzbar
2	Gips	mit Fingernagel ritzbar	mit Taschenmesser oder Stahlnagel ritzbar
3	Kalkspat		mit Taschenmesser oder Stahlnagel ritzbar
4	Flußspat		mit Taschenmesser oder Stahlnagel ritzbar
5	Apatit		mit Taschenmesser oder Stahlnagel ritzbar
6	Orthoklas	ritzen Fensterglas	
7	Quarz	ritzen Fensterglas	
8	Topas	ritzen Fensterglas	
9	Korund	ritzen Fensterglas	
10	Diamant	ritzen Fensterglas	

Hartlaub, Felix, * Bremen 17. Juni 1913, ⚔ bei Berlin (?) April 1945, dt. Schriftsteller und Historiker. – Sohn von Gustav Friedrich H.; ab 1942 Sachbearbeiter der Abteilung Kriegstagebuch im Führerhauptquartier; Erzählungen, Dramen, literar. Skizzen sowie Tagebücher („Im Sperrkreis. Aufzeichnungen aus dem zweiten Weltkrieg", hg. 1955 von Geno H.).

H., Geno[veva], * Mannheim 7. Juni 1915, dt. Schriftstellerin. – Tochter von Gustav Friedrich H.; schrieb Romane, Erzählungen („Der Mond hat Durst", 1963, „Muriel", 1985), Essays, Hörspiele u. a. und gab den Nachlaß ihres Bruders Felix H. heraus.

H., Gustav Friedrich, * Bremen 12. März 1884, † Heidelberg 30. April 1963, dt. Kunsthistoriker. – Vater von Felix und Geno H.; 1923–33 Direktor der Kunsthalle Mannheim, ab 1946 Prof. in Heidelberg. Förderer zeitgenöss. (expressionist.) Kunst; prägte den Stilbegriff ↑ Neue Sachlichkeit.

Hartlaubgewächse, an trockene, heiße Sommer angepaßte Pflanzen; besitzen meist kleine, immergrüne, saftarme Blätter, die mit Wachs überzogen oder behaart sind; z. B. Zistrosen, Lorbeer, Myrte.

Hartlaubwald, immergrüner, lederblättriger Laubwald der Winterregengebiete mit 15–20 m hoher Kronenschicht und dichtem Unterwuchs.

Hartleben, Otto Erich, Pseud. Otto Erich, * Clausthal (= Clausthal-Zellerfeld) 3. Juni 1864, † Salò 11. Febr. 1905, dt. Schriftsteller. – Verspottete als naturalist. Dramatiker kleinbürgerl. Philistertum; später tief pessimist. Werke; sein größter Erfolg war die Offizierstragödie „Rosenmontag" (1900).

Hartlegierungen, harte, kohlenstoffhaltige Werkstoffe, die im wesentlichen aus einem Grundmetall der Eisengruppe (Eisen, Nickel, Kobalt) und einem oder mehreren Metallen der Chromgruppe (Chrom, Molybdän, Wolfram) bestehen, unter Umständen noch mit kleinen Sonderzusätzen von Vanadin, Tantal bzw. Niob und Bor. Hohe Verschleißfestigkeit, Korrosions- und Zunderbeständigkeit.

Hartleibigkeit, svw. ↑ Verstopfung.

Hartlepool [engl. 'hɑ:tlɪpu:l], Ind.- und Hafenstadt an der engl. NO-Küste, Gft. Cleveland, 94 400 E. Schiffbau; Eisen- und Stahlind., Elektronik- u. a. Ind., Kernkraftwerk; Seebad. – Erhielt 1201 Stadtrecht.

Hartline, Haldan Keffer ['hɑ:tlɛɪn], * Bloomsburg (Pa.) 22. Dez. 1903, † Fallston (Md.) 17. März 1983, amerikan. Physiologe. – Prof. an der Rockefeller University in New York; grundlegende mikroelektr. Untersuchungen an den Lichtrezeptoren des Auges; Nobelpreis für Physiologie oder Medizin 1967 mit R. A. Granit und G. Wald.

Hartling, Poul [dän. 'hardleŋ], * Kopenhagen 14. Aug. 1914, dän. Politiker. – Theologe; 1957–60 und 1964–77 Mgl. des Folketing; 1973–77 Vors. der Liberalen Partei (Venstre); 1968–71 Außenmin.; 1973–75 Min.präs.; 1978–85 Hoher Kommissar der UN für Flüchtlinge.

Härtling, Peter, * Chemnitz 13. Nov. 1933, dt. Schriftsteller. – Schreibt (häufig biograph.) Romane, Erinnerungsstudien, Lyrik, Kinderbücher; bed. Herausgebertätigkeit. – *Werke:* Niembsch oder Der Stillstand (R., 1964), Das Familienfest (R., 1969), Eine Frau (R., 1974), Hölderlin. Ein Roman (1978), Hubert oder Die Rückkehr nach Casablanca (R., 1978), Krücke (R., 1986), Fränze (E., 1989), Herzwand (R., 1990), Božena (Nov., 1994).

Härtling, Geländeerhebung (Berg, Mineralgang), die infolge ihres widerstandsfähigeren Gesteins weniger abgetragen wurde als ihre Umgebung und deshalb diese überragt.

Hartlot ↑ Löten.

Hartmanganerz, svw. ↑ Braunit.

Hartmann von Aue, * 2. Hälfte des 12. Jh., † Anfang des 13. Jh., mittelhochdt. Dichter. – Er bezeichnet sich in seinem Werk selbst als gelehrten Ritter. Welchem der alemann. Orte namens Aue (Eglisau, Reichenau, Au bei Freiburg, Obernau bei Tübingen) er zuzuordnen ist, ist nicht mehr zu klären. Strittig ist auch, ob er am Kreuzzug 1189/90 oder 1197/98 teilgenommen hat. H. dichtete Lieder der hohen Minne, der Absage an die Minnekonvention, Kreuzzugslieder, eine didakt. Minnelehre, das sog. „Büchlein". Nach dem Vorbild des frz. Epikers Chrétien de Troyes schuf er die ersten mittelhochdt. Artusromane „Erec" und „Iwein". Neben den Artusromanen sind noch zwei höf. Verslegenden erhalten : „Der arme Heinrich", die Geschichte eines Ritters, der sich einseitig dem Weltleben widmet, schließlich, vom Aussatz befallen, durch die Opferbereitschaft einer Jungfrau geheilt wird, und „Gregorius", die höf. Gestaltung der Legende von der doppelten Blutschande. H., ein didaktisch engagierter Dichter, stand seiner Zeit nicht unkritisch gegenüber. Sein klarer, durch rhetor. Stilmittel geprägter Versstil wurde Vorbild für spätere Dichtergenerationen.

📖 *Cormeau, C./Störmer, W.: H. v. A. Mchn. 1985.*

Hartmann, Eduard von, * Berlin 23. Febr. 1842, † Großlichterfelde (= Berlin) 5. Juni 1906, dt. Philosoph. – Ausgehend von der „Philosophie des Unbewußten", schuf H. seine von ihm selbst „konkreter Monismus" gen. Synthese zw. Hegels „absolutem Geist", dem Willensbegriff Schopenhauers, Schellings Begriff des „Unbewußten" und Leibniz' Monadenlehre. Als Gegner des Darwinismus war er Mitbegr. des Neovitalismus. – *Werke:*

Philosophie des Unbewußten (3 Bde., 1869), Die Religion des Geistes (1882), Das Grundproblem der Erkenntnistheorie (1889).

H., Karl Amadeus, * München 2. Aug. 1905, † ebd. 5. Dez. 1963, dt. Komponist. – Schüler von A. Webern, machte sich jedoch nie die Zwölftontechnik ganz zu eigen. V.a. durch seine 8 Sinfonien bekannt; komponierte expressiv-humanist. Werke, die u.a. die Oper „Des Simplicius Simplicissimus Jugend" (1935, Neufassung 1955), den „Versuch eines Requiems" (1. Sinfonie mit Texten von W. Whitman, 1938), die unvollendete „Gesangsszene" (nach Giraudoux, 1963) und den Beitrag „Ghetto" zu der Gemeinschaftsarbeit „Jüd. Chronik" (1960–66) umfassen.

H., Max[imilian], * Lauterecken 7. Juli 1876, † Hofgut Buchenbühl (zu Waltenhausen, Landkr. Günzburg) 11. Okt. 1962, dt. Zoologe und Naturphilosoph. – Prof. am Kaiser-Wilhelm-Institut (jetzt Max-Planck-Institut) für Biologie in Berlin, Hechingen und Tübingen; entwickelte 1909 das Gesetz der Relativität der geschlechtl. Differenzierung, das er 1925 experimentell bewies. H. befaßte sich auch mit philosoph.-methodolog. und erkenntnistheoret. Problemen der Naturwissenschaften.

H., Moritz, * Dušnik bei Příbram 15. Okt. 1821, † Wien 13. Mai 1872, östr. Dichter. – 1848 Mgl. des Frankfurter Parlaments; Beteiligung an der Revolution in Wien und am bad. Aufstand, schrieb in dieser Zeit bed. polit. Lyrik; später Romane, Novellen, Reiseberichte u.a. idyll. Charakters. – *Werke:* Kelch und Schwert (Ged., 1845), Reimchronik des Pfaffen Mauritius (Satire, 1849).

H., Nicolai, * Riga 20. Febr. 1882, † Göttingen 9. Okt. 1950, dt. Philosoph. – Prof. 1920 in Marburg, 1925 in Köln, 1931 in Berlin, 1946 in Göttingen; anfangs der † Marburger Schule verpflichtet; entwickelte eine neue, umfassende [realist.] Erkenntnistheorie, Ontologie und Ethik; gegen Kritizismus und Relativismus lehrt H. die Erfaßbarkeit des Ansichseienden; Ontologie beschreibt die erkennbare Seite des Seins, soll sich aber nach H. von der „oberflächl." Phänomenologie unterscheiden; das Sein baut sich bei H. in vier deutlich geschiedenen kategorialen Seinsschichten auf: Materie, Leben, Bewußtsein und Geist; method. Instrumentarium zur Untersuchung dieser Schichten ist nach H. die „Kategorialanalyse". – *Werke:* Grundzüge einer Metaphysik der Erkenntnis (1921), Die Philosophie des dt. Idealismus (1923 bis 1929), Ethik (1926), Das Problem des geistigen Seins (1933), Zur Grundlegung der Ontologie (1935), Möglichkeit und Wirklichkeit (1938), Der Aufbau der realen Welt (1940), Philosophie der Natur (1950), Teleolog. Denken (1951), Ästhetik (hg. 1953).

H., Paul, * Fürth 8. Jan. 1889, † München 30. Juni 1977, dt. Schauspieler. – H. hatte große Erfolge als jugendl. Held (1914–26 am Dt. Theater Berlin, 1926–34 am Burgtheater Wien), später in Charakterrollen (1934–45 am Staatstheater Berlin, nach 1945 Gastspiele).

Hartmannbund (Verband der Ärzte Deutschlands e.V.), von dem dt. Arzt H. Hartmann (* 1863, † 1923) im Jahre 1900 in Leipzig als „Leipziger Verein" gegründeter ärztl. Berufsverband; Auflösung 1936, Wiedergründung 1949 in Hamburg.

Hartmannsweilerkopf (frz. Vieil Armand), Berg in den S-Vogesen, Frankreich, 957 m hoch; im 1. Weltkrieg hart umkämpft.

Hartmetalle, harte und verschleißfeste, temperaturbeständige Werkstoffe; gesinterte Carbid-H. *(Sinterhartmetalle):* mit Kobalt- oder Nickelpulver zusammengesinterte Legierungen als Molybdän-, Tantal-, Titan-, Vanadin- und Wolframcarbid (für Schneidwerkzeuge aller Art, Bohrer, Sandstrahldüsen u.a.); gegossene Carbid-H. *(Gußcarbide):* hauptsächlich aus Molybdän- und Wolframcarbid († Hartlegierungen; für Bohrmeißel u.a.), als Zieh- und als Lagersteine für Instrumente.

Hartog, Jan de [niederl. 'hɑrtɔx], Pseud. F. R. Eckmar, * Haarlem 22. April 1914, niederl. Schriftsteller. – Schrieb häufig über Seehelden, u.a. „Hollands Glorie" (R., 1940) sowie die Komödie „Das Himmelbett" (1951), „Die Spur der Schlange" (R., 1983).

Hartporzellan † Porzellan.

Hartree, Douglas Rayner [engl. 'hɑːtrɪ], * Cambridge 27. März 1897, † ebd. 12. Febr. 1958, brit. Physiker und Mathematiker. – Entwickelte die † Hartree-Fock-Methode und befaßte sich außerdem u.a. mit Problemen der digitalen Rechenautomaten, der Ballistik und der Physik der Atmosphäre.

Hartree-Fock-Methode [engl. 'hɑːtrɪ, russ. fɔk; nach D. R. Hartree und dem russ. Physiker W. A. Fock, * 1898, † 1974], wichtiges quantenmechan. Verfahren zur näherungsweisen Berechnung der Wellenfunktionen und Energiewerte eines Fermionen-Vielteilchensystems, das bes. zur theoret. Behandlung der Elektronengesamtheit im Atom herangezogen wird.

Hartriegel (Hornstrauch, Cornus), Gatt. der **Hartriegelgewächse** mit rd. 45 Arten in der gemäßigten Zone der Nordhalbkugel; meist Sträucher mit weißen, blauen oder schwarzen Steinfrüchten. In M-Europa kommen vor: † Roter Hartriegel und **Kornelkirsche** (Herlitze, Gelber H., Cornus mas), frühblühend mit gelben Blüten und leicht säuerl., eßbaren roten Früchten.

Hartriegelgewächse (Cornaceae), Pflanzenfamilie mit 12 Gatt. in trop. und gemäßigten Zonen; meist Gehölze.

Hartschier (Hatschier) [zu italien. arciere „Bogenschütze"], Angehöriger der Leibgarde der Residenzwache der bayr. Könige bis 1918.

Hartschlägigkeit, svw. ↑Dämpfigkeit.

Hartspiritus, durch Zusatz v. a. von Seifen oder Zelluloseestern in gallertige Form gebrachter Brennspiritus. Heute auch Bez. für Trockenbrennstoffe ohne Alkohol.

Hartung, Fritz, *Saargemünd 12. Jan. 1883, †Berlin 24. Nov. 1967, dt. Historiker. – 1922 Prof. in Kiel, 1923–49 in Berlin; schrieb u. a. „Dt. Verfassungsgeschichte vom 15. Jh. bis zur Gegenwart" (1914).

H., Gustav, *Bartenstein (Ostpr.) 30. Jan. 1887, †Heidelberg 14. Febr. 1946, dt. Regisseur und Theaterleiter. – 1914–20 Regisseur in Frankfurt am Main, dann Intendant in Darmstadt, Köln, Berlin; 1933 Emigration. Als einer der wichtigsten Regisseure des expressionist. Theaters brachte H. zahlr. Uraufführungen heraus.

H., Hans, *Leipzig 21. Sept. 1904, †Antibes 8. Dez. 1989, frz. Maler und Graphiker dt. Herkunft. – Lebte seit 1935 in Paris; mit abstrakten, seit 1952 informellen Bildern Vertreter der ↑École de Paris.

H., Hugo, Pseud. N. Dymion, *Netzschkau 17. Sept. 1902, †München 2. Mai 1972, dt. Schriftsteller. – V. a. heitere, z. T. humorist. und krit. Unterhaltungsromane, u. a. „Ich denke oft an Piroschka" (1954), „Wir Wunderkinder" (1957), „Wir Meisegeiers" (1972).

H., Karl, *Hamburg 2. Mai 1908, †Berlin 19. Juli 1967, dt. Bildhauer. – Schulte sich u. a. an C. Brancusi und A. Maillol und schuf (abstrakte) Skulpturen von organisch und klassisch-strengem Charakter.

Hartung, alte Bez. für Januar.

Härtung, (H. von Metallen) ↑Wärmebehandlung.

◆ (H. von Fetten) ↑Fetthärtung.

◆ (H. von *Kunststoffen)* durch engmaschige räuml. Vernetzung ihrer Moleküle zu Makromolekülen erzielte Überführung flüssiger oder plast. Kunststoffe in einen irreversiblen Zustand hoher Festigkeit. Bei den härtbaren Kunstharzen (Duroplaste) unterscheidet man eigenhärtende Harze, die durch Zugabe von katalytisch wirkenden *Härtern* polymerisieren, von den indirekt härtbaren Harzen, die mit den zugegebenen *H.mitteln* zu Polykondensations- oder Polyadditionsprodukten vernetzen. Durch H. lassen sich unlösl., unerweichbare, unschmelzbare, chemisch beständige, thermisch und elektrisch isolierende Kunststoffe herstellen. Härtbare Harze eignen sich als Formmassen, Gießharze, Schichtstoffe, Oberflächenschutz sowie zur Verleimung und Verkittung.

Hartwin ↑Arduin.

Hartzenbusch, Juan Eugenio [span. arθɛm'butʃ], *Madrid 6. Sept. 1806, †ebd. 2. Aug. 1880, span. Dichter dt.-span. Abstammung. – Hauptvertreter des romant. Dramas in Spanien; auch Fabeln und Gedichte. – *Werke:* Die Liebenden von Teruel (Dr., 1836), Doña Mencía (Dr., 1838), La madre de Pelayo (Dr., 1846).

Haruden (lat. Harudes; Charuden), westgerman., wahrscheinlich aus W-Norwegen (Hordaland) nach Jütland eingewandertes Volk; um 150 von Ptolemäus erwähnt.

Harun Ar Raschid, *Rai Febr. 766, †Tus bei Meschhed 24. März 809, 5. abbasid. Kalif (seit 786). – Soll mit Karl d. Gr. Gesandtschaften ausgetauscht haben; unter seiner Herrschaft kam es zu wirtsch. und kultureller Blüte sowie hoher Macht- und Prachtentfaltung, was ihn zum Idealbild des Kalifen (z. B. in „Tausendundeiner Nacht") werden ließ.

Harunobu Suzuki, *Edo (= Tokio) 1725 (?), †ebd. 29. Juni 1770, jap. Maler. – Erster klass. Meister des Farbholzschnitts, v. a. feinlinige, elegante Frauengestalten.

Haruspex [lat.], etrusk., später auch röm. Priester, der aus den Eingeweiden von Opfertieren oder aus bes. Himmelserscheinungen (wie Blitzen) wahrsagte.

Harunobu Suzuki. Mädchen auf nächtlicher Pilgerfahrt, Farbholzschnitt; um 1770

Harvard University [engl. 'hɑ:vəd ju:nɪ'və:sɪtɪ], traditionsreiche und eine der bedeutenden Univ. der USA, in Cambridge (Mass.) sowie später auch Boston; gegr. 1636.

Harvey [engl. 'hɑ:vɪ], Lilian, eigtl. Lilian Muriel Helen Pape [engl. 'peɪp] * Hornsey (= London) 19. Jan. 1907, † Cap d'Antibes 27. Juli 1968, engl. Schauspielerin. – Spielte mit W. Fritsch in zahlr. dt. Filmen ein Liebespaar, u. a. in „Die drei von der Tankstelle" (1930), „Der Kongreß tanzt" (1931).

Lilian Harvey

H., William, * Folkestone (Kent) 1. April 1578, † Hampstead (= Camden) 3. Juni 1657, engl. Arzt und Anatom. – Arzt in London; 1618–47 königl. Leibarzt; entdeckte den großen Blutkreislauf. Daneben arbeitete er erfolgreich auf embryolog. Gebiet.

Harwich [engl. 'hærɪdʒ], engl. Hafenstadt 120 km nö. von London, Gft. Essex, 15 100 E. Fährverbindungen und Güterverkehr zum Kontinent; Seebad. – Seit 1319 Stadt.

Haryana, B.-Staat in NW-Indien, 44 212 km², 15,6 Mill. E (1988), Hauptstadt ↑ Chandigarh. H. liegt am östl. Rand des Pandschab und ist nur mit künstl. Bewässerung landw. nutzbar. Hauptsprache ist Hindi. – H. wurde als 17. B.-Staat der ind. Union am 1. Nov. 1966 aus dem Punjab ausgegliedert. Das histor. H. umfaßt etwa die Distrikte Hissar und Rohtak. Um die Mitte des 13. Jh. wurde H. muslimisch, 1803 britisch.

Harz, nördlichstes dt. Mittelgebirge, etwa 90 km lang, 30 km breit, im Brocken 1 142 m hoch. Der H. ist eine Pultscholle mit steilen Randstufen im N und allmähl. Abdachung nach SO, aufgebaut aus überwiegend paläozoischen, z. T. metamorphen Gesteinen. Er gliedert sich in Ober-H. und Unter-H. Der **Oberharz** wird aus einer Rumpffläche in rd. 600 m Höhe (Clausthaler Hochfläche) und dem sich darüber erhebenden Bergland des Brockenmassivs in Höhenlagen von 800–900 m ü. d. M. gebildet. Er wird von einem dichten Gewässernetz stark zertalt; 5 865 ha sind Nationalpark. Der ebenfalls von weiten Hochflächen geprägte **Unterharz** im SO, dessen östl. Gebirgsrand von Flüssen (z. B. Bode) stark zerschnitten ist, liegt in 350–500 m Höhe im Regenschatten des Brokkens, der etwa 1 700 mm Niederschlag/Jahr erhält (dagegen Ober-H. 900 mm, Unter-H. von W nach O 750–580 mm). Das Maximum fällt im Winter (über 100 Schneetage). Aus den Staubecken der Talsperren werden Göttingen und der Raum Halle/Saale–Leipzig mit Trinkwasser versorgt. Im Unter-H. herrschen Laub- und Mischwälder vor, im Ober-H. Fichtenwälder. Der Brocken liegt über der Baumgrenze. Für die Besiedlung des H. war der heute bedeutungslos gewordene Bergbau (Silber-, Blei-, Kupfer-, Zinkerze, Schwerspat) von entscheidender Bed. Seit 968 wurden am Rammelsberg bei Goslar bis 1988 Erze gefördert, im 16. Jh. entstanden u. a. die Freien Bergstädte Grund, Wildemann, Clausthal, im Unter-H. z. B. Harzgerode und Stolberg/Harz. Wichtigste Einnahmequelle der Bev. ist heute der ganzjährige Fremdenverkehr; im Unter-H. spielt die Landw. eine größere Rolle.

Harzburg, Bad ↑ Bad Harzburg.

Harzburger Front, Zusammenschluß von DNVP, Stahlhelm, Vereinigung Vaterländ. Verbände und NSDAP in Bad Harzburg am 11. Okt. 1931; sollte die Einigkeit der sog. nat. Opposition im Kampf gegen die Reg. Brüning demonstrieren; scheiterte als polit. Bündnis an der Rivalität ihrer Führer; diente im Jan. 1933 Hitler als Kulisse für die Machtergreifung.

Harze, amorphe, organ., festgewordene oder noch zähflüssige, glänzende, transparente Stoffe, die ohne festen Schmelzpunkt allmählich vom flüssigen in den festen Zustand übergehen; reine H. sind geruch-, geschmack- und farblos, in Wasser unlöslich, in Alkohol, Äther u. a. löslich. **Naturharze** finden sich teils rein, teils in Verbindung mit Terpentinöl und anderen Ölen in Ausscheidungsprodukten von Bäumen und fließen bei Rindenverletzung aus; fossile H. sind Bernstein und Kopal.

Harzer Käse, ein Sauermilchkäse (↑ Käse).

Harzer Roller ↑ Kanarienvogel.

Harzer Zither ↑ Cister.

Harzgerode, Stadt in Sa.-Anh., im Unterharz auf einer bewaldeten Hochfläche und mit den bis zu 4 km entfernten Ortsteilen Silberhütte, Alexisbad und Mägdesprung im Selketal, 5 300 E. Erholungsort; Metall-, Holz-, pyrotechn. Ind. – Erstmals 993 erwähnt, seit 1338 Stadt. – Renaissanceschloß (1549–52), barocke Pfarrkirche St. Marien (1697), Fachwerkhäuser.

Harzöle, aus den im ↑Kolophonium enthaltenen Harzsäuren durch trockene Destillation gewonnene Öle. Verwendung für billige Schmiermittel, Druckfarben, Firnisse, Lacke.

Harzsäuren, v. a. in den Harzen der Koniferen und in dem aus ihnen gewonnenen ↑Kolophonium enthaltene Monocarbonsäuren (z. B. Abietinsäure); dienen u. a. zur Herstellung von Harzseifen und Papierleimen.

Harzseifen (Resinate), Salze der Harzsäuren, insbes. ihre Natrium- und Kaliumsalze *(Alkali-H.);* die wasserlösl. Alkali-H. werden wegen ihres starken Schäumens als Emulgiermittel bei Polymerisationen verwendet; in Form von Harzleim dienen sie zum Leimen von Papier.

Harzvorland, weitgehend lößbedeckte, fruchtbare Landschaften im N, O und SW des Harzes. Das *nördl. H.* liegt zw. dem N-Rand des Harzes und dem Aller-Urstromtal, das *östl. H.* ist dem Unterharz vorgelagert, zw. der Bode im W, dem Flechtinger Höhenzug im N und der Leipziger Tieflandsbucht im O, das *südwestl. H.* ist eine Schichtstufenlandschaft zw. Harz und Eichsfeld.

Hasan, * Medina 625, † ebd. 669, 5. Kalif (661). – Sohn von Ali Ibn Abi Talib und der Fatima, Tochter Mohammeds, folgte seinem Vater als Kalif, dankte aber ein halbes Jahr später zu Gunsten des Gegenkalifen Muawija ab. Die Schiiten verehren H. als 2. Imam.

Hasan II. (Hassan II.), * Rabat 9. Juli 1929, König von Marokko (seit 1961). – Folgte 1961 seinem Vater Mohammed V. auf dem Thron; 1961–63 und 1965–67 auch Min.präsident.

Hasanlu [pers. hæsæn'lu:], Ruinenhügel im NW-Iran, 10 km südlich des Urmiasees. Ausgrabungen seit 1957 fanden Keramik vom 5. Jt. v. Chr. an und eine bed. Siedlung des 2./1. Jt., die gegen 800 v. Chr. zerstört wurde.

Hasard [ha'zart, frz. a'za:r; arab.], Kurzwort für H.spiel, Glücksspiel; **Hasardeur,** Glücksspieler.

Haschee (Haché) [frz., zu hacher „zerhacken"], pikant abgeschmecktes Gericht aus fein zerkleinertem Fleisch (z. B. Lungenhaschee).

Haschimiden (Haschemiten), arab. Geschlecht in Irak und Jordanien; führt seinen Ursprung auf Haschim († um 500), den Urgroßvater Mohammeds, und über Hasan auf Mohammed zurück. Vom 10. Jh. an stellten die H. das religiöse Oberhaupt (Scherif) von Mekka; regierten in Hedschas 1917–25, in Irak 1921–58, seit 1921 in Transjordanien (= Jordanien).

Haschisch [arab., eigtl. „getrocknetes Gras, Heu"], weitverbreitetes Rauschgift, das durch Extraktion aus dem Harz der weibl. Pflanzen des Ind. Hanfs gewonnen wird. Die halluzinogene Wirkung wird durch Tetrahydrocannabinol verursacht; daneben enthält H. bis 60 weitere Cannabinoide sowie Sterole, Terpene u. a. Das geerntete Harz der Hanfpflanze wird zu Stangen oder Platten gepreßt. Enthält es außerdem noch getrocknete, gehackte Pflanzenteile, wird es **Marihuana** genannt. H. und Marihuana werden meist durch Rauchen des Joint genossen. Je nach Umgebung, Stimmungslage und körperl. Veranlagung des Rauchers ruft H. unterschiedl. Rauscherlebnisse hervor: Entspanntsein, Apathie, Glücksgefühl, Niedergeschlagenheit, intensivere Sinneswahrnehmung, Ängstlichkeit, Unruhe, Aggressivität. Häufig kommt es auch zu Übelkeit und Erbrechen. H.genuß führt zwar nicht zur phys. (keine Entzugserscheinungen), wohl aber zur psych. Abhängigkeit. Oft spielt H. als Einstiegsdroge zu stärkeren Drogen wie LSD oder Opiaten (v. a. Heroin) eine nicht zu unterschätzende Rolle. – ↑Rauschgift.

Hasdrubal, † 221 v. Chr., karthag. Heerführer. – Schwiegersohn des Hamilkar Barkas; wurde 229 dessen Nachfolger als Oberkommandierender in Spanien und suchte die Iberer durch Versöhnungspolitik zu gewinnen; gründete Carthago Nova (= Cartagena); schloß 226 den Ebrovertrag mit Rom.

H., † am Metaurus 207 v. Chr., karthag. Heerführer. – Sohn des Hamilkar Barkas und Bruder Hannibals; 207 in der Schlacht am Metaurus bei Sena Gallica (= Senigallia) geschlagen.

H., † 146 v. Chr., karthag. Feldherr. – Leitete die Verteidigung Karthagos im 3. Pun. Krieg (149–146); ergab sich kurz vor dem Fall der Burg (Byrsa) den Römern.

Hase, Conrad Wilhelm, * Einbeck 2. Okt. 1818, † Hannover 28. März 1902, dt. Baumeister. – Setzte sich für die Wiederbelebung des got. Backsteinbaus und ma. Denkmäler ein, errichtete mehr als 100 Kirchen (u. a. Christuskirche, 1859–64, Hannover).

H., Karl August von, * Niedersteinbach (Landkr. Geithain) 25. Aug. 1800, † Jena 3. Jan. 1890, dt. ev. Theologe. – 1830 Prof. für Kirchengeschichte in Jena. Seine Kirchengeschichtsschreibung ist „Anschauung" im Sinne Schleiermachers. Sein „Handbuch der prot. Polemik gegen die röm.-kath. Kirche" (1862) verbindet Kritik am Katholizismus mit Verständnis für dessen christl. Inhalte.

H., Karl-Günther von, * Wangern (= Wegry bei Breslau) 15. Dez. 1917, dt. Diplomat und Journalist. – 1962–67 als Staatssekretär Leiter des Presse- und Informationsamtes der Bundesreg.; 1967–69 Staatssekretär im B.-Ministerium der Verteidigung; 1970–77 Botschafter in Großbritannien; 1977–82 Intendant des ZDF.

Hase ↑Sternbilder (Übersicht).

Hase, rechter Nebenfluß der Ems, entspringt im Teutoburger Wald, steht durch eine Bifurkation über die Else mit der Weser in Verbindung, mündet bei Meppen; 193 km lang.

Hase ↑Hasen.

Hašek, Jaroslav [tschech. 'haʃɛk], *Prag 24. April 1883, †Lipnice nad Sázavou (Ostböhm. Bez.) 3. Jan. 1923, tschech. Schriftsteller. – Weltruhm erlangte er mit dem satir. Roman „Die Abenteuer des braven Soldaten Schwejk während des Weltkrieges" (unvollendet, 4 Bde., 1921–23). Schwejk wurde zu einer Symbolfigur (u. a. von Brecht dramatisiert; auch verfilmt). K. Vaněk vollendete den Roman und schrieb eine Fortsetzung.

Hasel (Corylus), Gatt. der Fam. **Haselnußgewächse** (Corylaceae; vier Gatt. mit rd. 50 Arten auf der Nordhalbkugel; weitere bekannte Gatt. ↑Hainbuche, ↑Hopfenbuche) mit 15 Arten in Eurasien und N-Amerika; Sträucher oder kleine Bäume mit vor den Blättern erscheinenden Blüten und Nußfrüchten. Bekannte Arten sind: **Haselnußstrauch** (Gewöhnl. H., Wald-H., H.strauch, Corylus avellana), ein wärmeliebender, bis 5 m hoher Strauch mit rundl., zugespitzten, grob doppelt gesägten Blättern; ♀ Blüten in knospenartigem Blütenstand, ♂ Blüten in hängenden, im Vorjahr gebildeten Kätzchen. Die öl- und eiweißreichen, einsamigen Früchte **(Haselnüsse)** werden u. a. als Backzutaten verwendet. **Lambertsnuß** (Lamberts-H., Corylus maxima), bis 5 m hoher Strauch mit wohlschmeckenden Nüssen, dem H.nußstrauch ähnlich.

Haselhuhn ↑Rauhfußhühner.

Haselmaus (Haselschläfer, Muscardinus avellanarius), mit 6–9 cm Körperlänge kleinste Art der Bilche, v. a. in Europa; Körper gedrungen, Oberseite bräunlich- bis rötlichgelb, mit knapp körperlangem, schwach buschigem Schwanz; ernährt sich v. a. von Haselnüssen, Knospen und Beeren.

Haselwurz (Brechwurz, Asarum europaeum), bis 10 cm hohes Osterluzeigewächs; in Europa und Asien; kriechende Pflanze mit nierenförmigen, dunkelgrünen Blättern und nickender, glockenförmiger, außen bräunl., innen dunkelroter Blüte.

Haselzeit ↑Holozän (Übersicht).

Hasen [zu althochdt. haso, eigtl. „der Graue"] (Leporidae), mit rd. 45 Arten fast weltweit verbreitete Fam. der Hasenartigen; Körper 25–70 cm lang; Fell meist dicht und weich; Hinterbeine verlängert; Ohren lang bis sehr lang; v. a. Gehör und Geruchssinn hoch entwickelt. Zu den H. zählt u. a. die Gatt. *Echte Hasen* (Lepus) mit **Feldhase** (Europ. Feld-H., Lepus europaeus), lebt in Europa, SW-Asien und im westl. N-Afrika; etwa 40–70 cm lang, Schwanz bis 10 cm lang; Fell graugelb bis braun mit schwärzl. Melierung, Bauch weißlich. Der **Schneehase** (Lepus timidus) kommt in arkt. und gemäßigten Regionen Eurasiens und N-Amerikas (einschl. Grönlands) vor; etwa 45–70 cm lang, Schwanz 4–8 cm lang; Ohren relativ kurz, Fell im Sommer meist rotbraun bis braungrau, im Winter bis auf die stets schwarzen Ohrspitzen weiß. **Kaphase** (Wüsten-H., Lepus capensis), heimisch in steppen- und wüstenartigen Landschaften Afrikas, Vorderasiens und Asiens; 40–50 cm lang, ähnlich dem Feld-H. Die einzige Art der Gatt. **Wildkaninchen** (Oryctolagus) ist das in SW-Europa heimische, heute über weite Teile Europas verbreitete **Europ. Wildkaninchen** (Oryctolagus cuniculus); etwa 35–45 cm lang, Ohren kurz; oberseits graubraun, unterseits weiß; lebt gesellig in Erdröhrensystemen; Stammform der Hauskaninchenrassen.
Geschichte: Im alten Griechenland waren H. der Jagdgöttin Artemis heilig und wurden der Göttin Aphrodite als Fruchtbarkeitsopfer dargebracht. Das MA deutete den H. u. a. als Sinnbild der Auferstehung Christi. Als österl. Eierbringer *(Osterhase)* ist er erstmals im 17. Jh. an Rhein, Neckar und Saar belegt. Da H. und Eier Osterzins und Osterspeise waren, dürfte die Verbindung beider vom gleichen Zinstermin her zu erklären sein.

Hasenauer, Carl Freiherr von (seit 1873), *Wien 20. Juli 1833, †ebd. 4. Jan. 1894, östr. Baumeister. – Entwarf und erbaute in Zusammenarbeit mit G. Semper in repräsentativen Formen der röm. Hochrenaissance und des Hochbarock Kunsthistor. und Naturhistor. Museum (1872–91) und Burgtheater (1874–88) in Wien.

Hasenauge, svw. ↑Lagophthalmus.

Hasenbofist (Hasenstäubling, Lycoperdon caelatum), bis 15 cm hohe Stäublingsart mit weißem, birnenförmigem, grob gefeldertem Fruchtkörper; v. a. auf Bergweiden, im Sommer und Herbst; jung eßbar.

Hasenclever [...kle:vər], Johann Peter, *Remscheid 18. Mai 1810, †Düsseldorf 16. Dez. 1853, dt. Maler. – Vertreter der Düsseldorfer Malerschule, malte humorist.-satir. Genreszenen, die sich durch physiognom. Charakterisierungen und feine Interieurstimmungen auszeichnen.

H., Walter, *Aachen 8. Juli 1890, †Les Milles (Bouches-du-Rhône) 21. Juni 1940, dt. Lyriker und Dramatiker. – Radikaler Pazifist; mußte 1933 Deutschland verlassen. Beim Einmarsch der dt. Truppen in Frankreich beging er im Internierungslager Selbstmord. Nach aufrüttelnder Lyrik gelangte H. mit dem Drama „Der Sohn" (1914), das den Vater-Sohn-Konflikt zum Thema hat und ihn zum Repräsentanten der jungen Generation werden ließ, in den Mittelpunkt der expressionist. Bewegung. Wandte sich dann einer sehr persönl. Mystik zu. – *Weitere Werke:* Der Jüngling (Ged., 1913), Antigone (Trag., 1917), Ein besserer Herr (Lsp., 1926), Napoleon greift ein (Stück, 1930), Die Rechtlosen (R., hg. 1963), Irrtum und Leidenschaft (R., hg. 1969).

H., Wilhelm, *Arnsberg 19. April 1837, †Schöneberg (= Berlin) 3. Juli 1889, dt. Politiker. – Lohgerber, später Journalist. 1866 Sekretär des Allg. dt. Arbeitervereins (ADAV), 1871 dessen Präs.; seit 1875 einer der beiden Vors. der Sozialist. Arbeiterpartei Deutschlands, deren Parteiorgan „Vorwärts" er mit W. Liebknecht leitete; 1874–88 MdR.

Hasenhacke (Kurbe), in der Tiermedizin: dicht unterhalb des Sprunggelenks auftretende geschwulstartige Anschwellung an den Hintergliedmaßen v. a. der Pferde.

Hasenklee (Ackerklee, Mäuseklee, Trifolium arvense), bis 40 cm hohe Kleeart auf Sandfeldern und Dünen in Europa; weichhaarige, ein- bis zweijährige Pflanze mit sehr kleinen, rosafarbenen oder weißen Blüten in Blütenköpfen.

Hasenmäuse (Bergviscachas, Lagidium), Gatt. rd. 30–40 cm körperlanger Nagetiere (Fam. Chinchillas) mit drei Arten in den Anden von Peru bis S-Chile (bis 5000 m Höhe); Schwanz 20–30 cm lang, buschig; Körper oberseits gelbbraun bis dunkelgrau; Ohren auffallend groß, Schnurrhaare sehr lang. Sie werden wegen ihres Fells stark verfolgt.

Hasenöhrl, Friedrich [...ø:rl], *Wien 30. Nov. 1874, ⚔Folgaria (Prov. Trient) 7. Okt. 1915, östr. Physiker. – Prof. in Wien. Erkannte 1904 am Spezialfall einer in einen Hohlraum eingeschlossenen elektromagnet. Strahlung die dann 1905 von A. Einstein allgemein formulierte ↑Masse-Energie-Äquivalenz.

Hasenpanier, wm. Bez. für die auf der Flucht nach oben gestellte Blume (Schwanz) der Hasen; in übertragener Bedeutung: das *H. ergreifen,* svw. fliehen.

Hasenpest, svw. ↑Tularämie.

Hasenscharte (Lippenspalte, Cheiloschisis), angeborene (ein- oder doppelseitige) Hemmungsmißbildung, bei der die Oberlippe gespalten ist. Im Alter von drei bis vier Monaten kann die H. durch eine plast. Operation behoben werden.

Haskala [hebr. „Aufklärung"], Bez. für die geistige Bewegung unter den Juden in M-Europa im 18. Jh., die analog zur allg. Aufklärung der Zeit tiefgreifende Veränderungen im jüd. geistigen und sozialen Raum hervorrief. Hauptanliegen der jüd. Aufklärer **(Maskilim)** war das Verlassen des Ghettos und die Hinwendung zu weltl. Wissenschaften, um so über Assimilation zur Emanzipation zu gelangen. Grundlegend für die H. waren der neue Religionsbegriff der Aufklärung (Vernunftreligion) und das Ideal einer neuen Humanität, wie es von G. E. Lessing und M. Mendelssohn vertreten wurde, der als „Vater der H." gilt. – Das Scheitern der H. zu Beginn des 19. Jh. v. a. in Rußland führte zur Hinwendung zu jüd.-nationalist. Vorstellungen und zum ↑Zionismus. – Die H. war die Grundlage der zu Beginn des 19. Jh. in Deutschland entstehenden Judaistik und der ↑Reformbewegung.

📖 *Allerhand, J.: Das Judentum in der Aufklärung. Stg. 1980.*

Haskil, Clara, *Bukarest 7. Jan. 1895, †Brüssel 7. Dez. 1960, schweizer. Pianistin rumän. Herkunft. – Schülerin von A. Cortot; v. a. beispielhafte Interpretin Mozarts, aber auch Schuberts und Schumanns.

Haslach im Kinzigtal, Stadt im mittleren Schwarzwald, Bad.-Württ., 215 m ü. d. M., 6000 E. Trachtenmuseum, Hansjakob-Museum. Metall- und holzverarbeitende Ind. – Das um 1099 als zähring. Reichslehen erwähnte Haslach kam nach 1218 an die Grafen von Urach und wird 1278 erstmals als Stadt bezeichnet; 1806 an Baden. – Rathaus (15./16. Jh.).

Haslital, von der oberen Aare durchflossenes Tal in den Berner Alpen, Schweiz.

Hasmonäer, Bez. für die ↑Makkabäer in der außerbibl. Literatur.

Hasner, Leopold, Ritter von Artha, *Prag 15. März 1818, †Bad Ischl 5. Juni 1891, östr. Politiker. – 1849 Prof. für Rechtsphilosophie, 1851 der polit. Wiss. in Prag, seit 1865 in Wien; ab 1861 Mgl. des böhm. Landtags, 1863–65 Präs. des östr. Abg.hauses, ab 1867 Mgl. des Herrenhauses, Unterrichtsmin. (1867) und Min.präs. (1870).

Haspel, walzenförmige Vorrichtung zum Aufwickeln bzw. Entrollen von Fäden u. a.

Haspengau, Agrargebiet in Mittelbelgien, westlich der Maas.

Haspinger, Johann Simon (Ordensname Joachim), *St. Martin im Gsies (Pustertal) 28. Okt. 1776, †Salzburg 12. Jan. 1858, Tiroler Freiheitskämpfer. – Seit 1802 Kapuziner, stellte sich 1809 neben A. Hofer und J. Speckbacher an die Spitze des Tiroler Freiheitskampfes gegen Franzosen und Bayern.

Haß [zu althochdt. has, eigtl. „Leid, Groll"], gegen Personen gerichtetes, extrem starkes Abneigungsgefühl, das mit einem Vernichtungsbedürfnis einhergehen kann.

Hass, Hans, *Wien 23. Jan. 1919, östr. Zoologe. – Unternahm ab 1937 zahlr. Unterwasserexpeditionen im Karib. und Roten Meer, nach Australien und zu den Galapagosinseln. Seit 1965 widmet er sich (v. a. in Zusammenarbeit mit I. Eibl-Eibesfeldt) auch der Erforschung des menschl. Verhaltens.

Schrieb u.a. „Naturphilosoph. Schriften" (4 Bde., 1987); „Der Hai im Management. Instinkte steuern und kontrollieren" (1990).

Hassan II. ↑Hasan II.

Hassaniden, die seit 1669 herrschende Dyn. in Marokko, führt ihren Stammbaum auf den Kalifen ↑Hasan zurück. - ↑Hasan II.

Haßberge, Höhenzug in Unterfranken, zw. Grabfeld und Main, in der Nassacher Höhe 511 m hoch.

H., Landkr. in Bayern.

Hasse, Johann Adolf, ≈ Bergedorf (= Hamburg) 25. März 1699, † Venedig 16. Dez. 1783, dt. Komponist. - Schüler N. Porporas und A. Scarlattis in Neapel, 1727 Kapellmeister in Venedig, 1734-63 am sächs. Hof in Dresden; ging 1763 nach Wien, 1773 nach Venedig. H. war der führende Vertreter der spätneapolitan. Opera seria. Er hinterließ 56 Opern (davon 32 auf Texte Metastasios), 12 Intermezzi, 11 Oratorien, Kirchenmusik.

H., O. E. (Otto Eduard), * Obersitzko (= Obrzycko, Woiwodschaft Posen) 11. Juli 1903, † Berlin (West) 12. Sept. 1978, dt. Schauspieler. - Bühnenkarriere u.a. in München, seit 1954 v.a. Gastspiele. H. war bes. erfolgreich in J. Kiltys „Geliebtem Lügner" (1959) und J. Anouilhs „Majestäten" (1960), beim Film in „Entscheidung vor Morgengrauen" (1951), „Ich beichte" (1953), „Canaris" (1954).

Hassebrauk, Ernst, * Dresden 28. Juni 1905, † ebd. 30. Aug. 1974, dt. Maler und Graphiker. - Bes. beeinflußt von O. Kokoschka malte er Porträts, Stadtlandschaften und Stilleben mit leuchtenden Farben und expressivem Pinselduktus.

Hassel, Kai Uwe von, * Gare (Dt.-Ostafrika, heute Tansania) 21. April 1913, dt. Politiker. - 1950-65 MdL, 1954-63 zugleich Min.präs. von Schleswig-Holstein. 1955-64 Landesvors. der CDU, 1956-69 stellv. Bundesvors. der CDU, 1969-79 im Parteipräsidium; 1953/54 und 1965-80 MdB. 1963-66 Verteidigungs-, 1966-69 Vertriebenenmin., 1969-72 Präs., 1972-76 Vizepräs. des Bundestages, 1973-80 Präs. der Europ. Union Christl. Demokraten; 1979-84 MdEP.

H., Odd, * Oslo 17. Mai 1897, † ebd. 13. Mai 1981, norweg. Physikochemiker. - 1934-63 Prof. in Oslo. H. untersuchte mit Hilfe von Dipolmessungen sowie Röntgen- und Elektronenstrahlbeugungsexperimenten die ↑Konformation des Cyclohexans und seiner Derivate und übertrug die Ergebnisse auf die sechsgliedrigen Ringe der Pyranosen. Er erhielt für diese stereochem. Untersuchungen zus. mit D. H. R. Barton 1969 den Nobelpreis für Chemie.

Hasselfeldt, Gerda, * Straubing 7. Juli 1950, dt. Politikerin (CSU). - Seit 1985 Mgl. des Landesvorstands der bayr. Frauen-

O. E. Hasse

Union; seit 1987 MdB. 1989-91 Bundesmin. für Raumordnung, Bauwesen und Städtebau, seitdem bis April 1992 Bundesmin. für Gesundheit.

Hassell, Ulrich von, * Anklam 12. Nov. 1881, † Berlin-Plötzensee 8. Sept. 1944 (hingerichtet), dt. Diplomat. - 1932-38 (entlassen) Botschafter in Rom; schloß sich der Widerstandsbewegung an und sollte in einer Reg. Goerdeler Außenmin. werden; nach dem 20. Juli 1944 zum Tode verurteilt.

Hasselt, belg. Stadt im östl. Kempenland, 38 m ü. d. M., 65 600 E. Verwaltungssitz der Prov. Limburg; kath. Bischofssitz; Brauerei und Brennereien, Maschinenbau, Möbel- und elektrotechn. Ind.; Hafen am Albertkanal. - Erhielt im 12. Jh. Stadtrechte. 1795-1813 war H. Hauptstadt des frz. Dep. Meuse-Inférieure und später Hauptstadt der niederl. Prov. Limburg; 1839 Hauptstadt der belg. Prov. Limburg. - Got. Kathedrale (13.-16. Jh.) mit Glockenspiel; Beginenhof (1707-62).

Hassenpflug, [Hans Daniel] Ludwig, * Hanau am Main 26. Febr. 1794, † Marburg a. d. Lahn 10. Okt. 1862, kurhess. Politiker. -

Gerda Hasselfeldt

1832–37 Min. des Innern und der Justiz; 1841–50 im preuß. Staatsdienst, 1850–55 (Rücktritt) erneut Justiz- und Innenmin. in Kassel; sein Verfassungskonflikt mit den Ständen und die Anrufung der Bundesintervention beschleunigten den Zusammenbruch Kurhessens (1866).

Haßfurt, Krst. am Main, Bay., 225 m ü. d. M., 11 100 E. Verwaltungssitz des Landkr. Haßberge; Schuh-, Lebensmittelind., Herstellung von elektr. Meßgeräten, Kunststeinwerk. – 1230 erstmals erwähnt, erhielt 1243 Stadtrecht. – Spätgot. Pfarrkirche mit einem Frühwerk T. Riemenschneiders (um 1490), spätgot. „Ritterkapelle" mit Wappenfries am Außenbau des Chors.

Haßler (Hasler), Hans Leo, ≈ Nürnberg 26. Okt 1564, † Frankurt am Main 8. Juni 1612, dt. Komponist. – Seit 1586 Organist der Fugger in Augsburg, 1601 Leiter der Ratsmusik in Nürnberg, ab 1608 Hoforganist in Dresden. H. verband in vollendeter Weise den Einfluß der italien. Musik mit den Elementen der dt. Tradition in einem eigenen Stil. Komponierte Messen, Motetten, Madrigale, Kanzonetten und mehrstimmige Lieder.

häßlich, bezeichnet das beim Rezipienten Mißfallen und Ablehnung Erzeugende. In der Kunsttheorie blieb das Häßliche als Selbständiges – als Sujet wie als Gestaltung – lange von der Kunst ausgeschlossen. Seit Aristoteles galt, daß das Häßliche lediglich als Einzelmoment eines Werkes auftreten und ästhetisch positiven Wert erhalten kann, weil es als durch das Ganze des Werkes transzendiert und/oder aufgehoben verstanden wird, etwa wenn kom. oder trag. Wirkung erzeugt werden soll (Lessing) oder es um die Vermittlung moral. und ästhet. Interesses geht (Schiller). Erst mit verstärkter Hinwendung der Kunst zur Wirklichkeit (Realismus und v. a. Naturalismus) erhielt das Häßliche einen gleichrangigen Stellenwert neben dem Schönen. – ↑ schön.

Hasta ↑ Asti.

Hasta [lat.], altröm. Stoßlanze, Hauptwaffe für Fußheer und Kavallerie.

Hastings, Warren [engl. 'heɪstɪŋz], * Churchill (Oxfordshire) 6. Dez. 1732, † Daylesford (Oxfordshire) 22. Aug. 1818, brit. Politiker. – Ab 1772 Gouverneur von Bengalen, 1773–85 der erste Generalgouverneur von Ostindien; festigte die brit. Machtstellung in Indien durch verschiedene Kriegszüge und den Ausbau der Verwaltung; 1786 auf Betreiben der Whigs des Amtsmißbrauches und der Erpressung angeklagt, jedoch 1795 freigesprochen.

Hastings [engl. 'heɪstɪŋz], engl. Hafenstadt an der Kanalküste, Gft. East Sussex, 74 800 E. Museum, Kunstgalerie; eines der führenden engl. Seebäder. – In der **Schlacht von Hastings** (14. Okt. 1066, die 10 km nw. von H. stattfand [heute Battle]) siegte der spätere Wilhelm I., der Eroberer, über den angelsächs. König Harold II. Godwinson. – Kirchen im Perpendicular style, u. a. Saint Clement (14. Jh.), All Saints (15. Jh.); Rathaus (1880 in got. Stil). Über der Stadt Burgruine (11. Jh.).

H., Stadt im O der Nordinsel von Neuseeland, 55 000 E. Theater, Bibliothek; Zentrum der Konservenind. des Landes. – 1864 erstmals von Europäern besiedelt; durch Erdbeben wurde H. 1931 fast ganz zerstört.

Hatfield [engl. 'hætfi:ld], engl. Stadt 30 km nördl. von London, Gft. Hertfordshire, 25 200 E. Flugzeugwerke. – Das Dorf H. kam um 970 an das Benediktinerkloster Ely (Bishop's H.); 1948 gegr. New Town. – Pfarrkirche (13. Jh.), Rest des Palastes des Bischofs von Ely (15. Jh.), Schloß (17. Jh.).

Hathayoga [Sanskrit] ↑ Joga.

Hatheyer, Heidemarie, * Villach 8. April 1919, † Zollikon bei Zürich 11. Mai 1990, östr. Schauspielerin. – Engagements in München, Berlin, Zürich und Düsseldorf, zahlr. Tourneen. Verkörperte herbe, trag. Frauengestalten, z. B. in Shaws „Heiliger Johanna" (1938), in Grillparzers „Medea" (1960), als Frau John in G. Hauptmanns „Ratten" (1965). Filmrollen in „Der Berg ruft" (1938), „Die Geierwally" (1940).

Hathor, ägypt. Göttin in Gestalt einer Kuh oder einer Frau mit Kuhgehörn. H. ist Himmelsgöttin, Göttin des Liebes- und Weinrausches sowie der Freude, auch lebenbedrohend gedacht.

Hatoyama Ichirō, * Tokio 1. Jan. 1883, † ebd. 7. März 1959, jap. Politiker. – Jurist; gründete 1945 die (konservative) Liberale Partei, 1946 Reg.chef; durch US-Erlaß von allen öffentl. Ämtern bis 1952 ausgeschlossen; 1954 Mitbegr. der Jap. Demokrat. Partei; nahm als Min.präs. (1954–56) diplomat. Beziehungen zur UdSSR auf und erreichte Japans Aufnahme in die UN.

Hatra, antike Stadt in Irak ↑ Hadr, Al.

Hatschepsut, ägypt. Königin der 18. Dyn. (1490–1468). – Führte als Witwe Thutmosis' II. nach dessen Tod die Reg. für den minderjährigen Thutmosis III., ließ sich jedoch im 2. Reg.jahr selbst zum Pharao krönen; ließ eine Handelsexpedition nach Punt durchführen und u. a. den Architektur und Landschaft verbindenden Terrassentempel von Dair Al Bahri errichten.

Hatschier ↑ Hartschier.

Hatta, Mohammed, * Fort de Kock (= Bukittinggi) 12. Aug. 1902, † Jakarta 14. März 1980, indones. Politiker. – 1945–48 und 1950–56 Vizepräs. der Republik, 1948–50 Min.präs.; erreichte 1949 die Übertragung der Souveränitätsrechte an Indonesien.

Hattingen, Stadt an der Ruhr, NRW, 120 m ü. d. M., 55900 E. Stahlverarbeitung und Maschinenbau. – 990 erstmals erwähnt, gehörte ab 1243 den Grafen von der Mark, ab 1614/66 brandenburgisch. 1970 Eingemeindung von **Blankenstein** und fünf Gemeinden.

Hatto I., * um 850, † 5. Mai 913, Erzbischof von Mainz (seit 891). – Führte unter Ludwig IV., dem Kind, mit Bischof Salomon III. von Konstanz die Reichsreg., verhalf 911 Konrad I. zur Königswürde und wurde dessen Kanzler.

Hat-Trick (Hattrick) [engl. 'hættrık, eigtl. „Huttrick" (nach einem früher beim Kricket geübten Brauch, dem Vollbringer dieser Leistung einen Hut zu schenken)], Bez. v. a. im Fußball für den dreimaligen Torerfolg hintereinander, i. e. S. innerhalb einer Halbzeit durch denselben Spieler.

Hattusa ↑ Boğazkale.

Hattusili (hethit. Chattuschili), Name hethit. Könige:

H. I. (Labarna I.), regierte etwa 1590–60; schuf das hethit. Alte Reich; Kriegszüge bis nach Aleppo, von denen seine akkad.-hethit. Annalen berichten.

H. III., regierte etwa 1275–50: bed. autobiograph. Bericht.

Hatzfeld-Trachenberg, Sophie Josepha Gräfin von, * Trachenberg 10. Aug. 1805, † Wiesbaden 25. Jan. 1881, dt. Sozialistin. – Identifizierte sich mit den polit. Zielen ihres Freundes F. Lassalle, der ihren 10jährigen Scheidungsprozeß gegen ihren Mann, Graf E. von Hatzfeld-Wildenburg, geführt hatte, und suchte nach Lassalles Tod die Politik des Allg. dt. Arbeitervereins mitzubestimmen.

Haubach, Theodor, * Frankfurt am Main 15. Sept. 1896, † Berlin 23. Jan. 1945 (hingerichtet), dt. Journalist und Widerstandskämpfer. – Wurde 1930 Pressechef im Berliner Polizeipräsidium; nach 1933 mehrfach inhaftiert, schloß sich 1943 dem Kreisauer Kreis an; nach dem 20. Juli 1944 zum Tode verurteilt.

Haubarg [eigtl. „Ort, wo man das Heu birgt"], großes [auf einer Warft errichtetes] Bauernhaus vom Gulfhaustyp (bes. auf Eiderstedt). – ↑ Bauernhaus.

Haube [zu althochdt. huba, eigtl. „die Gebogene"], Kopfbedeckung der verheirateten Frau seit dem MA, aus dem Kopftuch hervorgegangen. Am Beginn, Anfang des 14. Jh., steht die **Hulle,** ein gekrauster Schleier, der im Laufe des 14. Jh. der **Kruseler** folgte, eine Stoff-H., deren Kanten mit mehreren Reihen von Krausen verziert waren. Im 15. Jh. setzen sich burgund. Formen durch, v. a. der **Hennin** in Zuckertütenform, von dem hinten ein Schleier herabhing, sowie die **Hörnerhaube** mit zwei wulstigen Spitzen oder Flügeln, ebenfalls mit Schleier versehen. Daneben

Haube. Verschiedene Formen: 1 Hennin, 2 Hörnerhaube, 3 Stuarthaube, 4 Fontange

trug man aus Stoff gefaltete **Flügelhauben.** 1600 kam die **Backenhaube** auf, deren breite Bänder unter dem Kinn gebunden waren. Aus ihr entwickelte sich die **Stuarthaube** mit schnabelförmiger Spitze über der Stirn, als **Flebbe** Witwenhaube bis ins 20. Jh. Seit Ende des 15. Jh. trug die Frau Barett und darunter die knapp anliegende kleine runde, oft netzartig geflochtene **Kalotte,** die sich bes. in Süddeutschland als kostbar ausgestattete **Flinderhaube** längere Zeit hielt. Die Volkstrachten brachten vielfältige H.formen hervor; die Dame trug im 17. Jh. die **Fontange** (hoher höf. Kopfputz, über einem Drahtgeflecht) und dann meist zierl. kleine Häubchen, oft nur im Haus und (seit dem 18. Jh.) im Freien den Hut.

◆ augenbedeckende Lederkappe, die man Beizvögeln zur Beruhigung aufsetzt, wenn sie nicht jagen sollen.

◆ verlängerte, aufrichtbare Kopffedern bei Vögeln (z. B. Haubenlerche).

◆ svw. Netzmagen (↑ Magen).

Haubenadler (Spizaetus), Gatt. bis zu 80 cm großer, adlerartiger Greifvögel mit rd. 10 Arten in S-Amerika, S- und O-Asien, den Sundainseln und im Malaiischen Archipel; Kopffedern lang, zur Haube aufrichtbar.

Haubenlerche ↑ Lerchen.

Haubenmeise ↑ Meisen.

Haubenstock-Ramati, Roman, * Krakau 27. Febr. 1919, † Wien 3. März 1994, israel. Komponist. – Lebte in Wien; gehört zu den wichtigsten Anregern offener, mobiler Formen sowie musikal. Graphik. U.a. Oper „Amerika“ (1964; nach F. Kafka); schrieb „Musik-Grafik Pre-Texte“ (1980).

Haubentaucher ↑Lappentaucher.

Hauberrisser (Hauberisser), Georg Joseph Ritter von (seit 1901), * Graz 19. März 1841, † München 17. Mai 1922, dt. Baumeister. – Erbauer des neugot. Neuen Rathauses in München (1867–74, 1888/89).

Haubitze [zu tschech. houfnice „Steinschleuder“], Bez. für ↑Geschütze mittleren und schweren Kalibers für Flach- und Steilfeuer.

Hauck, Albert, * Wassertrüdingen 9. Dez. 1845, † Leipzig 7. April 1918, dt. ev. Theologe. – 1878 Prof. für Kirchengeschichte in Erlangen, 1889 in Leipzig. Sein Hauptwerk „Kirchengeschichte Deutschlands“ (Bd. 1–5,1 1887–1912; Bd. 5,2 1920), zählt zu den geschichtswiss. Standardwerken seiner Zeit.

Hauer, Joseph Matthias, * Wiener Neustadt 19. März 1883, † Wien 22. Sept. 1959, östr. Komponist und Musiktheoretiker. – Entwickelte seit 1919 (vor Schönberg) eine Zwölftontechnik, in der die mögl. Kombinationen der zwölf temperierten Töne in 44 in ihrer Struktur unterschiedl. „Tropen“ (Wendungen) unterteilt werden. Komponierte u.a. die Oper „Salambo“ (1929), das Singspiel „Die schwarze Spinne“ (1932), Orchester- und Kammermusik, zahlr. „Zwölftonspiele“. Schriften, u.a. „Zwölftontechnik. Die Lehre von den Tropen“ (1926).

Hauer, Bergmann, der vorwiegend im Streckenvortrieb tätig ist.

◆ wm. Bez. für die vorstehenden unteren Eckzähne beim männl. Wildschwein.

Haufendorf, v.a. für die Altsiedellandschaften M-Europas typ. Siedlungsform: ein geschlossen bebautes Dorf mit ungeregeltem Grundriß. Zum H. gehört i.d.R. eine große Gemarkung mit Gewannflur.

Haufenveränderliche, svw. ↑RR-Lyrae-Sterne.

Hauff, Reinhard, * Marburg 23. Mai 1939, dt. Filmregisseur. – Nach „Ausweglos“ (1970, Drehbuch zus. mit M. Walser) wurde H. durch die film. Biographie über den legendären bayr. Räuber „Mathias Kneissl“ (1971) bekannt; es folgten „Haus am Meer“ (1972), „Desaster“ (1973), „Die Verrohung des Franz Blum“ (1974), „Zündschnüre“ (1974, nach F. J. Degenhardt), „Paule Pauländer“ (1976), „Messer im Kopf“ (1979), „Stammheim“ (1986), „Linie 1“ (1987), „Blauäugig“ (1989). Seit 1. Jan. 1993 ist H. Direktor der Dt. Film- und Fernsehakademie in Berlin.

H., Volker, * Backnang 9. Aug. 1940, dt. Politiker (SPD). – MdB seit 1969, 1976–80 Bundesmin. für Forschung und Technologie, 1980–82 für Verkehr; 1983–88 stellv. Fraktionsvorsitzender. 1989–91 Oberbürgermeister von Frankfurt am Main.

H., Wilhelm, * Stuttgart 29. Nov. 1802, † ebd. 18. Nov. 1827, dt. Dichter. – Früh vollendeter, vielseitiger Erzähler, knüpft an Jean Paul, E. T. A. Hoffmann und L. Tieck an. Mit seinem histor. Roman „Lichtenstein“ (1826) steht H. in der Nachfolge W. Scotts. Seinen Roman „Der Mann im Mond“ (1826) veröffentlichte er in parodist. Absicht unter dem Namen des erfolgreichen Unterhaltungsschriftstellers H. Clauren. Einige Lieder (u.a. „Morgenrot, Morgenrot, leuchtest mir zum frühen Tod“) wurden volkstümlich. – *Weitere Werke:* Maehrchen-Almanach auf das Jahr 1826/1827/1828 (darin: Das Wirtshaus im Spessart), Mittheilungen aus den Memoiren des Satan (E., 1826/27), Phantasien im Bremer Rathskeller (E., 1827).

Häufigkeit, eine Zahl (h), die angibt, wie oft ein bestimmtes Ereignis, z.B. bei Messung einer physikal. Größe ein bestimmter Meßwert, bei n-maliger Möglichkeit seines Eintreffens (n-maliger Messung) tatsächlich eintritt; als *relative H.* dieses Ereignisses wird der Quotient h/n bezeichnet.

Häufungspunkt, in der Mengenlehre Bez. für einen Punkt einer Menge, in dessen beliebig [klein] gewählter Umgebung unendlich viele Punkte liegen. So besitzt z.B. die Menge aller Stammbrüche $1/n$ ($n = 1, 2, 3, ...$) den H. 0.

Haufwerk, im Bergbau das aus dem Gesteinsverband oder der Lagerstätte gebrochene lose Material.

Haugesund [norweg. ˌhœÿgəsʉn], Hafenstadt an der Küste W-Norwegens, 27 200 E. Schiffbau, Fischfang.

Haughey, Charles James [engl. ˈhɔːɪ], * Castlebar 16. Sept. 1925, ir. Politiker. – Seit 1957 Parlamentsabg. (Fianna Fáil); mehrfach Min. (u.a. 1966–70 für Finanzen, 1977–79 für Gesundheit und Soziales); 1979 bis Jan. 1992 Parteiführer; 1979–81, 1982 und 1987 bis Jan. 1992 Premierminister.

Haugwitz, Christian Kurt Graf von (seit 1786), * Peuke (= Byków) 11. Juni 1752, † Venedig 9. Febr. 1832, preuß. Diplomat und Min. – 1791 Gesandter in Wien, seit 1792 Staats- und Kabinettsmin.; mußte in die Verträge von Schönbrunn (1805) und Paris (1806) einwilligen; nahm nach der Niederlage bei Jena im Nov. 1806 seinen Abschied.

H., Friedrich Wilhelm Graf, * 11. Dez. 1702, † Knönitz (Mähren) 11. Sept. 1765, östr. Min. – Schuf 1749–60 die große Staats- und Verwaltungsreform Maria Theresias; wurde 1760 Staatsmin. im Staatsrat.

Hauhechel (Hechelkraut, Ononis), Gatt. der Schmetterlingsblütler mit rd. 75 Arten in Eurasien; meist Kräuter oder Halbsträucher mit drüsig behaarten Blättern; in M-Europa u. a. die Art **Gelbe Hauhechel** (Ononis natrix) mit gelben, rot gestreiften Blüten.

Hauma (Haoma) [awest.], dem Soma der wed. Zeit Indiens entsprechender Rauschtrank, der im alten Iran bei nächtl. Opfermahlzeiten genossen wurde und als „todabwehrend“ galt.

Haumesser, Bez. für alle Formen von Messern, bei denen an die Stelle des zum Schneiden notwendigen Druckes der Schlag tritt; die Klinge ist messerartig geschäftet und kann ein- oder zweischneidig sein; in S-Amerika als **Machete,** in Afrika als **Buschmesser** und in SO-Asien, v. a. in Indonesien, als **Parang** bekannt.

Haupt, Moritz, * Zittau 27. Juli 1808, † Berlin 5. Febr. 1874, dt. klass. Philologe und Germanist. – Prof. in Leipzig und Berlin, 1861 Sekretär der Preuß. Akad.; erster Hg. der „Zeitschrift für dt. Altertum“ (Bd. 1–16, 1841–73), Hg. textkrit. Ausgaben mittelhochdt. und klass. Werke.

Haupt, gewählt für Kopf; übertragen allg. für Mensch, insbes. Führer einer Gruppe.

◆ in der *Bautechnik* Bez. für die im gemauerten Verband sichtbare Seite eines Steins.

◆ (Schleusen-H.) im *Wasserbau* Bez. für den Teil einer Schleuse, der das Schleusentor enthält.

Hauptanschluß, mit dem öff. Fernsprechnetz unmittelbar verbundene Sprechstelle.

Hauptantrag, im Zivilprozeßrecht der in erster Linie gestellte, unbedingte Antrag im Unterschied zu dem [nur hilfsweise gestellten, bedingten] Eventualantrag. Über den H. ist in jedem Fall zu entscheiden.

Hauptbootsmann ↑ Dienstgradbezeichnungen (Übersicht).

Hauptbuch, in der doppelten Buchführung die systemat. Zusammenfassung der im Grundbuch chronologisch erfaßten Geschäftsvorfälle; im H. werden die Sachkonten geführt; in der einfachen Buchführung dient das H. der Erfassung der Geschäftsvorfälle mit Kunden und Lieferanten.

Hauptfeldwebel ↑ Dienstgradbezeichnungen (Übersicht).

Hauptgefreiter ↑ Dienstgradbezeichnungen (Übersicht).

Haupthaar der Berenike ↑ Sternbilder (Übersicht).

Hauptkirche, nichtamtl. Bez. für die älteste oder bedeutendste Kirche einer Stadt.

Häuptling, Bez. für die Person eines Stammes oder einer kleineren Gruppe bei Naturvölkern, die die polit. Autorität ausübt. Mit dem durch Wahl oder Erbfolge erworbenen Amt des H. sind zumeist Privilegien verbunden.

◆ (hovetling, hoofdeling) Bez. für die lokalen Machthaber in Friesland, v. a. in Ostfriesland, 14.–15. Jh. – ↑ Brok, tom, ↑ Cirksena, ↑ Ukena, Focko.

Hauptlinien, svw. ↑ Analysenlinien.

Hauptman, Herbert Aaron [engl. 'haʊptmæn], * New York 14. Febr. 1917, amerikan. Biophysiker. – Seit 1970 Prof., seit 1972 Forschungsdirektor und Vizepräs. der Medical Foundation in Buffalo (N. Y.). Für seine Entwicklung von Methoden zur Kristallstrukturbestimmung erhielt H. zus. mit J. Karle 1985 den Nobelpreis für Chemie.

Hauptmann, Carl, * Bad Salzbrunn 11. Mai 1858, † Schreiberhau 4. Febr. 1921, dt. Schriftsteller. – Bruder von Gerhart H.; schrieb nach naturalist. Dramen seit 1900 grübler. symbolist. Dichtungen, u. a. „Einhart der Lächler“ (R., 1907), auch Lyrik und Aphorismen. Zuletzt Expressionist. – *Weitere Werke:* Ephraims Breite (Dr., 1900), Mathilde (R., 1902), Die armseligen Besenbinder (Dr., 1913), Tobias Buntschuh (Kom., 1916).

Gerhart Hauptmann (1944)

H., Gerhart, * Bad Salzbrunn 15. Nov. 1862, † Agnetendorf (Landkreis Hirschberg i. Rsgb.) 6. Juni 1946, dt. Dichter. – Bruder von Carl H.; betrieb künstler. und wiss. (histor.) Studien, lebte seit Ende 1884 in bzw. bei Berlin, heiratete 1885 die Großkaufmannstochter Marie Thienemann (1904 Scheidung und 2. Ehe mit Margarete Marschalk). 1891 Übersiedlung nach Schlesien (Schreiberhau, dann Agnetendorf), nur noch zeitweise in Berlin; zahlr. Reisen. 1912 Nobelpreis für Literatur. H., der ein vielgestaltiges Werk schuf, ist Schöpfer lebendiger, plast., proletar. Gestalten. Durchschlagenden Erfolg erzielte H. mit dem sozialen Drama „Vor Sonnenaufgang“ (1889), mit dem er dem Naturalismus zum Durchbruch verhalf, und mit der dramat. Bearbeitung des Weberaufstands von 1844 in dem Drama „Die Weber“ (1892, 1. Fassung in schles. Mundart u. d. T. „De Waber“). In der Traumdichtung „Hannele" (Dr., 1894, 1896 u. d. T. „Hanneles Himmelfahrt") verläßt H. das soziale Drama zwar nicht, aber den Naturalismus, den er dann jedoch in realist. Milieutragödien (z. B. „Fuhrmann Henschel", 1899; „Rose Bernd", 1903; „Die Ratten", 1911) wieder aufgreift. Daneben neuromant. Versdramen und Bearbeitungen von histor., Sagen- und literar. Stoffen. Unter seiner Prosa ragt die naturalist.-psycholog. Novelle „Bahnwärter Thiel" (1892) hervor. – *Weitere Werke:* Das Friedensfest (Trag., 1890), Einsame Menschen (Trag., 1891), Der Biberpelz (Kom., 1893), Florian Geyer (Dr., 1896), Die versunkene Glocke (Dr., 1897), Michael Kramer (Dr., 1900), Schluck und Jau (Kom., 1900), Und Pippa tanzt (Dr., 1906), Griselda (Dr., 1909), Der Narr in Christo Emanuel Quint (R., 1910), Der Ketzer von Soana (Nov., 1918), Indipohdi (Dr., 1920), Vor Sonnenuntergang (Dr., 1932), Die Finsternisse. Requiem (Dr., entstanden 1937).

Hauptmann, militärischer Dienstgrad (↑Dienstgradbezeichnungen [Übersicht]); früher der Anführer eines selbständigen Truppenteils; in der Bundeswehr als Chef einer Einheit sowie an Schulen, in Stäben und Ämtern und in vielen Sonderverwendungen eingesetzt.

Hauptnenner, das kleinste gemeinsame Vielfache der Nenner mehrerer ungleichnamiger Brüche. Die Brüche $\frac{1}{2}$, $\frac{1}{3}$ und $\frac{1}{4}$ haben z. B. den H. 12. Das Aufsuchen des H. ist v. a. bei der Addition und Substraktion von ungleichnamigen Brüchen erforderlich, z. B. $\frac{1}{2}+\frac{1}{3}=\frac{3}{6}+\frac{2}{6}=\frac{5}{6}$. Sind die Nenner teilerfremd, so ist der H. gleich ihrem Produkt.

Hauptquantenzahl ↑Quantenzahlen.

Hauptquartier, Abk. HQ (engl. Headquarters), Bez. für die Befehlszentrale der Armee und übergeordneter Großverbände.

Hauptreihenstern ↑Hertzsprung-Russell-Diagramm.

Hauptsatz ↑Satz.

◆ Bez. für einen grundlegenden [Erfahrungs]satz eines wiss. Teilgebietes, z. B. der erste, zweite und dritte H. der ↑Thermodynamik.

Hauptschlagader, svw. ↑Aorta.

Hauptschule, auf der Grundschule oder der Orientierungsstufe aufbauende, weiterführende, organisatorisch selbständige Schule. Sie umfaßt im allg. das 5. bis 9. Schuljahr (ein 10. Schuljahr ist nach dem Hamburger Abkommen von 1964 zulässig und wird allg. angestrebt). In einigen Ländern mit 6jähriger Grundschule oder zweijähriger Orientierungsstufe beginnt die H. erst mit der 7. Klasse. Mit dem **Hauptschulabschluß** sollen die Schüler eine allgemeine Bildung erworben haben, die sie für eine Ausbildungsstelle oder für den Besuch einer Berufsfachschule qualifiziert. Zum Fächerkanon gehören Deutsch, Mathematik, eine Fremdsprache (Englisch), Arbeitslehre und Sozialkunde.
In *Österreich* baut die H. auf der 4. Klasse der Volksschule auf und endet mit dem 8. Schuljahr. Seit 1985 wird mittels Einführung von Leistungsgruppen in Deutsch, Mathematik und Englisch die „Neue H." begründet. – Für die *Schweiz* ↑Volksschule.

Hauptsignal ↑Eisenbahn (Signaltechnik).

Hauptspeicher (Arbeitsspeicher), Teil der Zentraleinheit eines Computers, der die auszuführenden Programme und die benötigten Daten enthält; ist im allg. als Halbleiterspeicher realisiert. Seine Kapazität bestimmt maßgeblich die Leistungsfähigkeit eines Computers.

Hauptstrafen, Strafen, die im Gegensatz zu Nebenstrafen für sich allein verhängt werden können. H. sind Freiheitsstrafe, Geldstrafe, für Soldaten Strafarrest und für Jugendliche Jugendstrafe.

Haupt- und Staatsaktionen, die Repertoirestücke der dt. Wanderbühne des 17. und frühen 18. Jh.; sie heißen „Hauptaktionen" im Ggs. zu den possenhaften Nach- und Zwischenspielen, „Staatsaktionen" nach den (pseudo)histor.-polit. Inhalten (grundsätzlich höf. Milieu). Die polemisch gemeinte Bez. geht auf Gottsched zurück.

Hauptverbandsplätze, feldmäßige Einrichtungen der Sanitätstruppe auf dem Gefechtsfeld und im rückwärtigen Korpsgebiet zur Sichtung und ärztl. Behandlung Verwundeter und Kranker.

Hauptverfahren, der an das Eröffnungsverfahren sich anschließende Abschnitt des Strafprozesses bis zur Rechtskraft des Urteils; in das H. leitet auch der Einspruch gegen einen Strafbefehl über. Das H. gliedert sich in die ↑Hauptverhandlung sowie deren Vorbereitung. Zur *Vorbereitung* dienen die Terminanberaumung, die Ladung des Angeklagten, des Verteidigers und der von Staatsanwaltschaft oder vom Gericht von Amts wegen benannten Zeugen und Sachverständigen. Der Angeklagte kann die Ladung von Zeugen und Sachverständigen beantragen, bei Ablehnung seines Antrages kann er selbst sie laden lassen. Ferner wird die Herbeischaffung anderer Beweismittel angeordnet sowie u. U. eine kommissar. Vernehmung sowie ein richterlicher Augenschein durchgeführt (§§ 213–225 a StPO).

Hauptverhandlung, zentraler Abschnitt des gesamten Strafverfahrens, der zur Entscheidung über den in Anklage und Eröffnungsbeschluß formulierten Vorwurf führt und regelmäßig durch Urteil abgeschlossen wird; Teil des Hauptverfahrens. Die H. ist nach den Grundsätzen der Öffent-

lichkeit, Mündlichkeit und Unmittelbarkeit durchzuführen. – Die H. erfolgt in ununterbrochener Gegenwart des Gerichts; Staatsanwalt, Verteidiger und Protokollführer dürfen wechseln. Der Angeklagte muß grundsätzlich anwesend sein; Ausnahmen sind in der StPO geregelt. Gegen einen widerrechtlich abwesenden Angeklagten kann Haftbefehl erlassen werden; wenn er sich unerlaubt entfernt, kann das Gericht ihn in Gewahrsam nehmen lassen. Die H., die der Vorsitzende leitet, beginnt mit dem Aufruf zur Sache; dann wird der Angeklagte über seine persönl. Verhältnisse vernommen. Nach dem Verlesen der Anklageschrift folgt die Vernehmung des Angeklagten zur Sache sowie die Beweisaufnahme, u. a. durch Vernehmung von Zeugen und Sachverständigen. Anschließend werden die Schlußvorträge (Plädoyers) von Staatsanwalt und Verteidiger gehalten; dem Angeklagten gebührt das letzte Wort. Die Urteilsfindung beruht allein auf den in der H. gewonnenen Ergebnissen.
Der Ablauf der H. ist in *Österreich* ähnlich geregelt; in der *Schweiz* gelten unterschiedl. kantonale Prozeßordnungen.

Hauptversammlung ↑Aktiengesellschaft.

Hauptwerk, in der Orgel das vom Hauptmanual aus gespielte Werk mit den wichtigsten Registern (Prinzipalchor, Mixturen, Zungenstimmen und Aliquoten).

Hauptwohnsitz ↑Wohnsitz.

Hauptwort, svw. ↑Substantiv.

Hauran, Landschaft in S-Syrien, 400 bis 800 m ü. d. M., mit fruchtbaren Böden; v. a. Getreideanbau. Östl. schließt sich der Vulkanschild des **Dschabal Ad Drus** (dt. **Drusengebirge;** bis 1 735 m ü. d. M.) an, dessen Hänge von Drusen besiedelt werden.

Haus [zu althochdt. hūs, eigtl. „das Bedekkende, Umhüllende"], Gebäude, das Menschen zum Wohnen und/oder Arbeiten dient. Es war – den vorwiegend gesellschaftl. Strukturen entsprechend – v. a. Wohnhaus von [Groß]familien und – gegebenenfalls – ihrem Gesinde. In den heutigen Industriegesellschaften herrscht das Mietshaus vor (mit abgeschlossenen Wohnungen). – Das H. und seine Teile haben traditionell hl. Charakter (apotropäische Gegenstände über der Tür, der Herd in Zusammenhang mit dem hl. Feuer). – Im frühen Christentum wurde die Bez. „H. Gottes" nicht primär auf bestimmte Gebäude bezogen, sondern in symbol. Weise auf die zum Herrenmahl versammelte Gemeinde angewandt. – Mit den religiösen Vorstellungen hängt auch die rechtl. Stellung des H. zus., nämlich die heute noch bewahrte Unantastbarkeit des H. (Hausrecht; ↑Hausfriedensbruch, ↑Unverletzlichkeit der Wohnung). – Die *Formen* des H.baus hängen ab von den gegebenen Möglichkeiten (Baumaterial), dem Klima, den gesellschaftl. und wirtschaftl. Bedingungen und dem Stilwillen einer Kultur und deren Epochen. – ↑Bauernhaus, ↑Bürgerhaus, ↑Rathaus, ↑Zunfthaus, ↑Verwaltungsbauten.

Hausa, zur tschad. Gruppe der hamitosemit. Sprachen gehörende Sprache der Haussa, die außer in ihrem Kerngebiet in N-Nigeria und Niger (Amtssprache) in weiten Teilen W- und Z-Afrikas als Verkehrssprache gesprochen wird (rd. 30 Mill. Sprecher). Seit der Kolonialzeit hat sich eine rege literar. Produktion entwickelt (in lat. Schrift).

Hausach, Stadt im mittleren Schwarzwald, Bad.-Württ., 238 m ü. d. M., 5 100 E. Metall-, Holz-, Textil- u. a. Ind.; Verkehrsknotenpunkt. – 1272 erste Erwähnung von Silbererzbergwerken. Im 12. Jh. an die Zähringer, 1237 an die Grafen von Fürstenberg (vermutlich Stadtgründer, 1305 Freiburger Stadtrecht). – Ruine der Burg (1453); roman. Pfarrkirche (12. Jh.).

Hausämter ↑Hofämter.

Hausapotheke, die Zusammenstellung häufig gebrauchter Arznei- und Verbandmittel (meist in einem verschließbaren Schrank aufbewahrt), die der Ersten Hilfe und häusl. Krankenpflege dienen.

Hausarbeitstag (Haushaltstag), Arbeitstag, an dem unter bestimmten Voraussetzungen Arbeitnehmer mit eigenem Haushalt von der Arbeit freigestellt sind. Der H. ist in den alten Ländern der BR Deutschland z. T. landesrechtlich geregelt, hat jedoch wegen der allg. Verkürzung der Arbeitszeit nur noch geringe Bedeutung. In den Ländern der ehem. DDR wurde der bezahlte H. gemäß Einigungsvertrag 1990 bis zum 31. Dez. 1991 gewährt.

Hausarzt, i. d. R. Arzt für Allgemeinmedizin (prakt. Arzt), der bei Krankheitsfällen gewöhnlich als erster hinzugezogen wird.

Hausbank, Bez. für die Bank, mit der ein Kunde seine regelmäßigen Bankgeschäfte abwickelt; auch Bez. für Banken, die die treuhänder. Verwaltung von Krediten der öffentl. Hand übernehmen.

Hausbesetzung, das Einziehen in leerstehende Häuser durch Personen oder Personengruppen, ohne die Erlaubnis des Besitzers bzw. gegen dessen Widerspruch. Die H. richtet sich zum einen gegen die Vernichtung von Wohnraum aus Gründen der Bodenspekulation und gegen die Verdrängung der Wohnbev. in den Städten, zum andern will sie auf mangelnde soziale Einrichtungen (z. B. Jugendhäuser) in dichtbesiedelten Stadtvierteln hinweisen. H. finden seit Beginn der 1970er Jahre statt und führten zu breiten Diskussionen um die Sozialbindung des Eigentums und die Planungspraxis der Stadtverwaltungen sowie z. T. zu Konfrontationen zw. Hausbesetzern und Polizeikräften (u. a. Hamburg, Hafenstraße; Berlin, Mainzer Straße).

Hausbock (Hylotrupes bajulus), 7–25 mm langer, schwarzer, weißlich behaarter Bockkäfer mit zwei weißl. Flügeldeckenquerbinden; Schädling in verarbeitetem Nadelholz.

Hausbuchmeister (Meister des Hausbuches von Schloß Wolfegg), im 15. Jh. am Mittelrhein tätiger dt. Maler, Zeichner und Kupferstecher. – Neben den Illustrationen des Hausbuches sind 89 Stiche bekannt, davon 82 in Amsterdam (daher auch der Name „Meister des Amsterdamer Kabinetts").

Hausdurchsuchung ↑Durchsuchungsrecht.

Hausen, Friedrich von ↑Friedrich von Hausen.

Hausen (Huso), Gatt. großer Störe mit zwei Arten; große, gedrungene Fische mit kurzer Schnauze, sehr weiter, halbmondförmiger Mundöffnung und abgeplatteten Barteln. Der **Europ. Hausen** (*Beluga,* Huso huso), Oberseite aschgrau, Bauchseite weißlich, lebt im Schwarzen, Asowschen und Kasp. Meer sowie in der Adria; kann fast 9 m lang und bis 1,5 t schwer werden; liefert hochwertigen Kaviar (Beluga).

Hausenblase, die aufbereitete Innenhaut der Schwimmblase von Hausen und anderen Stören; sie besteht aus hochmolekularen, stark quellenden Eiweißstoffen, die nach Erwärmen und anschließendem Abkühlen zu einem klaren Gallert erstarren, das wegen seines hohen Adsorptionsvermögens als Klärmittel, auch als Appreturhilfsmittel und Klebstoff verwendet wurde.

Hausenstein, Wilhelm, Pseud. Johann Armbruster, * Hornberg (= Altensteig) 17. Juni 1882, † München 3. Juni 1957, dt. Schriftsteller. – 1953–55 Botschafter in Paris; Kunstmonographien und Reisebücher sowie Erzählungen und Erinnerungen („Lux perpetua", 1947; „Pariser Erinnerungen", 1961).

Hausente, Sammelbez. für die von der Stockente (↑Enten) abstammenden Zuchtrassen, die nach Leistung in Lege- und Fleischenten eingeteilt werden.

Hauser, Arnold, * Temesvar 8. Mai 1892, † Budapest 28. Jan. 1978, engl. Literatur- und Kunstsoziologe ungar. Herkunft. – Emigrierte 1938 nach London; lehrte u. a. an der Univ. Leeds; führte die sozialhistor. und wissenssoziolog. Betrachtungsweise in die Kunstwiss. ein. – *Werke:* Sozialgeschichte der Kunst und Literatur (engl. 1950, dt. 1953), Methoden moderner Kunstbetrachtung (1. Auflage 1958 u. d. T. Philosophie der Kunstgeschichte), Der Ursprung der modernen Kunst und Literatur (1. Auflage 1964 u. d. T. Der Manierismus ...), Kunst und Gesellschaft (1974).

H., Erich, * Rietheim (Landkreis Tuttlingen) 15. Dez. 1930, dt. Metallplastiker. – In den Raum ausgreifende Konstellationen aus (vorgefertigten) Stahlrohrelementen.

H., Kaspar, * angebl. 30. April 1812, † Ansbach 17. Dez. 1833 (ermordet), Findelkind unbekannter Herkunft. – Tauchte 1828 in Nürnberg auf, anscheinend in fast völliger Isolierung aufgewachsen. Bes. der Rechtsgelehrte P. J. A. Ritter von Feuerbach nahm sich des seelisch und geistig Überforderten an; er vermutete, H. sei mit dem 1812 geborenen Sohn des bad. Großherzogs Karl Ludwig Friedrich identisch und von der rivalisierenden Linie Hochberg aus dem Weg geräumt worden. K. H. wurde Gegenstand zahlr. literar. Gestaltungen. – Als **Kaspar-Hauser-Komplex** werden in der Sozialpsychologie durch Gemütsarmut und Kontaktschwierigkeiten gekennzeichnete Entwicklungsstörungen bezeichnet. Die Aufzucht (von Tieren) unter Erfahrungsvorenthaltung (isolierte Aufzucht) wird **Kaspar-Hauser-Versuch** genannt.

🕮 *Pies, H.: K. H. Stg. 1986. – Scholz, Hans: K. H. Mchn. 1985. – Mayer, Johannes/Tradowsky, P.: K. H. Stg.*[2]*1984.*

H., Kaspar, Pseud. von Kurt ↑Tucholsky.

Hausflagge (Reedereiflagge), im Topp eines Schiffes geführte Flagge mit Farbe und Zeichen der Reederei.

Hausfleiß (Hauswerk), Bez. für Heimarbeit (z. B. Möbelbau und -bemalung, Weberei, Geräteschnitzen, Töpfern) in bäuerl. Gesellschaften oder Enklaven, die hauptsächlich dem Eigenbedarf dient. Der Übergang zu Lohnarbeit war fließend und die Bez. ↑Hausindustrie anfänglich nicht darauf festgelegt.

Hausfrau, i. e. S. Berufsbez. für die einen Familienhaushalt führende [Ehe]frau. Die H.tätigkeit kann anstelle einer Erwerbstätigkeit oder auch neben einer berufl. Tätigkeit ausgeübt werden. Die Tätigkeit einer Frau als „Nur-H." wird oft gering eingeschätzt. Rechtlich wird die H.tätigkeit gewürdigt durch die Gleichbewertung mit der Erwerbstätigkeit des Ehemannes (Einführung der Zugewinngemeinschaft, Regelung der Unterhaltspflicht).

Hausfriedensbruch, Verletzung des Hausrechts durch 1. widerrechtl. Eindringen in Wohnung, Geschäftsräume, befriedetes (d. h. umzäuntes) Besitztum eines anderen, abgeschlossene Räume, die zu öff. Dienst und Verkehr bestimmt sind, 2. durch Verweilen an solchen Orten trotz Aufforderung des Berechtigten, sich zu entfernen (§ 123 StGB). – Das **Hausrecht** hat, wer ein stärkeres Gebrauchsrecht als der Täter hat, z. B. der Mieter gegenüber dem Eigentümer. H. wird mit Geld- oder mit Freiheitsstrafe bis zu einem Jahr bestraft. Die Verfolgung tritt nur auf Antrag ein. Schwerer H. liegt vor, wenn

die Tat durch eine gewalttätige Menschenmenge begangen wird (nach § 124 StGB Freiheitsstrafe bis zu zwei Jahren oder Geldstrafe).
Nach *östr. Strafrecht* ist H. das Eindringen in die Wohnstätte eines anderen durch Gewalt oder Drohung mit Gewalt (§ 109 StGB). Im *schweizer. Strafrecht* gelten ähnl. Bestimmungen wie im dt. Recht.

Hausgans, Sammelbez. für alle aus der Graugans (↑Gänse) hervorgegangenen Zuchtformen, die in Brut- und Legegänse eingeteilt werden.

Hausgesetz ↑Fürstenrecht.

Hausgewerbetreibender, selbständiger Gewerbetreibender, der in eigener Arbeitsstätte mit nicht mehr als zwei fremden Hilfskräften im Auftrag von Gewerbetreibenden oder Zwischenmeistern Waren herstellt, bearbeitet oder verpackt; er arbeitet selbst wesentlich mit und überläßt einem anderen die Verwertung der Ergebnisse seiner Arbeit. Der H. ist gewerbesteuerpflichtig.

Haushalt, (Haushaltung, Privat-H.) zusammen wohnende und wirtschaftende Personengruppe, meist eine Familie im engsten oder im weiteren Sinne, kann aber auch fremde Personen, häusl. Dienstpersonal, gewerbl. und/oder landw. Arbeitskräfte mit umfassen (als Hausgemeinschaft); daneben steht der Einzelhaushalt.
◆ in den *Wirtschaftswissenschaften:* 1. svw. *H.plan* (↑Haushaltsrecht); 2. als **öffentlicher Haushalt** oder **Staatshaushalt** die öff. Finanzwirtschaft mit einer Gegenüberstellung von Voranschlägen der Einnahmen und Ausgaben der öff. Hand für ein Haushaltsjahr. Die H.einnahmen und -ausgaben werden in ordentl. und außerordentl. eingeteilt; **ordentl. Einnahmen** sind u. a. Steuern, Einnahmen aus wirtschaftl. Tätigkeit, Zinseinnahmen, laufende Zuweisungen und Zuschüsse, Gebühren und sonstige Entgelte; Veräußerung von Sachvermögen, Darlehensrückflüsse, Schuldenaufnahmen bei Verwaltungen; **ordentl. Ausgaben** sind v. a. Personalausgaben, laufender Sachaufwand, Zinsausgaben, Ausgaben für Baumaßnahmen, Zuweisungen und Zuschüsse für Investitionen, Tilgungsausgaben; **außerordentl. Einnahmen** sind im wesentlichen solche aus Kreditmarktmitteln und der Ausgabe von Münzen; **außerordentl. Ausgaben** sind: Tilgung von Kreditmarktmitteln, Zuführung an Rücklagen, Ausgaben für Fehlbeträge in den H.rechnungen der Vorjahre; das H.volumen wie auch der H.plan werden auch **Etat** genannt.
📖 *Müller, K.: Staatsausgaben u. wirtsch. Entwicklung. Ffm. 1990. – Biehl, D., u. a.: Konjunkturelle Wirkungen öff. H. Tüb. 1978.*

Haushaltsausgleich, Deckung der öff. Ausgaben durch öff. Einnahmen.

Haushaltsbesteuerung, die bes. Besteuerung von Mgl. eines Haushalts bei der Einkommensteuer und der Vermögensteuer.

Haushaltsdefizit, Betrag der Unterdekkung der öff. Ausgaben durch laufende öff. Einnahmen. Das H. wird durch Kredite finanziert. Dieser Verzicht auf den materiellen Haushaltsausgleich wird in der Konjunkturpolitik ↑Deficit-spending genannt.

Haushaltsführungsehe ↑Ehewirkungen.

Haushaltsgeld (Wirtschaftsgeld), die dem haushaltsführenden Ehegatten zur Bestreitung der laufenden Haushaltskosten (nicht für außergewöhnl. Anschaffungen) überlassenen Mittel (§§ 1360 ff. BGB). Das H. ist im voraus zu entrichten. Davon zu unterscheiden ist der Anspruch des haushaltsführenden Ehegatten auf Taschengeld.

Haushaltsgesetz (Budgetgesetz) ↑Haushaltsrecht.

Haushaltsglasversicherung, seit 1984 bestehende Sachversicherung zum Schutz vor Glasschäden an Gebäuden und Mobiliarglas.

Haushaltshilfe, in der *Sozialversicherung* Stellung einer Ersatzkraft oder Erstattung der für eine selbst beschaffte Hilfskraft entstandenen Kosten, wenn dem Versicherten oder dessen Ehegatten wegen Krankheit, Entbindung oder Kur die Weiterführung des Haushalts nicht möglich ist und soweit im Haushalt mindestens ein Kind unter acht Jahren oder ein behindertes Kind lebt bzw. keine andere dort lebende Person die Haushaltsführung übernehmen kann; im *Einkommensteuerrecht* können seit 1. 1. 1990 bis 12 000 DM Jahresgehalt für eine H. als Sonderausgaben geltend gemacht werden, wenn für das Beschäftigungsverhältnis Sozialversicherungsbeiträge entrichtet wurden und im Haushalt von Alleinerziehenden mindestens ein Kind, bei Ehegatten mindestens zwei Kinder unter zehn Jahren leben oder ein Schwerpflegebedürftiger zum Haushalt gehört.

Haushaltsjahr, Rechnungsjahr, für das ein Haushaltsplan aufgestellt wird. Das H. des Haushaltsplans des Bundes ist das Kalenderjahr.

Haushaltsplan ↑Haushaltsrecht.

Haushaltspolitik, Gesamtheit der Maßnahmen eines Staates, durch isolierte oder kombinierte Veränderungen der Einnahmen und/oder der Ausgaben die Höhe des Volkseinkommens, der Beschäftigung und der Preise zu beeinflussen. Die H. ist insbes. ein Mittel der staatl. Konjunkturpolitik.

Haushaltsrecht (Budgetrecht, Etatrecht), Gesamtheit der Rechtsnormen, die die Planung und Aufstellung, Verwaltung und Kontrolle der öff. Haushalte regeln.

Durch die wirtschafts- und sozialstaatl. Entwicklung der letzten Jahrzehnte wuchs der Kreis der vom Staat wahrzunehmenden Aufgaben und damit der Anteil der Staatshaushalte am Sozialprodukt ständig. Dadurch trat die gesamtwirtschaftl. Steuerungs- und Budgetfunktion in den Vordergrund. Sie bewirkte eine längerfristige Haushaltsbetrachtung auf der Grundlage einer mehrjährigen Finanzplanung und eine Vereinheitlichung des H. in Bund und Ländern. Dieser Entwicklung trugen das Gesetz zur Förderung der Stabilität und des Wachstums der Wirtschaft vom 8. 6. 1967 sowie die Haushaltsreform des Jahres 1969 (*Haushaltsgrundsätzegesetz* und *Bundeshaushaltsordnung* vom 19. 8. 1969) Rechnung. Das GG enthält einige Grundsätze des H., die für Bund und Länder gleichermaßen gelten. In Art. 109 Abs. 1 z. B. statuiert es das Prinzip der *Haushaltstrennung* für Bund und Länder entsprechend der bundesstaatl. Gliederung.

Das H. orientiert sich am **Haushaltskreislauf** mit seinen Phasen Aufstellung, Festsetzung und Durchführung des Haushaltsplans, Rechnungslegung und -prüfung, Entlastung. Im Mittelpunkt des H. steht der **Haushaltsplan.** Er dient der Feststellung und Deckung des Finanzbedarfs, der zur Erfüllung der staatl. Aufgaben im Bewilligungszeitraum voraussichtlich notwendig ist. Er ist die Grundlage für die Haushalts- und Wirtschaftsführung. Der Haushaltsplan besteht aus den Einzelplänen und dem Gesamtplan. Die Einzelpläne sind in *Kapitel,* die i. d. R. den Verwaltungsressorts entsprechen, und in *Titel* gegliedert. Der Gesamtplan enthält eine *Haushaltsübersicht* (Zusammenfassung der Einzelpläne, Summierung der gesamten Einnahmen und Ausgaben), eine Berechnung des Finanzierungssaldos *(Finanzierungsübersicht)* und eine Darstellung der Einnahmen aus Krediten und der Tilgungsausgaben *(Kreditfinanzierungsplan).*

Der **Haushaltsplanentwurf** wird für ein oder zwei Rechnungsjahre, nach Jahren getrennt, auf Grund von *Ressortvoranschlägen* vom Bundesfinanzmin. aufgestellt und von der Bundesreg. beschlossen, wobei dem Finanzmin. ein nur mit qualifizierter Mehrheit ausräumbares Widerspruchsrecht zusteht. Die Einbringung des Haushaltsplanes und des Haushaltsgesetzes beim Parlament ist alleiniges Recht der Regierung. Die Regierungsvorlage ist – mit einem Bericht des Finanzmin. über Stand und voraussichtl. Entwicklung der Finanzwirtschaft, auch im Zusammenhang mit der gesamtwirtschaftl. Entwicklung **(Finanzbericht)** – beim Bundestag vor Beginn des Haushaltsjahres einzubringen. Sie wird gleichzeitig dem Bundesrat zugeleitet, der innerhalb von sechs Wochen Stellung nehmen muß. Danach durchläuft die Regierungsvorlage das normale Gesetzgebungsverfahren und wird vom Bundestag durch Haushaltsgesetz festgestellt.

Durch das **Haushaltsgesetz** wird nur der Gesamtplan verkündet. Neben der Festlegung des Haushaltsplanes kann das Haushaltsgesetz auch andere Vorschriften enthalten, die sich aber nur auf den Haushaltszeitraum und auf Einnahmen und Ausgaben beziehen dürfen. Ist der Haushaltsplan bis zum Schluß eines Rechnungsjahres für das folgende Jahr nicht durch Gesetz festgestellt, so ist bis zu seinem Inkrafttreten die Bundesreg. ermächtigt, alle Ausgaben zu leisten, die nötig sind, um gesetzlich bestehende Einrichtungen zu erhalten, gesetzlich beschlossene Maßnahmen durchzuführen, die rechtlich begründeten Verpflichtungen des Bundes zu erfüllen und um Bauten, Beschaffungen und sonstige Leistungen fortzusetzen oder Beihilfen für diese Zwecke weiter zu gewähren, sofern durch den Haushaltsplan des Vorjahres bereits Beträge bewilligt worden sind. Reichen die gesetzl. Einnahmen zur Deckung der genannten Ausgaben nicht aus, darf die Reg. Kredite bis zur Höhe eines Viertels der Endsumme des abgelaufenen Haushaltsplanes aufnehmen (sog. **Nothaushalt**).

Wird während des Haushaltsvollzuges eine wesentl. Erhöhung des Budgets erforderlich, muß die Regierung einen **Nachtragshaushalt** einbringen. In Ausnahmefällen eines unvorhergesehenen und unabweisbaren Bedürfnisses steht dem Finanzminister ein **Notbewilligungsrecht** für über- und außerplanmäßige Ausgaben zu.

Ausgabenerhöhende und einnahmenmindernde Gesetze bedürfen, auch wenn sie diese Wirkung nur für die Zukunft mit sich bringen, der Zustimmung der Bundesregierung.

Die **Rechnungsprüfung** nimmt der Bundesrechnungshof wahr, der den gesetzgebenden Körperschaften über die Ergebnisse unmittelbar berichtet. Unter Berücksichtigung des Rechnungsprüfungsberichts beschließen diese über die Entlastung. Bei Verstößen gegen eine geordnete Haushaltsführung können die gesetzgebenden Körperschaften jedoch nur polit. Sanktionen ergreifen (Mißbilligungsbeschlüsse u. a.).

In *Österreich* wurde das lange Zeit zersplitterte H. umfassend reformiert mit der am 1. 1. 1987 in Kraft getretenen Bundesverfassungsgesetz-Novelle vom 4. 4. 1986 und dem BundesG über die Führung des Bundeshaushalts vom 4. 4. 1986. Danach setzt sich der Gesamthaushalt zus. aus dem allg. Haushalt und dem Ausgleichshaushalt. Sonderfinanzierungen sind gestattet, müssen aber in die Haushaltsprognose aufgenommen werden.

Die *schweizer. Bundesverfassung* (BV) enthält

nur wenige Vorschriften über das Haushaltungsrecht des Bundes. Sie verlangt die Aufstellung eines jährl. Voranschlages *(Budget)*, die Erstellung der Rechnungen über die Einnahmen und Ausgaben und regelt die Zuständigkeiten. BG über den eidgenöss. Finanzhaushalt vom 18. 12. 1968 hat Geltung für den Voranschlag des Bundes und seiner unselbständigen Betriebe und Anstalten, die Abnahme der Staatsrechnung und die Verwaltung der Bundesfinanzen; ausgenommen und bes. Vorschriften vorbehalten ist lediglich der Finanzhaushalt der Schweizer. Bundesbahnen (SBB) und derjenige der PTT-Betriebe. Oberste Grundsätze des Finanzhaushaltes des Bundes sind Gesetzmäßigkeit, Dringlichkeit, Wirtschaftlichkeit und Sparsamkeit; ferner ist anzustreben, den Fehlbetrag in der Bilanz abzutragen und die Einnahmen und Ausgaben im Gleichgewicht zu halten, wobei den Erfordernissen einer Konjunktur- und wachstumsgerechten Finanzpolitik Rechnung zu tragen ist.

🕮 *H. Vorschriften-Slg. Hg. v. K. H. Friauf u. G. Püttner. Hdbg. [13]1988. – Mußgnug, R.: Der Haushaltsplan als Gesetz. Gött. 1976.*

Haushaltstag ↑Hausarbeitstag.

Haushaltstheorie, Teil der mikroökonom. Theorie neben der Produktionstheorie und der Preistheorie. Die H. i. e. S. untersucht die Bestimmungsgründe für die Nachfrage nach Konsumgütern, i. w. S. auch diejenigen für das Angebot an Produktionsfaktoren bzw. Arbeit. Dabei unterstellt die H., daß der subjektive Nutzen das Maß der Bedürfnisbefriedigung ist, und jeder Haushalt versucht, seinen Nutzen zu maximieren.

Haushaltsüberschuß, Betrag der Überdeckung der öff. Ausgaben durch laufende öff. Einnahmen. Der H. wird in Deutschland dadurch stillgelegt, daß er zur zusätzl. Tilgung von Schulden bei der Dt. Bundesbank oder zur Bildung einer Konjunkturausgleichsrücklage (entsprechend den Bestimmungen des StabilitätsG) verwendet wird.

Haushalts- und Ernährungswissenschaft, Studienfach mit natur-, sozial- und betriebswirtsch. Ausbildung, die eine wiss. Grundlage für die Führung von Großhaushalten (z. B. Krankenhäuser) geben soll.

Haushaltungsstatistik, Zweig der amtl. Statistik in Deutschland, deren Objekt die Haushaltung ist. Im allg. werden die quantitative (Anzahl der Personen) und qualitative (Kinder, Verwandte) Zusammensetzung der Haushaltungen, die soziale Stellung und der Beruf des Haushaltungsvorstandes, die Anzahl der Mitverdiener, die Wohnverhältnisse, das Einkommen und die Ausgaben, etwa für Bekleidung, Ernährung, Freizeitgestaltung, erfragt.

Haus-Haus-Verkehr, Gütertransporte vom Haus des Versenders zum Haus des Empfängers durch einen Verkehrsträger (insbes. Güterkraftverkehr) oder mehrere Verkehrsträger (z. B. Containerverkehr).

Haushofer, Albrecht, * München 7. Jan. 1903, † Berlin 23. April 1945, dt. Schriftsteller. – Sohn von Karl H.; 1940 Prof. für polit. Geographie und Geopolitik in Berlin, bis 1941 Mitarbeiter des Auswärtigen Amtes; als Widerstandskämpfer 1944 verhaftet und kurz vor Kriegsende erschossen. Übte in seinen Römerdramen („Scipio", 1934; „Sulla", 1938; „Augustus", 1939) Kritik am Nationalsozialismus. Seine bedeutendste Dichtung und zugleich die bedeutendste des Widerstands sind die „Moabiter Sonette" (hg. 1946).

H., Karl, * München 27. Aug. 1869, † Pähl bei Weilheim i. OB 10. März 1946, dt. Geopolitiker. – Vater von Albrecht H.; 1921–39 Prof. in München; Reisen nach Ostasien; Begründer der Geopolitik in Deutschland; seine Ideen wirkten stark auf den NS; deshalb angeschuldigt, nahm sich H. das Leben.

Haus-, Hof- und Staatsarchiv ↑Österreichisches Staatsarchiv.

Haushuhn, Sammelbez. für die aus dem **Bankivahuhn** (↑Kammhühner) gezüchteten Hühnerrassen. Die rd. 150 Hühnerrassen lassen sich in fünf große Rassengruppen zusammenfassen: *Legerassen* mit einer Legeleistung von nahezu 300 über 60 g schweren

Haushaltstheorie. Bei der Indifferenzkurve I_b, die die Bilanzgerade B berührt, befindet sich der Haushalt im Gleichgewicht; alle Mengenkombinationen rechts von B sind unter den gegebenen Bedingungen unerreichbar (zum Beispiel Indifferenzkurve I_c); alle Mengenkombinationen links von B (zum Beispiel Indifferenzkurve I_a) sind von geringerem Nutzen

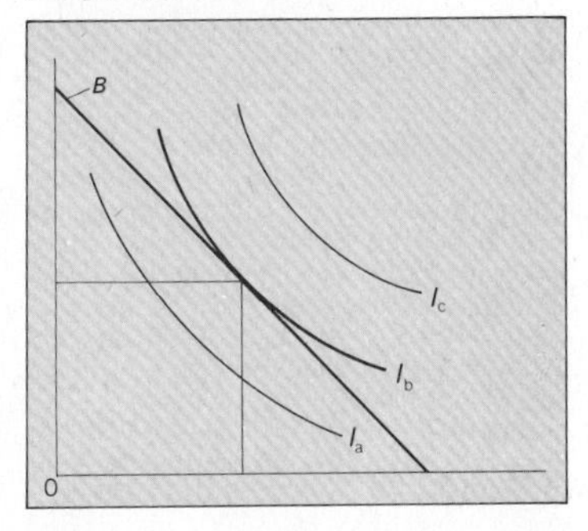

Eiern pro Huhn im Jahr (z. B. Weißes Leghuhn); *Zwierassen,* die zur Eier- und Fleischnutzung gezüchtet werden (z. B. Dt. Sperber); *Fleischrassen,* die hauptsächlich zur Fleischgewinnung dienen; sie sind bis 6 kg schwer (z. B. Dt. Langschan). *Zierhühner* werden nur zu Liebhaberzwecken gehalten (z. B. Zwerghühner). *Kampfhühner* (für Hahnenkämpfe) bilden die wohl älteste H.rasse. – **Geschichte:** Haushühner gab es wahrscheinlich schon im 3. Jt. v. Chr. in Vorderindien. In M-Europa ist das H. seit der späten Hallstatt- und frühen La-Tène-Zeit bekannt.

Haushund (Canis familiaris), vom Wolf abstammendes Haustier. Als Ur-H.rassen werden u. a. angesehen: Torfhund, Aschenhund, Schlittenhund, Lagerhund und Langkopfhund. – **Geschichte:** Die Domestikation begann vermutlich in der mittleren Steinzeit (vor rund 15 000 Jahren) im sw. bis südl. Asien. Die ältesten mitteleurop. Hofhunde stammen etwa aus dem 8. Jt. v. Chr. Die frühesten sicher datierbaren Reste domestizierter Hunde stammen von mittelsteinzeitl. Fundplätzen in Palästina und N-Europa. Auf zeitlich entsprechenden Felsbildern in O-Spanien sind Hunde bereits als Jagdhelfer des Menschen dargestellt.

Hausierhandel ↑ Reisegewerbe.

Hausindustrie, industrielles Verlagssystem, in dem viele unselbständige Handwerker in Hausarbeit für Rechnung eines Unternehmers Lohnaufträge ausführen. Der Unternehmer übernimmt hauptsächlich Beschaffungs- und Absatzfunktionen. Die H. stellt eine Übergangsform vom Handwerk zur Ind. dar, die ihre größte Bedeutung im Frühkapitalismus erreichte und gegenwärtig nur noch vereinzelt anzutreffen ist (z. B. Spielzeug).

Hauskaninchen (Stallhase), Bez. für die seit dem frühen MA aus dem Wildkaninchen (zunächst v. a. in frz. Klöstern) gezüchteten Kaninchenrassen, die für die Fleisch-, Pelz-, Filz- und Wollgewinnung (bes. Angorawolle) von Bed. sind. Das H. wird in zahlr. Rassen gezüchtet: u. a. Belg. Riesen, Dt. Widder, Großchinchilla, Großsilber und Kleinsilber.

Hauskatze, Zuchtform der nub. ↑ Falbkatze. Heute werden zahlr. Rassen gezüchtet, z. B. Perserkatze, Birmakatze, Siamkatze, Karthäuserkatze, Mankatze. – **Geschichte:** Katzen wurden bereits rd. 7000 v. Chr. im Vorderen Orient (Jericho) gehalten, jedoch wahrscheinlich nur als gezähmte Wildfänge. Die eigentl. Domestikation der H. setzte im 2. Jt. v. Chr. in Ägypten ein. Etwa im 8. Jh. n. Chr. kam sie nach M-Europa, wo sie sich mit der einheim. Wildkatze kreuzte.

Häusler, in der alten Agrarverfassung Bewohner eines Dorfes, der keine Vollbauernstelle und deshalb kein oder nur minderes Recht in der Gemeinde besaß; war Eigentümer eines Hauses, besaß wenig oder gar kein Feld und bestritt urspr. seinen Lebensunterhalt v. a. durch Tagelöhnerarbeit bei Vollbauern oder durch handwerkl. Tätigkeit.

Hausmacht, im MA jene Territorien, die sich im erbl. Besitz des Königsgeschlechts befanden; übertragen: innerhalb einer Institution die auf Personen basierende Macht, über die der an der Spitze der Hierarchie Stehende fest verfügt und mit der er seine Ziele durchzusetzen vermag.

Hausmaler, Künstler des 17./18. Jh., die von den Manufakturen unbemaltes Porzellan, auch Glas und Fayence bezogen, bemalten und verkauften.

Hausmann, Manfred, * Kassel 10. Sept. 1898, † Bremen 6. Aug. 1986, dt. Schriftsteller. – Naturerlebnis und Vagabundenromantik prägen sein Frühwerk; unter dem Einfluß Kierkegaards und K. Barths Wendung zum Christentum. – *Werke:* Abel mit der Mundharmonika (R., 1932), Das Worpsweder Hirtenspiel (1946), Der dunkle Reigen (Dr., 1951), Der Fischbecker Wandteppich (Spiel, 1955), Jahre des Lebens (Ged., 1974), Da wußte ich, daß Frühling war (Eskimo-Lieder, 1984).

H., Raoul, * Wien 12. Juli 1886, † Limoges 1. Febr. 1971, östr. bildender Künstler und Texter. – Mgl. des Berliner Dada; 1936 Emigration. Schuf neben Photomontagen auch Kartonskulpturen und „Skulptur-Assemblagen" aus vorgefundenen Materialien.

Hausmann, Mann, der seine berufl. Tätigkeit eingeschränkt oder aufgegeben hat, um einen größeren Anteil an der Hausarbeit und der Erziehung der Kinder zu übernehmen.

Hausmarke, im Unterschied zum Hausnamen nicht dem Haus als Gebäude, sondern dem Haus als Familie oder Institution eigenes, meist geometr. Zeichen zur Kennzeichnung von Besitz, Werkzeug, Waren usw.; seit vorgeschichtl. Zeit für den bäuerl. Bereich (Hofmarken) bezeugt; im MA von Kaufleuten und Handwerkern verwendet und gelegentlich in Siegel und Wappen übernommen.

Hausmaus (Mus musculus), weltweit verbreitete Art der Echtmäuse; Körper 7–12 cm lang, schlank; Schnauze ziemlich spitz, Schwanz etwa körperlang, fast nackt; Färbung oberseits braungrau bis bleigrau oder gelbgrau, Unterseite wenig heller bis fast weiß. – Urspr. freilebend, hat sich die nachtaktive, gut springende und schwimmende H. an und in menschl. Behausungen angesiedelt. In Europa kommen bes. die folgenden Unterarten vor: **Westl. Hausmaus** (Haushausmaus, Mus musculus domesticus; westl. der Elbe in NW- und W-Europa; bleigrau bis bräunlichgrau; sehr eng an menschl. Ansiedlungen ge-

bunden); **Nördl. Hausmaus** (Feldhausmaus, Mus musculus musculus; östl. der Elbe in O-, SO- und N-Europa; graubraun bis graugelb, mit weißl. Unterseite); **Ährenmaus** (Mus musculus spicilegus; im sö. Europa; gelbgrau mit weißer Unterseite; frei lebend; legt in ihren unterird. Bauten Nahrungsvorräte für den Winter an). – Als Stammform der rotäugigen Weißen Maus, einem Albino (Labormaus), ist sie ein wichtiges Versuchstier in der medizin. und biolog. Forschung.

Hausmeerschweinchen ↑Meerschweinchen.

Hausmeier (lat. major domus), urspr. bei den Franken und anderen german. Völkern der Vorsteher des königl. Hauswesens und der Domänen. Seit etwa 600 im Fränk. Reich Führer des krieger. Gefolges, drängten die H. der Merowinger die Könige völlig beiseite, indem sie in den Reichsteilen Austrien, Neustrien und Burgund als Führer des Adels dessen Interessen gegen die Könige durchsetzten. 751 ließ sich Pippin III. zum König wählen, womit das H.amt erlosch.

Hausministerium, in Monarchien Hofbehörde, welche die Angelegenheiten des fürstl. Hauses verwaltete.

Hausmusik, das Musizieren im Familien- oder Freundeskreis; seit dem 17. Jh. das bürgerl. Gegenstück zur aristokrat. Kammermusik oder zur kunstvolleren Kirchenmusik. H.werke sind wegen ihrer Bestimmung für Dilettanten bewußt unkompliziert komponiert. Im 19. und beginnenden 20. Jh. bildeten Bearbeitungen größerer Formen (Opern, Sinfonien) einen wichtigen Teil der H.literatur. Einen Aufschwung erlebte die H. Anfang des 20. Jh. im Zusammenhang mit den Bestrebungen der Jugend- und Singbewegung, die sich für die Wiederbelebung der Gemeinschaftsmusik des 16.–18. Jh. einsetzte. Heute wird sie durch Musikschulen bzw. Jugendmusikschulen angeregt und in Laienorchestern wieder verstärkt gepflegt.

Hausmutter (Agrotis pronuba), bis 3 cm langer Eulenfalter in Europa, W-Asien und N-Afrika; Vorderflügel braun, Hinterflügel gelb, schwarz gerandet.

Hausner, Rudolf, * Wien 4. Dez. 1914, † Mödling bei Wien 25. Febr. 1995, östr. Maler und Graphiker. – Vertreter der sog. Wiener Schule des Phantast. Realismus.

Hausordnung, 1. Regelung, die der Vermieter im Rahmen seiner Verpflichtung zur Verwaltung und zur Erhaltung des Hausfriedens erlassen kann; enthält Rechte und Pflichten der Mieter gegenüber dem Vermieter; 2. die durch Stimmenmehrheit der Wohnungseigentümer beschlossene Ordnung über einen der Beschaffenheit der im Sondereigentum stehenden Gebäudeteile (insbes. Wohnungen) und des gemeinschaftl. Eigentums entsprechenden ordnungsmäßigen Gebrauch.

Haus Österreich ↑Österreich, Haus.

Hauspferd (Equus caballus), in seinen verschiedenen Rassen vermutlich von den drei aus geschichtl. Zeit bekannten Unterarten des Prschewalskipferdes abstammendes Haustier. Das H. ist v. a. als Reit- und Zugtier von Bed.; heute wird es vielfach als Sportpferd gehalten. – Die Tragzeit beträgt etwa 336 Tage.

Hauspflege, in der *Sozialhilfe* die Hilfe zur Weiterführung des eigenen Haushalts, u. a. bei Krankheit oder altersbedingter Gebrechlichkeit, wenn keiner der Angehörigen den Haushalt führen kann; soll i. d. R. nur vorübergehend gewährt werden (§ 70 BundessozialhilfeG).

◆ in der *Krankenversicherung* Kurzbez. für 1. die häusl. Krankenpflege als Komplexleistung aus Grundpflege, Behandlungspflege und hauswirtschaftl. Versorgung ohne zeitl. Begrenzung pro Tag (Krankenhausersatzpflege) oder als Ergänzung zur (ambulanten) ärztl. Behandlung (Sicherungspflege); 2. die 1991 eingeführte häusl. Pflegehilfe. Sie umfaßt eine Geldleistung (monatl. 400 DM an die versicherte Person oder 750 DM für eine Pflegeperson) und die Finanzierung einer Urlaubsvertretung.

Hausrat, alle bewegl. Sachen des Haushalts, v. a. Möbel, Gardinen, Teppiche, Geschirr und Wäsche; i. d. R. auch der Familien-Pkw, nicht jedoch die Gegenstände für den persönl. Gebrauch.

Hausratsverordnung, die 6. DVO zum EheG vom 21. 10. 1944 über die Behandlung der Ehewohnung und des Hausrats nach der Scheidung. Können sich die geschiedenen Ehegatten nicht einigen, wer von ihnen Ehewohnung und Hausrat erhalten soll, so kann auf Antrag der Richter eine Regelung unter Berücksichtigung des Wohls der Kinder und der Erfordernisse des Gemeinschaftslebens treffen.

Hausratte ↑Ratten.

Hausratversicherung, Versicherung der Sachen, die in einem Haushalt zur Einrichtung gehören bzw. zum Gebrauch oder Verbrauch dienen sowie weiterer in den Versicherungsbedingungen einzeln aufgezählter Gegenstände gegen Feuer-, Einbruchdiebstahl-, Beraubungs-, Leitungswasser-, Sturm- und Glasbruchschäden (nach den Allg. H.bedingungen von 1984 sind Glasbruchschäden nicht mehr erfaßt; ↑Haushaltsglasversicherung) in einem Vertrag; deshalb auch: **verbundene Hausratversicherung.**

Hausrecht ↑Hausfriedensbruch.

Hausrind, Bez. für vom Auerochsen abstammende, vom Menschen domestizierte Rinderrassen. Die H. werden häufig in Niederungs- und Höhenviehrassen untergliedert. Das H. ist als Arbeitstier sowie zur Fleisch-, Milch- und Ledergewinnung von größter wirtsch. Bed. – Das ♀ H. wirft nach rund 240 bis 320 Tagen meist nur ein Kalb.

Hausrotschwanz ↑Rotschwänze.

Hausruck, etwa 30 km langer dichtbewaldeter Höhenzug im oberöstr. Alpenvorland, im Göbelsberg 801 m ü. d. M., Abbau von Braunkohle.

Hausruckviertel, östr. Voralpenlandschaft zw. Hausruck und Traun; wichtiges Landw.gebiet.

Haussa (Hausa), Volk in der afrikan. Großlandschaft Sudan, v. a. in N-Nigeria; Hauptzentren sind Kano, Sokoto, Zaria und das Josplateau. Überwiegend Händler, Handwerker und Hackbauern, seit dem 15. Jh. islamisiert.

Hausschabe (Dt. Schabe, Blatella germanica), bis 15 mm große, weltweit verbreitete, hellbraune Schabe mit zwei dunklen Längsstreifen auf dem Halsschild; kommt in M-Europa nur in Gebäuden vor (Backstuben, Großküchen, Lagerräume).

Hausschaf (Ovis aries), von vermutlich verschiedenen Unterarten des Wildschafs abstammendes, seit der frühen Steinzeit domestiziertes Haustier. Die ältesten europ. H.rassen waren Torfschaf und Kupferschaf. Heute werden zahlr. sehr unterschiedl. Rassen zur Fleisch-, Milch-, Woll-, Pelz- und Fettgewinnung gezüchtet. Die Schurzeit liegt bei der *Vollschur* (Jahresschur) im April und Mai, bei der *Halbschur* zusätzlich im Herbst. – Die Tragzeit beträgt durchschnittlich 150 Tage, nach denen 1–3 Lämmer geworfen werden. Das H. ist genügsam und läßt sich in Steppen- und Buschgebieten, v. a. auch auf Hochflächen gut weiden. – In Deutschland werden

v. a. Fleischschafrassen sowie ↑Merinoschafe und ↑Landschafe gezüchtet.

Hausschwalbe, svw. Mehlschwalbe (↑Schwalben).

Hausschwamm (Echter H., Serpula lacrymans), Ständerpilz, der durch enzymat. Holzabbau verbautes Holz zerstört; setzt sich zunächst mit weißem, lockerem Myzel auf feuchtem Gebälk fest und kann sich dann von der Infektionsstelle aus mit meterlangen, wasserleitenden, bleistiftdicken Myzelsträngen, die mitunter massives Mauerwerk durchdringen, auch auf trockenes Holz ausbreiten. An der Oberfläche des befallenen Holzes bilden sich flache, bräunl. Fruchtkörperkuchen mit netzartig verbundenen Wülsten. – Vorbeugen durch ↑Holzschutz.

Hausschwein (Sus scrofa domesticus), seit Mitte des 6. Jt. v. Chr. domestiziertes Haustier, das hauptsächlich vom Europ. Wildschwein (europ. H.rassen) und vom Bindenschwein (asiat. H.rassen) abstammt. Das H. ist als Fleisch-, Fett-, Leder- und Borstenlieferant von größter wirtsch. Bed. – Nach einer Tragzeit von durchschnittlich 115 Tagen werden etwa 10 Junge (Ferkel) geworfen. – Bekannte Rassen sind: Dt. Sattelschwein, Dt. Landrasse, Dt. Weideschwein, Dt. Weißes Edelschwein, Berkshireschwein, Cornwallschwein, Rotbuntes Schwein, Yorkshireschwein.

Hausse ['ho:sə; lat.-frz.], Zustand steigender oder hoher Kurse an der Börse, wie er bes. im Zuge eines konjunkturellen Aufschwungs auftritt (Ggs. ↑Baisse). **Spekulation à la Hausse** liegt vor, wenn Wertpapiere in Erwartung steigender Kurse gekauft werden.

Haussegen, mit Zaubersprüchen und Zeichen beschriebene oder bedruckte Blätter frommen oder abergläub.-mag. Charakters, die Haus und Hof vor Unglück bewahren sollen; neben Andachtsbildern dienen auch Schutzzeichen wie der Drudenfuß, drei Kreuze oder die Initialen C + M + B der Hl. Drei Könige dem gleichen Zweck.

Haussmann, Georges Eugène Baron [frz. os'man], * Paris 27. März 1809, † ebd. 12. Jan. 1891, frz. Politiker. – Unter Napoleon III. Präfekt von Paris (1853–70), das er in großzügiger Weise durch den Bau von Boulevards und Parkanlagen unter Zerstörung des ma. Stadtbildes umgestalten ließ.

Haussmann, Helmut, * Tübingen 18. Mai 1943, dt. Politiker (FDP). – Seit 1976 MdB; 1984–88 Generalsekretär der FDP. 1988–91 Bundesmin. für Wirtschaft.

Haussperling ↑Sperlinge.

Hausspinnen (Winkelspinnen, Tegenaria), Gatt. der Trichterspinnen mit acht einheim., meist in Gebäuden lebenden Arten; 5–20 mm groß, überwiegend dunkel gefärbt.

Haussuchung ↑Durchsuchungsrecht.

Haustaube (Columba livia domestica), Sammelbez. für die seit dem 4. Jt. im Orient, seit der Mitte des 1. Jt. in Europa aus der Felsentaube gezüchteten Taubenrassen (z. Z. weit mehr als 100). H. werden aus Liebhaberei, zur Fleischgewinnung oder als Brieftauben gehalten. Sie neigen zur Verwilderung und haben sich in größeren Städten durch starke Vermehrung z. T. zu einer lästigen Plage entwickelt. Eine Rassengruppe der H. sind die **Feldtauben,** die sich ihre Nahrung auf Feldern suchen.

Haustiere, Bez. für die vom Menschen zur Nutzung ihrer Produkte oder Arbeitsleitungen oder aus Liebhaberei gehaltenen und gezüchteten Tiere. Zu den ältesten „klass." H. zählen Hausschaf, Hausziege, Haushund, Hausschwein und Hausrind, möglicherweise auch die Hauskatze. Hauspferd, Hausesel sowie Kamel, Lama, Rentier, Hausgans und Hausente wurden erst später domestiziert.

Haustorien [lat.], svw. ↑Saugorgane.

Haustrunk, Bier, das Brauereien an ihre Arbeitnehmer zum eigenen Verbrauch abgeben.

Haustürgeschäft, Vertragsabschluß über eine entgeltl. Leistung insbes. am Arbeitsplatz, in der Privatwohnung (Haustür), bei Kaffeefahrten, in öff. Verkehrsmitteln. Das H. kann vom Kunden gemäß Gesetz vom 16. 1. 1986 innerhalb einer Woche widerrufen werden. Der Fristablauf beginnt erst nach schriftl. Belehrung. Das Widerrufsrecht besteht nicht, wenn die Verhandlung auf Bestellung des Kunden geführt wurde, die Leistung sofort erbracht und bezahlt wurde sowie ihr Wert unter 80 DM liegt. Das Gesetz ist nicht bei Abschluß eines Versicherungsvertrages anwendbar.

Haus- und Familiendiebstahl ↑Diebstahl.

Hausurnen, Bez. für vorgeschichtl. Behältnisse des Leichenbrandes, die die Form eines Gebäudes haben; finden sich gegen Ende der jüngeren Bronzezeit und in der älteren Eisenzeit (10.–6. Jh.) erst in M-Italien, dann in M-Deutschland und in Skandinavien.

Hauswanzen, svw. ↑Plattwanzen.

Hauswerk ↑Hausfleiß.

Hauswirtschaft, selbständige Wirtschaftsführung, Bewirtschaftung eines großen Haushalts (z. B. Anstaltshaushalt).

◆ Begriff aus der volkswirtschaftl. Stufentheorie. Die H. (oder Oikenwirtschaft) stellt die erste Stufe der wirtschaftl. Entwicklung dar, auf der die Wirtschaftssubjekte im Rahmen der Hausgemeinschaft ausschließlich für den Eigenbedarf produzieren. Arbeitsteilung mit anderen Wirtschaftseinheiten und Märkte bilden sich erst in den folgenden Stufen der Entwicklung aus, in der Stadt-, Volks- und Weltwirtschaft.

Hauswirtschaftslehre, Unterrichtsfach an allg. und berufl. (hauswirtsch.) Schulen mit den Bereichen Ernährungslehre, Haushaltsökonomie und -ökologie sowie Arbeitstechniken im Haushalt und sozialkundl. Fragen.

Hauswurz (Dachwurz, Donnerwurz, Sempervivum), Gatt. der Dickblattgewächse mit rd. 30 Arten; meist dichte Polster bildende Rosettenpflanzen mit fleischigen Blättern; Blüten rot, gelb, seltener weiß, in Blütenständen. Viele Arten, v.a. die **Echte Hauswurz** (Sempervivum tectorum), werden in vielen Zuchtformen angepflanzt.

Hausziege (Capra hircus), vermutlich bereits im 7. Jh. v. Chr. in SO-Europa und Vorderasien domestiziertes Haustier; Abstammung umstritten. – Die H. liefert Milch, Fleisch, Wolle und feines Leder (Chevreau, Glacéleder, Nappa, Saffian, Velour). – Nach rd. 150 Tagen Tragzeit werden 1–3 Zickel geworfen. – Bekannte Rassen sind: Dt. Bunte Edelziege, Weiße Dt. Edelziege, Sattelziege, Saanenziege und Zwergziege.

Haut (Cutis, Derma), den ganzen Körper bei Wirbeltieren und beim Menschen umgebendes Organsystem; setzt sich zus. aus der oberflächl. Ober-H. und der tieferliegenden Leder-H., auf die ohne scharfe Abgrenzung in die Tiefe die Unter-H. folgt. Die vom äußeren Keimblatt gebildete **Oberhaut** (Epidermis) des Menschen ist mehrschichtig: Die in der *Basalschicht* (Stratum basale) der *Keimschicht* (Stratum germinativum) gebildeten und zur H.oberfläche hin abgeschobenen, rundl., durch zahlr. kleine Fortsätze miteinander verbundenen (daher wie bestachelt erscheinenden) Zellen bilden die *Stachelzellschicht* (Stratum spinosum). Darauf folgt die *Körnerschicht* (Stratum granulosum), die durch Zusammenrücken und Abplatten der Zellen der Stachelzellschicht, durch das Auflösen ihrer Kerne und durch Einlagern von Verhornungssubstanz entsteht. An dicken H.stellen geht sie durch Zusammenfließen der Keratohyalinkörnchen zu einer stark lichtbrechenden Masse in die *Glanzschicht* (Stratum lucidum) über, aus der zuletzt die *Hornschicht* (Horn-H.) hervorgeht. Diese ist 10–20 Zellschichten (etwa 0,015 mm) dick. Ihre toten und verhornten Zellen werden ständig nach außen abgeschilfert und müssen deshalb von der Keimschicht ersetzt werden.
Die **Lederhaut** (Corium) wird vom mittleren Keimblatt gebildet. Sie besteht aus Bindegewebe, enthält Gefäße und Nerven sowie an vielen Stellen auch glatte Muskulatur. Sie trägt gegen die Ober-H. zu Vorwölbungen (Papillen), die die Grundlage der Hautleisten sind. In der *Netzschicht* (Stratum reticulare) der Leder-H. liegen die Schweißdrüsen sowie die größeren Gefäße und Nerven. Unter der Leder-H. liegt die **Unterhaut** (Subcutis). Das in sie eingebettete Unterhautfettgewebe dient in erster Linie der Wärmeisolation des Körpers, daneben auch als Druckpolster und zur Speicherung von Reservestoffen.
Die H. schützt gegen eine Reihe von Umweltfaktoren. Durch ihre Reißfestigkeit und Dehnbarkeit wehrt sie mechan. Einwirkungen (Druck, Stoß) ab. Der Säureschutzmantel wehrt Bakterien ab. Die Pigmente der Keimschicht (↑Hautfarbe), die auch in den verhornten Zellen verbleiben, absorbieren Licht und UV-Strahlung. Durch die Absonderung von Schweiß ist die H. an der Regulation des Wasserhaushaltes und v.a. an der Temperaturregulation beteiligt. Bei der Wärmeabgabe spielt außerdem ihr weitverzweigtes Kapillarnetz eine wichtige Rolle. Schließlich ist die mit Sinnesrezeptoren ausgestattete H. ein Sinnesorgan, das dem Zentralnervensystem eine Vielfalt von Wahrnehmungen vermittelt.
🕮 *Achenbach, R. K.: Gesunde u. kranke H. Stg. ²1989.*

Haut. Schematischer Querschnitt durch die Haut des Menschen: a Oberhaut, b Lederhaut, c Unterhautzellgewebe, d Hornschicht der Oberhaut, e Keimschicht der Oberhaut, f Haarmark, g Haarrinde, h Haarzwiebel, k Haarpapille, m Haarbalg, n Talgdrüse, o Schweißdrüsenknäuel, p Schweißdrüsenausführungsgang, q Blutgefäße der Haut, r Fettgewebe, s Nerv

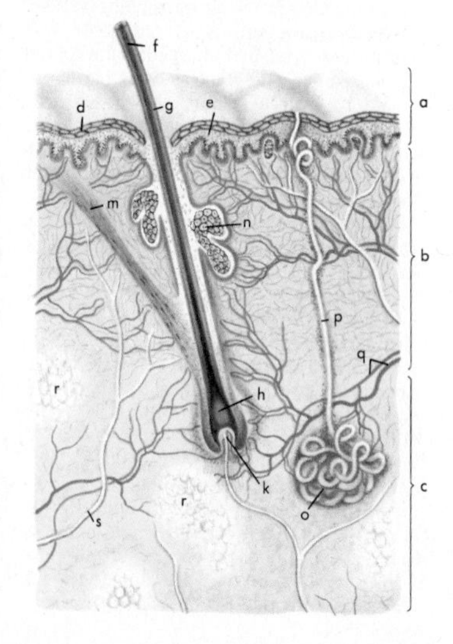

Hautatmung, Gasaustausch durch die Haut, vor allem Abgabe von Kohlendioxid; beträgt beim Menschen nur 2% des gesamten Gasaustausches. Bei Lurchen können etwa 70% des Kohlendioxids durch die (feuchte) Haut abgegeben werden.

Hautausschlag, volkstüml. Bez. (kurz *Ausschlag* gen.) für die bei Infektionskrankheiten (z. B. Windpocken) oder allerg. Reaktionen auftretenden Hautveränderungen wie Flecken, Quaddeln, Bläschen.

Hautcreme, Emulsionssalbe zur Pflege der Haut, die im Unterschied zu einfachen Fettsalben die Haut nicht luftdicht abdeckt, so daß Flüssigkeits- und Wärmeabgabe gewährleistet sind (↑Creme).

Hautdasseln (Hautdasselfliegen, Hautbremsen, Hypodermatinae), Unterfam. parasitisch lebender, bis 15 mm großer Fliegen mit rd. 30 Arten (davon in M-Europa 6 Arten). – ↑Dassellarvenkrankheit.

Hautdrüsen (Dermaldrüsen), ein- oder mehrzellige, an der Hautoberfläche mündende, epidermale Drüsen, z. B. Schweiß-, Talg- und Duftdrüsen.

Häute, die als Rohmaterial für Leder verwendeten noch nicht gegerbten Körperdekken von großen Schlachttieren (z. B. Rindern, Schweinen, Pferden, Büffeln) sowie von einigen Meeressäugetieren, Reptilien, Amphibien und Fischen (die Körperdecken kleinerer Tiere, z. B. von Kälbern, Schafen, Ziegen, Hasen, werden als *Felle,* die von Vögeln als *Bälge* bezeichnet). Die beim Schlachten anfallenden H. und Felle werden durch Salzen und/oder Kühlen bis zu ihrer Weiterverarbeitung zu Leder haltbar gemacht.

Haute Coiffure [frz. otkwa'fy:r „hohe Frisierkunst"], die modeschaffende Frisierkunst, bes. von Paris.

Haute-Corse [frz. ot'kɔrs], frz. Dep. auf Korsika.

Haute Couture [frz. otku'ty:r „hohe Schneiderkunst"], schöpfer. Modeschaffen, für die Mode tonangebende Schneiderkunst; i. e. S. Bez. für das richtungweisende Modeschaffen Pariser Modesalons.

Hauteffekt, svw. ↑Skineffekt.

Haute-Garonne [frz. otga'rɔn], Dep. in Frankreich.

Hautelisse [(h)ot'lɪs; frz. ot'lis], auf einem *H.webstuhl* mit senkrecht gespannter Kette gewirkter Bildteppich (bes. 14.–16. Jh.).

Haute-Loire [frz. ot'lwa:r], Dep. in Frankreich.

Haute-Marne [frz. ot'marn], Dep. in Frankreich.

Hautemphysem ↑Emphysem.

Haute-Normandie [frz. otnɔrmã'di], Region in N-Frankreich, umfaßt die Dep. Eure und Seine-Maritime, 12317 km², 1,74 Mill. E (1990), Regionshauptstadt Rouen.

Hautentzündung, svw. ↑Dermatitis.

Hautes-Alpes [frz. ot'zalp], Dep. in Frankreich.

Haute-Saône [frz. ot'so:n], Dep. in Frankreich.

Haute-Savoie [frz. otsa'vwa], Dep. in Frankreich.

Hautes-Pyrénées [frz. otpire'ne], Dep. in Frankreich.

Haute tragédie [frz. ottraʒe'di „hohe Tragödie"], Bez. der klass. frz. Tragödie, vertreten insbes. durch Corneille und Racine.

Haute-Vienne [frz. ot'vjɛn], Dep. in Frankreich.

Hautevolee [(h)o:tvo'le:; frz.], spött. Bez. für die gesellschaftl. Oberschicht; im 19. Jh. aus frz. „(des gens) de haute volée" („[Leute] von hohem Rang") übernommen.

Hautfarbe, Farbton der menschl. Haut, der im wesentlichen von der Menge der in die Haut eingelagerten Farbstoffkörner, aber auch von der Dicke, vom Fettgehalt und von der Durchblutung der Haut sowie von der Einlagerung von Karotin abhängt. Die Fähigkeit zur Pigmentbildung ist erblich fixiert und stellt, da sie sehr stark variiert, ein wichtiges und leicht erkennbares Merkmal der Menschenrassen dar. Die Synthese der Melanine beginnt in der Embryonalzeit, die völlige Ausfärbung erfolgt jedoch erst nach der Geburt. – Durch lokale Überpigmentierung der Haut kommt es zu Sommersprossen oder Leberflecken. Ein völliges Fehlen der Farbstoffbildung liegt bei ↑Albinismus vor.

Hautflügler (Hymenopteren, Hymenoptera), weltweit verbreitete Insektenordnung mit weit über 100000 Arten; 0,1 bis 60 mm große Tiere mit zwei durchsichtig-häutigen, aderarmen Flügelpaaren und beißenden oder leckend-saugenden Mundwerkzeugen; ♀♀ mit Legestachel. – Die H. untergliedern sich in die Unterordnungen ↑Pflanzenwespen und ↑Taillenwespen.

Hautgout [frz. o'gu „starker Geschmack"], nach Hängen oder Lagern von frischem Wild infolge der Fleischreifung entstehender Wildgeschmack und -geruch; in übertragener Bedeutung svw. Anrüchigkeit.

Hautgrieß (Milien), aus geschichteten Hornlamellen bestehende, von Oberhaut bedeckte, stecknadelkopfgroße, weiße bis weißgelbl. Knötchen, die meist im Gesicht auftreten und nach einem kleinen Einschnitt durch Ausdrücken entfernt werden können.

Hautjucken, svw. ↑Jucken.

Hautknochen, svw. ↑Deckknochen.

Hautkrankheiten (Dermatosen), die krankhaften Veränderungen der Haut und/ oder ihrer Anhangsgebilde. Nach der Ursache unterscheidet man: 1. entzündl. H. durch Bakterien und Protozoen (z. B. Furunkulose, Milzbrand); durch Viren (z. B. Herpes simplex, Gürtelrose, Warzen); durch Parasiten (z. B. Krätze) oder Pilze (↑Hautpilzerkrankungen); 2. allergisch und autoimmun bedingte H. (z. B. Ekzem, Nesselsucht); 3. H. durch physikal. oder chem. Schädigungen (Verbrennung, Sonnenbrand, Erfrierung und Verätzung); 4. unbekannte Ursachen (z. B. Schuppenflechte, Blasenausschlag); 5. gut- und bösartige Hautneubildungen (z. B. Fibrom, Melanom, Hautkrebs); 6. angeborene Hautmißbildungen (u. a. Muttermal, Behaarungsanomalien); 7. H. mit Hautschwund oder Hautverdickung (z. B. Verhornung, Schwielen); 8. H. durch Störungen der Hautdrüsenfunktion (z. B. Akne, Seborrhö); 9. exanthemat. H. im Gefolge bestimmter Infektionskrankheiten (z. B. Röteln, Masern, Windpocken).

Hautkrebs (Hautkarzinom), zusammenfassende Bez. für alle bösartigen Wucherungen der Haut. Die Einteilung richtet sich nach Entstehung und Art der Tumorzellen. Von den Stachelzellen der Oberhaut geht das ↑Spinaliom aus, die bösartigen ↑Melanome von den Pigmentzellen der Ober- oder der Lederhaut, die relativ seltenen ↑Sarkome der Haut (unter ihnen das v. a. im Zusammenhang mit Aids auftretende Kaposi-Sarkom) vom Bindegewebe. Die den Basalzellen ähnelnden, aus unreifen Zellen entstehenden Basaliome gehören nicht zu den H.; in seltenen Fällen ist jedoch eine Entartung zum Basalzellkarzinom möglich. Erscheinungsweisen des H. sind warzenartige oder geschwürige Gebilde, auch derbe, schmerzlose Knoten mit glatter Oberfläche oder Pigmentflecke. Kennzeichnend ist das rasche Wachstum, bei Geschwüren die fehlende Heilungstendenz. – Die Behandlung besteht in einer möglichst frühzeitigen operativen Entfernung oder in Röntgenbestrahlung, evtl. auch kombiniert.

Hautleishmaniase [...laiʃ...], svw. ↑Orientbeule.

Hautleisten (Papillarleisten, Tastleisten), an der Oberfläche der Haut, bes. deutlich an den Händen bzw. Fingern und den Füßen bzw. Zehen ausgebildete Erhebungen, in denen der Tastsinn lokalisiert ist.

Hautöle, flüssige, fetthaltige Hautpflegemittel (z. B. Bade-, Massageöl).

Hautpilze, zusammenfassende Bez. für alle niederen Pilze, die in der Haut und ihren Anhangsgebilden (Haare, Nägel) wachsen und dadurch zu Hautpilzerkrankungen führen können. Zu den H. gehören v. a. die *Dermatophyten* mit den Gatt. *Trichophyton, Epidermophyton* und *Microsporum,* ferner asporogene Sproßpilze der Gatt. Candida und einzelne Schimmelpilze.

Hautpilzerkrankungen (Dermatomykosen), Erkrankungen durch die Infektion der Oberhaut, der Haare oder Nägel mit Hautpilzen. Die Übertragung der H. kann vom Menschen auf den Menschen, von Tieren auf den Menschen, bes. aber von pilzverseuchten Gegenständen (z. B. Kleidungsstükke, Badematten) auf die menschl. Haut erfolgen. Nach der Übertragung gedeihen die Pilze am besten in feuchter Umgebung, also auf Hautpartien, die häufig schweißbedeckt sind bzw. länger feucht bleiben (bes. Zehenzwischenräume, Leistenbeuge, Analfalte, Achselhöhle). Die häufigsten H. sind ↑Epidermophytie, ↑Erbgrind, ↑Mikrosporie, ↑Soor, ↑Trichophytie und ferner ↑Blastomykosen.

Hautplastik (Hautlappenplastik, Dermatoplastik, Dermoplastik), in der plast. Chirurgie die operative Deckung eines Hautdefekts durch Übertragung angrenzender oder entfernterer Hautteile (Hauttransplantation) des gleichen Organismus.

Hautreizmittel (Irritantia, Rubefazientia), zu vermehrter Durchblutung und Rötung (u. U. auch Entzündung) der Haut führende Stoffe, z. B. Senföl.

Haut-Rhin [frz. o'rɛ̃], Dep. in Frankreich.

Hautröte, svw. ↑Erythem.

Hautschrift, svw. ↑Dermographismus.

Hautschwiele ↑Schwiele.

Hauts-de-Seine [frz. od'sɛn], Dep. in Frankreich.

Hautsinn, komplexe Wahrnehmung der auf die Haut wirkenden Reize. Die wichtigste Komponente des H. ist der Tastsinn, dessen Rezeptoren auf die mechan. Wirkungen Druck, Berührung oder Vibration ansprechen. Außerdem gibt es in der Haut Rezeptoren für Wärme- und Kältewirkungen sowie für chem. Änderungen (Schmerzrezeptoren). Auf dem H. beruht ein wesentl. Teil der Körperwahrnehmung.

Hauttest (Hautprobe, Kutantest), Verfahren zur Feststellung einer Sensibilisierung des Organismus gegen Allergene; als **Epikutantest** (Testsubstanz wird für 24 Std. auf die Haut in der Mitte des Rückens oder an der Außenseite des Oberarms aufgebracht) oder **Intrakutantest** (Testsubstanz wird in die Haut appliziert) durchgeführt.

Hauttuberkulose ↑Tuberkulose.

Haut und Haar, in der ma. Rechtssprache Bez. für Leib- und Lebensstrafen; sie wurden durch Schläge und Abschneiden der Haare vollstreckt.

Häutung (Ekdysis), periodisch auftretende, saison- oder wachstumsabhängige Ablösung der verhornten, abgestorbenen Oberhaut, z. B. bei Schlangen (sog. Natternhemd), Eidechsen und Insektenlarven.

Haüy, René Just [frz. a'ɥi], * Saint-Just-en-Chaussée (Oise) 28. Febr. 1743, † Paris 1. (3. ?) Juni 1822, frz. Mineraloge. – Prof. in Paris; begr. die wiss. Mineralogie, u. a. „Lehrbuch der Mineralogie" (4 Bde., 1801).

Havaneser [frz., nach Havanna], Zuchtform des ↑Bichons.

Havanna (span. La Habana, eigtl. San Cristóbal de la Habana), Hauptstadt der Rep. Kuba und der Prov. La Habana, Hafen an einer Bucht des Golfs von Mexiko, als Stadtprov. Ciudad de la Habana, 727 km² und 2,026 Mill. E. Kath. Erzbischofssitz; Univ. (gegr. 1728), wiss. Akad. und Inst., Museen, Bibliothek, Archiv, botan. Garten; Theater, Oper. Hauptindustriestandort Kubas, u.a. Erdölraffinerie, Eisen- und Stahlwerk, Schiffbau, Düngemittel-, Nahrungsmittel-, Tabak-, chem. u.a. Ind.; internat. ✈. – Die erste Stadt H. wurde 1515 durch Diego de Velázquez an der S-Küste gegr. und 1519 an die heutige Stelle verlegt. 1552 wurde der Sitz der Hauptstadt Kubas von Santiago de Cuba nach H. verlegt. – Die Hafeneinfahrt wird von drei Forts (16. und 18. Jh.) flankiert. In der Altstadt u.a. Kathedrale San Cristóbal (um 1660–1724), Kloster Santa Clara (1635–44, heute Arbeitsministerium), Kirche La Merced (18. Jh.), Casa de Gobierno (1776–92), Rathaus (18. Jh.). Nahebei das Castillo de la Fuerza (16. Jh.); Kapitol (1929; heute Sitz der Akad. der Wissenschaften). – Altstadt und Festung wurden von der UNESCO zum Weltkulturerbe erklärt.

Havanna [nach der gleichnamigen kuban. Hauptstadt], [Zigarren]tabak, der hauptsächlich als ↑Deckblatt gebraucht wird.

Havarie (Haverei) [italien.-frz.-niederl., zu arab. awar „Fehler, Schaden"], Schäden eines See- oder Binnenschiffes oder seiner Ladung während einer Reise. **Kleine Havarie** werden die gewöhnl., während der Fahrt entstehenden Kosten genannt wie Hafengebühren, Lotsengeld, Schlepplohn. Sie werden vom Verfrachter getragen. **Große Havarie** werden diejenigen Schäden genannt, die zur Errettung von Schiff oder Ladung vorsätzlich herbeigeführt wurden, z.B. durch Notstranden. Sie werden von den Eigentümern von Schiff, Fracht und Ladung gemeinsam getragen. **Besondere Havarie** sind alle Unfallschäden, die nicht zur großen oder kleinen H. gehören. Sie werden von den Eigentümern von Schiff und Ladung getrennt getragen.
◆ Beschädigung, Schaden, größerer Unfall in techn. Anlagen.

Havas [frz. a'vɑ:s] ↑Agence Havas.

Havel, Václav [tschech. 'havɛl], * Prag 5. Okt. 1936, tschech. Schriftsteller und Politiker. – Geschult an Ionesco, benutzt H. Elemente des absurden Theaters, um die Sinnlosigkeit in den mechanisierten Beziehungen der heutigen Gesellschaft aufzudecken, u.a. „Das Gartenfest" (1963), „Drei Stücke. Audienz/Vernissage/Die Benachrichtigung. Offener Brief an Gustáv Husák" (1977), „Die Versuchung" (1986), „Die Sanierung" (1989).

Václav Havel

Ab 1969 Publikationsverbot (ab 1977 Veröffentlichungen im Ausland). 1977 Mitbegründer und Sprecher der Bürgerrechtsbewegung „Charta 77"; mehrfach inhaftiert (zuletzt 1989). 1989 Friedenspreis des Börsenvereins des Dt. Buchhandels, 1991 Karlspreis. – Im Nov. 1989 als Mitbegründer und Sprecher des „Bürgerforums" einer der Initiatoren des demokrat. Umbaus; 1989–92 Staatspräs. der ČSFR, seit 1993 der ČR.

Havel [...fəl], rechter Nebenfluß der Elbe, entspringt auf der Mecklenburg. Seenplatte, durchfließt von Berlin bis zum Plauer See (westl. von Brandenburg/Havel) mehrere Rinnenseen und mündet unterhalb von Havelberg; 343 km lang, davon 243 km schiffbar; z.T. kanalisiert; Kanalverbindung zur Oder und Elbe.

Havelberg [...fəl...], Krst. in Sa.-Anh., an der Havel, 25 m ü. d. M., 7200 E. Prignitz-Museum; Bekleidungs-, Möbelind.; Werft. – Entstand im 10. Jh., im 12. Jh. Stadtrecht, stets markgräflich brandenburgisch. – Dom (12./13. Jh.) mit reicher Bauplastik und got. Triumphkreuzgruppe (13. Jh.); südl. des Domes die Stiftsgebäude (12.–14. Jh.).

Havelkanal [...fəl...], 34,9 km langer Schiffahrtskanal nw. von Berlin; Abk.kanal für die Havelschiffahrt; 1952 zur Umgehung Westberlins eröffnet.

Havelland [...fəl...], Niederungslandschaft westl. von Berlin, beiderseits der Havel.
H., Landkr. in Brandenburg.

Havemann, Robert ['ha:vəman], * München 11. März 1910, † Grünheide (Mark) 9. April 1982, dt. Chemiker und polit. Theoretiker. – Seit 1932 Mgl. der KPD, 1943 als Leiter einer Widerstandsgruppe zum Tode verurteilt. 1945–47 Leiter des Kaiser-Wilhelm-Instituts für Physikal. Chemie und Elektrochemie in Berlin (West), 1947–64 Prof. für physikal. Chemie an der Humboldt-Univ. in Berlin (Ost). 1964 auf Grund krit. (reformkommu-

Hawaii. Krater des Vulkans Mauna Ulu auf der Insel Hawaii

nist.) Äußerungen aus der SED und der Humboldt-Univ., 1966 aus der Dt. Akademie der Wiss. ausgeschlossen. 1977–79 Hausarrest; im Nov. 1989 von der Zentralen Kontrollkommission der SED postum rehabilitiert. Schrieb u. a. „Die Zukunft des Sozialismus" (Reden und Aufsätze, 1971), „Ein dt. Kommunist" (1978), „Morgen. Die Industriegesellschaft am Scheideweg" (1980).

Havilland, Sir (seit 1944) Geoffrey de [engl. 'hævɪlənd], * Haslemere (Surrey) 27. Juli 1882, † London 21. Mai 1965, brit. Flugpionier und Flugzeugkonstrukteur. – H. gründete 1920 die De Havilland Aircraft Company Ltd., die nach dem 2. Weltkrieg bes. durch die Entwicklung von Strahlflugzeugen hervortrat.

Havlíček-Borovský, Karel [tschech. 'havli:tʃɛk 'bɔrɔfski:], Pseud. Havel Borovský, * Borová (Ostböhm. Bez.) 31. Okt. 1821, † Prag 29. Juli 1856, tschech. Schriftsteller. – Publizist, Verfechter des ↑ Austroslawismus, 1851–55 in Brixen interniert. Schrieb Epigramme, Parodien und Satiren.

Havre, Le [frz. lə'ɑ:vr], frz. Hafenstadt am N-Ufer der Seinemündungsbucht, Dep. Seine-Maritime, 200000 E. Sitz eines kath. Bischofs; Technolog. Univ.inst., Kunst-, Altertumsmuseum, Bibliothek; zweitgrößter Hafen Frankreichs, v. a. Erdölimport; Containerverkehr, Passagierhafen, Autofähre nach Southampton; Erdölraffinerien, petrochem. Ind., Flugzeug-, Auto-, Schiffbau, Nahrungsmittel- u. a. Ind.; ✈. – 1517 als Ersatz für den versandenden Hafen Harfleur gegr.; im 2. Weltkrieg im Rahmen der Invasionskämpfe schwer zerstört.

Hawaii [ha'vaɪ, ha'vaɪi, engl. hə'wɑ:i:], B.-Staat der USA und Archipel (früher *Sandwich Islands*) im zentralen N-Pazifik, 16760 km², 1,2 Mill. E (1992), Hauptstadt Honolulu auf Oahu.

Landesnatur: Der Archipel besteht aus acht Hauptinseln (die größten sind *H., Maui, Oahu, Kauai* und *Molokai*) und mehr als 120 kleinen Inseln, Atollen und Klippen. Die Inseln verdanken, abgesehen von Korallenriffen, ihre Entstehung Vulkanen, die sich aus Tiefen bis 5400 m u. d. M. in Höhen bis zu 4205 m ü. d. M. (Mauna Kea; ↑ Mauna Loa) erheben. Das Klima ist mild und ausgeglichen. Im Ggs. zu den feuchten Luvseiten mit trop. Vegetation bleiben die Leeseiten der Inseln relativ trocken.

Bevölkerung, Wirtschaft, Verkehr: Urspr. von Polynesiern bewohnt, setzt sich die Bev. aus zahlr. später eingewanderten ethn. Gruppen zus. (Chinesen, Japaner, Filipinos, Europäer u. a.), die in zunehmendem Maße verschmelzen. Neben dem Christentum ist v. a. der Buddhismus verbreitet. Schulpflicht besteht von 6–18 Jahren. Univ. (gegr. 1907 als College) in der Hauptstadt. An 1. Stelle der Wirtschaft steht der Fremdenverkehr. Zuckerrohr und Ananas sind die wichtigsten Exportgüter, die z. T. in hochmechanisierten Plantagen angebaut werden. Bedeutungsvoll ist das Dienstleistungswesen für den militär. Bereich. Die Ind. verarbeitet v. a. landw. Produkte. Zw. den Inseln besteht regelmäßiger Schiffs- und Flugverkehr; internat. ✈ in Honolulu.

Geschichte: 1778 entdeckte J. Cook die von Polynesiern bewohnten H.inseln und nannte sie *Sandwich Islands.* Auf ihnen bestanden mehrere kleine, territorial unbeständige Kgr., die 1781–1811 durch Kamehameha I. (*1753, † 1817) geeint wurden (seit 1852 konstitutionelle Monarchie). Mit dem Einsetzen der Mission (seit 1820) begann auf den Inseln die europ. Kultur die einheim. zu verdrängen. Zunehmend gewannen die USA an Einfluß; 1887 erhielten sie das Recht, in Pearl Harbor eine Marinebasis einzurichten. Nach unblutiger Revolution 1894 Gründung der Republik H.; 1898 von den USA annektiert (auf Grund der strateg. Bedeutung für den span.-amerikan. Krieg); 1900 als Territorium organisiert. Während des 2. Weltkrieges, der für die USA mit dem japan. Überfall auf Pearl Harbor (7. Dez. 1941) begann, war H. eines der führenden Nachschubzentren der Amerikaner im pazif. Krieg. 1959 als 50. Staat in die USA aufgenommen.

H., größte Insel der H.gruppe, im Mauna Kea 4205 m hoch, Hauptort Hilo an der O-Küste (37000 E). Vulkanobservatorium am Kilauea Crater. Ein Teil der Vulkanlandschaft ist Nationalpark. – ↑ Mauna Loa.

Hawaiigitarre [ha'vaɪ, ha'vaɪi] ↑Gitarre.

Hawke, Robert James Lee [engl. hɔ:kɪ], * Bordertown (Südaustralien) 9. Dez. 1929, austral. Politiker. – Jurist und Wirtschaftswissenschaftler; 1970–80 Präs. des austral. Gewerkschaftsdachverbandes Australian Council of Trade Unions; seit 1980 Abg. des Repräsentantenhauses; 1983–91 Führer der Labor Party und Premierminister.

Hawking, Stephen William [engl. 'hɔ:kɪŋ], * Oxford 8. Jan. 1942, brit. Physiker. – Seit 1977 Prof. in Cambridge; arbeitet bes. über Kosmologie und einheitl. Feldtheorie. Sein populärwiss. Buch „Eine kurze Geschichte der Zeit" (1988) wurde ein Welterfolg. H. leidet an amyotroph. Sklerose und verständigt sich per Computer mit seiner Umwelt.

Hawkins, Coleman [engl. 'hɔ:kɪnz], * Saint Joseph (Mo.) 21. Nov. 1904, † New York 19. Mai 1969, amerikan. Jazzmusiker. – Erster bed. Tenorsaxophonist des Jazz. Sein voller, expressiver Ton und sein flüssiges Spiel wirkten schulebildend auf Saxophonisten des Swing, Modern Jazz und Free Jazz.

Hawks, Howard [engl. hɔ:ks], * Goshen (Ind.) 30. Mai 1896, † Palm Springs (Calif.) 26. Dez. 1977, amerikan. Filmregisseur. – Drehte Gangster- und Abenteuerfilme sowie Western, die knapper Stil und Humor auszeichnen („Scarface", 1932; „Tote schlafen fest", 1946; „Red river", 1948; „Hatari", 1962) und Komödien („Ich war eine männl. Kriegsbraut", 1949; „Blondinen bevorzugt", 1953).

Hawksmoor, Nicholas [engl. 'hɔ:ksmʊə], * in Nottinghamshire 1661, † London 25. März 1736, engl. Baumeister. – Schüler von C. Wren und Mitarbeiter von J. Vanbrugh; bed. Kirchenbauten in barockem Stil in London (Saint George in-the-East, Westtürme der Westminster Abbey), auch profane Bauten (Whitehall, 1715–18).

Haworth, Sir (seit 1947) [Walter] Norman [engl. 'hɔ:əθ], * White Coppice bei Chorley (Lancashire) 19. März 1883, † Birmingham 19. März 1950, brit. Chemiker. – Prof. in Birmingham; untersuchte die Struktur von Kohlenhydraten und synthetisierte als erster das Vitamin C. 1937 erhielt er zus. mit P. Karrer den Nobelpreis für Chemie.

Haworthie (Haworthia) [...tsi-ə]; nach dem brit. Botaniker A. Haworth, * 1767, † 1833], Gatt. der Liliengewächse mit rd. 80 Arten in S-Afrika; z. T. halbstrauchige, sukkulente Pflanzen mit kurzem Stamm, dichten Blattrosetten, grünlich-weißen oder blaß rosafarbenen, zylindr. Blüten in einer Traube.

Hawthorne, Nathaniel [engl. 'hɔ:θɔ:n], * Salem (Mass.) 4. Juli 1804, † Plymouth (N. H.) 18. oder 19. Mai 1864, amerikan. Schriftsteller. – Lebte u. a. als Journalist, Zollbeamter, Konsul; stand den Transzendentalisten um R. W. Emerson nahe. Sein histor. Roman „Der scharlachrote Buchstabe" (1850) spielt unter den Puritanern Neuenglands und ist eine meisterhafte psycholog. Durchleuchtung des Schuldbewußtseins. – *Weitere Werke:* Das Haus mit den sieben Giebeln (R., 1851), Der Marmorfaun (R., 1860).

Hawthorne-Untersuchung [engl. 'hɔ:θɔ:n], klass. industriesoziolog. Untersuchung, zw. 1927/32 in den Hawthorne-Werken Chicago der Western Electric Co. durchgeführt, deren Hauptergebnis die für Arbeitswiss. und Betriebssoziologie wichtige Erkenntnis war, daß die menschl. Beziehungen im Betrieb für das Arbeitsverhalten von erhebl. Bed. sind. Diese Erkenntnis leitete die Human-Relations-Bewegung ein. Die Tatsache, daß die den Versuchspersonen zuteil gewordene Aufmerksamkeit auch bei Verschlechterung der äußeren Arbeitsbedingungen zu höherer Arbeitsleistung führte, wurde als **Hawthorne-Effekt** (auch Western-Electric-Effekt) bekannt.

Haxe, süddt. für ↑Hachse.

Hay, John [Milton] [engl. hɛɪ], * Salem (Ind.) 8. Okt. 1838, † Newbury (N. H.) 1. Juli 1905, amerikan. Politiker und Schriftsteller. – Schloß als Außenmin. (1898–1905) den Hay-Pauncefote-Vertrag (1901) und den Hay-Varilla-Vertrag (1903) über den Panamakanal ab. Verfaßte mit J. G. Nicolay eine Biographie Lincolns (10 Bde., 1890), dessen Privatsekretär er 1861–65 war; Autor derb-humorist. Dialektballaden (1871).

Háy, Gyula (Julius) [ungar. 'ha:i], * Abony (Bez. Pest) 5. Mai 1900, † Ascona 7. Mai 1975, ungar. Schriftsteller. – Emigrierte 1919 nach Deutschland, 1933 nach Moskau, kehrte 1945 nach Ungarn zurück; Mgl. des Petőfi-Kreises, 1956 zu Gefängnis verurteilt, nach dreijähriger Haft amnestiert, ab 1965 in der Schweiz. – *Werke:* Haben (Dr., 1938), Gerichtstag (Dr., 1946), Attilas Nächte (Trag., 1964), Der Großinquisitor (Dr., 1968).

Haya de la Torre, Víctor Raúl [span. 'aja ðe la 'tɔrrɛ], * Trujillo (Peru) 22. Febr. 1895, † Lima 3. Aug. 1979, peruan. Politiker. – Begr. die erste Volksuniv. in Peru (1921), 1923–30 im Exil in Mexiko, gründete dort die APRA; 1945 Min. ohne Portefeuille, 1945–57 erneut im Exil; 1978/79 Präs. der Verfassunggebenden Versammlung in Peru.

Haydée, Marcia [aɪ'de:], eigtl. Salaverry Pereira da Silva, * Niterói 18. April 1939, brasilian. Tänzerin. – Seit 1961 Solistin, seit 1962 Primaballerina in Stuttgart, seit 1976 Ballettdirektorin. Eine der bedeutendsten Tänzerinnen der Gegenwart. Kreierte zahlr. Rollen in Balletten von J. Cranko; auch als Choreographin tätig („Die Wilis", 1989; „Die Planeten", 1991).

Haydn, Joseph, * Rohrau (Niederösterreich) 31. März (?) 1732, ≈ 1. April 1732, † Wien 31. Mai 1809, östr. Komponist. – Von 1740 bis Ende der 40er Jahre war H. Chorknabe am Wiener Stephansdom, danach u. a. Akkompagnist und Kammerdiener bei N. Porpora, der ihm wohl auch Kompositionsunterricht erteilte. Gleichzeitig begann H. auch als Komponist hervorzutreten. 1759 wurde er Musikdirektor bei Graf Morzin im böhm. Lukawitz (bei Pilsen), 1761 berief ihn Paul Anton Esterházy von Galántha nach Eisenstadt als Vizekapellmeister seiner Privatkapelle, deren alleiniger Dirigent er von 1766 bis 1790 war. 1790 zog H. nach Wien. Noch im selben Jahr unternahm er auf Veranlassung des Konzertveranstalters und Geigers J. P. Salomon, für dessen Konzerte er 6 Sinfonien (Hob. I: 93–98) komponierte und dirigierte, eine anderthalbjährige sehr erfolgreiche Reise nach London. 1791 erhielt er den Ehrendoktor der Universität Oxford, zu dessen Verleihung seine „Oxford"-Sinfonie (Hob. I: 92) aufgeführt wurde. Nach der zweiten Englandreise (1794/95) berief ihn Fürst Nikolaus II. Esterházy als Kapellmeister seiner neu zusammengestellten Kapelle. Es entstanden die großen orator. Werke und die letzten Streichquartette, darunter das „Kaiserquartett" (Hob. III: 77) mit dem Variationssatz über die 1797 komponierte Kaiserhymne. Von Alter und Krankheit geschwächt, starb H. kurz nach der frz. Besetzung Wiens. – Bedingt durch H.s Bemühen um die Ausgewogenheit von liedhafter Einfachheit und kunstvoller Gestaltung kann eine deutl. künstler. Entwicklung festgestellt werden: 1. Das Werk des jungen H. ist noch stark der Tradition verhaftet, obgleich sich sein geniales Talent früh bemerkbar macht (z. B. die Streichquartette Hob. III: 1–12). 2. Die 1760er und 70er Jahre können als Periode des Experimentierens und Suchens nach neuen Wegen bezeichnet werden. 3. 1781, auf dem Höhepunkt der Wiener Klassik, veröffentlichte H. seine, wie er selbst schrieb, „auf eine gantz neue besondere art" komponierten stilistisch meisterhaften 6 Streichquartette (Hob. III: 37–42; bekannt als „op. 33"). Die musikgeschichtl. Bedeutung von H. liegt v. a. in der Entwicklung der Sinfonie und des Streichquartetts und in der Vollendung der Sonatensatzform. Von seinen Werken, die A. van Hoboken in einem themat.-bibliograph. Werkverzeichnis zusammenstellte, sind v. a. zu nennen: 107 Sinfonien; 68 Streichquartette; mehr als 20 Streichtrios; 126 Barytontrios; 39 Klaviertrios; mehr als 60 Klaviersonaten; 3 Klavierkonzerte; 5 Orgelkonzerte; 20 Stücke für die Flötenuhr; 13 italien. Opern; mehrere orator. Werke, darunter „Die Schöpfung" (1798) und „Die Jahreszeiten" (1801); 14 Messen; weltl. Kanons und Volksliedbearbeitungen.

🕮 *Geiringer, K.: J. H. Mainz ³1989. – Huss, M.: J. H. Eisenstadt 1984.*

H., Michael, * Rohrau (Niederösterreich) 14. (15. ?) Sept. 1737, † Salzburg 10. Aug. 1806, östr. Komponist. – Bruder von Joseph H.; 1757 bischöfl. Kapellmeister in Großwardein, 1763 „Hofmusicus und Concertmeister" des Fürstbischofs von Salzburg, 1781 Hof- und Domorganist. Bed. sind v. a. seine Kirchenkompositionen (u. a. 40 Messen).

Hayek, Friedrich August von ['hajɛk], * Wien 8. Mai 1899, † Freiburg im Breisgau 23. März 1992, brit. Nationalökonom und Sozialphilosoph östr. Herkunft. – 1931–41 Prof. an der London School of Economics, 1950–62 an der University of Chicago, seit 1962 in Freiburg im Breisgau. Bed. Vertreter des Neoliberalismus. Erhielt 1974 zus. mit K. G. Myrdal den sog. Nobelpreis für Wirtschaftswiss.; seit 1977 Mgl. des Ordens Pour le Mérite für Wiss. und Künste. – *Werke:* Monetary theory and the trade cycle (1933), The pure theory of capital (1941), Der Weg zur Knechtschaft (1944), Individualismus und wirtsch. Ordnung (1948), Knowledge, evolution and society (1983).

Hayes [engl. hɛɪz], Isaac, gen. „Black Moses", * Covington (Tenn.) 20. Aug. 1943, amerikan. Jazz- und Popmusiker (Pianist, Organist, Sänger). – Wurde für seine Musik zu dem Film „Shaft" (1971) mehrfach ausgezeichnet; machte den Memphis-Sound internat. berühmt.

H., Joseph [Arnold], * Indianapolis 2. Aug. 1918, amerikan. Schriftsteller. – Romancier, Dramatiker und Funkautor; bekannt durch seinen Kriminalroman „An einem Tag wie jeder andere" (1954); schrieb auch „Die dunkle Spur" (R., 1982), „Morgen ist es zu spät" (R., 1985).

H., Rutherford Birchard, * Delaware (Ohio) 4. Okt. 1822, † Fremont (Ohio) 17. Jan. 1893, 19. Präs. der USA (1877–81). – 1865–67 republikanisches Kongreßmgl., 1868–72 und 1875/76 Gouv. von Ohio; vergeblich um Versöhnung mit den Südstaaten bemüht.

Haym, Rudolf, * Grünberg in Schlesien 5. Okt. 1821, † Sankt Anton am Arlberg 27. Aug. 1901, dt. Literarhistoriker. – 1858 mit M. W. Duncker Gründer der *Preuß. Jahrbücher;* 1860 Prof. in Halle. Grundlegend sein Werk „Die romant. Schule" (1870).

Haymerle, Heinrich Freiherr von (seit 1876), * Wien 7. Dez. 1828, † ebd. 10. Okt. 1881, östr. Diplomat und Politiker. – Schloß als Außenmin. (seit 1879) den Zweibund (1879), 1881 den Dreikaiserbund ab und bereitete den Dreibund vor.

Hay-Pauncefote-Vertrag [engl. 'hɛɪ 'pɔːnsfʊt] ↑ Panamakanal.

Hayworth, Rita [engl. 'hɛiwəːθ], eigtl. Margarita Carmen Cansino, * New York 17. Okt. 1918, † ebd. 14. Mai 1987, amerikan. Filmschauspielerin. – Erlangte durch Filme wie „Herzen in Flammen" (1941), „Salome" (1953) Weltruhm; schauspielerische Anerkennung gewann sie mit dem Film „Getrennt von Tisch und Bett" (1958).

Hazienda (Hacienda) [span., zu lat. facienda „Dinge, die getan werden müssen"], Bez. für landw. Großbetrieb in den ehem. span. Kolonialgebieten Lateinamerikas.

Hazlitt, William [engl. 'hæzlɪt, 'hɛɪzlɪt], * Maidstone bei London 10. April 1778, † London 18. Sept. 1830, engl. Essayist. – Bed. Kritiker und Essayist, der zu allen literar. und polit. Fragen Stellung nahm; u. a. „The characters of Shakespeare's plays" (1817).

Hazor ['haːtsɔr, ha'tsoːr] (Chazor), bed. alte Stadt in Galiläa, heute der Hügel Tel Hazor in N-Israel, 15 km nördl. des Sees von Genezareth; zuerst in Texten des 18. Jh. v. Chr. aus Ägypten und Mari gen.; im 2. Jt. v. Chr. eine mächtige und die wohl größte Stadt in Kanaan. Nach Zerstörung durch die einwandernden Israeliten um 1200 (Jos. 11, 1–13) von Salomo im 10. Jh. nur z. T. (Oberstadt) neu aufgebaut und befestigt (1. Kön., 9, 15); 733/732 endgültig durch die Assyrer (2. Kön. 15, 29) zerstört. Israelische Ausgrabungen 1955–58 fanden u. a. ein kanaanäisches Heiligtum in der Unterstadt, in der Oberstadt Befestigungen mit der Toranlage Salomos, Wasserversorgungsanlagen und Palastbauten des 1. Jt. v. Chr., die bis in pers. Zeit fortgeführt wurden.

Hb, Abk. für: **H**ämoglo**b**in (↑ Hämoglobine).

HB-Garne (Hochbauschgarne), Garne aus einem Gemisch verschieden stark schrumpfender Fasern für Waren, die bes. weich und voluminös sein sollen.

H-Bombe ↑ ABC-Waffen.

h. c., Abk. für: **h**onoris **c**ausa (lat. „ehrenhalber"), z. B. Dr. h. c.

HD-Öle [Kurzbez. für Heavy-duty-Öle; engl. 'hɛvɪ 'djuːtɪ „hohe Leistung"], Motorenöle mit ↑ Additiven für hohe Beanspruchungen.

HDTV [Kurzbez. für High definition television; engl. „hochauflösendes" Fernsehen], ein in der Entwicklung befindl. Hochzeilenfernsehen, das bei größerer Zeilenzahl je Bild mit höherer Bildwechselfrequenz arbeiten soll. Noch ohne notwendige internat. Normung.

h. e., Abk. für: **h**oc **e**st (lat. „das ist").

He, chem. Symbol für ↑ Helium.

Head arrangement [engl. 'hɛd ə'rɛɪndʒmənt; amerikan.], im Jazz Bez. für eine lockere, meist nur mündl. Vereinbarung über den formalen Ablauf eines Stückes, d. h. der Folge der Soli, ↑ Riffs und Stimmführung bei der Themenvorstellung. Das H. a. stellt bes. bei ↑ Jam Sessions häufig die Basis für die spontane Improvisation dar.

Headline [engl. hɛdlaɪn], hervorgehobene Überschrift in einer Zeitung, Anzeige u. a.

Head-Zonen [engl. hɛd; nach dem engl. Neurologen H. Head, * 1861, † 1940], Hautareale, die bestimmten inneren Organen zugeordnet sind und bei Erkrankung dieser Organe in charakt. Weise schmerzempfindlich sind.

Heard and McDonald Islands [engl. həːd ənd mək'dɔnəld 'aɪləndz], unbewohnte austral. Inseln vulkan. Ursprungs im Südpolarmeer, dem Kerguelenrücken aufsitzend, etwa 370 km², vergletschert. – 1853 entdeckt, 1910 von Großbritannien annektiert und 1947 an Australien abgetreten.

Hearing [engl. 'hɪərɪŋ; zu to hear „hören"] (Anhörung), engl. Bez. für Verhör, öff. Anhörung von Sachverständigen, Interessenvertretern u. a. Auskunftspersonen in den Ausschüssen des Parlaments zu bestimmten Beratungsgegenständen (z. B. in § 70 der Geschäftsordnung des Dt. Bundestages vorgesehen).

Hearn, Lafcadio [engl. həːn], * auf Lefkas (Griechenland) 27. Juni 1850, † Tokio 26. Sept. 1904, amerikan. Schriftsteller. – Lebte seit 1890 in Japan, wo er den Namen Yakumo Koizumi annahm; schrieb zahlr. Japanbücher, u. a. „Izumo. Blicke in das unbekannte Japan" (2 Bde., 1894).

Hearst, William Randolph [engl. həːst], * San Francisco 29. April 1863, † Beverly Hills (Calif.) 14. Aug. 1951, amerikan. Journalist und Verleger. – Gilt zus. mit J. Pulitzer als Begründer des ↑ Yellow journalism; baute den größten Pressekonzern der USA, die *H. Consolidated Publications Incorporation,* auf.

Heartfield, John [engl. 'hɑːtfiːld], eigtl. Helmut Herzfeld, * Berlin 19. Juni 1891, † Berlin (Ost) 26. April 1968, dt. Graphiker. – Gemeinsam mit seinem Bruder W. Herzfelde und G. Grosz Mitbegr. der Berliner Dada-Gruppe (1919). Entwickelte die Photomontage zum polit. Agitationsmittel und nutzte sie bes. zu Antikriegspropaganda.

Heath, Edward Richard George [engl. hiːθ], * Broadstairs (Kent) 9. Juli 1916, brit. Politiker. – Seit 1950 konservativer Unterhausabg., 1959/60 Arbeitsmin.; 1960–63 Lordsiegelbewahrer; 1963/64 Min. für Industrie, Handel und Regionalentwicklung sowie Präs. der Handelsbehörde, 1965–75 Führer der Konservativen und Unionist. Partei. Als Premiermin. (1970–74) setzte er 1973 den Beitritt Großbritanniens zu den EG durch; seine Gewerkschaftspolitik und interventionist. Wirtschaftspolitik (Lohn- und Preisstopp) führten zu wachsenden Spannungen innerhalb seiner Partei und mit den Gewerkschaften.

H., Ted, eigtl. Edward H., * Wandsworth (= London) 30. März 1900, † Virginia Water (Surrey) 18. Nov. 1969, engl. Jazzmusiker (Posaunist und Orchesterleiter). – Gründete 1944 im Auftrag der BBC ein eigenes Orchester, das im Bereich des Swing und des Modern Jazz wirkte.

Heathrow [engl. 'hi:θroʊ], internat. ✈ von London.

Heaviside, Oliver [engl. 'hɛvɪsaɪd], * London 18. Mai 1850, † Torquay (Devonshire) 3. Febr. 1925, brit. Physiker. – Autodidakt; arbeitete u. a. über die Ausbreitung elektromagnet. Wellen. 1902 sagte H. – etwa gleichzeitig mit A. E. Kennelly – die Existenz einer reflektierenden, ionisierten Schicht in der Erdatmosphäre (Kennelly-H.-Schicht) voraus.

Heaviside-Funktion [engl. 'hɛvɪsaɪd; nach O. Heaviside] (Einschaltfunktion, Einheitssprungfunktion), die reelle Funktion $H(x)$ einer Variablen x, die für negative Argumente den Wert Null, für positive Argumente und für $x = 0$ den Wert Eins besitzt.

Heaviside-Schicht [engl. 'hɛvɪsaɪd], svw. Kennelly-Heaviside-Schicht (↑ Heaviside).

Hebamme, staatlich geprüfte und anerkannte, nichtärztl. Geburtshelferin; der Beruf kann unter der Bez. **Entbindungspfleger** auch von Männern ausgeübt werden.

Hebbel, Christian Friedrich, * Wesselburen 18. März 1813, † Wien 13. Dez. 1863, dt. Dichter. – Nach ärml. Jugend Maurerlehrling, dann Kirchspielschreiber, autodidakt. Bildung; studierte in Heidelberg und München; heiratete 1846 C. ↑ Enghaus. – Als der bedeutendste dt. Dramatiker des 19. Jh. steht H. literatur- und geistesgeschichtlich zw. Idealismus und Realismus; an Hegels Geschichtsphilosophie anschließend, gründet sein „Pantragismus" in der Kluft zw. Idee und Wirklichkeit und dem Versuch ihrer Aufhebung. Hauptthema ist dabei das trag. Verhältnis zw. Individuum und Welt, das bes. an Übergangszeiten und an großen Persönlichkeiten deutlich wird. Einen versöhnl. Trost für das trag. Individuum wie in der Klassik gibt es bei H. nicht mehr. Das bürgerl. Trauerspiel „Maria Magdalene" (1844) gibt ein detailreiches realist. Bild des erstarrten dt. Kleinbürgertums und gestaltet wie auch das bibl. Drama „Judith" (1841) das Zeitproblem der Emanzipation der Frau in psycholog. Eindringlichkeit. Neben dem dramat. Werk schrieb H. realist. „Erzählungen und Novellen" (1855) mit einer Tendenz zum Skurrilen und Grotesken und prosanahe Gedankenlyrik (1857). – *Weitere Werke:* Herodes und Mariamne (Trag., 1850), Agnes Bernauer (Trag., 1855), Gyges und sein Ring (Trag., 1856), Mutter und Kind (Epos, 1859), Die Nibelungen (Tragödientrilogie, 2 Bde., 1862).
📖 *F. H. Hg. v. H. Kreuzer. Darmst. 1989. – Reinhardt, H.: Apologie der Tragödie. Studien zur Dramatik F. H. Tüb. 1989. – Stolte, H.: F. H. – Leben u. Werk. Husum ²1987.*

Hebe, bei den Griechen die Göttin der blühenden Jugend (röm. **Juventas**); Tochter des Zeus und der Hera.

Hebebühne, hydraulisch oder elektromotorisch-mechanisch bewegte Plattform zum Heben von Lasten, z. B. in Kfz-Reparaturwerkstätten.

Hebei [chin. xʌbɛi] (Hopeh), Prov. in NO-China, 190 000 km², 61,1 Mill. E (1990), Hauptstadt Shijiazhuang. Kernraum von H. ist der nördl. des Hwangho gelegene Teil der Großen Ebene, im W und N von Gebirgsländern umrandet. Die Prov. ist der größte Baumwollproduzent Chinas, außerdem werden Weizen, Mais, Hirse, Sojabohnen, Bataten und Ölfrüchte angebaut; in den Bergländern auch Obstbau. – H. verfügt über Kohle, Eisen- und Kupfererzvorkommen; an der Küste Salzgewinnung. Hauptwirtschaftszentren sind Peking und Tientsin. Eisen- und Stahlind., Metallverarbeitung sowie Textilindustrie.

Hebel, Johann Peter, * Basel 10. Mai 1760, † Schwetzingen 22. Sept. 1826, dt. Dichter. – Im Dialekt um Lörrach (Baden) schrieb H. seine bed. alemann. Mundartdichtung. Neben den „Alemann. Gedichten" (1803 und 1820) über die heimatl. Landschaft schrieb er v. a. volkstüml. Kalendergeschichten und Anekdoten („Rheinländ. Hausfreund", 4 Bde., 1808–11; „Schatzkästlein des rhein. Hausfreunds", 1811).

Hebel, ein um eine Achse drehbarer, starrer, meist stabförmiger Körper, an dem Gleichgewicht herrscht, wenn die Summe der Drehmomente aller an ihm angreifenden Kräfte gleich Null ist **(Hebelgesetz).** Bei nur zwei Kräften bedeutet dies Gleichheit der Produkte aus Betrag der Kraft und zugehörigem *H.arm* (Abstand der Wirkungslinie der Kraft von der Drehachse). Man unterscheidet **einarmige Hebel** (alle Kräfte wirken nur auf einer Seite der Drehachse) und **zweiarmige Hebel** (die Kräfte greifen beiderseits der Drehachse an). H. dienen der Kraftübertragung: sie ermöglichen große Kraftwirkungen mit geringem Kraftaufwand (Hebebaum, Brechstange); der Kraftgewinn wird durch Vergrößerung des von der kleineren Kraft zurückzulegenden Weges ausgeglichen.

Hebelwaage ↑ Waage.

Hebephrenie [griech.] ↑ Schizophrenie.

Heber (Flüssigkeitsheber), Vorrichtung zur Entnahme von Flüssigkeiten aus offenen

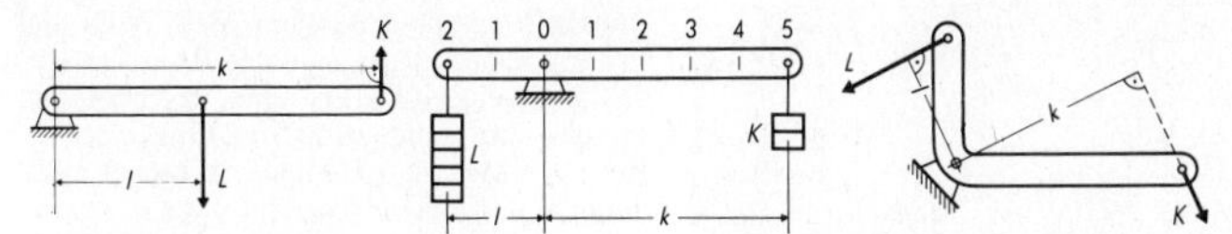

Hebel. Von links: einarmiger Hebel, zweiarmiger Hebel, Winkelhebel; *K* Kraft, *L* Last, *k* Länge des Kraftarms, *l* Länge des Lastarms

Gefäßen. Der **Stechheber** ist ein im oberen Teil häufig erweitertes, oft auch mit einer Skala versehenes Glasrohr, mit dem die Flüssigkeit nach dem Verschließen des oberen Endes herausgehoben werden kann. Der **Saugheber** *(Winkel-H.)* stellt eine gebogene Röhre dar, mit der die Flüssigkeit über ein höher als der Flüssigkeitsspiegel gelegenes Niveau in ein tiefer gelegenes gefördert werden kann; zum Betrieb muß die Flüssigkeit angesaugt werden. Eine spezielle Form des Saug-H. ist der **Giftheber,** an dem zusätzlich ein Ansaugrohr angebracht ist.

Heberer, Gerhard, * Halle/Saale 20. März 1901, † Göttingen 13. April 1973, dt. Zoologe und Anthropologe. – Prof. in Jena und Göttingen; beschäftigte sich hauptsächlich mit der Evolutionsforschung, insbes. der menschl. Stammesgeschichte und entsprechenden anthropolog. Studien; Hg. des Werks „Die Evolution der Organismen" (1943, ^{2}1959, 3. erweiterte Aufl. 1967 ff. in 3 Bden.).

Hébert, Jacques René [frz. e'bɛ:r], gen. Père Duchesne, * Alençon (Orne) 15. Nov. 1757, † Paris 24. März 1794, frz. Journalist und Revolutionär. – Seit 1790 Hg. des erfolgreichen Blattes „Le Père Duchesne", Führer der **Hébertisten,** der radikalsten Gruppe des Nationalkonvents; H. forderte die Verurteilung Ludwigs XVI., die Ausschaltung der Girondisten und radikale Entchristianisierung; auf Betreiben Robespierres hingerichtet.

Hebesatz, von den Gemeinden zu bestimmender Parameter bei der Gewerbesteuer und der Grundsteuer, durch den sie in gewissem Umfang das jeweilige Steueraufkommen beeinflussen. Der H. wird für ein Rechnungsjahr (Haushaltsjahr) festgelegt.

Hebezeuge, Bez. für Förder- und Transportmittel, die das Heben von Lasten ermöglichen. H. dienen entweder nur zum senkrechten Heben und Fördern von Lasten und Personen (z. B. Aufzug, Flaschenzug und Winde) oder zum Heben und Fördern in senkrechter und waagerechter Richtung (z. B. Krane und Laufkatzen). Sind sie auf einer von Portalstützen getragenen Brücke montiert, bezeichnet man sie z. B. als Bockwinde, Bock- oder Portalkran.

Hebra, Ferdinand Ritter von, * Brünn 7. Sept. 1816, † Wien 5. Aug. 1880, östr. Dermatologe. – Seit 1849 Prof. in Wien; schuf die Grundlagen der modernen Dermatologie und ihre (z. T. heute noch gültige) Nomenklatur.

Hebräer, svw. ↑ Israeliten oder ↑ Juden.

Hebräerbrief, in Briefform gekleidete, als „Mahnrede" von einem Unbekannten (nicht Paulus) kurz vor 95 n. Chr. abgefaßte Schrift des N. T.

hebräische Literatur, die in hebr. Sprache in den letzten 200 Jahren entstandenen literar. Werke, wobei das religiöse Schrifttum ausgeschlossen bleibt (↑ jüdische Literatur). Im MA und in der Renaissance gab es neben dem religiösen Schrifttum nur vereinzelt profane Literatur (Liebes- und Weinlyrik in Spanien), sie setzte erst mit der Aufklärung im 18. Jh. v. a. in Deutschland ein, im 19. Jh. aber auch in Polen und Rußland. Dort erreichte die europ. Periode der h. L. ihren Höhepunkt durch Mendele Moicher Sforim und J. L. Perez, v. a. jedoch durch C. N. Bialik. Mit dem Aufkommen der zionist. Bewegung zu Beginn des 20. Jh. wurde Palästina zum neuen Zentrum der h. L. Als Lyriker traten Abraham Schlonski, Nathan Alterman und Lea Goldberg hervor. Die Prosa erfuhr durch das umfangreiche Romanwerk von S. J. Agnon einen neuen Höhepunkt. Nach 1945 und der 1948 erfolgten Gründung des Staates Israel nahmen die Katastrophe der europ. Judenheit in der Hitlerzeit und aktuelle polit. und soziale Entwicklungen breiten Raum ein, so etwa bei Jehuda Amichai und Aharon Meged, A. Oz, A. Appelfeld. Weltberühmt wurde das humorist. Werk E. Kishons.

🕮 *Hauptwerke der h. L. Hg. v. L. Prijs. Mchn. 1978. – Navé, P.: Die neue h. L. Bern u. Mchn. 1962.*

hebräische Schrift, die althebr. Schrift geht auf das aus 22 Buchstaben bestehende Alphabet der Phöniker zurück, das die Israeliten nach der Landnahme um 1200 v. Chr. übernahmen. Nach der Rückkehr aus dem Babylon. Exil soll Esra der Schreiber die aram. Schrift eingeführt haben. Das Aram. war Verkehrs- und Handelssprache in Palästina, die Schrift geht ebenfalls auf die phönik. Schrift zurück und war bei den Juden sicher schon vor 540 v. Chr. in Gebrauch. Diese neue Schrift *(Quadratschrift)* breitete sich immer weiter aus und ist seit dem 1. Jh. v. Chr.

Zeichen	Name	Lautwert	Zeichen	Name	Lautwert
Konsonanten:					
א	Alef	–	ל	Lamed	l
ב	Bet	b, v	מ, ם	Mem	m
ג	Gimel	g	נ, ן	Nun	n
ד	Dalet	d	ס	Samech	s
ה	He	h	ע	Ajin	–
ו	Waw	v	פ, ף	Pe	p, f
ז	Zajin	z	צ, ץ	Zade	s
ח	Chet	x	ק	Kof	k
ט	Tet	t	ר	Resch	r
י	Jod	j	שׁ	Schin	ʃ
כ, ך	Kaf	k, ç	שׂ	Sin	s
			ת	Taw	t
Vokalzeichen:					
◌ַ	Patach	a	◌ֵ	Sere	e
◌ָ	Kametz	a	◌ִ	Chirek	i
◌ָ	Kametz Chatuf	ɔ	◌ֹ	Cholem	o
			◌ֻ	Kibutz	u
◌ֶ	Segol	æ	◌ְ	Schwa	ə

die bei den Juden vorherrschende Schrift. Im MA entwickelte sich in M-Europa eine Halbkursive, die sog. *Raschischrift,* die v. a. im religiös-gesetzl. Schrifttum verwendet wurde. Heute gibt es neben der Quadratschrift eine *Kursive,* in der handschriftl. Texte abgefaßt werden. Auch jidd. Texte werden in h. S. geschrieben und gedruckt.
Das hebr. Alphabet besteht aus 22 Buchstaben, die nur Konsonanten bezeichnen. Die Schrift läuft von rechts nach links. Beim Lesen werden auf Grund von Vokalismusregeln, die dem Leser vertraut sein müssen, Vokale und Konsonantenverdoppelungen ergänzt. Um eine korrekte Lesung sicherzustellen, wurden die Bücher des A. T., Gebetbücher sowie andere Texte nach urspr. von den sog. Massoreten festgelegten Regeln vokalisiert.
🕮 *Naveh, J.: Early history of the alphabet. Jerusalem 1982. – Birnbaum, S. A.: The Hebrew scripts. London; Leiden. 2 Bde., 1954–71.*

hebräische Sprache, zum nw. Zweig der semit. Sprachen gehörende Sprache des Volkes Israel, heute offizielle Landessprache des Staates Israel (3,1 Mill. Sprecher). – Man nimmt an, daß die israelit. Stämme bei der Landnahme um 1200 v. Chr. die kanaanäische Landessprache annahmen bzw. daß sich ihre Sprache mit dem Kanaanäischen vermischte. Grundlage dieser *althebr. Sprache (bibl. Hebr.)* war die judäische Hofsprache aus dem Gebiet um Jerusalem. Nach der Rückkehr aus dem Babylon. Exil (nach 538 v. Chr.) bediente man sich des Aramäischen, das zu dieser Zeit die Verkehrs- und Handelssprache war, und später des Griechischen. Hebr. wurde zur „Heiligen Sprache", zur Sprache des jüd. Kultus und der Gelehrten. Durch die Funde von Kumran ist der Übergang zum sog. *Mischna-Hebr. (Mittelhebr.)* zu verfolgen, in dem die Werke des rabbin. Schrifttums abgefaßt sind. Sprachgeschichtlich bedeutsam waren in der Folge die sog. „Pijut"-Dichtungen in Palästina (500–900) sowie die Gedichte und Lieder, die unter arab. Einfluß in Spanien entstanden (1000–1200). Die ma. religiösen Werke in M-Europa sind in Mischna-Hebr. abgefaßt *(aschkenas. Hebr.).* Mit dem Beginn der Neuzeit erfolgte eine Hinwendung zu einem rein bibl. Hebr., das nunmehr auch Mittel für moderne literar. Formen wurde. Diese Sprachform ist die Vorstufe der gegen Ende des 19. Jh. wiederbelebten h. S. in Palästina bzw. Israel. *Neuhebräisch (Iwrith)* vereinigt in sich Elemente der beiden früheren Sprachstufen Alt- und Mittelhebräisch mit eigenständigen Entwicklungen.
🕮 *Rabin, C.: Die Entwicklung der h. S. Wsb.-Dotzheim 1988. – Kutscher, A. Y.: A history of the Hebrew language. Jerusalem 1982. – Rosén, H. B.: A textbook of Israeli Hebrew. Chicago [3]1971. – Bergsträßer, G.: Einf. in die semit. Sprachen. Mchn. 1928. Neudr. 1963.*

Hebriden, Inselgruppe vor der W-Küste N-Schottlands; 7285 km², 31000 E; durch die Meeresteile **Hebridensee, The Little Minch** und **North Minch** in **Äußere Hebriden** und **Innere Hebriden** geteilt. Die nur z. T. bewohnten 500 Inseln und Eilande haben stark gegliederte Küsten, zahlr. Seen und vom Eis gerundete Oberflächenformen. Das ozean. Klima ist kühl und windreich mit hohen Niederschlägen. Atlant. Heiden und Torfmoore sind weit verbreitet. Fischerei, Fischverarbeitung, Rinder- und Schafhaltung sind Haupterwerbszweige der Bev., daneben Tweedweberei und Fremdenverkehr. – Im 1. Jt. v. Chr. von Kelten besiedelt, im 6. Jh. wurden die H. christianisiert. Die Norweger brachten sie im 9. Jh. unter ihre Herrschaft, 1266 kamen sie an Schottland.

Hebron, Stadt im Westjordanland (seit 1967 unter israel. Verwaltung), 30 km ssw. von Jerusalem, 927 m ü. d. M., 80000 E. Univ. (gegr. 1978); Handelszentrum, Fremden- und Pilgerverkehr zur **Machpelahöhle,** wo sich nach der Überlieferung das Grab von Abraham befindet; über der Höhle eine Moschee (urspr. byzantin. Kirche von 1115).

Hebung, in der dt. Verslehre die durch akzentuierende Betonung hervorgehobene Silbe. Im Sinne des Versakzents stimmt sie in der Regel mit dem Wortakzent überein.

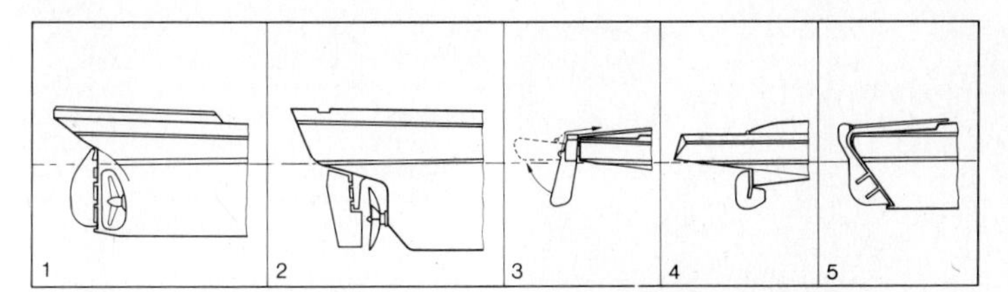

Heck. 1 Dampferheck, 2 Kreuzerheck, 3 Spiegel- oder Plattglattheck, 4 Jachtheck, 5 Spitzgattheck

◆ Aufwärtsbewegung von Teilen der Erdkruste.

Hechelmaschine, Maschine zum Öffnen und Reinigen von Bastfasern.

hecheln, Bastfasern mit Hilfe von Werkzeugen oder Hechelmaschinen öffnen und reinigen.

Hechingen, Stadt am Fuß von Berg und Burg Hohenzollern, Bad.-Württ., 470–548 m ü. d. M., 16 000 E. Heimatmuseum; v. a. Textilind. und Maschinenbau. – Die Siedlung bei der um 1050 von den Grafen von Zollern erbauten Burg (↑ Hohenzollern) wurde in der 1. Hälfte des 13. Jh. zur Stadt ausgebaut. 1576 kam H. zur Linie Hohenzollern-H. und entwickelte sich nach Erhebung der Grafen in den Reichsfürstenstand (1623) zur Barockresidenz; 1850 an Preußen abgetreten. – Frühklassizist. Pfarrkirche (1780–83), Renaissancekirche Sankt Luzen (1586–89).

Hecht, Ben [engl. hɛkt], * New York 28. Febr. 1893, † 18. April 1964, amerikan. Schriftsteller. – Autor von Romanen, Kurzgeschichten, polit.-satir. Dramen, Drehbüchern (u. a. für H. Hawks, W. Wyler). Bekannt wurde er (und sein Mitverf. C. MacArthur, * 1895, † 1956) mit dem Bühnenstück „The front page" (1928, verfilmt 1931).

Hecht (Esox lucius), Hechtart in Europa, Asien und N-Amerika; bis 1,5 m lange und bis 35 kg schwere Fische; Körper langgestreckt, Schnauze schnabelartig abgeflacht, mit starker Bezahnung; Rücken dunkel olivgrün bis graugrün. – Speisefisch.

Hechtbarsch, svw. ↑ Zander.

Hechte (Esocidae), Knochenfischfam. mit der einzigen Gatt. *Esox,* zu der sechs Arten gehören, darunter der ↑ Hecht.

Hechtsprung, beim *Turnen* Flug mit gestrecktem Körper über das Gerät (meist das Langpferd).

Heck, Ludwig, * Darmstadt 11. Aug. 1860, † München 7. Juli 1951, dt. Zoologe. – Direktor der zoolog. Gärten von Köln und Berlin. H. baute den Berliner Zoo zu einem der größten der Welt aus und hatte bed. Nachzuchterfolge.

Heck [niederdt., eigtl. „Umzäunung" (als Bez. für ein früher übl. Gitter auf dem Hinterschiff zum Schutz des Steuermanns gegen Sturzseen)], der hintere Teil eines Fahrzeugs, insbes. der [über das Wasser herausragende] hintere Teil eines Schiffes. Man unterscheidet verschiedene H.formen: das *Dampfer-H.,* das bei Fracht- und Fahrgastschiffen sowie bei größeren Kriegsschiffen bevorzugte *Kreuzer-H.,* das v. a. bei Motorbooten und schnellen Kriegsschiffen zu findende *Spiegel-* oder *Plattgatt-H.,* das für Rennjachten verwendete *Jacht-H.,* das bei Fischkuttern anzutreffende *Spitzgatt-H.* u. a.

Heckantrieb, svw. ↑ Hinterradantrieb.

Hecke, Bez. für eine aus Sträuchern gebildete natürl. Umzäunung.

Heckel, Erich, * Döbeln (Sachsen) 31. Juli 1883, † Hemmenhofen (= Gaienhofen, Kr. Konstanz) 27. Jan. 1970, dt. Maler und Graphiker. – Mitbegr. der ↑ Brücke. Sein ausdrucksstarker Expressionismus stellt psycholog. Spannungen dar. Er schuf neben figürl. Holzschnitten, Radierungen und Zeichnungen bed. Lithographien. H. bevorzugte Themen aus dem Artistenleben, Landschaften, Stadtszenen, Porträts und Stilleben.

Heckelphon, eine von Wilhelm Heckel (* 1856, † 1909) und seinen Söhnen Wilhelm Hermann (* 1879, † 1952) und August (* 1880, † 1914) 1904 konstruierte Baritonoboe mit ↑ Liebesfuß; zuerst von R. Strauss in „Salome" (1905) verwendet.

hecken, bes. wm. für: Junge werfen (bei kleineren Säugetieren) bzw. nisten und brüten (bei Vögeln).

Heckenbraunelle (Prunella modularis), Art der Braunellen; in Europa und Kleinasien verbreiteter, etwa 15 cm großer, spatzenähnl. Vogel mit unauffällig dunkelbraunem und schiefergrauem Gefieder.

Heckenkirsche, svw. ↑ Geißblatt.

Heckenlandschaft, durch eingehegte Fluren gekennzeichnete Kulturlandschaft. Die Hecken haben Einhegungsfunktion, schützen gegen Winderosion und dienen z. T. auch der Holzgewinnung. – ↑ Bocage.

Heckenmünzen, im alten Reichsrecht 1. Münzstätten, in denen gesetzeswidrig minderwertige Geldsorten geprägt wurden; 2. die dort entstandenen Münzen.

Heddal

Heckenrose ↑ Rose.

Heckenschütze, allg. Bez. für jemanden, der aus dem Hinterhalt auf eine Person schießt.

Hecker, Friedrich Franz Karl, * Eichtersheim bei Sinsheim 28. Sept. 1811, † Saint Louis (Mo.) 24. März 1881, dt. Politiker. – Rechtsanwalt; im Vormärz führender Abg. der 2. bad. Kammer, verband entschiedenen Liberalismus mit einem nat.-dt. Einigungsprogramm; entwickelte sich zum Republikaner und Radikaldemokraten; erließ am 12. April 1848 zus. mit G. von Struve den Aufruf zum bewaffneten Aufstand in Baden, der am 20. April niedergeschlagen wurde. H. floh in die Schweiz, wanderte von dort in die USA aus und nahm als Oberst auf seiten der Union am Sezessionskrieg teil.

H., Johann Julius, * Werden (= Essen) 7. Nov. 1707, † Berlin 24. Juni 1768, dt. ev. Theologe und Pädagoge. – War Lehrer bei A. H. Francke; 1739 Pfarrer an der Dreifaltigkeitskirche in Berlin, in deren Sprengel er ein v. a. auf berufl. Bedürfnisse ausgerichtetes Schulsystem aufbaute. Verf. des preuß. ↑ Generallandschulreglements.

Heckmann, Herbert, * Frankfurt am Main 25. Sept. 1930, dt. Schriftsteller. – Parabelhafte Erzählungen („Das Portrait", 1958; „Schwarze Geschichten", 1964) und der humorvolle Roman „Benjamin und seine Väter" (1962) machten ihn bekannt; auch Kinderbücher, Abhandlungen. – 1984–87 Präs. der Dt. Akad. für Sprache und Dichtung.

H., Otto [Hermann Leopold], * Opladen (= Leverkusen) 23. Juni 1901, † Regensburg 13. Mai 1983, dt. Astronom. – 1962–73 erster Direktor der (auf dem Gipfel des La Silla in Chile) errichteten Europ. Südsternwarte; Arbeiten zur Astrometrie und Photometrie, bes. Stellarstatistik, Kosmologie.

Heckrotor ↑ Hubschrauber.

Heckstarter, Senkrechtstarter, dessen Längsachse bei Start und Landung senkrecht nach oben weist; nach dem Vertikalstart Übergang in die übl. Horizontalfluglage.

Hecktrawler [...trɔ:lər] ↑ Fischerei.

Hecuba ↑ Hekabe.

Heda, Willem Claesz.,* Haarlem 1593/94, † ebd. 24. Aug. 1680, niederl. Maler. – Malte Frühstücksstilleben in silbriggrauem Ton.

Hedberg [schwed. ˌhe:dbærj], Carl Olof (Olle), * Norrköping 31. Mai 1899, † Tveggesjö (Verveln) 21. Sept. 1974, schwed. Schriftsteller. – Satir. Kritiker des Bürgertums, u. a. „Darf ich um die Rechnung bitten" (R., 1932).

H., Tor Harald, * Stockholm 23. März 1862, † ebd. 13. Juli 1931, schwed. Schriftsteller. – Realist.-naturalist. Erzählungen und Romanen folgten psycholog.-symbolist. Dramen, u. a. „Johan Ulfstjerna" (Dr., 1907).

Heddal, Ort in O-Telemark bei Notodden, S-Norwegen, mit der größten erhaltenen norweg. Stabkirche (Mitte 13. Jh.).

Hedebostickerei [zu dän. hedebo „Heidebewohner"], Bez. für zwei in Dänemark heim. Stickereiarten auf grobem Leinen, die „echte" H., die aus doppeltem Durchbruch und Weißstickerei besteht, und die H., deren ausgeschnittene Muster mit Spitzenstich gefüllt werden.

Hederich, (Ackerrettich, Raphanus raphanistrum) bis 45 cm hoher Kreuzblütler mit weißen oder gelben, hellviolett geäderten Blüten und perlschnurartigen Gliederschoten; kalkmeidend; Ackerunkraut.

◆ svw. ↑ Rettich.

◆ (Falscher H.) ↑ Ackersenf.

Hedgegeschäft [engl. hɛdʒ „Dekkung"], im börsenmäßigen Terminhandel übl. Deckungsgeschäft oder Gegengeschäft, das zur Sicherung eines bereits abgeschlossenen anderen Termingeschäfts oder einer einzigen langfristigen Lieferverpflichtung gegen Markt- und Preisrisiken dient.

Hedin, Sven, * Stockholm 19. Febr. 1865, † ebd. 26. Nov. 1952, schwed. Asienforscher. – Schüler von F. Frhr. von Richthofen; folgte 1893–97 den alten Seidenstraßen nach China. Erforschte auf weiteren mehrjährigen Expeditionen das Gebiet des Lop Nor („Der wandernde See", 1937), den bis dahin unbekannten Transhimalaja und die Quellgebiete von Brahmaputra und Indus („Transhimalaja. Entdeckungen und Abenteuer in Tibet", 3 Bde., 1909–12), O-Turkestan und die Gobi. Neben populärwiss. Beschreibungen zahlr. wiss. Veröffentlichungen, u. a. „Scientific results of the Sino-Swedish expedition" (35 Bde., 1937–49).

Hedingebirge ↑Himalaja.

Hedio, Caspar, eigtl. C. Heid, * Ettlingen 1494, † Straßburg 17. Okt. 1552, dt. ev. Theologe. – 1520 Domprediger in Mainz; 1523 Berufung an das Münster in Straßburg; gilt als erster prot. Kirchenhistoriker.

Hedmark, Verw.-Geb. im südl. Norwegen, 27 388 km², 186 800 E (1989), Hauptstadt Hamar; reicht von der schwed. Grenze im O bis zum Mjøsensee; überwiegend von Nadelwald bedeckte Moränenlandschaft; Landw. um den Mjøsensee und in den Flußtälern.

Hedonismus [zu griech. hēdonḗ „Freude, Lust"], eine Form des Eudämonismus, bei der das private Glück als höchstes Gut in der dauerhaften Erfüllung individueller, phys. und psych. Lust gesehen wird. Der H. als moralphilosoph. Lehre geht auf Aristippos (sensualist. H.) zurück; von Epikur weiterentwikkelt. Später wird eine hedonist. Ethik von Locke, Hobbes, Hume, im frz. Materialismus, im Utilitarismus und im neueren Positivismus (M. Schlick) vertreten.

Hedschas, Landschaft und Prov. im W von Saudi-Arabien, Hauptstadt Mekka. Hinter der heißen, wasserlosen Küstenebene (Tihama) am Roten Meer Steilanstieg zu einem bis 2 446 m hohen Gebirgshorst. Pilgerzentren Mekka und Medina. – War 1917–25 Kgr., 1926 mit Nadschd in Personalunion vereinigt, seit 1932 Teil des Kgr. Saudi-Arabien.

Hedschasbahn, 1901–08 erbaute Bahnlinie (Schmalspur) Damaskus–Amman–Medina, 1 302 km lang; S-Abschnitt (ab Maan) im 1. Weltkrieg zerstört.

Hedschra (Hidschra) [arab.], Auswanderung Mohammeds im Sept. 622 von Mekka nach Medina; Beginn der islam. Zeitrechnung.

Hedwig, Name von Herrscherinnen:
Polen:
H. (poln. Jadwiga), * um 1374, † Krakau 17. Juli 1399, Königin (seit 1382). – Jüngste Tochter Ludwigs I. von Ungarn; nach dem Tode ihres Vaters (1382), der seit 1370 auch König von Polen war, zur poln. Thronerbin bestimmt. Durch ihre Heirat mit Großfürst Jagello von Litauen (1386) wurde die polnisch-litauische Union von Krewo (1385) verwirklicht.
Schlesien:
H., hl., * Andechs um 1174, † Trebnitz (bei Breslau) 15. Okt. 1243, Herzogin (seit 1186 bzw. 1190). – Ihre Heirat mit Hzg. Heinrich I. von Schlesien legte den Grund für die dt. Einflußnahme in Schlesien. H. stiftete Kirchen und Klöster und trug wesentlich zur Kultivierung des Landes bei; Patronin von Schlesien. – Fest: 16. Oktober.
Schwaben:
H. ↑Hadwig.

Hedwigsgläser, nach der angebl. Besitzerin, der hl. Hedwig, bezeichnete Gruppe von Hochschnittgläsern (v. a. des 12. Jh.), die heute nicht mehr als islamisch (aus der fatimid. Epoche), sondern als byzantinisch oder russisch eingestuft werden.

Heem, Jan Davidsz. de, * Utrecht 1606, † Antwerpen 1683 oder 1684, niederl. Maler. – Bedeutendster Stillebenmaler der holländ. Malerei, schließt im Leidener Frühwerk an P. Claesz an, in den Antwerpener Früchte- und Blumenstilleben in warmer Helldunkelmalerei an D. Seghers.

Heemskerck, Maarten van [niederl. 'he:mskɛrk], * Heemskerk 1498, † Haarlem 1. Okt. 1574, niederl. Maler und Zeichner. – Schüler von J. van Scorel; 1532–35(?) in Rom, wo er den antiken Denkmälerbestand zeichnete (für Stichwerke). Der röm. Manierismus der Michelangelo-Schule wurde bestimmend für seine Altarblätter und bibl. Allegorien (Zeichnungen).

Heer, Friedrich, * Wien 10. April 1916, † ebd. 18. Sept. 1983, östr. Historiker und Publizist. – Seit 1962 Prof. in Wien; 1961–71 Chefdramaturg am Burgtheater; seine geistesgeschichtlich orientierten Werke sind wiss. umstritten, u. a. „Europ. Geistesgeschichte" (1953), „Die dritte Kraft" (1960), „Der König und die Kaiserin. Friedrich und Maria Theresia" (1981).
H., Jakob Christoph, * Töß (= Winterthur) 17. Juli 1859, † Rüschlikon bei Zürich 20. Aug. 1925, schweizer. Schriftsteller. – Bekannt durch unterhaltende Heimatromane, u. a. „An heiligen Wassern" (1898), „Der König der Bernina" (1900), „Tobias Heider" (1922).

Heer [zu althochdt. heri, eigtl. „das zum Krieg Gehörige"], für den Landkrieg bestimmter Teil von Streitkräften. Nach der H.verfassung wird unterschieden zw. H. mit allg. oder selektiver Wehrpflicht und nach Berufsheeren. Das **stehende Heer** ist der im Frieden unter Waffen befindl. Teil des H.; im Mobilmachungsfall wird er durch die Reservisten ergänzt. **Milizheere** treten (nach kurzer Ausbildung und Übungen in Friedenszeiten) als Ganzes erst im Kriegsfall unter Waffen; sie unterhalten im Frieden nur einen zahlenmäßig schwachen Kader (deshalb auch **Kaderheere**). – ↑Militärgeschichte.

Heerbann, seit dem frühen MA Bez. für das vom König erlassene militär. Aufgebot zur Heerfahrt sowie für diese selbst; ebenso für die im Falle der Nichtbeachtung zu zahlende Strafe (H.buße); seit dem 13. Jh. auch für das aufgebotene Heer wie die ersatzweise als Ablösung zu zahlende Heersteuer.

Heeren, Arnold Hermann Ludwig, * Arbergen (= Bremen) 25. Okt. 1760, † Göttingen 6. März 1842, dt. Historiker. – Seit 1801 Prof. in Göttingen; bezog in seine Untersuchungen (v. a. Altertum und europ. Staatensystem) die Wirtschaftsgeschichte ein.

Heerenveen, niederl. Gem. in der Prov. Friesland, 37 700 E. Auto- und Zweiradmuseum. – H. ist die älteste niederl. Hochmoorkolonie, entstanden in der 2. Hälfte des 16. Jh.

Heeresamt ↑ Bundeswehr.

Heeresattaché ↑ Militärattaché.

Heeresflieger, in der Bundeswehr zu den Kampfunterstützungstruppen zählende Truppengatt. des Heeres; eingesetzt zur Panzerabwehr und für Transport-, Verbindungs-, Aufklärungs- und Überwachungsaufgaben.

Heeresflugabwehrtruppe, in der Bundeswehr zu den Kampfunterstützungstruppen zählende Truppengattung des Heeres zur Bekämpfung von Luftzielen in niedrigen und mittleren Flughöhen.

Heeresgruppe, im 1. und 2. Weltkrieg Bez. für die Zusammenfassung mehrerer Armeen unter einheitl. Führung; in der NATO bis 1993 integrierte Kommandobehörde, der mehrere national homogene Korps unterstellt waren.

Heeresleitung, in der Reichswehr die oberste Kommandobehörde des Heeres mit einem General als Chef der H. an der Spitze.

Heeresschulen, militär. Ausbildungsstätten der Teilstreitkraft Heer; in der Bundeswehr die *Offizierschule des Heeres* zur Ausbildung zum Offizier des Truppendienstes, des Militärfachl. Dienstes und der Reserve sowie für Verwendungslehrgänge (z. B. Bataillonskommandeure), die *Truppen-* bzw. *Fachschulen des Heeres,* die in Laufbahn- und Verwendungslehrgängen Offiziere und Unteroffiziere für spezielle Verwendungen ausbilden, und die *Techn. Schulen des Heeres* für Offiziere und Unteroffiziere techn. Truppengattungen und Fachrichtungen.

Heerfahrt (Kriegszug), im MA der vasallit. Reichskriegsdienst, v. a. der Italienzug zur Kaiserkrönung (Romfahrt). Die Pflicht zur **Heerfolge** als Teil der Lehnsfolge konnte durch Geld abgelöst werden.

Heerkönig, Sonderform einer Königsherrschaft, die ihre Berechtigung von der Führung eines freiwillig zustandegekommenen Heeresgefolges ableitet; Beispiele u. a. in Makedonien sowie in den german. Staaten der Völkerwanderungszeit.

Heerlen [niederl. 'he:rlə], niederl. Stadt im S der Prov. Limburg, 94 000 E. Fern-Univ. (gegr. 1984), geolog. und archäolog. Museum; Ind.- und Dienstleistungszentrum mit elektrotechn., metallverarbeitender, Glas-, Textil- und Druckind. Bis 1974 bed. Steinkohlenbergbau. – Sint-Pancratiuskerk (um 1200; im 20. Jh. erweitert und erneuert).

Heermann, Johannes, * Randten (Schlesien) 11. Okt. 1585, † Lissa (= Leszno) bei Posen 17. Febr. 1647, dt. ev. Kirchenlieddichter. – Volkstüml. Kirchenlieder („Herzliebster Jesu, was hast du verbrochen") sowie Gedichte und asket. Schriften.

Heerschild, im dt. MA Bez. 1. für das Heeresaufgebot, 2. für die Fähigkeit zum Erwerb oder zur Vergabe eines Lehens. Die **Heerschildordnung** gab die unterschiedl. Abstufung der lehnsrechtl. Bindungen innerhalb des Adels wieder, d. h., sie bestimmte, wessen Vasall man werden durfte, ohne seinen „Schild" (Rang) in der Lehnshierarchie zu verringern; im 12. Jh. in 7 Stufen unterteilt. 1. König, 2. geistl. Fürsten, 3. Laienfürsten, 4. Grafen und Freiherren, 5. Ministerialen und Schöffenbarfreie, 6. deren Mannen, 7. übrige ritterbürtige Leute, die allein die aktive Lehnsfähigkeit nicht besaßen (Einschildige).

Heerwurm ↑ Trauermücken.

Heesters, Johannes, * Amersfoort 5. Dez. 1903, östr. Sänger und Schauspieler niederl. Herkunft. – Kam 1934 an die Wiener Volksoper, wo er als Operettentenor erfolgreich war. Seit 1936 trat er in Berlin (Kom. Oper, Metropoltheater, Admiralspalast) auf; nach 1948 Comeback als Operettensänger und Bühnenschauspieler. Zahlr. Filme, u. a. „Hochzeitsnacht im Paradies" (1950), „Die Czardasfürstin" (1951); Fernsehfilm „Die schöne Wilhelmine" (1984).

Hefe, allg. Bez. für Arten und Rassen der ↑ Hefepilze, die in Reinkulturen gezüchtet und lebensmitteltechnisch in großem Umfang eingesetzt werden. Durch Reinzucht obergäriger Rassen auf Nährlösungen (v. a. Melasse) wird **Backhefe** hergestellt, die als **Preßhefe** oder auch **Trockenhefe** in den Handel kommt. Die in der Natur frei vorkommende **Weinhefe** wird heute ausschließlich als Reinzucht-H. gezüchtet, wobei hochgärige Stämme mit einer hohen Alkoholausbeute bevorzugt werden. Die **Bierhefen** sind dagegen nur als Kulturstämme bekannt; hier werden untergärige und obergärige Stämme unterschieden. Ebenfalls zu den H. wird die **Futterhefe** (Eiweiß-H.) gerechnet, die durch Verhefung in der Technik anfallender Nebenprodukte (Holzzucker, Molke, Sulfitablaugen) mit verschiedenen H.rassen gewonnen wird. – Als H. werden auch die festen Stoffe verstanden, die bei der Gärung zunächst an die Oberfläche steigen und sich nach der Hauptgärung am Boden absetzen.

Hefei [chin. xʌfɛi] (Hofei), Hauptstadt der chin. Prov. Anhui, nahe dem See Chao Hu,

902 000 E. Univ., TU, Fachhochschulen für Landw., Bergbau und Medizin; Prov.museum und -bibliothek. Mittelpunkt eines Reisanbaugebiets, Textilind., Eisen- und Stahl-, Aluminiumind.; Schiffsverbindung zum Jangtsekiang; ✈.

Hefepilze (Hefen, Saccharomycetaceae), Fam. der Schlauchpilze mit kugeligen oder ovalen, einkernigen, mikroskopisch kleinen Zellen, die Glykogen als Reservestoff und zahlr. Vitamine (v. a. der B-Gruppe) enthalten.

Hefner-Alteneck, Friedrich von, * Aschaffenburg 27. April 1845, † Biesdorf (= Berlin) 7. Jan. 1904, dt. Elektrotechniker. - 1867-90 Ingenieur bei Siemens & Halske in Berlin; erfand (1872/73) den Trommelanker und entwickelte die Hefnerlampe als Normal für die Lichtstärkeeinheit ↑ Hefnerkerze.

Hefnerkerze [nach F. von Hefner-Alteneck], Kurzzeichen HK, veraltete photometr. Einheit der Lichtstärke; 1 HK = 0,903 cd.

Heft, zusammengeheftete Bogen von Schreib- oder Zeichenpapier; auch für Druck- und Flugschriften.

◆ bei Handwerkszeugen ein auf einen meist spitz ausgeschmiedeten Zapfen geschlagener Holzgriff.

heften, mit Nadeln, Klammern, Fäden u. a. [locker] befestigen.

Heftmaschine, Maschine, die gefalzte Papierbogen für Broschüren oder Bücher mittels Drahtklammern oder Fäden (Faden-H.) zum Buchblock verbindet.

Heftpflaster ↑ Pflaster.

Heftzwecken, svw. ↑ Reißzwecken.

Hegar, Friedrich, * Basel 11. Okt. 1841, † Zürich 2. Juni 1927, schweizer. Dirigent und Komponist. - Komponierte v. a. Vokalwerke, u. a. das Oratorium „Manasse" (1888) und zahlreiche virtuos wirkungsvolle Männerchöre (Balladen) sowie Orchester- und Kammermusik in spätromant. Stil.

Hegar-Stifte [nach dem dt. Gynäkologen A. Hegar, * 1830, † 1914], gebogene und abgerundete Metallstifte verschiedener Stärke zur Dehnung des Gebärmutterhalskanals.

Hegau, südwestdt. Beckenlandschaft zw. Bodensee und Randen, im Hohenstoffel 844 m hoch, zentraler Ort Singen (Hohentwiel). Das Landschaftsbild wird von zwei Reihen herauspräparierter Vulkanschlote sowie eiszeitl. Ablagerungen geprägt. Heiße, trockene Sommer erlauben ausgedehnten Getreideanbau. - Die erstmals 787 erwähnte Gft. H., eine der Kernlandschaften des Hzgt. Schwaben, fiel nach mehrfachem Besitzwechsel um 1180 an Kaiser Friedrich I.; seit dem Spät-MA Landgft., gehörte H. 1465 bis 1805 zum habsburg. Vorderösterreich, 1810 kam das Gebiet zu Baden.

Hege (Wildpflege), zusammenfassende Bez. für alle Maßnahmen, die zur Pflege und zum Schutz des Wildes (auch der Nutzfische) durchgeführt werden; gesetzl. Verpflichtung hierzu besteht für den Jagdausübungsberechtigten nach dem B.-Jagdgesetz.

Hegel, Georg Wilhelm Friedrich, * Stuttgart 27. August 1770, † Berlin 14. Nov. 1831, dt. Philosoph. - Studierte 1788-93 Philosophie und Theologie in Tübingen (Freundschaft mit Hölderlin und Schelling); 1801-07 Privatdozent in Jena; 1808 Rektor des Ägidiengymnasiums in Nürnberg; 1816 Prof. in Heidelberg, seit 1818 in Berlin. H. entwickelte unter Beibehaltung aufklärer. und krit. Positionen (Rousseau, Kant) und Einbeziehung der histor. Betrachtungsweise (Vico, Montesquieu, Herder) ein philosoph. System, in dem er die tradierte aristotel. Metaphysik, die modernen naturwiss. Methoden, das moderne Naturrecht (Locke, Hobbes) und die Theorie der bürgerl. Gesellschaft (Stewart, A. Smith, Ricardo) zum Ausgleich zu bringen versuchte. Im Mittelpunkt steht das *Absolute,* und zwar als absolute Idee, als Natur und als Geist, dargestellt in „Wissenschaft der Logik" (1812-16), in der H. das vorweltl. Sein Gottes, des absoluten Geistes, (sein „An-sich-sein") beschreibt; in der *Naturphilosophie* dessen Selbstentäußerung in die materielle Welt (sein „Für-sich-sein") und in der *Philosophie des Geistes* sein Zurückfinden zu sich selbst durch das immer stärker erwachende Selbstbewußtsein des menschl. Geistes (sein „An-und-für-sich-sein"). Weltgeschichte ist demnach der notwendig fortschreitende Prozeß des absoluten Geistes, in welchem er sich seiner Freiheit bewußt wird. Das Absolute konkretisiert sich als *subjektiver Geist* im menschl. Individuum, als *objektiver Geist* in Familie, Gesellschaft, Staat, als *absoluter Geist* in Kunst, Religion und Philosophie. Die Verwirklichung des Absoluten vollzieht sich im dialekt. Dreischritt von These, Antithese, Synthese. Die Kunst als sinnl. Darstellung des Absoluten erfährt ihre Vollendung in der griech. Antike, die Religion als „Vorstellung" des Absoluten im Christentum. Kunst und Religion sind aufgehoben in der Philosophie, die als letzte Gestalt des absoluten Geistes die method. (dialekt.) begreifende Bestimmung des Werdens geistigen Lebens ist. Das System wird geschlossen, indem sich die Philosophie sich selbst zuwendet und ihre sprachl. Mittel und Methoden reflektiert. Freiheit ist das Wesen des Geistes. In der Lehre vom objektiven Geist stellt H. die Freiheit in den Gemeinschaftsformen von Recht, Moral, Familie, Gesellschaft, Staat und Geschichte dar. Bes. Bed. hat die „bürgerl. Gesellschaft" als allg., die Bedürfnisbefriedigung zusammenfassende Lebensform, zu deren Erhaltung die „Rechtspflege“ dient. Den modernen Staat begreift H. als Verwirklichung der Freiheit. In der Rechtsphilosophie vertritt er einen konstitutionell-monarch. geprägten Liberalismus. – Zur Wirkungsgeschichte ↑Hegelianismus, ↑Neuhegelianismus. – *Weitere Werke:* Phänomenologie des Geistes (1807), Enzyklopädie der philosoph. Wissenschaften (1817), Grundlinien der Philosophie des Rechts oder Naturrecht und Rechtswissenschaft im Grundrisse (1821).

📖 *H. u. die antike Dialektik. Hg. v. M. Riedel. Ffm. 1990. – Bloch, E.: Subjekt – Objekt. Werke Bd. 8. Ffm. 1985. – Riedel, M.: System u. Gesch. Ffm. 1973. – Adorno, T. W.: Aspekte der H.schen Philosophie. Bln. u. Ffm. 1957.*

Hegelianismus, Sammelbez. für die an Hegel anschließenden (und z. T. sich heftig bekämpfenden) philosoph. Strömungen im 19. und 20. Jh.: der konservative theist.-christl. **Alt-** bzw. **Rechtshegelianismus** (v. a. K. F. Göschel, J. E. Erdmann) und der politisch sozialrevolutionäre **Jung-** bzw. **Linkshegelianismus** (v. a. A. Runge, B. Bauer, L. Feuerbach, D. F. Strauß, K. Marx, F. Engels). Die mittlere Position vertraten E. Gans und K. L. Michelet. Starke Weiterentwicklung im Ausland, v. a. in Italien (B. Spaventa, A. Vera, G. Gentile, B. Croce), Großbritannien (J. H. Stirling, F. H. Bradley), den USA (G. S. Morris, J. Royce), Polen (A. Cieszkowski), Rußland (M. Bakunin, W. G. Belinski, A. I. Herzen, G. W. Plechanow). Um die Jh.wende leiteten K. Fischer und W. Dilthey den ↑Neuhegelianismus ein. Ausschließlich philosophie- und wirkungsgeschichtlich orientierte Beschäftigung mit Hegel setzte nach dem 2. Weltkrieg in der BR Deutschland ein (v. a. H.-G. Gadamer, K. Löwith, J. Ritter, M. Riedel). – 1955 wurde die „Dt. Hegel-Gesellschaft“ (seit 1958 „Internat. Hegel-Gesellschaft“) gegr.; daneben besteht die von H.-G. Gadamer 1962 gegr. „Internat. Vereinigung zur Förderung des Studiums der Hegelschen Philosophie“.

Hegemonie [zu griech. hēgemonía, eigtl. „das Anführen“], Bez. für die Vorherrschaft eines Staates, die formal staatsrechtlich oder durch zwischenstaatl. Verträge abgesichert ist, aber auch allein auf strateg., wirtsch. oder kulturellem Übergewicht eines Staates über andere beruhen kann.

Hegenbarth, Josef, * Böhmisch-Kamnitz (tschech. Česká Kamenice) 15. Juni 1884, † Dresden 27. Juli 1962, dt. Zeichner und Graphiker. – Buchillustrator; zeichnete und radierte mit Vorliebe groteske Szenen aus der Märchen- und Zirkuswelt mit bes. Eingehen auf Tierdarstellungen.

Heger, Robert, * Straßburg 19. Aug. 1886, † München 14. Jan. 1978, dt. Dirigent und Komponist. – Als Dirigent u. a. in Wien, Berlin und München (Staatsoper) tätig; komponierte Opern, Orchester- und Vokalwerke.

Hegesias von Kyrene, griech. Philosoph um 300 v. Chr. – Vertreter der Schule der ↑Kyrenaiker; bestimmte in pessimist. Abwendung von dem ↑Hedonismus dieser Schule eine Befreiung von jegl. Hedone (griech. „Lust“) als Ziel und Endzweck des Handelns und radikalisierte diesen Ansatz in der Forderung der Selbsttötung als letzter Konsequenz.

Hegewald, Bez. für Waldstücke, die nicht forstwirtsch. genutzt werden, sondern eine Schutzwirkung ausüben sollen; z. B. an Steilhängen gegen die Erosion.

Hegner, Ulrich, * Winterthur 7. Febr. 1759, † ebd. 3. Jan. 1840, schweizer. Schriftsteller. – Humorvoller Volksschriftsteller, u. a. „Die Molkenkur“ (R., 1812), „Saly's Revolutionstage“ (R., 1814), „Suschen's Hochzeit“ (R., 2 Tle., 1819).

Hegumenos [griech. „Führer, Vorsteher“], Vorsteher eines orth. Klosters.

Hehlerei, gemäß § 259 StGB wird mit Freiheitsstrafe bis zu fünf Jahren oder Geldstrafe bestraft, wer eine Sache, die ein anderer gestohlen oder sonst durch eine gegen fremdes Vermögen gerichtete rechtswidrige Tat erlangt hat, ankauft oder sonst sich oder einem Dritten verschafft, sie absetzt oder absetzen hilft, um sich oder einen Dritten zu bereichern. Der Versuch ist strafbar. Wer die H. *gewerbsmäßig betreibt,* wird mit Freiheitsstrafe von sechs Monaten bis zu zehn Jahren bestraft. – Entsprechendes gilt im *schweizer. Strafrecht.* – Nach *östr. StGB* sind auch fahrlässige H. sowie Begünstigung und Nutznießung am Erlös der rechtswidrig erlangten Sache strafbar.

Hehn, Victor, * Dorpat (estn. Tartu) 8. Okt. 1813, † Berlin 21. März 1890, estn. Kulturhistoriker. – Lebte seit 1873 in Berlin. Glänzend geschriebene kulturhistor. Schriften und Reiseberichte. – *Werke:* Italien (1867), Gedanken über Goethe (1887), De moribus Ruthenorum. Zur Charakteristik der russ. Volksseele (hg. 1892).

Heiberg, Gunnar Edvard Rode [norweg. 'hɛibærg], * Christiania (= Oslo) 18. Nov. 1857, † Oslo 22. Febr. 1929, norweg. Dramatiker. – Schrieb z. T. satir. Dramen, die meist um den Konflikt zw. Verstand und triebhafter Erotik kreisen, auch Komödien. – *Werke:* König Midas (Dr., 1890), Der Balkon (Dr., 1894), Die Tragödie der Liebe (Dr., 1904).

H., Johan Ludvig [dän. 'haibɐr'], * Kopenhagen 14. Dez. 1791, † Bonderup 25. Aug. 1860, dän. Dichter und Kritiker. – Berühmt seine literar. Fehde mit Oehlenschläger. H. begann als Dramatiker in der romant. Tradition („Der Elfenhügel“, 1828) und schuf das dän. Vaudeville nach frz. Vorbild.

Heidelberg. Blick auf die Altstadt mit dem Schloß

Heide, Krst. 32 km südl. von Husum, Schl.-H., 14 m ü. d. M., 20 100 E. Verwaltungssitz des Landkr. Dithmarschen; Museen; Vieh-, Obst- und Gemüsehandel; 2 km südlich die Erdölraffinerie von ↑Hemmingstedt. - Im 15. Jh. entstanden, seit 1447 Tagungsort der Landesversammlung, 1559 brach ein Heer der schleswig-holstein. Landesherren bei H. den Widerstand der Dithmarscher Bauern. Seit 1870 Stadt. - Spätgot. Kirche Sankt Jürgen (14./15. Jh.).

Heide [zu althochdt. heida, eigtl. „unbebautes Land"], offene Landschaft auf nährstoffarmen Böden mit typ. Vegetation aus Zwergsträuchern, meist durch Roden von Wäldern und anschließende Überweidung entstanden.

Heidegger, Martin, * Meßkirch 26. Sept. 1889, † Freiburg im Breisgau 26. Mai 1976, dt. Philosoph. - Schüler E. Husserls, 1923 Prof. in Marburg, ab 1928 in Freiburg im Breisgau; 1945-51 Lehrverbot wegen seiner Nähe zum Nationalsozialismus als Rektor der Freiburger Univ. H. Denken bewegte sich (in der ontolog. Tradition der griech. und neuzeitl. Metaphysik) wesentlich um das „Seinsproblem". Sein Hauptwerk „Sein und Zeit" (1920) untersucht v. a. die Frage nach dem Verständnis von Sein, insofern es jeder Aussage über Seiendes vorangestellt ist. - H. selbst unterschied drei Phasen seines Schaffens. In der *ersten Phase* (etwa 1923-33) versuchte er die Grundlegung einer neuen Ontologie (Fundamentalontologie), welche die Frage nach dem „Sinn von Sein" stellt. H. existentiale Analytik des Daseins sollte die Seinsstrukturen des Menschen aufzeigen, da nur an ihm der Sinn von Sein ablesbar wird. Als Seinsweisen der menschl. Existenz („Existentialien") werden „Befindlichkeit" („Geworfenheit"), „Verstehen" („Entwurf"), „Rede", „Verfallen", „Sein zum Tode", „Gewissen" und „Geschichtlichkeit" herausgestellt. Die Grundverfassung des (menschl.) Daseins faßt H. als „In-der-Welt-sein", sein konkretes Sein als „Sorge", seinen tiefsten ontolog. Sinn als „Zeitlichkeit". Die *zweite Phase* (etwa 1934-46) ist gekennzeichnet von einer detaillierten Analyse metaphys. Denkens in der Geschichte der Philosophie (u. a. Platon, Aristoteles, G. W. F. Hegel, F. Nietzsche) und der Bezugnahme auf das dichter. Werk F. Hölderlins. In der *dritten Phase,* die sich bis zu seinem Tode erstreckt, ist H. um einen Ausbruch aus traditionellen Denkformen bemüht. Bedeutung errangen für ihn v. a. die Gefahren der alle Bereiche des Lebens umfassenden Auswirkungen der Technik, die einen wirkl. „Seinsbezug" der Menschen verhindern. H. verzichtete jedoch auf die Formulierung einer verbindl. Sollensethik. H. Ansichten werden sowohl in der Philosophie als auch in Theologie, Psychologie, Literaturwissenschaft usw. reflektiert. Gleichzeitig ist eine sich ständig erneuernde Diskussion um sein Verhältnis zum Nationalsozialismus zu verzeichnen. – *Weitere Werke:* Was ist Metaphysik? (1929), Kant und das Problem der Metaphysik (1929), Holzwege (1950), Einführung in die Metaphysik (1953), Was heißt Denken? (1954), Der Satz vom Grund (1957), Unterwegs zur Sprache (1959), Nietzsche (2 Bde., 1961), Wegmarken (1967), Phänomenologie und Theologie (1970).

📖 *Farias, V.: H. u. der Nationalsozialismus. Ffm. 1989. – Löwith, K.: H. – Denker in dürftiger Zeit. Sämtl. Schriften, Bd. 8. Stg. 1984. – Franzen, W.: M. H. Stg. 1976.*

Heidekraut (Besenheide, Calluna), Gatt. der Heidekrautgewächse mit der einzigen Art **Calluna vulgaris** (H. im engeren Sinn) auf Moor- und Sandböden Europas und an den Küsten N-Amerikas; 20–100 cm hoher Zwergstrauch mit nadelförmigen Blättern; Blütenkrone fleischrot, selten weiß. Das H. wird in vielen Gartenformen kultiviert.

Heidekrautgewächse (Erikagewächse, Erikazeen, Ericaceae), weltweit verbreitete Pflanzenfam. mit über 2500 Arten in 82 Gatt.; meist kleine Sträucher; Blätter ungeteilt, häufig immergrün; Kapsel- oder Beerenfrüchte. Bekannte Gatt. sind ↑Heidekraut, ↑Glockenheide, ↑Alpenrose, ↑Heidelbeere.

Heidelbeere [zu althochdt. heitperi „auf der Heide wachsende Beere"] (Vaccinium), Gatt. der Heidekrautgewächse mit rd. 150 Arten in Europa und N-Asien. Eine auf sauren Böden in Nadel- und Laubwäldern weit verbreitete Art ist die **Blaubeere** (H. im engeren Sinn, *Bickbeere,* Vaccinium myrtillus), ein sommergrüner Zwergstrauch mit einzelnstehenden, kugeligen, grünl. bis rötl. Blüten. Die wohlschmeckenden blauschwarzen, bereiften Beeren *(Heidelbeeren)* werden u.a. zu Saft, Wein, Gelee, Marmelade und Kompott verarbeitet.

Heidelberg, Stadt am Austritt des Neckars aus dem Odenwald, Bad.-Württ., 114 m ü.d.M., 127800 E. Stadtkreis und Verwaltungssitz des Rhein-Neckar-Kr.; Univ. (gegr. 1386) mit Südasien-Inst. und Dolmetscher-Inst., Akad. der Wiss., Europ. Molekularbiolog. Laboratorium, Max-Planck-Inst. für Astronomie, Kernphysik, medizin. Forschung, ausländ. öff. Recht und Völkerrecht; Dt. Krebsforschungszentrum; Hochschule für Musik (zus. mit Mannheim), PH, Hochschule für Jüd. Studien; Sternwarte; Museen, u.a. Dt. Apothekenmuseum, Theater; botan. Garten, Zoo. Fremdenverkehr, Sitz von Verlagen und Firmen, Hauptquartier der amerikan. Streitkräfte in Europa; Metall-, Elektro-, chem., feinmechan. u.a. Ind. – In röm. Zeit zunächst ein Kastell im heutigen Stadtteil Neuenheim und eine Neckarbrücke; seit dem 2. Jh. n. Chr. eine röm. Zivilsiedlung (vor 200 von den Alemannen zerstört). Der Name H. taucht 1196 erstmals in Urkunden auf. Die Gründung erfolgte unterhalb einer wohl aus dem 11. Jh. stammenden Burg (heute Schloß). 1214 kam H. an die wittelsbach. Pfalzgrafen bei Rhein, 1329 an die pfälz. Wittelsbacher. Seit dem 13. Jh. Residenz der Pfalzgrafen; Verwüstung der Stadt durch die Franzosen 1693; Verlegung der Residenz nach Mannheim 1720; 1803 an Baden. – Bed. sind außer dem ↑Heidelberger Schloß u.a. die Heiliggeistkirche (15. Jh.), die spätgot. Peterskirche (15. und 19. Jh.), der Renaissancebau „Haus zum Ritter" (1592), die Alte Brücke (18. Jh.) und das Karlstor (18. Jh.). – Abb. S. 199.

Heidelberger Kapsel ↑Endoradiosonde.

Heidelberger Katechismus, neben Luthers Kleinem Katechismus der bedeutendste dt. ev. Katechismus des 16. Jh., 1563 u.a. von Z. Ursinus verfaßt; enthält die Grundzüge der ref. Lehre unter Abgrenzung von der röm.-kath. Theologie und von der luth. Christologie und Abendmahlslehre.

Heidelberger Liederhandschrift 1. **Große Heidelberger Liederhandschrift** (Sigle C), nach ihrem Aufbewahrungsort von 1657–1888 auch „Pariser Handschrift", nach ihrem angebl. Auftraggeber **Manessische Handschrift** gen., größte und schönste mittelhochdt. Liederhandschrift. Sie enthält Gedichte, die von der Mitte des 12. Jh. bis etwa 1300 zu datieren und z.T. nur hier überliefert sind. Sie sind nach Verfassern geordnet, die umfangreichste Sammlung gehört Walther von der Vogelweide (etwa 450 Strophen). Jeder Gedichtsammlung ist eine Miniatur vorangestellt, Idealbildnisse der Dichter, meist mit Wappen. – Entstanden in der 1. Hälfte des 14. Jh. mutmaßlich auf der Grundlage der gesammelten Liederbücher des Züricher Patriziers Rüdiger Manesse. **2. Kleine Heidelberger Liederhandschrift** (Sigle A), wohl Ende des 13. Jh. im Elsaß entstanden. Enthält in 34 mit Autoren- (oder auch nur Sammler-)Namen bezeichneten fortlaufend eingetragenen Abschnitten mhd. Minnelyrik aus dem Ende des 12. und dem Anfang des 13. Jh. Heute in der Universitätsbibliothek Heidelberg.

Heidelberger Programm ↑Sozialdemokratie.

Heidelberger Schloß, auf ma. Burganlagen zurückgehende ehem. Residenz der pfälz. Wittelsbacher oberhalb der Stadt Heidelberg. Im Pfälz. Erbfolgekrieg 1689 und 1693 verwüstet; die z.T. wiederhergestellte Anlage wurde 1764 durch Blitzschlag in den Pulverturm zerstört, seitdem Ruine. Einige Bauten sind restauriert. Die wichtigsten sind der Ottheinrichsbau (1556 ff.), von dem nur die bed. Renaissancefassade steht, und der manierist. Friedrichsbau (1601–04).

Heidelbergmensch ↑Mensch (Abstammung).

Heidelerche ↑Lerchen.

Heiden [zu althochdt. heidano (mit gleicher Bed.)], urspr. Bez. für alle nicht christl. Getauften; seit Beginn der Neuzeit für Bekenner nichtmonotheist. Religionen.

Heidenchristen ↑Urchristentum.

Heidenelke ↑Nelke.

Heidenfeld, Teil der Gemeinde Röthlein, ssw. von Schweinfurt, Bay. – Ehem. Augustiner-Chorherren-Stift (1069 gestiftet, 1802 säkularisiert), dessen barocke, nach Plänen B. Neumanns 1723–32 errichtete Konventsgebäude erhalten sind.

Heidenheim, Landkr. in Bad.-Württemberg.

Heidenheim an der Brenz, Krst. in der nö. Schwäb. Alb, Bad.-Württ., 504 m ü. d. M., 47 800 E. Verwaltungssitz des Landkr. Heidenheim; Schulzentrum, Theater, Naturtheater; Heimatmuseum, Zentrum der stark industrialisierten Kocher-Brenz-Furche mit Maschinenbau, Elektro-, Textil- u. a. Ind. – Zw. 750 und 802 zuerst erwähnt, Stadtrecht um 1335; 1351–1448 an Württ. – Über der Stadt Schloß Hellenstein (16. Jh.).

Heidenreich, Elke, * Korbach 15. Febr. 1943, dt. Journalistin und Schriftstellerin. – Moderatorin und Kolumnistin (u. a. als „Else Stratmann“, 1976–87); schreibt Drehbücher und Erzählungen („Kolonien der Liebe“, 1992).

H., Gert, * Eberswalde 30. März 1944, dt. Schriftsteller. – Journalist; seit 1984 freier Schriftsteller; schreibt v. a. Dramen, Gedichte („Eisenväter“, 1987), Erzählungen und Romane mit aufklärerisch-zeitkrit. Thematik. Seit Okt. 1991 Präs. des P.E.N.-Zentrums BR Deutschland. – *Werke:* Der Wetterpilot (Dr., 1984; Neufassung 1987), Die Gnade der späten Geburt (En., 1986), Füchse jagen. Schauspiel auf das Jahr 1968 (Dr., 1988), Belial oder die Stille (R., 1990).

Heidenreichstein, niederöstr. Stadt im Waldviertel, 560 m ü. d. M., 5 300 E. – Um 1200 entstand die mächtige Wasserburg, daneben der 1369 Markt gen. Ort, der 1932 Stadt wurde. – Wasserburg (13.–16. Jh.), Pfarrkirche mit spätgot. Chor (15. Jh.) und barocker Innenausstattung.

Heidenstam, Verner von [schwed. ˈhɛidənstam], * Olshammar (Örebro) 6. Juli 1859, † Övralid (Östergötland) 20. Mai 1940, schwed. Dichter. – Insbes. mit reichem lyr. Werk Hauptvertreter der neuromant. schwed. Literatur. Zu den Hauptwerken H. gehören das geschichtl. Volkslesebuch „Die Schweden und ihre Häuptlinge“ (2 Bde., 1908–10), der Essay „Renässans“ (1889), „Carl XII. und seine Krieger“ (Nov.n, 1897 f.).

Heider, Werner, * Fürth 1. Jan. 1930, dt. Komponist, Pianist und Dirigent. – Komponierte unter Anwendung neuester musikal. Techniken u. a. „Modelle“, szen. Werk für Tänzer, Instrumente, Texte und Bilder (1964), „Kunst-Stoff“ für Elektroklarinette, präpariertes Klavier und Tonband (1971), „Rock-Art“ für Sinfonieorchester (1982), 2. Sinfonie (1983), „VI Exerzitien“ für Orgel (1987).

Heidewacholder ↑Wacholder.

Heidschnucke, Rasse kleiner, sehr genügsamer, 40–70 kg schwerer, seit alters in der Lüneburger Heide gehaltener, kurzschwänziger mischwolliger Hausschafe.

Heiducken (Haiduken) [ungar.], urspr. Bez. für ungar. Hirten, dann für Söldner (ungar. hajdú), die Ende 15. Jh. die Grenze gegen das Osman. Reich verteidigten; seit dem 18. Jh. auch Bez. für die Lakaien der Magnaten, außerdem in Südosteuropa Sammelbegriff für Räuberbanden, die ihre Beute mit den Armen teilten und unter osman. Herrschaft gegen die türk. Machthaber, in den Donaufürstentümern auch gegen die Bojaren vorgingen.

Heifetz, Jascha, eigtl. Iossif Robertowitsch Cheifez, * Wilna 2. Febr. 1901, † Los Angeles (Calif.) 10. Dez. 1987, amerikan. Violinist russ. Herkunft. – Ließ sich 1917 in den USA nieder; einer der bedeutendsten Geiger seiner Zeit. Sein Repertoire reichte von Barock- bis zu zeitgenöss. Musik.

Heigert, Hans, * Mainz 21. März 1925, dt. Journalist. – Präs. des Goethe-Instituts seit März 1989.

Heijermans, Herman [niederl. hɛiərmans], Pseud. Iwan Jelakowitsch, Koos Habbema u. a., * Rotterdam 3. Dez. 1864, † Zandvoort 22. Nov. 1924, niederl. Schriftsteller. – Hauptvertreter des naturalist. niederl. Dramas („Ahasverus“, 1893; „Die Hoffnung auf Segen“, 1901; „Glück auf“, 1912); auch naturalist. Erzählungen und Romane.

Heil [eigtl. „Glück“], Kennzeichnung der Existenzweise, die dem Menschen durch die Religion vermittelt wird; der Kontrastbegriff ist Unheil. H. kann substantiell verstanden werden als Befreiung von Sündenstoff und dämon. Einwohnung, deren Folgen Unglück und Krankheit sind. Erlösungsreligionen sehen im H. eine völlig verwandelte Daseinsweise des Menschen, die zur Unsterblichkeit und Teilnahme am Leben der Gottheit führt. ◆ Bestandteil von *Grußformeln* unterschiedlichster Vereinigungen, deren Benutzung die Mgl. als zu ihnen gehörig erweist; z. B. *„Berg-Heil!“, „Petri-Heil!“, „Ski-Heil!“, „Weidmannsheil!“;* im 20. Jh. ideologisiert als *„Heil Hitler“* während des Nationalsozialismus.

Heiland [zu althochdt. heilant „Erlöser“ (zu heilen)], im Christentum Bez. Jesu Christi als des Erlösers, entspricht dem griech. Begriff ↑Soter, den das N. T. anwendet und der lat. mit Salvator wiedergegeben wird (↑Messias).

Heilanstalt, i. w. S. Krankenanstalt, in der längerdauernde Behandlungen durchgeführt werden, auf welche die allg. Krankenhäuser nicht eingerichtet sind; z. B. Lungenheilstätte für Tuberkulosekranke, H. für Suchtkranke.

Heilanzeige, svw. ↑Indikation.

Heilbad ↑medizinische Bäder.

◆ svw. ↑Kurort.

Heilbronn, Stadt am Neckar, Bad.-Württ., 156 m ü. d. M., 111 000 E. Verwaltungssitz der Region Franken, des Landkr. H., Stadtkreis; histor. Museum, Theater; neben Stuttgart führendes Ind.- und Handelszentrum von Württ. mit Automobil-, Elektro-, Textil-, Papier-, Nahrungsmittelind., Werkzeug- und Stahlbau. Bed. Binnenhafen; Verkehrsknotenpunkt. Weinbau. – In röm. Zeit Kastell; 741 als fränk. Königshof erwähnt, seit 742 zum Bistum Würzburg, kam spätestens im 13. Jh. an die Staufer; seit dem Interregnum freie Reichsstadt; seit 1802/03 zu Württ. – 1944 zu 80% zerstört, u. a. wieder aufgebaut: Pfarrkirche Sankt Kilian (13. und 15. Jh.) mit Renaissanceturm im W, Deutschhauskirche (1721), Rathaus (15./16. Jh.).

H., Landkr. in Baden-Württemberg.

Heilbutt ↑Schollen.

Heiler, Friedrich, * München 30. Jan. 1892, † ebd. 28. April 1967, dt. Theologe und Religionswissenschaftler. – 1920 Prof. für vergleichende Religionsgeschichte und Religionsphilosophie in Marburg. Als Theologe vertrat H. eine „ev. Katholizität", deren Anhänger er seit 1929 in der ↑Hochkirchlichen Vereinigung zusammenschloß. – *Werke:* Das Gebet (1918), Christl. Glaube und ind. Geistesleben (1926), Erscheinungsformen und Wesen der Religion (1961).

Heilerde, vorwiegend in der Volksmedizin äußerlich und innerlich verwendete geschlämmte Lehm- oder Tonerde, die Eisenverbindungen und Aluminiumsilicate enthält; angewendet bei Hautleiden sowie Magen- und Darmstörungen.

Heilfasten, svw. ↑Fastenkur.

Heilfieber, durch fiebererregende Injektionspräparate künstlich erzeugtes Fieber zur Behandlung chronisch verlaufender, fieberloser Krankheiten (v. a. Nervenkrankheiten).

Heilgymnastik ↑Krankengymnastik.

heilig, Begriff, der von den angelsächs. Missionaren des Christentums zur Wiedergabe von lat. „sanctus" verwendet und damit in seiner späteren Bed. geprägt wurde, die die religiöse, vornehmlich kult. Absonderung und Distanz **(Heiligkeit)** gegenüber dem Profanen zum Inhalt hat, das seinerseits das „vor dem geheiligten Bezirk („fanum") Liegende" bezeichnet. – In der modernen Religionswissenschaft werden „heilig" und „das Heilige" oft als Zentralbegriffe der Religion gebraucht. I. w. S. werden auch Personen, Handlungen, Dinge, Institutionen, Orte, Zeiten, die in bes. Weise in den Bereich des Göttlichen einbezogen sind, h. genannt.

Heilige, im N. T. Bez. für die christl. Gemeinde oder für christl. Missionare. In der *kath. Kirche* Menschen, die entweder ihr Leben für ihren Glauben hingaben (Märtyrer) oder sonst heroische Tugend in ihrem Leben übten und deshalb von den Gläubigen verehrt und um ihre Fürbitte bei Gott angerufen werden dürfen (↑Heiligenverehrung). Die *reformator. Kirchen* kennen bei Ablehnung der Heiligenverehrung H. als Zeugen der Wirksamkeit der göttl. Gnade (z. B. Augustinus).

Heilige Allianz, Absichtserklärung der Monarchen Rußlands, Österreichs und Preußens vom 26. Sept. 1815, die Prinzipien der christl. Religion zur Grundlage ihrer Innen- und Außenpolitik zu machen. Der H. A. traten später alle europ. Staaten außer Großbritannien und dem Hl. Stuhl bei; sie wurde zum Inbegriff der Restauration; zerbrach schließlich am Interessengegensatz der europ. Großmächte im griech. Unabhängigkeitskrieg.

Heilige der letzten Tage ↑Mormonen.

Heilige Drei Könige ↑Drei Könige.

Heilige Familie, Jesus (als Kleinkind), Maria und Joseph, dargestellt in häusl. idyll. Szene, v. a. im 15.–17. Jh. In der italien. Renaissance wird auch der Johannesknabe hinzugefügt, an der Wende zum 16. Jh. z. T. um die ganze hl. Sippe (die hl. Anna und ihre Familie) erweitert **(Sippenbild).**

heilige Kriege, in vielfältigen Formen auftretende Kriege, die im Namen einer religiösen Idee, eines „göttl." Auftrags oder der Verteidigung „geheiligter Werte" geführt werden; im Islam ↑Dschihad. Oft dienten religiöse Gründe auch als Vorwand für Gebiets- oder Wirtschaftsansprüche. – In der *Antike* Bez. von Kriegen innerhalb der delph. Amphiktyonie zur Rettung des Heiligtums von Delphi.

Heilige Liga, Name mehrerer, im Zeichen von Glaubenskriegen bzw. unter päpstl. Beteiligung abgeschlossener Allianzen, v. a.: 1. *H. L. von 1511* zw. Papst Julius II., Venedig, der Eidgenossenschaft und Aragonien, v. a. gegen König Ludwig XII. von Frankreich; 2. *H. L. von 1526, Liga von Cognac,* zw. Papst Klemens VII., König Franz I. von Frankreich, Mailand, Florenz und Venedig gegen Kaiser Karl V.; 3. *H. L. von Péronne,* 1576–95, kath. Bündnis unter Führung der Fam. Guise gegen Henri I., Fürst von Condé (Hugenottenkriege); 4. *H. L. von 1684,* in den Türkenkriegen geschlossenes Bündnis von Kaiser, Papst, Polen und Venedig.

Heilige Nacht, die Nacht der Auferstehung Jesu Christi (↑Ostern), im heutigen Sprachgebrauch vorwiegend die seiner Geburt (↑Weihnachten).

Heiligenattribute, in religiösen Darstellungen den Heiligen beigegebene Zeichen oder Gegenstände, entweder allg. Art, z. B. der ↑Heiligenschein oder die Palme für Märtyrer, oder Instrumente ihres Martyriums, oder Gegenstände, die sich auf ihre Legende oder auch auf das Patronat beziehen.

Heiligenberg, Gemeinde 12 km nö. von Überlingen, Bad.-Württ., 726 m ü. d. M., 2 400 E. Luftkurort. - Renaissanceschloß der Fürsten von Fürstenberg (1559 ff.) mit bed. Rittersaal (reich geschnitzte Kassettendecke 1580-84, restauriert) und Schloßkapelle (spätes 16. Jh.).

Heiligenbild ↑Heiligenverehrung.

Heiligenblut, östr. Gem. am S-Ende der Großglockner-Hochalpenstraße, Kärnten, 1 301 m ü. d. M., 1 300 E. - Urkundlich erstmals 1465 genannt. - Pfarrkirche (Ende 14. Jh.-1483) mit spätgot. Hochaltar (1520).

Heiligendamm ↑Bad Doberan.

Heiligenfeste, v. a. in der kath. Kirche jährl. liturg. Begehung des Todes- oder Gedächtnistages von Heiligen; seit dem 2. Jh. als christl. Übung bezeugt.

Heiligenhafen, Stadt auf der Halbinsel Wagrien, Schl.-H., 8 900 E. Ostseebad; Fischereihafen, Bootswerft. - Das 1250 gegr. H. erhielt im 13. Jh. Stadtrecht (1305 bestätigt).

Heiligenhaus, Stadt nö. von Düsseldorf, NRW, 190 m ü. d. M., 28 900 E. Meßgeräte-, Maschinen- und Apparatebau, elektrotechn. u. a. Ind. - Im 15. Jh. gegr., seit 1947 Stadt.

Heiligenkreuz, Gemeinde im südl. Wienerwald, Niederösterreich, 312 m ü. d. M., 1 100 E. Theolog. Lehranstalt (im Stift). - Älteste Zisterzienserabtei Österreichs (gegr. 1135/36), Stiftskirche mit roman. Langhaus (1135 bis um 1160) und got. Hallenchor (geweiht 1295).

Heiligenschein (Nimbus, Gloriole, Glorienschein), in der christl. Ikonographie Lichtscheibe oder Strahlenkranz um das Haupt Gottes oder eines Heiligen. Der **Kreuznimbus,** eine Lichtscheibe mit einbeschriebenem Kreuz, besagt, daß jede göttl. Person nur im menschgewordenen Sohn, der stets mit Kreuznimbus dargestellt wird, bildlich dargestellt werden kann. Der H. findet sich schon in der altoriental., auch in der buddhist. und ostasiat. Kunst. - ↑Mandorla.

Heiligenstadt (amtl. Heilbad H.), Krst. in Thür., im Eichsfeld, an der Leine, 250 m ü. d. M., 15 000 E. Heimatmuseum; Bekleidungswerk; Kneippkurort. - Die neben einem Stift aus dem 9. Jh. entstandene Siedlung erhielt 1227 Stadtrecht. - Got. Stiftskirche (14./15. Jh.), Pfarrkirche St. Marien (14. Jh.), ehem. Jesuitenkolleg (1739/40), Barockschloß (1736-38), Bürgerhäuser (15.-18. Jh.).

H., Landkr. in Thüringen.

Heiligenattribute (1-5). 1 Buch = Apostel; Evangelisten, Kirchenlehrer; 2 Kardinalshut = Kirchenväter; 3 Mitra = Bischöfe, Äbte; 4 Palme = Märtyrer; 5 Schwert = Märtyrer. 6 Heiligenschein. Kreuznimbus

Heiligenverehrung, i. w. S. die in vielen Religionen verbreitete Verehrung geschichtl. oder myth. Persönlichkeiten, die als Heilige, Heiland, Heilbringer oder Heros gelten. I. e. S. die Verehrung der Heiligen im Christentum, bes. in der *kath. Kirche.* Die H. als Zeichen für die Heiligkeit in der Kirche und als ein Zielpunkt der Anrufung und Nachahmung wird zuletzt vom 2. Vatikan. Konzil herausgestellt und mit der allg. Berufung zur Heiligkeit in der Kirche, mit dem endzeitl. Charakter der pilgernden Kirche und mit ihrer Einheit mit der himml. Kirche begründet. Erste Ansätze einer H. finden sich als ↑Heiligenfeste. Die in der Geschichte oft mißverstandene H. mittels eines **Heiligenbilds** gilt dem im Bild Dargestellten, nicht aber dem Bild selbst. - Die urspr. Auffassung der Heiligenfeste als Folgeereignisse der Christusfeste wurde im Lauf der Geschichte immer mehr von bloßen Heiligenfesten überwuchert. Zudem ließ die Typisierung der Heiligen (Märtyrer, Asketen, Ordensgründer,

Bischöfe, Missionare, Jungfrauen, Witwen), die eine starke Überbetonung des Heroischen in der H. bedeutete, eine Motivation zur Nachahmung nicht aufkommen. Beiden Fehlentwicklungen suchte die Kalenderreform Papst Pauls VI. zu begegnen, indem sie das „Herrenjahr" in der Liturgie gegenüber dem „Heiligenjahr" hervorhebt und betont, daß auch „unheroisches" Leben Heiligkeit bedeuten kann. Die *reformator. Theologie* und Praxis lehnt jede Art von H. als unbiblisch und der Christozentrik wie der Rechtfertigung allein aus Glauben widersprechend ab.

Kötting, B.: Vielverehrte Heilige. Traditionen, Legenden, Bilder. Münster 1985. – Molinari, P.: Die Heiligen u. ihre Verehrung. Dt. Übers. Freib. u. a. 1964.

Heiliger, Bernhard, * Stettin 11. Nov. 1915, dt. Bildhauer. – Figürl., auch abstrakte Plastik sowie bed. Porträtbüsten.

Heiliger Abend, der Tag, bes. der Abend vor Weihnachten.

Heiliger Geist (lat. Spiritus sanctus), in der christl. Theologie neben dem Vater und dem Sohn die dritte Person der ↑Trinität. Die Lehre vom H. G. wurde in der Kirche erst ab dem 2. Jh. unter dem Einfluß der philosoph.-theolog. Erörterungen zum Begriff des Logos entwickelt, da im N. T. selbst nur ansatzweise Aussagen zu diesem Problem zu finden sind (z. B. 2. Kor. 3, 17; Joh. 15, 26; Matth. 28, 19). Zur gleichen Zeit bildeten sich in der Auffassung vom H. G. sowohl (z. T. bis heute bestehende) Differenzen zw. den westl. und östl. Kirchen heraus (↑Filioque) als auch kirchl. Bewegungen (z. B. der Montanismus), die das Geistmotiv isoliert überbetonen. In der Theologie des MA verlor die Lehre vom H. G. durch Integration in die Gnadenlehre an Bed. ebenso wie in der reformator. Theologie, die sie zu einem Bestandteil ihrer Lehre von Christus und von der Rechtfertigung macht. – Die in beiden großen Konfessionen festzustellende Vernachlässigung der Lehre vom H. G. führte im Lauf der Geschichte immer wieder zu Gegenbewegungen wie den sog. ↑Schwarmgeistern und in neuester Zeit den sog. „charismat. Bewegungen" (↑Pfingstbewegung).

Heiliger Rock, der Leibrock Christi, von den Kirchenvätern und Theologen des MA als Symbol der Einheit von Kirche und Glaube gesehen. – Unter den Tuniken Christi, die gezeigt werden, nimmt die im Dom zu Trier eine hervorragende Stelle ein. Sie dürfte eine aus Konstantin. Zeit stammende Berührungsreliquie sein.

Heiliger Stuhl ↑Apostolischer Stuhl.

Heiliger Synod ↑Synod.

Heiliger Vater, Ehrentitel und Anredeform des Papstes.

Heilige Schar, Name der 379 v. Chr. gegr. theban. Kerntruppe von 300 Mann; ihre Mgl. fochten in vorderster Front und fielen gemeinsam 338 bei Chaironeia.

heilige Schriften, religionswiss. Bez., die von der Benennung der christl. Bibel als „Hl. Schrift" abgeleitet ist und für normative Texte außerchristl. Religionen übernommen wurde. Der kanonisierte Wortlaut h. S. muß unverändert erhalten bleiben, die Sprache, in der sie abgefaßt sind, gilt oft als hl. Sprache. – Neben dem A. T. und dem N. T. sind die wichtigsten h. S.: 1. der ↑Talmud; 2. der ↑Koran; 3. das ↑Awesta; 4. der ↑Weda; 5. der ↑Adigrantha; 6. das Tipitaka des südl. Buddhismus (sog. Pali-Kanon); 7. die konfuzian. Bücher Chinas. – Eine religiöse Neustiftung, die in betonter Weise auf dem Besitz einer eigenen hl. Schrift aufbaut, ist das Mormonentum mit seinem „Buch Mormon".

Heiliges Grab, das Grab Jesu, nach bibl. Berichten ein einzelnes Felsengrab vor den Toren Jerusalems, im 4. Jh. mit einer Höhle identifiziert, über der Konstantin d. Gr. die Jerusalemer Grabeskirche errichten ließ; Mittelpunkt eines reichen liturg. Lebens, das die gesamte christl. Liturgie stark beeinflußte. – Der Zentralbau der Grabeskirche wurde v. a. in der Romanik nachgebildet, im 14./15. Jh. wurde das H. G. als Sarkophag gestaltet.

Heiliges Jahr, 1. Bei den Juden ↑Jobeljahr. – 2. In der kath. Kirche ein Jahr, auch Jubiläums- oder Jubeljahr genannt, das der inneren Erneuerung der Gläubigen dienen soll. Es wird in bestimmten Zeitabständen begangen (seit 1475 alle 25 Jahre).

Heiliges Land, aus dem A. T. übernommene Bez. für Palästina.

Heiliges Römisches Reich, amtl. Bez. für den Herrschaftsbereich des abendländ. Röm. Kaisers und der in ihm verbundenen Reichsterritorien vom MA bis 1806. Das Selbstverständnis des H. R. R. als römisch ergab sich aus der Anknüpfung des fränk. bzw. ostfränk.-dt. Kaisertums an die röm.-universalist. Tradition der Antike (↑Kaiser). Die Verwendung des Beiworts *Sacrum* (heilig) in der Reichstitulatur (erstmals 1157) ist als Antwort auf die Entsakralisierung des Kaisertums im Investiturstreit zu verstehen. *Sacrum Imperium* wurde nun neben Imperium Romanum verwendet, bis beide Bez. 1254 verschmolzen *(Sacrum Romanum Imperium).* Seit Kaiser Karl IV. erschien die dt. Formel H. R. R. (vom 15. Jh. bis Mitte 16. Jh. mit dem humanist.-frühnat. Zusatz **„dt. Nation"**). Bes. seit der Reichsreform des 15./16. Jh. wurde der Dualismus zw. Kaiser und Reichsständen bestimmend; das H. R. R. entwickelte sich nicht zum neuzeitl. Staat, sondern blieb ein über- bzw. vornat. Lehnsverband. Seit dem

Westfäl. Frieden 1648 (Beschränkung der kaiserl. Gewalt auf Reservatrechte, Bestätigung der reichsständ. Landeshoheit) vollzog sich die dt. Geschichte fast nur noch auf der Ebene der Territorialstaaten.

heilige Stätten, alle dem Kult einer Gottheit gewidmeten Orte, früher bes. Wohn- oder Offenbarungsstätten bzw. Orte bedeutsamer Ereignisse für die jeweilige Religion. H. S. sind häufig durch Meidungsgebote vor dem Betreten Unbefugter geschützt; oft herrscht an ihnen Asylrecht. – Im spezifisch *christl. Verständnis* sind h. S. die mit dem Leben Jesu Christi in Verbindung stehenden Orte in Palästina, die Ziel einer Wallfahrt sind.

heilige Steine, Steine ungewöhnl. Farbe, Form, Größe oder rätselhafter Herkunft, denen kult. Verehrung zuteil wird (Steinkult, Megalithreligion).

Heilige Stiege ↑Scala santa.

Heilige Woche ↑Karwoche.

heilige Zeiten, dem Alltag enthobene Zeitabschnitte, die meist in jährl. Wiederholung durch Feste begangen werden und die Ursache für die Aufstellung des Kalenders waren.

Heiligkeit ↑heilig.

heiligmachende Gnade ↑Gnade.

Heiligsprechung (Kanonisation), in der röm.-kath. Kirche auf Grund eines kirchenrechtlich genau geordneten Verfahrens in liturg. Form erfolgende, dem Papst vorbehaltene feierl. Erklärung, durch die ein zuvor Seliggesprochener unter die Heiligen aufgenommen wird, deren amtl. Verehrung in allen Formen in der ganzen Kirche gestattet ist, wogegen die Verehrung eines Seligen nur für eine bestimmte Teilkirche oder kirchl. Gemeinschaft und nur in bestimmten Formen zugelassen ist. Zur H. sind nach der Seligsprechung geschehene Wunder nachzuweisen.

Heiligungsbewegung, Bez. für eine größere Anzahl religiöser Gruppen, die aus der methodist. Erweckungsbewegung des 19. Jh. in USA, Großbritannien und Deutschland hervorgingen und auf die ↑Gemeinschaftsbewegung bed. Einfluß gewannen.

Heilklima, therapeutisch wirksames Klima mit überprüften klimatolog. Eigenschaften und festgelegten Grenzwerten von Nebel und Temperatur, jährl. Sonnenscheindauer und lufthygien. Verhältnissen.

Heilkunde, svw. ↑Medizin.

Heilmeyer, Ludwig, * München 6. März 1899, † Desenzano del Garda 6. Sept. 1969, dt. Internist. – Prof. in Jena, Düsseldorf, Freiburg im Breisgau und Ulm; arbeitete v. a. auf den Gebieten Hämatologie und Chemotherapie.

Heilmittel, in der gesetzl. Kranken- und Unfallversicherung die für die Diagnose oder Therapie einer Krankheit oder ihrer Folgen oder zur Aufrechterhaltung des Behandlungserfolges dienenden Mittel, die unmittelbar auf den Körper entweder über den inneren Organismus oder von außen einwirken. Innerhalb der H. (i. w. S.) wird zw. Arzneimitteln, größeren und kleineren H. (z. B. Bruchbänder, Brillen, Massagen) unterschieden.

Heilongjiang [chin. xεilʊŋdzi̯aŋ] (Heilungkiang), Prov. im äußersten NO Chinas, südl. vom Amurbogen, 469 000 km², 35,2 Mill. E (1990); Hauptstadt Harbin. Umfaßt den Großen Chingan, den nördl. Teil des Tieflands an Songhua Jiang und Nen Jiang, den Kleinen Chingan, Teile des ostmandschur. Berglands und das Sumpfgebiet im Zwischenstromland von Songhua Jiang und Ussuri. Mit Ausnahme des N liegt H. in der Zone gemäßigten Klimas; bed. Landw.; sowohl die Steppengebiete im N als auch das Zwischenstromland wurden seit den 50er Jahren weitgehend kultiviert. Kohlenlagerstätten werden bei Shuangyashan abgebaut. Erdölfeld Daqing nw. von Harbin, bed. holzverarbeitende Industrie.

Heilong Jiang ↑Amur.

Heilpädagogik ↑Sonderpädagogik.

Heilpflanzen (Arzneipflanzen), Pflanzen, die auf Grund ihres Gehaltes an Wirkstoffen zu Heilzwecken verwendet werden. Nach der Wirkungsweise ihrer Inhaltsstoffe unterscheidet man weniger stark wirksame und stark wirksame („giftige") H., wobei die Heilwirkung der letzteren bei unsachgemäßer Anwendung (bes. Überdosierung) in eine schädl. Wirkung umschlagen kann. Heute werden die Wirkstoffe solcher H. (Digitalisglykoside aus dem Fingerhut, Atropin aus der Tollkirsche) überwiegend industriell in chemisch reiner und entsprechend exakt dosierbarer Form gewonnen. Manche H. werden ganz, von anderen werden nur Teile verwendet, z. B. Blätter (Folia), Kraut (Herba), Rinde (Cortex), Wurzel (Radix), Wurzelstock (Rhizoma), Blüten (Flores), Samen (Semen) und Frucht (Fructus). H. können je nach Zubereitung ganz unterschiedlich wirken. Da frische Pflanzen i. d. R. nicht haltbar sind, werden sie meist in getrockneter und zerkleinerter Form weiterverarbeitet. Neben Pflanzensäften sind Pflanzentees und Teegemische (Spezies) bewährte Heilmittel. Zu den wichtigsten Wirkstoffen der H. gehören Alkaloide, Glykoside, äther. Öle, Gerbstoffe, Schleimstoffe und Bitterstoffe. – Übersicht S. 206/207.

Heilpraktiker, Berufsbez. für Personen, die die Heilkunde ohne ärztl. Approbation berufsmäßig mit staatl. Erlaubnis ausüben (Grundlage ist das HeilpraktikerG vom 17. 2. 1939 i. d. F. vom 2. 3. 1974). Der H. darf keine rezeptpflichtigen Heilmittel verschreiben und auf bestimmten medizin. Gebieten (z. B. Frauenheilkunde) nicht tätig werden.

Heilquellen (Heilwässer), Quellwässer oder aus Quellsalzen hergestellte künstl. Mineralwässer mit nachweisbaren gesundheitsfördernden Wirkungen, die teils auf ihren chem. Bestandteilen, z. B. Kohlensäure, Kochsalz, Glaubersalz, Eisensulfat *(Mineralquellen)*, teils auf ihren physikal. Eigenschaften *(Thermalquellen)* beruhen. H. dienen zu Trink-, Bade- und Inhalationskuren.

Heilsarmee (Salvation Army), aus der von W. ↑ Booth 1865 gegr. Ostlondoner Zeltmission 1878 hervorgegangene Gemeinschaft, die sich der Rettung Verwahrloster, der Unterstützung Behinderter und Strafgefangener, dem Kampf gegen das Laster (v. a. den Alkoholmißbrauch), der Sorge für Ar-

Heilpflanzen
(Auswahl)

dt. Name	lat. Name	verwendete Pflanzenteile
Arnika	Arnica montana	Blüten
Baldrian	Valeriana officinalis	Wurzel
Bärentraube	Arctostaphylos uva-ursi	Blätter
Beifuß	Artemisia vulgaris	Kraut
Echte Kamille	Chamomilla recutita	Blüten
Eibisch	Althaea officinalis	Wurzel, Blätter
Engelwurz	Angelica archangelica	Wurzelstock
Eukalyptus	Eucalyptus globulus	Blätter
Fenchel	Foeniculum vulgare	Früchte
Frauenmantel	Alchemilla xanthochlora	Kraut
Holunder (Schwarzer Holunder)	Sambucus nigra	Blüten
Huflattich	Tussilago farfara	Blüten
Isländ. Moos	Cetraria islandica	ganze Pflanze (eine Flechte)
Knoblauch	Allium sativum	Zwiebeln
Lein (Flachs)	Linum usitatissimum	Samen
Löwenzahn	Taraxacum officinale	Wurzel, ganze Pflanze
Melisse	Melissa officinalis	Blätter
Odermennig (Kleiner Odermennig)	Agrimonia eupatoria	Kraut
Pfefferminze	Mentha piperita	Blätter
Römische Kamille	Anthemis nobilis	Blüten
Sanikel	Sanicula europaea	Kraut
Schafgarbe	Achillea millefolium	Blüten, Kraut
Schlehe (Schlehdorn, Schwarzdorn)	Prunus spinosa	Blüten
Spitzwegerich	Plantago lanceolata	Kraut
Wermut	Artemisia absinthium	Kraut

beitslose u. a. sozialen Aufgaben widmet. Im Kampfbewußtsein hatte man militär. Sprachgebrauch angenommen, woraus sich der Name Heilsarmee ergab. In der BR Deutschland (Sitz Köln) gab es 1992 4 Divisionen (über 20000 Mgl.). In der Welt wird das Werk von 3 Mill. Soldaten in 93 Ländern fortgesetzt. Hauptquartier ist London (Generalin ist seit 1986 Eva Burrows).

Heilsberg (poln. Lidzbark Warmiński), Stadt im Ermland, Polen, 80 m ü. d. M., 16000 E. Wirkwaren-, Nahrungsmittelind. – H. erhielt 1308 Stadtrecht, gehörte zum Bistum Ermland und war 1350–1772 dessen Residenz. – Spätgot. Pfarrkirche (14. Jh.), ma. Burg (1350–1400; jetzt Museum).

Heilsbronn, Stadt 20 km sw. von Fürth, Bay., 423 m ü. d. M., 7400 E. Mittelpunkt des

Heilpflanzen
(Auswahl)

Inhaltsstoffe	Anwendung
äther. Öl, Bitterstoffe, Flavonoide	äußerlich bei Blutergüssen und Mundschleimhautentzündungen
äther. Öl, Valepotriate	bei Nervosität, Schlafstörungen
Hydrochinonverbindungen, Gerbstoffe	bei Entzündungen der Harnwege (nur bei alkal. Harn)
äther. Öl, Bitterstoffe	bei Verdauungsbeschwerden, Blähungen, Appetitlosigkeit
äther. Öl mit Chamazulen	bei innerl. und äußerl. Entzündungen, Magen-Darm-Beschwerden
Schleim, Stärke, Pektin	bei Reizhusten, Magen-Darm-Katarrhen, Bronchitis, Entzündungen des Rachenraums
äther. Öl, Bitterstoffe	bei Magenverstimmung, Verdauungsstörungen
äther. Öl mit Zineol	bei chron. Bronchitis
äther. Öl	appetitanregend, verdauungsfördernd, bei Blähungen, Magen-Darm-Krämpfen, Erkrankungen der Atemwege
Gerbstoffe, Bitterstoffe	bei Magen-Darm-Erkrankungen, Durchfall, Blähungen
äther. Öl, Flavonoide	bei fieberhaften Erkältungen (schweißtreibend)
äther. Öl, Schleim, Bitterstoffe	bei entzündeten Schleimhäuten
Schleimstoffe, Flechtensäuren	bei Husten, Entzündungen der Atmungsorgane, verdauungsfördernd
äther. Öl, Allizin	appetitanregend, verdauungsfördernd
fettes Öl, Schleim	bei chron. Verstopfung, Magenschleimhautentzündung
Bitterstoffe	appetitanregend, bei Verdauungsbeschwerden, Blutreinigungsmittel
äther. Öl mit Zitronellal und Zitral	bei Nervosität, Magen-Darm-Beschwerden
Gerbstoffe, Bitterstoffe, äther. Öl	bei Magen-Darm-Entzündungen, Gallenbeschwerden
äther. Öl mit Menthol, Gerb- und Bitterstoffe	bei Magenschleimhautentzündungen, Magen-Darm-Koliken, Gallenbeschwerden
äther. Öl, Bitterstoffe	wie Echte Kamille
Triterpensaponine, Pflanzensäuren, äther. Öl	bei Blähungen
äther. Öl mit Azulen, Bitterstoffe	appetitanregend, verdauungsfördernd, bei Magenbeschwerden
Kohlenhydrate, Glykoside	bei Erkältungen, mildes Abführmittel
Glykoside, Schleim, Kieselsäure	bei Katarrhen der oberen Atemwege
äther. Öl, Bitter- und Gerbstoffe	bei Verdauungsstörungen, Magenleiden, Appetitlosigkeit

agrar. Umlands. – 1932 wurde H. Stadt. – Ehem. Zisterzienserkloster mit roman. Münster (1139 vollendet, 13. und 15. Jh. erweitert), bis 1625 Grablege der fränk. Hohenzollern.

Heilserum (Antiserum), zur passiven Immunisierung bei Infektionen, als Gegengift bei Schlangenbissen o. ä. verwendetes Immunserum.

Heilsgeschichte, Begriff der christl. Theologie für das geschichtl. Heilshandeln Gottes am Menschen. Die Geschichte erscheint nicht als bloße Abfolge von zufälligen oder nur in sich selbst begründeten Ereignissen, sondern als bestimmter Plan, den Gott zum Heil des Menschen verfolgt. Für den kath. Christen findet der Inhalt der H. seinen elementaren Ausdruck im Apostol. Glaubensbekenntnis und in der Liturgie, in denen sich der Gläubige zu den Heilstaten Gottes bekennt. Die in der *reformator. Theologie* entwickelte Auffassung der H. als einer Abfolge von Bundesschlüssen zw. Gott und Menschen (Föderaltheologie) wurde seit der Aufklärung mehr und mehr kritisiert und schließlich (im Zusammenhang mit der Entmythologisierung der Hl. Schrift) nahezu ganz aufgegeben. Ebenso sieht die *kath. Theologie* die Abfolge von Bundesschlüssen zur adäquaten Erklärung von H. als unzureichend an und bemüht sich deshalb, H. so zu verstehen, daß in ihr der Mensch aprior. als mögl. Empfänger aposterior. heilsgeschichtl. Erfahrungen erscheint. Eine dem heutigen Geschichtsbewußtsein und Wiss.-Verständnis gerecht werdende Darstellung von H. ist jedoch bisher nicht gelungen.

📖 *Löwith, K.: Weltgesch. u. Heilsgeschehen. Stg. [9]1990. – Epochen der H. Hg. v. H. Stadelmann. Wuppertal 1984.*

Heilungkiang ↑Heilongjiang.

Heilungsbewegung, Bez. für Gemeinschaften, die die Genesung von Krankheiten durch rein religiöse Mittel erstreben (↑Christian Science, ↑Neugeistbewegung).

Heilverfahren, die Gesamtheit der vom Arzt angeordneten, durchgeführten oder überwachten Maßnahmen zur Wiederherstellung der Gesundheit; auch die von der gesetzl. Renten- oder Unfallversicherung sowie von vergleichbaren Institutionen angeordneten oder genehmigten Verfahren zur Erhaltung (Prävention), Wiedergewinnung oder Besserung (Rehabilitation) der Erwerbsfähigkeit (v. a. Kuren und Behandlung in Spezialkliniken).

Heim, Albert, * Zürich 12. April 1849, † ebd. 31. Aug. 1937, schweizer. Geologe. – Prof. in Zürich, 1894–1925 Präs. der Schweizer. Geolog. Kommission; einer der bedeutendsten Alpengeologen.

H., Karl, * Frauenzimmern bei Heilbronn 20. Jan. 1874, † Tübingen 30. Aug. 1958, dt. ev. Theologe. – 1914 Prof. für systemat. Theologie in Münster, ab 1920 in Tübingen. H. versuchte in seiner Theologie, das Erbe des Pietismus mit dem neuzeitl. naturwissenschaftl. Denken zu verbinden.

Heim [urspr. „Ort, wo man sich niederläßt", „Lager"], dem engl. „home" entsprechende, emotional gefärbte Bez. für ↑Haus, ↑Wohnung.

◆ vorwiegend öff. Einrichtung, die der Unterbringung eines bestimmten Personenkreises (z. B. Alters-, Erziehungs-, Säuglings-, Erholungs-H.) oder der Begegnung (z. B. Jugend-H.) dient; meist Einrichtungen der Sozial-, Kranken- und Jugendhilfe.

Heimaey [isländ. 'hɛimaɛi], Hauptinsel der isländ. Westmännerinseln, 13 km², 4 800 E (alle in dem Ort Vestmannaeyjar, 1973 mehrere Monate evakuiert wegen Vulkanausbruchs). Fischfang und -verarbeitung.

Heimarbeiter, Personen, die in selbstgewählter Arbeitsstätte allein oder mit ihren Familienangehörigen im Auftrag von Gewerbetreibenden oder Zwischenmeistern gewerblich arbeiten, jedoch die Verwertung der Arbeitsergebnisse dem auftraggebenden Gewerbetreibenden überlassen (HeimarbeitsG vom 14. 3. 1951 mit Änderungen). Arbeitsstätte ist i. d. R. die eigene Wohnung. Wegen ihrer persönl. Unabhängigkeit sind die H. keine Arbeitnehmer; als arbeitnehmerähnl. Personen gelten sie aber, weil sie wirtsch. abhängig sind. Für die H. bestehen Schutzvorschriften, v. a. hinsichtl. des Entgelts, der Arbeitszeit und des Gefahrenschutzes. Die Kündigungsfristen sind gestaffelt je nach Dauer der Beschäftigung. – Eine ähnl. Regelung gilt im *östr.* und *schweizer. Recht.*

Heimat, subjektiv von einzelnen Menschen oder kollektiv von Gruppen, Stämmen, Völkern, Nationen erlebte territoriale Einheit, zu der ein Gefühl bes. enger Verbundenheit besteht. – Zum Recht auf H. ↑Menschenrechte, ↑Selbstbestimmungsrecht, ↑Staatsangehörigkeit.

Heimatkunde, lange gültiges Unterrichtsprinzip und -fach der Volksschule, heute im ↑Sachunterricht aufgegangen.

Heimatkunst, in der Literatur eine in Volkstum und heimatl. Landschaft wurzelnde Dichtung, die leicht der Gefahr der Idyllisierung des Dorf- und Landlebens verfällt und sich auch für Ideologisierungen anfällig gezeigt hat. Die Heimat war selbstverständl. Rahmen vieler Schriftsteller des 19. Jh. (z. B. J. P. Hebel, B. Auerbach, L. Anzengruber, J. Gotthelf, F. Reuter, P. Rosegger, L. Ganghofer). Ende des 19. Jh. wurde H. v. a. von F. Lienhard und A. Bartels zum Programm erhoben. Der Dekadenzdichtung, dem Symbolismus und Naturalismus der Großstadt sollten ideale Werte entgegengestellt werden.

Bartels vertrat eine stark völk. Richtung, woran die ↑Blut-und-Boden-Dichtung des Nationalsozialismus anknüpfte.

heimatlose Ausländer, fremde Staatsangehörige oder Staatenlose, die als ↑Displaced Persons von internat. Organisationen betreut wurden, nicht Deutsche im Sinne des Art. 116 GG sind und am 30. 6. 1950 ihren Aufenthalt im Geltungsbereich des GG oder in Berlin (West) hatten. Ihr ausländerrechtl. Sonderstatus bestimmt sich nach dem Gesetz über die Rechtsstellung h. A. im Bundesgebiet vom 25. 4. 1951. Sie sind dt. Staatsangehörigen weitgehend gleichgestellt.

Heimatmuseum, seit Anfang des 20. Jh. ein in seinen Darstellungsobjekten lokal geprägtes Museum, das meist sowohl naturkundl. als auch kulturgeschichtl. Sammlungen beherbergt; häufig ↑Freilichtmuseen und ↑Volkskundemuseen.

Heimatschein, Bürgerrechtsausweis des Schweizers im Inland, der bescheinigt, daß der Inhaber das Gemeindebürgerrecht und damit auch das Bürgerrecht des Kt. genießt. Der Nachweis des Kt.- und Gemeindebürgerrechts ist eine Voraussetzung für die freie Niederlassung an jedem Ort der Schweiz.

Heimatschutz ↑Heimwehren.

Heimatvertriebene ↑Vertriebene.

Heimburg, Gregor [von], * Schweinfurt nach 1400, † Wehlen (bei Pirna) 1472, dt. Rechtsgelehrter und Humanist. – 1460 von Pius II. exkommuniziert; verteidigte entschieden die Konstanzer Dekrete über die Oberhoheit des Konzils über den Papst; versöhnte sich jedoch kurz vor seinem Tode mit der Kirche.

Heimbürge, in ganz Deutschland bis in die frühe Neuzeit verbreitete Bez. für einen Gemeindeamtsträger in Dorf oder Stadt.

Heimchen (Hausgrille, Acheta domestica), bis 2 cm große gelblichbraune Grille, v. a. in menschl. Wohnstätten und an Schuttabladeplätzen in Europa, W-Asien und N-Afrika; Vorratschädling.

Heimcomputer [...kɔmpju:tər] (Homecomputer), kleinerer, preiswerter Computer vorwiegend für private Zwecke; wegen der raschen techn. Entwicklung gegenüber dem Personalcomputer nicht genau abgrenzbar. H. besitzen eine Mikroprozessor-Zentraleinheit und Arbeitsspeicher mit einer Kapazität bis zu mehreren hundert Kilobyte, eine Tastatur zur Eingabe, einen Bildschirm (eigener Monitor oder Fernsehgerät) zur Ausgabe. Als externe Speicher dienen Magnetkassetten und Disketten; oft verfügen H. auch über Drucker sowie Akustikkoppler für Datenübertragung.

Heimdall, german. Gott; in den Liedern der „Edda" wird er als strahlende Gottheit geschildert, die in Himinbjorg wohnt und Wächter der Götter ist.

Heimdialyse, die Dialyse (↑künstliche Niere) außerhalb des Krankenhauses zu Hause; erfolgreichstes Behandlungsverfahren bei Niereninsuffizienz; erfordert u. a. ein Trainingsprogramm im Krankenhaus.

Heimeran, Ernst, * Helmbrechts 19. Juni 1902, † Starnberg 31. Mai 1955, dt. Schriftsteller und Verleger. – Journalist; gründete 1922 in München den **Ernst Heimeran Verlag,** in dem zunächst v. a. zweisprachige Ausgaben antiker Autoren („Tusculum-Bücherei") erschienen. 1980 wurde das Unternehmen eingestellt. H. schrieb auf der Grundlage heiterer Lebensbetrachtung vergnügl. Plaudereien und Erzählungen, u. a. „Die lieben Verwandten" (1936), „Das stillvergnügte Streichquartett" (1936; mit B. Aulich), „Sonntagsgespräche mit Nele" (1955).

Heimerziehung, die im Rahmen der Jugendhilfe vorübergehend oder dauernd durchgeführte Erziehung von Kindern und Jugendlichen in einem Heim (§ 34 SGB VIII). H. soll die Rückkehr in die Familie zu erreichen versuchen, die Erziehung in einer anderen Familie vorbereiten oder die Verselbständigung des Jugendlichen fördern. H. wird auch behinderten Kindern und Jugendlichen gewährt, die die fachkundige Betreuung und Erziehung in einem Heim oder einer Sonderschule am Ort brauchen.

Heimfall, in der Rechtsgeschichte Rückfall erbenlosen oder herrenlos gewordenen Gutes an die Dorfgenossenschaft, später an den König, im Lehnsrecht an den Lehnsherrn; im Privatrecht Erbrecht des Staates, wenn beim Erbfall weder Verwandte noch ein Ehegatte des Erblassers vorhanden sind (§ 1936 BGB).

Heimfallanspruch, 1. mögl. Vereinbarung beim Dauerwohn- oder Erbbaurecht, daß der Dauerwohn- oder Erbbauberechtigte verpflichtet ist, sein Recht beim Eintritt vertraglich bestimmter Voraussetzungen auf den jeweiligen Grundstückseigentümer oder einen von diesem zu bezeichnenden Dritten zu übertragen; 2. der unter den Voraussetzungen des § 12 ReichsheimstättenG bestehende Anspruch auf Rückübertragung des Eigentums an einer Heimstätte an deren Ausgeber.

Heimgesetz ↑Altersheim.

Heimkehrergesetz, Gesetz über Hilfsmaßnahmen für Heimkehrer aus dem 2. Weltkrieg vom 19. 6. 1950 (mit späteren Änderungen). Das H. sieht u. a. Zahlung eines Entlassungsgeldes, Gewährung von Übergangsbeihilfe, bevorzugte Arbeitsvermittlung vor. Es enthält arbeits- und sozialversicherungsrechtl. Sonderbestimmungen. Das Gesetz hat heute noch z. B. für Aussiedler Bedeutung.

heimliches Gericht ↑Femgerichte.

Heimpel, Hermann, * München 19. Sept. 1901, † Göttingen 23. Dez. 1988, dt. Historiker. – Prof. in Freiburg i. Br. (1931), Leipzig (1934), Straßburg (1941) und seit 1947 in Göttingen, ebd. seit 1956 Direktor des Max-Planck-Instituts für Geschichte; Arbeiten v. a. zur Reichs- und Wirtschaftsgeschichte des Spät-MA.

Heimskringla [altnord. „Weltkreis"], Hauptwerk ↑Snorri Sturlusons.

Heimsoeth, Heinz [...zø:t], * Köln 12. Aug. 1886, † Köln 10. Sept. 1975, dt. Philosoph. – Prof. in Marburg, Königsberg (Pr) und in Köln (seit 1931). Bed. Arbeiten zur Geschichte der Philosophie. – *Werke:* Die sechs großen Themen der abendländ. Metaphysik (1922), Metaphysik der Neuzeit (1929), Studien zur Philosophiegeschichte (1961), Transzendentale Dialektik. Ein Kommentar zu Kants Kritik der reinen Vernunft (4 Bde., 1966–71).

Heimstätte, Grundstück, bestehend aus einem Einfamilienhaus mit Nutzgarten, landw. oder gärtner. Anwesen, zu deren Bewirtschaftung die Familie nicht ständiger fremder Hilfe bedarf. H. werden durch Bund, Länder, Gemeinden, Gemeindeverbände oder gemeinnützige Siedlungsgesellschaften zu günstigen Bedingungen ausgegeben. Das Eigentum ist vererblich und an „heimstättenfähige" Personen veräußerlich.

Heimsuchung Mariä (lat. Visitatio Beatae Mariae Virginis), Begegnung der werdenden Mütter Maria und Elisabeth (Luk. 1, 39–56); Marienfest oriental. Herkunft, am 31. Mai gefeiert; Bildmotiv (6.–16. Jh.).

Heimtücke, hinterlistige Bösartigkeit.

Heimvolkshochschulen (ländliche Heimvolkshochschulen) ↑Volkshochschule.

Heimweh, als unangenehm und beklemmend empfundenes Gefühl, das von dem Verlangen getragen wird, in die angestammte Umgebung zurückzukehren. Intensives H. kann zu schwerwiegenden psych. und psychosomat. Störungen führen.

Heimwehren (Heimatwehr, Heimatschutz), freiwillige östr. Selbstschutzverbände; entstanden aus den Grenz- und Nationalitätenkämpfen nach Ende des 1. Weltkriegs und entwickelten sich nach blutigen Unruhen im Juli 1927 zu einer polit. Kampfbewegung; gaben sich 1930 das Programm des austrofaschist. *„Korneuburger Eides"*, das auf den autoritären Ständestaat und die Machtübernahme im Staat zielte; unter ihrem Bundesführer Fürst E. R. ↑Starhemberg 1930 an der Reg. beteiligt; unter Dollfuß zu Reg.aufgaben herangezogen; beteiligten sich an der Niederwerfung des ↑Republikanischen Schutzbundes während der Februarunruhen 1934 und des NS-Putsches am 25. Juli 1934. 1936 verboten, gingen in der Vaterländ. Front auf.

Hein, Christoph, * Heinzendorf (= Jasienica [Polen]) 8. April 1944, dt. Schriftsteller. – Sein zentrales Thema ist die morbide Gesellschaft der Gegenwart. H. zählte zu den DDR-Autoren, die in ihrem Werk frühzeitig die Lebensunfähigkeit bisheriger gesellschaftl. Utopien reflektierten; greift häufig auf histor. Sujets zurück. Auch Übersetzer und Essayist. – *Werke:* Einladung zum Lever Bourgeois (Prosa, 1980), Cromwell u. a. Stücke (1981), Der fremde Freund (Nov., 1982, auch u. d. T. Drachenblut), Passage (Stück, 1988), Die Ritter der Tafelrunde (Kom., 1989), Der Tangospieler (R., 1989; verfilmt), Als Kind habe ich Stalin gesehen. Essays und Reden (1990), Randow (Dr., 1994).

Heine, Heinrich (bis 1825 Harry H.), * Düsseldorf 13. Dez. 1797, † Paris 17. Febr. 1856, dt. Dichter und Publizist. – Als Sohn eines jüd. Tuchhändlers zum Kaufmann ausgebildet, dann Jurastudium, u. a. in Berlin (1821–23), wo er in R. Varnhagens Salon verkehrte; 1824 Besuch bei Goethe; 1825 Abschluß seines Studiums in Göttingen und Übertritt zum Protestantismus. 1831 ging H. als Korrespondent der Augsburger „Allg. Zeitung" nach Paris, wo er mit den Saint-Simonisten sympathisierte und u. a. mit L. Börne, J. P. de Béranger, V. Hugo, H. de Balzac und G. Sand zusammentraf. Auch die Kontakte mit K. Marx (ab 1834 beteiligte er sich an dessen „Dt.-Frz. Jahrbüchern") waren für H.s polit. Entwicklung von Bedeutung. 1841 heiratete er C. E. Mirat („Mathilde"). Seit 1848 war er auf Grund eines Rückenmarkleidens bis zu seinem Tode an die „Matratzengruft" gefesselt; in dieser Situation stand ihm seine Geliebte E. Krienitz („Mouche") zur Seite. H. erwarb frühen literar. Ruhm als Lyriker. Seine „Gedichte" (1822) und das „Lyr. Intermezzo" (1823) erschienen, vermehrt um den Zyklus „Die Heimkehr" und die Gedichte aus den Reiseberichten „Harzreise" und „Die Nordsee" (1827) als „Buch der Lieder".

Heinrich Heine

Von der Romantik übernahm er das Volksliedhafte; das Charakteristikum seiner Lyrik besteht in der witzig-iron. Behandlung des Erlebnisses; das scheinbar ungebrochene Gefühl wird krit. durchleuchtet und aufgelöst. Diese lyr. Subjektivität bezeichnet seine nachklass. Stellung in der Übergangszeit zum Realismus. In den „Neuen Gedichten" (1844) wandte sich H. polit. Ereignissen seiner Zeit zu. In der Sammlung „Romanzero" (1851) herrscht ein pessimist. Grundton vor. Viele seiner Lieder und Balladen sind von Schubert, Schumann u. a. vertont worden. H. überwand die dt. Romantik, indem er Formen und Stimmungen ironisch auflöste („romant. Ironie") und Begebenheiten realistisch gestaltete. Beispielhaft gelang ihm dies als Reiseschriftsteller; unter dem Sammeltitel „Reisebilder" erschienen 1826–31 u. a. „Harzreise", „Ideen. Das Buch Le Grand", „Die Bäder von Lucca". Durch seinen witzig-pointierten, krit.-entlarvenden und polem. Stil schuf H. eine moderne feuilletonist. Prosa. Das Verbot der Schriften des Jungen Deutschland und seiner eigenen (Bundestagsbeschluß 1835) stützte sich auf seinen Beitrag „Zur Geschichte der Religion und Philosophie in Deutschland" („Der Salon", Bd. 2, 1835), in dem er darlegte, daß die klass. dt. Philosophie (Hegel) als Vorbereitung zur bürgerl. Revolution anzusehen sei. Das Pendant für die Literatur ist seine Darstellung „Zur Geschichte der neueren schönen Literatur in Deutschland" (2 Bde., 1833, [2]1836 u. d. T. „Die romant. Schule"), eine literar. Abrechnung mit dem überkommenen geistigen Erbe Europas. Für seine beißende Satire über die dt. Zustände (Kleinstaaterei, Preußentum, Philisterhaftigkeit der dt. Bürger) und den zeitgenöss. polit. Utopismus (anachronist. Idee von Kaiser und Reich) wählte H. die Form des Versepos sowohl für „Deutschland. Ein Wintermärchen" (1844, in „Neue Gedichte") wie auch für „Atta Troll. Ein Sommernachtstraum" (1847), in dem er die sog. Tendenzpoesie kritisierte. Außerdem verfaßte H. „Aus den Memoiren des Herrn von Schnabelewopski" (Essay, in „Der Salon", Bd. 1, 1834), „Florentin. Nächte" (Essay) und „Elementargeister" (Essay, beide in „Der Salon", Bd. 3, 1837), „Der Rabbi von Bacherach" (Romanfragment, in „Der Salon", Bd. 4, 1840 [über spätma. Judenverfolgung]), „Über Ludwig Börne. Eine Denkschrift" (Essay, 1840). – Während des NS als „jüdisch entartet" und „Fremdling in der dt. Dichtung" diffamiert.

🕮 *Würffel, S. B.: H. H. Mchn. 1989. – Höhn, G.: H.-Hdb. Stg. 1987. – Hädecke, W.: H. H. Eine Biographie. Mchn. 1985. – Mende, F.: H. H. Chronik seines Lebens u. Werkes. Stg. [2]1981. – Marcuse, L.: H. H. Zürich 1977.*

H., Thomas Theodor, * Leipzig 28. Febr. 1867, † Stockholm 26. Jan. 1948, dt. Karikaturist und Illustrator. – Bed. satir. Mitarbeit an den Zeitschriften „Jugend" und „Simplicissimus", die er 1896 in München mitbegründete.

Gustav W. Heinemann (1970)

Heinemann, Gustav W., * Schwelm 23. Juli 1899, † Essen 7. Juli 1976, dt. Politiker. – Rechtsanwalt; 1936–49 Vorstandsmgl. der Rhein. Stahlwerke, 1930–33 im Christl.-Sozialen Volksdienst, unter der NS-Diktatur an führender Stelle in der Bekennenden Kirche tätig; 1945–67 Mgl. des Rats, 1949–55 Präses der Synode der EKD. Trat 1945 der CDU bei. 1946–49 Oberbürgermeister in Essen, 1947–50 MdL in NRW, dort 1947/48 Justizmin.; 1949/50 1. Bundesinnenmin. (Rücktritt wegen Wiederaufrüstungsplänen Adenauers). Nach Austritt aus der CDU 1952 Mitbegr. und Vors. der Gesamtdt. Volkspartei; seit 1957 Mgl. der SPD, MdB 1957–69; betrieb als Justizmin. 1966–69 u. a. die Große Strafrechtsreform. 1969 von SPD und FDP zum Bundespräs. gewählt; verstand sich als „Bürgerpräs." und suchte in seiner Amtszeit (bis 1974) v. a. durch Staatsbesuche die Versöhnung der Deutschen mit ihren Nachbarn zu vertiefen.

Heine-Medin-Krankheit, svw. ↑ Kinderlähmung.

Heinicke, Samuel, * Nautschütz (Landkreis Eisenberg) 10. April 1727, † Leipzig 30. April 1790, dt. Pädagoge. – Begründer der Lautsprachmethode im Unterricht für Gehörlose (1755) und der ersten dt. Taubstummenschule in Leipzig (1778).

Heinkel, Ernst [Heinrich], * Grunbach (Rems-Murr-Kreis) 24. Jan. 1888, † Stuttgart 30. Jan. 1958, dt. Flugzeugkonstrukteur. – Chefkonstrukteur bei verschiedenen Flugzeugwerken. 1922 legte er mit den Ernst-Heinkel-Flugzeugwerken in Warnemünde den Grundstein der Heinkel-Gruppe. – Unter der Vielzahl der von H. entwickelten Flugzeugtypen ragen heraus: das erste europäische Schnellverkehrsflugzeug He 70, der „H.-Blitz“ (1932), die von einer Flüssigkeitsrakete angetriebene He 176 (1939; erstes Raketenflugzeug der Welt) und die mit einem Turbinenstrahltriebwerk ausgerüstete He 178 (1939).

Heinrich, Name von Herrschern:
Hl. Röm. Reich:

H. I. *um 875, †Memleben 2. Juli 936, Herzog von Sachsen (seit 912), König (seit 919). – Von Konrad I. 919 zu seinem Nachfolger designiert; Franken und Sachsen wählten ihn in Fritzlar; die Anerkennung von Schwaben (919) und Bayern (921, Gegenkönig Arnulf) erlangte er durch Kompromiß. Den 9jährigen Waffenstillstand mit Ungarn nutzte er für expansive Züge gegen Elbslawen und Böhmen: beide gerieten unter die Oberhoheit des Reichs (934 auch Teile der Dänen). 933 besiegte H. die Ungarn bei Riade mit einem Heer aus allen Stämmen, wodurch er innenpolitisch das Reich konsolidierte. Außenpolit. Höhepunkt war 935 der endgültige Verzicht Rudolfs von Frankreich und Rudolfs II. von Hochburgund auf Lothringen.

H. II., der Hl., *Bad Abbach bei Kelheim 6. Mai 973, †Pfalz Grone (= Göttingen-Grone) 13. Juli 1024, als Hzg. von Bayern H. IV. (seit 995), König (seit 1002), Kaiser (seit 1014). – Urenkel von H. I.; 1002 gegen Ekkehard I. von Meißen und Hermann II. von Schwaben gewählt, stellte in Italien die erschütterte dt. Herrschaft wieder her, ließ sich 1004 in Pavia zum König von Italien krönen und erreichte 1014 in Rom die Kaiserkrönung. Boleslaw I. von Polen mußte ihm nach Feldzügen 1002–18 huldigen (1013 und 1018). Seine Schenkungen an Bistümer und Klöster (Förderung der lothring. Reform) dienten zugleich der Stärkung königl. Gewalt (Höhepunkt des Reichskirchensystems). In Bamberg als Bistumsgründer (1007) verehrt; 1146 Kanonisation (Fest 13. bzw. 17. Juli).

H. III., *28. Okt. 1017, †Pfalz Bodfeld im Harz 5. Okt. 1056, Herzog von Bayern (seit 1027), König (seit 1028, regierte seit 1039), Herzog von Schwaben, von Kärnten und König von Burgund (seit 1038), Kaiser (seit 1046). – Sohn Konrads II.; erreichte im O des Reichs die Unterwerfung des böhm. Herzogs Břetislaw I. (1041) und erzwang die Lehnsnahme der ungar. Könige. Auf den Synoden von Sutri und Rom (1046) ließ er während seines Romzugs die 3 streitenden Päpste (Gregor VI., Benedikt IX. und Silvester III.) absetzen und Bischof Suitger von Bamberg als Klemens II. erheben, der ihn zum Kaiser krönte. Gleichzeitig band er die neuentstehenden normann. Ft. Unteritaliens als Vasallen ans Reich. Als Patrizius von Rom wirkte er in der Folgezeit bei der Erhebung von Reichsbischöfen zu Päpsten (Damasus II., Leo IX., Viktor II.) mit, wie er auch im Reich Bistümer und Abteien mit Männern der kluniazens. Reform besetzte und so deren Ideen zum Durchbruch verhalf.

H. IV., *Goslar (?) 11. Nov. 1050, †Lüttich 7. Aug. 1106, König (seit 1056), Kaiser (seit 1084). – Nach dem Tod seines Vaters H. III. unter der Regentschaft seiner Mutter Agnes (von Poitou); 1062 von Erzbischof Anno II. von Köln entführt, der die Regentschaft 1066 an Erzbischof Adalbert von Hamburg-Bremen verlor. Schlug den sächs. Fürstenaufstand (1073–75) nieder. Der Streit mit dem Reformpapsttum um die Besetzung des Mailänder Erzbistums (seit 1073) mündete in den ↑Investiturstreit, als H. die Absetzungsdrohung Gregors VII. mit dessen Absetzung (Wormser Reichssynode 1076) beantwortete. Die Lösung vom päpstl. Bann erreichte H. 1077 durch den Gang nach Canossa, doch konnte er die Wahl des Gegenkönigs Rudolf von Rheinfelden (Nachfolger 1081–88 Hermann von Salm) nicht verhindern. 1080 erneut gebannt, erhob er Erzbischof Wibert von Ravenna zum Gegenpapst (Klemens [III.]) und ließ sich von ihm zum Kaiser krönen. Während er die Gegenkönige erfolgreich bekämpfte, kam es nicht zum Ausgleich mit dem Papsttum. 1105 zwang ihn sein Sohn H. (V.) zur Abdankung, nachdem sich schon der Erstgeborene, Konrad (1098 geächtet, †1101), 1093 gegen ihn erhoben hatte.

🕮 *Boshof E.: H. IV. Gött. ²1990. – Franz, W. C.: H. IV. u. Canossa. Bln. 1988. – Vogel, J.: Gregor VII. u. H. IV. nach Canossa. Bln. 1983.*

H. V., *wohl 11. Aug. 1086, †Utrecht 23. Mai 1125, König (seit 1098), Kaiser (seit 1111). – Sohn von H. IV.; auf dessen Wunsch zum Nachfolger gewählt; erhob sich 1104 gegen seinen Vater und konnte nach dessen Abdankung (1105), endgültig nach dessen Tod (1106), die Herrschaft übernehmen; erzwang von dem gefangengesetzten Papst Paschalis II. das Recht der Investitur, am 13. April 1111 erfolgte die Kaiserkrönung. Im Reich kam es zum Aufstand der sächs. und thüring. Fürsten, H. erlitt eine Niederlage am Welfesholz (1115). Verhandlungen mit dem 1119 gewählten Papst Kalixt II. führten 1122 im Wormser Konkordat zum Ende des Investiturstreits. Mit H. starben die Salier aus.

H. VI., *Nimwegen 1165, †Messina 28. Sept. 1197, König (seit 1169), Kaiser (seit 1191), König von Sizilien (seit 1194). – Seit 1086 Mitregent seines Vaters, Kaiser Friedrichs I. Erhob 1189 im Namen seiner Frau Konstanze (†1198), der Erbin des normann. Kgr. Sizilien, Ansprüche auf die sizil. Krone, die er mit Waffengewalt durchsetzte. Nach der Gefangennahme Richards I. Löwenherz 1192 und seiner Freilassung gegen ein hohes Lösegeld 1194 brach die mit diesem verbündete dt. Fürstenopposition zusammen; H. ließ sich am Weihnachtstag 1194 in Palermo zum König von Sizilien krönen. Als sein Erbreichsplan (1196) am Widerstand der Reichsfürsten scheiterte, mußte er sich mit der Wahl seines zweijährigen Sohnes Friedrich (II.) zum Röm. König begnügen. - Ein in der Großen Heidelberger Liederhandschrift und in der Weingartner Liederhandschrift als Minnesänger erwähnter Kaiser H. wird gewöhnlich mit ihm gleichgesetzt.

H. (VII.), *auf Sizilien 1211, †Martirano (Prov. Catanzaro) 12. Febr. 1242 (Selbstmord?), König von Sizilien (seit 1212), Herzog von Schwaben (seit 1217), König (1222-35). - Sohn Kaiser Friedrichs II., der ihm die Reg. in Deutschland überließ (bis 1228 unter Vormundschaft); die weltl. Fürsten zwangen ihn 1231 zum gleichen Fürstenprivileg, wie es sein Vater 1220 den geistl. Fürsten gewährt hatte; erhob sich offen gegen seinen Vater, mußte sich aber 1235 unterwerfen; wurde nach Italien verbracht und dort gefangengehalten.

H. Raspe, *um 1204, †auf der Wartburg 16. Febr. 1247, Landgraf von Thüringen, Gegenkönig (seit 1246). - Vormund für seinen Neffen, Hermann II., den er wie dessen Mutter, die hl. Elisabeth, vom Hof verdrängte; 1242 von Kaiser Friedrich II. mit Wenzel I. von Böhmen zum Reichsprokurator für Konrad IV. ernannt; ließ sich auf päpstl. Drängen 1246 zum Gegenkönig wählen; besiegte am 5. Aug. 1246 Konrad IV. in der Schlacht an der Nidda bei Frankfurt.

H. VII., *1274 oder 1275, †Buonconvento bei Siena 24. Aug. 1313, König (seit 1308), Kaiser (seit 1312). - Sohn von Graf H. III. von Luxemburg; auf Betreiben seines Bruders Balduin von Trier und des Mainzer Erzbischofs Peter von Aspelt zum König gewählt; Begründer der luxemburg. Königs- und Kaiserdynastie; gewann 1311 für seinen Sohn Johann das Kgr. Böhmen, das zur Basis der luxemburg. Hausmacht wurde. 1311 auf einem Italienfeldzug in Mailand zum langobard. König, 1312 in Rom zum Kaiser gekrönt; bekämpfte v.a. Robert I. von Neapel.

Bayern:

H. I., *Nordhausen 919/22, †Regensburg Okt. 955, Herzog. - Sohn von König H. I.; schloß sich 938 dem Aufstand der Herzöge Eberhard von Franken und Giselbert von Lothringen gegen seinen Bruder König Otto I. an; 948 mit dem bayr. Stammesherzogtum belehnt; 952 erhielt er auch die Mark Verona.

H. II., der Zänker ↑Heinrich II. von Bayern und Kärnten.

H. IV., Herzog, ↑Heinrich II., Kaiser.

H. XI., Herzog, ↑Heinrich II. Jasomirgott, Herzog von Österreich und Bayern.

Bayern und Kärnten:

H. II., der Zänker, *951, †Gandersheim 28. Aug. 995, Herzog von Bayern (955-976, seit 985), Herzog von Kärnten (seit 989). - Empörte sich 974 gegen Kaiser Otto II. und verlor sein Hzgt.; erhielt (nach Unterwerfung 977) 985 Bayern zurück, 989 Kärnten; besiegte 991 die Ungarn; festigte Bayern außen- wie innenpolitisch.

Bayern und Sachsen:

H. X., der Stolze, *um 1108, †Quedlinburg 20. Okt. 1139, Herzog von Bayern (1126-38), Herzog von Sachsen (1137-39). - Welfe, stellte sich durch seine Heirat mit Gertrud, Tochter Kaiser Lothars III., gegen die Staufer; 1137 vom Kaiser mit dem Hzgt. Sachsen belehnt und als Nachfolger designiert. Verlor seine Reichslehen nach der Wahl des Staufers Konrad III., behauptete sich aber bis zu seinem Tode in Sachsen.

Braunschweig-Wolfenbüttel:

H. Julius, *Schloß Hessen bei Wernigerode 15. Okt. 1564, †Prag 30. Juli 1613, Bischof bzw. Administrator von Halberstadt (seit 1566/78) und Minden (1582-85), regierender Herzog in Wolfenbüttel (seit 1589). - Vertrauter Kaiser Rudolfs II.; Förderer von Wiss. und Kunst; rief 1592 engl. Komödianten an seinen Hof, für die er selbst Stücke mit erzieher. Absicht verfaßte.

Deutscher Orden:

H. von Plauen, *vor 1370, †Lochstädt 9. Nov. 1429, Hochmeister des Dt. Ordens. - Seit 1391 Ordensritter; sicherte nach der Schlacht bei Tannenberg 1410 die Marienburg; 1410 zum Hochmeister gewählt; konnte 1411 mit Polen den 1. Thorner Frieden schließen; beim Versuch der Reorganisation des Ordens 1414 abgesetzt.

England:

H. I. Beauclerc, *Selby (York) 1068, †Lyons-la-Forêt (bei Rouen) 1. Dez. 1135, König (seit 1100). - Jüngster Sohn Wilhelms I., des Eroberers; bemächtigte sich nach dem Tode seines Bruders Wilhelm II. Rufus des Throns; schuf in seinen Gesetzen eine Vorstufe zur Magna Carta libertatum.

H. II. Kurzmantel, *Le Mans 5. März 1133, †Chinon 6. Juli 1189, König (seit 1154). - Sohn des Grafen Gottfried Plantagenet von Anjou und Mathildes, Tochter von König H. I. von England; wurde 1150 Hzg. der Normandie und 1151 Graf von Anjou, erwarb durch seine Heirat mit Eleonore von Aquitanien (1152) große Teile von Frankreich; begr. 1170-73 die engl. Herrschaft in Irland; mußte seit 1171 mehrere Aufstände seiner Söhne abwehren.

H. III., *Winchester 1. Okt. 1207, †Westminster 16. Nov. 1272, König (seit 1216). – Sohn Johanns I. ohne Land; im Verlauf mehrerer Aufstände der Opposition der Barone unter Simon de Montfort bei Lewes (1264) gefangengenommen, durch seinen Sohn Eduard (I.) 1265 wieder befreit.

H. IV., Herzog von Bolingbroke, Herzog von Lancaster, * Bolingbroke (Lincolnshire) 3. April 1367, † Westminster 20. März 1413, König (seit 1399). – Sohn von John of Lancaster, Enkel Eduards III.; stürzte 1399 Richard II. und wurde vom Parlament zum König erhoben; Begr. der Dyn. Lancaster; schlug 1403 eine Rebellion der Barone und den Aufstand des Owen Glendower in Wales nieder.

H. V., * Monmouth 16. Sept. (?) 1387, † Vincennes 31. Aug. oder 1. Sept. 1422, König (seit 1413). – Sohn von König H. IV., nutzte die bürgerkriegsähnl. Wirren im Frankreich Karls VI. zum Eingreifen, siegte 1415 bei Azincourt und besetzte N-Frankreich; im Vertrag von Troyes (1420) als Erbe der frz. Krone und Regent von Frankreich anerkannt.

H. VI., * Windsor 6. Dez. 1421, † London 21. Mai 1471, König (1422–61 und 1470/71). – Sohn von H. V. Seine Minderjährigkeit trug zur Niederlage Englands im Hundertjährigen Krieg bei; im Verlauf der Rosenkriege durch die Niederlage bei Towton (1461) von Eduard IV. verdrängt; 1470 noch einmal erhoben, 1471 aber wieder abgesetzt; starb im Tower.

H. VII., * Pembroke Castle (Wales) 28. Jan. 1457, † Richmond 21. Apil 1509, König (seit 1485). – Erbe des Hauses Lancaster; landete nach seinem Asyl in Frankreich 1485 mit frz. Truppen in Wales; sein Sieg bei Bosworth über Richard III. sicherte ihm die Krone und beendete die Rosenkriege; heiratete 1486 Eduards IV. Tochter Elisabeth (Haus York), begr. die Dyn. der Tudor.

H. VIII., * Greenwich (= London) 28. Juni 1491, † Westminster (= London) 28. Jan. 1547, König (seit 1509). – Sohn von H. VII.; 1509 ⚭ mit Katharina von Aragonien, von deren Vater, Ferdinand II., er sich zum Krieg gegen Frankreich bewegen ließ (1512–14; 1513 Sieg bei Guinegate); zugleich Kampf gegen Jakob IV. von Schottland; erneutes krieger. Eingreifen in Frankreich 1522–25 und 1543–46 auf seiten des Kaisers. Zunächst papstfreundlich, ließ es H. zum Bruch mit dem Papst kommen, als dieser unter dem Druck des Kaisers die Nichtigkeitserklärung der Ehe mit Karls V. Tante Katharina verweigerte. Nach Annahme der ↑ Suprematsakte durch das Parlament (1534) proklamierte sich H. zum Oberhaupt der Kirche von England und forderte den ↑ Suprematseid, dessen Verweigerung mit der Todesstrafe bedroht wurde (Opfer u. a. T. More). H., der noch vor der Annullierung seiner 1. Ehe durch den Erzbischof von Canterbury, T. Cranmer, 1533 An-

Heinrich VIII.

na Boleyn geheiratet hatte, ließ sie 1536 hinrichten und heiratete Jane Seymour, die 1537 nach der Geburt des Thronfolgers Eduard (VI.) starb. Nach der kurzen Ehe mit Anna von Kleve heiratete H. 1540 Catherine Howard, nach deren Hinrichtung (1542) 1543 Catherine Parr, die ihn überlebte.

📖 *George, M.: H. VIII. Mchn. 1989. – Hackett, F.: H. der Achte. Dt. Übers. Ffm. 1978.*

Frankreich:

H. I., * 1008, † Vitry-aux-Loges bei Orléans 4. Aug. 1060, König (seit 1031). – Sohn Roberts II.; schon 1027 zum König gewählt und als Mitregent eingesetzt; festigte die Stellung des Königtums.

H. II., * Saint-Germain-en-Laye 31. März 1519, † Paris 10. Juli 1559, König (seit 1547). – Sohn Franz' I., seit 1533 ⚭ mit Katharina von Medici; politisch stark beeinflußt von seiner Geliebten Diane de Poitiers (seit 1536) und seinem Jugendfreund Anne de Montmorency; schloß 1552 den Vertrag von Chambord mit der ↑ Fürstenverschwörung. Der gegen Karl V. begonnene Krieg mündete in den Frieden von Cateau-Cambrésis (1559).

H. III., * Fontainebleau 19. Sept. 1551, † Saint-Cloud 2. Aug. 1589, König von Polen (1574), König von Frankreich (seit 1574). – Sohn von H. II.; verließ nach dem Tod seines Bruders Karl IX. ohne formale Abdankung 1574 Polen, um den frz. Thron zu besteigen. Nachdem durch den Tod (1584) seines jüngeren Bruders, des Herzogs von Anjou, die Valois ohne Thronfolger waren, so daß H. von Navarra, Führer der Hugenotten, das nächste Anrecht besaß, schloß die Hl. Liga von Péronne 1585 einen Geheimvertrag mit Spanien zur Verhinderung der prot. Thronfolge in Frankreich. Unter dem Druck der Liga erließ H. das Edikt von Nemours (1585) gegen die Hugenotten und begann den 8. Hugenottenkrieg, in dessen Verlauf er aber den Führer der Katholiken, den Herzog von Guise, umbringen ließ und sich mit den Hugenotten verbündete, um das von der Liga beherrschte Paris einzunehmen; bei der Belagerung von dem Dominikanermönch J. Clément ermordet.

H. IV., * Pau 13. Dez. 1553, † Paris 14. Mai 1610, König (seit 1589). – Sohn Antons von Bourbon und Johannas von Albret; wurde als H. III. 1572 König von Navarra, als Kalvinist seit 1581 Führer der Hugenotten. Sein Versuch, 1572 durch Heirat (⚭ 1599) mit Margarete von Valois eine Aussöhnung mit der kath. Partei zu erreichen, scheiterte in der † Bartholomäusnacht. Nach dem Tod H. III. (1589) beanspruchte H. die Krone, wurde jedoch erst nach seinem Übertritt zum Katholizismus 1593 („Paris ist eine Messe wert") 1594 gekrönt. Unter ihm erfolgte die entscheidende Weichenstellung zum absolutist. Staat; er erreichte eine religiöse Befriedung (Edikt von Nantes 1598) und die Sanierung der Staatsfinanzen (mit seinem leitenden Min. M. de Béthune, Hzg. von Sully). H. wurde von dem Fanatiker François Ravaillac (* 1578, † 1610) ermordet. – In der Dichtung tritt H. IV. vielfach als toleranter, wohltätiger Volkskönig auf (Voltaire, A. Dumas d. Ä.). H. Mann stellte H. IV. als Sozialpolitiker in den Mittelpunkt seiner Romane „Die Jugend des Königs Henri Quatre" (1935) und „Die Vollendung des Königs Henri Quatre" (1938).

H. (V.), Thronprätendent, † Chambord, Henri Charles de Bourbon, Graf von.

Hessen:

H. I., das Kind, * 24. Juni 1244, † Marburg a. d. Lahn 21. Dez. 1308, Landgraf (seit 1265). – Sohn Herzog Heinrichs II. von Brabant und der Sophie, Tochter der hl. Elisabeth von Thüringen; erhielt im thüring. Erbfolgestreit (1247–63/64) Hessen und wurde Begründer von Territorium und Dyn.; 1292 Erhebung in den Reichsfürstenstand.

Österreich und Bayern:

H. II. Jasomirgott, † Wien 13. Jan. 1177, Herzog von Österreich, Herzog von Bayern (1143–56). – Babenberger, Sohn Leopolds III. von Österreich; erhielt 1139 die Pfalzgrafschaft bei Rhein, seit 1141 Markgraf von Österreich, seit 1143 als H. XI. Herzog von Bayern. Mußte 1156 zugunsten H. des Löwen auf Bayern verzichten, wofür die Mark Österreich in ein Hzgt. umgewandelt wurde.

Portugal:

H. der Seefahrer (portugies. Henrique o Navegador [ẽ'rrikə u nɐvəɣɐ'ðor]), * Porto 4. März 1394, † Sagres (Distrikt Faro) 13. Nov. 1460, Infant von Portugal, Hzg. von Viseu und Herr von Covilhã (seit 1415). – Sohn König Johanns I. von Portugal; zeichnete sich 1415 bei der Eroberung Ceutas aus, dessen Verwaltung und Verteidigung ihm übertragen wurde. Entsandte seit 1418 Schiffe auf Entdeckungsfahrten, die er v. a. aus den Mitteln des Christusordens finanzierte, dessen Großmeister er seit 1420 war. 1427 wurden die Azoren entdeckt. An der westafrikan. Küste umsegelte Gil Eanes erstmals Kap Bojador (1434); die von H. entsandten Karavellen erreichten den Golf von Arguin (1443), Kap Vert (1444, D. Dias), den Senegal und den Gambia (1456). H. schuf die Grundlagen für das spätere portugies. Kolonialreich.

Sachsen:

H. II., Herzog † Heinrich X., der Stolze.

Sachsen und Bayern:

H. der Löwe, * um 1129, † Braunschweig 6. Aug. 1195, Hzg. von Sachsen (1142–80) und Bayern (1156–80). – Welfe; wurde erst 3 Jahre nach dem Tod seines geächteten Vaters H. X. von Bayern und Sachsen mit Sachsen belehnt. Mit dem Reg.antritt seines Vetters, Kaiser Friedrichs I. (1152), schien sich ein welf.-stauf. Ausgleich anzubahnen, doch die Belehnung H. mit Bayern (überdies unter Abtrennung Österreichs als selbständiges Hzgt.) erfolgte erst 1156. In Sachsen, für das er das Recht der Errichtung von Bistümern und der Bischofsinvestitur erhalten hatte, dehnte er seinen Machtbereich bis zur Peene aus und sicherte den Ostseehandel durch Städtegründungen, v. a. von Lübeck und Braunschweig, das Zentrum seiner Herrschaft wurde. Auf der Höhe seiner Macht überwarf sich H. mit Friedrich I., als er ihm 1176 auf dem 5. Italienzug die nötige Hilfe verweigerte. Wieder im Reich, griff Friedrich in die Kämpfe zw. H. und den Gegnern seiner slaw. Expansionspolitik ein und lud die Parteien vor Gericht. Da H. mehreren Vorladungen nicht nachkam, verfiel er 1179 der Acht, 1180 der Aberacht (Neuvergabe seiner Reichslehen); ging nach seiner Kapitulation 1181 in die Verbannung nach England; 1194 Rückkehr auf seine Eigengüter um Braunschweig.

Heinrich der Löwe

Thüringen:
H. Raspe, Landgraf, † Heinrich Raspe (Hl. Röm. Reich).

Heinrich der Glichesaere (H. der Gleisner), mittelhochdt. Dichter der 2. Hälfte des 12. Jh., wohl aus dem Elsaß. – Sein lehrhaftes, satir. Tierepos „Reinhard Fuchs" (auch „Īsingrīnes nōt") stellt Fabeln um Reinhart Fuchs und den Wolf Isegrim zus. und geht wohl auf eine unbekannte Fassung des frz. „Roman de Renart" zurück.

Heinrich der Teichner, † um 1380 in Wien, mittelhochdt. Spruchdichter. – Verf. von rd. 730 Reimreden; beklagt Mißachtungen der von Gott gesetzten Ordnung.

Heinrich der Vogler, mittelhochdt. Epiker der 2. Hälfte des 13. Jh. – Wohl Bearbeiter (um 1275) von „Dietrichs Flucht"; die ältere Forschung schrieb ihm auch die „Rabenschlacht" zu.

Heinrich von dem Türlin, mittelhochdt. Epiker vom Anfang des 13. Jh. – Vermutlich aus einem Kärntner Bürgergeschlecht. Von ihm sind zwei Epen überliefert: „Der Mantel", wohl Bruchstück, und „Der aventiure crōne" (um 1220), eine Folge von Abenteuern um den Artusritter Gawan.

Heinrich von Freiberg, mittelhochdt. Epiker vom Ende des 13. Jh., vermutlich aus Freiberg in Sa. – Schuf um 1290 eine Fortsetzung von Gottfried von Straßburgs unvollendetem „Tristan"-Epos (6900 Verse).

Heinrich von Hesler, mittelhochdt. Dichter der 1. Hälfte des 14. Jh. – Meist mit einem Deutschordensritter Heinricus de Heseler gleichgesetzt. Schrieb die Versdichtung „Evangelium Nicodemi" (um 1300/10).

Heinrich von Meißen, gen. Frauenlob, * Meißen um 1250/60, † Mainz 29. Nov. 1318, mittelhochdt. Lyriker und Spruchdichter. – Fahrender Sänger bürgerl. Herkunft in der Tradition der höf. Lyrik, eigenwilliger Stilist. Überliefert sind drei Leiche (Minne-, Kreuz-, Marienleich), etwa 450 Spruchstrophen und 13 Lieder in metaphernreicher, oft bewußt dunkler, geblümter Sprache und manierist. Form. Unter seiner bed. Spruchdichtung gibt es selbstbewußte Streitgedichte. Großer Einfluß auf die Meistersinger.

Heinrich von Melk, mittelhochdt. Dichter des 12. Jh. – Wahrscheinlich ritterl. Laienbruder in Melk; verfaßte um 1160 das asket.-weltfeindl. Gedicht „Von des tōdes gehugede" (Erinnerungen an den Tod); zugeschrieben wird ihm das ebenfalls durch scharfe Zeit- und Kirchenkritik geprägte Gedicht „Priesterleben".

Heinrich von Morungen, mittelhochdt. Lyriker vom Ende des 12. und Anfang des 13. Jh. – Wohl Ministeriale des Markgrafen Dietrich IV. von Meißen. Überliefert sind rund 33 Lieder v. a. in oberdt. Handschriften. Sein Werk, das von den frz. Troubadours beeinflußt ist, bildet mit dem Reinmars des Alten und dem Walthers von der Vogelweide den Höhepunkt des mittelhochdt. Minnesangs; in visionärer Schau entwickelt er eine Liebesmystik und Verklärung der Idee der Minneherrin; musikalische Sprachgebung, schwebende Rhythmen (gemischte Daktylen), reich differenzierte Strophenformen und Einbeziehung der Natur zeichnen seine Lyrik aus.

Heinrich von Mügeln, mittelhochdt. Dichter des 14. Jh. – Zeitweise am Hofe Kaiser Karls IV. in Prag, zu dessen Ehren er zwei Sangsprüche und das allegorisierende Reimpaargedicht „Der meide kranz" dichtete; auch Minnelieder, eine lat. und eine dt. Ungarnchronik und eine Psalmenübersetzung.

Heinrich von Ofterdingen, sagenhafter Dichter des 13. Jh. – Erscheint in dem mittelhochdt. Gedicht „Der Wartburgkrieg" (13. Jh.) und wird in einer Bearbeitung eines Heldengedichtes als Autor genannt; Titelheld von Novalis' Romanfragment „H. von O." (1802).

Heinrich von Rugge, mittelhochdt. Dichter der 2. Hälfte des 12. Jh. – Vermutlich identisch mit Henricus de Rugge, Ministeriale des Pfalzgrafen von Tübingen (bezeugt zw. 1175/1191). Schrieb Minnegedichte sowie den ältesten dt. Kreuzleich.

Heinrich von Segusia (H. von Susa, Hostiensis), * Susa vor 1200, † Lyon 25. Okt. (oder 6. Nov.) 1270, italien. Dekretalist. – 1262 Kardinalbischof von Ostia. Sein Hauptwerk, „Lectura in quinque libros decretalium", ist der ausführlichste Kommentar zu den Dekretalen Gregors IX.

Heinrich von Veldeke, mittelhochdt. Dichter der 2. Hälfte des 12. Jh. – Der Beiname weist auf ein Dorf westl. von Maastricht; über Herkunft und Stand ist nichts bekannt; der ihm beigelegte Titel „meister" läßt auf gelehrte Bildung schließen. Sein ep. Schaffen setzte um 1170 mit einer Verslegende über den limburg. Lokalheiligen „Sanct Servatius" und seinem bed. Hauptwerk, „Eneit", ein. Das Manuskript dieses ersten mittelhochdt. höf. Romans vollendete er um 1190 im Auftrag des späteren Landgrafen Hermann von Thüringen. Es ist eine freie Bearbeitung des frz. „Roman d'Enéas" auf der stoffl. Grundlage von Vergils „Äneis". Vorbildhaft wurde er sowohl durch das ritterl. Ethos als auch durch die Formbeherrschung (reiner Reim, alternierendes Versmetrum).

Heinrich, Willi, * Heidelberg 9. Aug. 1920, dt. Schriftsteller. – Themen seiner unterhaltenden, realist. Romane sind Kriegs- und Nachkriegszeit. – *Werke:* Das geduldige Fleisch (1955, 1977 auch u. d. T. Steiner), Schmetterlinge weinen nicht (1969), So long,

Archie (1972), Ein Mann ist immer unterwegs (1978), Männer zum Wegwerfen (1985).

Heinrich-Böll-Preis, Literaturpreis der Stadt Köln (1980–85 unter dem Namen „Kölner Literaturpreis"); wird jährlich (mit 25000 DM dotiert) für „herausragende Leistungen auf dem Gebiet der deutschsprachigen Literatur" vergeben. Bisherige Preisträger: Hans Mayer (1980), P. Weiss (1981), W. Schnurre (1982), U. Johnson (1983), H. Heißenbüttel (1984), H. M. Enzensberger (1985), E. Jelinek (1986), L. Harig (1987), D. Wellershoff (1988), B. Kronauer (1989), G. de Bruyn (1990), Rainald Goetz (* 1954; 1991), H. J. Schädlich (1992), A. Kluge (1993).

Heinroth, Oskar [...ro:t], * Kastel am Rhein (= Wiesbaden) 1. März 1871, † Berlin 31. Mai 1945, dt. Zoologe. – Leiter der Vogelwarte Rossitten. Zus. mit seiner Frau Magdalena verfaßte er das Standardwerk „Die Vögel Mitteleuropas" (3 Bde., 1925–28, Erg.-Bd., 1933).

Heinsberg, Krst. an der dt.-niederl. Grenze, NRW, 35 m ü. d. M., 36100 E. Chemiefaser-, Elektronik-, Maschinenbau-, Schuhind. – Seit 1255 Stadt, fiel 1483 an Jülich. – Wiederaufgebaut nach Zerstörungen 1944/45 die spätgotische Pfarrkirche Sankt Gangolf (15. Jh.) mit romanischer Krypta (um 1130).

H., Kreis in Nordrhein-Westfalen.

Heinse, Johann Jakob Wilhelm, * Langewiesen 15. (16. ?) Febr. 1746, † Aschaffenburg 22. Juni 1803, dt. Schriftsteller. – Vertrat als Dichter im Umkreis des Sturm und Drang eine naturhafte Sinnlichkeit, bes. in seinem Künstlerroman „Ardinghello und die glückseligen Inseln" (2 Bde., 1787), der auch ein wichtiger utop. Staatsroman ist. In „Hildegard von Hohenthal" (R., 1795/96) musiktheoret. Ausführungen; auch Übersetzer.

Heinsius, Daniel [niederl. 'hɛinsi:ʏs], * Gent 9. Jan. (Juni ?) 1580, † Leiden 25. Febr. 1655, niederl. Philologe und Dichter. – Prof. in Leiden; Hg. zahlr. Schriftsteller; beeinflußte mit den „Nederduytschen Poemata" (lat. und niederl. Gedichte, 1616) M. Opitz.

H., Wilhelm ['haɪnziʊs], * Leipzig 28. Juli 1768, † Gera 1. Okt. 1817, dt. Buchhändler. – Hg. des „Allg. Bücher-Lexikons" (4 Bde., 1793–98) der seit 1700 in Deutschland erschienenen Bücher, bis 1892 weitergeführt (19 Bde.; der letzte Band erschien 1894).

Heintel, Erich, * Wien 29. März 1912, östr. Philosoph. – Schüler R. Reiningers; bemüht um eine Synthese von aristotel. Metaphysik und der Transzendentalphilosophie Kants im Sinne der Hegelschen Dialektik von Substanz und Freiheit. – *Werke:* Hegel und die analogia entis (1958), Einführung in die Sprachphilosophie (1972), Grundriß der Dialektik (2 Bde., 1984/85).

Heintz (Heinz), Joseph, d. Ä., * Basel 11. Juni 1564, † Prag 15. Okt. 1609, schweizer. Maler. – Lange in Rom, dann v. a. in Prag; malte Porträts sowie mytholog. Bilder, Andachtsbilder, Altartafeln in einem höfisch verfeinerten manierist. bis frühbarocken Stil.

Heinz, Joseph ↑ Heintz, Joseph, d. Ä.

H., Wolfgang, * Pilsen 18. Mai 1900, † Berlin (Ost) 30. Okt. 1984, dt. Schauspieler, Regisseur und Theaterleiter. – Spielte unter Jeßner und Reinhardt in Berlin; nach Emigration (1933) am Schauspielhaus in Zürich tätig, leitete 1948–56 mit K. Paryla ein Theater in Wien, 1963–69 Intendant des Dt. Theaters in Berlin.

Heinze, Richard, * Naumburg/Saale, 11. Aug. 1867, † Bad Wiessee 22. Aug. 1929, dt. klass. Philologe. – Prof. u. a. in Leipzig; v. a. Arbeiten über klass. lat. Literatur und röm. Kultur, u. a. „Virgils ep. Technik" (1903), „Von den Ursachen der Größe Roms" (1921).

Heinzelmännchen, eine aus dem verbreitetsten dt. Namen des MA, Heinrich, entwickelte, schon im 16. Jh. gebrauchte Bez. für hilfreiche Zwerge und Hausgeister.

Heirat [zu althochdt. hīrāt, urspr. „Hausbesorgung"], svw. ↑ Eheschließung (↑ Hochzeit).

Heiratsbuch ↑ Personenstandsbücher.

Heiratsschwindel, Betrug (gemäß § 263 StGB) unter Ausnutzung eines Eheversprechens oder einer Eheschließung. H. kann vorliegen, wenn der Täter sich auf Grund eines nicht ernstgemeinten Eheversprechens eine Vermögenszuwendung gewähren läßt oder er anläßlich einer tatsächlich vollzogenen Eheschließung unter Vorspiegelung sonstiger Tatsachen den Partner zum Abschluß eines ihn bevorteilenden Ehevertrages bewegt.

Heiratsurkunde ↑ Personenstandsurkunden.

Heiratsvermittler, svw. ↑ Ehemakler.

Heischeformen, Verbformen, mit denen ein Wunsch oder Befehl ausgedrückt wird, z. B. *Wäre* er doch schon hier!

Heiseler, Bernt von, * Großbrannenberg (Landkreis Rosenheim) 14. Juni 1907, † ebd. 24. Aug. 1969, dt. Schriftsteller. – Sohn von Henry von H.; sein Werk umfaßt zahlr. Gattungen und ist der christl. wie klassizist. Tradition verpflichtet, u. a. „Ahnung und Aussage" (Essays, 1939), „Versöhnung" (R., 1953).

H., Henry von, * Petersburg 23. Dez. 1875, † Vorderleiten (= Soyen, Landkreis Rosenheim) 25. Nov. 1928, dt. Schriftsteller. – Vater von Bernt von H.; in seiner Lyrik anfangs S. George verpflichtet; wandte sich später in Versdramen der klass.-schlichten Form zu; u. a. „Peter und Alexéj" (Trag., 1912); auch Übersetzer (aus dem Russ.).

Heisenberg, Werner [Karl], * Würzburg

5. Dez. 1901, † München 1. Febr. 1976, dt. Physiker. – Prof. in Leipzig, Göttingen, Berlin und München. 1941–45 Direktor des Kaiser-Wilhelm-Instituts für Physik in Berlin, seit 1946 Direktor des Max-Planck-Instituts für Physik und Astrophysik (in Göttingen, seit 1958 in München). H. hat mit seinen fundamentalen Beiträgen zur Atom- und Kernphysik die Entwicklung der modernen Physik nachhaltig beeinflußt. 1925 begründete er mit M. Born und P. Jordan die Quantenmechanik in der Matrizenform. 1927 gelangte H. zur Aufstellung seiner ↑ Unschärferelation. 1932 postulierte H. den Aufbau der Atomkerne aus Protonen und Neutronen. Seit etwa 1953 arbeitete er an einer Theorie der Elementarteilchen, aus der alle Elementarteilchen als Lösungen einer einzigen Feldgleichung („H.sche Weltformel") folgen sollten. H. beschäftigte sich auch mit Magnetismus, Höhenstrahlung, Supraleitung. Nobelpreis für Physik 1932.

Heiserkeit, Störung der Stimmbildung (↑ Dysphonie), u. U. bis zur Tonlosigkeit der Stimme (Aphonie); meist im Zusammenhang mit einem Infekt der oberen Luftwege.

Heisig, Bernhard, * Breslau 31. März 1925, dt. Maler und Graphiker. – Prof. in Leipzig; beeinflußt von L. Corinth und O. Kokoschka, gestaltet er bes. histor. und zeitgeschichtl. Themen in dynam.-expressiver Auffassung.

heiß, bei Hunden svw. ↑ läufig.

Heiß, Hermann, * Darmstadt 29. Dez. 1897, † ebd. 6. Dez. 1966, dt. Komponist. – Schüler von J. M. Hauer; lehrte in Darmstadt, wo er seit 1955 ein Studio für elektron. Komposition leitete; komponierte konzertante Orchestermusik und Werke für kammermusikal. Besetzungen, seit 1954 v. a. elektron. Musik.

H., Robert, * München 22. Jan. 1903, † Freiburg i. Br. 21. Febr. 1974, dt. Psychologe und Philosoph. – Seit 1936 Prof. in Köln; seit 1943 in Freiburg im Breisgau. Begründer und Direktor des dortigen Instituts für Psychologie und Charakterologie. Verfaßte u. a. „Die Lehre vom Charakter" (1936), „Allg. Tiefenpsychologie" (1956), „Psycholog. Diagnostik" (1964).

heiße Chemie, Teilgebiet der Radiochemie, das sich mit Stoffen hoher Aktivität und mit chem. Umwandlungen befaßt, die bei Kernreaktionen zustande kommen. Die Arbeit mit derartigen *heißen Substanzen* erfolgt in bes., sog. *heißen Laboratorien.* Extrem radioaktive Stoffe werden in von dicken Wänden abgeschirmten **heißen Zellen** durch die Wand hindurch mit ↑ Manipulatoren und Kranen bearbeitet und durch strahlensichere Fenster beobachtet.

Heißenbüttel, Helmut, * Rüstringen (= Wilhelmshaven) 21. Juni 1921, dt. Schriftsteller. – Zählt zu den konsequentesten Vertretern experimentellen Dichtens; vom Dadaismus herkommend, macht H. die Sprache selbst zum Gegenstand seiner Kunst. Wichtig v. a. die Publikationsfolge der „Textbücher" (6 Bde., 1960–67; gesammelt als „Das Textbuch", 1970; 4 weitere Bde., 1985–87), die sog. „Projekte", Hörspiele; auch literaturkrit. und theoret. Arbeiten, „Eichendorffs Untergang u. a. Märchen" (Reportagen, 1978); erhielt 1969 den Georg-Büchner-Preis.

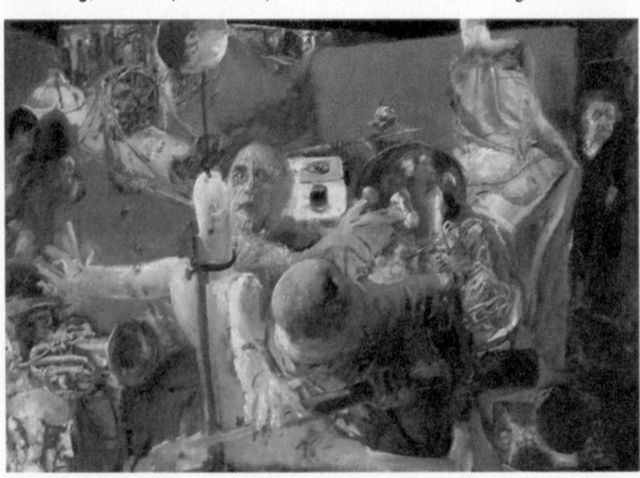

Bernhard Heisig. Der Zauberlehrling
II. Fassung; 1978–81 (Privatbesitz)

heißer Draht, auf Grund eines Abkommens 1963 in Betrieb genommene direkte Fernschreibleitung zw. den Amtssitzen der Präs. der USA und der Sowjetunion; später wurden ähnl. Verbindungen der Sowjetunion mit anderen westl. Staaten eingerichtet.

heißes Geld (engl. hot money), kurzfristig angelegte Gelder auf internat. Geld- und Devisenmärkten, die vorwiegend spekulativen Zwecken dienen und unvermittelt bei entsprechenden Anlässen (z. B. erwarteten Wechselkursveränderungen) abgezogen und an anderer Stelle angelegt werden. Banken versuchen sich vor h. G. oft dadurch zu schützen, daß sie keine Zinsen zahlen, manchmal auch durch Erhebung einer Provision. Die Notenbanken ergreifen oft Devisenbewirtschaftungsmaßnahmen zur Abwehr negativer Einflüsse auf die Binnenwirtschaft.

heiße Zellen ↑heiße Chemie.

Heißgasmotor, svw. ↑Stirlingmotor.

Heißhunger (Hyperorexie), krankhaft vermehrtes, übersteigertes Hungergefühl. Ein gestörtes Eßverhalten mit H.attacken und anschließendem selbstausgelöstem Erbrechen bezeichnet man als **Bulimie.**

Heißlauf, unzulässig starke Erwärmung von Maschinenteilen (Wellen, Lager, Zahnräder usw.) durch Reibung infolge unzureichender Schmierung oder Kühlung.

Heißleiter, elektr. Widerstand aus Halbleitermaterial, das unter Normalbedingungen eine geringe, bei Erwärmung jedoch eine hohe Leitfähigkeit aufweist. Anwendung für Meß- und Regelwerke.

Heißluftbad (Heißluftbehandlung), Anwendung von trockener Heißluft (50–100 °C) zur Behandlung chron. Gelenkerkrankungen oder für Schwitzbäder.

Heißmangel ↑Mangel.

Heißprägen, Verfahren, bei dem durch Wärme- und Druckeinwirkung der Farbstoff einer Prägefolie auf nichtmetall. Werkstoffe übertragen wird.

Heißwasserbereiter, Geräte zur Erzeugung und Speicherung von warmem Wasser. Die H. haben einen allseitig geschlossenen Innenbehälter aus verzinntem Stahl- oder Kupferblech mit einer hochwertigen Wärmedämmung. Die Wärme wird im H. beispielsweise mittels eines Heizaggregats in Form eines Tauchsieders erzeugt. Die maximale Wassertemperatur beträgt etwa 85 °C. – Bei den *drucklosen H.* steht der Innenbehälter nicht unter Wasserleitungsdruck. Die drucklosen Speicher gestatten die Versorgung von ein oder zwei Zapfstellen. Bei den *Druckspeichern* steht der Innenbehälter unter Wasserleitungsdruck (zur Versorgung mehrerer Zapfstellen).

Heister, forstwirtsch. Bez. für junge Laubbäume (noch ohne Krone).

Heisterbach. Ruine der ehemaligen Zisterzienserabtei

Heisterbach, Cäsarius von ↑Cäsarius von Heisterbach.

heiter, in der *Meteorologie* Bez. für eine Bedeckung des Himmels mit Wolken bei einem Bedeckungsgrad von höchstens $^1/_4$.

Heitersheim, Stadt 8 km sw. von Bad Krozingen, Bad.-Württ., 254 m ü. d. M., 4 600 E. Das erstmals 777 gen. H. gehörte zum Breisgau; seit 1272 im Besitz des Johanniterordens, seit 1505 Sitz des Großpriors in Deutschland; 1778 unter östr. Landeshoheit, 1806 an Baden; 1810 Stadtrecht (1952 erneuert). – Ehem. Johanniterschloß (v. a. 16. Jh.; heute Schwesternheim).

Heitmann, Fritz, * Ochsenwerder (= Hamburg) 9. Mai 1891, † Berlin 7. Sept. 1953, dt. Organist. – Schüler von K. Straube, M. Reger und J. Pembaur; seit 1918 Organist an der Kaiser-Wilhelm-Gedächtniskirche, 1930 Domorganist in Berlin.

H., Steffen, * Dresden 8. Sept. 1944, ev. Theologe, Kirchenjurist und Politiker. – Seit Nov. 1990 sächs. Justizmin.; von CDU und CSU im Okt. 1993 als Kandidat für das Amt des Bundespräs. vorgeschlagen, sah sich H. wegen seiner konservativ geprägten Anschauungen (u. a. zur dt. Geschichte und zur Rolle der Frau in der Gesellschaft) von Teilen der Öffentlichkeit hart angegriffen und zog am 25. Nov. seine Kandidatur zurück.

Heizer, Mike (Michael) [engl. 'haɪzə], * Berkeley (Calif.) 4. Nov. 1944, amerikan. Künstler. – Vertreter der Land-art und Konzeptkunst; v. a. Projekte in den Wüsten von Nevada und Kalifornien; seit den 70er Jahren auch Holz- und Steinskulpturen, monochrome Bilder sowie abstrakte Zeichnungen und Graphiken.

Heizgase, brennbare Gase unterschiedl. Zusammensetzung und verschieden hoher

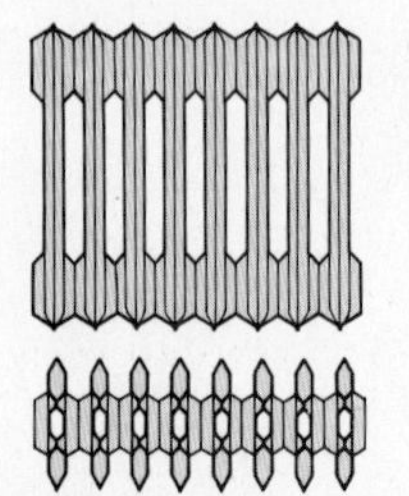
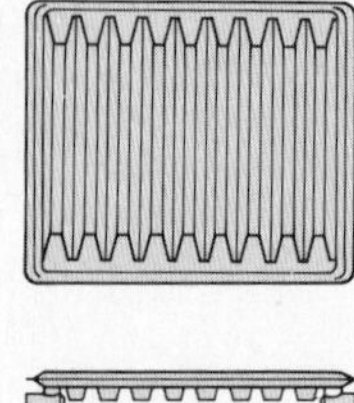

Heizkörper. Links: Radiator; rechts: Plattenheizkörper (jeweils von vorn und von oben gesehen)

Heizwerte, z. B. Erd-, Stadt-, Gicht-, Wasser- und Schwelgas (u. a. Braunkohlengas).

Heizgradtage, klimatechn. Wärmebedarfsberechnungen zugrundegelegte Temperatursumme: die Summe der Differenzen zw. der konstant zu haltenden Raumtemperatur und der Lufttemperatur im Freien (Tagesmitteltemperatur) für alle Tage der gesamten Heizperiode.

Heizkessel, Anlagen zur Erzeugung der Wärme für zentrale Heizungsanlagen u. ä. Die bei der Verbrennung von Kohle, Gas oder Öl entstehende Verbrennungswärme wird an Wärmeträger (Wasser, Wasserdampf) abgegeben und zum Wärmeverbraucher (Heizkörper, Wärmeaustauscher in Lüftungs- und Klimaanlagen) transportiert. Der Wärmeaustausch findet in den H. zw. den heißen Rauchgasen und dem Wärmeträger sowohl durch Konvektion als auch durch Strahlung statt. Bei größer dimensionierten Kesseln nimmt der Strahlungsanteil zu. – Ein H. kann aus mehreren gleichen gußeisernen Gliedern bestehen, die mit zwei Endgliedern zu einem Kessel montiert werden **(Gliederkessel)** oder aus geschweißtem Stahlblech zusammengebaut sein.

Heizkissen, elektrisch erwärmbares Kissen mit allseitig geschlossener, feuchtigkeitsdichter, schmiegsamer Hülle in einem Stoffbezug; im Inneren befindet sich der Heizleiter in einer Isolierumhüllung. Bei leistungsgeregelten H. wird der Heizleiter in drei Stufen (elektr. Leistung meist 15, 30 und 60 W) geschaltet. Bei temperaturgeregelten H. führt ein Heizleiter durch das ganze Kissen; er wird durch einen Regler, der auf drei Abschalttemperaturen (z. B. 60, 70 und 80 °C) einstellbar ist, geschaltet. Die H. haben zusätzlich Sicherheitsregler, die eine Überhitzung verhindern.

Heizkörper, Bestandteil einer [Zentral]heizungsanlage, der die Wärme des Wärmeträgers an den Raum abgibt. Die Wärmeabgabe erfolgt durch Konvektion und Strahlung. **Plattenheizkörper** oder **Flachheizkörper** sind aus glatten oder leicht gewellten Stahlblechplatten zusammengesetzt, die von dazwischenliegenden, Warmwasser führenden Rohren oder Kanälen erwärmt werden. **Radiatoren** aus Gußeisen oder Stahl bestehen aus gleichartigen Gliedern, die in beliebiger Stückzahl zu einem H. montiert werden können. Bei **Konvektoren** werden berippte Rohre in ein Blechgehäuse oder in eine Nische mit Verkleidung derart eingebaut, daß Luft von unten eintritt, sich erwärmt und oben wieder austritt. **Sockelheizkörper** sind berippte, verkleidete Rohre, die im ganzen Raum wie Fußleisten angebracht sind.

Heizkostenverteiler, svw. ↑Verdunstungsmesser.

Heizlüfter, elektr. Heizgerät, bei dem Luft angesaugt, über Heizspiralen geleitet und dann erwärmt in den Raum abgeblasen wird.

Heizöle, bei der Aufbereitung von Erdöl, Schieferöl oder Braunkohlen- und Steinkohlenschwelteeren anfallende flüssige Brennstoffe. Ihr Heizwert liegt bei $42 \cdot 10^6$ J/kg.

Heizölsteuer ↑Mineralölsteuer.

Heizstrom, allg. der durch ein Heizelement fließende elektr. Strom, der dieses durch Entwicklung von Joulescher Wärme aufheizt; i. e. S. der durch den Heizdraht einer Elektronenröhre fließende Strom, dessen Stromstärke durch die angelegte Spannung **(Heizspannung)** und den elektr. Widerstand des Drahtes festgelegt ist.

Heizung, allg. eine Vorrichtung oder Anlage zum Erwärmen (Aufheizen) von Stoffen, Geräten u. a.; i. e. S. Sammelbez. für Vorrichtungen mit der Aufgabe, Räume aller Art zu erwärmen. Eine H.anlage besteht im wesentlichen aus der Wärmeerzeugungsanlage und den zur Wärmeabgabe bestimmten Teilen, die bei Einzel-H. jeweils örtlich zusammengefaßt sind, bei der Zentral- und Fern-H. sich an verschiedenen Orten befinden. Wärme wird entweder durch Verbrennung von Kohle, Gas, Öl oder durch Umwandlung von elektr. Energie erzeugt. Die Wärme nimmt ein Wärmeträger (Wasser, Dampf, Luft) auf und transportiert sie zum Heizkörper, der sie an den Raum abgibt. Verwendet man Brennstoffe, übernimmt ein Schornstein die Abführung der Verbrennungsgase (Rauchgase).
Einzelheizung: Einfachste und älteste Form der H. Die Heizstelle, der Ofen, befindet sich unmittelbar in dem Raum, der beheizt werden soll, und gibt Wärme durch Konvektion oder Strahlung ab. Die Öfen unterscheidet man nach *Baustoffen* (Kachelofen, eiserner Ofen) oder nach *Brennstoffen* bzw. *Energieart* (Kohle-, Gas-, Ölofen, elektr. Ofen). Der **Kachelofen** zählt zu den Speicheröfen. Die Ummantelung nimmt Wärme auf und gibt sie

vorwiegend durch Konvektion in den Raum ab. **Eiserne Öfen** haben einen mit Schamottesteinen ausgekleideten Stahlmantel. Im **Gasofen** werden Heizgase (Stadt-, Raffinerie-, Propan-, Erdgas) verbrannt. Man unterscheidet Strahlungsöfen und Konvektionsöfen. In **Strahlungsöfen** erhitzt die Gasflamme Heizflächen aus Metall oder Schamotte, die Wärme abstrahlen. **Konvektionsöfen** werden als Gliederöfen oder vorwiegend als Kaminöfen gebaut; Wärmeabgabe über Wärmeaustauscher durch Konvektion. Die erwärmte Luft steigt infolge ihrer geringeren Dichte nach oben. In **elektrischen Öfen** wird mittels Widerstandsdrähten elektr. Energie in Wärmeenergie umgewandelt. *Strahlungsheizkörper* sind Heizsonne, Wand- und Deckenstrahler. Zu den Konvektionsheizkörpern gehören *Heizlüfter* (Ventilatorheizöfen) und *Nachtstrom-Speicheröfen*. Diese werden mit Nachtstrom zu Niedrigtarifen während der sog. Schwachlastzeiten zw. 22 und 6 Uhr aufgeheizt, und der isolierte Wärmespeicher (Temperatur bis 650 °C) gibt tagsüber die Wärme wieder ab. Die Konvektion wird mit einem Ventilator erzwungen. **Ölöfen** enthalten einen Verdampfungsbrenner, dem eine regelbare Menge Heizöl zugeführt wird. Die Verbrennungswärme nimmt ein Heizmantel auf und gibt sie seinerseits vorwiegend durch Konvektion an die Umgebung ab.

Zentralheizung: H., bei der die einzelnen Räume von einer zentralen Feuerstelle mit Wärme versorgt werden. Weitaus am häufigsten ist die **Warmwasserheizung.** An der tiefsten Stelle des Gebäudes (bei der **Etagenheizung** auf demselben Stockwerk) befindet sich ein Heizkessel, der mit Kohle, Öl oder Gas beheizt wird. Wasser wird auf ca. 90 °C erwärmt (in einer **Druckheizung** oder **Heißwasserheizung** auf 110 °C) und durch Rohrleitungen zu den Heizkörpern gefördert. Bei der **Schwerkraftheizung** erfolgt der Kreislauf des Wassers infolge des unterschiedl. spezif. Gewichts zw. erwärmtem (Vorlauf) und abgekühltem Wasser (Rücklauf). Sie wird vorwiegend offen gebaut. Bei großen hohen Gebäuden wird die **Pumpenheizung** angewendet. Hierbei wird das Wasser mit einer elektr. Pumpe umgewälzt *(Umwälzpumpe).*

Bei der **Dampfheizung** wird als Wärmeträger Wasserdampf verwendet, der in einem Kessel erzeugt und durch Rohrleitungen zu den Heizkörpern transportiert wird. Im Heizkörper kondensiert der Dampf unter Wärmeabgabe *(Kondensationswärme).* Das Kondensat fließt zum Kessel zurück. – Bei der **Warmluftheizung** werden mehrere Räume gleichzeitig meist von einem zentral gelegenen Kachelofen über Luftkanäle beheizt.

Zur Flächenbeheizung von Innenräumen oder Freiflächen (Fahrbahn, Gehweg, Flugplätze) eignet sich bes. die **Fußbodenheizung.** Elektrisch beheizte Heizmatten oder warmwasserführende Kunststoffrohre werden dazu direkt in den Estrich, Mörtel oder Beton eingebaut.

Die nach dem Prinzip einer Kältemaschine arbeitende ↑Wärmepumpe wird meist in eine vorhandene Zentral-H. integriert. Zur zentralen H. ganzer Gebäudegruppen dient die **Fernheizung.** Von einer zentralen Heizstelle aus werden die Gebäude durch Rohrleitungen mit Wärme versorgt. Als Wärmeträger dienen Heißwasser oder Dampf.

Geschichte: Die älteste Form der Einzel-H. war das mit Holz beschickte offene Herdfeuer. Im 10. Jh. gab es erstmals in M-Europa geschlossene Feuerstätten aus Steinen oder Lehm mit Rauchgasabführung durch einen Kamin. Vom 14. Jh. an verwendete man Kachelöfen, im 17. Jh. kamen eiserne Öfen auf. Die erste Zentral-H. war das röm. Hypokaustum. Von ähnl. Bauart war die Steinluft-H. (in Deutschland seit dem 12. Jh.); Steine gaben nach Erlöschen des Feuers ihre Wärme ab. Die Ofen-Luft-H. (etwa seit dem 18. Jh.) hatte einen gemauerten Ofen im Keller. Die Dampf-H. wurde um 1750 in Großbritannien erfunden. In den USA setzte man seit 1880 gußeiserne Radiatoren ein. Mitte des 18. Jh. wurde in Frankreich die erste Warmwasser-H. gebaut. In Dresden entstand um 1900 die erste Stadt-H. (Fernheizung). – Abb. S. 222/223.

📖 *Krist, T.: Heizungs-, Lüftungs- u. Klimatechnik. Darmst. [4]1989. – Schiffer, H. J.: Heizungsanlage selbst gebaut. Köln 1985. – Heizungstechnik. Hg. v. Arbeitskreis der Dozenten f. Heizungstechnik. Mchn. 1977–86. 5 Bde.*

Heizwert, der Quotient aus der bei vollständiger und vollkommener Verbrennung einer bestimmten Masse (in kg) bzw. Stoffmenge (in mol) eines festen oder flüssigen Brennstoffs frei werdenden Wärmemenge (negative Reaktionsenthalpie) und seiner Masse bzw. Stoffmenge (**spezifischer** bzw. **molarer Heizwert;** früher auch **unterer Heizwert** gen.). Dabei wird vorausgesetzt, daß die Temperatur des Brennstoffs vor dem Verbrennen und die der entstehenden Verbrennungsprodukte 25 °C beträgt, daß das vor dem Verbrennen vorhandene und das bei der Verbrennung entstehende Wasser in dampfförmigem Zustand bei 25 °C vorliegt (im Unterschied zum früher als **oberer Heizwert** bezeichneten, die Kondensationswärme der Gesamtwassermenge einschließenden **Brennwert**), daß die Verbrennungsprodukte des im Brennstoff enthaltenen Kohlenstoffs und Schwefels als Kohlendioxid und Schwefeldioxid in gasförmigem Zustand vorliegen und daß eine Oxidation vorhandenen Stickstoffs nicht erfolgt.

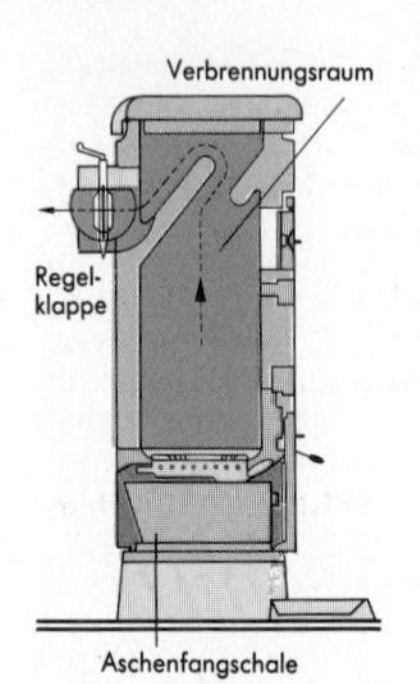

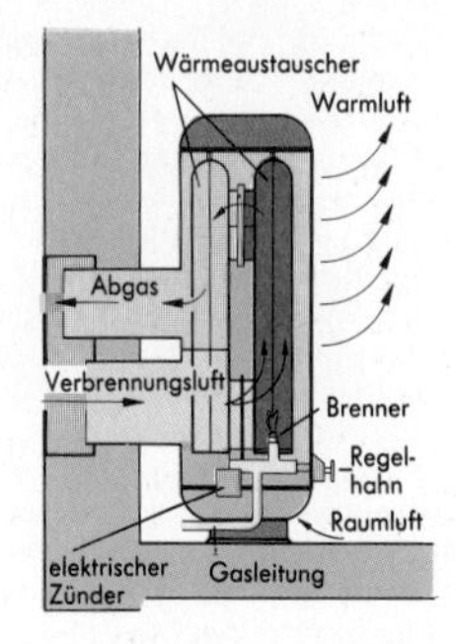

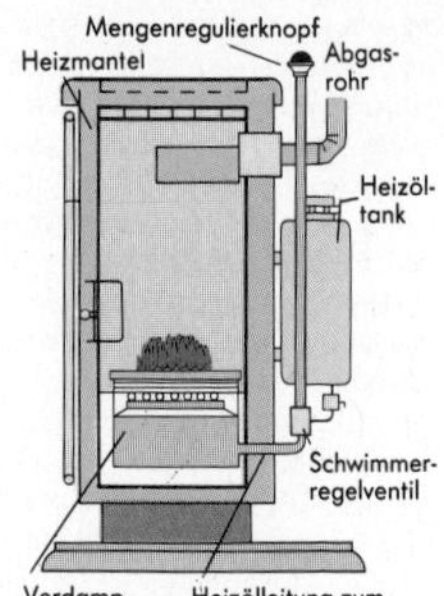

Heizung. Von links: eiserner Durchbrandofen; Gasofen mit Außenluftzufuhr und Wärmeaustauschern; Ölofen mit Verdampfungsbrenner

Hekabe (lat. Hecuba), Gestalt der griech. Mythologie. Gemahlin des Königs Priamos von Troja, Mutter u. a. von Paris, Hektor, Polydoros, Polyxene und Kassandra.

Hekataios von Abdera, griech. Schriftsteller um 300 v. Chr. – Sein Werk „Über die Ägypter" – nur durch Auszüge Diodors bekannt – stellt den Ptolemäerstaat als Idealstaat dar; in dem utop. Roman „Über die Hyperboreer" wird ein fiktiver Staat geschildert.

Hekataios von Milet, * um 560, † um 480, griech. Geograph und Historiograph. – Schüler Anaximanders, bereiste und beschrieb große Teile der bekannten Welt. In vier Büchern „Genealogien" versuchte er, Mythisches in ein chronolog. System zu bringen.

Hekate, griech. Göttin der Zauberei und des Spukwesens; urspr. wohl eine mächtige kleinasiat. Muttergottheit; oft in [verwandtschaftl.] Beziehung zu Artemis gesetzt.

hekato..., Hekato... [griech.], Bestimmungswort von Zusammensetzungen mit der Bed. „hundert", z. B. Hekatombe.

Hekatombe [griech., zu hekatón „hundert" und boũs „Rind"], urspr. das Opfer von 100 Tieren, dann jedes große Opfer, später auch Bez. für große Menschenverluste.

Hekatoncheiren, in der griech. Mythologie erdgeborene Riesen mit hundert Armen und fünfzig Köpfen; unterstützen Zeus im Kampf gegen Kronos und die Titanen.

Hekla, Vulkan im südl. Island, 1491 m hoch.

Hektar [frz.], Einheitenzeichen ha, Flächeneinheit; 1 ha = 100 a = 10 000 m².

hektisch [zu griech. hektikós „eine Eigenschaft habend", „geübt"], fieberhaft, aufgeregt, von krankhafter Betriebsamkeit.

hekto..., Hekto... [griech.-frz.], Vorsatz bzw. Bestimmungswort von Zusammensetzungen mit der Bed. hundert[fach]; Vorsatzzeichen h.

Hektographie, veraltetes Vervielfältigungsverfahren für Schriftstücke und Zeichnungen, bei dem eine Spezialdruckfarbe von einem Trägermedium übertragen wird. Von dieser Druckform lassen sich durch Feuchtung (z. B. mit Alkohol) Abdrucke herstellen.

Hektoliter, Einheitenzeichen hl, eine Volumeneinheit (Hohlmaß); 1 hl = 100 l.

Hektopascal, Einheitenzeichen hPa, das 100fache der Druckeinheit ↑ Pascal; 1 hPa entspricht 1 mbar.

Hektor, Gestalt der griech. Mythologie; ältester Sohn des Königs Priamos von Troja und der Hekabe, Bruder des Paris, Gemahl der Andromache, Vater des Astyanax. Im Trojan. Krieg ist H. Führer und tapferster Held der Trojaner, den selbst Achilleus achtet, und Liebling des Apollon. Tötet Patroklos, wofür er von Achilleus erschlagen und um das Grab des Patroklos geschleift wird.

Hel [altnord.] (Niflheim, Niflhel), in der german. Mythologie eines der Totenreiche, das unter den Wurzeln der Weltesche Yggdrasil gelegen ist. Personifiziert ist H. Göttin des Totenreiches.

Hela, Halbinsel, 34 km lange Nehrung (Landschaftsschutzgebiet) an der Ostseeküste Polens, trennt das **Putziger Wiek,** einen Teil der Danziger Bucht, von der Ostsee.

Helbling, Münzbez., ↑ Hälbling.

Held, Al, * New York 12. Okt. 1928, amerikan. Maler. – Wichtiger Vertreter der Farbfeldmalerei in den USA. Große Kompositionen mit dynam. Bildarchitekturen zw. räuml. Illusion und linearer Abstraktion.

H., Heinrich, * Erbach (Rheingau) 6. Juni 1868, † Regensburg 4. Aug. 1938, bayr. Politiker. – 1918 Mitbegr. der Bayer. Volkspartei (BVP); 1924–33 bayr. Min.präs.; vertrat einen entschiedenen Föderalismus, namentlich auch während der Ära Brüning; schloß 1925 ein Konkordat; auch publizistisch tätig.

H., Kurt, eigtl. K. Kläber, * Jena 4. Nov. 1897, † Sorengo (Tessin) 9. Dez. 1959, dt. Schriftsteller. – Setzte sich in seinem Frühwerk (Lyrik, Novellen, Romane) mit der Verelendung des Proletariats auseinander. Seit 1924 ⚭ mit L. Tetzner; 1928 Gründungsmgl. des Bundes proletar.-revolutionärer Schriftsteller. Emigrierte 1933 in die Schweiz. Bes. Beachtung fanden seine Jugendbücher, u. a. „Die rote Zora und ihre Bande" (1941).

H., Louis, * Berlin 1. Dez. 1851, † Weimar 17. April 1927, dt. Photograph. – Bahnbrechend auf dem Gebiet der Bildberichterstattung.

H., Martin, * Berlin 11. Nov. 1908, † Berlin 31. Jan. 1992, dt. Schauspieler. – Hatte in Berlin mit der Darstellung des Wehrhahn in G. Hauptmanns „Biberpelz" 1951 seinen ersten bed. Erfolg; distanziert-iron. Spielweise und große komödiant. Begabung; Filmrollen u. a. in „Rosen für den Staatsanwalt" (1959), „Die Ehe des Herrn Mississippi" (1961).

Held, urspr. der sich durch Tapferkeit und Kampfgewandtheit auszeichnende Mann, insbes. in den german. Sagen der berühmte Krieger edler Abkunft. Allgemein dann eine Person, die den Mittelpunkt einer Begebenheit oder Handlung bildet (z. B. die Hauptperson in Drama, Film und Roman) oder durch vorbildl., selbstloses Handeln Anerkennung und Bewunderung hervorruft († Heros); auch untergliedertes Rollenfach im Theater.

Heldbock (Großer Eichenbock, Spießbock, Riesenbock, Cerambyx cerdo), mit 3–5 cm Länge größter Bockkäfer in Europa und W-Asien; Körper und Flügeldecken schwarzbraun mit gerunzeltem, seitlich bedorntem Halsschild und überkörperlangen Fühlern. Die Larven werden v. a. in Eichen schädlich.

Held der Arbeit, Ehrentitel, 1950 gestiftete staatl. Auszeichnung in der DDR.

Heldenbuch, handschriftliche oder gedruckte Sammlungen von Heldendichtungen des 15. und 16. Jh., die oft späte Fassungen der mittelhochdt. Heldenepen in der Form des Volksbuchs überliefern.

Heldenepos, die Bez. H. ist in Unterscheidung zum höf. Epos oder der † Spielmannsdichtung oder auch dem Kunstepos (Ariosto, Tasso, Klopstock) ein Synonym für das Epos in strengem Sinn, das histor. Geschehen und z. T. auch myth. Überlieferung reflektiert und sich um Heldengestalten kristallisiert. Alle frühen Epen sind Heldenepen: „Gilgamesch-Epos", „Mahabharata", „Ramajana" sowie „Ilias" und „Odyssee", vorbildlich für zahlr. hellenist. und röm. E., ma. geistl. Epen und z. T. die Episierungen german. Heldenlieder („Waltharius", „Beowulf"). Bes. sind die Heldenepen des MA zu nennen, die frz. Chansons de geste und das mittelhochdt. „Nibelungenlied". – † Epos.

Heldenlied, gegenüber dem literar. † Heldenepos stellt das H. die ältere Form der Heldendichtung dar und ist eigentl. mündl. Dichtung. Das H. konzentriert sich auf die Höhepunkte der Handlung und hat episch-dramat. Charakter. Die Personenzahl ist reduziert. Der Text liegt nicht unbedingt fest und zeigt ein schlichtes Metrum. – Von diesen internat. nachweisbaren „rhapsod." H. unterscheiden sich die aus dem frühen und hohen MA erhaltenen Denkmäler german. H.dichtung („Hildebrandslied", „Finnsburglied" und die H. der altnord. Literatur [„Edda"]). Die metr. Form ist der Stabreimvers. Ein großer Teil der Eddalieder wird der **Heldenballade** zugerechnet, die v. a. in der ma. dän. Volksdichtung bezeugt ist, eine stark lyr. Gattung (z. B. Klagelieder).

Heldensage, v. a. in Heldenlied und Epos fixierte Sage. Die H.überlieferung der einzelnen Völker ordnet sich meist zyklisch zu Sagenkreisen, in deren Mittelpunkt jeweils ein überragender Held oder göttl. Heros bzw. ein ganzes Geschlecht steht, z. B. Gilgamesch, Rama, Herakles, Theseus, die Argonauten, die Labdakiden (Ödipus), die Atriden, Achilleus, Odysseus, Äneas, Siegfried und die Nibelungen, Dietrich von Bern (Theoderich), König Artus, Karl d. Gr., der Cid u. a. Der H. stehen die isländ. Sögur († Saga) nahe.

Helder, Den, niederl. Hafenstadt am Marsdiep, 62 100 E. Größter Marinehafen des Landes, Werftind., Fischereihafen; Marinemuseum; ⚓. – D. H. entstand um 1500 auf der Insel Huisduinnen und wurde mehrfach weiter landeinwärts verlegt.

Heldt, Werner, * Berlin 17. Nov. 1904, † Sant'Angelo auf Ischia 3. Okt. 1954, dt. Maler und Zeichner. – Sein Hauptthema ist die Berliner Stadtlandschaft.

Helena, Gestalt der griech. Mythologie (die schöne H.); entstammt einer Verbindung von Zeus mit Leda, Frau des myken. Prinzen

Heizung. Warmwasserheizung als Pumpenheizung (Zweirohrsystem)

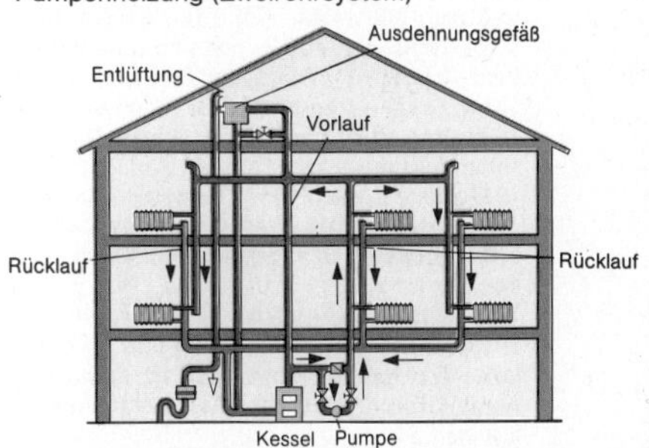

Menelaos. Ihre Entführung löst den Trojan. Krieg aus (↑Troja). H. war urspr. eine (wohl minoische) Vegetationsgöttin.

Helena (Flavia Julia H.), hl., * Drepanon (Bithynien) um 250, † Rom oder Nikomedia (= İzmit) wohl 329, Mutter Konstantins I., d. Gr. - War etwa 270-85 Konkubine Konstantius' I., durch ihren Sohn Konstantin 325 zur Augusta erhoben; seit 312 Christin; die Legende schreibt ihr die Auffindung des Hl. Kreuzes zu.

Helena [engl. 'hɛlɪnə], Hauptstadt des B.-Staats Montana, USA, im O der Rocky Mountains, 1270 m ü. d. M., 24300 E. Sitz eines kath. und eines anglikan. Bischofs; College; Nahrungsmittelind., Erzaufbereitung. - 1889 Hauptstadt des Bundesstaates. - Klassizist. State Capitol (1899-1911), neugot. Kathedrale (1908-24).

Helenenkraut ↑Alant.

Helfferich, Karl, * Neustadt an der Weinstraße 22. Juli 1872, † Bellinzona 23. April 1924 (Eisenbahnunglück), dt. Politiker. - 1908-15 Vorstandsmgl. der Dt. Bank, seit 1910 Mgl. des Zentralausschusses der Reichsbank; als Staatssekretär des Reichsschatzamtes Leiter der Reichsfinanzpolitik seit 1915; 1916/17 Vizekanzler und Leiter des Reichsamts des Innern; Juli/Aug. 1918 dt. diplomat. Vertreter in Moskau; seit 1920 im Reichstag einer der Führer der DNVP (Finanzexperte und Agitator gegen die „Erfüllungspolitik" der Weimarer Koalition); erzwang 1920 den Rücktritt von M. Erzberger; die Schaffung der Rentenmark ging u. a. auf seine Vorschläge zurück.

Helfta, Stadtteil von Eisleben, Sa.-Anh., ehem. Zisterzienserinnenkloster (seit 1258), im 13. Jh. ein Zentrum der dt. Frauenmystik.

Helgoland, Insel in der Dt. Bucht (Nordsee), 65 km nw. von Cuxhaven, zu Schl.-H., 2,09 km², 1800 E. Zollfreigebiet; Seebad. Besteht aus einem Buntsandsteinsockel mit steiler Kliffküste, bis 61 m ü. d. M., und der 1,5 km entfernten Düne. Hummerfischerei; Vogelwarte, Meeresbiolog. Anstalt, Wetterstation, Hafen. - Seit 1402 beim Hzgt. Schleswig und seit 1490 beim Gottorfer Anteil; 1714 von Dänemark, 1807 jedoch von Großbritannien besetzt (vertragsgemäß britisch seit 1814). 1826 Gründung des Seebades. Seit 1890 dt. und zum stark befestigten Marinestützpunkt ausgebaut (militär. Anlagen nach 1919 zerstört, nach 1933 erneuert). Am 18. 4. 1945 stark zerstört. 1945-52 Übungsziel der brit. Luftwaffe, danach bis 1960 Wiederaufbau.

Helgoland-Sansibar-Vertrag, am 1. Juli 1890 zw. dem Dt. Reich und Großbritannien abgeschlossener Vertrag, durch den Kolonialstreitigkeiten beider Staaten in O- und SW-Afrika sowie Togo bereinigt wurden. Deutschland erhielt einen Zugang zum Sambesi (sog. Caprivizipfel) und (für die Anerkennung der brit. Kolonialherrschaft über Sansibar) Helgoland, das durch Reichsgesetz (1890) preußisch wurde.

Heliaden ↑Phaethon.

heliakisch [griech.], auf die Sonne bezüglich.

Heliand, anonym überliefertes altsächs. Epos, wohl um 830 entstanden. Stellt in fast 6000 Stabreimversen die Lebensgeschichte Christi (altsächs. H. für Heiland) dar nach dem Vorbild der „Evangelienharmonie" des Syrers Tatian.

Helianthemum [griech.], svw. ↑Sonnenröschen.

Helianthin [griech.], svw. ↑Methylorange.

Helianthus [griech.], svw. ↑Sonnenblume.

Helichrysum [griech.], svw. ↑Strohblume.

Heliconia [griech.-lat.], Gatt. der Bananengewächse mit rd. 150 Arten im trop. Amerika; mehrjährige Kräuter mit einem aus Blattscheiden gebildeten Scheinstamm.

Helikon, Kalkgebirge (mehrere Ketten) in Griechenland, zw. dem Golf von Korinth und der Kopais, 1748 m hoch. In der Mythologie Sitz der Musen.

Helikon [griech.], Blechblasinstrument; eine Baß- oder Kontrabaßtuba (↑Tuba) in kreisrund gewundener Form, wird beim Spiel über die Schulter gehängt; v. a. in der Militärmusik verwendet. - ↑Sousaphon.

Helikopter [frz.-engl., zu griech. hélix „Windung" und pterón „Flügel"], svw. ↑Hubschrauber.

helio..., Helio... [griech.], Bestimmungswort von Zusammensetzungen mit der Bed. „Sonne".

Heliodor, † nach 175 v. Chr., Jugendfreund und (seit 187) Staatskanzler Seleukos' IV. - Erhob persönlich in Jerusalem Kontributionen, was jüd. Animosität gegen die seleukid. Dyn. erregte. Sein Angriff auf den Tempelschatz (2. Makk. 3) ist historisch nicht erwiesen. Ermordete 175 Seleukos IV.; wurde von Antiochos IV. vertrieben.

Heliodor von Emesa, griech. Schriftsteller des 3. Jh. n. Chr. - Schrieb den vielgelesenen Roman „Aithiopiká" (Äthiop. Geschichten; 10 Bücher), einen kunstvoll gebauten Liebes- und Abenteuerroman, der von einer neuen, schlichten Frömmigkeit erfüllt ist.

Heliodor [zu griech. hḗlios „Sonne" und dō̃ron „Geschenk"] ↑Beryll.

Heliogabalus ↑Elagabal.

Heliographie, in der Drucktechnik Bez. für verschiedene ältere Lichtpaus- und Kopierverfahren.

Heliogravüre (Photogravüre) ↑Drucken.

Heliolites [griech.], Gattung fossiler Korallen; vom oberen Silur bis zum Mitteldevon weltweit verbreitet; bildeten massive, etwa halbkugelförmige Kolonien.

Heliopolis, altägypt. Stadt, im NO des heutigen Kairo. - Die antike Stadt **Heliupolis** (im A.T. **On**) lag 4 km nw. vom heutigen H.; im Altertum bed. religiöses Zentrum Ägyptens mit berühmtem Sonnenheiligtum.

H. ↑Baalbek.

Helios, griech. Sonnengott. Sohn der Titanen Hyperion (mitunter selbst ein Beiname des H.) und Theia, Bruder von Selene und Eos, Gemahl der Perse, in einigen Überlieferungen auch seiner Schwester. H. galt auch als Gott der Wahrheit und als Hüter und Garant der Ordnung.

Helios [griech.], Bez. für ein dt.-amerikan. Raumfahrtprojekt zur Erforschung der Sonne; H. A wurde am 10. Dez. 1974, H. B am 15. Jan. 1976 gestartet.

Heliostat [griech.] ↑Zölostat.

Heliotechnik [griech.], Wissenschaftsgebiet, das sich mit der Energieumformung aus Sonnenstrahlung befaßt.

Heliotherapie, Anwendung des Sonnenlichts, bes. seiner Ultraviolettstrahlung, zur Behandlung von Krankheiten.

Heliotrop [zu griech. hélios „Sonne" und trépein „wenden"] (Sonnenwende, Heliotropium), Gatt. der Rauhblattgewächse mit mehr als 250 Arten in den Tropen und Subtropen sowie in den wärmeren gemäßigten Gebieten; Kräuter oder Halbsträucher mit kleinen, achselständigen oder in Wickeln stehenden Blüten. Verschiedene mehrjährige Arten sind beliebte Topf- und Gartenpflanzen.

Heliotrop [griech.] ↑Jaspis.

Heliotropismus ↑Tropismus.

heliozentrisch, auf die Sonne als Mittelpunkt bzw. auf den Mittelpunkt der Sonne bezogen, z. B. das **heliozentrische System** des ↑Kopernikus, bei dem die Sonne das Zentrum des Planetensystems bildet.

Helium [zu griech. hélios „Sonne" (wegen der zuerst im Sonnenspektrum entdeckten Spektrallinien)], chem. Symbol He; gasförmiges Element aus der Gruppe der Edelgase des Periodensystems der chem. Elemente. Ordnungszahl 2; relative Atommasse 4,00260. Das farblose, einatomige Edelgas hat eine Dichte von 0,1785 g/l, Schmelzpunkt (bei 2,5 MPa) −272,2 °C; Siedepunkt −268,934 °C. H. ist die einzige bekannte Substanz, die keinen ↑Tripelpunkt besitzt und am absoluten Nullpunkt flüssig bleibt; sie wird aber fest (gefriert) unter äußerem Druck. Natürl. Isotope sind He 3 und He 4, die bei 3,2 K bzw. 4,2 K flüssig werden. Das flüssige He 4 tritt in zwei Modifikationen auf: oberhalb von 2,184 K in Form des *Helium I* und unterhalb dieses Umwandlungspunktes in Form der Tieftemperaturmodifikation *Helium II* (suprafiüssiges H.), die die Eigenschaft der ↑Suprafluidität besitzt. Chemisch ist H. außerordentlich reaktionsträge und bildet unter normalen Bedingungen keine Verbindungen. H. ist innerhalb der Erdatmosphäre und der Erdkruste ein außerordentlich seltenes Element, im Weltall aber nach Wasserstoff das zweithäufigste.

Heliummethode, Methode zur Altersbestimmung von Gesteinen: Vergleich des Gehalts an Uran oder Thorium mit der Menge an eingeschlossenem Helium, das durch radioaktiven Zerfall daraus hervorgegangen ist.

Helix [griech. „Windung, Spirale"], Gatt. großer, auf dem Lande lebender Lungenschnecken, darunter die ↑Weinbergschnecke. ◆ in der *Anatomie* Bez. für den äußeren, umgebogenen Rand der menschl. Ohrmuschel.

Helixstruktur, wendelförmige Anordnung der Bausteine von Makromolekülen, die durch Bindungskräfte (z. B. Wasserstoffbrückenbindungen) zw. benachbarten Windungen stabilisiert ist. Sie tritt u. a. bei den Polynukleotidketten der Nukleinsäuren und den Polypeptidketten der Proteine auf sowie als Doppelhelix bei der DNS.

Helizität [griech.], innere Eigenschaft von Elementarteilchen der Ruhmasse Null (Photonen, Neutrinos); die H. ist $+s$ bzw. $-s$, wenn die Projektion des Spinvektors (vom Betrag s) auf die Bewegungsrichtung des Teilchens dieser gleich- bzw. entgegengerichtet ist.

helkogen [griech.], aus einem Geschwür entstanden; z. B. Magenkrebs.

helladische Kultur [griech./dt.], Frühkultur des griech. Festlandes. *1. Frühhellad. K.* (etwa 2500–1900): kupferzeitliche Kultur, handgemalte Keramik, mattglänzend, schwarzbraun überzogen, später rot bis gelbweiß. *2. Mittelhellad. K.* (etwa 1900–1570): unbemalte „grau-minyische" (nach dem sagenhaften Volk der Minyer) Keramik und eine mit geometr. Streifen und schraffierten Feldern mattbemalte Gattung. Unter zunehmendem minoischen Einfluß entwickelte sich *3.* die *späthellad. K.*, die ↑mykenische Kultur. – ↑ägäische Kultur.

Hellanodiken [griech.], Kampfrichter bei den antiken Olymp. und Nemeischen Spielen.

Hellas, antike Bez. für das festländ. Griechenland; die Bewohner hießen **Hellenen.**

Hellbrunn, Barockschloß mit Park und berühmten Wasserspielen (seit 1921 zu Salzburg). Für Erzbischof Markus Sittikus von Hohenems 1613–19 von S. Solari errichtet.

Helldorf, Wolf [Heinrich] Graf von, * Merseburg 14. Okt. 1896, † Berlin 15. Aug.

1944 (hingerichtet), dt. Politiker. – Mgl. der NSDAP; seit 1925 MdL in Preußen; 1935–44 Polizeipräs. von Berlin; seit 1938 in umstrittenen Beziehungen zur Widerstandsbewegung um Goerdeler, sollte am 20. Juli 1944 in Berlin die Verhaftung der NS-Machthaber leiten.

Helldunkelmalerei (italien. Chiaroscuro; frz. Clair-obscur), in der Malerei seit dem 16. Jh. im Zusammenhang mit der Entwicklung des Beleuchtungslichtes ausgebildete Gestaltungsweise. Diente Caravaggio zur stärkeren Durchbildung der plast. Form und Klärung der räuml. Verhältnisse, später deren Verunklärung im Interesse einer maler. oder stimmungshaften Vereinheitlichung der Bildwirkung (v. a. Rembrandt).

Helle ↑ Phrixos.

Hellebarde [zu mittelhochdt. helm „Stiel (der Axt)" und barte „Beil"], ma. Stoß- und Hiebwaffe (Hauptwaffe des Fußvolks), bei der sich an einem 2–2,5 m langen Schaft eine etwa 30 cm lange Stoßklinge (Spitze) und ein häufig halbmondförmiges Beil sowie eine oder mehrere Eisenzacken befinden; seit Mitte 15. Jh. von der Pike verdrängt.

Hellebarden in verschiedenen Formen (15.–17. Jh.)

Hellempfindlichkeitsgrad, relatives Maß für den mit helladaptiertem Auge wahrgenommenen Helligkeitseindruck; in Abhängigkeit von der Wellenlänge ergibt sich eine glockenähnl. Kurve mit dem Maximum bei 555 nm; außerhalb des sichtbaren Spektralbereiches ist der H. gleich Null.

Hellenen ↑ Hellas.

Helleniden, südl. Fortsetzung der ↑ Dinariden in Griechenland.

Hellenisierung [griech.], Bez. für den Prozeß der Verbreitung und Annahme griech. Kultur.

Hellenismus [griech.], Begriff zur histor. Einordnung des Zeitraumes zw. Alexander d. Gr. und der röm. Kaiserzeit, eingebürgert durch J. G. Droysen. Weder sachlich noch zeitlich genau zu umreißen, umfaßt H. Phänomen und Epoche der Ausbreitung griech. Kultur über die seit 326 sich bis zum Indus erstreckende hellenist. Staatenwelt wie nach W. Die Hellenisierung bewirkte das Entstehen einer einheitl. Kultur und führte zu gewaltigen Kulturleistungen; Griechisch wurde Weltsprache. – In der Spätantike bedeutete H. das Selbstverständnis des Heidentums gegen christl. Religiosität. – ↑ griechische Geschichte, ↑ griechische Kunst, ↑ griechische Literatur, ↑ griechische Philosophie.

📖 *Gehrke, H. J.: Gesch. des H. Mchn. 1990. – Grant, M.: Von Alexander bis Kleopatra: Die hellenist. Welt. Dt. Übers. Bergisch Gladbach 1986.*

hellenistische Staaten, die griech. Staaten im Zeitalter des Hellenismus; entstanden aus dem 323 v. Chr. unvollendet von Alexander d. Gr. zurückgelassenen Reich als Herrschaft einer griech. Minderheit: Ptolemäer in Ägypten 323–30; Seleukiden in Persien (bis ins 2. Jh. v. Chr.), Syrien, Teilen Kleinasiens 312–63; Antigoniden erst im Osten, etwa 276–168 in Makedonien; Pergamon 261–133; das gräkobaktr. Reich (↑ Baktrien) mit Blüte um 250–140; dazu die syrakusan. Großmacht auf Sizilien Anfang des 3. Jh. Dabei folgte auf die Kämpfe der Diadochen das Zeitalter der Epigonen mit weitgehend konsolidiertem Staatengefüge. Die absolute Herrschaft der Könige erklärte sich aus dem Verhältnis zum eroberten Machtbereich und zugleich als Anpassung an vorgefundene Verhältnisse. Hatte bereits im 3. Jh. und dann im 2. Jh. das Seleukidenreich die Bildung mehr oder weniger unabhängiger Staaten (3. Jh.: Pergamon, Bithynien, Pontus, Kappadokien, Baktrien, Parthien; 2. Jh.: Makkabäerstaat) hinnehmen müssen, so bewirkte das Eingreifen Roms – neben dem Nachlassen griech. Bev.nachschubs aus der Heimat und deutl. Dekadenzsymptomen innerhalb der Dyn. – seit dem 2. Pun. Krieg den schnellen Zusammenbruch des Gefüges der h. S. Nach der Unterwerfung Makedoniens (endgültig 149) und des Seleukidenreiches 63 hielt sich Ägypten bis 30 v. Chr. Die östl. Gebiete (Persien, Mesopotamien) gelangten seit dem 2. Jh. v. Chr. in den parth. Machtbereich.

Heller, André ['– –], * Wien 22. März 1946, östr. Literat und Aktionskünstler. –

Maliziös-eleg. Texter und Liedermacher; Regisseur künstler. Veranstaltungen („Zirkus Roncalli", 1976; Großfeuerwerke; Show „Body & Soul", Varieté „Flic-Flac"); schrieb „Schattentaucher" (R., 1987).

H., Hermann ['--], * Teschen 17. Juli 1891, † Madrid 5. Nov. 1933, dt. Staatsrechtswissenschaftler. – 1928 Prof. in Berlin, 1932 in Frankfurt am Main, 1933 Emigration nach Spanien. Gilt als erster Theoretiker des „sozialen Rechtsstaats".

H., Joseph [engl. 'hɛlə], * New York 1. Mai 1923, amerikan. Schriftsteller. – Sein Roman „Catch 22" (1961; dt. u. d. T. „Der IKS-Haken") ist eine Entlarvung der Sinnlosigkeit des Krieges. – *Weitere Werke:* Was geschah mit Slocum? (R., 1974), Überhaupt nicht komisch (R., 1985), Picture this (R., 1988).

Heller (Haller, Häller), urspr. der Pfennig von Schwäbisch Hall; ein Silberpfennig, erstmals 1200 erwähnt, seit dem 13. Jh. weit verbreitete Handelsmünze; seit dem 17. Jh. eine Kupfermünze. Im allg. setzte sich der H. als Halbpfennig durch. Im 19. Jh. waren süddt. H. meist $^1/_8$ Kreuzer (in der Schweiz bis 1850) = $^1/_{480}$ Gulden, mitteldt. H. = $^1/_{24}$ Groschen = $^1/_{720}$ Taler; nur um Frankfurt am Main waren H. und Pfennig gleichbedeutend. – In Österreich-Ungarn wurde der H. 1892 neu belebt als $^1/_{100}$ Krone; als **Haléř** (tschech.) bzw. **Halier** (slowak.) noch in der ČSFR (= $^1/_{100}$ Krone), als **Fillér** noch in Ungarn (= $^1/_{100}$ Forint) üblich.

Heller ↑ Groden.

Hellerau, 1909 als ↑ Gartenstadt gegründet, seit 1950 Ortsteil Dresdens; wegweisender Bebauungsplan von R. ↑ Riemerschmid.

Hellespont ↑ Dardanellen.

Helligkeit, in der *Astronomie* ein Maß für die Strahlung eines Himmelskörpers, insbes. eines Sterns. Die **scheinbare Helligkeit** (Formelzeichen *m*) ist ein logarithm. Maß für die auf der Erde beobachtete Intensität. Einheit ist die *Größe* oder *Größenklasse* (Einheitenzeichen ^{m} bzw. m). Die scheinbare H. wächst um 2,5 Größenklassen, wenn die Intensität des Sternlichts auf den zehnten Teil sinkt. Eine ähnl. Klassifikation wurde bereits im Altertum nach den mit bloßem Auge unterscheidbaren H. vorgenommen, dabei wurden die hellsten Sterne als von 1. Größe, die schwächsten als von 6. Größe bezeichnet. Die **absolute Helligkeit** (Formelzeichen *M*), ein Maß für die Leuchtkraft eines Sterns, ist die scheinbare H., die ein Stern in einer Normentfernung von 10 Parsec hätte. Alle H.angaben sind vom verwendeten Empfänger abhängig. Dementsprechend sind z. B. visuelle und photograph. H. zu unterscheiden. Die über das gesamte Spektrum erfaßte Gesamt-H. heißt **bolometrische Helligkeit.**
◆ ↑ Farblehre.

Helligkeitsregler (Dimmer), mit Triacs ausgerüstete elektron. Schaltung zur stufenlosen Steuerung der Helligkeit von Glüh- und Leuchtstofflampen. Ihre Wirkungsweise beruht auf der ↑ Phasenanschnittsteuerung.

Helligkeitssehen ↑ Auge.

Helling [niederdt., zu heldinge „Schräge, Abhang"], Bauplatz für Schiffsneubauten, der zum Wasser hin geneigt ist, um einen Stapellauf zu ermöglichen. – ↑ Baudock, ↑ Dock.

Hellmesberger, östr. Musikerfamilie:

H., Georg, * Wien 24. April 1800, † Neuwaldegg (= Wien) 16. Aug. 1873, Violinist und Dirigent. – 1830–67 Dirigent der Hofoper in Wien und Prof. am Konservatorium; schrieb zwei Violinkonzerte und Kammermusik.

H., Joseph, * Wien 3. Nov. 1828, † ebd. 24. Okt. 1893, Violinist und Dirigent. – Sohn und Schüler von Georg H.; wurde 1851 Direktor der Gesellschaft der Musikfreunde, seit 1877 Hofkapellmeister in Wien. Leiter eines bed. Streichquartetts.

H., Joseph, * Wien 9. April 1855, † ebd. 26. April 1907, Violinist und Dirigent. – Sohn und Schüler von Joseph H.; seit 1890 1. Hofkapellmeister in Wien, 1904/05 Hofkapellmeister in Stuttgart; komponierte Operetten, Ballette, Tanzmusik und Lieder.

Hellpach, Willy, * Oels (Niederschlesien) 26. Febr. 1877, † Heidelberg 6. Juli 1955, dt. Mediziner und Psychologe. – 1911 Prof. in Karlsruhe, 1922–24 bad. Kultusmin., 1924/25 bad. Staatspräsident, anschließend Prof. in Heidelberg, 1928–30 MdR (DDP); seit 1945 wieder Prof. in Karlsruhe. H. schrieb bed. Beiträge zur medizin. Psychologie sowie zur Völker-, Sozial-, Kultur- und Religionspsychologie. Er befaßte sich insbes. mit den Auswirkungen der landschaftl. und klimat. Umwelt auf die psych. Verfassung der Menschen („Geopsyche", 1911).

Hellroter Ara (Gelbflügelara, Arakanga, Makao, Ara macao), bis 90 cm großer Papagei (Gruppe Aras) in M- und S-Amerika; ♀ und ♂ rot, mit blauen Schwungfedern, blauem Bürzel und z. T. gelben Flügeldeckfedern.

Hell-Schreiber [nach dem dt. Ingenieur R. Hell, * 1901], Drucktelegraph, der jedes Schriftzeichen in einen Raster von sieben Zeilen und sieben Spalten zerlegt und spaltenweise überträgt.

Hellsehen, Fähigkeit, Dinge oder Vorgänge zu erkennen, die der normalen Wahrnehmung nicht zugänglich sind, z. B. weit entfernt ablaufende, vergangene oder zukünftige Ereignisse. – ↑ außersinnliche Wahrnehmungen.

Hellweg [eigtl. „Weg zur Hölle, Heerweg"], Bez. für große Durchgangsstraßen, heute v. a. Bez. für den H. im S der Westfäl. Bucht, eine wichtige Salzhandelsstraße dank delsstraße dank zahlr. Solquellen; Teilstück des ma. Fernhandelswegs von Flandern und dem Niederrhein nach O-Europa.

Hẹllwege, Heinrich, * Neuenkirchen (Kreis Stade) 18. Aug. 1908, † ebd. 4. Okt. 1991, dt. Politiker. – Nach 1933 Mgl. der Bekennenden Kirche; 1945 Mitbegr., 1947 Vors. der Niedersächs. Landespartei, die er zur Dt. Partei erweiterte und bis 1961 leitete; 1949–55 MdB und Bundesmin. für Angelegenheiten des Bundesrates und der Länder; 1955–59 Min.präs. von Nds.; 1961–79 Mgl. der CDU.

Hẹlm, Brigitte, eigtl. Gisela Eve Schittenhelm, * Berlin 17. März 1908, dt. Filmschauspielerin. – Spielte den Typ des Vamps u. a. in „Metropolis" (1926), „Alraune" (1927 und 1930), „Die Herrin von Atlantis" (1932), „Gold" (1934), „Savoy-Hotel 217" (1936).

Helm [eigtl. „der Verhüllende, Schützende"], haubenförmiger Kopfschutz; in den Kulturen des Alten Orients seit dem 3. Jt. v. Chr. nachweisbar; aus Stoff oder Leder gefertigt und gelegentlich mit Kupfer verstärkt; aus Metall (Gold, Kupfer, Bronze) in Europa seit der myken. Kultur belegt. Der griech. H. war aus Leder oder Bronze hergestellt (meist mit einem aus Roßhaar bestehenden H.busch), der röm. H. urspr. aus Leder, später aus Bronze oder Eisen. Im 6. Jh. kamen Spangen-H. auf, deren Metallgerüst mit Platten aus Horn, Leder oder Metall ausgefüllt war. Im 11. und 12. Jh. verbreitete sich der aus einem Stück geschmiedete normann. H. über ganz Europa. Bald nach 1300 kam für den Gesichtsschutz die Haube mit hochklappbarem Visier auf (Hundsgugel). Der kettenartige Nackenschutz wurde um 1400 von einem weit nach hinten heruntergezogenen und spitz endenden H. (Schallern) abgelöst. Im 15. Jh. wurde der vollkommen geschlossene, mit bes. Kinnteil versehene H. entwickelt, der auch den Hals vollständig schützte. Seit Mitte des 16. Jh. wurden leichtere H. beliebt (z. B. Sturmhaube). Preußen führte 1842 die Pickelhaube ein, einen Leder-H. mit Metallspitze und Beschlägen. Im 1. Weltkrieg führten Franzosen, Briten und Deutsche den Stahlhelm ein.
Für die *Heraldik* ist der H. neben dem Schild Träger herald. Kennzeichen und ein wichtiger, wenn auch weglaßbarer Teil des Wappens, oft mit der Helmzier (Helmkleinod, Zimier) versehen. – ↑ Wappenkunde.

Hẹlmand, längster Fluß Afghanistans, entspringt im Koh-i-Baba westl. von Kabul, mündet in den Endsee Hamun-i-Helmand, 1 130 km lang.

Helmbasilisk (Basiliscus basiliscus), rd. 30 cm langer, mit Schwanz etwa 80 cm messender Leguan (Gatt. Basilisken), v. a. auf Bäumen an den Urwaldflüssen und -seen von Panama bis NW-Kolumbien; Körper oberseits olivbraun mit dunklen Querstreifen; ♂♂ weisen einen knorpeligen, von einer Knochenleiste gestützten Helm am Hinterkopf auf.

Helmbohne (Faselbohne, Lablab, Dolichos lablab), 3–4 m hoch windender, ästiger Schmetterlingsblütler; wird in den Tropen und Subtropen in mehreren Kulturformen angebaut; Blüten in Trauben, violett, seltener weiß; Hülsenfrüchte bis 6 cm lang, glänzend, purpurviolett; Samen etwas abgeplattet, braun, heller punktiert. Die jungen Hülsen und die Samen werden als Gemüse gegessen.

Hẹlmer, Oskar, * Gáta (= Gattendorf/Burgenland) 16. Nov. 1887, † Wien 13. Febr. 1963, östr. Politiker (SPÖ). – 1921 Mgl. der Niederöstr. Landesregierung; 1923–34 und 1945–59 Mgl. des Parteivorstands; 1934–44 mehrfach inhaftiert; als Innenmin. 1945–59 verdient um die Heimführung der Kriegsgefangenen und bei der Hilfe für Flüchtlinge nach dem Ungar. Volksaufstand 1956.

Hẹlmholtz, Hermann [Ludwig Ferdinand] von (seit 1882), * Potsdam 31. Aug. 1821, † Charlottenburg (= Berlin) 8. Sept.

Helm. 1 korinthischer (7. Jh. v. Chr.), 2 römischer (1. Jh. n. Chr.), 3 alemannischer Helm (um 600)

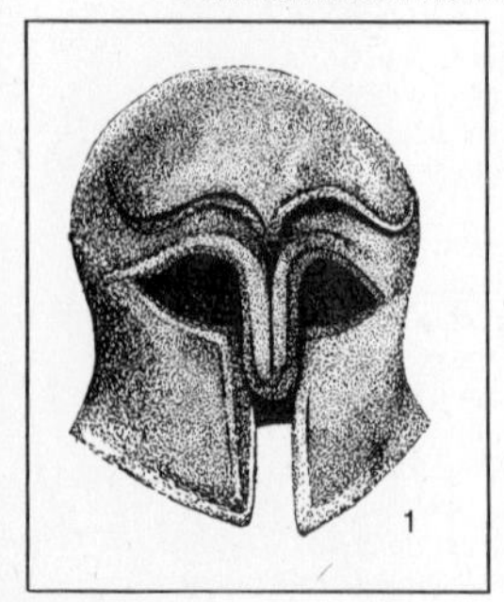

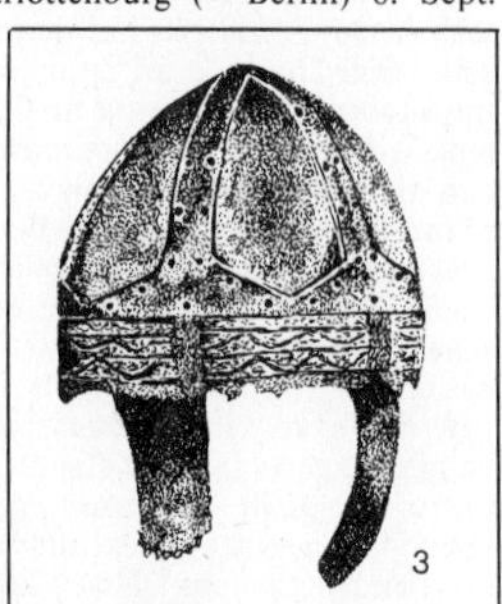

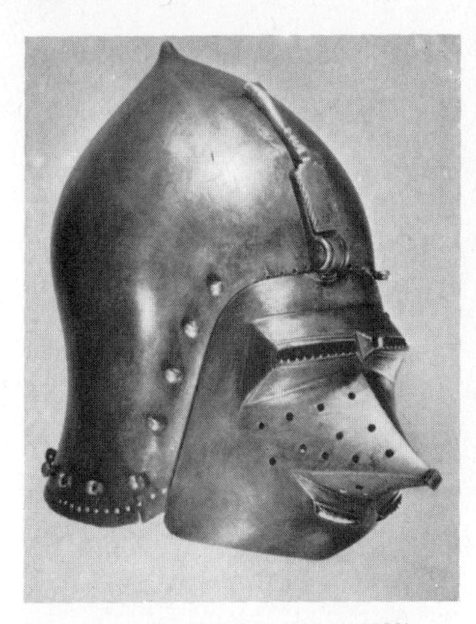

Helm. Deutsche Hundsgugel (um 1400)

1894, dt. Physiker und Physiologe. - Prof. für Physiologie in Königsberg (Pr), Bonn und Heidelberg; seit 1871 Prof. für Physik in Berlin. 1888 übernahm H. die Leitung der neugegründeten Physikal.-Techn. Reichsanstalt in Charlottenburg. H. maß 1850 erstmals die Fortpflanzungsgeschwindigkeit von Nervenerregungen. Er begründete die moderne musikal.-akust. Forschung. 1847 formulierte er unabhängig von J. R. Mayer und J. P. Joule exakt den Satz von der Erhaltung der Energie. H. behandelte die Hydrodynamik der Wirbelbewegungen, arbeitete zur Elektrodynamik, Thermodynamik und Meteorologie. Er erfand 1850/51 den Augenspiegel, forschte zur physiolog. Optik und entwickelte die Dreifarbentheorie des Sehens von T. Young weiter. Unabhängig von E. Abbe gab er 1874 das Auflösungsvermögen des Mikroskops an. In erkenntnistheoret. Schriften befaßte er sich v. a. mit den philosoph. Konsequenzen naturwissenschaftl. Forschung und der nichteuklid. Geometrie.

Helmholtz-Spule [nach H. von Helmholtz], Spulenanordnung zur Erzeugung eines sehr homogenen, allseitig zugänglichen und variablen Magnetfeldes.

Helminthagoga [griech.], svw. ↑Wurmmittel.

Helminthen [griech.], svw. ↑Eingeweidewürmer.

Helminthiasen [griech.], svw. ↑Wurmkrankheiten.

Helmkasuar ↑Kasuare.

Helmkleinod ↑Wappenkunde.

Helmkraut (Scutellaria), Gatt. der Lippenblütler mit rd. 180 v. a. in den Tropen und den gemäßigten Zonen verbreiteten Arten; Kräuter oder Halbsträucher mit blauen, violetten, roten oder gelben Blüten. In Deutschland kommt v. a. das **Sumpfhelmkraut** (Scutellaria galericulata) vor; 10–50 cm hohe Staude mit einzelnstehenden blauvioletten Blüten.

Helmold von Bosau, * um 1120, † nach 1177, dt. Chronist. - Verfaßte eine umfangreiche „Slawenchronik" (1167–72), in der er die Christianisierung der Westslawen von Karl d. Gr. bis zu seiner Zeit schildert.

Helmont, Johan[nes] Baptist[a] van, * Brüssel 12. Jan. 1579, † Vilvoorde bei Brüssel 30. Dez. 1644, fläm. Arzt und Naturforscher. - Prägte den Begriff „Gas"; Anhänger Paracelsus' und Hauptvertreter der ↑Iatrochemie.

Helmstedt, Krst. 33 km osö. von Braunschweig, Nds., 139 m ü. d. M., 26 700 E. Ehem. Univ.-Bibliothek; Metall- und Holzverarbeitung, Textil- und Bauind., Förderung von Braunkohle, Stromerzeugung. - Bei der Benediktinerabtei Sankt Ludgeri entwickelte sich zu Anfang des 11. Jh. eine Marktansiedlung. Mitte des 12. Jh. Neuanlage mit dem heutigen Marktplatz als Mittelpunkt. 1247 wurde das Stadtrecht bestätigt; 1426–1518 Hansemitglied; 1576 gründete Herzog Julius von Braunschweig die Univ., die bis 1810 bestand. - Pfarrkirche (Ostbau 11. Jh. mit der fast ebenerdigen Felicitaskrypta), Doppelkapelle Sankt Johannes der Täufer und Sankt Petrus (um 1050), Kloster Marienburg (1176 gegr., jetzt ev. Damenstift) mit roman. Kirche (1256 geweiht) und reichem Paramentenschatz, frühgot. Pfarrkirche Sankt Stephan

Helm. Sturmhaube (Ende 16. Jh.)

Helsinki. Blick auf das Stadtzentrum mit der Domkirche, dem Senatsplatz und den darum gruppierten Regierungs- und Universitätsgebäuden

(1282–1300). Juleum (Aula- und Auditoriumsgebäude der chem. Univ., 1592–97, mit Treppenturm).

H., Landkr. in Niedersachsen.

Helmvogel ↑Nashornvögel.

Helmzier ↑Wappenkunde.

Heloise (Héloïse [frz. elɔ'i:z]), *Paris 1101, †Kloster Le Paraclet bei Nogent-sur-Seine 1164, Schülerin und Geliebte Abälards.

Helophyten [griech.], svw. ↑Sumpfpflanzen.

Heloten [griech.], die Staatssklaven Spartas, Nachkommen der von den Doriern unterworfenen achäischen Bev. Lakoniens und Messeniens; mußten die Landanteile der Spartiaten bestellen und dienten ihnen im Krieg als Kriegsknechte; versuchten in mehreren Aufständen (490, 464, 410, 369) vergeblich, sich zu befreien.

Hélou, Charles [frz. e'lu:] *Beirut 24. Sept. 1912, libanes. Politiker. – Maronit. Christ, Staatspräs. 1964–70.

Helsingborg [schwed. hɛlsıŋ'bɔrj] (früher Hälsingborg), schwed. Hafen- und Ind.-stadt an der engsten Stelle des Sunds, 107 500 E. Schiffbau, Zuckerraffinerien, Maschinenbau, Textil-, Gummi-, elektrotechn. Ind. Eisenbahn- und Autofähren nach Helsingør (Dänemark). – 1070 erstmals erwähnt; 1658 kam H. mit Schonen an Schweden. – Wahrzeichen der Stadt ist der 35 m hohe Turm einer ma. Burg (Kärnan).

Helsingfors, schwed. Name von ↑Helsinki.

Helsingør [dän. hɛlseŋ'ø:'r], dän. Ind.- und Hafenstadt in NO-Seeland, an der engsten Stelle des Sunds, 56 800 E. Luth. Bischofssitz, internat. Hochschule; techn. Museum; Werft, Maschinenbau, Textilind., Eisenbahn- und Autofähren nach Helsingborg (Schweden). – 1231 erstmals erwähnt. Der heutige Hafen wurde 1766 angelegt. – Bedeutendstes Bauwerk ist Schloß ↑Kronborg.

Helsinki (schwed. Helsingfors), Hauptstadt Finnlands und der Prov. Uusimaa. 490 000 E. Sitz von Reichstag und Reg. sowie zahlr. Verwaltungs- und Kulturinstitutionen, Nationalbibliothek, -archiv und -museum. Sitz eines ev.-luth., eines russ.-orth. und eines kath. Bischofs; Univ. (gegr. 1640 in Turku, 1828 nach H. verlegt), TU u. a. Hochschulen, Akad. der Wiss.; Kunstsammlungen, Freilichtmuseum; schwed. und finn. Theater, Oper, Konzerthaus, Olympiastadion. Bedeutendste Ind.stadt Finnlands, u. a. Werften, Elektro-, Papier-, chem., holzverarbeitende Ind., Maschinen- und Fahrzeugbau, Porzellanmanufaktur. Die Häfen können im Winter normalerweise offengehalten werden; U-Bahn; zwei ✈. – 1550 von Gustav I. Wasa oberhalb der Mündung des Vantaanjoki gegründet, 1640 ans Meer verlegt; wurde 1812 Hauptstadt des russ. Großfürstentums Finnland. – Am Senatsplatz liegen die klassizist. Domkirche (1830–52), das Alte Senatsgebäude (1818–22; jetzt Regierungssitz) und das Univ.gebäude (1828–32; 1944 verändert). Moderne Bauten sind u. a. der Hauptbahnhof (1910–14) von E. Saarinen, das Auditorium Maximum der TU (1962–64), das Konzert- und Kongreßhaus „Finlandia" von A. Aalto (1971).

Helst, Bartholomeus van der, *Haarlem 1613, □ Amsterdam 16. Dez. 1670, niederl. Maler. – Malte elegante Bildnisse und Gruppenbilder, Schützen- und Regentenstücke, die den Einfluß van Dycks zeigen.

Heluan, Stadt in Ägypten, ↑Hilwan.

Helvetia, lat. Name für die Schweiz.

Helvetier (lat. Helvetii), kelt. Stamm, der Anfang des 1. Jh. v. Chr. aus Süddeutschland in das Schweizer Mittelland einwanderte. Die H. versuchten 58 v. Chr. ihre Heimat mit dem Ziel Garonnemündung zu verlassen, wurden aber von Cäsar in der Schlacht bei Bibracte daran gehindert. 15 v. Chr. wurden sie in das röm. Reichsgebiet einbezogen.

Helvetische Konfession (Helvet. Bekenntnis), dt. Bez. für ↑Confessio Helvetica; Konfessionsbez. (v. a. in Österreich) für ref. Bekenntnis (Abk. H. B.).

Helvetische Republik, Staatsform der Schweiz 1798–1803 (amtl. Name bis 1815). Die staatl. Ordnung der **Helvetik** machte die Schweiz nach frz. Vorbild zu einem modernen Einheitsstaat mit Repräsentativverfassung.

Helvétius, Claude Adrien [frz. ɛlveˈsjys], * Paris 26. Jan. 1715, † ebd. 26. Dez. 1771, frz. Philosoph. – H. baute eine streng sensualistisch begründete prakt. Philosophie auf, in der er das Prinzip der Selbstliebe in den Mittelpunkt stellte. Es sei die Aufgabe des Staates, durch Gesetzgebung und Erziehung die Normen menschl. Handelns zu beeinflussen und so die drei Quellen menschl. Irrtümer, Leidenschaften, Unwissenheit und Sprachmißbrauch, versiegen zu lassen. Sein in Auseinandersetzung mit Locke entstandenes Hauptwerk „De l'esprit" (1758; dt. 1760 u. d. T. „Diskurs über den Geist des Menschen") wurde als staats- und religionsfeindlich verurteilt und öffentlich verbrannt.

Helwig, Werner, Pseud. Einar Halvid, * Berlin 14. Jan. 1905, † Thonex bei Genf 4. Febr. 1985, dt. Schriftsteller. – Sein Werk umfaßt u. a. Reisebücher und -romane, u. a. „Raubfischer in Hellas" (R., 1939, endgültige Fassung 1960) sowie „Im Dickicht des Pelion" (R., 1941), „Erzählungen der Windrose" (1961), „Totenklage" (autobiographisch, 1984).

Hemd [zu althochdt. hemidi, eigtl. „das Verhüllende"], unmittelbar auf der Haut getragenes Kleidungsstück von Männern und Frauen, Teil der Unter- und Oberbekleidung **(Unterhemd** bzw. **Oberhemd).** Vorläufer waren die ägypt. Kalasiris, der griech. Chiton und die röm. Tunika. Im MA trug man gleichartige Schlupfgewänder übereinander; im 15. und 16. Jh. wurde ein vorn geschlossenes H. mit kurzen Ärmeln, später auch mit langen bestickten, v. a. vom Adel und reichen Bürgern als Standesgewand getragen. Erst im 16. Jh. wurde das Oberteil des H. sichtbar und mit einer Krause (der Vorstufe des Kragens) versehen. Seit dem 17. Jh. wurden Männer- und Frauen-H. stärker voneinander unterschieden und erfuhren seitdem spezif. mod. Veränderungen. Spätestens seit dem 16. Jh. diente das H. auch als Nachtkleidung **(Nachthemd).** Brauchmäßig bestimmt sind **Taufhemd** und **Totenhemd** sowie das **Bräutigamshemd.** – Auch Teil der Soldatenuniform oder der uniformen Kleidung v. a. polit. oder religiöser Vereinigungen **(Fahrtenhemd).**

Hemer, Stadt im Sauerland, NRW, 245 m ü. d. M., 32 900 E. Metallverarbeitende Ind.; Naturschutzgebiet Felsenmeer. – 1072 erstmals erwähnt; nach Vereinigung mit umliegenden Gemeinden 1936 zur Stadt erhoben. – Barocke Pfarrkirche (1696–1700), Haus Hemer (ehem. Wasserschloß von 1611; heute Kinderheim).

Hemeralopie [griech.], svw. ↑Nachtblindheit.

Hemerken, Thomas ↑Thomas a Kempis.

Hemessen, Jan Sanders van [niederl. ˈheːməsə], * Hemiksem bei Antwerpen um 1500, † Haarlem (?) nach 1575, fläm. Maler. – Begr. des Sittenbildes; bes. beeinflußt von Gossaert und Massys; oft lebensgroße Halbfiguren in bibl. und profanen Szenen. Identifizierung mit dem sog. Braunschweiger Monogrammisten umstritten.

hemi..., Hemi... [griech.], Bestimmungswort von Zusammensetzungen mit der Bed. „halb", z. B. Hemisphäre.

Hemianästhesie [griech.], svw. ↑Halbseitenanästhesie.

Hemianopsie [griech.], svw. ↑Halbseitenblindheit.

Hemichordata [...kɔr...; griech.], svw. ↑Kragentiere.

Hemikranie [griech.], svw. ↑Migräne.

Hemikryptophyten [griech.] (Oberflächenpflanzen), Bez. für Pflanzen, deren jährl. Erneuerungsknospen unmittelbar an der Erdoberfläche liegen; z. B. Horstgräser.

Hemimetabolie ↑Metamorphose.

Hemimorphit [griech.] (Kieselzinkerz, Kieselgalmei), farbloses, weißes, lichtgrünes oder braunes, rhomb. Mineral der chem. Zusammensetzung $Zn_4[(OH)_2/Si_2O_7] \cdot H_2O$, das in faserigen, fächerförmigen oder kugeligen Aggregaten auftritt; Mohshärte 4–5; Dichte 3,4–3,5 g/cm^3; wichtiges Zinkerz.

Hemingway, Ernest [Miller] [engl. ˈhɛmɪŋwɛɪ], * Oak Park (Ill.) 21. Juli 1899, † Ketchum (Idaho) 2. Juli 1961 (Selbstmord), amerikan. Schriftsteller. – 1918 als Freiwilliger des Roten Kreuzes an der italien. Front; 1921–27 als Korrespondent in Europa (v. a. Paris, wo er mit Gertrude Stein, E. Pound und F. Scott Fitzgerald zusammentraf). 1936/37 Berichterstatter im Span. Bürgerkrieg (auf republikan. Seite). 1954 Nobelpreis für Literatur. – H. Kurzgeschichten und Romane sind vornehmlich Verarbeitungen eigener Erlebnisse und der Ereignisse seiner Zeit. Von einem eindeutig maskulinen Standpunkt aus sucht er Bewährung in der Konfrontation mit Formen der Gewalt und des Todes, die sich ihm in existentiellen Grundsituationen des Lebens (Stierkampf, Krieg) bieten. Die nüchterne, emotionslose Sprache besitzt jedoch eine durch Symbole und Metaphern erkennbare Tiefendimension, die ein objektives Korrelat zur Erlebniswelt darstellt.

Werke: Fiesta (R., 1926), In einem anderen Land (R., 1929), Tod am Nachmittag (Schr., 1932), Die grünen Hügel Afrikas (E., 1935), Haben und Nichthaben (R., 1937), Wem die Stunde schlägt (R., 1940), Der Schnee vom Kilimandscharo (En.,1948), Über den Fluß und in die Wälder (R., 1950), Der alte Mann und das Meer (E., 1952), Gefährl. Sommer (Reportagen, hg. 1985), Der Garten Eden (R., hg. 1986), A Lack of Passion (E., hg. 1990), Phillip Haines was a writer (E., hg. 1990).

📖 *Hartwig, W.: E. H. Triumph u. Tragik seines Lebens. Bln. 1990. – Lynn, K. S.: H. New York 1987. – Meyers, Y.: H. A biography. New York 1985. – Hemingway, M. W.: How it was. New York 1976.*

Hemiparasiten ↑Parasiten.

Hemiplegie [griech.], svw. ↑Halbseitenlähmung.

Hemisphäre, Erd- oder Himmelshalbkugel; in der Geographie: *nördl.* und *südl. H.* (vom Äquator aus) oder *östl.* und *westl. H.* (svw. Alte und Neue Welt).

◆ in der *Anatomie* Bez. für die beiden halbkugeligen Abschnitte des Klein- und Großhirns.

Hemizellulosen, Polysaccharide von zelluloseähnl. Aufbau, jedoch geringerer Molekülgröße. Je nach Zusammensetzung aus Pentosen oder Hexosen unterscheidet man *Pentosane* und *Hexosane*. H. sind Bestandteile der pflanzl. Zellwand.

Hemlocktanne [engl./dt.] (Tsuga), Gatt. der Kieferngewächse mit 14 Arten in Asien und N-Amerika; immergrüne Bäume mit lineal. Nadelblättern, auf deren Unterseite sich zwei silbrige Streifen befinden; Zapfen meist kugelförmig. Die **Kanadische Hemlocktanne** (Tsuga canadensis; bis 30 m hoch, Zapfen klein und gelbbraun) wird in Deutschland als Zier- und Forstbaum gepflanzt.

Hemma (Emma) von Gurk, hl., * in Kärnten um 980, † Gurk 29. Juni 1045, östr. Stifterin. – Stiftete die Klöster Gurk und Admont (Benediktiner); Grab in der Domkrypta von Gurk. – Fest: 27. Juni.

Hemmel von Andlau, Peter (irrtümlich auch Hans Wild genannt), * vermutlich Andlau zw. 1420 und 1425, † nach 1501, elsäss. Glasmaler. – H. begründete in Straßburg eine große Werkstatt. Seine anfänglich unter oberrhein. Einfluß stehenden Arbeiten nahmen später den niederl. Stil Rogiers van der Weyden auf.

Hemmerle, Klaus, * Freiburg im Breisgau 3. April 1929, † Aachen 23. Jan. 1994, dt. kath. Theologe. – 1968–74 Geistl. Direktor des Zentralkomitees der Dt. Katholiken; seit 1975 Bischof von Aachen.

Hemmingstedt, Gemeinde 5 km südl. von Heide, Schl.-H., 2900 E. Erdölraffinerie mit Pipeline zum Ölhafen Brunsbüttel. – 1337 erstmals erwähnt. In der **Schlacht von Hemmingstedt** 1500 erlitt ein Söldnerheer unter König Johann von Dänemark und seinem Bruder Herzog Friedrich von Holstein eine schwere Niederlage gegen die Dithmarscher Bauern, die ihre Freiheit behaupten konnten.

Hemmnisbeseitigungsgesetz, BG vom 22. 3. 1991 zur Beseitigung von Hemmnissen bei der Privatisierung von Unternehmen und zur Förderung von Investitionen. Ziel des Gesetzes ist es, Hindernisse zu beseitigen, die sich bei der Umgestaltung der ehem. volkseigenen Wirtschaft der DDR in eine soziale Marktwirtschaft ergeben haben, und gleichzeitig die in den neuen Bundesländern zu langsam vorankommende Investitionstätigkeit zu fördern. Zu diesem Zweck wurden zahlr. Änderungen u. a. am VermögensG (z. B. Möglichkeit der Entflechtung eines Unternehmens zur Erfüllung eines oder mehrerer Rückgabeansprüche), am InvestitionsG (z. B. Festlegungen über Vermietung und Verpachtung ehem. volkseigener Grundstücke und Gebäude) und weiteren Gesetzen vorgenommen.

Hemmschuh, svw. ↑Bremsschuh.

Hemmung, in der *Physiologie* die Unterdrückung eines Zustandes oder die Verhinderung bzw. Verlangsamung oder Unterbrechung eines Vorgangs. – In der *Neurophysiologie* versteht man unter H. eine vorübergehende Aktivitätsminderung von Nervenzellen. Für die Koordination der Tätigkeit des Nervensystems spielen H.vorgänge eine grundlegende Rolle. Schon bei einfachen Reflexen sind sie wesentlich; z.B. wird beim Schluckreflex die Atmung gehemmt.

◆ in der *Psychologie* Störung des Antriebs durch seel. Widerstand emotionaler oder moral. bzw. eth. Art. Die **bewußte Hemmung** richtet sich bes. gegen Triebe bzw. Instinkte und Instinkthandlungen. Die **unbewußte Hemmung** wird v. a. durch Verdrängung oder durch gleichzeitig einander entgegengesetzte Bewußtseinsimpulse verursacht. – H., ein Zentralbegriff der Tiefenpsychologie, wird von S. Freud schon in seinen psycholog. Frühwerken für die Folge psych. Konflikte verwendet. Im Sprachgebrauch der (klin.) Psychiatrie versteht man unter H. die Verzögerung der Antriebsfunktionen und damit aller assoziativen, sensor. und motor. Leistungen **(Gehemmtheit).** Oft ist H. mit gedrückter Stimmungslage bzw. Depression verknüpft.

◆ Schaltgetriebe der mechan. Uhr zur Energieübertragung vom Antrieb über das Räderwerk auf das Schwingsystem.

Hemmung [der Verjährung] (Ruhen der Verjährung) ↑Verjährung.

Hemmwerk, Sperrgetriebe, das die gegenseitige Beweglichkeit zweier miteinander verbundener Glieder zeitweilig durch eine bes. Sperrvorrichtung hemmt.

Hempel, Johannes, * Zittau 23. März 1929, dt. ev. Theologe. – Seit 1972 Landesbischof der Ev.-Luth. Landeskirche Sachsens und 1981–91 leitender Bischof der Vereinigten Ev.-Luth. Kirche in der DDR; 1982–86 Vors. des Bundes der Ev. Kirchen in der DDR, 1983–91 einer der Präs. des Ökumen. Rates.

Hemsterhuis, Frans [niederl. 'hɛmstərhœÿs], * Groningen 27. Dez. 1721, † Den Haag 7. Juli 1790, niederl. Philosoph und Kunsttheoretiker. – Vertrat einen ästhetisch bestimmten Neuplatonismus. Seine Moralphilosophie, der Gedanke eines Goldenen Zeitalters, in dem sich das Individuum harmonisch entfalten kann, und der von ihm eingeführte Begriff der poet. Wahrheit fanden die Bewunderung führender Vertreter des Sturm und Drang und der Romantik.

Henan (Honan), vom Hwangho durchflossene Prov. im nördl. China, 167 000 km^2, 85,5 Mill. E (1990), Hauptstadt Zhengzhou. Das Bergland im W erreicht etwa 1 800 m ü. d. M., im O hat H. Anteil an der Großen Ebene. H. ist ein wichtiges chin. Anbaugebiet für Weizen, Baumwolle, Tabak und Ölpflanzen; Seidenraupenzucht; Seidenfabrikation (Honanseide). Steinkohlevorkommen; Schwerind. in Anyang.

Hench, Philip Shoewalter [engl. hɛntʃ], * Pittsburgh 28. Febr. 1896, † Ocho Rios (Jamaika) 31. März 1965, amerikan. Arzt. – Prof. an der University of Minnesota; arbeitete v. a. über rheumat. Erkrankungen und entdeckte die Wirksamkeit des Kortisons; erhielt (mit E. C. Kendall und T. Reichstein) 1950 den Nobelpreis für Physiologie oder Medizin.

Henckell, Karl [...əl], * Hannover 17. April 1864, † Lindau (Bodensee) 30. Juli 1929, dt. Lyriker. – Verband in seinem Werk sozialrevolutionäre und naturalist. Tendenzen.

Henckels, Paul, * Hürth 9. Okt. 1885, † Schloß Hugenpoet bei Kettwig 27. Mai 1967, dt. Schauspieler. – Spielte in Düsseldorf und Berlin. Zahlr., meist heitere Charakterrollen in Film (über 175 Filme, u. a. „Die Feuerzangenbowle", 1943) und Fernsehen.

Henckel von Donnersmarck, aus der Zips stammende Großgrundbesitzer-, später auch Großindustriellenfamilie (v. a. Guido, Fürst H. v. D. [* 1830, † 1916]), deren Stammvater wohl um 1400 in Donnersmark lebte; erhielt den Beinamen „von Donnersmarck" bei ihrer Erhebung in den Freiherrenstand (1636); 1651 bzw. 1661 wurde sie gräflich und bestand in einer sächs. und schles. (1901 gefürsteten) Linie.

Hendeka [griech. „elf"], athen. Beamtengremium **(Elfmänner);** hatte die Aufsicht über Strafvollzug und Gefängnisse; vom 4. Jh. v. Chr. an auch für die Eintreibung von Schulden gegenüber dem Staat zuständig.

Henderson [engl. 'hɛndəsn], Arthur, * Glasgow 13. Sept. 1863, † London 20. Okt. 1935, brit. Politiker. – Seit 1903 Abg. für die Labour Party; deren Vors. (1908–10, 1914–17) und Sekretär (1911–34); 1915–17 Mgl. der Kriegskabinette; 1924 Innen-, 1929–31 Außenmin.; erhielt auf Grund seiner Tätigkeit als Präs. der Genfer Abrüstungskonferenz (1932/33) 1934 den Friedensnobelpreis.

H., Fletcher, * Cuthbert (Ga.) 18. Dez. 1898, † New York 29. Dez. 1952, amerikan. Jazzmusiker (Pianist, Arrangeur, Orchesterleiter). – Gründete 1923 ein Ensemble, das sich zur ersten bekannten Big Band des Jazz entwikkelte; zus. mit B. Goodman war er einer der Begr. des Swingstils.

Hendiadyoin [griech. „eins durch zwei"], rhetor. Figur 1. aus zwei Substantiven, deren eines für ein Attribut steht, 2. aus zwei bedeutungsgleichen Substantiven zur Ausdruckssteigerung (z. B. Hab und Gut).

Hendricks, Barbara, * Stephens (Ark.) 20. Nov. 1948, amerikan. Sängerin (Sopran). – Wurde als Opern- und v. a. als Liedinterpretin internat. bekannt. Ihr Repertoire umfaßt neben Opernarien frz., dt., russ. und engl. Lieder sowie Negro Spirituals.

Hendrix, Jimi, eigtl. James Marshall H., * Seattle (Wash.) 27. Nov. 1942, † London 18. Sept. 1970, amerikan. Rockmusiker (Gitarrist und Sänger). – Expressiver Starsolist der Rockmusik; erweiterte die Gitarrentechnik (elektr. Klangverfremdung).

Hengist und Horsa [altengl. „Hengst und Roß"], sagenhaftes Brüderpaar; Führer der Angeln, Sachsen und Jüten, die um 450 im SO Englands landeten.

Heng Samrin, * in der Prov. Prey Veng 25. Mai 1934, kambodschan. Politiker. – 1976–78 Polit. Kommissar und Divisionskommandant der Roten Khmer; geriet jedoch in Konflikt mit dem Regime Pol Pot und flüchtete 1978 nach Vietnam; nach dem vietnames. Truppeneinmarsch in Kambodscha (1979) Staats- und Reg.chef (bis 1981); 1981–91 Staatsratsvors. und Generalsekretär des ZK der Revolutionären Volkspartei.

Hengsbach, Franz, * Velmede (Kreis Meschede) 10. Sept. 1910, † Essen 24. Juni 1991, dt. kath. Theologe. – 1957–90 Bischof des neugegr. Bistums Essen; 1961 bis Mai 1978 Militärbischof der BR Deutschland; seit 1988 Kardinal.

Hengst, männl. Tier der Fam. Pferde und der Kamele; auch Bez. für ♂ Maulesel und Maultier.

Hengstenberg, Ernst Wilhelm, * Fröndenberg 20. Okt. 1802, † Berlin 28. Mai 1869, dt. ev. Theologe. – Führender Vertreter der Erweckungsbewegung, bekämpfte in der von ihm hg. „Ev. Kirchen-Zeitung" v. a. den Rationalismus und die Vermittlungstheologie.

Hengyang [chin. xəŋ-i̯aŋ] (früher Hengzhou), chin. Ind.stadt am Xiang Jiang, 616 000 E. Endpunkt der Schiffahrt auf dem Xiang Jiang für große Motordschunken.

Henie, Sonja [norweg. hɛni], * Christiania (= Oslo) 8. April 1912, † im Flugzeug bei Oslo 12. Okt. 1969, norweg. Eiskunstläuferin. – 1928–36 Olympiasiegerin, 1927–36 Weltmeisterin, 1931–36 Europameisterin im Einzellauf.

Henisch, Peter, * Wien 27. Aug. 1943, östr. Schriftsteller. – Mitbegr. der Literaturzeitschrift „Wespennest"; schrieb u. a. „Die kleine Figur meines Vaters" (R., 1975), „Der Mai ist vorbei" (R., 1978), „Morrisons Versteck" (R., 1990).

Henkel, Heinrich, * Koblenz 12. April 1937, dt. Dramatiker. – Behandelt Themen aus der Arbeitswelt, u. a. „Eisenwichser" (1970), „Zweifel" (Uraufführung 1985).

Henkel KGaA, Dachgesellschaft des Henkel-Chemiekonzerns (mit über 160 Gesellschaften in 45 Ländern); gegr. 1876 von Fritz Henkel (* 1848, † 1930); Sitz Düsseldorf. Produktbereiche sind Chemieprodukte, Wasch- und Reinigungsmittel, Hygiene-, Kosmetik- und Körperpflegeartikel.

Henker ↑ Scharfrichter.

Henkersmahlzeit, urspr. das letzte Mahl des Verurteilten vor dem Gang zum Henker; übertragen das Essen vor einem Ereignis, dessen Ausgang ungewiß ist.

Henkin, Leon, * New York 19. April 1921, amerikan. Mathematiker und Logiker. – Von H. stammt der heute in der mathemat. Logik übl. Beweis des Gödelschen Vollständigkeitssatzes für die Prädikatenlogik der 1. Stufe.

Henle, [Friedrich Gustav] Jakob, * Fürth 19. Juli 1809, † Göttingen 13. Mai 1885, dt. Anatom. – Prof. in Zürich, Heidelberg und Göttingen; entdeckte 1862 die nach ihm ben. schleifenartigen Teile der Harnkanälchen im Nierenmark der Niere *(Henle-Schleifen).*

Henlein, Konrad, * Maffersdorf bei Reichenberg 6. Mai 1898, † Pilsen 10. Mai 1945 (Selbstmord in alliierter Haft), sudetendt. Politiker. – 1933 Gründer der Sudetendt. Heimatfront (SHF), als Sudetendt. Partei (SdP) 1935 zweitstärkste Partei der ČSR; forderte im Zusammenspiel mit der nat.-soz. Reg. in Deutschland den Anschluß der sudetendt. Gebiete an das Dt. Reich; 1938 Reichskommissar, ab 1939 Gauleiter und Reichsstatthalter im Reichsgau Sudetenland.

H., Peter, * Nürnberg um 1485, † ebd. zw. 1. und 14. Sept. 1542, dt. Mechaniker. – Erfand um 1510 durch Verkleinerung der Tischuhren die sog. Sack- oder Taschenuhren (mit nur einem Zeiger). Das ↑ Nürnberger Ei kam erst nach H. Tod auf.

Henley, William Ernest [engl. 'hɛnlı], * Gloucester 23. Aug. 1849, † Woking 11. Juli 1903, engl. Dichter, Kritiker. – Freund R. L. Stevensons; bekannt als Lyriker, u. a. „A book of verses" (1888), „In hospital" (1903).

Henna, antike Stadt, ↑ Enna.

Henna [arab.], rotgelber Farbstoff, der aus den mit Kalkmilch zerriebenen Blättern und Stengeln des ↑ Hennastrauchs gewonnen wird; altes oriental. Haarfärbemittel.

Hennastrauch (Ägypt. Färbekraut, Lawsonia inermis), ligusterähnl. Strauch der Weiderichgewächse; Blätter gegenständig; Blüten in Rispen, duftend, gelblichweiß bis ziegelrot; wird heute in den asiat. und afrikan. Tropen und Subtropen zur Gewinnung von ↑ Henna angebaut.

Henne, Bez. für das ♀ der Hühnervögel.

Henneberg, Berthold von ↑ Berthold von Henneberg.

Henneberg, ehem., seit 1310 gefürstete Gft. in Franken und Thüringen. 1230 verloren die Grafen von H. *(Henneberger;* Hochadelsgeschlecht; ben. nach der Burg H. sw. von Meiningen) das Burggrafenamt von Würzburg, ihre Macht verlagerte sich ganz nach Thüringen. Coburg kam 1353, das übrige H. nach Aussterben der Grafen von H. 1583 an die Wettiner (beide Linien); 1660 fiel der Hauptteil an Sachsen-Meiningen, die Herrschaft Schmalkalden an Hessen-Kassel. 1815 wurde der kursächs. Teil, 1866 der hess. Teil preußisch.

Hennebique, François [frz. ɛn'bık], * Neuville-Saint-Vaast (Pas-de-Calais) 25. April 1842, † Paris 20. März 1921, frz. Bauingenieur. – Wurde durch seine bahnbrechenden Arbeiten im Stahlbetonbau auf der Pariser Weltausstellung von 1900 bekannt.

Hennecke, Adolf, * Meggen (= Lennestadt) 25. März 1905, † Berlin (Ost) 22. Febr. 1975, dt. Bergarbeiter. – Förderte als Hauer unter Tage 1948 nach bes. Arbeitsvorbereitung und zur propagandist. Auswertung 387 % seiner Tagesnorm und wurde dadurch, nach sowjet. Vorbild, zum Begründer der Aktivistenbewegung der DDR, der Hennecke-Bewegung; seit 1946 Mgl. der SED (ab 1954 im ZK).

Hennef (Sieg), Gemeinde und Kurort am SO-Rand der Kölner Bucht, NRW, 70 m ü. d. M., 30 000 E. Museum, Philosoph.-theolog. Hochschule der Redemptoristen; Maschinen-, Geräte- und Anlagenbau. – Kern des heutigen H. ist die fränk. Gründung Geistingen (um 800 gen.); um 950 ist auch H. belegt.

Hennegau (frz. Hainaut, niederl. Henegouwen), Prov. in SW-Belgien, 3 786 km², 1,28 Mill. E (1989), Hauptstadt Mons. Der H. umfaßt größtenteils Hügelland mit fruchtbaren Böden; der SO-Teil reicht bis in die bewaldeten Ardennen. Der Steinkohlenbergbau ist 1984 erloschen; Eisen-, Glas-, chem. Ind.; zunehmend Fahrzeugbau, erdölverarbeitende und elektron. Industrie.
Geschichte: Der karoling. Gau H. kam im 9. Jh. an Lothringen. 1051 fiel der H. im Erbgang an Flandern, 1345 die Gft. H. und Holland an die Wittelsbacher, 1433 an die Herzöge von Burgund. Erben Burgunds wurden die Habsburger, deren span. Linie 1555 bis 1713, die östr. von 1713 bis in die Zeit der Frz. Revolution im H. regierte. 1659 wurde der südl. Teil an Frankreich abgetreten. Der übrige Teil wurde mit den Gebieten um Tournai und Charleroi und Grenzgebieten von Brabant und Lüttich 1792 zum frz. Dep. Jemappes vereinigt, das als H. 1815 an das Kgr. der Vereinigten Niederlande, 1830 an Belgien kam.

Hennequin de Bruges [frz. ɛnkɛ̃də'bry:ʒ] (Jan Bondol), fläm. Buchmaler des 14. Jh. – Aus Brügge stammend, spätestens seit 1371 im Dienste des frz. Königs Karl V., illuminierte mit anderen u. a. eine Bibel von 1372.

Hennetalsperre ↑ Stauseen (Übersicht).

Hennigsdorf b. Berlin, Stadt an der Havel, Brandenburg, 24 000 E. Ingenieurschule; Stahl- und Walzwerk, Lokomotivbau.

Henoch (Enoch), in den Stammbäumen 1. Mos. 4 und 5 Name eines der Patriarchen Israels; unter seinem Namen wurden mehrere Apokalypsen verfaßt (↑ Henochbücher).

Henochbücher, drei apokryphe Apokalypsen in verschiedenen Sprachen, die unter der Verfasserschaft des ↑ Henoch in Umlauf gesetzt wurden und in denen die Gestalt Henochs eine wesentl. Rolle spielt: 1. *Äthiop. Henochbuch* (zw. 170 und 30 v. Chr.); 2. *Slaw. Henochbuch* (vor 70 n. Chr.); 3. *Hebr. Henochbuch* (um 200–300 n. Chr.).

Henotheismus [zu griech. heĩs „einer" und theós „Gott"], von Friedrich Max Müller in die Religionswiss. eingeführter Begriff zur Bez. eines subjektiven Monotheismus innerhalb polytheist. Religionen. Die kult. Verwirklichung des H. nennt man **Monolatrie.**

Henotikon [griech. „vereinigend"], Unionsedikt des byzantin. Kaisers Zenon von 482, das die Einheit zw. den Monophysiten und den Anhängern des Konzils von Chalkedon bezweckte.

Henriette, Name von Fürstinnen:
England:
H. Maria, * Paris 25. Nov. 1609, † Schloß Colombes (bei Paris) 10. Sept. 1669, Königin. – Tochter Heinrichs IV. von Frankreich und der Maria Medici, heiratete 1625 König Karl I. von England. Ihr polit. Einfluß war bes. während der Puritan. Revolution bedeutend; ging 1644 nach Frankreich; kehrte nach der Thronbesteigung durch ihren Sohn Karl II. 1660 nach England zurück (bis 1665).
Orléans:
H. Anne, * Exeter 16. Juni 1644, † Saint-Cloud 30. Juni 1670, Herzogin. – Tochter Karls I. von England und H. Marias, wuchs in Frankreich auf, wo sie 1661 Philipp I. von Orléans, den Bruder Ludwigs XIV., heiratete; leitete auf frz. Seite die Verhandlungen mit Karl II. von England (ihrem Bruder), die zum Geheimvertrag von Dover (1670) führten.

Henry, Joseph [engl. 'hɛnrı], * Albany (N. Y.) 17. Dez. 1797, † Washington 13. Mai 1878, amerikan. Physiker. – Fand unabhängig von M. Faraday die elektromagnet. Induktion und entdeckte bereits 1830 die Selbstinduktion. Führte die Wetterberichterstattung ein.

H., O. [engl. 'hɛnrı], eigtl. William Sydney Porter, * Greensboro (N. C.) 11. Sept. 1862, † New York 5. Juni 1910, amerikan. Schriftsteller. – Im Mittelpunkt seiner knappen Kurzgeschichten stehen kleine Leute; häufig setzt H. eine Schlußpointe; u. a. „Kohlköpfe und Könige" (R., 1904).

H., Pierre [frz. ã'ri], * Paris 9. Dez. 1927, frz. Komponist. – Seit 1960 um eine Synthese von konkreter und elektron. Musik bemüht; schuf zahlr. Ballettmusiken für M. Béjart, u. a. „Orphée" (1958), „Le voyage" (1962); neuere Werke: „Noces chymiques" (1980, Lautsprecheroper), „Hugosymphonie" (1985).

Henry ['hɛnrı; nach J. Henry], Einheitenzeichen H, SI-Einheit der Induktivität. Festlegung: 1 H ist gleich der Induktivität einer geschlossenen Windung, die, von einem elektr. Strom der Stärke 1 A durchflossen, im Vakuum den magnet. Fluß 1 Weber umschlingt; 1 H = 1 Wb/A = 1 Vs/A.

Henry-Draper-Katalog [engl. 'hɛnrı 'drɛıpə], svw. ↑ Draper-Katalog.

Henscheid, Eckhard, * Amberg 14. Sept. 1941, dt. Schriftsteller. – Mitarbeit bei satir. Zeitschriften (Mitbegründer der „Titanic"); schrieb u. a. die Roman-„Trilogie des laufenden Schwachsinns" (1973–78), „Maria Schnee. Eine Idylle" (R., 1988).

Henschke, Alfred, dt. Schriftsteller, ↑ Klabund.

Hensel, Luise, * Linum (Landkreis Neuruppin) 30. März 1798, † Paderborn 18. Dez. 1876, dt. Dichterin. – Trat 1818 zum Katholizismus über; war mit C. Brentano befreundet. Gemütvolle, geistl. Lieder und Gedichte („Müde bin ich, geh' zur Ruh' ...").

H., Walther, eigtl. Julius Janiczek, * Mährisch-Trübau 8. Sept. 1887, † München 5. Sept. 1956, dt. Musikpädagoge. – Gründete 1923 den „Finkensteiner Bund", der eine führende Rolle in der Jugendmusikbewegung spielte; veröffentlichte Volkslied- und Volkstanzsammlungen.

Hensen, [Christian Andreas] Victor, *Schleswig 10. Febr. 1835, †Kiel 5. April 1924, dt. Physiologe und Meeresbiologe. – Prof. in Kiel; entdeckte (unabhängig von C. Bernard) 1857 das Glykogen und förderte die Erforschung des Meeresplanktons.

Hentig, Hartmut von, *Posen 23. Sept. 1925, dt. Erziehungswissenschaftler. – Prof. u.a. in Bielefeld. Entwickelte u.a. Reformmodelle für das [höhere] Schulwesen. Zahlr. Veröffentlichungen.

Hentrich, Helmut, *Krefeld 17. Juni 1905, dt. Architekt. – Zusammenarbeit mit H. Petschnigg (*1913); zahlr. Hochhausbauten u.a. Großaufträge, z.B. Ruhr-Univ., Bochum (1961 ff.), Tonhalle Düsseldorf (1975–78).

Henze, Hans Werner, *Gütersloh 1. Juli 1926, dt. Komponist. – Schüler von W. Fortner und R. Leibowitz. War 1948/49 musikal. Leiter des Deutschen Theaters in Konstanz und 1950–53 künstler. Leiter des Balletts am Staatstheater Wiesbaden. In dieser Zeit schrieb H. zahlreiche Ballette („Jack Pudding", 1951; „Der Idiot", 1952, u.a.). Die Übersiedlung nach Italien (1953) markiert kompositorisch die Abkehr von der Reihentechnik, die H. in etwa 20 Werken verwendet hatte. Bis 1965 wandte er sich verstärkt dem vokalen Bereich zu, wobei die Frage der Kantabilität im Vordergrund stand, und schrieb neben einigen Instrumentalwerken v.a. Opern („König Hirsch", 1952–55; „Der Prinz von Homburg", 1960; „Elegie für junge Liebende", 1961; „Der junge Lord", 1965, u.a.), Kantaten und Orchesterlieder. 1968 artikulierte er mit dem Oratorium „Das Floß der Medusa" (Text von E. Schnabel, Che Guevara gewidmet) erstmals eine deutl. polit. Haltung. Die in Kuba entstandene 6. Sinfonie (1969), das Rezital „El Cimarrón" (Text von H.M. Enzensberger, 1970) oder die Show „Der langwierige Weg in die Wohnung der Natascha Ungeheuer" (Text nach G. Salvatore, 1971) und „We come to the river" (Text von E. Bond, 1976) zeigen einen sozialistisch engagierten Komponisten, der eine Kunst im Dienste der Revolution zu entwickeln sucht. Im instrumentalen Bereich kamen das 3. und 4. Streichquartett (1976), das 5. Streichquartett (1977) sowie das 3. Violinkonzert (1978) hinzu, als Bühnenkomposition das Ballett „Orpheus" (1979); Kinderoper „Pollicino" (1980); Opern „Die engl. Katze" (1983), „Das verratene Meer" (1989); Orchesterwerke „Fandango" (1986) und „Cinque piccoli concerti e ritornelli" (1988). Schrieb u.a. „Musik und Politik. Schriften und Gespräche 1955–84" (1985).

Hepar [griech.], svw. ↑Leber.

Heparin [griech.], ein aus der Leber isolierbares Polysaccharid; H. hemmt die Blutgerinnung. Medizinisch werden H. sowie ähnlich wirkende halbsynthet. Heparinoide bei Bluttransfusionen sowie zur Verhütung von Thrombosen und Embolien bei Venenentzündungen und nach Operationen benutzt. – Chem. Strukturformel (Formelausschnitt):

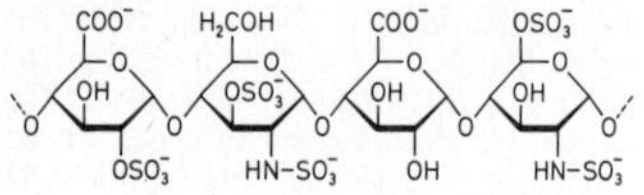

hepat..., Hepat... ↑hepato..., Hepato...

Hepatitis [griech.], svw. ↑Leberentzündung; **Hepatose,** nichtentzündl. Lebererkrankung.

hepato..., Hepato..., hepat..., Hepat... [griech.], Bestimmungswort von Zusammensetzungen mit der Bed. „Leber".

Hepatographie, röntgenolog. oder szintigraph. Darstellung der Leber mit Hilfe von Röntgenkontrastmitteln oder radioaktiven Indikatoren.

Hepatolith [griech.], svw. ↑Leberstein.

Hepatologie, Spezialgebiet der inneren Medizin, befaßt sich mit Bau, Funktion und Erkrankungen der Leber und der Gallenwege sowie deren Diagnose und Behandlung.

Hepatomegalie [griech.], Leververgrößerung, Leberschwellung.

Hepburn [amerik. 'hepbən], Audrey, eigtl. Edda H. van Heemstra, *Brüssel 4. Mai 1929, †Tolochenanz (bei Lausanne) 20. Jan. 1993, amerikan. Filmschauspielerin niederl.-brit. Herkunft. – Internat. Popularität in Filmen wie „Ein Herz und eine Krone" (1953), „Sabrina" (1954), „Krieg und Frieden" (1956), „Frühstück bei Tiffany" (1961), „My fair Lady" (1964), „Robin und Marian" (1976), „Here a thief" (Fernsehfilm, 1987) u.a. Ihre Filme waren durch ihren frischen jugendl. Charme gekennzeichnet.

H., Katharine, *Hartford (Conn.) 8. Nov. 1909, amerikan. Schauspielerin. – Eindrucksvolle Charakterdarstellerin; seit 1933 auch in Filmen, u.a. „Leoparden küßt man nicht" (1938), „African Queen" (1951), „Der Regenmacher" (1956), „Plötzlich im letzten Sommer" (1959), „Am goldenen See" (1983).

Hephäst, griech. Gott des Feuers und der Schmiedekunst, Schirmherr des Handwerks, dem bei den Römern Vulcanus entspricht. Verkrüppelter Sohn des Zeus und der Hera (oder der Hera allein), dessen Name auch für das ihm hl. Element stand; war urspr. ein kleinasiat. (tyrrhen.-etrusk.?), mit dem Vulkanismus verbundener chthon. Schmiededämon und Magier; die merkwürdige körperl.

Mißbildung (bei Homer heißt er „der Hinkende“) hat man als mytholog. Surrogat urspr. Zwergengestalt gedeutet.

Hephata [hebr. „öffnet euch“] (Ephphata, Ephpheta), Wort Jesu (Mark. 7, 34), mit dem er einen Taubstummen heilt; deshalb oft Name ev. Pflegeanstalten [für Taubstumme].

Hephthaliten (chin. Hua oder Yeda), Nomadenverband, den byzantin. u. a. Geschichtsquellen den Hunnen zurechnen (auch als *Weiße Hunnen* bezeichnet); wanderten im 4. Jh. aus der Altairegion in das Oxusgebiet (W-Turkestan) ein und griffen das Sassanidenreich an; herrschten im 5. Jh. über die Gebiete im heutigen russ. und chin. Turkestan (u. a. Sogdiana und Baktrien sowie den W des Tarimbeckens) und eroberten N-Indien. Die H. wurden um 558 von den Westtürken (Türküt) unterworfen.

Heppenheim (Bergstraße), hess. Krst., 106 m ü. d. M., 23 100 E. Verwaltungssitz des Landkr. Bergstraße; Volkskundemuseum, Luftkurort; Herstellung von Tiefkühlkost, Maschinenbau, elektrotechn. Ind., Kunststoffverarbeitung, Mineralwasserversand. – Die erstmals 755 erwähnte fränk. Siedlung kam 773 an das Kloster Lorsch; gehörte seit 1232 zu Kurmainz; seit 1318 Stadt. – Über der Stadt die Ruine Starkenburg (11. und 17. Jh.); Pfarrkirche (1900–04), ehem. Mainzer Amtshof (um 1300), Rathaus (1551 und 1695).

Hepplewhite, George [engl. 'hɛplwaɪt], † London 1786, engl. Kunsttischler. – Schöpfer eines rein engl. Möbelstils mit leichten zierl. Möbeln.

hepta..., Hepta..., hept..., Hept... [griech.], Bestimmungswort von Zusammensetzungen mit der Bed. „sieben“, z. B. Heptameron.

Heptagon [griech.], Siebeneck.

Heptameron [griech.-italien.] ↑ Margarete von Navarra.

Heptane [griech.], zu den Alkanen zählende aliphat. Kohlenwasserstoffe der Summenformel C_7H_{16}, Bestandteil von Benzin.

Heptateuch [zu griech. heptáteuchos „siebenbändiges Buch“], altkirchl., auch wissenschaftlich gebräuchl. Bez. für die alttestamentl. Bücher 1. Mos. bis Richter.

Heptatonik [griech.] (Siebentönigkeit), die siebenstufige Skala des diaton. Tonsystems. – ↑ Pentatonik.

Heptene [griech.], zu den Alkenen zählende ungesättigte Kohlenwasserstoffe der chem. Summenformel C_7H_{14}.

Heptosen [griech.] ↑ Monosaccharide.

Hepworth, Dame (seit 1965) Barbara [engl. 'hɛpwə:θ], * Wakefield 10. Jan. 1903, † Saint Ives (Cornwall) 20. Mai 1975, engl. Bildhauerin. – 1934–51 ⚭ mit Ben Nicholson. Nahm für ihre Holz- und Metallarbeiten Anregungen von H. Moore auf. Ab 1931 konstruktivist. Skulpturen.

Hera, griech. Göttin, der bei den Römern Juno entspricht. Älteste Tochter des Kronos und der Rhea, Schwester und Gemahlin des Zeus, von dem sie Mutter des Ares, des Hephäst und der Hebe wird. Mythos und Kult weisen ihr als Gemahlin des Zeus die Funktion einer Beschützerin von Ehe und Geburt zu. Herrisches und zänk. Wesen (v. a. gegen ihren Gemahl) sowie unversöhnl. Haß gegen ihre Feinde, bes. die Trojaner (↑ Paris), bestimmen das Bild der Göttin in der Sage. – In der Antike wurde H. vielfach dargestellt. Ein frühes Beispiel ist der Kopf ihres Kultbildes im Heraion in Olympia (um 600 v. Chr.; Olympia, Museum).

HERA ↑ Deutsches Elektronensynchrotron.

Heracleum [griech.] ↑ Bärenklau.

Herakleia, Name mehrerer antiker griech. Städte; am berühmtesten: 1. H. Pontika in Bithynien (heute Ereğli am Schwarzen Meer, Türkei); 2. H. an der S-Küste Siziliens, östl. der Halykosmündung (H. Minoa); 3. H. am Siris in Lukanien nahe dem heutigen Policoro (Prov. Matera, Italien).

Herakleios (Heraklios), * in Kappadokien 575, † 11. Febr. 641, byzantin. Kaiser (seit 610). – Stürzte 610 den Usurpator Phokas und begr. eine Dyn., die bis 711 regierte; organisierte Heer und Verwaltung (Themenverfassung); gewann im Krieg gegen die Perser (622–628) alle zuvor verlorenen östl. Gebiete zurück.

Herakleopolis [„Heraklesstadt“ (auf Grund einer Gleichsetzung des Herakles mit Harsaphes)] (H. Magna), ehem. Stadt in Ägypten, 15 km westl. von Bani Suwaif; Sitz der Herrscher der 9. und 10. Dyn.; Kultstätte des widderköpfigen Gottes Harsaphes.

Herakles (Hercules, Herkules), Held der griech. Mythologie. Zeus zeugte H. in der Gestalt des abwesenden Perseusenkels Amphitryon mit dessen Gemahlin Alkmene in Theben und verhieß ihm als dem nächsten Sproß aus dem Hause des Perseus die Herrschaft über Mykene. Hera, deren eifersüchtige Verfolgungen H. den Namen gaben (H. = „der durch Hera Berühmte“), hemmt die Geburtswehen der Alkmene und läßt Eurystheus, einen anderen Perseusenkel, eher zur Welt kommen, der so König von Mykene und später Dienstherr des H. wird. Nach zahlr. Anschlägen der Hera erhält H. schließlich vom Delph. Orakel den Auftrag, im Dienst des Eurystheus 12 Arbeiten zu vollbringen, um die Unsterblichkeit zu erlangen. H. besteht alle „12 Arbeiten“ (Dodekathlos):

1. die Erlegung des Nemeischen Löwen; 2. der Kampf mit der neunköpfigen Hydra von

Lerna; 3. das Einfangen der windschnellen Kerynit. Hirschkuh; 4. das Einfangen des Erymanth. Ebers; 5. der Kampf mit den Stymphal. Vögeln; 6. die Reinigung der Ställe des Augias; 7. das Einfangen des Kret. Stieres; 8. die Erringung der menschenfressenden Rosse des Diomedes; 9. die Erbeutung des Gürtels der Amazonenkönigin Hippolyte; 10. die Erbeutung der Rinder des Geryoneus, eines dreileibigen Riesen (bei dieser Arbeit setzt H. in der Straße von Gibraltar die nach ihm ben. „Säulen des H." als Zeichen seiner weitesten Fahrt); 11. die Erringung der goldenen Äpfel der Hesperiden; 12. die Entführung des Unterwelthundes Zerberus.
Nach Vollendung der 12 Arbeiten kehrt H. nach Theben zurück, zieht aber später mit seiner zweiten Frau Deianira nach Trachis, wo ihn durch ungewolltes Verschulden Deianiras ein furchtbares Todesgeschick ereilt, das H. aber durch Selbstverbrennung abkürzt. Von Zeus wird H. schließlich, mit Hera versöhnt, als Unsterblicher aufgenommen.
🕮 *Brommer, F.: H. Die zwölf Taten des Helden in antiker Kunst u. Lit. Köln [5]1986.*

Herakliden ↑Hyllos.

Heraklios ↑Herakleios.

Heraklit von Ephesus, * um 550, † um 480, griech. Philosoph. – Wegen seines schwer verständl. Denkens „der Dunkle" genannt. Setzte gegen die stat. Seinsauffassung der eleat. Philosophie das [vernunftbegabte] Feuer als Prinzip des Seienden, das er als Inbegriff steter Wandelbarkeit verstand. Ausdruck seiner Grundthese von der Einheit des Seins in der Gegensätzlichkeit und Veränderlichkeit der Dinge sind seine Sätze: „Der Krieg ist der Vater aller Dinge" und „Niemand kann zweimal in denselben Fluß steigen".

Heraldik [zu frz. (science) héraldique „Heroldskunde" (zu héraut „Herold")] ↑Wappenkunde.

heraldische Dichtung ↑Heroldsdichtung.

heraldische Farben (herald. Tinkturen) ↑Wappenkunde.

Heranwachsende, im Jugendstrafrecht Personen, die z. Z. einer Straftat das achtzehnte, aber noch nicht das einundzwanzigste Lebensjahr vollendet haben; es ist im Einzelfall zu entscheiden, ob Jugendstrafrecht oder allg. Strafrecht angewendet wird.

Herat, Prov.hauptstadt in NW-Afghanistan, am Hari Rud, 930 m ü. d. M., 160 000 E. Handelszentrum einer Flußoase; Baumwollentkörnung; Nahrungsmittel- und Teppichherstellung. – H. ist bereits in altpers. Inschriften bezeugt; war Hauptort der Satrapie Aria, hellenist. **Alexandreia;** 652 n. Chr. arabisch; 1221 Eroberung durch die Mongolen. Nach Timur-Lengs Tod (1405) wurde H.

Herakles. Bogenschießender Herakles vom Ostgiebel des Aphaiatempels; 490/480 v. Chr. (München, Staatliche Antikensammlung)

Hauptstadt des Reichs der Timuriden; bis 1747 Zentrum von Chorasan; 1863 endgültig an Afghanistan. – Ruine der Zitadelle (9. oder 10. Jh.); Freitagsmoschee (1200 gegr.).

Herat ↑Orientteppiche (Übersicht).

Hérault [frz. e'ro], Dep. in Frankreich.

Herausgabeanspruch, das Recht, die Herausgabe einer Sache (Übertragung des Besitzes) zu verlangen. Ein H. kann sich z. B. aus Vertrag (§ 556 BGB), aus Eigentum oder Besitz (§§ 861, 1007 BGB), ungerechtfertigter Bereicherung (§ 2018 BGB) ergeben. Der H. kann mittels ↑Zwangsvollstreckung durchgesetzt werden.

Herausgeber, derjenige, der Druckwerke veröffentlicht, ohne selbst Autor zu sein. Der H. von Sammelwerken wird wie ein Urheber geschützt.

Herba [lat.] (Kraut), pharmazeut. Bez. für getrocknete oberird. Teile krautiger Pflanzen.

Herbarium [lat., zu herba „Pflanze, Gras"] (Herbar), Sammlung gepreßter und getrockneter, auf Papierbögen aufgeklebter Pflanzen oder Pflanzenteile, geordnet nach systemat. oder pflanzensoziolog. Gesichtspunkten.

Herbart, Johann Friedrich, * Oldenburg (Oldenburg) 4. Mai 1776, † Göttingen 14. Aug. 1841, dt. Philosoph, Pädagoge und Psychologe. – Prof. in Königsberg (Pr), seit 1833 in Göttingen; beeinflußt von Fichte und Pestalozzi. Für H. ist Philosophie als Grundlagenwiss. für alle anderen Wiss. die „Bearbeitung der Begriffe". H. leitete die Ethik aus der Ästhetik ab. Seine realist. Metaphysik sieht die Dinge als einfache Zusammensetzung von realen Wesen mit je einer Qualität. Von großem Einfluß auf das Bildungswesen.

Werke: Allg. Pädagogik (1806), Allg. prakt. Philosophie (1808), Psychologie als Wissenschaft (2 Bde., 1824/25), Allg. Metaphysik (2 Bde., 1828/29).

Herbartianismus, die pädagog. Schulrichtung der 2. Hälfte des 19. Jh., die sich auf ↑Herbart berief, u. a. T. Ziller und T. Vogt, sowie, weniger eng, W. Rein. Die Herbartianer setzen darauf, daß der (sittl.) Wille durch Intellektbildung geweckt wird, wobei diese Intellektbildung mittels eines starren Schemas des Unterrichts erfolgt. Sie vernachlässigen Herbarts Forderung der „eigenen Beweglichkeit" und die Bildung emotionaler ursprüngl. Werturteile an ästhet. Beispielen.

Herberge [zu althochdt. heriberga, eigtl. „ein das Heer bergender Ort"], früher svw. Kriegslager, später i. w. S. allg. für Wirtshaus oder Gasthaus; in der Zunftzeit ein vom Herbergsvater und von der Herbergsmutter verwaltetes Haus (H. i. e. S.) für wandernde Gesellen zur Unterkunft, Arbeitsvermittlung bzw. Krankenpflege.

Herberger, Joseph (gen. Sepp), * Mannheim 28. März 1897, † ebd. 28. April 1977, dt. Sportlehrer. – Seit 1936 Reichsfußballtrainer; 1949–64 Bundestrainer des Dt. Fußballbundes; unter seiner Leitung wurde die Nationalmannschaft der BR Deutschland 1954 Weltmeister.

Herberge zur Heimat, von C. T. Perthes 1854 gegr. Herbergstyp zur Betreuung wandernder Handwerksgesellen; später von F. von Bodelschwingh (1882) für wandernde Arbeitslose eingerichtet; nach den Weltkriegen zunehmende Entwicklung im Sinne planmäßiger Fürsorgearbeit an ökonomisch und sozial Entwurzelten; zusammengefaßt im „Ev. Fachverband für Nichtseßhaftenhilfe e. V." (früher „Dt. Herbergsverein").

Herbert, Edward [engl. 'hə:bət], Lord H. of Cherbury, * Eyton-on-Severn (Shropshire) 3. März 1583, † London 20. Aug. 1648, engl. Philosoph, Diplomat und Schriftsteller. – Bruder von George H.; 1619–24 Gesandter in Paris; zunächst Royalist, schloß sich 1645 Cromwell an. Stand u. a. in Verbindung mit Gassendi und Grotius. Begr. den Deismus.

H., George [engl. 'hə:bət], * Montgomery Castle (Wales) 3. April 1593, ▭ Bermerton bei Salisbury 3. März 1633, engl. Dichter. – Bruder von Edward H.; schrieb religiöse Lyrik („The temple", 1633).

H., Zbigniew [poln. 'xɛrbɛrt], * Lemberg 29. Okt. 1924, poln. Schriftsteller. – Behandelt Spannungen zw. Moderne und kulturellen Traditionen. – *Werke:* Ein Barbar in einem Garten (Essays, 1962), Herr Cogito (Ged., 1974), Berichte aus einer belagerten Stadt und andere Gedichte (1985).

Herbin, Auguste [frz. ɛr'bɛ̃], * Quiévy (Nord) 29. April 1882, † Paris 1. Febr. 1960, frz. Maler. – Stand Vantongerloo nahe; konstruktivist. Bilder.

Herbivoren [lat.] ↑Pflanzenfresser.

Herbizide (Herbicide) [zu lat. herba „Pflanze" und caedere „töten"], chem. Unkrautbekämpfungsmittel. Nach ihrem Wirkungsspektrum werden sie in *nichtselektive H. (Total-H.)* zur Vernichtung jegl. Pflanzenwuchses und *selektive H.*, die nur bestimmte Pflanzenarten vernichten und zur Unkrautbekämpfung in Kulturpflanzenbeständen eingesetzt werden können, eingeteilt. Die H. wirken entweder als Ätzmittel *(Kontakt-H.)*, die die Pflanzen an den vom Wirkstoff getroffenen Stellen zerstören, oder als *systemische H.*, die von der Pflanze aufgenommen und im Leitgewebe transportiert werden. Bei Einsatz von systemischen H. (hierzu gehören auch die Wuchsstoff-H.) stirbt die Pflanze durch Stoffwechsel- und Wachstumsstörungen ab.

Herborn, hess. Stadt im Dilltal, 180–280 m ü. d. M., 20 300 E. Predigerseminar der Ev. Landeskirche in Hessen und Nassau. U. a. eisenverarbeitende Ind. – Ersterwähnung 1048, 1251 Stadt. Die 1584 gegr. Hohe Schule wurde 1812 von Napoleon aufgelöst, aus ihrer theolog. Fakultät ist 1817 das heutige theolog. Seminar hervorgegangen. – Schloß (v. a. 14. Jh.; heute Predigerseminar), Hohe Schule (nach 1591; heute Museum), Fachwerkbauten (17./18. Jh.).

Herbort von Fritzlar (Fritslar), * Ende des 12. Jh., † Anfang des 13. Jh., mittelhochdt. Epiker. – Stammt aus Fritzlar (Hessen); bearbeitete um 1210 den Stoff der Trojasage, sein „Liet von Troye" steht der vorhöf. sog. Spielmannsdichtung nahe.

Herbst ↑Jahreszeiten.

Herbstastern ↑Aster.

Herbstpunkt ↑Äquinoktialpunkte.

Herbstzeitlose ↑Zeitlose.

Herburger, Günter, * Isny im Allgäu 6. April 1932, dt. Schriftsteller. – Schildert in Prosa und ep. Lyrik, z. T. mit utop. Perspektiven, die Realität bundesdt. Gegenwart. – *Werke:* Eine gleichmäßige Landschaft (Prosa, 1964), Die Messe (R., 1969), Birne kann alles (Kindergeschichten, 1970), Die Eroberung der Zitadelle (En., 1972), Operette (Ged., 1973), Flug ins Herz (R., 1977), Orchidee (Ged., 1979), Lauf und Wahn (R., 1988), Das brennende Haus (Ged., 1990).

Herculaneum [...ne-um], z. T. von dem italien. Ort Ercolano überdeckte Ruinenstätte am W-Fuß des Vesuvs, bei dessen Ausbruch 79 n. Chr. der röm. Villenvorort von Schlammassen überdeckt wurde. Ausgrabungen seit 1709. V. a. zwei- und dreistöckige Häuser, deren Ausschmückung man in letzter Zeit an Ort und Stelle läßt.

Herculano de Carvalho e Araújo, Alexandre [portugies. irku'lɐnu ðə kɐr'vaʎu i ɐrɐ'uʒu], * Lissabon 28. März 1810, † Vale de Lobos (Distrikt Santarém) 13. Sept. 1877, portugies. Geschichtsforscher und Dichter. – Bibliotheksdirektor und ab 1844 Hg. der „Portugalae monumenta historica“; schrieb grundlegende Werke zur portugies. Geschichte und histor. Romane in der Art W. Scotts; gilt mit Almeida Garett als Begründer der portugies. romant. Schule.

Hercules ↑ Herakles.

Hercules (Herkules) [griech.-lat., nach ↑ Herakles] ↑ Sternbilder (Übersicht).

Herczeg, Ferenc [ungar. 'hɛrtsɛg], eigtl. Franz Herzog, * Vršac (Wojwodina) 22. Sept. 1863, † Budapest 24. Febr. 1954, ungar. Schriftsteller. – Seine Novellen, Dramen und Romane spielen in der gehobenen städt. Gesellschaft und in Kreisen des verarmten Landadels; u. a. Die Töchter der Frau Gyurkovics (R., 1893), Im Banne der Pußta (R., 1902), Rákóczi, der Rebell (R., 1936).

Herd [eigtl. „der Brennende, Glühende“], häusl. Feuerstätte, in der Kulturgeschichte der alten Völker geheiligter Platz; Stätte des kult. Feuers (Staats-H., im alten Rom von den Vestalinnen gehütet), Wohnung der Schutzgötter, manchmal Begräbnisplatz (H.bestattung). – Im heutigen Sinn eine Vorrichtung in der *Küche* zum Kochen, Backen und Heizen: **Elektroherd** (bis zu vier elektr. Kochplatten, Backröhre, auch mit Grilleinrichtung), **Gasherd** (↑ Gasgeräte), **Kohle-** oder **Ölbeistellherd** (zum Kochen und Heizen; auch mit Backröhre). – ↑ Mikrowellenherd.

◆ Bauteil des metallurg. Ofens, der den unteren Abschluß des Schmelzraumes bildet.

◆ (Krankheits-H., Fokus) in der *Medizin* allg. Bez. für einen im Körper genau lokalisierten und umschriebenen Ausgangsbezirk einer Krankheit.

◆ in der *Geologie* der Ausgangspunkt von Erdbeben bzw. vulkan. Schmelzen (Magmaherd).

Herdbuch (Zuchtbuch, Zuchtregister, Stammbuch), in der landw. Tierzucht (v. a. Rinderzucht) buch- oder karteimäßig angelegte Aufzeichnungen, in denen die nach einem sorgfältigen Ausleseverfahren eines Züchterverbandes anerkannten Zuchttiere erfaßt werden. Dem H. entspricht bei Zuchtpferden das **Stutbuch.**

Herde, in der Zoologie Bez. für eine Ansammlung von meist größeren Säugetieren, die wenige Individuen bis viele tausend Tiere umfassen kann.

Herdecke, Stadt im sö. Ruhrgebiet, NRW, 150 m ü. d. M., 25 200 E. Privatuniv. (eröffnet 1983); Metallverarbeitung, Textil- und chem. Ind.; Wasserkraftwerk am Hengsteysee (Ruhrstausee). – Ersterwähnung um 1100, 1739 Stadtrecht. – Ev. Pfarrkirche (im Kern karoling., im 13. Jh. got. Umbauten).

Herdentrieb, Bez. für die manchen Tieren eigene Tendenz, in einer Herde zusammenzuleben und sich demgemäß zu verhalten.

Herdenzephalitis ↑ Gehirnentzündung.

Herder, (Herderer) Bartholomä, * Rottweil 22. Aug. 1774, † Freiburg im Breisgau 11. März 1839, dt. Verleger. – Gründete 1801 die Herdersche Verlagsbuchhandlung in Meersburg, die er 1808 nach Freiburg verlegte. Verlegte im Geist der Aufklärung und Romantik theolog. Literatur, histor. Schriften (K. W. von Rottecks „Allg. Geschichte“, 6 Bde., 1813–16), Bildbände und Kartenwerke. Sein Sohn Benjamin H. (* 1818, † 1888) gab dem Verlag eine betont kath. Prägung, neben katechet. u. a. volkspädagog. Schrifttum, u. a. „Kirchenlexikon“ (12 Bde. und Register-Bd.„ 1846–60), „Conversationslexikon“ (6 Bde., 1854–57), theolog. Zeitschriften. Dessen Sohn Hermann H. (* 1864, † 1937) führte v. a. die Lexikonarbeit weiter (u. a. „Staatslexikon“ der Görresgesellschaft [1889–97, 71985 ff., 5 Bde.], „Der große Herder“ [12 Bde., 41931–35; 51952–62, 10 Bde. und 2 Ergänzungs-Bde.], „Lexikon für Theologie und Kirche“ [10 Bde., 21930 bis 1938; 2. erweiterte Auflage 1957–68, 10 Bde., 3 Ergänzungs-Bde. und Register-Bd.], „Lexikon der Pädagogik“ [5 Bde., 1913–17; 31974 bis 1975, 4 Bde.]), ergänzte die Zeitschriften und erweiterte das Programm wiss. Literatur (Theologie, Philosophie, Sozialwissenschaften, [Kirchen]geschichte) sowie Belletristik und Jugendliteratur. Neuere Nachschlagewerke sind „Christl. Glaube in moderner Gesellschaft“ (37 Bde., 1980–84) und „Das große Lexikon der Musik“ (10 Bde., 1978–83). – ↑ Verlage (Übersicht).

H., Johann Gottfried von (seit 1802), * Mohrungen 25. Aug. 1744, † Weimar 18. Dez. 1803, dt. Philosoph, Theologe und Dichter. – 1764 Lehrer, 1767 Prediger in Riga; 1769 Seereise nach Nantes, die (nach H. eigenen Angaben) seine Wendung von der Aufklärung zum Sturm und Drang bewirkte. In Straßburg (1770/71) erste Begegnung mit Goethe. 1771 Konsistorialrat in Bückeburg; ab 1801 Oberkonsistorialpräsident in Weimar; befreundet u. a. mit C. Wieland, Jean Paul.

Sprach- und Literaturphilosophie: Seine Ausführungen „Über die neuere Dt. Litteratur“ (3 Bde., 1767) galten einer „pragmat. Geschichte der Litteratur“ unter Berücksichtigung der für sie maßgebenden polit. und sozialen Bedingungen sowie der Bestimmung der literar. Normen: jedes Volk hat seine spezif. Dichtung; sie ist abhängig von dem Stand seiner Sprache, dieser von den natürl. und sozialen Gegebenheiten. H. ästhet. Grundforderungen sind Zeitgemäßheit und Verständlichkeit; daher die Forderung nach Verwendung der Volkssprache, der „Muttersprache". In der „Abhandlung über den Ursprung der Sprache" (1772) setzt H. die Sprache mit den naturgegebenen Voraussetzungen des Menschen in Beziehung. Sprache ist sowohl in ihrer gesellschaftl. als auch naturgesetzl. Ausdifferenzierung in Einzel- bzw. Nationalsprachen Voraussetzung universalen Lernens.

Geschichtsphilosophie: H. gelangt zu einer geistesgeschichtlich äußerst fruchtbar werdenden positiven Bewertung des MA und des bes. Volkstums der einzelnen Völker, da er jeder Phase geschichtl. Entwicklung, die er in Analogie zu der organ. Entfaltung des Individuums (Kindheit = Goldenes Zeitalter) sieht, ihr eigenes Recht zugesteht. In seinen „Ideen zur Philosophie der Geschichte der Menschheit" (4 Tle., 1784–91) versteht H. Geschichte weiterführend als organ. Entfaltung der Humanität. Mit seiner Sammlung „Volkslieder" (2 Tle., 1778/79, 1807 u. d. T. „Stimmen der Völker in Liedern") wird er zum Begründer der Erforschung des Volkslieds. – H. ist für die dt. und europ. Geistesgeschichte richtungweisend bis in die Gegenwart, bes. für Sprach- und Geschichtsphilosophie, Literatur- und Kulturgeschichte sowie Anthropologie.

Weitere Werke: Briefe zur Beförderung der Humanität (10 Bde., 1793–97), Christl. Schriften (5 Bde., 1794–98), Journal meiner Reise im Jahre 1769 (hg. 1846).

🕮 *Kalletat, A. F.: H. u. die Weltliteratur. Ffm. 1984. – Reckermann, A.: Sprache u. Metaphysik. Mchn. 1979. – Kathan, A.: Herders Lit.kritik. Lauterburg ²1971.*

Herdinfektion (Fokalinfektion), Erkrankung, die von einem chron. Krankheitsherd durch dauernde oder schubweise Ausschwemmung von Bakterien, -giften oder deren Abbauprodukten verursacht wird. Als Ausgangsherde gelten oft Entzündungsvorgänge und Eiterungen in den Gaumenmandeln, im Zahn-Kiefer-Bereich, innerhalb der Nasennebenhöhlen, der Gallenblase, des Blinddarms und der Harnröhre. Typ. H. entzündl. und entzündl.-allerg. Art sind Gelenkrheumatismus, Herz- und Nierenentzündungen u. a.

Herdofen ↑Schmelzöfen.

Herðubreið [isländ. 'hɛrðvbrɛıð], Vulkan auf Island, 1682 m hoch.

Héré, Emmanuel [frz. e're] (seit 1751 H. de Corny), * Nancy 12. Okt. 1705, ▭ Lunéville 2. Febr. 1763, frz. Baumeister. – Mit der Neugestaltung von Nancy erbrachte H. die bedeutendste stadtplaner. Leistung seiner Zeit (1751–55).

Heredia (Hérédia), José-Maria de [frz. ere'dja], * La Fortuna Cafeyera (Kuba) 22. Nov. 1842, † Bourdonné (Yvelines) 3. Okt. 1905, frz. Dichter. – Bed. Vertreter des Parnasse. Sein Hauptwerk „Trophäen" (1893) behandelt in 5 Sonettzyklen die Epochen der Geschichte.

hereditär [lat.], erblich, vererbt (von biolog. Merkmalen und Krankheiten gesagt).

Hereford [engl. 'hɛrifəd], engl. Stadt am Wye, Gft. Hereford and Worcester, 47 700 E. Anglikan. Bischofssitz; Museum. Marktzentrum in einem Hopfen- und Obstbaugebiet. – Anfang des 7. Jh. gegr., wurde 676 Bischofssitz, erhielt 1189 Stadtrecht. – Kathedrale (um 1079 ff.; Bibliothek mit seltenen Handschriften und Inkunabeln [u. a. Weltkarte, 13. Jh.]).

Hereford and Worcester [engl. 'hɛrıfəd ənd 'wʊstə], westengl. Grafschaft.

Hérens, Val d' [frz. valde'rã], Landschaft im schweizer. Kt. Wallis, mit Erdpyramiden an der Mündung des Val d'Hérémence.

Herero, Bantustamm im mittleren und nördl. Namibia, Sprache: Herero. Auf Großviehzucht spezialisierte Nomaden.

Herford, Krst. im Ravensberger Hügelland, NRW, 70–100 m ü. d. M., 60 900 E. Westfäl. Landeskirchenmusikschule; Stadttheater; bed. Möbelind. u. a. Ind.zweige. – H. ging aus einem Frauenstift (gegr. 789, aufgehoben 1802) hervor; wurde vor 1170 Stadt. Im 14. Jh. (bis ins 17. Jh.) schloß es sich der Hanse an. Verbrieft nur 1631–52 freie Reichsstadt, seit 1652 unter brandenburg. Herrschaft. – Mehrere Kirchen, u. a. spätroman. Münsterkirche (13. Jh.) mit got. Anbauten (14./15. Jh.), Marienkirche des Nonnenstifts auf dem Berge (1011 gegr., um 1290 bis 1350 erbaut); Fachwerkhäuser (16. bis 18. Jh.).

H., Kreis in Nordrhein-Westfalen.

Hergesell, Hugo, * Bromberg 29. Mai 1859, † Berlin 6. Juni 1938, dt. Meteorologe. – Prof. in Straßburg und Berlin. Nach dem 1. Weltkrieg gründete und leitete H. den Dt. Flugwetterdienst und war um eine enge Zusammenarbeit zw. Luftfahrt und Meteorologie bemüht.

Hergesheimer, Joseph [engl. 'həːgəshaımə], * Philadelphia 15. Febr. 1880, † Sea Isle City (N. J.) 25. April 1954, amerikan. Schriftsteller. – Schrieb romant. Gesellschaftsromane, u. a. „Linda Condon" (1919).

Hergt, Oskar, * Naumburg/Saale 22. Okt. 1869, † Göttingen 9. Mai 1967, dt. Politiker. – 1917–18 preuß. Finanzmin.; Mitbegr. und Vors. (bis 1924) der DNVP; MdR 1920–33; 1927/28 Reichsjustizmin. und Vizekanzler.

Herhaus, Ernst, * Ründeroth (= Engelskirchen) 6. Febr. 1932, dt. Schriftsteller. – Wurde mit dem burlesken Roman „Die homburg. Hochzeit" (1967) bekannt; Alkoholismus ist das Thema von „Kapitulation. Aufgang einer Krankheit" (R., 1977) und „Der zerbrochene Schlaf" (R., 1978), „Gebete in die Gottesferne" (R., 1979), „Der Wolfsmantel" (R., 1983).

Heribert, hl., * um 970, † Köln 16. März 1021, Erzbischof (seit 999). - 994 Erzkanzler Ottos III. für Italien, 998-1002 für Deutschland; gründete das Apostelstift in Köln und das Benediktinerkloster in Deutz (= Köln). - Fest: 16. März.

Hering, [Karl] Ewald [Konstantin], * Altgersdorf (= Neugersdorf, Lausitz) 5. Aug. 1834, † Leipzig 26. Jan. 1918, dt. Physiologe. - Prof. in Wien, Prag und Leipzig; arbeitete v. a. über Nerven- und Sinnesphysiologie. Entdeckte mit J. Breuer die „Selbststeuerung der Atmung" durch sensible Nerven des Lungenvagus. Bei seinen psychophysikal. Untersuchungen, bes. der Raum- und Farbwahrnehmung, befaßte er sich u. a. mit den opt. Täuschungen und stellte eine Vierfarbentheorie auf.

H., Loy, * Kaufbeuren um 1484/85, † Eichstätt um 1554, dt. Bildhauer. - V. a. mit dem Sitzbild des hl. Willibald im Eichstätter Dom (1514) gelang ihm ein bed. Renaissancewerk.

Heringe (Clupea), Gatt. bis 45 cm langer Heringsfische mit zwei Arten in gemäßigten und kalten Gewässern des nördl. Atlantiks und nördl. Pazifiks. Für Europa am wichtigsten ist der **Atlant. Hering** (Hering i. e. S., Clupea harengus) mit grünlich-blauem Rücken, silberglänzenden Körperseiten und gekielter Bauchkante. Er kommt in riesigen Schwärmen v. a. in planktonreichen Meeresgebieten vor. Ein ♀ legt etwa 20 000-70 000 Eier ab. Die Jugendentwicklung erfolgt im Küstenbereich, erst mit zwei bis drei Jahren wandern die etwa 20 cm langen Jung-H. von der Küste ab. Die Geschlechtsreife tritt im Alter von drei bis sieben Jahren ein, die Lebensdauer beträgt rd. 20 Jahre. Der Atlant. Hering ist einer der wirtsch. wichtigsten Nutzfische, der in verschiedenen Formen auf den Markt gebracht wird (z. B. Vollhering, Matjeshering, Grüner Hering, Bückling, Brathering). - Der **Pazif. Hering** (Clupea pallasii) im nördl. Pazifik und im Weißen Meer ist dem Atlant. Hering sehr ähnlich, bleibt jedoch meist kleiner als dieser, wächst schneller und wird früher geschlechtsreif.

Heringe [wohl nach der an den H. erinnernden Form], beim Zeltaufbau notwendige Holz- oder Metallpflöcke zum Befestigen der Zeltbahnen am Erdboden.

Heringen (Werra), hess. Stadt 20 km östl. von Bad Hersfeld, 230 m ü. d. M., 8 800 E. Kalibergwerk; Metall- und Holzverarbeitung. - H. wurde 1977 Stadt.

Heringsdorf (amtl. Seebad H.), Gemeinde in Meckl.-Vorp., an der NO-Küste der Insel Usedom, 4 200 E. Sternwarte. - H. entstand nach 1819.

Heringsfische (Clupeidae), Fam. urspr. Knochenfische mit rd. 180 bis 50 cm langen Arten, v. a. im Meer, aber auch in Brack- und Süßgewässern. Zu ihnen zählen verschiedene wirtsch. wichtige Arten, z. B. Atlant. Hering und Pazif. Hering (↑ Heringe), Sardine und Sprotte.

Heringshai ↑ Makrelenhaie.

Heringskönig (Petersfisch, Zeus faber), bis etwa 60 cm langer Knochenfisch im Mittelmeer und an der O-Küste des Atlantiks; Körper im Umriß oval, seitlich stark zusammengedrückt; Speisefisch.

Hering-Täuschung [nach E. Hering] ↑ optische Täuschungen.

Heris ↑ Orientteppiche (Übersicht).

Herisau, Hauptort des schweizer. Halbkantons Appenzell Außerrhoden, 8 km sw. von Sankt Gallen, 771 m ü. d. M., 14 800 E. Heimatmuseum; Marktort; Textilind., Maschinen- und Apparatebau. - 837 erste urkundl. Erwähnung. - Spätgot. Pfarrkirche (1516-20) mit Stuckierungen von A. Moosbrugger.

Herkules ↑ Herakles.

Herkules ↑ Sternbilder (Übersicht).

Herkuleskeule (Clavaria pistillaris), Ständerpilz mit keulenförmigem, 8-20 cm hohem, ockergelbem Fruchtkörper; Oberfläche runzelig, Fleisch schwammig, weich; v. a. in Buchenwäldern, jung eßbar.

Herkunftsbezeichnung (Herkunftsangabe), im Wettbewerbsrecht Bez. des geograph. Ursprungs einer Ware, die als Warenzeichen und nach den Vorschriften gegen den unlauteren Wettbewerb geschützt ist, z. B. Solinger Stahlwaren.

Herlin, Friedrich [...li:n] (Herlein), * vermutl. Rothenburg ob der Tauber um 1430, † Nördlingen zw. Juni/Nov. 1500, dt. Maler. - Nahm niederl. Einflüsse (Rogier van der Weyden) auf, u. a. Georgsaltar, Innen- und Außenflügel (um 1462-65, Nördlingen, Städt. Museum) und Flügel des Hochaltars von Sankt Jakob in Rothenburg (1466).

Hermagor-Pressegger See, östr. Bez.hauptstadt in Kärnten, 612 m ü. d. M., 7 200 E. Zentraler Ort des mittleren Gailtales; Fremdenverkehr. - H. wird 1161 erstmals genannt. - Pfarrkirche (12. und 15. Jh.).

Herman, Woody [engl. 'hə:mən], eigtl. Woodrow Charles H., * Milwaukee (Wis.) 16. Mai 1913, † Los Angeles (Calif.) 29. Okt. 1987, amerikan. Jazzmusiker (Klarinettist, Orchesterleiter). - Gründete 1936 eine eigene Band, die vorwiegend Blues interpretierte, in den 40er Jahren sich der Richtung Swing/Bebop zuwandte und später Elemente des Hard-Bop aufnahm. Berühmt wurde der aus vier Saxophonen bestehende „Four Brothers"-Klang. Strawinsky widmete ihm sein „Ebony-Concerto".

Hermandad [span. „Bruderschaft"], seit dem 12. Jh. geschlossene Schutzbündnisse kastil. und aragones. Städte v. a. gegen den Adel; Mitte des 15. Jh. zu fast unabhängiger Macht mit eigenem Heer entwickelt. 1476 vereinigte Königin Isabella I., die Katholische, die Städte Kastiliens in der mit großen Vorrechten ausgestatteten „Hl. H." **(Santa Hermandad),** die Ferdinand II., der Katholische, 1488 auch in Aragonien als staatl. Einrichtung zur Aufrechterhaltung des Landfriedens gegen den Adel einführte; 1498 faktisch aufgehoben. Im 16. Jh. entwickelte sich die H. zu einer Art Landpolizei mit beschränkten Gerichtsbefugnissen.

Hermann, Name von Herrschern:
Hl. Röm. Reich:
H., Graf von Salm, † Limburg a.d.Lahn (?) 28. Sept. 1088, Röm. Gegenkönig. - Als Luxemburger 1081 von den sächs. und schwäb. Gegnern Heinrichs IV. zum Gegenkönig erhoben; zog sich 1088 nach Abfall seiner sächs. Anhänger nach Lothringen zurück.
Deutscher Orden:
H. von Salza, * um 1170, † Salerno 20. März 1239, 4. Hochmeister (seit 1209). - Aus thüring. Ministerialengeschlecht, enger Freund und wichtiger Berater Kaiser Friedrichs II.; bemühte sich v. a., die Gegensätze zw. Kaiser und Papst auszugleichen; begann 1226 mit der Bekehrung der heidn. Preußen. Die ihm von Friedrich II. ausgestellte „Goldbulle von Rimini" (1226) begründete die Landesherrschaft des Dt. Ordens in Preußen.
Köln:
H., Graf von Wied, * Wied bei Hachenburg 14. Jan. 1477, † ebd. 15. Aug. 1552, Kurfürst und Erzbischof (1515-47). - Setzte sich auf dem Wormser Reichstag 1521 für die Ächtung Luthers ein und war um die kath. Reform seines Erzstifts bemüht; sein Reformationsversuch von 1543 schlug fehl; 1546 exkommuniziert, mußte 1547 abdanken.
Sachsen:
H. Billung, † Quedlinburg 27. März 973, Herzog. - Als Markgraf im Raum der unteren Elbe („Billunger Mark") von König Otto I. wiederholt mit Aufgaben des Herzogs von Sachsen beauftragt; erhielt 953/54 Sachsen; Ahnherr der Billunger.
Thüringen:
H. I., * um 1155, † Gotha 25. April 1217, Pfalzgraf von Sachsen (seit 1181), Landgraf von Thüringen (seit 1190). - Wechselte im stauf.-welf. Thronstreit öfter die Partei; finanzierte mit Bestechungsgeldern den Ausbau der Wartburg, wo höf. Kultur und Minnesang gepflegt wurden (1207 „Sängerkrieg").

Hermann der Cherusker, fälschl. Name des ↑ Arminius.

Hermann der Lahme ↑ Hermann von Reichenau.

Hermann von Luxemburg ↑ Hermann, Graf von Salm, Röm. Gegenkönig.

Hermann von Reichenau (Herimannus Contractus, d. h. H. der Lahme), * 18. Juli 1013, † 24. Sept. 1054, mittelalterl. Gelehrter, Dichter und Komponist. - Seit 1043 Mönch in Reichenau; schrieb in lat. Sprache die erste erhaltene, von Christi Geburt bis 1054 reichende Weltchronik, ferner astronom. und mathemat. Abhandlungen, Lehrgedichte u. a.; entwickelte eine neue Notenschrift.

Hermann von Sachsenheim, * um 1365, † Stuttgart 29. Mai 1458, spätmittelhochdt. Dichter. - Vertreter einer späthöf. Ritterromantik. Schrieb allegor. geistl. und Minnedichtungen („Die Mörin", 1453).

Hermann, Georg, eigtl. G. H. Borchardt, * Berlin 7. Okt. 1871, † KZ Birkenau (?) 19. Nov. 1943, dt. Schriftsteller. - Bruder von L. Borchardt; Schilderer des Berliner Biedermeier („Jettchen Gebert", R., 1906; „Henriette Jacoby", R., 1908).

Hermann Lietz-Schule, von der Stiftung Dt. Landerziehungsheime H. L.-S. getragene und im Sinne des Gründers H. ↑ Lietz geführte Schulen.

Hermann-Oberth-Medaille [me'daljə], eine von der Dt. Gesellschaft für Luft- und Raumfahrt für bes. Verdienste um die Raumfahrtentwicklung verliehene Medaille.

Hermanns, Ernst, * Münster 8. Dez. 1914, dt. Bildhauer. - Gestaltet Metallplastiken aus teils angeschnittenen stereometr. Formen, die er zueinander in Beziehung setzt.

Hermannsburg, Gemeinde in der südl. Lüneburger Heide, Nds., 54 m ü. d. M., 7 900 E. Sitz der streng luth. orientierten **Hermannsburger Mission.**

Hermannsdenkmal, 1836-75 von E. von Bandel errichtetes Nationaldenkmal für den Cheruskerfürsten ↑ Arminius auf der Grotenburg im Teutoburger Wald.

Hermannstadt (rumän. Sibiu), rumän. Stadt in Siebenbürgen, 415 m ü. d. M., 177 000 E. Hauptstadt des Verw.-Geb. H.; Sitz eines rumän.-orth. und des dt. ev.-luth. Bischofs; rumän. und dt. Staatstheater, Herstellung von Ind.ausrüstungen, Landmaschinenbau u. a. - An der Stelle der röm. Siedlung **Cedonia;** nach der ersten Einwanderung der „Sachsen" im 12. Jh. und nach der Zerstörung durch die Mongolen (1241/42) neu als **Hermannsdorf** gegr. (seit 1366 H.). Bis ins 19. Jh. Mittelpunkt der Siebenbürger Sachsen, zeitweise auch Hauptstadt Siebenbürgens. - Spätgot. ev. Pfarrkirche (14./15. Jh.); spätgot. Altes Rathaus (15. Jh.); Basteien und Wehrtürme (16./17. Jh.); Brukenthalpalais, heute Museum und Bibliothek mit über 240 000 Bänden, Handschriften und Inkunabeln.

Hermaphrodit [griech., nach Hermaphroditos], svw. ↑Zwitter (↑Intersex).

Hermaphroditismus [griech., nach Hermaphroditos] svw. ↑Zwittrigkeit.

Hermaphroditos, zweigeschlechtliches Mischwesen der griech. Mythologie; Sohn des Hermes und der Aphrodite.

Hermas, christl. Schriftsteller des 2. Jh. in Rom. – Mgl. der röm. Christengemeinde; verfaßte in der ersten Hälfte des 2. Jh. eine Mahnschrift über die Buße der Christen und die Heiligkeit der Kirche: „Der Hirte des H.". Die Schrift gehört zum ältesten christl. Schrifttum und ist ein wichtiges Dokument für die altkirchl. Bußgeschichte.

Herme [griech.-lat.], urspr. ein griech. Kultpfeilertypus aus vierseitigem Schaft mit bärtigem Kopf des Gottes ↑Hermes und Phallus (am Pfeiler) sowie Armansätzen; auf der Agora, an Flurgrenzen, Wegkreuzungen, Hauseingängen und Gräbern aufgestellt. Seit dem 5. Jh. v. Chr. auch mit Köpfen anderer Götter und später mit Porträtköpfen (bes. in der röm. Kunst); oft auch als Doppelherme.

Hermelin ↑Wiesel.

Hermelin, Handelsbez. für Pelze aus dem Winterfell des Hermelins (↑Wiesel).

Hermelin ↑Wappenkunde.

Hermeneutik [griech.], Bez. für eine nach mehr oder minder festen Regeln oder Prinzipien praktizierte Auslegung und deren Theorie. Gegenstand der **hermeneut.** oder **verstehenden Methode** können grundsätzlich alle (geschichtl.) Lebensäußerungen sein (z. B. Texte, Musik, Malerei, Handlungen, Institutionen). Traditioneller Gegenstand ist die mündl. bzw. schriftl. Rede (Texte); deshalb auch **Texthermeneutik.** Dazu gehören z. B. die klass. Dichtung, Gesetz, die hl. Schriften, bes. die Bibel. Nach Anfängen in der Stoa begründete Philon von Alexandria im Anschluß an die griech. und jüd. H. die Lehre vom doppelten, dem wörtl. und dem geistigen Schriftsinn (allegor. Interpretation), die Origenes systematisch ausbaute. Augustinus bezog das hermeneut. Schema vom doppelten Schriftsinn auf das Verhältnis von „Zeichen" und „Sache": Der Text als vordergründige Sache wird zum Zeichen, zum Symbol des geistl. Sinns **(Signifikationshermeneutik).** Damit waren die Grundlagen für die ma. H. geschaffen, der die kirchl. Tradition als Norm für die Auslegung galt *(Traditionsprinzip).* Eine neue Grundlage bekam die H. durch M. Luther, der die Schrift selbst zur ausschließl. Auslegungsnorm erklärte *(Schriftprinzip).* Nach Neuansätzen v. a. durch J. A. Ernesti und J. S. Semler lieferte im 19. Jh. die klass. Philologie einen bed. Beitrag zu einer **philolog. Hermeneutik** (v. a. G. A. F. Ast und F. A. Wolf). Darauf aufbauend, entwickelte Schleiermacher im Rückgriff auf die Sprachlichkeit allen menschl. Denkens, Redens und Verstehens eine universale Theorie der H. *(H. als Kunstlehre des Verstehens);* im schöpfer. Akt des Verstehens sind die Sprache als das Allgemeine und das verstehende Individuum aufeinander bezogen. W. Dilthey versuchte dann den universellen Anspruch der H. als „Kunstlehre des Verstehens schriftlich fixierter Lebensäußerungen" im allgemeinen aufzuweisen, indem er sie zur methodolog. Grundlage der Geisteswissenschaften erhob. In M. Heideggers aller Methodologie des Verstehens vorgeordneten „H. des Daseins" wird das menschl. Dasein als „Verstehen" und „Sich-Entwerfen auf die Möglichkeit seiner selbst" interpretiert. Die Tatsache des schon durch eigene innere Erfahrung vorhandenen Wissens von dem, was Gegenstand des Verstehens werden soll, bezeichnete er als **hermeneut. Zirkel.** Über R. Bultmanns Programm der Entmythologisierung und existentialen Interpretation der Bibel (v. a. des N. T.) wirkte diese Lehre auf die Theologie zurück (z. B. H. als „Sprachlehre des Glaubens"). Die **philosoph. Hermeneutik** wurde durch H. G. Gadamer (v. a. in „Wahrheit und Methode", 1960) fortgeführt, vornehmlich das wirkungsgeschichtlich vermittelte Verhältnis von Vorverständnis (Überlieferung, Horizont) und Verständnis in allem Verstehen analysiert. Gadamers Theorie führte zu Kontroversen mit Vertretern des krit. Rationalismus (bes. H. Albert) und der krit. Theorie der Frankfurter Schule (bes. J. Habermas) und bot neue Anregung in der bis heute fortwährenden Auseinandersetzung zw. den Denktraditionen der (verstehenden) Geistes- und der (erklärenden) Naturwissenschaften.

📖 *Philosophie im 20. Jh. Hg. v. P. Lübcke u. H. Hügli. Rbk. 1991. 2 Bde. – Riedel, M.: Verstehen oder Erklären? Zur Theorie u. Gesch. der hermeneut. Wiss. Stg. 1978. – Gadamer, H. G.: Wahrheit u. Methode. Grundzüge einer philosoph. H. Tüb. ^{4}1975. – Betti, E.: Die H. als allg. Methodik der Geisteswiss. Tüb. ^{2}1972.*

hermeneutisch, erklärend, auslegend.

Hermes, griech. Gott des sicheren Geleits, Götterbote, Patron der Wanderer, Hirten, Kaufleute und Schelme, von den Römern *Mercurius* gen.; Sohn des Zeus und der Nymphe Maia. Das vielgesichtige und wendige Wesen des wohl urgriech. Gottes umspannt eine Fülle von Funktionen, die sich aus zwei Grundkomponenten entfalten: der Gewährung sicheren Geleits und Schutzes überhaupt und dem Glück- und Gewinnbringen. Er ist versehen mit Reisehut (bzw. Flügelhelm), Flügelschuhen und dem Heroldsstab (urspr. ein Zauberstab, da er mit ihm auch einschläfern und Träume bewirken kann). – Die bedeutendste der erhaltenen antiken Plastiken ist der H. mit dem Dionysosknaben des Praxiteles (um 325 v. Chr., Olympia, Archäolog. Museum; Originalität umstritten).

Hermes, Andreas, * Köln 16. Juli 1878, † Krälingen (Eifel) 4. Jan. 1964, dt. Politiker. – Als Zentrumsvertreter 1920–22 Min. für Ernährung und Landw.; 1922/23 Finanzmin., 1928–33 MdR; schloß sich im 2. Weltkrieg der Widerstandsbewegung um Beck und Goerdeler an. 1945 Mitbegr. und Vors. der CDU in Berlin und in der SBZ (von der sowjet. Besatzungsmacht abgesetzt); 1948–54 Präs. des Dt. Bauernverbandes und 1948–61 des Dt. Raiffeisenverbandes; hielt krit. Distanz zur Deutschlandpolitik Adenauers.

H., Georg, * Dreierwalde (Landkr. Tecklenburg) 22. April 1775, † Bonn 26. Mai 1831, dt. kath. Philosoph und Theologe. – 1799 Priester, 1807 Prof. der Dogmatik in Münster (Westf.), 1820 in Bonn. H. versuchte in Auseinandersetzungen mit Kants Kritizismus eine neue rationale Begründung des kirchl. Dogmas. Dabei kam er zu einem kritizist. Psychologismus († Hermesianismus). – *Werke:* Untersuchung über die innere Wahrheit des Christentums (1805), Christkath. Dogmatik (hg. v. J. H. Achterfeldt, 3 Tle., 1834–36).

Hermes mit dem Dionysosknaben; Statue des Praxiteles; um 325 v. Chr. (Olympia, Archäologisches Museum)

H., Johann Timotheus, * Petznick bei Stargard i. Pom. 31. Mai 1738, † Breslau 24. Juli 1821, dt. Schriftsteller. – Führte den engl. Familien- und Gesellschaftsroman in Deutschland ein, bes. erfolgreich war sein empfindsamer Reiseroman (nach dem Vorbild L. Sternes) „Sophiens Reise von Memel nach Sachsen" (5 Bde., 1769–73).

Hermes [nach dem griech. Gott], 1937 entdeckter Planetoid, der sich der Erde bis auf 600 000 km näherte.

◆ geplantes Raumfahrzeug der europ. Raumfahrtbehörde ESA zum bemannten Pendelverkehr zw. der ebenfalls geplanten Raumstation Columbus u. a. und der Erde; 1994 wurde der Plan endgültig aufgegeben.

Hermesianismus, nach G. Hermes benanntes anthropozentr.-psychologist.-kritizist. Lehrsystem im 19. Jh. zur Begründung der kath. Glaubenslehre; 1835 von Papst Gregor XVI. verurteilt.

Hermeskeil, Stadt im Hunsrück, Rhld.-Pf., 560 m ü. d. M., 5 500 E. Maschinenbau, Holz-, Papier-, Kunststoff-, Keramik-, Druckind. – 1220 urkundl. erwähnt; Stadt seit 1970.

Hermes Kreditversicherungs-AG, dt. Versicherungsunternehmen, Sitz Hamburg; betreibt Warenkredit-, Investitionsgüterkredit-, Ausfuhrkredit-, Kautions-, Vertrauensschadenversicherung. Zur Exportförderung gewährt die H. K.-AG im Namen und für Rechnung des Bundes Ausfuhrgarantien und -bürgschaften und deckt damit wirtsch. und polit. Risiken *(Hermes-Deckung).*

Hermes Trismegistos, griech. Name für † Thot, der mit Hermes [im 3. Jh. v. Chr. offiziell] identifiziert wurde. Ihm wurden astrolog. und okkulte sowie theolog. und philosoph. Schriften zugeschrieben († hermetische Literatur).

hermetisch [griech.], unzugänglich; luft- und wasserdicht verschlossen (nach dem mag. Siegel des Hermes Trismegistos, mit dem er eine Glasröhre luftdicht verschließen konnte).

hermetische Literatur, Schrifttum einer spätantiken religiösen Offenbarungs- und Geheimlehre, als deren Verkünder und Verfasser Hermes Trismegistos angesehen wurde. Die h. L. wird dem 2./3. Jh. zugerechnet und besteht aus Traktaten in Brief-, Dialog- oder Predigtform, sie zeigt Einflüsse u. a. von ägypt. und orph. Mysterien und neuplaton. Gedanken. Im 3. und 4. Jh. übte sie Einfluß auf die christl. † Gnosis aus, blieb aber auch im MA (u. a. Albertus Magnus), im europ. Humanismus sowie im 16.–18. Jh. (u. a. P. A. T. Paracelsus, Freimaurer) lebendig.

Hermetismus [griech.] (italien. Ermetismo), Stilrichtung der Lyrik des 20. Jh., insbes. der 30er Jahre; bekannteste Vertreter u.a. die Italiener E. Montale, G. Ungaretti, S. Quasimodo; allg. Dunkelheit, Vieldeutigkeit der Aussage als Wesenszug der modernen Poesie.

Herminonen (Erminonen, Hermionen), wie die Ingwäonen und die Istwäonen eine Gruppierung german. Stämme, die während des 1./2. Jh. als religiös-polit. Kultgemeinschaft aufzufassen ist. Sie umfaßte zahlr. Völkerschaften, vornehmlich der Elbgermanen. Die Rolle dieser Kultverbände ist unklar.

Hermite, Charles [frz. ɛr'mit], *Dieuze (Moselle) 24. Dez. 1822, †Paris 14. Jan. 1901, frz. Mathematiker. – Löste 1858–64 die allgemeine Gleichung 5. Grades mit Hilfe ellipt. Funktionen und bewies 1873 die Transzendenz der Zahl e.

Hermlin, Stephan, eigtl. Rudolf Leder, *Chemnitz 13. April 1915, dt. Schriftsteller. – 1936–45 im Ausland, nahm am Span. Bürgerkrieg teil; ging 1947 nach Berlin (Ost). Behandelte in form- und sprachbewußter und oft von pathet. Gestus getragener Lyrik Themen antifaschist. Widerstands und des sozialist. Aufbaus in der DDR. H. besteht bei Wahrung seiner kommunist. Grundüberzeugung auf dem Recht des Individuums. Übertragungen insbes. frz., lateinamerikan. und afroamerikan. Dichtungen; auch Porträtskizzen („Die erste Reihe", 1951), Essays („Begegnungen 1954–1959", 1960). – *Weitere Werke:* Zwölf Balladen von den großen Städten (Ged., 1945), Der Leutnant Yorck von Wartenburg (E., 1946), Mansfelder Oratorium (1950), Scardanelli (Hsp., 1970), Abendlicht (1978, autobiographisch), Erzählungen (1990).

Hermon, Gebirge in Vorderasien, südl. Fortsetzung des Antilibanon, bis 2814 m hoch. Da der H. nach der Entwaldung stark verkarstete, ist Anbau nur in Dolinen, Mulden und auf künstl. Terrassen möglich.

Hermonax, att. Vasenmaler des 2. Viertels des 5. Jh. v. Chr. – Erhalten sind mehrere signierte Gefäße im streng rotfigurigen Stil.

Hermosillo [span. ɛrmo'sijo], Hauptstadt des mex. Staates Sonora, am Río Sonora, 240 m ü. d. M., 341 000 E. Erzbischofssitz; Univ. (eröffnet 1942); Zentrum eines Bewässerungsfeldbaugebiets. – Gegr. 1742.

Hermsdorf, Stadt westl. von Gera, Thür., 10 000 E. Elektron., Holzindustrie. – Nach 1150 gegr., seit 1969 Stadt.

Hermunduren (lat. Hermunduri; Ermunduren), Stamm der german. Sweben, der im 1. Jh. v. Chr. an der mittleren Elbe siedelte; ging in den Thüringern auf.

Hermupolis Magna (Hermopolis Magna) ↑Aschmunain, Al.

Hernández [span. ɛr'nandes], José, *Gut Pueyrredón bei Buenos Aires 10. Nov. 1834, †Buenos Aires 21. Okt. 1886, argentin. Schriftsteller. – Im als argentin. Nationalepos geltenden „Martín Fierro" (2 Teile, 1872–79) behandelte er das Schicksal der Gauchos.

H., Miguel, *Orihuela 30. Okt. 1910, †Alicante 28. März 1942, span. Dichter. – Neoklassizist. Lyriker.

Hernando ↑Ferdinand.

Herne, Stadt im nördl. Ruhrgebiet, NRW, 50–130 m ü. d. M., 174 200 E. Maschinenbau, elektrotechn., chem. Ind.; Verkehrsknotenpunkt, Häfen am Rhein-H.-Kanal. Im Ortsteil **Wanne-Eickel** Solquelle, 41 °C. – Um 890 wird das Kirchdorf H. erwähnt. Erlangte mit dem Kohlenbergbau (seit 1856) und der Eisenind. wirtsch. Bedeutung; Stadterhebung 1897. 1975 wurde Wanne-Eickel eingemeindet. – Wasserschloß Strünkede (16./17. Jh., heute Emschertalmuseum).

Hernie (Hernia) [lat.], svw. Eingeweidebruch (↑Bruch).

Hero von Alexandria ↑Heron von Alexandria.

Herodes, jüd. Herrscher:

H. I., der Große, *um 73, †4 v. Chr., Herrscher des jüd. Staates. – Sohn des Antipater; 47 Stratege in Galiläa, 43 in röm. Dienst. Durch Augustus gestützt, machte H. Judäa zu einem starken Föderiertenstaat über große Teile Palästinas. Der jüd. Kult wurde nicht angetastet, das Diasporajudentum unterstützt; Ansätze von Opposition wurden radikal unterdrückt, potentielle Nachfolger (darunter 3 seiner Söhne) beseitigt. Nach dem Tod des H. teilte Kaiser Augustus das Reich unter dessen Söhne Archelaos, Herodes Antipas und Herodes Philippos. – In der Literatur als Initiator des ↑bethlehemitischen Kindermords dargestellt, daneben zahlr. Dramatisierungen um H. und Mariamne, u.a. von F. Hebbel (1849).

H. Agrippa I., eigtl. Marcus Iulius Agrippa, *10 v. Chr., †44 n. Chr., jüd. Tetrarch. – Enkel Herodes' d. Gr.; in Rom aufgewachsen, erhielt die Tetrarchien von Herodes Philippos (37), Herodes Antipas (39) und Archelaos (41); ließ nach Apg. 12, 1–23 Jakobus d. Ä. hinrichten.

H. Agrippa II., *um 28, †um 100, jüd. Tetrarch. – Sohn von H. A. I.; in Rom erzogen, 50 von Claudius zum Herrscher von Chalkis am Libanon eingesetzt, erhielt 53 und 61 einige Tetrarchien; warnte vor dem Judenaufstand 66. Berühmt ist sein Gespräch mit dem Apostel Paulus und dessen Rede vor ihm (Apg. 25, 13–26, 32).

H. Antipas (Antipatros), *20 v. Chr., †nach 39 n. Chr., Tetrarch von Galiläa und Peräa. – Sohn Herodes' d. Gr.; gründete Tiberias; ließ Johannes den Täufer hinrichten (um 25 ?), als dieser ihn wegen seiner 2. Ehe mit seiner Nichte Herodias tadelte. – ↑Salome.

H. Philippos, †34 n. Chr., Tetrarch von Gaulanitis, Trachonitis und Batanaea (nach 4 v. Chr.). – Sohn Herodes' d. Gr.; gründete Caesarea Philippi und Julias (ehem. Bethsaida); sein Gebiet kam 37 an Herodes Agrippa I.

Herodes Atticus (Tiberius Claudius H. A.), *Marathon um 101, †177, griech. Redner. – Vertreter des ↑Attizismus; 143 röm. Konsul; ließ v. a. in Athen Prachtbauten errichten; erhalten ist eine Rede „Über den Staat".

Herodot, *Halikarnassos nach 490, †Athen nach 430, griech. Geschichtsschreiber. – War am Sturz des Tyrannen Lygdamis beteiligt, lebte deshalb zeitweise auf Samos im Exil. Unternahm Reisen nach Ägypten, Mesopotamien sowie in skyth. Gebiete. In Athen war er mit Perikles und Sophokles befreundet. Wahrscheinlich Teilnehmer an der Kolonisation von Thurii (442). Sein Werk, später in 9 Bücher eingeteilt, behandelt die Entwicklung des O–W-(= Perser–Griechen-) Verhältnisses von den Anfängen bis zur Schlacht von Platää (479). Die Darstellung wird ergänzt durch in sich geschlossene ethnograph.-geograph. Berichte (Logoi) nach dem Vorbild von Vorgängern und durch eigene Beobachtungen, durch Reden, Anekdoten und Reflexionen. H. Bemühen, dem Geschehen metaphys. Sinn zu geben, ist Abschluß vorklass. Denkens, leitet aber zugleich in die spätere Historiographie über. Histor. Geschehen ist einer göttl. Macht unterworfen, das Sicherheben einzelner wird als Hybris bestraft; Geschichte ist Lehre aus dieser Erkenntnis. H. wurde von Cicero „Vater der Geschichtsschreibung" genannt.

Heroin [zu griech. hḗrōs „Held" (im Sinne von „stark, kräftig")] (Diacetylmorphin), $C_{17}H_{17}NO(OCO \cdot CH_3)_2$, halbsynthet. Morphinderivat, das durch Acetylierung aus Morphin hergestellt wird. Das Rauschgift H. hat morphinähnl. Wirkungen, da es im Körper rasch zu Morphin abgebaut wird. Es ist das bekannteste und gefährlichste Opiat, schon nach kurzer Anwendung führt es zur Drogenabhängigkeit; seine medizin. und sonstige Anwendung ist daher verboten. Chem. Strukturformel ↑Morphin.

Heroine [griech.], Darstellerin einer weibl. Heldenrolle auf der Bühne.

heroische Landschaft [griech./dt.] ↑Landschaftsmalerei.

heroisch-galanter Roman [griech./frz./dt.], höf. Roman des Barock mit lehrhafter Tendenz, spielt vor einem pseudo-histor. Hintergrund. Vertreter in Frankreich: Gomberville, La Calprenède, M. de Scudéry, in Deutschland: P. von Zesen, H. A. von Zigler und Kliphausen, D. C. von Lohenstein und Herzog Ulrich Anton von Braunschweig.

Herold, Verein für Heraldik, Genealogie und verwandte Wiss., Sitz Berlin, gegr. 1869; übernahm nach 1918 die Registrierung neu angenommener Wappen in der 1922 begr. „Dt. Wappenrolle" und die Betreuung des Wappenwesens.

Herold [german.-frz., eigtl. „Heerwalter"], von Fürsten und Institutionen berufener Wappenkundiger im ritterl. Kriegs- und bes. im Turnierwesen; urspr. vielleicht Unterhändler und Sendbote. H. trugen als Amtskleid den mehrfach mit dem Wappen des Dienstherrn geschmückten Tappert (mantelartiger Überwurf); entwickelten die herald. Terminologie (↑Wappenkunde), verzeichneten die Wappen, überprüften auch allg. in herrschaftl. Auftrag Wappen und Titel, woraus sich die staatl. **Heroldsämter** ableiteten.

Heroldsbilder ↑Wappenkunde.

Heroldsdichtung (heraldische Dichtung, Wappendichtung), Versdichtungen des 13.–15. Jh., in der die Beschreibung fürstl. Wappen mit der Huldigung ihrer gegenwärtigen oder früheren Träger verbunden wurde. Sie erwuchs aus Vorstufen mündl. und literar. Art. Im 16. und 17. Jh. wurde sie in der **Pritschmeisterdichtung** als Preis von Festen und Fürsten fortgesetzt.

Heroldsfiguren, svw. Heroldsbilder (↑Wappenkunde).

Heroldsstücke, svw. Heroldsbilder (↑Wappenkunde).

Heron von Alexandria (lat. Hero), griech. Mathematiker und Mechaniker der 2. Hälfte des 1. Jh. n. Chr. – H. verfaßte ausführl. techn. Schriften. Seine „Mēchaniká" enthalten Angaben über kraftumformende Vorrichtungen sowie deren Zusammensetzungen z. B. in Kranen und Pressen, während in der „Pneumatiká" eine Vielzahl hydraul.-pneumat. Geräte und Spielwerke beschrieben ist.

Heronische Formel [nach Heron von Alexandria], Formel zur Berechnung des Flächeninhalts A eines Dreiecks mit den Seiten[längen] a, b, c:

$$A = \sqrt{s(s-a)(s-b)(s-c)}\,;$$

dabei ist $s = \frac{1}{2}(a+b+c)$.

Heronsball [nach Heron von Alexandria], teilweise mit einer Flüssigkeit gefülltes Gefäß mit einer herausragenden, im Innern bis nahe an den Gefäßboden reichenden Röhre, aus der bei Erhöhung des Luftdrucks (durch „Einblasen" von Luft oder Erwärmung) die Flüssigkeit herausgetrieben wird.

Heroon [griech.] ↑Heros.

Herophilos, *Chalkedon um 335 v. Chr., griech. Arzt. – Betrieb eingehende anatom. Forschungen an menschl. Leichen und entdeckte u. a. die Nerven. Im Organismus unterschied H. die vier Grundvorgänge Ernährung, Erwärmung, Wahrnehmung und Denken, erkannte den Zusammenhang von Puls und Herztätigkeit.

Heros [griech.], zunächst „Herr", „Edler", dann Bez. eines zw. Göttern und Menschen stehenden Helden, eines Halbgottes, der wunderbare Taten vollbringen kann. Diese Heroenvorstellung ist v.a. in der griech. Religion verbreitet und wahrscheinlich aus dem Totenkult mächtiger Herren der myken. Zeit entstanden. Der Sage zufolge entstammt der H. meist der Verbindung eines Gottes oder einer Göttin mit einem Menschen. Den Heroen wurde ein Kult zuteil, der stets lokal gebunden war. Er fand statt an dem tempelförmigen Grabmal, das **Heroon** hieß und die Reliquien des H. enthielt.

Herostrat [nach dem Griechen Herostratos, der 356 v. Chr. den Artemistempel zu Ephesus in Brand steckte, um berühmt zu werden], Verbrecher aus Ruhmsucht.

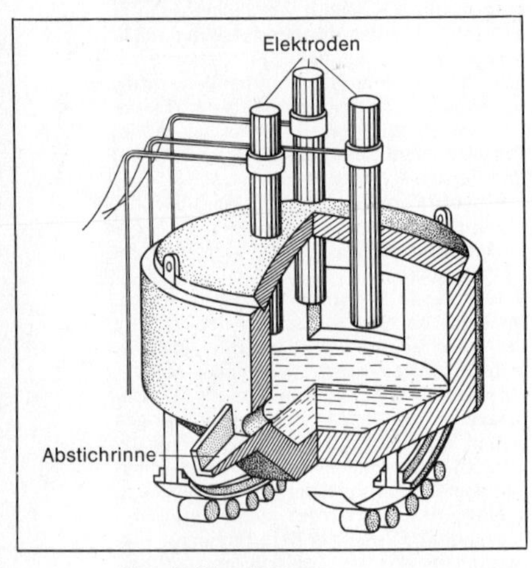

Héroult. Héroult-Ofen

Héroult, Paul Louis [Toussaint] [frz. e'ru], * Harcourt (Eure) 10. April 1863, † vor Antibes (auf seiner Jacht) 9. Mai 1914, frz. Metallurg. – 1886 entwickelte H. ein Verfahren zur industriellen Gewinnung von Aluminium aus Tonerde und Kryolith mittels Elektrolyse. 1907 ließ er einen Lichtbogenofen **(Héroult-Ofen)** zur Herstellung von Elektrostahl patentieren (↑ Schmelzöfen).

Hero und Leander, Liebespaar der hellenist. Dichtung. Leander ertrinkt beim Durchschwimmen des Hellesponts, als in einer stürm. Nacht die Lampe, die die Aphroditepriesterin Hero zur Orientierungshilfe anzündet, erlischt. Überliefert bei Ovid und Musaios.

Herpangina [griech./lat.], durch Viren verursachte gutartige Infektionskrankheit (bes. bei Kindern), u.a. mit Rachen- und Gaumenentzündung sowie Bläschenbildung in der Mundhöhle.

Herpes [zu griech. hérpēs, eigtl. „schleichender Schaden"], entzündl. Haut- und Schleimhauterkrankungen, bei denen kleine, mit seröser Flüssigkeit gefüllte Bläschen auftreten; in speziellem Sinne Kurzbez. für **Herpes simplex,** eine virusbedingte Hautkrankheit. Bei ihr treten u.a. im Bereich der Haut-Schleimhaut-Übergänge (z.B. an Lippen, Naseneingang, Augenlidern) und den Geschlechtsteilen zahlr. kleine Bläschen mit serösem Inhalt auf, die sich anschließend trüben, mit Krusten eintrocknen und ohne Narbenbildung abheilen.

Herpes zoster [griech.], svw. ↑ Gürtelrose.

Herr [zu dem althochdt. Komparativ hēriro „älter, erhabener"], die schon im 9. Jh. anstelle des älteren „fro" substantivisch gebrauchte Komparativform von hehr („hēr"), bezeichnete zunächst nur den Ehrung Beanspruchenden, d.h. den Höhergestellten gegenüber dem Geringeren; fand auch frühzeitig Anwendung auf den himml. Herrscher (Gott); in der höf. Periode Standesname für die Adligen, eigtl. für die freien Herren; ging in den Städten auf die obrigkeitl. Personen über; allg. auch für Familienoberhaupt, für Geistliche, für Personen, die Gewalt über etwas haben, gebraucht; seit Anfang des 17. Jh. bloße Höflichkeitsbezeigung.

Herr der Tiere, ein vornehmlich in Jägerkulturen verehrter Wildgeist, der als Besitzer und Hüter der Jagdtiere gilt.

Herrenalb, Bad ↑ Bad Herrenalb.

Herrenberg, Stadt am SW-Rand des Schönbuchs, Bad.-Württ., 460 m ü.d.M., 26 000 E. Gewerbl. Mittelpunkt des Oberen Gäus. – In der 2. Hälfte des 13. Jh. als Stadt angelegt. – Ehem. Kollegiatsstiftskirche (14.–18. Jh.).

Herrenbrüder ↑ Brüder Jesu.

Herrenchiemsee [...'ki:m...] (Herrenwörth), Schloßanlage auf der Herreninsel im Chiemsee, Bay. Das sog. Alte Schloß (17. Jh.) ist der Rest eines 1130 gegr. Augustiner-Chorherrenstifts. Das Neue Schloß ließ König Ludwig II. 1878–85 unter J. Hofmann nach Plänen von G. von Dollmann in Anlehnung an Versailles errichten; prunkvolle Innenausstattung.

Herrenfall ↑ Lehnswesen.

Herrenfeste, liturg. Gedenktage des heilsgeschichtl. Handelns Christi, v.a. der Sonntag, Ostern, Himmelfahrt, Pfingsten, Weihnachten, Epiphanie.

Herrenhaus, in Preußen (1855–1918) und Österreich (1861–65 und 1867–1918) amtl. Bez. für die 1. Kammer des Landtags bzw. des Reichsrats.

Herrenhausen, Stadtteil von ↑Hannover.

Herrenhof ↑Fronhof.

Herreninsel ↑Chiemsee.

herrenlose Sachen, Sachen, an denen kein Eigentum besteht. Sie unterliegen der ↑Aneignung. Verlorene Sachen werden i. d. R. nicht zu h. S., weil der Eigentümer nicht auf sein Recht verzichtet.

Herrenstand, im Hl. Röm. Reich alle über den Rittern stehenden Angehörigen des Adels.

Herrentiere (Primaten, Primates), Ordnung von bezüglich der Gehirnentwicklung sehr hochstehenden, in den übrigen Merkmalen jedoch wenig spezialisierten Säugetieren, die sich aus den Spitzhörnchen ähnl. Insektenfressern entwickelt haben. Man unterscheidet außer dem Menschen rd. 170 rezente Arten (zusammengefaßt in den Unterordnungen Affen und Halbaffen).

Herrenworte, im Unterschied zu den Erzählungen über Jesus die ihm in den Mund gelegten Worte, z. T. auch die von ihm selbst stammende Wortüberlieferung im N. T., v. a. die Gleichnisse, die Gesetzesworte und die Ich-Worte Jesu.

Herrera [span. ɛ'rrɛra], Fernando de, genannt el Divino („der Göttliche"), * Sevilla um 1534, † ebd. 1597, span. Dichter. – Bedeutendster span. Vertreter des Petrarkismus; die „Anotaciones a las obras de Garcilaso de la Vega" (1580) gehörten zu den wichtigen Poetiken des 16. Jahrhunderts.

H., Francisco, d. Ä., * Sevilla 1576 (?), † Madrid 1656, span. Maler. – Mitbegr. der von Caravaggio beeinflußten Sevillaner Malerschule; bevorzugte Volkstypen. Sein Sohn **Francisco Herrera d. J.** (* 1622, † 1685) ist ebenfalls ein Vertreter des Barock.

H., Juan de, * Mobellán (= Valdáliga, Santander) um 1530, † Madrid 15. Jan. 1597, span. Baumeister. – Mitarbeiter an den Plänen von Juan Bautista de Toledo (seit 1563) für El ↑Escorial, den er 1567–86 vollendete; setzte dem plateresken Stil eine auf geometr. Disziplin basierende Ordnung entgegen (*H.stil* oder Desornamentadostil); 1585 Entwurf für die Kathedrale in Valladolid.

Herrera Campins, Luis [span. ɛ'rrɛra kam'pins], * Acarigua 4. Mai 1925, venezolan. Politiker. – Als Gegner des Regimes von M. Pérez Jiménez 1952–58 im Exil; 1958–68 Abg., seit 1961 Vors. des Comitado Organización Politica Electoral Independiente (COPEI); 1979–84 Staatspräsident.

Herrera y Tordesillas, Antonio de [span. ɛ'rrɛra i tɔrðe'siʎas], * Cuéllar (Prov. Segovia) 1549 (?), † Madrid 29. März 1625, span. Geschichtsschreiber. – Von Philipp II. zum Chronisten Amerikas (1596) und des Königs (1602) ernannt; wertvolle Quellen zur Geschichte des Entdeckungszeitalters.

Herrgottswinkel, eine mit dem Kruzifix geschmückte Ecke der kath. bäuerl. Wohnstube, in der auch Heiligenbilder hängen und Gesangbuch und Devotionalien verwahrt werden können.

Herrhausen, Alfred, * Essen 30. Jan. 1930, † Bad Homburg v. d. H. 30. Nov. 1989 (ermordet), dt. Bankmanager. – Vorstands-Mgl. der Deutschen Bank AG (seit 1971), 1985–88 einer der beiden, seit 1988 alleiniger Vorstandssprecher; wirtschaftspolit. Berater H. Kohls. Fiel einem Sprengstoffattentat der „Rote Armee Fraktion" zum Opfer.

Herrick, Robert, ≈ London 24. Aug. 1591, ▭ Dean Prior (Devonshire) 15. Okt. 1674, engl. Dichter. – Anakreont. Lyrik, Epigramme, geistl. Gedichte u. a.

Herrieden, Stadt an der Altmühl, Bay., 420 m ü. d. M., 6300 E. Strickwarenfabrik, Brauerei. – König Arnulf schenkte das im 8. Jh. gegründete Benediktinerkloster 888 dem Bischof von Eichstätt. Mit der Säkularisierung des Klosters fiel H. 1803 an Preußen, 1806 an Bayern. – Spätgot. ehem. Stiftskirche (14.–16. Jh.; im Innern barockisiert).

Herri met de Bles ↑Bles, Herri met de.

Herriot, Édouard Marie [frz. ɛ'rjo], * Troyes 5. Juli 1872, † Saint-Genis-Laval (Rhône) 26. März 1957, frz. Politiker und Schriftsteller. – 1905–40 und 1945–57 Bürgermeister von Lyon, 1912–19 Senator und 1919–40 sowie 1945–54 als Radikalsozialist Abg. der Kammer bzw. Nationalversammlung. 1924/25 Min.präs. und Außenmin.; in seine Reg.zeit fielen die Anerkennung der UdSSR, die Räumung des Ruhrgebietes und die Annahme des Dawesplans. 1926–28 Min. für Unterrichtswesen, 1932 Min.präs.; 1936–40 Präs. der Deputiertenkammer; 1944 nach Deutschland deportiert; 1947–54 Präs. der Nationalversammlung.

Herrmann, Hugo, * Ravensburg 19. April 1896, † Stuttgart 7. Sept. 1967, dt. Komponist. – Sein Schaffen reicht von Opern, Oratorien, Sinfonien, Konzerten, Kammermusik und Chorwerken bis zu volkstüml. Werken für das Laienmusizieren.

H., Joachim, * Berlin 29. Okt. 1928, † ebd. 30. Juli 1992, dt. Journalist und Politiker. – Ab 1946 Mgl. der SED; 1952–78 Chefredakteur (ab 1971 des SED-Zentralorgans „Neues Deutschland"); ab 1978 Mgl. des Politbüros und Sekretär des ZK für Agitation und Propaganda; trug in diesen Funktionen Verantwortung für Pressezensur und staatl. Lenkung der Medien in der DDR; am 18. Okt. 1989 abgesetzt, im Jan. 1990 aus der SED ausgeschlossen.

H., Max, * Berlin 14. Mai 1865, † KZ Theresienstadt 17. Nov. 1942, dt. Theaterwissenschaftler und Literaturhistoriker. – Prof. in Berlin, Gründer des dortigen theaterwiss. Instituts.

H., [Johann Georg] Wilhelm, *Melkow (= Wust, Landkr. Havelberg) 6. Dez. 1846, †Marburg (Lahn) 2. Jan. 1922, dt. ev. Theologe. – 1879 Prof. für systemat. Theologie in Marburg. Ausgehend von der Gültigkeit des Kantischen Wissenschaftsbegriffs, suchte H. Recht, Selbständigkeit und Wahrheitswert der Religion gegenüber dem Anspruch der Wissenschaft zu erweisen.

Herrmann-Neiße, Max, eigtl. M. Herrmann, *Neisse 23. Mai 1886, †London 8. April 1941, dt. Schriftsteller. – 1933 Emigration in die Schweiz, dann nach Großbritannien. Wichtig v.a. seine Lyrik mit sozialer Thematik. – *Werke:* Empörung, Andacht, Ewigkeit (Ged., 1917), Um uns die Fremde (Ged., 1936), Mir bleibt mein Lied (Ged., hg. 1942).

Herrnhut, Stadt sw. von Görlitz, Sa., 345 m ü. d. M., 1900 E. Völkerkundemuseum. Herstellung von Adventssternen. – N. L. Graf von Zinzendorf siedelte seit 1722 mähr. Exulanten auf seiner Berthelsdorfer Grundherrschaft an. Aus der Siedlung entwickelte sich ein auf christl. Grundgedanken basierendes Gemeinwesen mit einer bes. Sozialstruktur (Stammort der H. Brüdergemeine); seit 1929 Stadt. – Barockbauten des 18. Jh., u. a. Kirchensaal der Brüdergemeine, Vogtshof.

Herrnhuter Brüdergemeine ↑Brüdergemeine.

Herrschaft, Bez. für Ausübung von Macht über Untergebene und Abhängige durch Machtmittel; von Max Weber definiert als institutionalisierte Macht im Sinne legitimer, aber auch illegitimer Ausübung von Gewalt innerhalb eines polit. Systems. Diese Definition wurde von der modernen Verfassungs- und Rechtsgeschichte in Frage gestellt, die die Ausklammerung der primären Rechtsstrukturen und der geschichtlich vorgegebenen Bezugsrahmen von Rechts- und Moralvorstellungen wie den Ausgangspunkt einer einheitl. Staatsgewalt bemängeln.

Im ma. Verständnis war H. nur legitime, von dem über Herrscher und Beherrschten stehenden Recht bestimmte Machtausübung (Ggs. Tyrannis). H. schloß nicht den Kampf um wirkl. oder vermeintl. Rechte und ein Widerstandsrecht gegen „unrechte Gewalt" aus. Der Ursprung der H. lag in der german. **Hausherrschaft** (Gewalt des Hausherrn über die Hausgenossen), aus der sich die *Grund-H.* ableitete. Träger dieser auf Personalverbände gegründeten H. war der Adel; die *Königs-H.*, die ihre Legitimität durch konstitutive Akte (Wahl, Salbung, Krönung) und durch **Herrschaftszeichen** (Insignien; v. a. Diadem, Krone, Lanze, Schwert, Zepter, Reichsapfel, Thron) begründete, war nur eine Sonderform der *Adels-H.*, deren spezif. ma. Form die *Lehns-H.* war. Seit dem Aufkommen des Ständewesens (13. Jh.) wurde die Macht des Herrschers vielfach durch von den Ständen erzwungene **Herrschaftsverträge** beschränkt (z. B. engl. Magna Charta libertatum 1215, ungar. Goldene Bulle 1222, Joyeuse Entrée von Brabant 1356: Bestätigung von Freiheitsrechten und Widerstandsrecht der Stände, Vereinbarungen über die Ausübung der staatl. H.). Während die ma. H. durch Nebeneinanderbestehen und Ineinandergreifen verschiedener und durch das Privilegienrecht noch differenzierter Typen von H. gekennzeichnet war, setzte sich im Zuge der Ablösung des Personalprinzips durch das Territorialprinzip seit dem Spät-MA, endgültig jedoch erst Ende des 18. Jh. die moderne einheitl. Staatsgewalt durch, die seither einem ständigen Prozeß der Revision ihrer Legitimitätsgrundlagen unterliegt. Ein ausschließlich auf das Politische abhebender Begriff von H. widerspricht allerdings in der Ind.gesellschaft dem Ineinanderwirken von polit. und wirtsch. Macht, die durch bürokratisierte H.apparate mit einem gewissen Grad an Autonomie gehandhabt wird.

H.typen können nach verschiedenen Gesichtspunkten aufgestellt werden. Die älteste Typologie ist die nach der Zahl der H.träger: Monokratie, Oligarchie (bzw. Aristokratie), Demokratie; nach dem entscheidenden Machtmittel der herrschenden Elite unterscheidet man z. B. Pluto-, Hiero-, Techno-, Büro-, Militokratie; klassisch wurde Max Webers Unterscheidung nach Legitimationstypen (rationale, traditionale, charismat. H.). Die Mechanismen und Bedingungen der H.ausübung, die Ursachen des Abbaus alter und der Entstehung neuer H.verhältnisse u. a. werden von der Soziologie und der Politikwiss. untersucht.

📖 *H. als soziale Praxis. Hg. v. K. Fischer. Gött. 1990. – Gunneweg, A. H./Schmithals, W.: H. Stg. 1980. – Günther, H.: Freiheit, H. u. Gesch. Ffm. 1979. – Müller, Norbert: Empir. H.theorie. Wsb. 1979. – Zimmermann, E.: Soziologie der polit. Gewalt. Stg. 1977.*

Herrscherkult, sakrale Verehrung des Herrschers, der als machterfüllter Mensch und sichtbarer Gott, Sohn eines Gottes oder göttl. Erwählter gilt und neben seinen herrscherl. Funktionen meist diejenige des obersten Priesters innehat. Seine Insignien und Gewänder symbolisieren das numinose Charisma, das er besitzt. Sein Leben vollzieht sich in starren Ritualen und meist in strenger Abgeschlossenheit. Krönung und Bestattung des Sakralherrschers sind kult. Akte. Der Brauch, beim Tod des göttl. Herrschers die Menschen seiner engeren Umgebung ebenfalls zu töten und mit ihm zu bestatten, war gelegentlich Bestandteil des Herrscherkultes.

Hersbruck, Stadt an der Pegnitz, Bay., 345 m ü. d. M., 11 500 E. Hirtenmuseum. Mittelpunkt des als **Hersbrucker Gebirge** bezeichneten Hopfenanbaugebiets. – H. kam 1011 an das Bistum Bamberg (seit 1057 Markt); um 1360 Stadtrecht. – Stadtpfarrkirche (15. und 18. Jh.), ma. Stadtbild.

Herschbach, Dudley Robert [engl. 'hə:ʃbɑk], * San Jose (Calif.) 18. Juni 1932, amerikan. Chemiker. – Seit 1963 Prof. für Chemie an der Harvard University, Cambridge (USA). Entwickelte zum Studium der chem. Reaktionskinetik die Methodik der gekreuzten Molekularstrahlen; erhielt dafür zus. mit Y. T. Lee und J. C. Polanyi 1986 den Nobelpreis für Chemie.

Herschel ['hɛrʃəl, engl. 'həʃəl], brit. Astronomenfamilie dt. Herkunft.

H., Sir (seit 1831) John [Frederick William], Baronet (seit 1838), * Slough (Buckinghamshire) 7. März 1792, † Collingwood (Kent) 11. Mai 1871, Astronom. – Seit 1823 Mitarbeiter seines Vaters [Friedrich] Wilhelm H.; 1850–55 Direktor der königl. Münze; entwikkelte eine erste Methode zur Berechnung der Bahnen von Doppelsternen. 1834–38 unternahm er eine erste Durchmusterung des Südhimmels. 1864 gab er einen großen Sternkatalog heraus, der die Grundlage nachfolgender Kataloge blieb.

H., Sir (seit 1816) [Friedrich] Wilhelm (William), * Hannover 15. Nov. 1738, † Slough (Buckinghamshire) 25. Aug. 1822, Astronom. – Militärmusiker in Hannover, Musiker und Komponist in Großbritannien. Über die Beschäftigung mit Musiktheorie kam er zur Optik und Astronomie. 1774 begann er mit dem Schleifen von Spiegeln für astronom. Reflektoren. Sein größtes Gerät war ein Reflektor von 1,22 m Durchmesser (1789). 1775 unternahm H. eine erste Himmelsdurchmusterung. 1781 entdeckte er den Uranus und später die Uranusmonde, 1789 die beiden inneren Saturnmonde. Zur Bestimmung einer Fixsternparallaxe legte er erstmals (1782, 1784) Kataloge von Doppelsternen an.

Hersey, John [Richard] [engl. 'hə:sɪ, 'hə:zɪ], * Tientsin (China) 17. Juni 1914, † Key West (Fla.) 24. März 1993, amerikan. Schriftsteller. – Schrieb Berichte und Dokumentarromane v. a. von Kriegsschauplätzen und Unruheherden, u. a. „Eine Glocke für Adano“ (1944), „Hiroshima“ (1946), „Verdammt sind wir alle“ (1959), „Zwischenfall im Motel“ (1963), „Orkan“ (1967), „Blues“ (Prosa, 1987).

Hersfeld, Bad ↑ Bad Hersfeld.

Hersfeld-Rotenburg, Landkr. in Hessen.

Hershey, Alfred [Day] [engl. 'hə:ʃɪ], * Owosso (Mich.) 4. Dez. 1908, amerikan. Molekularbiologe. – 1962–74 Leiter der Abteilung für Genetik des Carnegie-Instituts in Cold Spring Harbor (N. Y.); seine Arbeiten galten den Reaktionen von Antigenen und Antikörpern, der Biologie des Bakterienwachstums, der Genetik der Bakteriophagen sowie der Chemie der Nukleinsäuren. Anfang der 50er Jahre konnte H. beweisen, daß die DNS und nicht das Protein Träger der Erbinformation ist. Für die Gewinnung neuer Erkenntnisse über die genet. Struktur und den Vermehrungsmechanismus von Viren erhielt er 1969 (zus. mit M. Delbrück und S. E. Luria) den Nobelpreis für Physiologie oder Medizin.

Herstellkosten, alle Kosten, die bei der Produktion eines Gutes entstehen; in der betriebl. Kostenrechnung die Summe der Kostenträgereinzelkosten und der Kostenträgergemeinkosten: 1. Fertigungsmaterial, 2. Fertigungslohn, 3. Fertigungs- und Materialgemeinkosten, 4. Fertigungssonderkosten, 5. anteilige Verwaltungskosten.

Herstellungsklage, Klage auf Erfüllung nichtvermögensrechtl. ehel. Pflichten, v. a. auf Herstellung der ehel. Lebensgemeinschaft; praktisch ohne Bed., da aus dem Urteil nicht vollstreckt werden kann.

Herstellungskosten, für die Bewertung von Halb- und Fertigerzeugnissen sowie von selbsterstellten Anlagen gültige Wertmaßstäbe (Handels- und Steuerrecht). Die H. umfassen im Gegensatz zu den Herstellkosten keine lediglich kalkulatorisch berücksichtigten Kosten, z. B. Eigenkapitalzinsen oder kalkulator. Unternehmerlohn. Abschreibungen sowie Teile der Betriebs- und Verwaltungskosten, nicht aber Vertriebskosten dürfen in angemessenem Umfang eingerechnet werden, soweit sie auf den Herstellungszeitraum entfallen.

Herten, Stadt im nördl. Ruhrgebiet, NRW, 60 m ü. d. M., 67 800 E. Steinkohlenbergbau, Fleisch-, Papier-, Kunststoffverarbeitung, Maschinen- und Apparatebau. – Um 900 erstmals erwähnt; seit 1936 Stadt. – Spätgot. Wasserschloß (16. Jh.), nach Bränden wieder aufgebaut.

Hertford [engl. 'hɑ:fəd], engl. Stadt 30 km nördl. des Londoner Stadtzentrums, 21 400 E. Verwaltungssitz der Gft. Hertfordshire; Marktort im Leatal. – Burg (mit normann. Bauformen; um 1800 z. T. verändert).

Hertfordshire [engl. 'hɑ:fədʃɪə], Gft. in SO-England.

Hertie Waren- und Kaufhaus GmbH, Kaufhauskonzern in Deutschland, gegr. 1882 als **Hermann Tietz & Co.** in Gera, seit 1935 heutige Firma; Sitz: Frankfurt am Main und Berlin.

Hertling, Georg Freiherr (seit 1914 Graf) von, * Darmstadt 31. Aug. 1843, † Ruhpolding 4. Jan. 1919, dt. Philosoph und Politiker. – 1880 Prof. in Bonn, 1882 in München; arbeitete zur kath. Staats- und Sozialphilosophie. Gründer und Präs. (1876–1919) der Görres-Gesellschaft zur Pflege der Wiss.; 1875–90 und 1896–1912 MdR (Zentrum); 1908 Fraktionsvors. im Reichstag; 1912 bayr. Min.präs.; vom 1. Nov. 1917 bis 30. Sept. 1918 Reichskanzler und preuß. Min.präs. Scheiterte am Widerstand konservativer Kreise in Preußen und der obersten Heeresleitung.

Hertwig, Oscar [Wilhelm August], * Friedberg (Hessen) 21. April 1849, † Berlin 25. Okt. 1922, dt. Anatom und Biologe. – Bruder von Richard H.; Prof. in Jena und Berlin; stellte als erster fest, daß eine Befruchtung durch Verschmelzung von Ei- und Samenzelle zustande kommt (Beobachtung des Vorgangs am Seeigelei, 1875). 1890 entdeckte er die Reduktionsteilung der Samenzellen und untersuchte die Einwirkung von Radiumstrahlen auf tier. Keimzellen.

H., Richard [Carl Wilhelm Theodor] von (seit 1910), * Friedberg (Hessen) 23. Sept. 1850, † Schlederloh (= Dorfen, Landkr. Bad Tölz-Wolfratshausen) 3. Okt. 1937, dt. Zoologe. – Bruder von Oscar H.; Prof. in Königsberg (Pr), Bonn und München; führte Untersuchungen über die Konjugation bei Protozoen, die künstl. Jungfernzeugung bei Seeigeln und die Geschlechtsbestimmung bei Fröschen durch.

Hertz, Gustav, * Hamburg 22. Juli 1887, † Berlin 30. Okt. 1975, dt. Physiker. – Neffe von Heinrich H.; Prof. in Halle, Berlin und Leipzig; 1945–54 im sowjet. Kernforschungszentrum Suchumi tätig. Seine seit 1911 mit J. Franck durchgeführten Versuche zur diskontinuierl. Anregung von Atomen durch Elektronenstoß **(Franck-Hertz-Versuch)** erwiesen sich als Bestätigung des Bohrschen Atommodells. Die von ihm entwickelte Methode zur Trennung von Gasgemischen durch Diffusion gewann große techn. Bedeutung für die Trennung der Uranisotope. Nobelpreis für Physik 1925 mit J. Franck.

H., Heinrich [Rudolf], * Hamburg 22. Febr. 1857, † Bonn 1. Jan. 1894, dt. Physiker. – Prof. in Karlsruhe und Bonn. 1886–88 gelang ihm die Erzeugung und zugleich der Nachweis elektromagnet. Wellen (in Form von Dezimeterwellen) und damit die Bestätigung der Maxwellschen Theorie. 1887 entdeckte H. den Photoeffekt. Er versuchte auch eine neue Grundlegung der Mechanik („Die Principien der Mechanik, in neuem Zusammenhange", 1894).

Hertz [nach H. Hertz], Einheitenzeichen Hz, SI-Einheit der Frequenz. Festlegung: 1 Hz ist gleich der Frequenz eines period. Vorgangs der Periodendauer 1 Sekunde; 1 Hz = 1 Schwingung/Sekunde, kurz: 1 Hz = $1\ s^{-1}$.

Hertzberg, Ewald Friedrich Graf von (preuß. Graf seit 1786), * Lottin bei Neustettin 2. Sept. 1725, † Berlin 27. Mai 1795, preuß. Politiker. – Schloß 1763 den Frieden von Hubertusburg; leitete seitdem neben Finck von Finckenstein das auswärtige Ministerium; erstrebte nach 1786 einen von Preußen, Großbritannien, Rußland und den skand. Staaten gebildeten Nordbund; schied als Vertreter einer massiv antiöstr. Politik nach dem Ausgleich mit Österreich (Juli 1790) 1791 als Kabinettsmin. aus.

Hertziana (Bibliotheca H.) [nach der Stifterin Henriette Hertz, * 1846, † 1913], kunsthistor. Bibliothek in Rom (Max-Planck-Institut), gegr. 1913.

Hertzog, James Barry Munnick [engl. 'hɛətsɔg, 'həːtsɔg, afrikaans 'hɛrtsɔx], * Wellington 3. April 1866, † Pretoria 21. Nov. 1942, südafrikan. Politiker. – Kämpfte im Burenkrieg gegen die Briten; 1910–12 Justizmin.; gründete 1914 die Nat. Partei; 1924–39 Min.präs., seit 1929 auch Außenmin.; von Smuts gestürzt, als er zögerte, in den Krieg gegen Deutschland einzutreten.

Hertzscher Dipol (Hertzscher Oszillator) [nach H. Hertz], ein elektr. Dipol, in dem die Ladungen $+Q$ und $-Q$ periodisch gegeneinander schwingen, wobei elektromagnet. Wellen abgestrahlt werden; realisiert z. B. in einer Dipolantenne.

Hertzsche Wellen [nach H. Hertz], veraltete Bez. für die bes. mit Hilfsmitteln der Elektrotechnik erzeugten elektromagnet. Wellen mit Wellenlängen von etwa 0,1 mm bis zu einigen km.

Hertzsprung, Ejnar ['hɛrtsʃprʊŋ, dän. 'hɛrdsbroŋ'], * Frederiksberg 8. Okt. 1873, † Roskilde 21. Okt. 1967, dän. Astronom. – Prof. der Astronomie in Göttingen, Potsdam und Leiden; Untersuchungen über Wellenlängen des Sternlichtes und über Sternfarben, Bestimmungen der absoluten Sterngrößen aus der Feinstruktur des Spektrums, Beobachtungen von Doppelsternen, Veränderlichen und Sternhaufen sowie der Eigenbewegungen und Radialgeschwindigkeiten der Sterne. Bereits 1909 hatte er ein erstes Temperatur-Leuchtkraft-Diagramm aufgestellt, das H. N. Russell 1913 verbesserte (↑ Hertzsprung-Russell-Diagramm).

Hertzsprung-Russell-Diagramm [engl. rʌsl; nach E. Hertzsprung und H. N. Russell], Zustandsdiagramm für Sterne mit der absoluten ↑ Helligkeit bzw. ↑ Leuchtkraft als Ordinate und der Spektralklasse als Abszisse. Die Sterne ordnen sich in diesem Diagramm nach verschiedenen Gruppen und

Reihen und sind so klassifizierbar. Die meisten Sterne (90%, u.a. die Sonne) liegen auf der **Hauptreihe,** die das H.-R.-D. von links oben nach rechts unten durchzieht. Sie werden als *Hauptreihensterne* oder *Zwergsterne* bezeichnet. Oberhalb der Hauptreihe befindet sich – weniger scharf abgegrenzt – der **Riesenast.** Die dort eingeordneten (roten) *Riesensterne* haben eine größere Oberfläche. Hauptreihe und Riesenast sind durch ein Gebiet auffälliger Leere, die **Hertzsprung-Lücke,** getrennt. Ganz oben im Diagramm findet man vereinzelt sehr helle *Überriesen.* Unterhalb der Hauptreihe befinden sich Sterne im Spätstadium ihrer Entwicklung, z.B. ↑Novae und ↑weiße Zwerge. – Wenn als Abszisse ein ↑Farbenindex verwendet wird, spricht man auch vom **Farben-Helligkeits-Diagramm.** – Abb. S. 254.

Heruler (lat. Heruli; Eruler), aus N-Europa stammendes german. Volk. Die *West-H.,* seit 286 n.Chr. in Gallien bezeugt und zum Niederrhein abgewandert, wurden im 6.Jh. von den Franken unterworfen; die zahlenmäßig stärkeren *Ost-H.* zogen zum Asowschen Meer (dort 267 n.Chr. gen.) und gerieten im 4.Jh. unter die Herrschaft der Goten; gründeten zw. March und Theiß um 500 ein größeres Reich, das jedoch schon nach einigen Jahren von den Langobarden zerstört wurde.

Hervé, Gustave [frz. ɛr've], * Brest 2. Jan. 1871, † Paris 25. Okt. 1944, frz. Publizist und Politiker. – Vor 1914 der berühmteste frz. sozialist. Antimilitarist (**Hervéisme** als Programm individueller und kollektiver Kriegsdienstverweigerung); wandelte sich im 1. Weltkrieg zum schroffen Nationalisten; gründete 1927 den Parti socialiste national, setzte sich seit etwa 1930 für eine dt.-frz. Verständigung ein und unterstützte im 2. Weltkrieg den Etat Français.

Herwegen, Ildefons (Taufname: Peter), * Junkersdorf (= Köln) 27. Nov. 1874, † Maria Laach 2. Sept. 1946, dt. Benediktiner. – Unter H., Mitbegr. der ↑liturgischen Bewegung in Deutschland, seit 1913 Abt von Maria Laach, wurde die Abtei zur führenden liturgiewiss. Forschungsstätte des dt. Sprachgebiets.

Herwegh, Georg [...ve:k], * Stuttgart 31. Mai 1817, † Baden-Baden 7. April 1875, dt. Lyriker. – Wurde berühmt durch die politisch-revolutionären „Gedichte eines Lebendigen" (2 Bde., 1841–43); 1848 aktiv im bad. Aufstand.

Herz, Henriette Julie, geb. de Lemos, * Berlin 5. Sept. 1764, † ebd. 22. Okt. 1847, dt. Literatin. – Empfing in ihrem Berliner Salon viele bed. Persönlichkeiten; Mitbegr. eines sog. Tugendbundes, dem u.a. auch A. und W. von Humboldt, K. Laroche und später Schleiermacher angehörten.

H., Joachim, * Dresden 15. Juni 1924, dt. Regisseur. – 1953–56 Spielleiter und Assistent W. Felsensteins an der Kom. Oper Berlin (Ost) und 1976–81 dort Intendant, 1959–76 Operndirektor in Leipzig, 1981–91 Chefregisseur der Staatsoper Dresden.

Herz, (Cor, Kardia) im Brustraum über dem Zwerchfell und zw. den beiden Lungenflügeln liegendes muskulöses Hohlorgan, das durch Zusammenziehen (Systole) bzw. Erschlaffen (Diastole) und die Funktion der H.klappen für den Blutumlauf verantwortlich ist. Bei Säugetieren und dem Menschen besteht das H. aus zwei Hälften, die durch die *Herzscheidewand* (Septum) voneinander getrennt sind. Jede H.hälfte ist in einen muskelschwächeren oberen Abschnitt, den **Vorhof** (Vorkammer, Atrium), und in einen muskelstärkeren Abschnitt, die **Herzkammer** (Ventrikel), unterteilt. Die *Herzohren* sind blindsackartige Seitenteile der Vorhöfe. Die bindegewebige Hülle des H., der **Herzbeutel (Perikard)** ist hauptsächlich mit der vorderen Brustwand und dem Zwerchfell verwachsen. Seine innere Schicht **(Epikard)** ist fest mit der H.oberfläche verwachsen. Seine äußere Schicht besteht aus straffem Bindegewebe, durch dessen Fasern der H.beutel auch an der Wirbelsäule, am Brustkorb und an der Luftröhre verschiebbar aufgehängt ist. Zw. den beiden Schichten befindet sich eine seröse Flüssigkeit, die die Gleitfähigkeit der beiden Schichten gegeneinander gewährleistet. Unter der inneren Schicht folgt der **Herzmuskel (Myokard).** Er ist zur H.höhle hin von einer dünnen Innenhaut, dem **Endokard,** bedeckt, aus dem auch die Ventilklappen entspringen. Die rechte Vorkammer nimmt das aus dem Körper kommende sauerstoffarme (venöse) Blut auf und leitet es in die rechte H.kammer weiter. Diese pumpt es durch die Lungenarterie in die Lungen. Von dort gelangt das Blut in die linke Vorkammer. Diese wiederum leitet es in die linke H.kammer, die es durch die Aorta in den Körper preßt. Um einen Rückfluß des Blutes bei der Kontraktion der H.kammern (Systole) zu verhindern, verschließen dabei aus Endokardfalten gebildete, durch sehnige Faserplatten versteifte **Segelklappen** (Atrioventrikularklappen) den Weg zu den Vorhöfen. Erschlaffen die H.kammern (Diastole), so verhindern halbmondförmige, aus Bindegewebshäutchen bestehende **Taschenklappen** (Semilunarklappen) in der Lungenarterie (Pulmonalklappe) und in der Aorta (Aortenklappe) ein Zurückfließen des Blutes in die Kammern. Dabei öffnen sich die Segelklappen und geben dem Blut in den Vorhöfen den Weg frei. Da die linke H.hälfte stärker arbeiten muß als die rechte, ist die Wandung der linken H.kammer viel dicker als die der rechten.

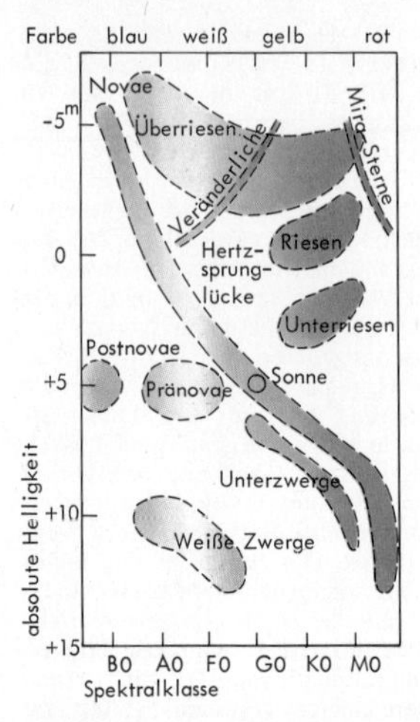

Hertzsprung-Russell-Diagramm

Die Versorgung der H.muskulatur mit sauerstoff- und nährstoffreichem Blut erfolgt in einem eigenen Kreislauf über die **Herzkranzgefäße** (Koronargefäße). Etwa 5–10% des Blutstroms im Körperkreislauf werden dafür abgezweigt. Das H. eines erwachsenen Menschen schlägt bei leichter Tätigkeit 60- bis 70mal in der Minute (Herzfrequenz); bei jedem H.schlag fördert das H. zw. 70 und 100 ml Blut je H.kammer. Bei rd. 75 Schlägen je Minute dauert ein H.schlag 0,8 Sekunden. Davon entfallen nur 0,3 Sekunden auf die eigentl. Arbeit, die Austreibung des Blutes (Systole), während die Erschlaffungsphase (Diastole) 0,5 Sekunden dauert.

Das Herz in der stammesgeschichtlichen Entwicklung: Bei Tieren mit Blutkreislauf wird das Blut i.d.R. durch mehrere H. oder durch ein H. bewegt. Unter den wirbellosen Tieren haben Ringelwürmer erstmals „Herzen" in Form von kontraktilen (sich zusammenziehenden) Gefäßabschnitten innerhalb ihres geschlossenen Blutkreislaufs. Bei den Gliederfüßern liegt das H. auf der Rückenseite und ist ein Schlauch mit seitl. Einlaßschlitzen (Ostien), die sich beim Pumpvorgang verschließen. Weichtiere haben ein sackförmiges, in einem H.beutel liegendes Herz. Das sauerstoffreiche Blut gelangt aus den Kiemen in die seitl. Vorhöfe des Herzens. Ihre Zahl entspricht meist der Zahl der Kiemen. Von den Vorhöfen fließt das Blut in die H.kammer und wird von dort in die Aorta gepreßt. Bei den Manteltieren kehrt sich, im Unterschied zu allen übrigen Tieren, die Kontraktionsrichtung des einfachen, schlauchförmigen, ebenfalls von einem H.beutel umschlossenen H. periodisch um, so daß das Blut einmal in Richtung Kiemen, dann wieder zu den Eingeweiden fließt. Den Schädellosen (z.B. Lanzettfischchen) fehlt ein zentrales H.; sie haben venöse Kiemen-H. (Bulbillen). Bei allen Wirbeltieren ist ein H. ausgebildet. Bei den Fischen besteht es aus vier hintereinanderliegenden Abschnitten, die durch H.klappen getrennt sind: Der Venensinus (Sinus venosus) nimmt das Blut aus dem Körper auf und leitet es durch die Vorkammer in die Kammer. Von hier aus wird es in die Kiemen gepumpt. Bei den Lurchen sind zwar zwei Vorkammern vorhanden, von denen die rechte das Blut aus dem Körper, die linke das aus der Lunge erhält. Doch gibt es nur eine Kammer, die das Blut aus beiden Vorkammern aufnimmt. In der H.wand sind Taschen und Falten ausgebildet, so daß es doch weitgehend getrennt bleibt. Sauerstoffarmes Blut wird in die Lungen, sauerstoffreiches in den Kopf und Mischblut in den Körper gepumpt. Bei den Reptilien beginnt die Trennung der H.kammer in eine rechte und linke Hälfte durch Ausbildung einer Scheidewand von der H.spitze aus. Die vollständige Trennung ist erst bei Vögeln und Säugetieren erreicht.

Kulturgeschichte: In den verschiedensten Kulturen galt und gilt das H. als Zentrum der Lebenskraft, darüber hinaus als Ort des Gewissens und Sitz der Seele sowie der Gefühle. – Auch die Götter werden nach altem Aberglauben durch H. gestärkt und ernährt. – Seit dem griech.-röm. Altertum ist das H. am stärksten mit dem Gefühlsleben, insbes. mit der Liebe verbunden, was auch in der Symbolsprache häufigen Ausdruck findet.

🕮 *Funktionsdiagnostik des gesunden u. des kranken H. Hg. v. H. Reindell, P. Bubenheimer u.a. Stg. 1988. – Kiss, F./Szentágothai, J.: Anatom. Atlas des menschl. Körpers. Bd. 2: Eingeweidelehre, Innersekretor. Drüsen, H. Stg. 1979.*

◆ in dt. Spielkarten die dem frz. Cœur entsprechende Farbe.

Herzanfall (Herzattacke), plötzlich auftretende Störungen der Herzfunktion wie Herzrhythmusstörungen (↑Herzkrankheiten) oder Mißempfindungen in der Herzgegend (↑Herzschmerzen).

Herzasthma ↑Asthma.

Herzautomatismus (Herzautomatie, Herzautonomie, Herzautorhythmie), Fähigkeit des Herzens, eigenständig rhythmisch tätig zu sein. Die Erregung der Herzmuskelfasern wird in einem *Automatiezentrum* des Herzens selbst gebildet. Sie breitet sich von dort über das gesamte Herz aus *(Erregungsleitungssystem des Herzens)*. Beim Menschen liegt im Sinus venosus, d.h. in der Wand der

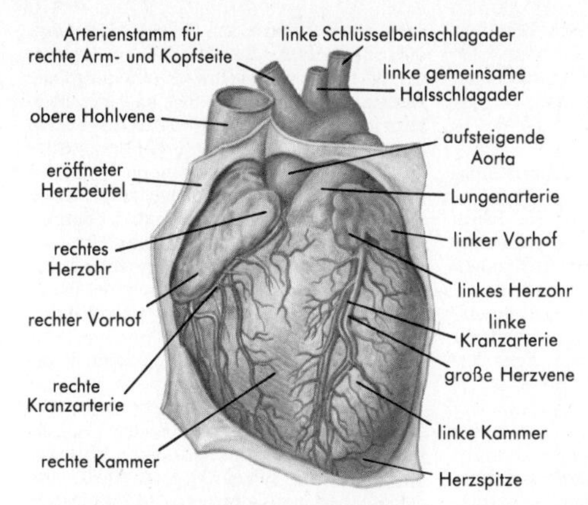

Herz. Von vorn gesehen

oberen Hohlvene, als primäres Automatiezentrum der **Sinusknoten** (primäres Erregungszentrum, *Keith-Flack-Knoten*), der die Kontraktion der Vorkammern bewirkt. Über die Muskulatur der Vorkammerwand wird die Erregung mit einer zeitl. Verzögerung auf ein zweites, sekundäres Automatiezentrum in der Ebene der Segelklappen, den **Atrioventrikularknoten** *(sekundäres Erregungszentrum, Vorhofknoten, Aschoff-Tawara-Knoten),* übertragen und von dort über das spezifische erregungsleitende Gewebe des His-Bündels und der Purkinje-Fasern auf die gesamte Kammermuskulatur weitergeleitet und löst damit deren Kontraktion aus. Taktgeber für die Schlagfrequenz des Herzens ist der Sinusknoten. Bei seinem Ausfall übernimmt der Atrioventrikularknoten dessen Funktion (jedoch mit nur etwa 40–50 Kontraktionen je Minute).

Herzberg, Gerhard, * Hamburg 25. Dez. 1904, kanad. Physiker dt. Herkunft. – Nach der Emigration aus Deutschland Prof. in Saskatoon und Chicago; seit 1948 Mitarbeiter am National Research Council in Ottawa. Seine Hauptarbeitsgebiete waren die Atom- und Molekülspektroskopie, insbes. die Untersuchung der Struktur zwei- und mehratomiger Moleküle. Er förderte die Astrochemie durch spektroskop. Nachweismethoden. Nobelpreis für Chemie 1971.

Herzberg am Harz, Stadt am S-Rand des Harzes, Nds., 233 m ü. d. M., 16 000 E. Papierfabrik, Eisen- und Stahlwerk, Kunststoffplattenwerke. – Das 1029 erwähnte Jagdschloß wurde im 13. Jh. Residenz der Herzöge von Braunschweig-Grubenhagen, 1582 der Herzöge von Braunschweig-Calenberg. H. wurde 1929 Stadt. – Das Schloß (16.–18. Jh.) war bis 1866 in welf. Besitz.

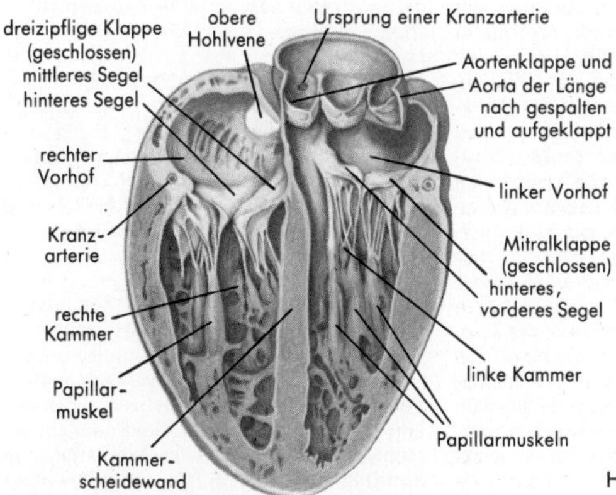

Herz. Längsschnitt

Herzberg (Elster), Krst. in Brandenburg, nö. von Torgau, an der Schwarzen Elster, 84 m ü. d. M., 8000 E. Armaturenbau, Mischfutterwerk. – Seit 1238 Stadt. – Marienkirche (14./15. Jh.).

Herzbeutel ↑Herz.

Herzbeutelentzündung ↑Herzkrankheiten.

Herzblatt (Parnassia), Gatt. der Steinbrechgewächse mit rd. 50 Arten in den kühleren Bereichen der Nordhalbkugel; Stauden mit eiförmigen oder längl. Blättern und großen Blüten an einem mit einem Blatt besetzten Blütenschaft. In Deutschland kommt nur das **Sumpfherzblatt** (Studentenröschen, Parnassia palustris) vor; 15–25 cm hoch.

Herzblock (Block), Unterbrechung der Erregungsleitung im Herzen. Nach dem Sitz der Störung werden u. a. folgende Formen unterschieden: Der *atrioventrikuläre H.* (AV-Block) besteht in einer Störung der Erregungsüberleitung zw. Herzvorhof und -kammer mit der Folge einer ungeordneten Kontraktion. Der *intraventrikuläre H.* tritt als rechts- oder linksseitige (partielle oder totale) Störung in einem Schenkel des His-Bündels (Rechts- oder Linksschenkelblock) oder in den Ausläufern einzelner Äste des Reizleitungssystems (Purkinje-Fasern) auf. Die dem H. zugrundeliegende Störung kann angeboren oder erworben sein (als krankhafte, herdartige Veränderungen in der Herzmuskulatur nach Scharlach, Diphtherie, bei Koronarsklerose oder Herzinfarkt). Die Behandlung erfolgt medikamentös (Sympathomimetika) oder durch Einpflanzung eines Herzschrittmachers.

Herzbuckel, meist asymmetr. Vorwölbung der Brustwand in der Herzgegend v. a. als Symptom eines angeborenen Herzfehlers mit Vergrößerung des Herzens.

Herzchirurgie, Spezialgebiet der Chirurgie, das sich mit operativen Eingriffen am Herzen oder an den großen, herznahen Gefäßen befaßt. Herzoperationen werden u. a. bei erworbenen oder angeborenen Herzklappenfehlern durchgeführt, bei Defekten der Herzscheidewände, bei Anomalien der großen, herznahen Gefäße (Aortenisthmusstenose) oder bei Herzverletzungen. Die ↑Herztransplantation sowie der operative Ersatz von erkrankten Herzkranzgefäßen durch körpereigene Arterien und die Einpflanzung eines ↑Herzschrittmachers gehören ebenfalls dazu. Operationen am geschlossenen, weiterschlagenden Herzen werden unter normaler Intubationsnarkose durchgeführt. Bei Eingriffen am geöffneten, blutleeren Herzen ist zur Vermeidung von Organschäden (bes. des Zentralnervensystems) eine künstl. Unterkühlung des Organismus oder der Einsatz einer ↑Herz-Lungen-Maschine erforderlich.

Herzdilatation, svw. ↑Herzerweiterung.

Herzebrock-Clarholz, Gemeinde im O der Westfäl. Bucht, NRW, 12600 E. Möbel-, Kunststoff-, Nahrungsmittel- und metallverarbeitende Ind. – Spätgot. Pfarrkirche mit roman. W-Turm, ehem. Klostergebäude (17./18. Jh.).

Herzegowina [hɛrtsegoˈviːna, hɛrtseˈgoːvina], südl. Teil der Republik Bosnien und Herzegowina, ein dünn besiedeltes verkarstetes Gebirgsland, das im Hochkarst über 2000 m Höhe erreicht. Hauptort der H. ist Mostar. – Zur Geschichte ↑Bosnien und Herzegowina, ↑Jugoslawien.

Herzeloyde (Herzeloide), Mutter Parzivals bei Wolfram von Eschenbach.

Herzen, Alexander Iwanowitsch (russ. Alexandr Iwanowitsch Gerzen), eigtl. A. I. Jakowlew; Pseudonym Iskander, *Moskau 6. April 1812, †Paris 21. Jan. 1870, russ. Schriftsteller und Publizist. – 1825 vom Aufstand der Dekabristen begeistert, setzte er sich für die Abschaffung der Leibeigenschaft ein. Mit Belinski Mittelpunkt literar. und polit. Salons in Moskau, Führer der radikalen russ. ↑Westler. Stark vom dt. Geistesleben und vom frz. utop. Sozialismus beeinflußt, v. a. von Schiller, Hegel, Feuerbach, Saint-Simon. Lebte seit 1847 in W-Europa. Befreundet mit Marx, Garibaldi, Mazzini, Kossuth. Bed. als Sozialpolitiker, Denker und Schriftsteller; dichter. Werke ließ er nur in den 40er Jahren des 19. Jh. erscheinen, darunter seinen einzigen Roman „Wer ist schuld?" (1847). Gab in London den Almanach „Severnaja zvezda" („Polarstern", 1855–62 und 1869) und die Zeitschrift „Kolokol" („Die Glocke", 1857–67) heraus.

Herzenge, svw. ↑Angina pectoris.

Herzerweiterung (Herzdilatation), jede Erweiterung der Herzhöhlen (nicht nur krankhafter, sondern auch physiolog. Art wie bei Herzvergrößerung infolge körperl. Belastung; z. B. das sog. ↑Leistungsherz); die krankhafte H. tritt v. a. auf bei akuter und chron. Druck- oder Volumenüberlastung (z. B. bei Bluthochdruck, Herzklappeninsuffizienz, Herzfehler).

Herzfäule, infolge Bormangels auftretende Pflanzenkrankheit, die sich v. a. im Vergilben und Absterben der Herzblätter zeigt (z. B. des Mohns oder der Rübe); Bekämpfung mit borhaltigen Düngemitteln oder mit Borax.

Herzfehler (Vitium cordis), Sammelbez. für verschiedene angeborene oder erworbene Fehlbildungen des Herzens und/oder der großen herznahen Blutgefäße. – Angeborene Fehlbildungen sind meist Defekte in der Vorhof- oder Kammerscheidewand oder ein Offenbleiben der embryonalen Verbindung zw. Lungenarterie und Aorta (↑Botalli-Gang), ferner die ↑Fallot-Kardiopathien, ↑Aortenisthmusstenose und anormale Querverbindungen zw. großem und kleinem Blutkreislauf bzw. dem rechten und linken Herzen (↑Shunt). Erworbene H. sind Herzkrankheiten infolge einer Herzbeutelentzündung sowie die meisten Herzklappenfehler.

Herzfeld, Hans, *Halle/Saale 22. Juni 1892, †Berlin (West) 16. Mai 1982, dt. Historiker. – 1929–38 Prof. in Halle, 1946–50 in Freiburg im Breisgau, 1950–60 an der FU Berlin; Forschungen v. a. zum 19. und 20. Jh., u. a. „Die moderne Welt 1789–1945" (1952).

H., Helmut ↑Heartfield, John.

Herzfelde, Wieland, eigtl. W. Herzfeld, *Weggis (Schweiz) 11. April 1896, †Berlin (Ost) 23. Nov. 1988, dt. Schriftsteller. – Bruder von John ↑Heartfield; 1917 Gründer des Malik-Verlags in Berlin, den er zum Sprachrohr revolutionärer Literatur und des Dadaismus machte. 1933 Emigration nach Prag, 1939 Flucht in die USA; seit 1949 Prof. in Leipzig. – *Werke:* Tragigrotesken der Nacht (En., 1920), Gesellschaft, Künstler und Kommunismus (Essays, 1921), Unterwegs. Blätter aus 50 Jahren (1961), Blau und Rot (Ged., 1971).

Herzflattern ↑Herzkrankheiten.

Herzflimmern ↑Herzkrankheiten.

Herzfrequenz, Anzahl der Herzschläge je Minute, die mit der Pulsfrequenz übereinstimmt. Die H. ist in erster Linie vom Alter, von der körperl. und seel. Belastung sowie von der Körpertemperatur abhängig. Sie beträgt beim Erwachsenen 60 bis 70 in körperl. Ruhe, 100 bei mittelschwerer Belastung, 150 und mehr bei schwerer Belastung. Bei Höchstleistungen werden Werte um 200 erreicht. Die H. beim Pferd beträgt 20 bis 70, beim Sperling 700 bis 850.

Herzgeräusche, alle von den normalen ↑Herztönen abweichenden, durch Abhorchen wahrnehmbaren, die Herztätigkeit begleitenden akust. Erscheinungen. H. sind Anzeichen von organisch bedingten Veränderungen der Blutströmungsverhältnisse (insbes. Wirbelbildung), die u. a. bei Herzklappenfehlern auftreten können.

Herzgespann (Leonurus), Gatt. der Lippenblütler mit neun Arten in W-Europa bis Z-Asien. Heimisch ist u. a. das **Echte Herzgespann** (Löwenschwanz, Leonurus cardiaca) mit handförmig zerteilten, beiderseits weichhaarigen Blättern und rötl. Blüten in dichten Scheinquirlen.

Herzglykoside ↑Digitalisglykoside.

Herzhypertrophie, Zunahme der Herzmuskulatur (Wandstärke, Größe und Gewicht des Herzens) allein durch Vergrößerung der einzelnen Herzmuskelfasern bei länger andauernder, vermehrter Beanspruchung (Druck- und/oder Volumenbelastung). Eine H. mit mäßiger Größenzunahme des gesamten Herzens findet man z. B. bei Hochleistungssportlern. Häufiger ist die H. einzelner Herzabschnitte, wobei sich die jeweils mehrbeanspruchte Herzkammer vergrößert (z. B. Rechts-H. bei Herzklappenfehlern und Lungenemphysem, Links-H. bei erhöhtem Druck im großen Kreislauf). Durch die H. kann sich das Gewicht des ganzen Herzens vom Durchschnittsgewicht (etwa 300 g) bis zu einem Maximalwert von etwa 500 g, dem sog. *krit. Herzgewicht,* vergrößern.

Herzinfarkt (Myokardinfarkt, Koronarinfarkt), plötzlich auftretendes, den Herzmuskel schädigendes Mißverhältnis zw. Sauerstoffbedarf des Herzmuskels und Sauerstoffangebot durch das Blut der zuführenden Herzkranzgefäße (akute Koronarinsuffizienz). Der Sauerstoffmangel (Ischämie) wird überwiegend durch eine die Lichtung der Kranzarterie hochgradig verengende oder verschließende Koronarsklerose hervorgerufen, wobei der endgültige Verschluß in über 90% der Fälle durch einen Blutpfropf bewirkt wird (Koronarthrombose), der sich über dem Einriß eines arteriosklerot. Herdes bildet, selten durch eine Embolie. Folge ist das Absterben eines Herzmuskelbezirks (ischäm. Nekrose). Beim Verschluß der linken Kranzarterie entsteht ein *Vorderwandinfarkt,* beim Verschluß der rechten ein *Hinterwandinfarkt.*

Risikofaktoren: Neben erblich bedingten Faktoren und Bluthochdruck können v. a. schädigende Einflüsse zivilisator. Lebensbedingungen einen H. begünstigen, z. B. körperl. Minderbeanspruchung, psych. Überlastung (Streß), Lebensangst, falsche Ernährung (Übergewicht), Rauchen, bei Frauen v. a. in Verbindung mit dem Gebrauch empfängnisverhütender hormoneller Mittel, unzureichender Schlaf und Arzneimittelmißbrauch sowie Stoffwechselstörungen, bes. bei Zuckerkrankheit, Gicht und Schilddrüsenunterfunktion. Während der H. im jüngeren und mittleren Lebensalter früher fast nur bei Männern auftrat, betrifft er in neuerer Zeit auch zunehmend Frauen dieser Altersgruppe; der Häufigkeitsgipfel liegt jedoch bei Männern jenseits des 50., bei Frauen jenseits des 60. Lebensjahres.

Verlauf: Der H., dem häufig schon jahrelange, von den koronaren Durchblutungsstörungen ausgehende (pektangiöse) Herzschmerzen vorausgehen, kann durch körperl. und psych. Belastungen (Streß), zu denen auch Infektionskrankheiten, kreislaufbelastende Wettereinflüsse gehören, ausgelöst werden. Er tritt anfallartig in Gestalt einer schweren ↑Angina pectoris auf mit äußerst starken Schmerzen meist unter der Brustbeingegend, die in Hals, Oberbauch und (bes. lin-

ken) Arm ausstrahlen, verbunden mit Unruhe, Todesangst und „Vernichtungsgefühl". Zusätzl. Symptome sind oft Schweißausbruch, Pulsbeschleunigung, Blutdruckerhöhung, Atemnot und Anzeichen einer Herzschwäche, beim Hinterwandinfarkt können Brechreiz und umgekehrt Pulsverlangsamung (Bradykardie) mit Hypotonie im Vordergrund stehen. In Einzelfällen sind die Beschwerden gering oder fehlen ganz („stummer Infarkt"). Die Auswirkungen sind vom Ausmaß und Ort der Muskelzerstörung abhängig. Bei einem großen Infarkt kann es durch Versagen der Herzleistung zu einem akuten Lungenödem oder Kreislaufschock kommen. Auch kleine Infarkte können dadurch gefährlich sein, daß sie zu Extraerregung der Herzkammern oder durch Sitz im Erregungsleitungssystem zu Kammerflimmern mit Sekundenherztod führen (häufigste Ursache des akuten Infarkttodes). Weitere Komplikationen sind zusätzl. Embolien z. B. in Gehirn, Gliedmaßen, Nieren, Milz oder Darm durch Abschwemmung von Teilen des infarktauslösenden Thrombus, eine Herzwandaussackung durch die Muskelschädigung (Aneurysma), teils mit nachfolgendem Herzriß, oder der Einriß einer infarktgeschädigten Herzkammerscheidewand. Nach Überstehen eines H. wird der Infarktbezirk von den Rändern aus durch einwachsendes Granulationsgewebe ersetzt, aus dem sich später eine feste Narbe oder Schwiele (Herzschwiele) entwickelt. Die weitere Prognose hängt vom Zustand der übrigen Kranzgefäße ab und ist bei leichter Verengung durch Ausbildung von Ersatzgefäßen (Kollateralkreislauf) günstig, ansonsten besteht die Gefahr weiterer Infarkte (Reinfarkte).
Die **Diagnose** des H. ist durch charakterist. Abweichungen im Elektrokardiogramm, Enzymbestimmung im Blutserum (Anstieg z. B. der Kreatinphosphokinase), Angiographie und Ultraschalluntersuchung möglich.
Behandlung: Erste Maßnahmen sind Ruhigstellung zur Herabsetzung des Sauerstoffbedarfs, Sauerstoffbeatmung, Verabreichung von schmerzstillenden, beruhigenden, auch kreislaufstützenden Medikamenten. Die Überlebensaussichten hängen sehr stark von der *umgehenden* Einlieferung in ein Krankenhaus (Intensivstation) ab, wo der Gefährdung durch Herzrhythmusstörungen und Herzinsuffizienz begegnet werden kann (Defibrillator, Herzschrittmacher). Häufig ist die Auflösung des Gefäßverschlusses durch Einspritzung von Streptokinase möglich. Zur Verhütung weiterer Thrombosen ist eine häufig längerfristige Anwendung von Antikoagulantien erforderlich. Nach einer etwa ein- bis dreiwöchigen Bettruhe und anschließender Schonung wird die Rehabilitation, meist im Rahmen eines Kuraufenthaltes, mit gezieltem Körpertraining zur Wiederherstellung einer optimalen Leistungsfähigkeit durchgeführt.

🕮 *Halhuber, C./Halhuber, M. J.: Sprechstunde: H. Rat u. Hilfe bei Koronarerkrankung, Angina pectoris u. a. Mchn. [8]1990. – Kinadeter, H.: Contra H. u. Schlaganfall. Eine umfassende Strategie für die Gesundheit. Mchn. 1989.*

Herzinnenhautentzündung (Endokarditis) ↑Herzkrankheiten.

Herzinsuffizienz ↑Herzkrankheiten.

Herzjagen, svw. ↑Tachykardie.

Herz Jesu, Thema einer bes. kath. Jesusmystik und -verehrung, die das H. J. als Symbol des ganzen Menschen Jesus, v. a. seiner aufopfernden Liebe versteht. Die H.-J.-Verehrung geht nach einzelnen Ansätzen bei den Kirchenvätern und im MA bes. auf die Visionen von M.-M. Alacoque zurück und erfuhr im 19. und 20. Jh. intensive Ausbreitung. Das **Herz-Jesu-Bild** erscheint als Andachtsbild seit dem 15. Jh. Pius IX. führte das **Herz-Jesu-Fest** für die ganze kath. Kirche ein (Freitag nach dem 2. Sonntag nach Pfingsten).

Herzkatheterisierung [dt./griech.], zur Herz-Kreislauf-Diagnostik unter Röntgenkontrolle durchgeführte Einschiebung einer elast. Sonde durch ein arterielles oder venöses Gefäß in die herznahen großen Gefäße und in die Herzhöhle. Bei Untersuchung der rechten Herzhälfte und der Lungenarterie wird die Sonde meist über die Armbeugevene (auch die linke Leistenvene) eingeführt; hierbei ist die Verwendung eines Einschwemmkatheters, eines dünnen Plastikballonkatheters von etwa 0,8 mm Durchmesser, möglich, der vom Blutstrom mitgeführt wird. Die H. dient der Feststellung und quantitativen Erfassung angeborener oder erworbener Herzfehler durch Austastung von Gefäßen und Herzabschnitten, durch direkte Blutdruckmessung mittels Druckwandlers, Blutprobenentnahme aus den einzelnen Herzabschnitten zur Blutgasanalyse, Direktableitung des Elektrokardiogramms durch Spezialkatheter, Einspritzung von Röntgenkontrastmitteln zur Angiokardiographie u. a. Auch therapeut. Eingriffe, z. B. die Erweiterung von verengten Herzkranzgefäßen mittels Ballonkatheters, sind möglich. Das Verfahren der H. wurde 1929 von W. Forssmann entwickelt und im Selbstversuch erprobt.

Herzkirsche ↑Süßkirsche.

Herzklappen ↑Herz.

Herzklappenentzündung ↑Herzkrankheiten.

Herzklappenfehler ↑Herzkrankheiten.

Herzklopfen ↑Herzkrankheiten.

Herzkrankheiten, organ. Erkrankungen oder Mißbildungen des Herzens oder der großen, herznahen Blutgefäße; i. w. S. auch

Bez. für funktionelle Störungen der Herztätigkeit. – Zu den organ. H. zählen die **Herzbeutelentzündung (Perikarditis),** die meist im Gefolge übergeordneter Erkrankungen (z. B. bakterielle Infektionen, rheumat. Fieber, Herzinfarkt) vorkommt. Bei der schmerzhaften *fibrinösen Herzbeutelentzündung* (trokkene Herzbeutelentzündung) kommt es zu Fibrinauflagerungen auf die Schichten des Herzbeutels und dadurch u. a. zu typ., mit der Herzarbeit synchronen Reibegeräuschen. Die *exsudative Herzbeutelentzündung* geht mit einer Vermehrung des Flüssigkeitsgehaltes des Herzbeutels **(Perikarderguß)** einher; die Umrisse des Herzens erscheinen vergrößert, die EKG-Ausschläge sind geringer, und es kommt (durch Behinderung der Herzfüllung) zur Abnahme von Blut- und Pulsdruck sowie zu Stauungserscheinungen. Eine chron. Herzbeutelentzündung führt durch narbige Veränderungen (Fibrose) und schrumpfende Verwachsung der Herzbeutelblätter, teils mit sekundärer Kalkeinlagerung **(Panzerherz),** zur Einengung des Herzens mit der Folge einer Herzinssuffizienz *(konstriktive Herzbeutelentzündung).* – Erkrankungen der Herzinnenhaut (Endokard) sind **Herzinnenhautentzündung (Endokarditis)** und **Herzklappenentzündung** (valvuläre Endokarditis). Letztere ist eine akut oder chronisch verlaufende Entzündung mit fast ausschließl. Lokalisation an den Herzklappen. Ursachen der Endokarditis sind rheumat. Erkrankungen und v. a. bakterielle Infektionen. Als Spätfolgen treten **Herzklappenfehler** auf. Diese können eine oder mehrere Klappen gleichzeitig betreffen. Bei einer *Herzklappenstenose* staut sich das Blut vor der Segelklappenöffnung oder es kann nur mit Mühe durch die Taschenklappenöffnung hindurchgepreßt werden. Die dadurch stromaufwärts entstehende Blutstauung wird vom Herzen durch eine Steigerung des Auswurfdrucks beantwortet. Die Druckbelastung führt zu einer kompensator. Herzmuskelzunahme (Druckhypertrophie). Bei einer *Herzklappeninsuffizienz* strömt ein Teil des geförderten Blutes wegen mangelnder Schlußfähigkeit der Klappen wieder in die auswerfende Herzhöhle zurück und führt zu vermehrter Volumenbelastung des Herzens und Erweiterung des Herzinnenraumes. Bei ausgeprägten Klappenfehlern ist ein operativer Ersatz der Herzklappen (Klappenprothesen) erforderlich. – Durch Erkrankungen der Herzkranzgefäße mit entsprechenden Durchblutungsstörungen und Überbelastung des Herzmuskels (z. B. durch Bluthochdruck, Herzklappenfehler) kommt es zur **Herzinsuffizienz** (Herzschwäche, Herzmuskelschwäche, Myokardinsuffizienz), d. h. zu einer unzureichenden Pumpleistung des Herzmuskels. Kann das Herz die geforderte Pumpleistung schon in Ruhe nicht mehr erbringen, spricht man von *Ruheinsuffizienz.* Wird die Herzleistung erst bei körperl. Beanspruchung ungenügend, spricht man von *Belastungsinsuffizienz.* Nach dem Verlauf wird zw. einer chron. Herzinsuffizienz mit langsam entstehender und sich verschlimmernder Symptomatik und einer akuten Herzinsuffizienz **(Herzversagen)** unterschieden; diese tritt als Schock mit Blutdruckabfall, Herzfrequenzanstieg (Tachykardie), Blässe und kaltem Schweiß auf und kann zum plötzl. Herztod führen. Nach dem organ. Ausmaß liegt eine beide Herzkammern betreffende *Globalinsuffizienz* oder eine verminderte Pumpleistung einer der beiden Herzhälften vor. Bei der **Linksinsuffizienz** pumpt die linke Herzkammer weniger Blut in die Hauptschlagader. Die rechte Kammer dagegen wirft unverändert kräftig Blut in den Lungenkreislauf, der bald überfüllt und gestaut wird (↑Stauungslunge). Bei der **Rechtsinsuffizienz** wirft die leistungsfähige linke Herzkammer mehr Blut in den großen Körperkreislauf, als die rechte Herzkammer abschöpfen kann. Die Folge ist ein Rückstau, der zunächst durch die Blutadern und das Kapillarsystem aufgefangen (kompensiert) werden kann; bei Dekompensation kommt es zu Leberstauung mit Gelbsucht, Bauchwassersucht, Nierenversagen auf Grund mangelnder Durchblutung und zu Ödemen. Zur Behandlung muß v. a. die Kraft der versagenden Herzkammer mit Hilfe von Digitalisglykosiden u. a. wieder gesteigert werden. Wichtig ist auch eine Herzschonkost, in erster Linie die Einschränkung von Kochsalz, Fett und Ballaststoffen. – Weitere Erkrankungen des Herzmuskels sind Herzmuskelentartung und Herzmuskelentzündung. Die nicht entzündl. **Herzmuskelentartung** (Myodegeneratio cordis) mit Herzinsuffizienz ist Folge von chron. Allgemeinerkrankungen, Hungerdystrophie oder Altersabbau. Die **Herzmuskelentzündung** (Myokarditis) tritt v. a. bei Rheuma, bestimmten Infektionskrankheiten (z. B. Diphtherie, Scharlach) und allerg. Prozessen auf. Die Symptome sind Herzklopfen, Herzinsuffizienz mit Kurzatmigkeit, Unruhe, rascher Ermüdbarkeit und schließlich Herzerweiterung und oft Herzrhythmusstörungen. Die Behandlung richtet sich nach dem Grundleiden. – Erkrankungen der Herzkranzgefäße sind ↑Angina pectoris, Koronarinsuffizienz, Koronarsklerose und ↑Herzinfarkt. **Koronarinsuffizienz** ist eine allg. Bez. für einen krankhaften Zustand, bei dem ein Mißverhältnis zw. Blutbedarf und tatsächl. Durchblutung des Herzmuskels besteht. Die Folge ist eine unzureichende Versorgung mit Sauerstoff und Nährstoffen. Sie äußert sich zunächst in einer Einschränkung der Koronarreserve, d. h. der Fähigkeit zur

belastungsabhängigen Steigerung der Durchblutung, im fortgeschrittenen Stadium in einer unzureichenden Versorgung im Ruhezustand. Ursache ist in 90% der Fälle eine fortschreitende Arteriosklerose der Gefäßinnenwand (**Koronarsklerose**). Risikofaktoren der Koronarinsuffizienz sind Bluthochdruck und ein erhöhter Cholesterinspiegel. – Unter den Schädigungen des Erregungsleitungssystems unterscheidet man Reizbildungsstörungen (↑Tachykardie, ↑Bradykardie, absolute ↑Arrhythmie, ↑Extrasystole, Herzflimmern) sowie Erregungsleitungsstörungen (↑Adam-Stokes-Symptomenkomplex, ↑Herzblock). Beide zus. werden als **Herzrhythmusstörungen** bezeichnet. Ausgelöst werden sie meist durch Grunderkrankungen des Herzens selbst (z. B. Koronarinsuffizienz, Herzinfarkt, Entzündungen) sowie nichtkardiale Erkrankungen (z. B. Elektrolytstörungen, hormonelle Erkrankungen). **Herzflimmern** ist eine Bez. für rasche, ungeordnete und ungleichzeitige Erregungen und Zusammenziehungen zahlr. Herzmuskelfasern bzw. Herzmuskelfasergruppen mit Ausfall der Pumpleistung des betroffenen Herzabschnitts oder des ganzen Herzens. Im Ggs. dazu ist beim **Herzflattern** die Herzschlagfolge noch regelmäßig, die Kontraktion synchron, die Pumpleistung erhalten; die Herzfrequenz allerdings ist auf etwa 300 je Minute erhöht. Das **Vorhofflimmern** (unkoordinierte Erregung der Herzvorhöfe) kommt v. a. bei Überfunktion der Schilddrüse, bei Vorhofüberlastung (z. B. durch Herzklappenfehler) sowie bei Koronarinsuffizienz vor. Anzeichen sind oft uncharakterist. Beschwerden (Schwindel, Leeregefühl im Kopf oder Druckgefühl in der Herzgegend). Das **Kammerflimmern** ist eine mit Absinken bzw. Ausfall der Herzleistung verbundene unregelmäßige Bewegung der Herzkammern infolge ungeordneter Kontraktionen der Muskelfasern. Häufigste Ursache ist der Herzinfarkt; es kann außerdem bei Herzoperation, Herzkatheterisierung, bei Starkstromunfall oder bei schwerer Herzinsuffizienz auftreten. – Unter dem Begriff der **funktionellen Herzstörungen** werden einerseits Auswirkungen der vegetativen Dystonie auf das organisch gesunde Herz (z. B. nervöses Herz), andererseits das anfallsweise auftretende Herzjagen auf Grund neurot. Erlebnisreaktionen zusammengefaßt. Eine Form der Organneurose ist die **Herzneurose**, die gekennzeichnet ist durch anfallsweise auftretendes heftiges Herzklopfen verbunden mit Angst vor einem akuten Herzstillstand.
Subjektive Beschwerden, wie allg. Krankheitsgefühl, vorzeitige Ermüdbarkeit oder auffallende Leistungsminderung, **Herzstolpern** (eine subjektive Mißempfindung bei unregelmäßiger Herzschlagfolge), starkes **Herzklopfen** (Palpitatio cordis; subjektive Empfindung verstärkten Herzschlags; kommt beim Gesunden kurzfristig nach körperl. Anstrengung oder bei gefühlsmäßiger Erregung vor), können erste Anzeichen von organ. H. sein. Zur Erkennung von H. sind die Befunde der Abtastung, Beklopfung und Abhorchung des Herzens sowie die Beurteilung des Arterien- und Venenpulses von bes. Bedeutung. Röntgenaufnahmen des Brustraums, Elektrokardiographie (zur Erfassung von Störungen des Erregungsablaufs im Herzen) und Herzschallaufzeichnung (zum Nachprüfen patholog. Herzgeräusche) ergänzen den Untersuchungsgang. Spezielle, nur in größeren Kliniken durchführbare diagnost. Maßnahmen sind die ↑Herzkatheterisierung, die röntgenograph. Darstellung der Herzinnenräume und der herznahen Blutgefäße nach Injektion eines Kontrastmittels (Angiokardiographie) sowie die Echokardiographie.

🕮 *Kroiss, T.: Heilerfolge bei Herz u. Kreislaufproblemen. Hilfe, die heute schon möglich ist. Hünstetten 1990. – Bleifeld, W./Hamm, C. W.: Herz u. Kreislauf. Klin. Pathophysiologie. Bln. 1988.*

Herzkranzgefäße ↑Herz.

Herz-Kreislauf-Erkrankungen, Gesamtheit der krankhaften Veränderungen des Herzens und der Blutgefäße. Zu den H.-K.-E. zählen in erster Linie die Herzkranzgefäßerkrankungen (↑Herzinfarkt, ↑Angina pectoris) sowie die ↑Arteriosklerose und ihre Folgeerscheinungen (bes. Bluthochdruck und Schlaganfall). Sie stellen in den Industrienationen eine der Hauptursachen frühzeitiger Invalidität und aller vorzeitigen Todesfälle dar. Folgende Risikofaktoren gelten als Ursachen der H.-K.-E.: Erhöhung des Cholesterinspiegels im Blut, Bluthochdruck, erhöhter Nikotinkonsum, Übergewicht sowie bes. psych. Überlastung und Bewegungsarmut.

Herzl, Theodor, * Budapest 2. Mai 1860, † Edlach an der Rax bei Gloggnitz 3. Juli 1904, östr. jüd. Schriftsteller und Politiker. – 1891–95 Korrespondent in Paris, wo ihm die Dreyfusaffäre Grunderlebnis jüd. Selbstbesinnung wurde; dann Feuilletonredakteur in Wien; Begründer des polit. Zionismus („Der Judenstaat", 1896); berief 1897 den 1. Zionist. Weltkongreß in Basel und wurde zum 1. Präs. der Zionist. Weltorganisation gewählt; forderte die Errichtung eines selbständigen jüd. Nationalstaates, den er im Roman „Altneuland" (1902) beschrieb.

Herzlieb, Minna (Mine, Minchen), eigtl. Wilhelmine H., * Züllichau 22. Mai 1789, † Görlitz 10. Juli 1865, Freundin Goethes. – Pflegetochter des Jenaer Buchhändlers K. F. E. Frommann. Die Goetheforschung hält sie für das Vorbild der Ottilie in Goethes „Wahlverwandtschaften".

Herzliyya, israel. Stadt am Mittelmeer, 70 000 E. Kur- und Seebadeort mit Ind.zone.

Herz-Lungen-Maschine, bei Herz- und Lungenoperationen eingesetztes Gerät, das die Funktionen dieser Organe für einen begrenzten Zeitraum übernimmt und damit die Sauerstoffversorgung der bes. empfindl. lebenswichtigen Organe für mehrere Stunden sicherstellt. Bei Operationen am offenen Herzen wird das venöse Blut nach Öffnung des Brustkorbs aus der oberen und unteren Hohlvene vor Eintritt in das Herz durch Schläuche in die mit Blutersatzmitteln gefüllte H.-L.-M. geleitet und nach deren Anlaufen ein künstl. Herzstillstand hergestellt. Mittels Rollen-, Finger- oder Ventilpumpen gelangt das zur Thrombosevermeidung mit Heparin versetzte Blut über einen Filter (Blutentschäumung) in den Sauerstoffüberträger (Oxygenator), wo das Kohlendioxid entzogen und Sauerstoff mit Narkosegas zugeführt wird. Das sauerstoffhaltige (arterialisierte) Blut gelangt über einen Wärmeaustauscher mit arteriellem Druck in den Körper zurück (meist über die Oberschenkelarterie).

Herzmanovsky-Orlando, Fritz Ritter von [...'nɔfski], * Wien 30. April 1877, † Schloß Rametz bei Meran 27. Mai 1954, östr. Schriftsteller. – Verfaßte phantast. Erzählungen, parodist. Dramen, Pantomimen und Ballette, u. a. den tragikom.-skurrilen Roman aus der Zeit des Wiener Vormärz „Der Gaulschreck im Rosennetz" (1928) und den gleichnishaften Gesellschaftsroman „Maskenspiel der Genien" (hg. 1958).

Herzmassage, bei plötzl. Herzstillstand zur Wiederbelebung angewandte Maßnahme als *äußere H.* (manuelle rhythm. Druckausübung auf das Brustbein) oder *innere H.* (manuelles rhythm. Zusammendrücken des Herzens nach operativer Eröffnung des Brustkorbs). – ↑ Erste Hilfe.

Herzmittel (Kardiaka, Kardiotonika), Arzneimittel, die die Leistungsfähigkeit des Herzmuskels verbessern.

Herzmuscheln (Cardiidae), Fam. mariner, nahezu weltweit verbreiteter Muscheln (Ordnung Blattkiemer) mit herzförmigen, radial gerippten Schalen und langem, dünnem, einknickbarem Fuß, der ruckartig geradegestreckt werden kann und die H. zu Sprüngen bis über 50 cm befähigt. Gegessen werden v. a. die Arten der Gatt. Cardium mit der **Eßbaren Herzmuschel** (Cardium edule), die an allen europ. Küsten vorkommt; Schalenlänge etwa 3–4 cm, weißlich bis gelblich.

Herzmuskel, svw. Myokard (↑ Herz).

Herzmuskelentzündung ↑ Herzkrankheiten.

Herzmuskelschwäche, svw. Herzinsuffizienz (↑ Herzkrankheiten).

Herzneurose ↑ Herzkrankheiten.

Herzog, Chaim, * Belfast 17. Sept. 1918, israel. General und Politiker (Israel. Arbeiterpartei). – Seit 1935 in Palästina; in Israel bis 1961 in geheimdienstl., militär. (1961 General) und diplomat. Funktionen; 1975–78 Chefdelegierter Israels bei den UN; 1983–93 Staatspräsident.

H., Eduard, * Schongau (Kt. Luzern) 1. Aug. 1841, † Bern 26. März 1924, schweizer. altkath. Theologe. – Zunächst kath. Priester; 1876 erster Bischof der Christkatholischen Kirche; Förderer der Utrechter Union.

H., Roman, * Landshut 5. April 1934, dt. Jurist und Politiker (CDU). – 1978–83 Mgl. der Reg. des Landes Bad.-Württ., 1983–87 Vizepräs., 1988–94 Präs. des Bundesverfassungsgerichts, seit 1994 Bundespräsident.

H., Werner, eigtl. W. H. Stipetic, * München 5. Sept. 1942, dt. Filmregisseur und -produzent. – Filme mit eindringl. Bildsprache oft über gesellschaftl. Außenseiter sind u. a. „Fata Morgana" (1970) und „Land des Schweigens und der Dunkelheit" (1971); seit „Aguirre, der Zorn Gottes" (1972) fand H. internat. Aufmerksamkeit. – *Weitere Filme:* Jeder für sich und Gott gegen alle (1975), Herz aus Glas (1976), Stroszek (1977), Nosferatu – Phantom der Nacht (1979), Woyzeck (1979), Fitzcarraldo (1982), Ballade vom kleinen Soldaten (1984), Cobra Verde (1987), Schrei aus Stein (1991).

H., Wilhelm, Pseud. Julian Sorel, * Berlin 12. Jan. 1884, † München 18. April 1960, dt. Publizist und Dramatiker. – Seine Zeitschrift „Das Forum" wurde 1915 wegen ihrer kriegsfeindl. Haltung verboten; 1919 Leiter der sozialist. Tageszeitung „Die Republik"; emigrierte 1933, 1952 Rückkehr. U. a. Drama „Die Affäre Dreyfus" (1929, zus. mit H. J. Rehfisch).

Herzog (althochdt. herizogo [„Heerführer"], lat. dux), in german. Zeit ein gewählter oder durch Los unter den Fürsten bestimmter Heerführer für die Dauer eines Kriegszuges, in der Merowingerzeit ein über mehrere Grafen gesetzter königl. *Amts-H.* mit v. a. militär. Aufgaben. Im 7./8. Jh. entwickelte sich dort, wo ethn. Einheiten an der Wahl mitwirkten, das sog. ältere *Stammesherzogtum,* das erblich wurde. Ende des 9., Anfang des 10. Jh. kam es zur Bildung von jüngeren **Stammesherzogtümern** (Sachsen, Bayern, Lothringen und Schwaben). Um die Macht der Stammes-H. der Reichsgewalt wieder unterzuordnen, begann das Königtum unter Otto I., d. Gr., mit der Umwandlung der Hzgt. in **Amtsherzogtümer,** indem die Selbständigkeit der H. eingeschränkt, ihr territorialer Besitzstand verringert oder geteilt wurde. Daneben wurde im otton.-sal. Reichskirchensystem ein Gegengewicht aufgebaut. Friedrich I. Barbarossa schlug mit der Errichtung von **Territo-**

rialherzogtümern (Österreich, Ostfranken, Westfalen, Steiermark) einen Weg ein, der unter Friedrich II. zur völligen Territorialisierung des Reiches führte. In außerdt. Reichen gab es seit dem frühen MA regionale Hzgt. (z. B. im Langobardenreich). Im spätma. und frühneuzeitl. Italien wurden mächtige Stadtherren zu Herzögen erhoben (Mailand, Florenz). In Frankreich entwickelten sich analog zum dt. Regnum spätkaroling. Hzgt. (Franzien, Aquitanien, Burgund, Bretagne, Normandie); bis zum Spät-MA wurden sie oft an Seitenlinien des Königshauses vergeben, ähnlich lagen die Verhältnisse in England und Skandinavien, wo echte Hzgt. fehlen. Im östl. M-Europa erlangten die böhm. und poln. Herrscher nach dt. Vorbild den H.rang.

Herzogenaurach, Stadt 9 km wsw. von Erlangen, Bay., 296 m ü. d. M., 18 500 E. Maschinenbau, Sportschuhind. – 1002 erstmals erwähnt; 1348 erstmals urkundlich als Stadt. – Got. Kirche, ehem. Schloß (v. a. 18. Jh.).

Herzogenbusch (niederl. 's-Hertogenbosch), niederl. Stadt an der Einmündung des Zuid-Willemsvaart in die Dieze, 90 600 E. Verwaltungssitz der Prov. Nordbrabant, Bischofssitz; Noordbrabants Museum; Reifenfabrik, metallverarbeitende, elektrotechn. und Nahrungsmittelind. – Um 1185 von Herzog Heinrich I. von Brabant als Stadt gegr. und mit zahlr. Privilegien ausgestattet. – Kathedrale (um 1380–1525) in Brabanter Gotik; Rathaus (im 17. Jh. barock erneuert).

Herzogenhorn, Berg im südl. Schwarzwald, Bad.-Württ., 1415 m ü. d. M.

Herzogenrath, Stadt an der dt.-niederl. Grenze, NRW, 110–145 m ü. d. M., 43 100 E. Glasschmelzgroßanlage, Flachglas- und Glasfaserproduktion. – 1104 erstmals erwähnt; nach der Zerstörung 1239 als Stadt wieder aufgebaut; Neuverleihung des Stadtrechts 1919.

Herzog Ernst, vor 1186 entstandenes mittelhochdt. vorhöf. Epos eines vermutlich mittelfränk. Dichters; es greift Motive aus dem Kampf Herzog Ernsts II. von Schwaben gegen seinen Stiefvater Kaiser Konrad II. auf; der Hauptteil besteht aus fabulösen Abenteuern im Orient.

Herzogstand, Gipfel (1 731 m) am W-Ufer des Walchensees, Bayer. Voralpen.

Herzogtum Lauenburg, Landkr. in Schleswig-Holstein.

Herzporträt (elektr. H.), von F. Kienle seit 1946 entwickeltes diagnost. Verfahren zur Aufzeichnung von Herzstromkurven mit Hilfe einer einzelnen, auf die vordere Brustwand des Patienten angelegten Spezialelektrode.

Herzrhythmusstörungen ↑ Herzkrankheiten.

Herzriß (Herzwandriß, Herzruptur), meist tödl. Schädigung durch Zerreißen der Herzwand infolge äußerer Gewalteinwirkung, Herzmuskelerweichung oder eines Herzwandaneurysmas nach ausgedehntem Herzinfarkt.

Herzschlag, der Schlagrhythmus des Herzens.

◆ volkstüml. Bez. für ↑ Herztod.

Herzschmerzen (Kardialgie), vom Herzen ausgehende bzw. mit dem Herzen zusammenhängende Schmerzen; entweder funktionell (d. h. Mißempfindungen ohne krankhafte Organveränderungen) oder organisch durch Minderdurchblutung der Herzkranzgefäße (bei Angina pectoris und Herzinfarkt). Ursache ist ein Sauerstoffmangel auf Grund von Durchblutungsstörungen.

Herzschrittmacher, der Sinusknoten des Erregungsleitungssystems des Herzens (↑ Herzautomatismus).

◆ (Pacemaker) in den Körper implantiertes (intrakorporaler H.) oder außerhalb des Körpers zu tragendes (extrakorporaler H.) elektr. Gerät (Impulsgenerator), von dessen Batterie elektr. Impulse zum Herzen geleitet werden, die dieses durch period. Reizung zum regelmäßigen Schlagen anregen. Eine künstl. elektr. Reizung des Herzens ist möglich, da die Herzkammern bei Ausfall des ↑ Herzautomatismus noch erregbar bleiben. Der H. besteht aus einem Batteriesatz, einem Taktgeber, einem Impulsverstärker und Elektroden, die entweder von außen durch die Brustwand oder das Zwerchfell an den Herzmuskel oder innen durch die Venen in die rechte Herzkammer gebracht werden. Ein H. wird verwendet, wenn die Herzfunktion durch Herzrhythmusstörungen beeinträchtigt ist. Funktionell werden zwei Arten von H. unterschieden: herzfrequenzsteigernde (antibradykarde) und herzfrequenzsenkende (antitachykarde) H. Der Schrittmacherimpuls kann eine festeingestellte Frequenz haben oder wie bei *Bedarfsschrittmachern* über eine elektron. Schaltung dem Bedarf von Herz und Kreislauf angepaßt sein. Durch einen kleinen operativen Eingriff wird der Impulsgeber meist im Brustbereich in eine Hauttasche eingepflanzt und die Schrittmacherelektrode von dort über eine Vene ins Herz vorgeschoben und verankert. Die Batterie muß in bestimmten Zeitabständen ausgetauscht werden; man versucht, möglichst langlebige Batterien (z. B. Radionuklidbatterien) zu entwickeln. Die Reizspannung beträgt bei intrakorporalen H. 5–10 V, bei extrakorporalen H. mit externen Elektroden, die meist nur zeitlich befristet (passagere H.) angelegt werden, bis maximal 150 V.

Herzschwäche ↑ Herzkrankheiten.

Herzspitzenstoß ↑ Herzstoß.

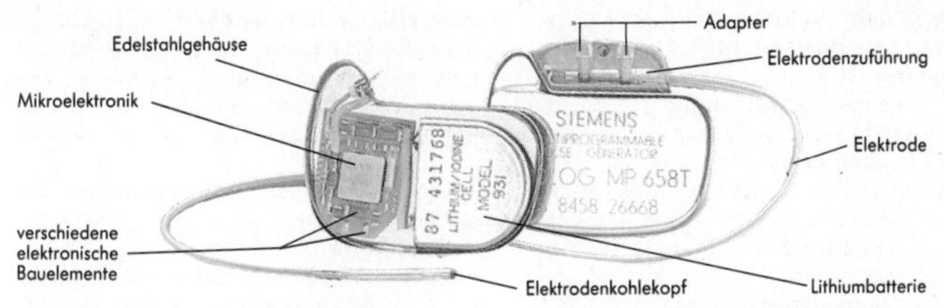

Herzschrittmacher. Links geöffnetes, rechts geschlossenes Gerät

Herzstiche, kurz anhaltende, stichartige Empfindungen in der Herzgegend; kommen u. a. als Anzeichen einer flüchtigen Durchblutungsstörung der Herzkranzgefäße während starker körperl. Anstrengung vor; auch Symptom bei Kreislaufstörungen mit arteriellem Unterdruck sowie bei Angina pectoris.

Herzstillstand, Aufhören der Herztätigkeit; Unterbrechung des Blutauswurfs aus den Herzkammern infolge Fehlens einer Herzmuskelkontraktion. Unmittelbare Folge eines H. ist die Unterbrechung der Blutzirkulation und damit der Sauerstoffversorgung des gesamten Organismus. Hält diese Unterbrechung länger als drei bis vier Minuten an, so kommt es zu irreversiblen Schädigungen lebenswichtiger Organe mit meist tödl. Ausgang. Bei einem H. ist daher sofortiges ärztl. Eingreifen erforderlich u. a. mit Herzmassage, künstl. Beatmung und Defibrillation, Injektion von Herz- und Kreislaufmitteln direkt ins Herz und evtl. Anlegen eines Herzschrittmachers. Mit diesen Maßnahmen können bis zu 50% der Patienten gerettet werden.

Herzstolpern ↑Herzkrankheiten.

Herzstoß, sichtbare und fühlbare Erschütterung der Brustwand durch die Herztätigkeit, am deutlichsten wahrnehmbar im vierten bis fünften Zwischenrippenraum links, wo die Herzspitze bei jeder Systole die Brustwand berührt **(Herzspitzenstoß).**

Herzstromkurve, svw. ↑Elektrokardiogramm.

Herztod (Herzschlag), Tod durch ↑Herzstillstand.

Herztöne, vom Herzen bei normaler Herztätigkeit ausgehende Schallerscheinungen (im physikal. Sinne Geräusche; ↑Herzgeräusche), die durch Vibrationen der sich schließenden Herzklappen, des tätigen Herzmuskels (samt Inhalt) und der großen herznahen Gefäße zustande kommen.

Herztransplantation (Herzverpflanzung), operative Übertragung eines menschl. Herzens als lebensfrisches Spenderorgan von einem Verstorbenen auf einen menschl. Empfänger. Anlaß zu einer H. bieten schwere Herzmuskel- und koronare Herzkrankheiten mit Herzinsuffizienz. Die H. wird unter Einsatz einer Herz-Lungen-Maschine ausgeführt; nach Entfernung des kranken Herzens bei Erhaltung des Herzbeutels wird das Transplantat an die Stümpfe der Aorta und die Lungenarterie durch Naht angeschlossen und die Herztätigkeit medikamentös oder durch Defibrillation wiederhergestellt. Entscheidend für den weiteren Erfolg ist die immunsuppressive Chemotherapie (↑Immunsuppressiva) zur Unterdrückung der Abstoßungsreaktion. Erstmals 1967 von dem südafrikan. Chirurgen C. Barnard erfolgreich am Menschen durchgeführt.

Herzverfettung, svw. ↑Fettherz.

herzynische Gebirgsbildung [lat./dt.], svw. ↑variskische Gebirgsbildung.

herzynisches Streichen [lat./dt.], parallel zum Harznordrand (NW-SO) verlaufende tekton. Richtung.

Hesdin, Jacquemart de [frz. e'dɛ̃], frz. Buchmaler des 14./15. Jh., vermutlich fläm. Herkunft (aus dem Hennegau). - Nachweisbar zw. 1384 und 1410. Schuf neben den Brüdern von ↑Limburg große Teile der Miniaturen für die Stundenbücher des Herzogs von Berry; sein eleganter Stil fußt auf got. (sienes.) Traditionen.

Hesekiel [...kiɛl] ↑Ezechiel.

Heseltine, Michael Ray Dibdin [engl. 'hɛzəltaɪn], * Swansea 21. März 1933, brit. Politiker (Konservativer). - Seit 1966 Unterhaus-Abg.; seit 1970 in verschiedenen Reg.-ämtern, 1983-86 Verteidigungsmin.; seit 1990 Umweltminister.

Hesiod, griech. Dichter um 700 v. Chr. aus Askra in Böotien. - In seiner Jugend nach eigener Aussage Hirt. H. durchbricht in seinem Epos „Werke und Tage“, das die Welt der kleinen Bauern spiegelt, als erster Dichter mit persönl. Einspruch die Anonymität der frühen griech. Epik. In der „Theogonie“ (1022 Verse), besingt H. Weltentstehung und Ursprung der Götter. Die Götter werden hier nicht als heitere Olympier gesehen, sondern als gewaltige, erhabene Mächte. H. Epen sind wichtige Quellen für die griech. Mythologie.

Hesperiden [zu griech. hespéra „Abend, Westen“], Nymphen der griech. Mythologie. Die H. wachen zus. mit dem hundertköpfigen Drachen Ladon im fernen Westen über die goldenen Äpfel, die Gäa als Hochzeitsgeschenk für Zeus und Hera sprießen ließ.

Hesperien [zu griech. hespéra „Abend, Westen"], in der griech. Antike Bez. für „Land gegen Abend", zunächst bes. für Italien, dann auch für Spanien.

Hesperos, alter Name für † Abendstern.

Heß, Rudolf, * Alexandria (Ägypten) 26. April 1894, † Berlin 17. Aug. 1987 (Selbstmord), dt. Politiker. – Wurde 1920 Mgl. der NSDAP; nach dem Hitlerputsch 1923 in der Festungshaft in Landsberg an der Abfassung von Hitlers Buch „Mein Kampf" beteiligt; wurde 1925 Privatsekretär Hitlers, 1933 „Stellvertreter des Führers" und Reichsmin. ohne Geschäftsbereich. Am 1. Sept. 1939 ernannte ihn Hitler zu seinem 2. Nachfolger (nach Göring). H. hatte maßgebl. Anteil am Ausbau des Hitlerkults. Er flog am 10. Mai 1941 nach Schottland, um Großbritannien zu Friedensverhandlungen zu bewegen, sprang dort mit dem Fallschirm ab, wurde bis Kriegsende interniert und 1946 in Nürnberg zu lebenslängl. Gefängnishaft verurteilt.

Hess, Moses, * Bonn 21. Juni 1812, † Paris 6. April 1875, jüd. Schriftsteller und Journalist. – Mit seinem Werk „Rom und Jerusalem, die letzte Nationalitätsfrage" (1862), in dem H. die Einrichtung eines jüd. nat. Staates in Palästina forderte, wurde er zu einem Vorläufer des Zionismus.

H., Victor Franz, * Schloß Waldstein bei Deutschfeistritz (Steiermark) 24. Juni 1883, † Mount Vernon (N. Y.) 17. Dez. 1964, amerikan. Physiker östr. Herkunft. – Prof. in Graz und Innsbruck; nach seiner Emigration in die USA 1938–56 Prof. in New York; 1912 Entdeckung der Höhenstrahlung. Nobelpreis für Physik 1936 zus. mit C. D. Anderson.

H., Walter [Rudolf], * Frauenfeld (Kt. Thurgau) 17. März 1881, † Muralto (Kt. Tessin) 12. Aug. 1973, schweizer. Neurophysiologe. – Prof. in Zürich; Forschungen v. a. über die Funktion des Nervensystems (seit 1925), die grundlegend waren für die experimentelle Verhaltensforschung und darüber hinaus auch bes. für die Hirnchirurgie und Psychopharmakologie große Bed. erlangten. H. entdeckte ferner die Bed. des Zwischenhirns als Organ der Steuerung bzw. Koordination vegetativer Funktionen. Für diese Entdeckung erhielt er 1949 (mit H. E. Moniz) den Nobelpreis für Physiologie oder Medizin.

Hesse, Hermann, Pseud. Emil Sinclair, * Calw 2. Juli 1877, † Montagnola (Schweiz) 9. Aug. 1962, dt. Dichter. – Buchhändler und Antiquar in Basel (seit 1899), dann freier Schriftsteller; lebte, von Reisen durch Europa und Indien abgesehen, zurückgezogen am Bodensee und später im Tessin (seit 1923 schweizer. Staatsbürger); 1946 Nobelpreis, 1955 Friedenspreis des Börsenvereins des Dt. Buchhandels. In seinem Erzählwerk geprägt von Goethe und Keller, begann H. als Neuromantiker mit stark autobiograph. Werken, die seine krisenhafte Entwicklung darstellen. Der Ggs. Geist–Leben (Natur) prägt sein literar. Schaffen. Beeindruckt von der ind. Philosophie, stellt er zeitweise das meditative Element in den Vordergrund, auch Einflüsse der Psychoanalyse (bes. im Roman „Der Steppenwolf", 1927). Eine Synthese versucht das Alterswerk „Das Glasperlenspiel" (1943), das westl. und östl. Weisheit vereint. Seine schlichte, musikal. Sprache ist gekennzeichnet durch impressionist. Bilder. Als Lyriker oft volksliednah; schuf Illustrationen eigener Werke. – *Weitere Werke:* Peter Camenzind (R., 1904), Unterm Rad (R., 1906), Gertrud (R., 1910), Roßhalde (R., 1914), Knulp (R., 1915), Demian (E., 1919), Klingsors letzter Sommer (En., 1920), Siddharta (Dichtung, 1922), Narziß und Goldmund (E., 1930), Die Morgenlandfahrt (En., 1932).

Hessen, Land der BR Deutschland, 21 114 km², 5,51 Mill. E (1990), Landeshauptstadt Wiesbaden. H. grenzt im NW an NRW, im NO an Nds., im O an Thür. und Bay., im S an Bad.-Württ., im SW an Rhld.-Pf., im W an Rhld.-Pf. und Nordrhein-Westfalen.

Landesnatur: Der größte Teil des durch Senken und Becken stark gekammerten Landes liegt im Bereich der dt. Mittelgebirgsschwelle. Mit Taunus, Hohem Westerwald, Gladenbacher Bergland und Kellerwald gehört der W zum Block des Rhein. Schiefergebirges. Nach O und NO schließt das Hess. Bergland an. Der Vogelsberg ist das flächenmäßig größte zusammenhängende Gebiet vulkan. Gesteine in Europa. Die höchste Erhebung ist mit 950 m die Wasserkuppe in der Rhön. Im S hat H. Anteil am Oberrheingraben und seinen östl. Randgebieten (Odenwald, Untermainebene, Spessart). Er setzt sich als Hess. Senke nach N fort, deutlich ausgeprägt in der Wetterau. In H. verläuft die Wasserscheide zw. Rhein und Weser vom Kellerwald über den Vogelsberg zur Rhön. – Das Klima wird v. a. durch den Ggs. Beckengebiete/Bergland bestimmt. Die Becken sind wesentlich wärmer und niederschlagsärmer als die Gebirge. – An Bodenschätzen finden sich Braunkohlen in der Wetterau und bei Borken (Bez. Kassel), Kalisalze im Werratal und bei Fulda, Erdöl und -gas im Hess. Ried sowie zahlr. Mineralquellen.

Bevölkerung: Sie ist aus mehreren Stämmen hervorgegangen (Franken, Chatten, Thüringer), doch hat sich die frühneuzeitl. Territorialgliederung noch stärker ausgewirkt, u. a. in der Religionszugehörigkeit. Rd. 33 % sind Katholiken der Bistümer Fulda, Limburg, Mainz und Paderborn. Die meisten der rd. 50 % ev. Christen gehören zur Ev. Kirche in

H. und Nassau und zur Ev. Kirche in Kurhessen-Waldeck. Rd. 30% der Bev. leben im Rhein-Main-Ballungsraum, während der N nur um Kassel und Baunatal ein Ballungsgebiet aufweist. H. verfügt über vier Univ. (Marburg, Gießen, Frankfurt am Main, Kassel) und eine TH (Darmstadt), ferner bestehen eine Privatuniv. (seit 1989, European Business School) sowie Kunst- und Fachhochschulen.

Wirtschaft: 37% der Gesamtfläche werden land- und forstwirtsch. genutzt. Ackerbau, bes. von Weizen und Zuckerrüben, dominiert in den Beckenlandschaften. Der Anteil an Dauergrünland ist bes. hoch in den Basaltlandschaften (Hoher Westerwald, Hohe Rhön, Hoher Vogelsberg). An Sonderkulturen ist im Rheingau und an der Bergstraße der Weinbau verbreitet, in der Wetterau Anbau von Gemüse und Rosen, im Vortaunus von Obst, um Witzenhausen Kirschen. 40,2% der Fläche werden von Wald eingenommen. Die größte Ind.dichte besitzt das Rhein-Main-Gebiet mit chem., elektrotechn. Ind., Maschinen- und Kfz-Bau. Um Kassel sind Waggon-, Lokomotiv-, Kfz-Bau u.a. Ind.-zweige vertreten. Textil- und Bekleidungsind. sind v.a. in Fulda von Bedeutung. In Mittel-H. mit Schwerpunkt Wetzlar herrschen feinmechan.-opt. Ind., Gießereien und metallverarbeitende Ind. vor. Offenbach ist Standort der Lederind., Darmstadt und Wiesbaden der chem. Industrie. H. besitzt Durchgangs- und Bindefunktion zw. N- und S-Deutschland, sein verkehrsgeograph. Mittelpunkt liegt im Rhein-Main-Gebiet mit bes. dichtem Autobahnnetz, mit dem internat. ✈ von Frankfurt am Main, das auch wichtiger Eisenbahnknotenpunkt ist. Weitere bed. Eisenbahnknotenpunkte sind Kassel und Gießen. Neben Rhein und Main sind auch Weser und z.T. Fulda und Lahn schiffbar. Wichtigster Hafen ist Frankfurt am Main.

Geschichte: In der Frühzeit Gau der Chatten, seit dem 6. Jh. in den fränk. Machtbereich einbezogen, im Ostfränk.-Dt. Reich starker Einfluß der Krone. Unter den ludowing. Grafen (1122–1247; seit 1130 Landgrafen von Thüringen) Kämpfe mit dem Mainzer Erzstift. Der thüring.-hess. Erbfolgekrieg (1247–64) zw. den Wettinern und der thüring. Landgräfin Sophie (* 1224, † 1275) führte zur Trennung Thüringens von H., das an Sophies Sohn Heinrich I., das Kind, kam. 1292 Erhebung der neuen Landgft. zum Reichsft. Unter Philipp I., dem Großmütigen, entwickelte sich H. zu einer die dt. Geschichte wesentlich beeinflussenden Macht. Durch die Landesteilung nach seinem Tod 1567 entstanden die Linien **Hessen-Kassel, Hessen-Marburg** (1604 an H.-Kassel), **Hessen-Rheinfels** (1583 an H.-Darmstadt) und **Hessen-Darmstadt** (1622 Abspaltung von **Hessen-Homburg).** Im Dreißigjährigen Krieg stand H.-Darmstadt auf kaiserl. Seite, H.-Kassel als Mgl. der Union auf prot. Seite. Am Kriegsende kam Ober-H. (urspr. zu H.-Marburg) zu H.-Darmstadt. Die „große Landgräfin“ Henriette Karoline machte 1765–74 den Darmstädter Hof zu einem geistigen Mittelpunkt Deutschlands. Durch den Reichsdeputationshauptschluß 1803 wurde H.-Kassel Kurft. (Zugewinn der Mainzer Enklaven Naumburg, Fritzlar, Amöneburg und Neustadt) und wurde 1807 dem Kgr. Westfalen eingegliedert. H.-Darmstadt dagegen konnte sein Gebiet 1803 und 1806

Verwaltungsgliederung
(Stand: 1993)

Kreisfreie Stadt/ Landkreis	Fläche (km²)	E (in 1000)
Regierungsbezirk Darmstadt		
Kreisfreie Städte		
Darmstadt	122	139,7
Frankfurt am Main	248	659,8
Offenbach am Main	45	116,8
Wiesbaden	204	270,8
Landkreise		
Bergstraße	719	257,4
Darmstadt-Dieburg	658	274,5
Groß-Gerau	453	241,7
Hochtaunuskreis	482	220,2
Main-Kinzig-Kreis	1397	395,7
Main-Taunus-Kreis	222	211,8
Odenwaldkreis	624	967,3
Offenbach	356	326,2
Rheingau-Taunus-Kreis	811	180,2
Wetteraukreis	1101	278,8
Regierungsbezirk Gießen		
Landkreise		
Gießen	855	248,1
Lahn-Dill-Kreis	1067	259,9
Limburg-Weilburg	738	166,9
Marburg-Biedenkopf	1262	249,2
Vogelsbergkreis	1459	118,3
Regierungsbezirk Kassel		
Kreisfreie Stadt		
Kassel	107	202,1
Landkreise		
Fulda	1380	206,6
Hersfeld-Rotenburg	1097	132,3
Kassel	1293	238,4
Schwalm-Eder-Kreis	1538	189,6
Waldeck-Frankenberg	1849	166,6
Werra-Meißner-Kreis	1025	118,0

(Beitritt zum Rheinbund) als Großhzgt. erheblich vergrößern (v.a. um das Hzgt. Westfalen [bis 1815] und kurmainz. Lande).
In dem im Zuge des Zusammenbruchs des Napoleon. Frankreichs wiederhergestellten **Kurhessen** kam es zu Auseinandersetzungen zw. dem Kurfürsten und (seit 1832) dem Min. H. D. Hassenpflug auf der einen und den Landtagen auf der anderen Seite um die erst 1831 verkündete liberale Verfassung. Nach Bildung einer liberalen Reg. 1848/49 wurde 1850 (Rückkehr Hassenpflugs) der reaktionäre Kurs fortgesetzt. Die Verfassungskämpfe gingen unter ständigen Eingriffen Preußens und des B.tages (1852 Besetzung H.) weiter, auch als die Verfassung von 1831 wiederhergestellt wurde. Als im Dt. Krieg 1866 Preußen von H. Neutralität verlangte, der Kurfürst sich aber auf die Seite Österreichs stellte, wurde er verbannt und H. Preußen einverleibt, das aus Kur-H., Nassau, Frankfurt am Main, H.-Homburg und Teilen des Groß-Hzgt. H. 1868 die Prov. **Hessen-Nassau** bildete (Reg.-Bez. Wiesbaden und Kassel).
Im **Großherzogtum Hessen** (bestehend aus den Prov. Oberhessen [nördl. des Mains], Starkenburg [zw. Rhein und Main] und Rheinhessen [linksrhein.]) wurde 1820 eine Repräsentativverfassung eingeführt (Zweikammersystem, indirektes Zensuswahlrecht). 1848–50 umfassende liberale Reformen, 1850–71 reaktionäres Regiment des Min. C. F. R. Dalwigk. 1866 bei der unterlegenen Partei des Dt. Kriegs, trat das Großhzgt. 1867 nur mit Oberhessen dem Norddt. Bund bei, seit 1871 gehörte es zum Dt. Reich.
1918/19 wurde H. **Volksstaat** unter sozialdemokratisch geführter Reg., doch stellten frz. Besetzungen auch rechtsrhein. Gebietsteile und die zweimalige Proklamation der separatist. Rhein. Republik (1919/23) schwere Belastungen dar. 1933 nat.-soz. Gleichschaltung. 1945 Bildung des **Landes Hessen** aus den zur amerikan. Besatzungszone gehörenden Teilen von H. (somit ohne Rheinhessen) und dem größten Teil von H.-Nassau. Stärkste Partei im Landtag wurde bis 1982 stets die SPD, die nach der Allparteienreg. unter dem parteilosen Min.präs. K. Geiler 1945–47 immer den Reg.chef stellte: C. Stock (1947–50; SPD-CDU-Koalition), G. A. Zinn (1950–69, 1954–66 als SPD-GB/BHE- bzw. SPD-GDP-Koalition), A. Osswald (1969–76; 1970–76 SPD-FDP-Koalition), H. Börner (1976–82; SPD-FDP-Koalition, 1982–84 geschäftsführend). Danach regierte Börner auf der Grundlage eines „Tolerierungsbündnisses" von SPD und Grünen (seit 1982 im Landtag), im Okt. 1985 einigten sich beide Parteien auf eine Koalition, die jedoch im Febr. 1987 an energiepolit. Differenzen zerbrach. Nach Neuwahlen im April 1987 bildeten CDU und FDP eine Koalition unter W. Wallmann (CDU). Nach den Wahlen vom Jan. 1991 kam es unter H. Eichel erneut zur Bildung einer Koalitionsreg. von SPD und Grünen.
Verfassung: Die Verfassung des Landes H. stammt vom 1. 12. 1946 (bei späteren Änderungen). Wichtigstes Organ der Gesetzgebung ist der nach modifiziertem Verhältniswahlrecht auf 4 Jahre gewählte Landtag, der den Min.präs. zum Leiter der Landesreg. wählt. Durch Volksbegehren und Volksentscheid kann die Bev. direkt an der Gesetzgebung teilnehmen. Jede Verfassungsänderung muß durch Volksentscheid gebilligt werden.

Hessen-Darmstadt ↑Hessen, Geschichte.

Hessen-Homburg ↑Hessen, Geschichte.

Hessen-Kassel ↑Hessen, Geschichte.

Hessen-Marburg ↑Hessen, Geschichte.

Hessen-Nassau ↑Hessen, Geschichte.

Hessenthal, Teil der Gemeinde Mespelbrunn, 11 km sö. von Aschaffenburg, Bay. Seit dem späten 13. Jh. Wallfahrtsort. – Spätgot. Wallfahrtskapelle (1454), spätgot. Wallfahrtskirche (1439 ff.), zugleich Grablege der Echter von Mespelbrunn, und moderne Wallfahrtskirche von H. Schädel (1954/55) anstelle der alten Kreuzkapelle von 1618, mit Kreuzigungsgruppe von H. Backoffen (1519) und Beweinungsgruppe von T. Riemenschneider (um 1490).

Hess-Gesetz [nach dem russ. Chemiker G. H. Hess, * 1802, † 1850] (Gesetz der konstanten Wärmesummen), Gesetzmäßigkeit, wonach die von einem chem. System aufgenommene oder abgegebene Wärmemenge unabhängig vom Weg der Reaktion ist.

Hessisch ↑deutsche Mundarten.

Hessischer Rundfunk ↑Rundfunkanstalten (Übersicht).

Hessisches Bergland, Teil der dt. Mittelgebirgsschwelle zw. Rhein. Schiefergebirge und Thüringer Wald.

Hessische Senke, Grabenzone in der dt. Mittelgebirgsschwelle, umfaßt den Übergang vom Oberrheingraben (u.a. Wetterau), das Hess. Bergland, das Weserbergland und das Niedersächs. Bergland.

Hessisches Ried, Landschaft im nördl. Teil des Oberrhein. Tieflands, zw. Rhein und Odenwald, 80–100 m ü. d. M. Erdölförderung.

Hessisch Lichtenau, hess. Stadt 20 km sö. von Kassel, 381 m ü. d. M., 13 300 E. Textil-, Kunststoff-, Holzind. – Ende 13. Jh. entstand durch Zusammenlegung mehrerer Dörfer Lichtenau. Seit 1889 heutiger Name.

Hessus, Helius Eobanus, eigtl. Eoban Koch, * Halgehausen bei Frankenberg-Eder 6. Jan. 1488, † Marburg a. d. Lahn 4. Okt. 1540, dt. Humanist und nlat. Dichter. – Gehörte dem Erfurter Humanistenkreis an; Gelegenheitsgedichte, Eklogen und Briefe (nach den „Heroiden" Ovids) hl. Frauen („Heroides christianae", 1514, erweitert 1532); übertrug die „Ilias" in lat. Sprache.

Hestia, bei den Griechen Personifikation und jungfräul. Göttin des hl. Herdfeuers. Schirmerin des häusl. Friedens, der Schutzflehenden und des Eides; große Bed. in der myst. und philosoph. Spekulation. Der H. entsprach bei den Römern ↑Vesta.

Hesychasmus [zu griech. hēsychía „Ruhe"], Sonderform der ma. byzantin. Mystik, die in Grundzügen bis ins 6. Jh. (Johannes Hesychastes [† 559]) zurückgeht, die man jedoch auf Symeon den neuen Theologen († 1022) zurückführt und die Gregorios Palamas theologisch begründete. Durch Konzentration, körperl. Übungen und ständige Wiederholung des ↑Jesusgebets wollte man zur Schau der göttl. Energien und des ↑Taborlichts kommen. Zentrum des urspr. bekämpften H. war der Athos.

Hesychios, griech. Lexikograph wahrscheinl. des 5. oder 6. Jh. aus Alexandria. – Verfasser eines alphabetisch angeordneten Wörterbuches, das eine wertvolle Quelle für die Kenntnis der griech. Dichtersprache und Mundarten ist.

Hetären, [zu griech. hetaírai, „Gefährtinnen"], in der Antike Frauen, die, auf Grund ihrer Schönheit und zum Teil außergewöhnl. mus. und philosoph. Bildung, als bezahlte Geliebte bed. Dichter, Staatsmänner und Philosophen eine wichtige Rolle im kulturellen und polit. Leben spielten. Bekannte H.: Aspasia, Phryne, Thais, Theodora.

Hetärie [griech.], 1. altgriech. Bez. für einen Männerbund, auch für eine Gruppe innerhalb der Bürgerschaft mit festen polit. oder kult. Aufgaben; 2. seit Ende des 18. Jh. Geheimbünde mit dem Ziel der nat. Befreiung Griechenlands, v. a. die 1812 in Athen gegr. Hetairia Philomúsōn („H. der Musenfreunde") und die Hetairia Philikōn („H. der Freunde"), 1814 in Odessa gegr., 1821 von den Osmanen vernichtend geschlagen.

hetero..., Hetero... [griech.], Bestimmungswort von Zusammensetzungen mit der Bed. „anders, fremd, ungleich, verschieden", z. B. heterogen.

Heterochromatin ↑Euchromatin.

heterodont [griech.] (anisodont), aus verschiedenartigen Zähnen gebildet, z. B. besitzen der Mensch und die Säugetiere ein heterodontes Gebiß (Schneide-, Eck- und Backenzähne).

heterodox [griech.], abweichend von der offiziellen Lehre, Ggs. zu orthodox.

heterogametisch [griech.] (digametisch), unterschiedl. Gameten bildend; für das Geschlecht (bei Säugetieren und bei Menschen das ♂), das zweierlei Gameten ausbildet, solche mit dem X- und andere mit dem Y-Chromosom, das also die XY-Chromosomenkombination in seinen Körperzellen aufweist. Das Geschlecht, bei dem gleichartige Keimzellen entstehen, ist **homogametisch.**

Heterogamie [griech.], (Anisogamie) Befruchtungsvorgang zw. morphologisch unterschiedl. Gameten. – Ggs. Isogamie.

◆ Bez. für die Ungleichheit der Partner v. a. hinsichtlich sozialer Herkunft und kultureller Prägung bei der Gattenwahl. – Ggs. **Homogamie.**

heterogen, nicht gleichartig (z. B. im inneren Aufbau).

Heterogonie [griech.] (zykl. Jungfernzeugung), Wechsel zw. einer oder mehreren durch Jungfernzeugung entstandenen Generationen und einer oder mehreren bisexuellen Generationen; z. B. bei Blattläusen.

heterograph, orthographisch verschieden geschrieben, bes. bei gleichlautender (homophoner) Aussprache; z. B. Log [lɔk], Lok [lɔk].

Heterolyse [griech.], Auflösung, Zerstörung bzw. Abbau von Zellen oder organ. Stoffen (bes. Eiweiß) durch körperfremde Stoffe oder organfremde Enzyme.

Heteromorphie (Heteromorphismus) [griech.], bei manchen Kristallarten auftretende Unstimmigkeit zw. der Symmetrie der tatsächlichen äußeren Kristallgestalt und der auf Grund ihrer Kristallstruktur zu erwartenden äußeren Symmetrie.

heteronom [griech.], ungleichwertig; von der Gliederung des Körpers bei Tieren (z. B. Insekten) gesagt, deren einzelne Körperabschnitte (Segmente) unterschiedlich gebaut und daher ungleichwertig sind. – Ggs. homonom.

Heteronyme [griech.], in der Sprachwissenschaft Bez. für Wörter, die von verschiedenen Wurzeln (Stämmen) gebildet sind, obwohl sie bedeutungsmäßig eng zusammengehören, z. B. *Bruder* und *Schwester* gegenüber griech. *adelphós* (Bruder) und *adelphḗ* (Schwester).

heterophon [griech.], verschiedenlautend, bes. bei gleicher (homographer) Schreibung; z. B. Schoß [ʃoːs] (Mitte des Leibes) gegenüber Schoß [ʃɔs] (junger Trieb).

Heterophonie [griech.], Bez. für eine Musizierpraxis, bei der zu einer gesungenen oder gespielten Melodie eine (oft instrumental ausgeführte) umspielende und ausschmückende Begleitung tritt; v. a. in der außereurop. Musik. – ↑Homophonie, ↑Polyphonie.

Heterophyllie [griech.], in der Botanik Bez. für das Vorkommen unterschiedlich gestalteter Laubblätter an einer Pflanze.

heteroplasmonisch [griech.], aus der Kombination genetisch unterschiedl. ↑Plasmone hervorgegangen; von Zellen oder Lebewesen.

heteropolare Bindung, svw. Ionenbindung (↑chemische Bindung).

Heterosexualität, auf einen gegengeschlechtl. Partner gerichtete Sexualität; Ggs. ↑Homosexualität.

Heterosomen [griech.] ↑Chromosomen.

Heterosphäre, der obere Bereich der Atmosphäre ab etwa 120 km Höhe.

Heterosporen, der Größe und dem Geschlecht nach ungleich differenzierte Sporen (meist als Mikro- und Makrosporen); z. B. bei Farnen.

Heterostraken (Heterostraci) [griech.], ausgestorbene Ordnung fischähnl. Wirbeltiere (Gruppe Kieferlose) mit rd. 20 bekannten Gatt. vom Oberen Kambrium bis zum Mitteldevon; älteste bekannte Wirbeltiere mit meist 10–25 cm langem Körper und großem, durch Skelettplatten gepanzertem Kopf und Vorderkörper.

heterosyllabisch [griech.], zwei verschiedenen Silben angehörend, z. B. *e* und *u* in *beurteilen.* – Ggs. homosyllabisch.

heterotroph, in der Ernährung ganz oder teilweise auf die Körpersubstanz oder die Stoffwechselprodukte anderer Organismen angewiesen; bei vielen Lebewesen, z. B. allen Tieren sowie einigen höheren Pflanzen und der Mehrzahl der Pilze und Bakterien; Ggs. ↑autotroph. – ↑allotroph.

Heterovakzine (Fremdimpfstoffe), Vakzine, die im Unterschied zu den ↑Autovakzinen nicht vom Patienten selbst (als dem Impfling) stammen, sondern von einem anderen Lebewesen gewonnen werden.

Heterozygotie [griech.] (Mischerbigkeit, Ungleicherbigkeit), die Erscheinung, daß ein diploides oder polyploides Lebewesen in bezug auf wenigstens ein Merkmal ungleiche Anlagen besitzt bzw. daß eine befruchtete Eizelle (Zygote) oder ein daraus hervorgegangenes Lebewesen und dessen Körperzellen aus der Vereinigung zweier Keimzellen entstanden sind, deren homologe Chromosomen in bezug auf die Art der sich entsprechenden Gene bzw. Allele oder in bezug auf die Zahl oder Anordnung der Gene Unterschiede aufweisen. – Ggs. ↑Homozygotie.

Hethiter [nach hebr. Chittim, vom Landesnamen Chatti abgeleitet] (ägypt. Ḫt'), Volk unbekannter Herkunft mit indogerman. Sprache, das im 2. Jt. v. Chr. im östl. Kleinasien das Reich Hatti gründete. Die H. waren seit dem 19. Jh. v. Chr. in Kappadokien ansässig und errangen allmählich die Oberherrschaft über die lokalen protohethit. Fürstentümer Anatoliens. Die spätere histor. Tradition weiß vom Eroberungszug eines H.königs Anitta nach der Stadt Hattusa (↑Boğazkale), die im 16. Jh. Hauptstadt der H. wurde. Hattusili I. (♔ etwa 1590–60) und Mursili I. (♔ etwa 1560–31) konnten das Reichsgebiet beträchtlich ausdehnen (sog. *Altes Reich*). Dynast. Wirren reduzierten das Reich auf sein anatol. Kerngebiet. Suppiluliuma I. (♔ etwa 1370–35) schuf das sog. *Neue Reich* der H., indem er sich nach Sicherung der N-Grenzen v. a. in N-Syrien gegen die Churriter durchsetzte und damit die Anerkennung des H.reiches als Großmacht neben Ägypten und Babylonien errang. Unter Muwatalli (♔ etwa 1295–82) brach der bisher vermiedene Konflikt mit Ägypten offen aus. Die Schlacht von Kadesch 1285 brachte den H. keinen klaren Sieg. Hattusili III. (♔ etwa 1275–50) kam im Friedensvertrag von 1270 mit Ramses II. von Ägypten zu einer festen Abgrenzung (etwa bei Homs) der beiderseitigen Machtsphären in N-Syrien. Der Druck des erstarkenden Assyrerreichs auf N-Mesopotamien und N-Syrien gefährdete die hethit. Macht, die gegen 1200 v. Chr. dem Ansturm der neuen Völkerbewegung aus dem W erlag. Der hethit. Staat war eine Monarchie mit feudalen Zügen. Neben Rechtsprechung, Verwaltung, militär. Führung und diplomat. Korrespondenz hatte der König v. a. kult. Aufgaben. Die Entscheidungsrechte des Adels schwanden im Lauf der Zeit zugunsten der Macht einer wachsenden Beamtenschaft.

📖 *Cornelius, F.: Grundzüge der Gesch. der H. Darmst. [4]1990. – Klengel, E./Klengel, H.: Die H. Gesch. u. Umwelt. Wien u. Mchn. [2]1975.*

Hethitisch, zu den anatol. Sprachen gehörende Sprache der Hethiter, älteste schriftlich überlieferte indogerman. Sprache, die in einer Form der älteren babylon. Keilschrift (Keilschrift-H.) geschrieben wurde (im Ggs. zum Hieroglyphen-H). Die große Mehrheit hethit. Texte entstammt dem 14./13. Jh. (sog. Jung-H.), während Originaltontafeln mit althethit. Schrift- und Wortformen (seit etwa 1600 v. Chr.) relativ selten erhalten sind.

hethitische Kunst, meist ungenaue Bez. für die gesamte Kunst Altanatoliens vom 3. Jt. v. Chr. bis zur Kunst späthethit. Fürstentümer N-Syriens am Anfang des 1. Jt. v. Chr. Der eigtl. Beitrag der Hethiter ist schwer zu fassen, sicher war der churrit. Einfluß sehr bed. neben mesopotam. und syr. Vorbildern und der einheim. altanatol. Tradition.

Baukunst: Reste hethit. Baukunst sind v. a. aus ↑Boğazkale, dem alten Hattusa, erhalten, v. a. Reste der mächtigen Befestigungsmauern (13. Jh.). Die Grundrisse der Gebäude und Tempel waren unsymmetrisch.

Plastik: Typisch für die Zeit der altassyr. Handelskolonien (19./18. Jh.) sind Schnabelkannen und tierförmige Trinkgefäße. Aus der

Zeit des Neuen Reichs stammen weich gestaltete Steinreliefs. Neben den strengen Kompositionen z. B. der Götterzüge von Yazılıkaya zeigen etwa die Orthostatenreliefs am Tor von Alaca Hüyük eine sehr lebendige Darstellungsweise, die in den späthethit. Reliefs (u. a. aus Karatepe, Karkemisch [Karkamış], Malatya, Tall Halaf) erstarrte.

hethitische Literatur, erhalten sind Tontafeln aus königl. und Tempelarchiven der Hauptstadt Hattusa (↑Boğazkale). Neben religiösen Texten finden sich Dienstinstruktionen, Staatsverträge, eine Rechtssammlung sowie diplomat. Korrespondenz. In den hethit. Schreiberschulen wurden sumer.-akkad. Epen (z. B. das „Gilgamesch-Epos") überliefert. Neu und selbständig von den Hethitern entwickelt wurde die Geschichtsschreibung.

hethitische Religion, sie zeigt die Vielfalt der verschiedenen Kultureinflüsse mit nur geringen Ansätzen synkretist. Vereinfachung. Höchste Staatsgötter waren der protohatt. Wettergott Taru und seine Gemahlin, die Sonnengöttin von Arinna Wuruschemu, zugleich eine Unterweltsgottheit. Teilweise an ihre Stelle trat im Neuen Reich das churrit. Götterpaar Teschub-Chebat. Erst durch churrit.-babylon. Einfluß gewannen z. B. die Gestirngottheiten Sonne und Mond an Bed., ebenso die babylon.-assyr. Ischtar.

hethitisch-luwische Sprachen ↑anatolische Sprachen.

Hetian ↑Hotan.

Hetman [slaw., zu spätmittelhochdt. häuptmann „Hauptmann"], 1. in Polen und Litauen vom 15. Jh. bis 1792 Titel des vom König ernannten Oberbefehlshabers des Heeres (seit 1581 Groß-H., Feld-H. als Vertreter); 2. bei den Kosaken (v. a. am Dnjepr) urspr. der auf ein Jahr gewählte Anführer, 1572–1764 Titel (russ. **Ataman**) des frei gewählten Heerführers aller Kosaken.

Hettner, Alfred, * Dresden 6. Aug. 1859, † Heidelberg 31. Aug. 1941, dt. Geograph. – Prof. in Leipzig, Tübingen und Heidelberg. Forschungen zur Geomorphologie, Klimatologie, Länderkunde und Anthropogeographie.

Hettstedt, Krst. in Sa.-Anh., liegt am Rand des Unterharzes, nö. von Mansfeld, 150–180 m ü. d. M., 20000 E. Bis 1990 Kupferschieferbergbau und Kupfererzverhüttung; das Rohrwalzwerk wurde 1991 stillgelegt und als Museum eingerichtet; Elektrogerätebau. – Seit 1046 bezeugt, seit 1283 als Stadt. Ende des 12. Jh. Beginn des Kupfererzbergbaus.

H., Landkr. in Sachsen-Anhalt.

Hetzjagd ↑Jagdarten.

Heu [eigtl. „das zu Hauende"], in saftigem Zustand geschnittene Futterpflanzen, die an der Luft getrocknet werden. Nach Art der Zusammensetzung unterscheidet man z. B.: **Wiesenheu** aus Futtergräsern und Kräutern sowie **Kleeheu** aus Feldfutterpflanzen (der erste Schnitt wird als H. i. e. S. bezeichnet, der zweite Schnitt als **Grummet** [Grumt]).

Heubach, Stadt im Ostalbkreis, Bad.-Württ., am NW-Rand der Schwäb. Alb, 466 m ü. d. M., 8900 E. Miederwerke, Werkzeugbau. – Ende des 13. Jh. urkundlich erwähnt, wurde H. im 14. Jh. Stadt.

Heubazillus [dt./spätlat.] (Bacillus subtilis), überall im Boden und auf sich zersetzendem Pflanzenmaterial verbreitete, aerobe, meist begeißelte, stäbchenförmige Bakterienart, die auf Heuaufgüssen dünne Kahmhäute bildet und bei der Selbsterwärmung von Heu, Dung und Kompost stark beteiligt ist.

Heuberg ↑Großer Heuberg.

Heublumen, Gemisch aus Blüten, Samen und Pflanzenteilen verschiedener Gras- und Wiesenblumenarten; in der Volksmedizin für Bäder verwendet.

Heuchelberg, WSW-ONO-gerichteter Höhenrücken westl. des mittleren Neckar, zw. Zaber und Lein, Bad.-Württ., bis 332 m hoch; Weinbau.

Hethitische Kunst. Kultszene; 1050–850 v. Chr. (Basaltrelief; Ankara, Archäologisches Museum)

Heuer [niederdt.], Arbeitslohn des Besatzungsmgl. eines Seeschiffes; sie wird nach Monaten berechnet. Anspruch auf H. entsteht mit Dienstantritt.

Heuerbaas ↑Baas.

Heuerverhältnis, im SeemannsG vom 26. 7. 1957 geregeltes Arbeitsverhältnis zw. Reeder und Besatzungsmgl. eines Seeschiffes. Der wesentl. Inhalt des H. wird im **Heuerschein** niedergelegt. Das H. endet durch Zeitablauf oder nach Kündigung.

Heuet, svw. ↑Heumonat.

Heufalter, Sammelbez. für meist kleinere, gelbl. bis bräunl., bes. Wiesenblumen besuchende Tagschmetterlinge (bes. Augenfalter); z. B. **Großer Heufalter** (Coenonympha tullia), **Kleiner Heufalter** (Coenonympha pamphilus) und ↑Gelblinge.

Heufieber, svw. ↑Heuschnupfen.

Heuke (Hoike) [frz.-niederl.], ärmelloser mantelartiger Umhang, urspr. knielanger Männerüberwurf (14. Jh.), bedeckte z. T. auch den Kopf (16. Jh.–19. Jh.).

Heumonat (Heuet), alter dt. Name für den Juli als Monat der Heuernte.

Heuneburg, frühkelt. Befestigungsanlage am linken Donauufer bei Hundersingen, Gem. Herbertingen, Kr. Sigmaringen, Bad.-Württ., mit Ausbauphasen der Bronze- und Eisenzeit sowie des MA. Bes. gut erforscht ist der späthallstattzeitl. Fürstensitz (6. Jh. und 1. Hälfte 5. Jh. v. Chr.). Ausgrabungen 1950–79 weisen Befestigungen in Holz-Stein-Konstruktion nach, in der Bauphase IV Verwendung luftgetrockneter Lehmziegel; zahlr. Funde importierter griech. Keramik.

Heupferd ↑Laubheuschrecken.

heureka! [griech. „ich hab's gefunden!"], angebl. Ausruf des griech. Mathematikers Archimedes bei der Entdeckung des hydrostat. Grundgesetzes (Auftriebsprinzip); daher freudiger Ausruf bei der Lösung eines schwierigen Problems.

Heuriger [zu östr. heurig „diesjährig"], in Österreich Bez. für den [neuen] Wein von Martini an (11. Nov.) bis zum nächsten Weinjahrgang.

Heuristik [zu griech. heurískein „finden, entdecken"], Erfinderkunst (lat. „ars inveniendi"), Lehre von den Verfahren, Probleme zu lösen, also für Sachverhalte empir. und nichtempir. Wissenschaften Beweise oder Widerlegungen zu finden. Die H. dient somit der Gewinnung von Erkenntnissen, nicht ihrer Begründung. Sie bedient sich dabei **heuristischer Prinzipien,** z. B. Variation der Problemstellung, Zerlegung in Teilprobleme, Entwicklung von Modellen und (Arbeits-)Hypothesen.

Heuscheuer, Gebirge der Sudeten, im Glatzer Bergland, ČSFR und Polen, bis 919 m hoch.

Heuschnupfen (Heufieber, Pollenallergie, Pollinosis), allerg. Erkrankung, die auf einer Überempfindlichkeit gegenüber der Eiweißkomponente von Pollen einzelner oder mehrerer Gräser- oder Baumarten beruht und daher meist im Frühjahr in Erscheinung tritt. Die Erkrankung beginnt plötzlich mit erhebl. Schwellung und Sekretabsonderung der Nasenschleimhaut, anfallartigem, heftigem Niesen, Jucken, Brennen und Tränen der Augen, in schweren Fällen auch einer Reizung der Bronchien mit Atemnot.

Heuschrecken [eigtl. „Heuspringer" (zu schrecken in der älteren Bed. „springen")] (Springschrecken, Schrecken, Saltatoria), mit über 10 000 Arten weltweit verbreitete Ordnung etwa 0,2–25 cm langer Insekten (davon über 80 Arten in M-Europa); meist pflanzenfressende Tiere mit beißenden Mundwerkzeugen; Hinterbeine meist zu Sprungbeinen umgebildet. – H. erzeugen zum Auffinden des Geschlechtspartners mit Hilfe von ↑Stridulationsorganen Zirplaute. Man unterscheidet ↑Feldheuschrecken (mit den als Pflanzenschädlingen bekannten ↑Wanderheuschrecken), ↑Laubheuschrecken, ↑Grillen.

Heuschreckenkrebse (Fangschrekkenkrebse, Maulfüßer, Maulfußkrebse, Squillidae), Fam. bis 33 cm langer Höherer Krebse mit rd. 170 Arten in allen Meeren.

Heusenstamm, hess. Stadt im südl. Vorortbereich von Offenbach am Main, 122 m ü. d. M., 18 000 E. Lederwarenherstellung. – 1211 erstmals erwähnt. – Barocke Pfarrkirche (1739–44), Renaissanceschloß (17. Jh.), ehem. Wasserburg (12. und 16. Jh.).

Heusinger, Adolf, * Holzminden 4. Aug. 1897, † Köln 30. Nov. 1982, dt. General. – 1931–44 im Generalstab des Heeres (1940–44 Chef der Operationsabteilung); nach dem 20. Juli 1944 vorübergehend inhaftiert, 1945–48 interniert; beriet (mit H. Speidel) ab 1950 B.kanzler Adenauer in militär. Fragen; 1957–61 Generalinspekteur, leitete 1961–64 den Ständigen Militärausschuß der NATO in Washington; plädierte für eine atomare Ausrüstung der Bundeswehr.

Heusler, Andreas, * Basel 10. Aug. 1865, † Arlesheim 20. Febr. 1940, schweizer. Germanist. – 1894 Prof. in Berlin, seit 1919 Prof. in Basel. Trat bes. mit Arbeiten zur Verswiss. und der Heldensagenforschung hervor. – *Werke:* Lied und Epos in german. Sagendichtung (1905), Die altgerman. Dichtung (1923), Dt. Versgeschichte (3 Bde., 1925–29).

Heusonde, Thermometer zur Temperaturmessung in Heustöcken, in denen während der Resttrocknung Selbstentzündung eintreten kann.

Heuß, Alfred, * Gautzsch (= Markkleeberg) 27. Juni 1909, dt. Althistoriker. – 1941 Prof. in Breslau, 1949 in Kiel, 1954 in Göttingen. Hauptarbeitsgebiete: griech. und röm. Geschichte; schrieb u. a. „Röm. Geschichte" (1960), „Barthold Georg Niebuhrs wiss. Anfänge" (1981).

Heuss, Theodor, * Brackenheim 31. Jan. 1884, † Stuttgart 12. Dez. 1963, dt. Politiker und Publizist. - Schloß sich früh dem Kreis um F. Naumann an. Nach und neben journalist.-publizist. Tätigkeit 1920-33 Dozent an der Hochschule für Politik in Berlin. Trat 1903 der Freisinnigen Vereinigung (ab 1910 Fortschrittl. Volkspartei) bei, 1918 der DDP (ab 1930 Dt. Staatspartei); MdR 1924-28 und 1930-33. Nach der nat.-soz. Machtergreifung mußte er seine polit.-publizist. Tätigkeit einschränken. 1945/46 Kultusmin. der 1. Reg. von Württemberg-Baden; 1945-49 MdL für die Demokrat. Volkspartei; 1948 Vors. der FDP; im Parlamentar. Rat Vors. der FDP-Fraktion, übte großen Einfluß auf die Formulierungen des Grundgesetzes, v. a. der Präambel und des Grundrechtsteils aus. 1949 zum 1. Bundespräs. der BR Deutschland gewählt (Wiederwahl 1954). In seiner Amtszeit versuchte er bewußt, wieder an Traditionen Deutschlands vor 1933 anzuknüpfen. Das Schwergewicht seines innenpolit. Wirkens sah H. im Ausgleich der polit. Gegensätze. Seine Staatsbesuche trugen wesentlich zum wachsenden Ansehen der BR Deutschland bei. 1959 Friedenspreis des Börsenvereins des Dt. Buchhandels.

Theodor Heuss

Der *Theodor-Heuss-Preis* wird seit 1965 alljährl. für „beispielhafte demokrat. Gesinnung" verliehen. - *Werke:* Hitlers Weg (1932), Friedrich Naumann (1937), Schattenbeschwörung (1947), 1848. Werk und Erbe (1948), Vorspiele des Lebens (1953), Erinnerungen 1905-1933 (hg. 1963), Die großen Reden (hg. 1965), Aufzeichnungen 1945-1947 (hg. 1966), Die Machtergreifung und das Ermächtigungsgesetz (hg. 1967).

◻ *Bracher, K. D.: T. H. u. die Wiederbegründung der Demokratie in Deutschland. Tüb. 1965.*

Heuss-Knapp, Elly, * Straßburg 25. Jan. 1881, † Bonn 19. Juli 1952, dt. Sozial- und Kulturpolitikerin. - Tochter von G. F. Knapp, ⚭ mit T. Heuss; 1946-49 württemberg.-bad. MdL (DVP/FDP); gründete 1950 das Müttergenesungswerk.

Heuven-Goedhart, Gerrit Jan van [niederl. 'hø:və 'xu:thart], * Bussum 19. März 1901, † Genf 8. Juli 1956, niederl. Journalist und Politiker. - 1944/45 Justizmin. der Exilreg. in London; leitete 1951-56 das Hochkommissariat der UN für Flüchtlingsfragen, das 1954 den Friedensnobelpreis erhielt.

Hevelius, Johannes, eigtl. Hewel, auch Havelke, Hevelke oder Hewel[c]ke, * Danzig 28. Jan. 1611, † ebd. 28. Jan. 1687, dt. Astronom. - Ratsherr von Danzig; richtete sich eine Privatsternwarte ein und war einer der besten beobachtenden Astronomen seiner Zeit; bed. seine Mondtopographien und die Darstellung der Zyklen von Sonnenflecken. 1661 bestimmte er erstmals bei einem Durchgang des Merkurs vor der Sonne dessen Größe.

Heveller (Stodoranen), slaw. Stamm an der mittleren Havel, dessen Fürsten im ersten Viertel des 10. Jh. über einen größeren Herrschaftsbereich zw. mittlerer Elbe und Oder verfügten; später schlossen sich die H. den Liutizen an. Ihr Zentralort war die Brandenburg.

Hevesy, George de, eigtl. György Hevesi [ungar. 'hɛvɛʃi], in Deutschland Georg Karl von H., * Budapest 1. Aug. 1885, † Freiburg im Breisgau 5. Juli 1966, ungar. Physikochemiker. - Prof. in Budapest, Freiburg im Breisgau, Kopenhagen und Stockholm. - H. legte 1913 mit F. A. Paneth die Grundlage der Isotopenmarkierung (↑ Indikatormethode), 1923 mit D. Coster Entdeckung des Hafniums. 1935 Entwicklung der ↑ Aktivierungsanalyse. Erhielt 1943 den Nobelpreis für Chemie.

Hewish, Antony [engl. 'hju:ɪʃ], * Fowey (Cornwall) 11. Mai 1924, brit. Astrophysiker. - Prof. für Radioastronomie in Cambridge; entdeckte 1967 die ↑ Pulsare; erhielt 1974 den Nobelpreis für Physik (zus. mit M. Ryle).

hexa..., Hexa..., hex..., Hex... [griech.], Bestimmungswort von Zusammensetzungen mit der Bed. „sechs".

Hexachloräthan (Perchloräthan), CCl_3-CCl_3, farblose, in Wasser unlösl. organ. Verbindung von kampferartigem Geruch; wird bei der Herstellung von Nebelmunition, als Zusatz zu Mottenpulvern sowie als Weichmacher für Zelluloseester verwendet.

Hexachlorcyclohexan, Abk. HCH, in mehreren stereoisomeren Formen auftretender Chlorkohlenwasserstoff der chem. Zusammensetzung $C_6H_6Cl_6$; wirkt als Atmungs-, Fraß-, Kontaktgift tödlich auf die meisten Insektenarten. In der Landw. und im Gartenbau kommt nur das γ-H. unter der Bez. **Lindan** zum Einsatz, das, verglichen mit den anderen Isomeren, leichter abbaubar ist. Chem. Strukturformel:

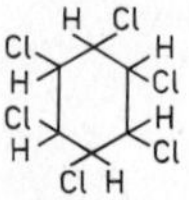

Hexachlorophen [griech.], geruchloses, phenol. Desinfektionsmittel, das in hoher Verdünnung (1 : 2 500 000) das Wachstum von Bakterien und Pilzen hemmt, indem es deren Zellmembran schädigt. H. wird v. a. in medizin. Seifen verwendet.

Hexachord [griech.] (lat. Hexachordum), in der ma. Musiktheorie von Guido von Arezzo erstmals beschriebene Sechstonskala mit der Intervallfolge Ganzton–Ganzton–Halbton–Ganzton–Ganzton. Auf den Ausgangstönen c (Hexachordum naturale), f (Hexachordum molle) und g (Hexachordum durum) einsetzend und mit den Silben ut-re-mi-fa-sol-la benannt, wurde mit diesem System eine den Bedürfnissen der ma. Musikpraxis entsprechende Gliederung des Tonraums gewonnen (↑Solmisation).

Hexadezimalsystem (Sedezimalsystem), in der Datenverarbeitung häufig angewandtes Zahlensystem mit der Basis 16 und den Ziffern 0 bis 9 und weiter den Buchstaben A bis F (entsprechen den Zahlen 10 bis 15 im Dezimalsystem). Der Dezimalzahl 9 387 z. B. entspricht im H. die Zahl

$$24\mathrm{AB} = 2 \cdot 16^3 + 4 \cdot 16^2 + 10 \cdot 16^1 + 11 \cdot 16^0.$$

Hexaeder [griech.], Sechsflächner, von sechs Vierecken begrenztes Polyeder.

Hexagon [griech.], Sechseck.

Hexagramm, sechstrahliger Stern; ↑Davidstern.

Hexakisoktaeder [griech.], Achtundvierzigflächner, ein von 48 Dreiecken begrenztes Polyeder.

Hexakistetraeder [griech.], Vierundzwanzigflächner, ein von 24 Dreiecken begrenztes Polyeder.

Hexakorallen (Sechsstrahlige Korallen, Hexacorallia), Unterklasse der Blumentiere mit rd. 4 000 Arten; man unterscheidet fünf Ordnungen: Seerosen, Steinkorallen, Dörnchenkorallen, Zylinderrosen, Krustenanemonen.

Hexameter [griech., zu héx „sechs" und métron „Silben-, Versmaß"], antiker Vers, der sich aus sechs Metren (Daktylen [´◡◡] oder Spondeen [´–]) zusammensetzt; dabei ist das 5. Metrum meist ein Daktylus, das letzte Metrum stets ein Spondeus. Grundschema:

´◡◡|´◡◡|´◡◡|´◡◡|´◡◡|´x.

Der relativ freie Wechsel von Daktylen und Spondeen sowie eine Reihe von Zäsuren (zwei bis drei pro Vers) und „Brücken" (d. h. Stellen, an denen die Zäsur vermieden wird) machen den H. zu einem bewegl. und vielseitig verwendbaren Vers.
Der H. ist der Vers der homer. Epen. Seit Hesiod findet er sich auch im Lehrgedicht. Weiter ist er, in Verbindung mit dem ↑Pentameter (eleg. ↑Distichon) der Vers der Elegie und des Epigramms. – Die H.dichtung der hellenist. Zeit (Kallimachos) und der Spätantike (Nonnos) unterscheidet sich von der älteren („homer.") Praxis durch größere Strenge und Künstlichkeit des Versbaus. In die röm. Dichtung führte Ennius den H. ein. Die quantitierende mittellat. Dichtung kennt eine Sonderform des H. mit Zäsurreim, den sog. **leoninischen Hexameter.** Die ersten dt. H. stammen von S. von Birken. Den reimlosen akzentuierenden H. führten Gottsched und Klopstock in die dt. Dichtung ein; mit der Homer-Übersetzung von J. H. Voß und Goethes H.epen setzte er sich in der neuhochdt. Verskunst endgültig durch und wird bis in die jüngste Gegenwart immer wieder verwendet.

Hexamethylentetramin [Kw.] (Methenamin, Urotropin), $C_6H_{12}N_4$, eine heterocycl. Verbindung, die durch Kondensation von Formaldehyd mit Ammoniak gewonnen wird; Verwendung als Puffersubstanz, Vulkanisationsbeschleuniger, bei der Herstellung von Kunstharzen und Sprengstoffen (↑Hexogen); in Form von Pulvern und Tabletten wird H. als Hartspiritus verwendet. In der Medizin diente H. früher zur Behandlung bakterieller Infektionen der Harnwege. Chem. Strukturformel:

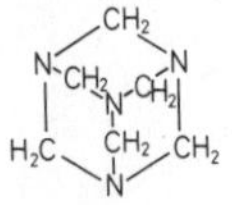

Hexane [griech.], zu den Alkanen zählende aliphat. Kohlenwasserstoffe der Summenformel C_6H_{14}. Die H. sind farblose, leicht entzündl. Flüssigkeiten; sie sind die wesentl. Bestandteile des Petroläthers.

Hexateuch [griech.], Bez. für die fünf Bücher Mose (Pentateuch) und das Buch Josua. Die Auffassung, daß ihnen die gleichen literar. Quellen zugrunde liegen, ist in der Forschung umstritten.

Hexe [zu althochdt. hagzissa, urspr. „sich auf Zäunen oder Hecken aufhaltendes dämon. Wesen"], dem Volksglauben nach zau-

berkundige Frau mit mag.-schädigenden Kräften; auch in vor- und nichtchristl. Religionen bekannt. In Märchen und Sage erscheinen sie rothaarig, bucklig, dürr, mit krummer Nase, Kopftuch. Stock und Katze. Der H.begriff des MA resultiert aus der Verbindung urspr. nicht zusammengehörender Elemente des Zauber- und Aberglaubens (Luftflug, Schadenzauber) mit der christl. Dämonologie (bes. Lehre vom Dämonenpakt von Augustinus und Thomas von Aquin) und Straftatbeständen der Ketzerinquisition.
Der ausgesprochene **Hexenwahn** vom 14. bis zum 17. Jh. ist ein sozialpsych. Phänomen des Spät-MA. Der Umbruch der geistigen, religiösen und polit. Verhältnisse brachte Unsicherheiten aller Art mit sich, und die Menschen, bes. M-Europas, sahen die Teufelsherrschaft der erwarteten Endzeit anbrechen. Auf dem Hintergrund ihrer frauenfeindl. Positionen hatte die Scholastik unter Rückgriff auf antike Vorstellungen und jüd. Mythologie (Inkubus, Sukkubus) die ankläger. These von der „Teufelsbuhlschaft" von Frauen entwickelt. Der vom Sachsenspiegel auf Zauberei erkannte Feuertod fand auf **Hexerei** („maleficium") Anwendung und setzte sich als Strafform in der späteren Gesetzgebung durch. Auf der Basis des pseudowissenschaftlich untermauerten Dämonen- und Zauberglaubens sowie in Verbindung mit der Ketzerbekämpfung erfolgten etwa 1450 bis 1750 zunächst nur im christl. W-Europa, später – ausgebreitet durch Reformation und Gegenreformation – auch in anderen Gebieten großangelegte und systematisch betriebene **Hexenverfolgungen** bes. von sozial unangepaßten Frauen. Grundlage für das unmenschl., grausame Vorgehen wurde der nach einer H.bulle von Innozenz VIII. (1484) von päpstl. Inquisitoren (den beiden Dominikanern H. Institoris und J. Sprenger) verfaßte **Hexenhammer** („Malleus maleficarum", 1487), in dem als für die Gerichtspraxis maßgebl. Gesetzbuch die verschiedenen Formen des H.glaubens und der Zaubereidelikte zusammengefaßt sind. Als verfahrensrechtl. Neuerungen wurden eingeführt die Denunziation anstelle der Anklage und im Beweisverfahren die Anwendung der Folter und **Hexenprobe** (als Mittel zur Erkennung von H.). Unter den Juristen des 16. und 17. Jh. hatte der H.wahn, der Zehntausende von Frauen das Leben kostete, einflußreiche Förderer gefunden. Ihren Höhepunkt erreichten die **Hexenprozesse** (immer mehr in der Zuständigkeit der weltl. Gerichtsbarkeit) zw. 1590 und 1630; die bekanntesten Opfer sind Jeanne d'Arc (1431 in Rouen verbrannt) und A. Bernauer (1435 in Straubing ertränkt); Anna Göldi (* 1740), die „letzte H. Europas", wurde 1782 in Glarus geköpft.
Seit Mitte des 16. Jh. nahmen Vertreter verschiedener Glaubensrichtungen den Kampf gegen H.wahn und H.verfolgungen auf, insbes. J. Weyer, A. von Tanner, F. von Spee, B. Becker und C. Thomasius. Der H.glaube ist jedoch bis in die Gegenwart nicht ausgestorben. – Eine moderne, mag.-okkultist. **Hexenbewegung** ist seit Mitte der 1930er Jahre in England und später auch in Kalifornien stark verbreitet **(Wiccakult)**. – Seit den 1980er Jahren findet eine Wiederbelebung okkulter Praktiken als Modephänomen statt; in der neuen Frauenbewegung als bewußter Bezug auf H. als Symbole für Unterdrückung und Widerstand von Frauen.
In der bildenden Kunst war die H. v. a. vom späten 15. Jh. an ein häufiges Motiv, ebenso in vielen Dichtungen.

🕮 *Baschwitz, K.: H. u. H.prozesse. Bindlach 1990. – Hammes, M.: H.wahn u. H.prozesse. Ffm. [9]1989. – H. u. H.prozesse in Deutschland. Hg. v. W. Behringer. Mchn. 1988. – Kruse, J.: H. unter uns. Magie u. Zauberglauben in unserer Zeit. Leer 1978. – Döbler, H.: H.wahn. Gesch. einer Verfolgung. Mchn. 1977.*

Hexenbesen (Donnerbüsche), besen- oder nestartige Mißbildungen, meist an Ästen zahlr. Laub- und Nadelbäume. Erreger sind meist Schlauchpilze aus der Gatt. Taphrina. Durch die Infektion wird ein Massenaustreiben von schlafenden oder zusätzlich gebildeten Knospen während der gesamten Vegetationsperiode ausgelöst, so daß die nach allen Richtungen wachsenden Zweige eine charakterist. Besenform entstehen lassen.

Hexene [griech.], zu den Alkenen zählende aliphat. Kohlenwasserstoffe der chem. Summenformel C_6H_{12}.

Hexenhammer ↑Hexe.

Hexenkraut (Circaea), Gatt. der Nachtkerzengewächse mit sieben Arten in den gemäßigten Gebieten der Nordhalbkugel; Stauden mit wechselständigen Blättern und kleinen, weißen Blüten in Trauben. In Deutschland u. a. das **Gemeine Hexenkraut** (Circaea lutetiana) in feuchten Laub- und Mischwäldern.

Hexenprobe ↑Hexe.

Hexenprozeß ↑Hexe.

Hexenring, volkstüml. Bez. für die kreisförmige Anordnung der Fruchtkörper bei einigen Ständerpilzarten (z. B. beim Champignon). Das von der Spore im Boden auswachsende Myzel breitet sich zunächst nach allen Seiten aus. Die älteren inneren Teile des Myzels sterben aus Nahrungsmangel bald ab, an der Peripherie wächst das Myzel jedoch weiter und bildet Fruchtkörper.

Hexenröhrling, Bez. für zwei Arten der Röhrlinge: **Flockenstieliger Hexenröhrling** (Boletus erythropus), Pilz mit 7–20 cm breitem, meist olivbraunem bis schwarzbraunem Hut; Röhren grüngelb bis rotgelb, Stiel geschuppt. **Netzstieliger Hexenröhrling** (Boletus luridus) mit olivgelbem bis bräunl. Hut; Röhren gelb bis gelbgrün; Stiel mit maschenförmigem Adernetz. Beide Arten sind roh giftig.

Hexensabbat, angebl. nächtl. Zusammenkünfte der Hexen auf Bergeshöhen, v. a. während der Walpurgisnacht (30. April).

Hexenschuß (Lumbago), meist plötzlich auftretender heftiger Kreuz- oder Lendenschmerz mit nachfolgender Bewegungseinschränkung, Zwangshaltung, Muskelverhärtung, auch Empfindungsstörungen. Ursachen sind häufig Bandscheibenschäden bzw. krankhafte Veränderung der Lendenwirbelsäule.

Hexe von Endor ↑Endor.

Hexine [griech.], zu den ↑Alkinen zählende ungesättigte aliphat. Kohlenwasserstoffe der Summenformel C_6H_{10}.

Hexite [griech.], kristalline, im Pflanzenreich weit verbreitete sechswertige Alkohole (Zuckeralkohole). Die wichtigsten natürl. H. sind Dulcit, Mannit und Sorbit.

Hexode [griech.], Elektronenröhre mit sechs Elektroden; eine Doppelsteuerröhre, die als Mischröhre verwendet wurde.

Hexogen [griech.] ([Cyclo]trimethylentrinitramin, Cyclonit), auch unter der Bez. RDX oder T 4 bekannter hochbrisanter Sprengstoff. H. ist heute die wichtigste Komponente militär. Sprengstoffladungen. Chem. Strukturformel:

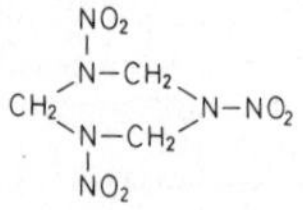

```
        NO2
        |
       N—CH2
      /     \
   CH2       N—NO2
      \     /
       N—CH2
        |
        NO2
```

Hexosen [griech.], die wichtigste Gruppe der einfachen Zucker (Monosaccharide), chem. Summenformel $C_6H_{12}O_6$; u. a. Galaktose, Glucose, Mannose, Fructose.

Hey, Richard, * Bonn 15. Mai 1926, dt. Schriftsteller. – Autor von tragikom. Dramen („Thymian und Drachentod“, 1956), experimentellen Hörspielen („Nachtprogramm“, 1964) und erfolgreichen Kriminalromanen um die Kommissarin Ledermacher („Ein Mord am Lietzensee“, 1973; „Feuer unter den Füßen“, 1981). – *Weitere Werke:* Im Jahr 95 nach Hiroshima (R., 1982), Gipfelgespräch (Hsp., 1983).

Heydebrand und der Lasa (seit 1920 Lasa), Ernst von, * Golkowe bei Breslau 20. Febr. 1851, † Klein Tschunkawe bei Breslau 15. Nov. 1924, dt. Politiker. – Seit 1906 Führer der Dt.konservativen Partei (1888–1918 im preuß. Abg.haus, 1903–18 im Reichstag); steuerte einen Kurs militanter agrar. Interessenvertretung und aggressiver Außenpolitik, z. T. in scharfem Ggs. zu Reg. und Kaiser; seine ultrakonservative Haltung verhinderte notwendige Reformen.

Heydebreck O. S. (poln. Kędzierzyn), ehem. selbständige Stadt in Oberschlesien, Polen, Chemiekombinat. – 1975 mit ↑Cosel zur Stadt Kędzierzyn-Koźle vereinigt.

Heyden, Jan van der [niederl. 'hɛidə], * Gorinchem 5. März 1637, † Amsterdam 28. März 1712, niederl. Maler. – Stadtansichten mit klarer Licht- und Schattenbehandlung.

Heydrich, Reinhard, * Halle/Saale 7. März 1904, † Prag 4. Juni 1942, dt. Politiker. – Baute als engster Mitarbeiter Himmlers den Sicherheitsdienst (SD) aus; wurde 1933 Chef der bayr. polit. Polizei. 1934 Leiter des Geheimen Staatspolizeiamtes in Berlin, 1936 „Chef der Sicherheitspolizei und des SD“, 1939 Leiter des Reichssicherheitshauptamtes; maßgeblich beteiligt an den Morden im Zusammenhang mit dem Röhm-Putsch, bei der Krise um Blomberg und Fritsch sowie bei der Organisation der Kristallnacht; 1941 zum SS-Obergruppenführer und General der Polizei ernannt, mit der Gesamtplanung für die „Endlösung der Judenfrage“ beauftragt; 1941 stellv. Reichsprotektor von Böhmen und Mähren; bei einem von Exiltschechen organisierten Attentat getötet (↑Lidice); gehörte zu den skrupellosesten und gefürchtetsten Führern des NS.

Heydt, August Frhr. von der (seit 1863), * Elberfeld (= Wuppertal) 15. Febr. 1801, † Berlin 13. Juni 1874, preuß. Bankier und Politiker. – Gehörte vor 1848 zu den Führern des rhein. Frühliberalismus; 1848–62 Min. für Handel, Gewerbe und öff. Arbeiten, 1862 und 1866–69 Finanzminister.

Heyerdahl, Thor, * Larvik 6. Okt. 1914, norweg. Zoologe und Ethnologe. – Fuhr 1947 auf einem Balsafloß („Kon-Tiki“) in 97 Tagen von Callao über den Pazifik nach Tahiti, um seine (wiss. umstrittene) These von der Herkunft der polynes. Kultur von Altperu nachzuweisen; 1955/56 Erforschung der Osterinsel; schrieb „Kon-Tiki“ (1948); sein Versuch, seine Theorie von einer Herkunft der mittelamerikan. Kultur von Ägypten aus zu beweisen, scheiterte zunächst 1969 mit dem nach altägypt. Vorbild angefertigten Papyrusboot „Ra I“, gelang aber 1970 nach einer 57tägigen Atlantiküberquerung von Safi nach Barbados mit „Ra II“ („Expedition Ra“, 1970). Mit dem Schilfrohrfloß „Tigris“ segelte H. 1977/78 sechs Monate lang vom Südirak aus durch den Pers. Golf nach Dschibuti, um zu beweisen, daß die Sumerer ihre Kultur bis in die Regionen am Ind. Ozean brachten; 1983 entdeckte er Reste einer alten Hochkultur auf den Malediven („Fua Mulaku“, 1986).

Heyl, Hedwig, * Bremen 3. Mai 1850, † Berlin 23. Jan. 1934, dt. Sozialpolitikerin. – Gründete 1884 die erste Koch- und Haushaltungsschule (später Pestalozzi-Fröbel-Haus des Berliner Vereins für Volkserziehung), 1890 die erste Gartenbauschule für Frauen; förderte Volkswohlfahrt und Frauenbewegung.

Heym, Georg, * Hirschberg i. Rsgb. 30. Okt. 1887, † Berlin 16. Jan. 1912 (ertrunken beim Eislaufen), dt. Lyriker. – Bed. Vertreter des Frühexpressionismus; Chaos und Grauen sowie dämon.-apokalypt. Visionen prägen seine Dichtung; auch Dramatiker und Erzähler. – *Werke:* Der Athener Ausfahrt (Trag., 1907), Der ewige Tag (Ged., 1911), Umbra vitae (nachgelassene Ged., 1912), Der Dieb (Novellen, hg. 1913), Marathon (Sonette, hg. 1914, vollständig hg. 1956).

H., Stefan, eigtl. Helmut Flieg, * Chemnitz 10. April 1913, dt. Schriftsteller. – Während des NS u. a. in den USA; ging 1952 in die DDR; stark politisch orientierte histor. Romane in (anfangs) engl. und dt. Sprache. Romane, die kritisch die Entwicklung der DDR in der Verflochtenheit von persönl. Schicksalen mit den polit. Verhältnissen aufzeigen, z. B. „Fünf Tage im Juni" (1974; Darstellung der Ereignisse des 17. Juni 1953) oder „Collin" (1979; Entlarvung der stalinist. DDR-Vergangenheit und ihre Verdrängung), konnten nur in der BR Deutschland erstveröffentlicht werden. Verfaßte auch Lyrik, Schauspiele, Essays und Reportagen. Wurde 1979 aus dem Schriftstellerverband der DDR ausgeschlossen, im Nov. 1989 wieder aufgenommen. Seit 1994 MdB.
Weitere Werke: Die Augen der Vernunft (R., dt. 1955), Der Fall Glasenapp (R., dt. 1958), Schatten und Licht (En., 1960), Die Papiere des Andreas Lenz (R., 1963, 1965 u. d. T. Lenz oder die Freiheit), Lassalle (R., dt. 1969), Der König David Bericht (R., dt. 1972), Ahasver (R., 1981), Schwarzenberg (R., 1984), Nachruf (Autobiographie, 1988), Auf Sand gebaut (Kurzgesch., 1990).

Heymans, Cornelius (Corneille) [Jean François] [niederl. 'hɛimɑns], * Gent 28. März 1892, † Knocke 18. Juli 1968, belg. Physiologe. – Prof. in Gent, gleichzeitig Direktor des nach ihm ben. H.-Instituts für Pharmakologie; arbeitete hauptsächlich über die Atmungs- und Kreislaufregulation. Er entdeckte die Funktion des Karotissinusreflexes zur Stabilisierung des Blutdrucks und erhielt hierfür 1938 den Nobelpreis für Physiologie oder Medizin.

Heyn (Hein), Piet (Peter), eigtl. Pieter Pietersz., * Delfshaven (= Rotterdam) 15. Nov. 1577, ⚔ vor Kap Dungeness 18. Juni 1629, niederl. Seeheld. – Seit 1623 als Vizeadmiral im Dienst der Westind. Kompanie; eroberte 1628 in der Bucht von Matanzas (Kuba) die span. Silberflotte und erbeutete rd. 12 Mill. Gulden.

Heyrovský, Jaroslav [tschech. 'hɛjrɔfski:], † Prag 20. Dez. 1890, † ebd. 27. März 1967, tschech. Physikochemiker. – Erfand und entwickelte (um 1925) die ↑Polarographie; 1959 Nobelpreis für Chemie.

Heyse, Paul von (seit 1910), * Berlin 15. März 1830, † München 2. April 1914, dt. Schriftsteller. – Mit Geibel Mittelpunkt des Münchner Dichterkreises; der klass.-romant. Tradition verpflichtet, schuf er v. a. formal vollendete Übersetzungen und Novellen; auch Theoretiker der Novelle (Falkentheorie). 1910 Nobelpreis für Literatur. – *Werke:* Novellen (1855; darin u. a.: L'Arrabbiata), Italien. Liederbuch (Übers., 1860), Neue Novellen (1862; darin u. a.: Andrea Delfin), Skizzenbuch (Ged., 1877), Troubadour-Novellen (1882), Gegen den Strom (R., 1907).

Heyting, Arend [niederländ. 'hɛi̯tɪŋ], * Amsterdam 9. Mai 1898, † Lugano 9. Juli 1980, niederl. Mathematiker und Logiker. – Gilt als der eigtl. Begründer der formalisierten intuitionist. Logik.

Heyward, DuBose [engl. hɛɪwəd], * Charleston (S. C.) 31. Aug. 1885, † Tryon (N. C.) 16. Juni 1940, amerikan. Schriftsteller. – Hatte großen Erfolg mit dem Roman „Porgy" (1925); die Dramenversion, die H. zus. mit seiner Frau Dorothy (* 1890, † 1961) schrieb, war Grundlage für G. Gershwins Oper „Porgy and Bess" (1935).

Heywood, Thomas [engl. 'hɛɪwʊd], * in Lincolnshire um 1573, ▭ London 16. Aug. 1641, engl. Dichter. – H. Familientragödien werden als Vorläufer des bürgerl. Trauerspiels angesehen.

Hf, chem. Symbol für ↑Hafnium.

HF, Abk. für: ↑**H**och**f**requenz.

hfl., Abk. für den niederl. ↑Gulden.

Hg, chem. Symbol für ↑Quecksilber (**H**ydrar**g**yrum).

HGB, Abk. für: ↑**H**andels**g**esetz**b**uch.

HGÜ, Abk. für: ↑**H**ochspannungs**g**leichstrom**ü**bertragung.

HHF, Abk. für: ↑**H**öc**h**st**f**requenz.

H-H-Reaktion, svw. ↑Proton-Proton-Reaktion.

Hiatus [lat. „Öffnung, Schlund"], in der *Geologie* Bez. für eine infolge Sedimentationsunterbrechung entstandene Schichtlücke.
◆ in der *Sprach-* und *Verswissenschaft* Bez. für das Zusammenstoßen zweier Vokale an der Silbengrenze *(Lei-er)* oder Wortgrenze *(da aber).* Seit M. Opitz ist zur grammat. Kennzeichnung des Vokalausfalls der Apostroph *(hab' ich)* üblich geworden.

Hibernation [lat.], svw. ↑künstlicher Winterschlaf.

Hibernia [lat.], im Altertum Name für Irland.

Hibiscus [lat.] ↑ Eibisch.

Hickorybaum [...ri] (Hickorynußbaum, Carya), Gatt. der Walnußgewächse mit rd. 25 Arten im östl. N-Amerika und in China; meist 20–30 m hohe Bäume mit gefiederten Blättern, einhäusigen Blüten und glattschaligen Nüssen, deren Außenschale sich mit vier Klappen öffnet. Alle Arten liefern ein wertvolles, hartes, elast. Holz **(Hickory).** Einige Arten haben auch wegen der eßbaren Nüsse Bed., v. a. der **Pekannußbaum** (Carya illinoensis), dessen hellbraune, süßschmeckende Samen als Pekannüsse bezeichnet werden.

Hicks [engl. hıks], Edward, * Attleboro (= Langhorn, Pa.) 4. April 1780, † Newton (Pa.) 23. Aug. 1849, amerikan. Laienmaler. – Quäker-Wanderprediger. Schilderte das Leben der amerikan. Farmer; bekannt sind seine Tierbilder (als Paradiesbilder).

H., Sir (seit 1964) John Richard, * Warwick 8. April 1904, † Blockley (Gloucestershire) 20. Mai 1989, brit. Nationalökonom. – Lehrte in London, Cambridge, Manchester und seit 1952 in Oxford. Für seine bahnbrechenden Beiträge zur Theorie des allg. wirtsch. Gleichgewichts und zur Wohlfahrtstheorie erhielt er gemeinsam mit K. J. Arrow 1972 den sog. Nobelpreis für Wirtschaftswissenschaften. – *Werke:* Theory of wages (1932), Value and capital (1939), The social framework (1942), Capital and growth (1965).

hic Rhodus, hic salta [lat. „hier (ist) Rhodus, hier springe!"], nach der lat. Übersetzung einer Fabel des Äsop Aufforderung, eine [prahler.] Behauptung sofort zu beweisen und sich nicht anderswo vollbrachter Leistungen zu rühmen.

Hidagebirge, N–S verlaufendes Gebirge mit aktiven Vulkanen auf Honshū, Japan; bis 3 190 m hoch.

Hidalgo [span. i'ðalɣo], Staat im östl. Z-Mexiko, 20 813 km², 1,85 Mill. E (1989), Hauptstadt Pachuca de Soto. Den größten Teil nimmt die bis über 3 000 m hohe Sierra Madre Oriental ein. Bergbau auf verschiedene Erze (u. a. Silber, Gold).

Hidalgo [span. i'ðalɣo; zu hijo „Sohn" und de algo „ von etwas"] (portugies. Fidalgo), 1. Bez. für Edelmann, 2. Titel des niederen span. Geburtsadels; Anredetitel Don oder Doña.

Hidalgo del Parral [span. i'ðalɣo ðɛl pa'rral], mex. Stadt 190 km ssö. von Chihuahua, 1 660 m ü. d. M., 58 000 E. Zentrum eines bed. Bergbaugebiets. – 1638 gegr.

Hiddensee, langgestreckte Ostseeinsel westl. von Rügen, Meckl.-Vorp., 18,6 km², im Dornbusch 72 m hoch; Teil des Nat.parks Vorpommersche Boddenlandschaft. Die Bev. lebt von Landw., Fischerei und Fremdenverkehr. Auf H. befinden sich mehrere wiss. Forschungsinst. und eine Vogelwarte. Im Seebad Kloster die Gerhart-Hauptmann-Gedächtnisstätte (sein ehem. Wohnhaus). Auf H. wurde ein Wikingergoldschatz gefunden (heute in Stralsund im Museum).

Hidradenitis [griech.], svw. ↑ Schweißdrüsenabszeß.

Hidrose (Hidrosis) [griech.], Schwitzen, die normale Schweißproduktion.

Hidrotika [griech.], svw. ↑ schweißtreibende Mittel.

Hidschra ↑ Hedschra.

Hiebe, Anordnung der schneidenden Kanten auf dem Blatt einer Feile.

Hiebsarten, Sammelbez. für die verschiedenen Formen des Holzeinschlags von Waldbeständen in der Forstwirtschaft. Die Grund-H. sind **Kahlhieb** *(Kahlschlag,* die völlige Abholzung einer größeren Fläche), **Schirmhieb** (Schirmschlag, der Altbestand wird durch mehrere sog. *Lichtungshiebe* allmählich entfernt) und **Plenterhieb** (nur Einzelstämme sowie kleinere Bestände werden geschlagen).

hier..., Hier... ↑ hiero..., Hiero...

Hierapolis [hi-e...; griech. „hl. Stadt"], antike Stadt in Phrygien, nördlich von Denizli (W-Anatolien, Türkei), Zentrum des Kybelekultes; unter Eumenes II. von Pergamon um 190 v. Chr. gegr., seit 133 Teil der röm. Prov. Asia. 1334 n. Chr. aufgegeben. Von der UNESCO zum Weltkulturerbe erklärt. – Bed. Thermen, heute in Pamukkale genutzt.

H. ↑ Manbidsch.

Hierarchie [hi-e..., hi...; zu griech. hierarchía „Priesteramt" (zu hierós „heilig" und árchein „der erste sein")], in der *Soziologie* Bez. für ein Herrschaftssystem von vertikal und horizontal festgefügten und nach Über- und Unterordnung gegliederten Rängen. In der idealtyp. H. sind alle Entscheidungsbefugnisse, Kommunikations- und Informationswege, Kompetenzen und Verantwortlichkeiten pyramidenhaft aufgebaut.

◆ in der *kath. Kirche* Bez. für die Gesamtheit derer, die nach der von Jesus Christus der Kirche gestifteten Ordnung hl. Vollmacht zur Repräsentation Jesu Christi und zum führenden Dienst besitzen sowie ihre Rangordnung und die institutionellen Stufen in diesem Ordnungsgefüge. Die H. gliedert sich in die Weihe-H. mit drei sakramentalen Stufen (Bischof, Priester, Diakon) und in die Ämter-H. mit Hauptstufen (Papst und Bischofskollegium) und von diesen abgeleiteten, allein auf kirchl. Einsetzung beruhenden Ämtern. – Auch die *orth.* und *oriental. Kirchen* kennen das hierarchisch gegliederte Amt von Bischöfen, Priestern und Diakonen. – Die luth. *Reformation* vertrat theologisch die Identität von Pfarramt und altkirchl. Bischofsamt, doch gibt es hierarch. Ordnung im soziolog. Sinn in allen prot. Kirchen; auch die anglikan. Kirche hält an H. und apostol. Sukzession fest.

◆ in der *Technik* die Gliederung einer Anlage oder ihrer Aufgaben in Form einer festgelegten Rangordnung, z. B. Steuerungs- oder Rechnerhierarchie.

hieratische Schrift [hi-e...; griech./dt.] ↑ägyptische Schrift.

Hierl, Konstantin, * Parsberg 24. Febr. 1875, † Heidelberg 23. Sept. 1955, dt. Politiker. - Urspr. Offizier; trat 1927 der NSDAP bei; 1929 in der Reichsleitung der NSDAP; 1932 Beauftragter Hitlers für den Arbeitsdienst, ab 1933 Staatssekretär für den Arbeitsdienst, den er 1935 zum Reichsarbeitsdienst ausbaute und 1934-45 als Reichsarbeitsführer leitete; 1949 zu 5 Jahren Arbeitslager verurteilt.

hiero..., Hiero..., hier..., Hier... [hi-e...; griech.], Wortbildungselement mit der Bed. „heilig", z. B. Hierarchie.

Hierodulen [hi-e...; griech.], Bez. für die in altoriental. und antiken Kulten im Sklavenstand von einer Gottheit abhängigen Personen, die als Diener (Priester, Prostituierte) oder Siedler auf Tempelland lebten.

Hieroglyphen [hi-e..., hi...; zu griech. hieroglyphiká (grámmata) „heilige Schriftzeichen"], Schriftzeichen, die die Form von Bildern haben (↑Bilderschrift), bes. in Ägypten üblich (↑ägyptische Schrift). Auch einige andere Schriften werden als H. bezeichnet, u. a. die Schriften des Hieroglyphenhethitischen, die der Harappakultur, der Mayakultur, der Osterinsel. - Abb. S. 278.

Hieroglyphenhethitisch [hi-e..., hi...], anatol. Sprache; durch die Hethiter seit etwa 1500 v. Chr. in der Wort-Silben-Schrift der sog. hethit. Hieroglyphen überliefert.

Hierokratie [hi-e...; griech.], Bez. für Priesterherrschaft; Wahrnehmung staatl. Herrschaftsfunktionen vorwiegend durch kirchl. Amtsträger **(Gottesstaat),** z. B. im Kirchenstaat und im Cäsaropapismus.

Hieron, Name zweier Tyrannen von Syrakus:

H. I., * um 540, † 466, Tyrann von Gela (seit 485) und Syrakus (seit 478). - Gründete 475 Ätna (= Catania) auf Sizilien; durch Pindar gefeiert, an seinem Hofe hielten sich Simonides von Keos, Bakchylides und Aischylos auf.

H. II., * Syrakus 306, † ebd. 215, Tyrann von Syrakus (seit 275). - 269 zum König ausgerufen; trat im 1. Pun. Krieg auf die Seite Roms, dem er auch im 2. Pun. Krieg die Treue hielt.

Hieronymus, Sophronius Eusebius [hi-e...], hl., * Stridon (Dalmatien) um 347, † Bethlehem 30. Sept. 420 (419?), lat. Kirchenvater und -lehrer. - Nach dem Studium in Rom lebte H. 375-378 als Einsiedler in der Wüste Chalcis (bei Aleppo). 382 erhielt er in Rom von Papst Damasus I. den Auftrag zur Neubearbeitung der lat. Bibel (↑Vulgata). Seit 385 lebte er in Bethlehem, wo er ein Männer- und drei Frauenklöster leitete. H. zählt zu den bedeutendsten Gelehrten seiner Zeit, der neben der Vulgata viele wichtige theolog. und histor. Werke verfaßte und zahlr. griech. Werke ins Lateinische übersetzte. - Fest: 30. September.

Hieronymus [Joseph Franz de Paula] Graf von Colloredo-Waldsee [hi-e...], * Wien 31. Mai 1732, † ebd. 20. Mai 1812, Fürsterzbischof von Salzburg (seit 1772). - H. war ein Vertreter des Staatskirchentums, ein überzeugter Verfechter des Febronianismus und maßgeblich beteiligt an der Emser Punktation.

Hieronymus [hi-e...] (Jeronym) **von Prag,** * Prag 1360, † Konstanz 30. Mai 1416, tschech. Laientheologe. - H. wurde in Prag seit 1407 mit J. Hus Wortführer des Wyclifismus und entschiedener Gegner der Deutschen; auf dem Konstanzer Konzil zum Feuertod verurteilt.

Hierro [span. 'jɛrrɔ] (portugies. Ferro), westlichste der Kanar. Inseln, 278 km², im Mal Paso 1 501 m hoch, Hauptort Valverde. - Durch das Westkap von H., **Kap Orchilla,** das schon in der Antike als westlichster Punkt der Alten Welt galt, wurde 1634 der Nullmeridian (Nullmeridian von Ferro) gelegt, der erst 1884 vom Nullmeridian von Greenwich abgelöst wurde.

hieven [zu engl. to heave „heben"], seemänn. Ausdruck für: eine Last mittels einer Hebevorrichtung heben, auf- oder einziehen.

Hi-Fi [engl. 'haɪ'faɪ, 'haɪ'fi], Abk. für engl.: ↑**High-Fidelity.**

Hifthorn [zu frühneuhochdt. hift „Jagdruf mit dem Jagdhorn"] (Hüfthorn), ma. Signalhorn von Hirten, Wächtern, Kriegern und Jägern, urspr. aus einem Stierhorn, später aus Metall.

Higgs-Teilchen [nach dem brit. Physiker P. W. Higgs, * 1929], hypothet. Teilchen ohne Spin, die die von null verschiedene Ruhemasse der intermediären Bosonen und damit die kurze Reichweite der schwachen Wechselwirkung bedingen.

high [engl. 'haɪ], in euphor. Stimmung (nach dem Genuß von Rauschgift).

High Church [engl. 'haɪ 'tʃəːtʃ „hohe Kirche"] ↑anglikanische Kirche.

High Court ['hai 'kɔːt] (H. C. of Justice [ɔv 'dʒʌstis]), in angelsächs. Ländern oder Ländern mit angelsächsisch beeinflußten Rechtssystemen Berufungsinstanzgericht.

High-Fidelity [engl. 'haɪfɪ'dɛlɪtɪ „hohe (Wiedergabe)treue"], Abk. Hi-Fi, Bez. für eine Technik der (stereophon., quadrophon.)

Hieroglyphen. Farbig ausgemalte Hieroglyphen aus dem Grab der Königin Nofertari, aus Theben; um 1260 v. Chr.

Aufnahme und Wiedergabe von Schallereignissen, die höchsten Qualitätsansprüchen genügt.

High-key-Technik [engl. 'haıkı: „hohe Tonart"], photograph. Positivtechnik, mit der hell in hell abgestufte Bilder ohne dunklere Tonwerte und Schwärzen erzielt werden.

Highland [engl. 'haılənd], Region in NW-Schottland.

Highlands [engl. 'haıləndz], Bez. für das schott. Hochland nördl. der Linie Dumbarton–Stonehaven. Der von der O- zur W-Küste reichende, über 90 km lange tekton. Graben **Glen More,** der von einer Seenkette erfüllt ist (u. a. Loch Ness), trennt die North West H. im N von den Grampian Mountains im S. Die **North West Highlands** haben rd. 270 km N–S-Erstreckung. In den **Grampian Mountains** liegt der höchste Berg der Brit. Inseln (Ben Nevis, 1343 m ü. d. M.).

Highlife [engl. 'haılaıf], das exklusive Leben reicher Gesellschaftsschichten; auch ausgelassene Geselligkeit.

Highness [engl. 'haınıs „Hoheit"], Titel, der bis Heinrich VIII. dem engl. König vorbehalten war; His [Her] **Royal H.** ist heute Titel der brit. königl. Prinzen und Prinzessinnen.

High school [engl. 'haı ˌsku:l „hohe Schule"], in den USA Bez. der weiterführenden Schule, schließt an die 6. Klasse der Elementary school (Grundschule) an. Sie gliedert sich meist in eine je dreijährige Junior und Senior H. s. und führt i. d. R. nach sechs Jahren zur Hochschulreife.

Highsmith, Patricia [engl. 'haısmiθ], * Fort Worth (Texas) 19. Jan. 1921, † Lugano 4. Febr. 1995, amerikan. Schriftstellerin. – Verf. aktionsarmer, psycholog. Kriminalromane, in denen sie das Ab- und Hintergründige der (bürgerl.) Existenz offenlegt; bed. v. a. die „Ripley"-Romane; auch Erzählungen mit Horroreffekten.

High-Society [engl. 'haı sə'saıətı „hohe Gesellschaft"], Bez. für die gesellschaftlich nach „unten" relativ abgekapselte, gesellschaftl. Oberschicht.

High-Speed-Photographie [engl. 'haı 'spı:t], svw. ↑ Hochgeschwindigkeitsphotographie.

High-Tech [engl. 'haı'tɛk; Kw. aus engl. high technology], svw. Spitzentechnologie, Technologie, in der neueste Forschungsergebnisse angewandt und/oder neuentwikkelte Verfahren, Materialien, Bauteile u. a. (insbes. aus dem Bereich der Mikro- und Optoelektronik) eingesetzt werden.

Highway [engl. 'haıwɛı „hoher Weg"], engl. Bez. für Haupt- oder Landstraße; amerikan. Bez. für Autobahn.

High Wycombe [engl. 'haı wıkəm], südengl. Stadt in den Chiltern Hills, Gft. Buckingham, 60 500 E. Papier- und Möbelind., Präzisionsgerätebau, Druckereien. – 1086 erstmals erwähnt, seit König Heinrich II. (1154–89) Stadt.

Hiiumaa [hi:uma:], die Ostseeinsel ↑ Dagö.

Hijacker [engl. 'haıdʒɛkə „Straßenräuber"], Luftpirat, Flugzeugentführer.

Hikmet, Nazim (Nâzım Hikmet Ran), * Saloniki 20. Jan. 1902, † Moskau 3. Juni 1963, türk. Schriftsteller. – Mgl. der illegalen türk. KP; radikaler Erneuerer der türk. Lyrik; schrieb auch soziale Romane und Bühnenstücke, beeinflußt von Expressionismus, Dadaismus und von Majakowski. In dt. Übers. u. a. „Türk. Telegramme" (Ged., 1956), „Gedichte" (1959), „Legende von der Liebe", „Josef in Egyptenland" (Schauspiele, 1962).

Hilarion von Kiew ↑ Ilarion.

Hilarius von Poitiers, hl., * Poitiers um 315, † ebd. 367, Kirchenlehrer und Bischof von Poitiers (seit etwa 350). – Entschiedener Verteidiger des Glaubensbekenntnisses von Nizäa, trat mutig gegen den arian. Kaiser Konstantius auf. Sein theolog. Hauptwerk sind die 12 Bücher „Über die Dreifaltigkeit". H. ist bed. für das Bekanntwerden der Hymnodie in der abendländ. Kirche. – Fest: 13. Januar.

Hilbert, David, * Königsberg (Pr) 23. Jan. 1862, † Göttingen 14. Febr. 1943, dt. Mathematiker. – 1892–95 Prof. in Königsberg, dann in Göttingen. H. hat auf zahlr. Gebieten der Mathematik entscheidende Anstöße gegeben. Er arbeitete zunächst über die Invariantentheorie. Grundlegend war seine 1897 veröffentlichte „Theorie der algebraischen Zahlkörper", worin er die algebraische Zahlentheorie unter neuen Gesichtspunkten darstellte. Von weitreichendem Einfluß war der axiomat. Aufbau der Geometrie, den er in seinem berühmten Werk „Grundlagen der Geometrie" (1899) vorstellte. Bedeutende Beiträge zur Analysis sind seine Arbeiten über Integralgleichungen, Integraltransformationen und Variationsrechnung. In den folgenden Jahren beschäftigte sich H. mit Problemen der kinet. Gastheorie und Relativitätstheorie sowie mit Grundlagenproblemen der Mathematik und mit Logik.

Hilbig, Wolfgang, * Meuselwitz (Kr. Altenburg, Thür.) 31. Aug. 1941, dt. Schriftsteller. – Arbeitete u. a. als Schlosser und Heizer, heute freier Schriftsteller; lebt seit Mitte der 80er Jahre in Nürnberg. H. begann mit monolog. Versen („Abwesenheit", 1979). Skurrile Phantastik und Nachdenken über die eigene (proletar.) Herkunft prägen seine essayist. Prosa („Der Brief", 1985). – *Weitere Werke:* Unterm Neumond (En., 1982), Die Versprengung (Ged., 1986), Die Territorien der Seele (Prosa, 1986), Eine Übertragung (R., 1989).

Hildburghausen, Krst. in Thür., am S-Fuß des Thüringer Waldes, an der oberen Werra, 381 m ü. d. M., 11 000 E. Schraubenwerk, Textil-, Holz-, polygraph. Ind. – Stadtrecht seit 1324. H. war 1680–1826 die Residenzstadt des Hzgt. Sachsen-Hildburghausen. – Rathaus (1395, 1572 erneuert), Stadtkirche (1781–85).

H., Landkr. in Thüringen.

Hildebrand, german.-dt. Sagengestalt, Waffenmeister Dietrichs von Bern, literar. Figur v. a. im althochdt. „Hildebrandslied" und im mittelhochdt. „Nibelungenlied".

Hildebrand ↑ Gregor VII., Papst.

Hildebrand, Adolf von, * Marburg a. d. Lahn 6. Okt. 1847, † München 18. Jan. 1921, dt. Bildhauer. – Angeregt von H. von Marées und C. Fiedler orientierte er sich an Antike und Renaissance und gelangte zu einer neuen Klassizität freierer Prägung. H. wurde v. a. auf den Gebieten der Brunnen- und Denkmalskunst führend (Wittelsbacher- [1895] und Hubertusbrunnen [1907] in München). H. Werk blieb für die dt. Plastik bis Mitte des 20. Jh. weithin prägend. Bed. kunsttheoret. Schriften („Das Problem der Form in der bildenden Kunst", 1893).

Hildebrandslied, einziges althochdt. Beispiel eines german. Heldenliedes; erhalten sind 68 nicht immer regelmäßig gebaute stabgereimte Langzeilen in einer althochdt.-altsächs. Mischsprache; der Schlußteil fehlt. Die trag. Begegnung des aus der Verbannung heimkehrenden Hildebrand mit seinem ihn nicht erkennenden Sohn Hadubrand spielt vor dem geschichtl. Hintergrund der Ostgotenherrschaft in Italien. Das H. wurde Anfang des 9. Jh. in Fulda von zwei Mönchen auf der ersten und letzten Seite einer theolog. Sammelhandschrift eingetragen. Die überlieferte Fassung geht auf eine bair. Bearbeitung eines langobard. Urliedes zurück. Die Handschrift befindet sich heute in der Landesbibliothek Kassel.

Das **Jüngere Hildebrandslied,** in gereimten Strophen abgefaßt, ist eine Ballade in volksliedhaftem Stil mit humorist.-burlesken Zügen, sie endet versöhnlich. Die Urfassung wird Anfang des 13. Jh. angesetzt.

Hildebrandt, Dieter, * Bunzlau 23. Mai 1927, dt. Schauspieler und Kabarettist. –

Hildburghausen. Marktplatz mit dem Rathaus

1955 Mitbegr. des Studentenkabaretts „Die Namenlosen", 1956 mit S. Drechsel (* 1925, † 1986) der „Münchner Lach- und Schießgesellschaft"; auch bekannt mit satir. Fernsehsendungen, z. B. „Scheibenwischer" (seit 1980).

Johann Lucas von Hildebrandt. Oberes Belvedere in Wien, Mittelrisalit der Gartenfront

H. (Hildebrand), Johann Lucas von (seit 1720), * Genua 14. Nov. 1668, † Wien 16. Nov. 1745, östr. Baumeister. – Schuf bed. Schloß-, Palais- und Kirchenbauten, u. a. in Wien Unteres und Oberes Belvedere für Prinz Eugen (1714–16 bzw. 1721–23), Palais Schönborn (1706–11), Palais Daun-Kinsky (1713–16). Zus. mit J. B. Fischer von Erlach ist H. der Hauptvertreter des östr. Hochbarock.

H., Regine, * Berlin 26. April 1941, Diplombiologin und Politikerin (SPD). – Zunächst Mitgl. der Bürgerbewegung ↑ Demokratie Jetzt, seit Okt. 1989 der Sozialdemokrat. Partei der DDR; von April bis Aug. 1990 in der DDR Min. für Arbeit und Soziales, seit Nov. 1990 brandenburg. Arbeits-, Sozial-, und Gesundheitsministerin.

H. (Hildebrand), Zacharias, * Münsterberg (Schlesien) 1688, † Dresden-Neustadt 11. Okt. 1757, dt. Orgel- und Instrumentenbauer. – Schüler von G. Silbermann; baute u. a. Orgeln in Störmthal bei Leipzig (1723) und Naumburg (Sankt Wenzel, 1743–46). Sein Sohn *Johann Gottfried* (* um 1720, † 1775) baute die dreimanualige Orgel der Michaeliskirche in Hamburg (1762–70).

Hildegard von Bingen, hl., * 1098, † Kloster Rupertsberg bei Bingen 17. Sept. 1179, dt. Mystikerin. – Gründete als Benediktinerin zw. 1147 und 1150 das Kloster Rupertsberg bei Bingen. Hatte schon in ihrer Kindheit Visionen, die sie ab 1141 in lat. Sprache niederschrieb. Neben diesen myst. Schriften entstanden homilet.-exeget. und histor. Abhandlungen, 70 selbstvertonte geistl. Lieder und naturkundl. Bücher, v. a. das in zwei Teilen überlieferte Werk „Liber subtilitatum diversarum naturarum creaturarum", die wichtigste Quelle naturkundl. Kenntnisse des frühen MA in M-Europa. – Fest: 17. September.

Hilden, Stadt am W-Rand des Berg. Landes, NRW, 45–55 m ü. d. M., 53 300 E. Metall- und Textilverarbeitung. – 1074 erstmals erwähnt, 1861 Stadt.

Hildesheim, Krst. an der Innerste, Nds., 89 m ü. d. M., 103 500 E. Verwaltungssitz des Landkr. H.; kath. Bischofsitz; mehrere Fachhochschulen, Predigerseminar der Ev.-luth. Landeskirche Hannovers; u. a. Roemer-Pelizaeus-Museum mit ägypt. Sammlung, Bibliotheken, Stadttheater. 1928 durch einen Stichkanal an den Mittellandkanal angeschlossen. Elektrotechn. Ind., Metallgießerei, Maschinen-, Anlagen- und Apparatebau, Gummiverarbeitung, Druck- und Verlagswesen, Nahrungsmittelind. – Beim Innersteübergang des Hellwegs entstand am heutigen Alten Markt vermutlich im 8. Jh. eine Kaufmannssiedlung. 815 gründete Kaiser Ludwig der Fromme das Bistum mit Domburg. H. erlebte unter Bischof Bernward eine kulturelle und wirtschaftl. Blüte (um 1000 Marktrecht); 1217 erstmals Stadt, 1367 Hanse-Mgl. – Der Dom wurde nach dem 2. Weltkrieg in der Form des Hezilo-Domes (1054–79) wiederaufgebaut, erhalten sind u. a. die berühmten Bronzetüren Bischof Bernwards (1015). Ebenfalls wiedererrichtet wurde die Kirche Sankt Michael in der Form des otton. Bernwardbaues (um 1010–33). Die UNESCO erklärte den Dom und St. Michael zum Weltkulturerbe. Weitere roman. Kirchen sind Sankt Mauritius (11. Jh.), Heilig Kreuz (11. Jh.); spätgotisch ist die Andreaskirche (1389 ff., wiederaufgebaut). Wiederaufgebaut wurde das Knochenhaueramtshaus (1529), einst der bedeutendste Fachwerkbau Deutschlands, sowie das Rathaus (im Kern 13. Jh.). Moderne Bauten sind u. a. das Gymnasium Andreaneum (1960–62) und die Zwölf-Apostel-Kirche (1964–67).

H., Landkr. in Niedersachsen.
H., Bistum; 815 gegr., gehörte der Kirchenprov. Mainz. In der **Hildesheimer Stiftsfehde** (1519–23) kam der größere Teil des Hochstifts („Großes Stift") an die Herzöge von Braunschweig-Lüneburg (bis 1643). 1802 wurde das Bistum säkularisiert, 1842 neu errichtet und vergrößert, umfaßt heute Teile der Länder Bremen, Hamburg, Nds. und Sa.-Anh. – ↑katholische Kirche (Übersicht).

Hildesheimer, Wolfgang, * Hamburg 9. Dez. 1916, † Poschiavo (Schweiz) 21. Aug. 1991, dt. Schriftsteller. – Lebte in der Emigration 1933–36 in Palästina, 1937–39 in London; 1946–49 Simultandolmetscher bei den Nürnberger Prozessen; gehörte zur Gruppe 47. H. veröffentlichte zunächst Kurzprosa („Lieblose Legenden", 1952), einen Roman („Paradies der falschen Vögel", 1953) und zahlr. Hörspiele und Bühnenstücke. Seine Dramen zählen z. T. zum absurden Theater; häufig parodist. Elemente. – *Werke:* „Prinzessin Turandot" (Hsp.-Fassung 1954, Bühnenfassung 1955 u. d. T. „Der Drachenthron", Neufassung 1961 u. d. T. „Die Eroberung der Prinzessin Turandot"), Nachtstück (Dr., 1963), Vergebl. Aufzeichnungen (1963), Zeiten in Cornwall (autobiograph. Aufzeichnungen, 1971), Masante (R., 1973), Mozart (Biogr., 1977), Exerzitien mit Papst Johannes (Prosa, 1979), Marbot (Biogr., 1981), Mitteilungen an Max über den Stand der Dinge ... (1983), Klage und Anklage (Texte, 1989).

Hildesheimer Silberfund, 1868 bei Hildesheim entdeckter Schatz röm. Tafelsilbers, bestehend aus 69 reichverzierten Gefäßen und Geräten aus der Zeit des Kaisers Augustus.

Hilfen, Einwirkungen zur Übermittlung von Befehlen des Reiters an das Pferd (Schenkeldruck, Sporen, Zügel, Gewichtsverlagerung).

Hilferding, Rudolf, * Wien 10. Aug. 1877, † Paris 11. Febr. 1941, östr.-dt. Sozialwissenschaftler, Politiker und Publizist. – Arzt; 1907–16 Redakteur am „Vorwärts"; schloß sich als Pazifist der USPD an, nach seiner Rückkehr in die SPD (1922) Mgl. des Parteivorstandes (bis 1933); 1923 sowie 1928/29 Reichsfinanzmin.; 1924–33 MdR; arbeitete nach der Emigration im Exilvorstand der SPD; lebte seit 1938 in Frankreich; starb nach Selbstmordversuch in der Gestapohaft; zahlr. theoret. Schriften zum ↑Austromarxismus.

Hilfsarbeiter, Arbeiter, der keine bes. Ausbildung besitzt und nicht angelernt ist.

Hilfsbeamte der Staatsanwaltschaft, bestimmte Beamtengruppen, denen auf Grund von RVO der Landesjustizverwaltungen Ermittlungsbefugnisse verliehen sind, die sonst nur Richtern oder Staatsanwälten zustehen (z. B. körperl. Untersuchungen [Blutproben], Beschlagnahme, Durchsuchung). Die H. d. S. unterstehen der Sachweisungsbefugnis der Staatsanwaltschaft ihres Bezirks. Zu den H. d. S. zählen u. a. Mgl. des Bundesgrenzschutzes, der Zollverwaltung, der Kriminalpolizei.

Hilfskassen (Hilfsvereine), im 19. Jh. gegr. Vorläufer der Krankenversicherung, auf Freiwilligkeit und Gegenseitigkeit beruhend, 1876 nachträglich gesetzlich geregelt, konnten nach Einführung der gesetzl. Krankenversicherung teils als Ersatzkassen weiterbestehen oder wurden zu privaten Versicherungsvereinen auf Gegenseitigkeit.

Hilfsmittel, im Sozialversicherungsrecht die zum Ausgleich bestehender körperl. Defekte dienenden Mittel, die an die Stelle der in ihrer Funktion beeinträchtigten Organe oder Gliedmaßen treten, z. B. Prothesen, Hörgeräte; werden von der gesetzl. Kranken- und der gesetzl. Unfallversicherung gewährt.

Hilfsschulen, frühere Bez. für ↑Sonderschulen.

Hilfstriebwerk, ein in größeren Flugzeugen eingebautes Gasturbinenaggregat, das die erforderl. Druckluft zum Anlassen der Haupttriebwerke und die nötige Antriebsenergie für die elektr. und hydraul. Bordsysteme liefert, wenn kein Haupttriebwerk arbeitet.

Hilfsverb (Auxiliarverb, Hilfszeitwort), Verb, das nur in Verbindung mit einem anderen Verb (Vollverb) bestimmte Funktionen erfüllt und dabei keine eigene lexikal. Bedeutung hat, z. B. Ich *bin* gelaufen. H. können auch als Vollverben gebraucht werden (Ich *habe* kein Geld).

Hilfsvereine, svw. ↑Hilfskassen.

Hilfswerk der Evangelischen Kirche in Deutschland, Vorläuferorganisation von ↑Diakonisches Werk der Evangelischen Kirche in Deutschland e. V.

Hilfswerk für behinderte Kinder, Stiftung des öff. Rechts, Sitz Bonn; erbringt Leistungen an Behinderte, deren Fehlbildungen mit der Einnahme thalidomidhaltiger Präparate der Firma Chemie Grünenthal GmbH in Stolberg durch die Mutter während der Schwangerschaft in Verbindung gebracht werden können (↑Conterganprozeß) und fördert die Eingliederung von Behinderten in die Gesellschaft. Das Stiftungsvermögen besteht aus 150 Mill. DM, die der Bund zur Verfügung stellt, und 100 Mill. DM, zu deren Zahlung die Firma Chemie Grünenthal GmbH sich verpflichtet hat.

Hilfswissenschaft, Wiss., deren Hauptfunktion im Bereitstellen von Methoden und Kenntnissen für andere Wiss. liegt, z. B. Statistik oder die ↑historischen Hilfswissenschaften.

Hilfszeitwort, svw. ↑Hilfsverb.

Hill [engl. hıl], Archibald [Vivian], * Bristol 26. Sept. 1886, † Cambridge 3. Juni 1977, brit. Physiologe. – Prof. in Manchester und London; erhielt für seine Untersuchungen der energet. Vorgänge bei der Muskelkontraktion 1922 mit O. F. Meyerhof den Nobelpreis für Physiologie oder Medizin.

H., David Octavius, * Perth 1802, † Edinburgh 17. Mai 1870, schott. Maler und Photograph. – Schuf mit Hilfe von photograph. Vorlagen 1843 ff. ein Gruppenbild mit 474 Porträts und machte zus. mit R. Adamson (* 1821, † 1848) etwa 1500 psychologisch-künstlerisch erfaßte Porträtaufnahmen.

H., Susan (Elisabeth), * Scarborough (Yorkshire) 5. Febr. 1942, engl. Schriftstellerin. – H. erzählt gefühlsintensive Geschichten, in denen sie sich mit Gefahren des Kommunikationsverlustes und dem Einrichten in der Selbstentfremdung beschäftigt; auch Hör- und Fernsehspiele. – *Werke:* Wie viele Schritte gibst du mir? (R., 1970), Seltsame Begegnung (R., 1971), Frühling (R., 1974), Nur ein böser Traum (R., 1984).

H., Terence, eigtl. Mario Girotti, * Venedig 29. März 1940, italien. Schauspieler. – Lebt in den USA; augenzwinkernder Held u. a. in Italo-Western, häufig zus. mit Bud ↑Spencer; führte Regie in „Keiner haut wie Don Camillo" (1983). – *Weitere Filme:* Der Leopard (1962), Der kleine und der müde Jo (1971), Mein Name ist Nobody (1973), Das Krokodil und sein Nilpferd (1979).

Hilla, Al, irak. Stadt 100 km südl. von Bagdad, 215 000 E. Hauptstadt der Prov. Babylon. Nahebei die Ruinen von ↑Babylon.

Hillary, Sir (seit 1953) Edmund Percival [engl. 'hılərı], * Auckland 20. Juli 1919, neuseeländ. Bergsteiger und Forscher. – Zus. mit dem Sherpa Tenzing Norgay am 29. Mai 1953 Erstbesteiger des Mount Everest. Leiter einer Antarktisexpedition (Nov. 1957–März 1958); dann weitere Himalajaexpeditionen 1960/61, 1963 und 1964; 1977 Ganges-Expedition.

Hillbilly[music] [engl. 'hılbılı ('mju:zık); zu amerikan. hillbilly „Hinterwäldler"], Bez. für die weiße (euro-amerikan.). ländl. Volksmusik der USA.

Hillebrand, Karl, * Gießen 17. Sept. 1829, † Florenz 19. Okt. 1884, dt. Publizist. – H. nahm am bad. Aufstand 1849 teil, danach in Frankreich (zeitweise Sekretär H. Heines) und seit 1870 in Italien. Gilt als der führende dt. Essayist seiner Zeit, u. a. „Zeiten, Völker und Menschen" (7 Bde., 1874–85).

Hillebrecht, Rudolf, * Hannover 26. Febr. 1910, dt. Architekt. – 1933/34 Zusammenarbeit mit W. Gropius in Hamburg. Als Leiter der städt. Bauverwaltung in Hannover war die Neugestaltung der Stadt nach den Zerstörungen des 2. Weltkriegs als beispielhaftes Konzept seine wichtigste Leistung.

Hillel, mit dem Ehrennamen „der Alte", * in Babylonien um 60 v. Chr., † in Palästina um 10 n. Chr., Präsident (Nasi) des Synedrions. – Bed. rabbin. Gesetzeslehrer, der durch die Einführung von festen Auslegungsregeln (Middot) einen wesentl. Beitrag zur Thoraexegese leistete; nach H. läßt sich das Gesetz in der „Goldenen Regel" zusammenfassen; sein Gegner war ↑Schammai.

Hiller, Ferdinand von (seit 1875), * Frankfurt am Main 24. Okt. 1811, † Köln 11. Mai 1885, dt. Dirigent und Komponist. – Wirkte als Dirigent in Frankfurt am Main, Leipzig, Dresden, Düsseldorf und Köln. Als Komponist mit Kammer- und Klaviermusik erfolgreich; bed. auch als Musikschriftsteller.

H., Johann Adam, * Wendisch Ossig bei Görlitz 25. Dez. 1728, † Leipzig 16. Juni 1804, dt. Komponist. – Gründete 1763 sog. Liebhaberkonzerte, wurde 1781 Kapellmeister der Gewandhauskonzerte und 1789 Kantor der Thomasschule in Leipzig. Seine vielbeachteten dt. Singspiele (u. a. „Der Teufel ist los", 1766; „Lottchen am Hofe", 1767; „Die Liebe auf dem Lande", 1768) und ein umfangreiches Liedschaffen beeinflußten die Entwicklung beider Gattungen nachhaltig.

H., Kurt, * Berlin 17. Aug. 1885, † Hamburg 1. Okt. 1972, dt. Publizist, Kritiker und Essayist. – Als revolutionärer Pazifist von den Nationalsozialisten verhaftet; 1934 Flucht ins Ausland, seit 1955 in Hamburg; eigenwilliger Vertreter einer sozialist. Staats- und Gesellschaftsordnung und Förderer des ↑Aktivismus; bediente sich einer exakten, schlagkräftigen, zuweilen provozierend scharfen Sprache. – *Werke:* Die Weisheit der Langeweile (1913), Verwirklichung des Geistes im Staat (1925), Profile (1938), Ratio-aktiv (1966), Leben gegen die Zeit (Erinnerungen, 2 Bde. 1969–73).

Hillerød [dän. 'hilərø:'ð], Hauptstadt der dän. Amtskommune Frederiksborg, auf Seeland, 33 600 E. Maschinenbau, Nahrungsmittel-, Holzind. – Schloß ↑Frederiksborg.

Hillery, Patrick John [engl. 'hılərı], * Milltown Malbay (Gft. Clare) 2. Mai 1923, ir. Politiker (Fianna Fáil). – Arzt; seit 1951 Mgl. des ir. Parlaments; 1959–65 Erziehungsmin., 1965/66 Min. für Ind. und Handel und 1966/69 Arbeitsmin.; führte als Außenmin. (1969–72) die Verhandlungen um den Beitritt der Rep. Irland zur EG; 1973–76 Vize-Präs. der EG-Kommission; 1976–90 Staatspräsident.

Hillgruber, Andreas, * Angerburg 18. Jan. 1925, † Köln 8. Mai 1989, Historiker. – 1968–72 Prof. in Freiburg i. Br., ab 1972 in Köln. Forschte v. a. zur weltpolit. Rolle Deutschlands und zur NS-Zeit, ver-

Himalaja. Die „Sechstausender" Kang Taiga und Tramserku, südlich des Mount Everest

faßte u. a. „Hitlers Strategie" (1965), „Die gescheiterte Großmacht (1980), „Der Zweite Weltkrieg 1939–1945" (1982), „Die Zerstörung Europas" (1988).

Hilo [engl. 'hi:loʊ] † Hawaii (Insel).

Hilpert, Heinz, * Berlin 1. März 1890, † Göttingen 25. Nov. 1967, dt. Regisseur. – 1926–32 Oberregisseur am Dt. Theater in Berlin; übernahm 1934 die Reinhardtbühne in Berlin, 1938 auch in Wien. 1950–56 Intendant in Göttingen.

Hilpoltstein, Stadt im Vorland der Fränk. Alb, Bay., 383 m ü. d. M.. 10 100 E. – Maschinen- und Pumpenbau, Papierwarenind. – Um 1300 gegr., 1345 Stadt gen. – Die spätgot. Stadtpfarrkirche wurde 1731 barokkisiert; Burg (13. Jh., später umgestaltet).

Hilsenrath, Edgar, * Leipzig 2. April 1926, dt. Schriftsteller. – Er lebte als Kind in Rumänien im Ghetto und KZ; 1951–74 in den USA. Behandelt in seinen Werken jüd. Schicksale während des Krieges und in der Nachkriegszeit: „Der Nazi und der Friseur" (1971 in engl. Übers., dt. 1977), „Zibulski oder Antenne im Bauch" (R., 1983).

Hilty, Hans Rudolf, * St. Gallen 5. Dez. 1925, † Jona 5. Juli 1994, schweizer. Schriftsteller. – War Journalist; 1951–64 Hg. der Zeitschrift „hortulus". Schrieb Erzählungen, Romane und Gedichte, daneben umfangreiche Herausgebertätigkeit, u. a. zeitgenöss. Literatur, Essays. – *Werke:* Nachtgesang (Ged., 1948), Mutmaßungen über Ursula. Eine literar. Collage (1970), Zuspitzungen (Ged., 1984).

Hilus [zu lat. hilum „kleines Ding"], kleine Einbuchtung oder Vertiefung an einem Organ als Aus- oder Eintrittstelle für Gefäße und Nerven (z. B. Lungen-H.).

Hilversum [niederl. 'hilvərsʏm], niederl. Stadt in Nordholland, 85 000 E. Museum, Bibliothek; Pferderennbahn; Sitz mehrerer Rundfunk- und Fernsehgesellschaften, Villenstadt, Wohnvorort für Amsterdam; elektrotechn., Teppich-, Metallwaren- und pharmazeut. Ind. – Bed. das Neue Rathaus (1928–31).

Hilwan (Heluan), ägypt. Stadt ssö. von Kairo, 350 000 E. Univ. (1975 gegr.), astronom. und geophysikal. Inst.; Eisenhütten- und Stahlwerk, Zement- und Düngemittelind.; nahebei, in Wadi Hauf, Automobilwerk. Kurort (Thermalquellen). – Fundstätte einer steinzeitl. Nekropole und einer solchen aus der Zeit der 1. und 2. Dyn. (1. Hälfte des 3. Jt. v. Chr.).

Hima, äthiopides Volk, halbnomad. Großviehzüchter, lebt im Zwischenseengebiet O-Afrikas.

Himachal Pradesh [engl. hɪ'mɑ:tʃəl prə'dɛɪʃ], ind. B.-Staat, 55 673 km^2, 4,89 Mill. E (1988), Hauptstadt Simla. Gebirgsland im westl. Himalaja mit mildem Klima und größtem Nadelholzbestand in N-Indien. Bed. Forstwirtschaft, Obst- und Teekulturen.

Himalaja [hi'ma:laja, hima'la:ja; Sanskrit „Schneewohnung"], mächtigstes Gebirgssystem der Erde, begrenzt den Ind. Subkontinent gegen Tibet und Zentralasien, erstreckt sich vom Durchbruchstal des Indus im W zum Durchbruchstal des Brahmaputra im O, 2 500 km lang, zw. 280 (im NW) und 150 km (im O) breit. Von 10 Achttausendern ist der Mount Everest mit 8 872 m Höhe zugleich der

höchste Berg der Erde. Der H. gehört zu Indien, Pakistan, Nepal, Bhutan und China (Tibet). Der H. wird zu den jungen alpid. Faltengebirgen der Erde gerechnet und ist nach der Theorie der Plattentektonik das Ergebnis der Kollision der ind. mit der euras. Platte. Vier, im wesentl. W–O bogenförmig verlaufende Hauptgebirgsketten folgen von S nach N: Die **Siwalikketten** erheben sich abrupt über dem Nordind. Tiefland und reichen selten über 1 300 m Höhe hinaus. Der **Vorderhimalaja** hebt sich nach N steil über die Siwalikketten mit mittleren Höhen zw. 2 000–3 000 m, maximal 4 000 m. Die Hauptkette, der **Hohe Himalaja,** überragt den Vorderhimalaja um rd. 3 000–4 000 m mit den vergletscherten Gipfeln der höchsten Berge der Erde. Die tektonisch angelegte südtibet. Längstalfurche, die vom Tsangpo und oberen Indus durchflossen wird, trennt ihn vom **Transhimalaja (Hedingebirge),** der die S-Umrandung des Hochlands von Tibet bildet und durchschnittlich 5 500–6 000 m, im Aling Gangri 7 315 m hoch ist.
Der H. ist eine Klimascheide größten Ausmaßes. Während die monsunberegnete S-Flanke großenteils 2 000–2 500 mm Niederschlag im Jahresmittel erhält, liegt die N-Abdachung bereits jenseits der klimat. Trockengrenze. Vegetation und Landnutzung sind vertikal gestuft. An der S-Flanke herrschen üppige Berg- und Nebelwälder vor, an der N-Flanke wintertrockene alpine Steppen. Die Waldgrenze liegt im Vorder-H. bei 3 700 m ü. d. M., im Hohen H. bei 4 200 m. Die Schneegrenze steigt von 5 000 auf knapp 6 000 m an. Verstärkte Abholzungen (jährl. Entwaldungsrate im ind. H. 5 %) der letzten Jahre führten zu einer schnelleren Entwässerung der Bergregion und zu einer fortschreitenden Bodenerosion (erhöhte Schlammführung der Flüsse) und sind Mitverursacher der z. T. katastrophalen Überschwemmungen in den Tiefländern am Gebirgsfuß.

🕮 *Uhlig, H.: H. Bergisch Gladbach ²1987. – Haffner, W.: Nepal – Himalaya. Wsb. 1979.*

Himalajaglanzfasan ↑Fasanen.

Himastaaten, ehem. Reiche im ostafrikan. Seengebiet (u. a. Buganda, Bunyoro, Burundi, Ruanda); ben. nach den eingewanderten Hirtenethnien der Hima, die aus dem N kommend im 15./16. Jh. im Zwischenseengebiet die dort in kleinen Stammesverbänden lebende, ackerbautreibende Bantu-Bev. (Hutu) überlagerten und die Oberschicht bildeten.

Himation [...tiɔn; griech.], der meist über dem Chiton getragene wollene, altgriech. Mantel von rechteckigem Schnitt.

Himbeere [zu althochdt. hintperi „Hirschkuhbeere"] (Rubus idaeus), in Europa, N-Amerika und Sibirien heim. Art der Gatt. Rubus; meist an frischen, feuchten Waldstellen und in Kahlschlägen; halbstrauchige, vorwiegend durch Wurzelschößlinge sich vermehrende Pflanze; Sprosse bestachelt, 1–2 m hoch; Blätter gefiedert; Blüten klein, weiß, in trauben- bis rispenförmigen Blütenständen; Frucht **(Himbeere)** eine beerenartige Sammelsteinfrucht, rot (bei Gartenformen auch weiß oder gelb). Die H. wird seit der Jungsteinzeit gesammelt und seit dem MA in vielen Sorten kultiviert.

Himbeerkäfer (Blütenfresser, Byturidae), Fam. kleiner, gelber bis brauner, bes. an Blüten der Himbeere und Brombeere fressender Käfer mit rd. 20 Arten; in M-Europa nur zwei Arten, darunter am häufigsten **Byturus tomentosus:** 3–4 mm lang; Larven fressen in den Früchten der Himbeere **(Himbeermaden, Himbeerwürmer).**

Himbeerzunge (Erdbeerzunge), stark gerötete Zunge mit stark hervortretenden Papillen; Symptom bei Scharlach; mitunter auch bei Lebererkrankungen und Dickdarmentzündungen.

Himeji [...dʒɪ] (Himedschi), jap. Stadt im westl. Honshū, 450 000 E. Wirtsch. Mittelpunkt der H.ebene, Hafen **Hirohata** an der Ijimündung. – Um 1346 Errichtung einer Burg, im 17. Jh. entwickelte sich daneben eine Stadt.

Himera, westlichste Griechenstadt an der N-Küste Siziliens, 40 km östlich von Palermo; 649 v. Chr. von Zankle gegr.; bei H. 480 v. Chr. Sieg Gelons von Syrakus und Therons von H. über die Karthager; 409 v. Chr. von Karthagern zerstört.

Himes, Chester Bomar [engl. haɪmz], * Jefferson City (Mo.) 29. Juli 1909, † Moraira (Spanien) 12. Nov. 1984, amerikan. Schriftsteller. – Naturalist., von Protesthaltung bestimmtes Frühwerk. Wurde u. a. durch Kriminalromane über das Leben im New Yorker Schwarzenghetto Harlem bekannt. – *Werke:* Mrs. Taylor und ihre Söhne (R., 1954), Lauf Nigger, lauf (R., 1966), The quality of hurt, My life of absurdity (Autobiographie, 2 Bde., 1972 und 1976).

Himmel (Himmelsgewölbe, Firmament), das scheinbar über dem Horizont eines Beobachters liegende „Gewölbe" in Form eines halben Rotationsellipsoids oder flachen Kugelsegments (die Entfernung zum Horizont scheint größer als die zum Zenit zu sein), das in der Astronomie durch eine Halbkugel angenähert und zu einer Vollkugel, der **Himmelskugel,** ergänzt wird. Diese H.kugel dreht sich scheinbar innerhalb 24 Stunden einmal um die mit der Erdachse zusammenfallende **Himmelsachse,** die den H. in den **Himmelspolen** durchstößt.

Himmel, in mehreren Religionen als die Stätte alles Überirdischen, Transzendenten verstandener und mit Ehrfurcht und Scheu betrachteter Bereich bzw. Zustand. Vorgestellt wird der H. häufig als Zeltdach, als eine vom Weltenbaum, von Pfeilern oder einem Titanen (↑Atlas) gestützte Kuppel **(Firmament),** als Scheibe (China), als Trennwand zw. oberen und unteren Gewässern (1. Mos. 1,6f.) oder als ein in mehrere Sphären gegliedertes Gewölbe (Dante). Der Mythos verbindet H. und Erde in der Vorstellung eines elterl. Götterpaares, eines H.vaters und einer Erdmutter. Viele Religionen erblicken im H. den Wohnort eines Hochgottes. Das A.T. kennt den H. als Wohnort Gottes, aber auch als Geschöpf seiner Macht. Das N.T. umschreibt mit den Begriffen H. und H.reich den Zustand der unmittelbaren Gottesnähe.

Himmelfahrt, religiöse Vorstellung vom Aufstieg der Seele des Verstorbenen in den Himmel als den Wohnort der Gottheit; auch für eine temporäre **Himmelsreise** mit anschließender Rückkehr zur Erde angewandt (Islam).

Himmelfahrt Christi, Artikel des christl. Glaubensbekenntnisses (nach Apg. 1, 9–11) über die Auffahrt und Erhöhung Jesu Christi in den Himmel zur Teilnahme an der Macht Gottes. Das Fest **Christi Himmelfahrt** entstand im 4.Jh.; es wird am 40. Tag nach Ostern gefeiert.
Bildende Kunst: Es folgen einander verschiedene Darstellungstypen; frühchristlich und karolingisch: Christus wird von der Hand Gottes in den Himmel gehoben; byzantinisch und seit dem 6.Jh. auch abendländisch: Christus in einer Gloriole, von zwei Engeln begleitet, die Jünger und Maria schauen zu ihm auf; seit dem 11.Jh.: von dem auffahrenden Christus bleibt nur der Rocksaum oder der Fußabdruck im Felsen; seit dem 13.Jh.: Christus wird von einer Wolke getragen oder fährt aus eigener Kraft empor. – Abb. S. 286.

Himmelfahrt Marias (Aufnahme Marias in den Himmel, Mariä Himmelfahrt), nach der Lehre der kath. Kirche die Aufnahme Marias, der Mutter Jesu, nach ihrem Tod „mit Leib und Seele" in den Himmel, durch Papst Pius XII. 1950 zum Dogma erhoben. Das Fest Mariä Himmelfahrt wird am 15. Aug. gefeiert. – Im MA ist die Darstellung der H. M. selten, bestimmend wird dann die „Assunta" Tizians (1516–18, Venedig, Frarikirche), zahlr. Gemälde und auch plast. Gestaltungen (z.B. von E.Q. ↑Asam) im Barock.

Himmelsäquator ↑Äquator.

Himmelsblau, ↑Himmelslicht.
◆ svw. ↑Azur.

Himmelsglobus (Sternglobus), eine verzerrungsfreie Darstellung des Sternhimmels auf der Oberfläche einer Kugel (↑Globus).

Himmelsgucker (Uranoscopidae), Fam. der Barschartigen mit rd. 25 Arten, v.a. in den Küstenregionen trop. und subtrop. Meere; plumpe Grundfische; graben sich bis auf die Augen in den Sand ein, um auf Beutetiere zu lauern. Im Mittelmeer und Schwarzen Meer kommt der bis 25 cm lange, braune **Sternseher** (Gemeiner H., Meerpfaff, Uranoscopus scoper) vor.

Himmelskunde, svw. ↑Astronomie.

Himmelsleiter ↑Jakobsleiter.

Himmelsleiter, svw. ↑Sperrkraut.

Himmelslicht, diffuses, an den Luftmolekülen und Aerosolteilchen der Atmosphäre selektiv gestreutes Sonnenlicht; der sichtbare Anteil der kurzwelligen Himmelsstrahlung. Seine Färbung hängt von der Art der Streuzentren ab. Ist deren Radius klein gegenüber der Wellenlänge des Lichts (Luftmoleküle), so überwiegt infolge ↑Rayleigh-Streuung im H. das kurzwellige blaue Streulicht, das **Himmelsblau.** Je höher der Gehalt der Atmosphäre an Streuzentren mit Durchmessern von der Größenordnung der Lichtwellenlängen (Staubteilchen, Wassertröpfchen u.a. Aerosolteilchen) ist, desto mehr tritt an die Stelle des Himmelsblaus weißes Licht (infolge ↑Mie-Streuung).

Himmelslichtpolarisation, das Auftreten von [linear] polarisiertem Licht im Himmelslicht. – Als **neutrale Punkte** bezeichnet man diejenigen Punkte auf dem durch Sonne und Zenit gehenden Großkreis, die unpolarisiertes Licht aussenden.

Himmelsmechanik, wichtiges Teilgebiet der *Astronomie;* die Lehre von der Bewegung der Himmelskörper unter dem Einfluß der ↑Gravitation. Gegenstand der H. ist u.a. die *Bahnbestimmnung,* z.B. von Planetenbahnen, aber auch von Raumsonden und Erdsatelliten, die Bewegung von Doppelsternen und Sternsystemen, die Präzession und Nutation der Erdachse und die damit verbundene Änderung der astronom. Koordinatensysteme, ferner die *Ephemeridenrechnung,* mit der die scheinbaren Positionen von Mond und Planeten zu jedem gewünschten Zeitpunkt bestimmt werden.
Bei vielen Fragestellungen der H. genügt es, wenn bei der mathemat. Berechnung die Anziehung von nur zwei Himmelskörpern berücksichtigt wird. Dieses sog. *Zweikörperproblem* ist im Rahmen der Newtonschen Mechanik exakt lösbar und führt u.a. auf die Keplerschen Gesetze. Bei Beteiligung von drei oder mehr Himmelskörpern *(Dreikörperproblem, Mehrkörperproblem)* gibt es nur in Ausnahmefällen exakte Lösungen.
Der Einsatz der elektron. Datenverarbeitung ermöglicht die prakt. Lösung fast aller Probleme durch schrittweise Annäherung und Störungsrechnung. Zur genauen Bestimmung von Satellitenbahnen ist zu berücksichtigen, daß die Erde nicht exakt kugelförmig ist.

Himmelsrichtung, die zu einem beliebigen Punkt des Horizonts der Erde führende Richtung. Norden und Süden beziehen sich auf den geograph. Nord- bzw. Südpol, rechtwinklig dazu verlaufen Osten und Westen (Aufgang bzw. Untergang der Sonne zur Zeit des ↑Äquinoktiums). Zur Bestimmung der H. dient der Kompaß.

Himmelsschlüssel, svw. ↑Primel.

Himmelsstrahlung, die vom Himmel kommende elektromagnet. Strahlung ohne die direkte Sonneneinstrahlung. Die **kurzwellige Himmelsstrahlung** mit Wellenlängen $\lambda < 3\,\mu m$ besteht am Tage aus der in der Atmosphäre gestreuten Sonnenstrahlung, in der Nacht aus dem gesamten Sternlicht, dem Polar- und Zodiakallicht sowie von terrestr. Lichtquellen stammendem Streulicht. Die **langwellige Himmelsstrahlung** mit $\lambda > 3\,\mu m$ ist v. a. die Wärmestrahlung der absorbierenden Bestandteile der Atmosphäre.

Himmler, Heinrich, * München 7. Okt. 1900, † Lüneburg 23. Mai 1945 (Selbstmord), dt. Politiker. – Nahm 1923 am Hitler-Putsch teil, danach Mitarbeiter Strassers; trat 1925 in die NSDAP und die neugegr. Schutzstaffel (SS) ein; seit 1930 MdR, 1929 zum „Reichsführer SS" ernannt, baute H. diese Eliteglieclerung der SA zu einer parteiinternen Polizeiorganisation aus und organisierte (1933 kommissar. Polizeipräs. von München, danach Polit. Polizeikommandeur für Bayern) zus. mit R. Heydrich die polit. Polizei, die er (seit 1934 stellv. Chef der preuß. Gestapo und seit dem Röhm-Putsch als „Reichsführer SS" Hitler direkt unterstellt) zunehmend mit der SS verschmolz; 1936 erlangte er als Staatssekretär im Reichsministerium des Innern die Kontrolle über die gesamte dt. Polizei. Mit Heydrich errichtete er das System der Konzentrations- und Vernichtungslager und baute nach Kriegsbeginn aus der SS-Verfügungstruppe die Waffen-SS als selbständige Truppe neben der Wehrmacht auf. Er war nach der Übernahme des Amtes eines „Reichskommissars für die Festigung dt. Volkstums" 1939 zuständig für die brutale Umsiedlungs- und Germanisierungspolitik in O- und SO-Europa und wurde der entscheidende Organisator der millionenfachen Massenmorde an den Juden (sog. Endlösung der Judenfrage). 1943 zum Reichsinnenmin. und Generalbevollmächtigten für die Reichsverwaltung ernannt; übernahm nach dem 20. Juli 1944 den Oberbefehl über das Ersatzheer und die Leitung der Heeresrüstung. H. suchte sich seit 1944 der Verantwortung für die Fortführung des Massenmordes und die Mobilisierung des letzten Aufgebots (Volkssturm, Werwolf) zu entziehen; er wurde, nachdem er über Graf F. Bernadotte am 23./24. April 1945 ein Kapitulationsangebot an den Westen gemacht hatte, von Hitler am 29. 4. 1945 aller Ämter enthoben; geriet in brit. Gefangenschaft und beging Selbstmord.

Himmelfahrt Christi. Mittelstück eines Buchdeckels aus Metz; Elfenbein, Höhe 21 cm; um 980 (Wien, Kunsthistorisches Museum)

himmlisches Jerusalem, im A. T. eschatolog. Erhöhung des ird. Jerusalem, Stadt der bes. Erwählung Jahwes, Sitz des messian. Davidssohns, Stadt der Gerechtigkeit, Ziel der großen Pilgerschaft der Völker; im N. T. Bild für die Vollendung der Geschichte Gottes mit den Menschen. – Bildmotiv der jüd. und christl. Kunst; Symbole des h. J. sind die Lichtkronen des 11. und 12. Jh. (z. B. Aachener Dom).

Hin [hebr.], bibl. Hohlmaß; entsprach etwa 6,5 Litern.

Hinajana-Buddhismus [Sanskrit, Pali „kleines Fahrzeug"], Richtung des ↑Buddhismus, die heute nur noch in Sri Lanka, Birma, Thailand, Laos und Kambodscha verbreitet ist („südl. Buddhismus"); der H.-B. sieht im ↑Arhat das Ideal, nicht im ↑Bodhisattwa.

Hinault, Bernard [frz. iˈno], * Yffiniac 15. Nov. 1954, frz. Radrennfahrer. – Gewann u. a. fünfmal die Tour de France (1978, 1979, 1981, 1982, 1985).

Hindelang, Marktgemeinde in den Allgäuer Alpen, Bay., 850–1 150 m ü. d. M., 4 600 E. Heilklimat. und Kneippkurort; Keramikwerk; im Ortsteil **Bad Oberdorf** Schwefelbad. Wintersport.

Hindemith, Paul [...mɪt], * Hanau am Main 16. Nov. 1895, † Frankfurt am Main 28. Dez. 1963, dt. Komponist. – War in Frankfurt Schüler von A. Mendelssohn, B. Sekles und A. Reber, wurde 1915 Konzertmeister des Frankfurter Opernhauses, war 1922–29 Bratscher im Amar-Quartett, 1927–37 Kompositionslehrer an der Berliner Musikhochschule, ging 1938 in die Schweiz, lehrte 1940–53 an der Yale-University in New Haven (Conn.), ab 1951 auch an der Univ. Zürich. – H., Mitbegründer und Haupt der Donaueschinger Kammermusikfeste (1921–26), galt seit seinen radikalen Frühwerken (z. B. die Operneinakter „Mörder, Hoffnung der Frauen" op. 12, 1919; „Sancta Susanna" op. 21, 1921 u. a.) als einer der Bahnbrecher der Moderne. Seine Abkehr von der Dur-Moll-tonalen Harmonik führte ihn zu einer eigenen Tonsprache unter Wahrung des Tonalitätsprinzips. H. schuf auch zahlr. Gebrauchsmusiken für musizierende Laien und zu Unterrichtszwecken und war als Dirigent tätig.
Werke (Auswahl): *Opern:* Cardillac (1926, Neufassung 1952), Mathis der Maler (1934/1935), Die Harmonie der Welt (1956/1957). – *Ballette:* Nobilissima visione (1938), Hérodiade (1944). – *Orchesterwerke:* Konzert op. 38 (1925), Sinfonie in Es (1940), Sinfonia serena (1946), Sinfonie in B für Blasorchester (1951); zahlreiche Instrumentalkonzerte. – *Klaviermusik:* Suite 1922 (1922), Ludus tonalis (1942). – *Lieder:* Die junge Magd (1926; G. Trakl), Das Marienleben (1922/23, Neufassung 1936–48; R. M. Rilke). – *Schul-, Spiel-* und *Lehrwerke:* Lehrstück (1929; B. Brecht), Wir bauen eine Stadt (1930), Plöner Musiktag (1932). – *Schriften:* Unterweisung im Tonsatz (3 Bde., 1937–70), Johann Sebastian Bach (1950), Komponist in seiner Welt (dt. 1959).
📖 *Briner, A./Rexroth, D./Schubert, G.: P. H. Leben u. Werk in Bild u. Text. Zürich 1988.*

Hindenburg, Paul von Beneckendorff und von H., * Posen 2. Okt. 1847, † Gut Neudeck bei Freystadt (Westpreußen) 2. Aug. 1934, dt. Generalfeldmarschall (seit 1914) und Reichspräs. (seit 1925). – Sohn einer preuß. Offiziers- und Gutsbesitzerfam. Übernahm mit E. Ludendorff als Stabschef die Führung der 8. Armee, die 1914/15 bei Tannenberg und an den Masur. Seen die russ. Truppen vernichtend schlug; übernahm Ende Aug. 1916 als Chef des Generalstabs des Feldheeres gemeinsam mit Ludendorff (1. Generalquartiermeister) die 3. Oberste Heeresleitung (OHL), die uneingeschränkt über strateg. Planung und Leitung des Krieges verfügte, in den Kriegsziel- und Friedensfragen ihre stark von industriellen Führungsgruppen beeinflußten Vorstellungen weitgehend durchsetzte und im Juli 1917 entscheidend zum Sturz des Reichskanzlers T. von Bethmann Hollweg beitrug. Um die monarch. Staatsform zu retten, befürwortete H. 1918 Thronverzicht und Übertritt des Kaisers in die Niederlande. Als populäre Symbolfigur der dt. Rechten in der Weimarer Republik 1925 von den verbündeten Rechtsparteien im 2. Wahlgang zum Reichspräs. gewählt (1932 mit Unterstützung von SPD und Zentrum gegen Hitler wiedergewählt). Vollzog unter dem Einfluß radikaler Nationalisten, großagrar. Interessenvertreter und der Reichswehrführung mit der Ernennung H. Brünings zum Reichskanzler 1930 den Übergang vom parlamentar. System zum Präsidialregime, das unter seinem Protegé F. von Papen zum offenen Verfassungsbruch (Preußenputsch 1932) trieb und nach der kurzen Kanzlerschaft K. von Schleichers in das Koalitionskabinett Hitler und in die NS-Machtergreifung mündete.
📖 *Maser, W.: H. Rastatt 1989. – Bütow, W. J.: H. Bergisch Gladbach 1984.*

Hindenburgdamm, die Insel Sylt und das schleswig-holsteinische Festland verbindender 11 km langer Eisenbahndamm, 1927 seiner Bestimmung übergeben.

Hindenburg O. S. (poln. Zabrze), Ind.-stadt am W-Rand des Oberschles. Ind.reviers, Polen, 253 m ü. d. M., 199 000 E. Medizin. Akad.; Museum für Bergbau und Hüttenwesen. Steinkohlenbergbau, Kokereien, Schwermaschinenbau. – Das seit 1305 bekannte Dorf **Zabrze** entwickelte sich seit Ende des 18. Jh. zus. mit benachbarten Dörfern zum Ind.zentrum, wurde 1915 nach P. von Hindenburg umbenannt und erhielt 1922 Stadtrecht.

Hindernislauf, leichtathlet. Geschwindigkeitswettbewerb für männl. Athleten auf einer etwa 400 m langen Rundbahn. Beim internat. üblichen 3 000-m-H. müssen insges. 28 Hindernishürden (91,4 cm hoch) und siebenmal ein Wassergraben (3,66 m breit und lang) übersprungen werden.

Hindernisrennen, Pferderennen über künstl. oder natürl. Hindernisse auf Strecken zw. etwa 2 400 m und 7 500 m; man unterscheidet **Hürdenrennen** über Reisighürden und **Jagdrennen** bzw. **Steeplechases** über zusätzl. schwere Hindernisse (z. T. fest eingebaut; am bekanntesten das Grand National Steeplechase in Aintree bei Liverpool; seit 1839).

Hindi, indoar. Sprache, seit 1965 offizielle Landessprache Indiens mit etwa 150 Mill. Sprechern. Das in Dewanagari-Schrift geschriebene H. ist stark vom Sanskrit beeinflußt. H. ist Sammelname für die Dialekte Bradsch Bhascha, Bundeli, Awadhi, Kanaudschi, Bagheli, Tschattisgarhi. – Literatur des H. ↑ indische Literaturen.

Hindu, pers. Bez. für den Bewohner Indiens, die aus der iran. Namensform des Flusses Indus (altind. „sindhu", iran. „hindu") abgeleitet ist. Seit dem Einbruch des Islams in Indien begannen die Muslime die Gegner ihrer Religion in Indien H. zu nennen. In Europa verdrängte H. um 1800 die ältere Bez. Gento (portugies. „Heide") und bezeichnet heute den Anhänger des Hinduismus.

Hinduismus [pers.], Religion, der heute über 650 Mill. Menschen (überwiegend in Indien) angehören. – Der H. ist keine Stifterreligion, sondern hat sich im Lauf von Jh. mit einer Vielzahl von Sekten aus der spätwed. Religion (Brahmanismus) entwickelt (in den letzten Jh. v. Chr. bis etwa 1000 n. Chr.). Der Übergang des Brahmanismus in den älteren H. geschah durch eine Veränderung des Pantheons, an dessen Spitze Brahma von ↑Schiwa und ↑Wischnu verdrängt wurde. – Der H. kennt keine in sich geschlossene dogmat. *Lehre.* Nur einige sehr allg. Grundlagen sind allen Sekten gemeinsam, v. a. die Lehre vom ↑Karma und von der Wiedergeburt: Jedes Wesen (einschl. der Götter) durchwandert in ewigem Kreislauf die Welt, je nach seinen guten bzw. bösen Taten als Gott, Mensch oder Tier. Der endlosen Kette der Wiedergeburten, dem **Samsara,** zu entrinnen, ist Ziel der Erlösung, zu der zahlr. Wege führen, z. B. Askese (↑Sadhu), Yoga, Gottesliebe (Bhakti) oder mag. Praktiken. Da Wiedergeburt auch als Tier möglich ist, gilt die Schonung alles Lebendigen (Ahimsa) als höchstes Gebot (daher der strenge Vegetarismus und die Rinderverehrung der Hindus). Das System der sozialen Gliederung in ↑Kasten wird nur von wenigen Sekten nicht anerkannt. Ohne Kastenzugehörigkeit sind nur die ↑Paria. Die Erfüllung der spezif. Pflichten seiner Kaste (Dharma) führt zur Schaffung heilsamen Karmas. Da der Eintritt in eine Kaste nur durch Geburt geschieht, kennt der H. keine Mission. – Im *Weltbild* des H. befindet sich die ewige, aus vielen Einzelwelten bestehende Welt in einem ständigen Prozeß des Werdens und Vergehens. Unterwelt, Erde und Götterwelt sind, jeweils mehrfach unterteilt, in Stockwerken übereinander angeordnet. – Aus der Vielzahl der *Götter* des H. ragt die Dreiheit Brahma, Schiwa und Wischnu (auch als dreiköpfige Gestalt dargestellt) heraus. Die beiden Hauptrichtungen des H. sind Schiwaismus und Wischnuismus, je nachdem, ob Schiwa (Zerstörer der Welt) oder Wischnu (Erhalter der Welt) an die Spitze der Götter gestellt wird. Unter den Inkarnationen (↑Awatara) Wischnus hat v. a. ↑Krischna einen weiteren Kreis von Verehrern gefunden. Neben den großen Göttern stehen viele kleine Gottheiten, die oft nur lokale Bed. haben. Andere, so der Affengott ↑Hanuman, und Naturerscheinungen wie Sonne, Mond oder Wind genießen weithin Verehrung. – Die *kult.* Verehrung von Bildern eines Gottes durch Gebet oder Opfergaben findet v. a. im Tempel statt. Mittler zw. dem Gläubigen und dem Gott sind die Priester (Brahmanen), die die Kulthandlungen und die Zeremonien bei den zahlr. Festen vollziehen, zu denen oft Prozessionen mit Kultbildern auf riesigen Wagen (Ratha) gehören. – Bestattungsform im H. ist die Leichenverbrennung. Folgt die Frau ihrem Mann auf dem Scheiterhaufen in den Tod **(Witwenverbrennung),** wird sie im Jenseits wieder mit ihm vereint. – Nach ersten Ansätzen in den Texten des ↑Weda beginnt die eigtl. Überlieferung des H. mit dem Epos ↑„Mahabharata" (einschl. der ↑„Bhagawadgita"), das somit seine älteste *Quelle* ist, er ist jedoch erst in den 18 ↑Puranas (etwa 6. Jh. n. Chr.) voll entwickelt. Daneben stehen noch eigene Texte der Schiwaiten (Agamas) und der Wischnuiten (Samhitas; alle schwer datierbar). – ↑Reformhinduismus.

🕮 *Icke-Schwalbe, L.: Die Erzählungen von Visnu. Mchn. 1990. – Zierer, O.: Die großen Weltreligionen. Bd. 3: H. Mchn. 1981. – Gonda, J.: Die Religionen Indiens. Bd. 1–2. Stg. ²1979.*

Hinduismus. Vierarmiger Gott Wischnu; 7. Jh. (Berlin-Dahlem, Museum für Indische Kunst)

Hindukusch, Faltengebirge in Z-Asien (Afghanistan, Pakistan und Kaschmir), erstreckt sich vom Pamir rd. 700 km nach SW, im Tirich Mir (im O) 7 708 m hoch; z. T. vergletschert. Im Anjumantal die bedeutendste Lapislazulimine der Erde. Über den **Salangpaß** (im W) mit dem 6 km langen Salangtunnel (3 360 m ü. d. M.) führt eine asphaltierte Straße von Kabul in den N des Landes. Eine unbefestigte Straße führt im sw. Ausläufer des H., **Koh-i-Baba** (bis 5 143 m hoch), über den **Hajigakpaß** (3 250 m ü. d. M.) von Kabul nach ↑ Bamian. Über seinen nördl. des Hari Rud liegenden Ausläufer, den **Paropamisus** (bis 3 588 m hoch), führen Straßen von Herat nach N und über den **Sabzakpaß** (2 550 m ü. d. M.) nach NO.

Hindustan [„Land der Hindus"] (Hindostan), frühere Bez. für das Indus- und Gangesgebiet in Vorderindien oder auch für ganz Vorderindien.

Hindustani, zur Gruppe der indoar. Sprachen gehörende indogerman. Sprache, die bis in das 20. Jh. als Verkehrssprache in ganz N-Indien und im Dekhan gebräuchlich war. Sie ist dem Hindi und Urdu eng verwandt. H. besitzt keine eigene Literatur.

Hinken, Gehstörung, die zu charakterist. Veränderungen des normalen Gehrhythmus führt. Ursachen des H. sind v. a. Gelenkerkrankungen, Verkürzungen und Lähmungen des betroffenen Beins. – ↑ intermittierendes Hinken.

hinkende Ehe, Ehe zw. Partnern mit unterschiedl. Staatsangehörigkeit, deren Gültigkeit in den Staaten verschieden beurteilt wird.

Hinkmar von Reims, * um 806, † Épernay 21. Dez. 882, Erzbischof von Reims (seit 845). – Mächtigster fränk. Metropolit; verteidigte die Unabhängigkeit der fränk. Kirche gegen die polit. Machthaber und die Metropolitanrechte gegen die Suffraganbischöfe und den Papst; einflußreicher Ratgeber Karls des Kahlen, vermittelte zw. diesem und Ludwig dem Deutschen in der aquitan. Frage.

Hinnomtal ↑ Gehenna.

Hinnøy [norweg. ˌhinœi], mit 2 198 km² größte norweg. Insel. Sie gehört zu den Vesterålinseln; gebirgig (bis 1 266 m ü. d. M.); größter Ort Harstad (22 300 E).

hinreichende Bedingung, Begriff der Mathematik und Logik: Die Aussage *A* ist eine h. B. für die Aussage *B*, wenn die Wahrheit von *A* genügt, um die Wahrheit von *B* zu beweisen.

Hinrek von Alkmar (Hendrik van Alkmar), niederl. Dichter des 15. Jh. – Verfaßte eine (nur fragmentarisch erhaltene) Bearbeitung des niederl. Tierepos „Reinaerde" (Druck um 1487), auf dem die mittelniederdt. Übertragung „Reinke de Vos" beruht.

Hinshelwood, Sir (seit 1948) Cyril Norman [engl. ˈhɪnʃlwʊd], * London 19. Juni 1897, † ebd. 9. Okt. 1967, brit. Chemiker. – 1937–64 Prof. in Oxford; arbeitete u. a. über homogene und heterogene Gasreaktionen. Später erforschte er die Kinetik des Bakterienstoffwechsels. 1956 erhielt H. (zus. mit N. N. Semjonow) für seine Arbeiten zur Reaktionskinetik den Nobelpreis für Chemie.

Hinstorff Verlag GmbH ↑ Verlage (Übersicht).

Hinterbänkler, spöttisch für einen Abg., der im Parlament nicht hervortritt (nach der irrigen Ansicht, daß die unbedeutenderen Abg. im Parlament weiter hinten sitzen).

Hinterbliebenenrente, in den Rentenversicherungen der Arbeiter und Angestellten, der Unfall- und knappschaftl. Versicherung, der Altershilfe für Landwirte, ferner in der Kriegsopferversorgung Hinterbliebenen (Witwen, Witwer, Waisen, Eltern, bestimmte sonstige Verwandte, auch geschiedene Ehefrauen) gewährte Rente; ebenfalls an Hinterbliebene der Opfer von Gewalttaten.

Hintereinanderschaltung (Serienschaltung, Reihenschaltung), Schaltung elektrischer Schaltelemente in der Art, daß die Ausgangsklemme des vorhergehenden Schaltelementes mit der Eingangsklemme des folgenden verbunden ist (hingegen ↑ Parallelschaltung).
Schaltet man n gleichartige Stromquellen der Leerlaufspannung U_0 hintereinander, so hat die entstehende Batterie eine Leerlaufspannung $U = n\,U_0$; der gesamte innere Widerstand ist $R = n \cdot R_i$ (R_i innerer Widerstand der einzelnen Stromquellen), die Stromstärke I eines über den Außenwiderstand R_a fließenden Stromes ist $I = nU_0/(nR_i + R_a)$. – Bei der H. mehrerer Widerstände $R_1, R_2, ..., R_n$ bzw. Induktivitäten $L_1, L_2, .., L_n$ ergibt sich der Gesamtwiderstand durch Addition der Einzelwiderstände bzw. -induktivitäten; bei der H. mehrerer Kapazitäten $C_1, C_2, ..., C_n$ gilt für die Gesamtkapazität

$$\frac{1}{C} = \frac{1}{C_1} + \frac{1}{C_2} + \ldots + \frac{1}{C_n}.$$

Hinterer Bayerischer Wald ↑ Bayerischer Wald.

Hinterglasmalerei, seitenverkehrt angelegte Malerei auf der Rückseite eines Glases (Wasser-, Tempera- oder Ölfarben bzw. Mischtechnik). Bereits für die späthellenist. Zeit bezeugt; Blüte im Spät-MA (Andachtsbilder, Votivtafeln, auch Anhänger), z. T. mit Gold gehöht. Seit dem 16. Jh. häufig Serienproduktion. Die Gattung Hinterglasbild (als gerahmtes Einzelgemälde) gehört jedoch ausschließlich dem 18. und 19. Jh. an. Die seit der Entdeckung durch den „Blauen Reiter" für „Bauernmalerei" gehaltenen Stücke werden von der Forschung heute in H. künstler., malerhandwerkl. und hüttengewerbl. Herkunft eingeteilt. Eine Wiederbelebung versuchten naive Künstler (u.a. der Hlebiner Schule).

Hinterglasmalerei. Hinterglasbild aus dem Bayerischen Wald (München, Bayerisches Nationalmuseum)

Hintergrund, in der *Psychologie* derjenige Teil des Wahrnehmungsfeldes, von dem sich ein wahrgenommenes Objekt abhebt.

Hinterhand, (Nachhand) bei Haussäugetieren Bez. für die hinteren Extremitäten mit Kruppe und Schwanzansatz.
◆ bei Kartenspielen (zu dritt) derjenige Spieler, der die letzte Karte erhält und zuletzt ausspielt, im Ggs. zu **Vorhand** (der zuerst ausspielende Spieler) und **Mittelhand** (der Spieler in der Mitte).

Hinterhauptsbein ↑Schädel.

Hinterhauptshöcker ↑Schädel.

Hinterhauptslage, Kindslage (Schädellage), bei der das Hinterhaupt des Kindes bei der Geburt vorangeht; häufigste Lage des Kindes bei der Geburt.

Hinterhauptsloch, Öffnung im Hinterhauptsbein (↑Schädel).

Hinterindien, Halbinsel SO-Asiens, zw. Golf von Bengalen, Andamanensee und Malakkastraße im W, Südchin. Meer und Golf von Thailand im O, gehört politisch zu Birma, Thailand, Laos, Kambodscha, Vietnam und Malaysia.

Hinterkiemer (Opisthobranchia), Überordnung der Schnecken mit rd. 13 000 marinen Arten (v.a. in Küstenregionen); Herz mit nur einer Vorkammer, dahinter rechtsseitig die Kieme.

Hinterlader ↑Gewehr.

Hinterlauf, Bez. für die Hinterbeine beim Haarwild, beim Haushund und bei der Hauskatze.

Hinterlegung, die Übergabe von Geld oder Sachen an eine Verwahrungsstelle. **Hinterlegung zwecks Schuldbefreiung:** Bei unverschuldeter Ungewißheit des Schuldners über die Person des Gläubigers, Gläubigerverzug oder anderen Erfüllungshindernissen auf seiten des Gläubigers kann der Schuldner hinterlegungsfähiger Sachen (= Geld, Wertpapiere, Urkunden, Kostbarkeiten) in der Weise leisten, daß er die geschuldete Sache bei dem für den Leistungsort zuständigen Amtsgericht hinterlegt. Verzichtet der Schuldner auf das Recht zur Rücknahme der Sache oder ist die Rücknahme infolge Annahme der H. durch den Gläubiger oder Vorlage eines rechtskräftigen Urteils ausgeschlossen, so befreit die H. den Schuldner von seiner Verbindlichkeit. **Hinterlegung zwecks Sicherheitsleistung** (zulässig bei Geld oder Wertpapieren): Bei ihr erwirbt der Gläubiger ein Pfandrecht an dem hinterlegten Geld oder Wertpapier.

Hinterleib ↑Abdomen.

Hinterpommern, seit den dynast. Teilungen ↑Pommerns im 15. Jh. Bez. für das Gebiet östlich von Köslin, seit Ende des 16. Jh. für das Hzgt. Stettin, nach 1817 für das Gebiet Pommerns östlich der Oder.

Hinterradantrieb (Heckantrieb), konventionelle Antriebsbauweise im Kfz-Bau, bei der der üblicherweise vorn im Rahmen (als *Mittelmotor* auch im Rahmen vor den Hinterrädern) liegende Motor mit angebauter Kupplung und Schaltgetriebe über die Gelenkwelle auf das Achsgetriebe und dieses [über Gelenkwellen] auf die Hinterräder einwirkt. Bei H. und *Heckmotor* (hinten liegend) ist dieser meist mit Kupplung, Schaltgetriebe und Achsgetriebe zu einer Baueinheit zusammengefaßt.

Hinterrhein ↑Rhein.

Hintersassen, Bez. für Bauern in MA und Neuzeit bis ins 19. Jh., die als Freie oder Halbfreie in dingl. Abhängigkeit von einem Grundherrn standen, auch für die Schutzverwandten in Städten, die auf dem Grund von Vollbürgern Häuser besaßen.

Hintertreppenroman, um 1880 gebildete Bez. für Trivialromane, die einem einfachen Lesepublikum (Dienstboten) an der Hintertreppe verkauft wurden.

Hinterwäldler, spött. Bez. für einen weltfremden, ungehobelten Menschen.

Hinterzarten, heilklimat. Kurort und Wintersportplatz im südl. Schwarzwald, Bad.-Württ., 885 m ü. d. M., 2 100 E.

Hintze, Otto, * Pyritz bei Stettin 27. Aug. 1861, † Berlin 25. April 1940, dt. Historiker. – Schüler von J. G. Droysen u. a.; 1899–1920 Prof. in Berlin; bed. Sozialhistoriker; sah als wichtigste Aufgabe der Geschichtsschreibung eine zur polit. Sozialgeschichte sich erweiternde Verfassungsgeschichte an.

H., Peter, * Honnef/Rhein (= Bad Honnef) 25. April 1950, dt. ev. Theologe und Politiker (CDU). – 1983–90 Bundesbeauftragter für den Zivildienst; seit 1992 Generalsekr. der CDU.

hinweisendes Fürwort † Demonstrativpronomen.

Hinz, Werner, * Berlin 18. Jan. 1903, † Hamburg 10. Febr. 1985, dt. Schauspieler. – Seit 1955 am Dt. Schauspielhaus in Hamburg und seit 1972 am Burgtheater, Wien; profilierter Charakterdarsteller des dt. Theaters.

Hiob (Ijob, Septuaginta/Vulgata: Job), zentrale Gestalt des nach ihr benannten alttestamentl. Buches, das zu den bedeutendsten Werken der Weltliteratur zählt; mehrfach redigierte Fassung einer alten Legende, deren Hauptthema die Erprobung der Frömmigkeit H. und dessen Heimsuchung mit den **Hiobsbotschaften** (Unglücksbotschaften) ist.
Die ersten dichter. Gestaltungen des H.stoffes stammen aus dem 16. Jh. (u. a. Drama von H. Sachs: „Comedi Der H.“, 1547). Als Symbol für einen leidgeprüften Dulder erscheint H. u. a. bei O. Kokoschka („H.“, Dr., 1917) und E. Wiechert („Das Spiel vom dt. Bettelmann“, 1933). J. Roth („H.“, R., 1930), A. J. Welti („H., der Sieger“, Dr., 1954) und A. McLeish („Spiel um Job“, 1958) zeigen am Beispiel H. die Existenzangst und die Glaubenszweifel des modernen Menschen.

Hipler, Wendel, * Neuenstein um 1465, † Heidelberg (in pfälz. Haft) 1526, dt. Bauernführer. – Vermittelte im Bauernkrieg zw. Bauern und Rittern; 1525 oberster Schreiber der Neckartal-Odenwälder Bauern, zwang Götz von Berlichingen zur Übernahme der Hauptmannschaft; berief 1525 ein Bauernparlament nach Heilbronn, um über Reichsreformvorstellungen zu beraten.

Hipparchos von Nizäa, * um 190, † um 125, griech. Astronom und Geograph. – H. war einer der bedeutendsten Astronomen der Antike. H. erfand vermutlich das † Astrolabium und erstellte einen ersten Katalog der Örter von etwa 850 Fixsternen; die Auswertung älterer und eigener exakter Beobachtungen einer großen Anzahl von Finsternissen, Solstitien und Äquinoktien führten ihn zur Entdeckung der Präzession (um 130 v. Chr.), der verschiedenen Länge der Jahreszeiten u. a. Er führte die Trigonometrie in die Astronomie ein und entwickelte die † Exzentertheorie. In der Geographie entwickelte H. ein Verfahren, mittels der Beobachtung von Mondfinsternissen die Breitendifferenz zweier Orte zu berechnen.

Hipparion [griech. „Pferdchen“], ausgestorbene, bes. aus dem Pliozän bekannte Gatt. etwa zebragroßer Pferde.

Hippeis [griech. „Ritter“], altgriech. Sammelbez. für die (von einem **Hipparchen** angeführte) Reiterei. Davon abgeleitet ist H. Terminus für die 2. soziale Rangklasse der athen. Bürgerschaft.

Hippel, Robert von, * Königsberg (Pr) 8. Juli 1866, † Göttingen 16. Juni 1951, dt. Jurist. – Prof. für Straf- und Prozeßrechte, wirkte v. a. in Göttingen. Schüler von F. von Liszt. 1903–13 arbeitete er an der beginnenden Strafrechtsreform mit. – *Hauptwerke:* Dt. Strafrecht (2 Bde., 1925–30), Der dt. Strafprozeß (1941, Nachtrag 1942).

H., Theodor Gottlieb von, * Gerdauen 31. Jan. 1741, † Königsberg (Pr) 23. April 1796, dt. Schriftsteller. – Freund Kants. H. verbindet in seinen Romanen, die von L. Sterne beeinflußt sind, empfindsame, lehrhafte, humorist. und satir. Elemente; bed. v. a. „Lebensläufe nach aufsteigender Linie“ (R., 3 Bde., 1778–81).

Hipper, Franz Ritter von (seit 1916), * Weilheim i. OB. 13. Sept. 1863, † Othmarschen (= Hamburg) 25. Mai 1932, dt. Admiral. – Führte 1913–18 als Befehlshaber der Aufklärungsstreitkräfte die dt. Schlachtkreuzer; ab Aug. 1918 als Nachfolger R. Scheers Führer der Hochseeflotte.

Hippias, † um 490 v. Chr., Tyrann von Athen (seit 528/527). – Sohn des Peisistratos und zus. mit seinem Bruder Hipparchos dessen Nachfolger; nach Ermordung des Hipparchos (514) von Umsturzversuchen bedroht, suchte er die Verbindung mit Persien, wohin er vor den Spartanern 510 floh.

Hippiatrie [griech.] † Pferdeheilkunde.

Hippie [...pi; engl.-amerikan., zu hip „eingeweiht“], Name für die Anhänger einer jugendl. Protestbewegung (1965–68 in den USA entstanden) gegen Kultur und polit. Ordnung der modernen Wohlstands- und Leistungsgesellschaft. Sie führten ein Leben in (scheinbar) friedvoller, freier, natürl. Gemeinschaft. Liebe und sexuelle Freizügigkeit („Love generation“), Farbenpracht und Blumenschmuck („Blumenkinder“) sowie Drogengenuß dienten als Symbole, Erlebnisweisen und Kampfmittel („Flowerpower“).

hippo..., Hippo..., hipp..., Hipp... [griech.], Bestimmungswort von Zusammensetzungen mit der Bed. „Pferd“.

Hippodamos von Milet, griech. Baumeister und Städteplaner des 5. Jh. v. Chr. – Vertrat das Plansystem ion. Kolonistenstädte, das durch gleich große Baulose in streng rechtwinkligem Straßennetz und zweckmäßiger Einbindung öff. Gebäude und Plätze bestimmt ist (später nach ihm *„Hippodam. System"* benannt); entwarf Stadt und Hafen Piräus (um 450).

Hippo Diarrhytus ↑Biserta.

Hippodrom [griech.], im antiken Griechenland Bahn für Pferde- und Wagenrennen.

Hippokrates, *auf Kos um 460, †Larissa um 370, griech. Arzt. – H. gilt als Begründer der Medizin als Erfahrungswissenschaft auf Grund unbefangener Beobachtungen und Beschreibung der Krankheitssymptome und einer krit., spekulationslosen Diagnostik. – Die **Hippokratiker** verstanden Gesundheit und Krankheit als Gleichgewicht bzw. Ungleichgewicht von Körpersäften und Elementarqualitäten (↑Humoralpathologie), wobei Umweltfaktoren, Lebensweise und Ernährung entscheidend sind. Sie beobachteten scharf die Krankheitssymptome, ihre Hauptanliegen waren jedoch die Prognose und die Prophylaxe, während sie sich in der Therapie zurückhielten und hauptsächlich die „Heilkraft der Natur" wirken ließen bzw. unterstützten. Die histor. Bedeutung der **hippokrat. Medizin** liegt einmal darin, daß sie das ärztl. Handeln einem hohen eth. Verantwortungsbewußtsein unterstellte, zum andern darin, daß sie bewußt von religiös-mag. Krankheitsauffassung und Therapie abrückte und ein rational-natürl. Verständnis der Krankheit versuchte.

Hippokrates von Chios, griech. Mathematiker der 2. Hälfte des 5. Jh. v. Chr. – Erster Verfasser eines Lehrbuches („Elemente") der Geometrie; bemühte sich um das Problem der Kreisquadratur (in diesem Zusammenhang Einführung der sog. Möndchen) und der Würfelverdoppelung (delisches Problem).

hippokratischer Eid (Eid des Hippokrates, Asklepiadenschwur), dem griech. Arzt Hippokrates zugeschriebenes Gelöbnis der Ärzte, das die eth. Leitsätze ärztl. Handelns enthält und das Vorbild des heutigen Ärztegelöbnisses ist.

Hippolyt (Hippolytos), *in der 2. Hälfte des 2. Jh., †auf Sardinien um 235, röm. Kirchenschriftsteller, Gegenpapst (seit 217). – Fruchtbarster christl. griech. Schriftsteller im Westen. Von seinen Anhängern gegen Kalixt I. zum Gegenpapst erhoben. H. verfaßte zahlr. nur teilweise erhaltene Werke, eine Kirchenordnung nach östl. Normen, exeget., dogmat., apologet., histor. und kirchenrechtl. Schriften sowie eine Weltchronik. Er leitete die Kanonisierung der Liturgie ein.

Hippolytos, Gestalt der griech. Mythologie. Sohn des Theseus und der Hippolyte, der Aphrodite die schuldige Ehrerbietung verweigert und deshalb auf Veranlassung Poseidons von seinen durchgehenden Rossen zu Tode geschleift wird.

Hipponax, griech. Dichter des 6. Jh. v. Chr. – Mußte vor den Tyrannen Athenagoras und Komas nach Klazomenai fliehen; Bettelpoet mit Spottgedichten in dem von ihm erfundenen Hinkjambus (↑Choliambus) und in vulgärer Sprache.

Hippursäure [griech./dt.] (Benzoylglycin), organ. Säure, die in der Niere aus Benzoesäure und Glycin entsteht und sich bes. reichlich im Harn von pflanzenfressenden Tieren befindet. Die Bildung der H. dient der Entgiftung der bei pflanzl. Ernährung reichlich anfallenden Benzoesäure. Chemische Formel:

$$C_6H_5-CO-NH-CH_2-COOH$$

Hira, Al [aram. „Lagerplatz"], antike Stadt im Irak, nahe dem heutigen An Nadschaf; vom 3. bis 6. Jh. Residenz der Lachmiden, unter denen es zu einem Zentrum des nestorian. Christentums sowie Mittelpunkt der arab. Dichtkunst wurde; verfiel nach der islam. Eroberung.

Hiram I. (phönik. [Al]hirom; Chiram), phönik. König von Tyrus (etwa 970–936 v. Chr.). – Verbündeter und Handelspartner Davids (2. Sam. 5, 11) und Salomos.

Hiratsuka, jap. Ind.stadt auf Honshū, an der Sagamibucht, 230 000 E. Landw. Forschungsstation; Fischereihafen und Seebad.

Hirmer Verlag ↑Verlage (Übersicht).

Hirn... ↑Gehirn...

Hirnangiographie, röntgenolog. Darstellung der Blutgefäße im Gehirn, entweder zur Untersuchung des Großhirns von den Kopfschlagadern aus *(Karotisangiographie)* oder zur Untersuchung des Kleinhirns von der Wirbelschlagader aus *(Vertebralisangiographie).*

Hirnanhangdrüse, svw. ↑Hypophyse.

Hirnfläche, Schnittfläche senkrecht zur Faser eines Holzstammes.

Hirnhäute ↑Gehirnhäute.

Hirnnerven ↑Gehirn.

Hirnschädel ↑Schädel.

Hirnstamm ↑Gehirn.

Hirnstrombild, svw. ↑Elektroenzephalogramm.

Hirnszintigraphie (Gammaenzephalographie), diagnost. Verfahren zur Aufzeichnung der Verteilung und Speicherung von radioaktiven Testsubstanzen (Gammastrahlern) im Gehirn. Sie zeigen Lage und Ausdehnung z. B. von Blutungsherden, Geschwülsten und Erweichungsherden an, wenn man den Schädel mit Meßsonden (Szintillationszählern) abtastet und die Impulse registriert (Szintigramm). Seitenunterschiede in der Hirndurchblutung können an Aktivitätsverlaufskurven nach intravenöser Injektion von radiojodmarkiertem Serumalbumin abgelesen werden.

Hirohito, *Tokio 29. April 1901, †ebd. 7. Jan. 1989, jap. Kaiser. – Seit 1921 Regent, bestieg als Nachfolger seines Vaters, Kaiser Yoshihito, 1926 den Thron (124. Tenno); durch die Verfassung von 1947 auf reine Repräsentativfunktionen beschränkt.

Hirosaki, jap. Stadt auf N-Honshū, 176 000 E. Univ. (gegr. 1949). Mittelpunkt des größten jap. Obstbaugebietes, Lack- und Farbenproduktion. – Schloß (1610).

Hiroshige Andō [...ʃ...] *Edo (= Tokio) 1797, †ebd. 12. Okt. 1858, jap. Meister des Farbholzschnitts. – Seine Werke übten starken Einfluß auf die europ. Kunst aus (Impressionismus); Folgen: „Ansichten der Ost-Hauptstadt" (1830), „53 Stationen des Tōkaidō" (1834), „Berühmte Stätten von Kyōto" (1834), „Acht Ansichten vom Biwasee" (1834/35).

Hiroshima [...ʃ...] (Hiroschima), jap. Hafenstadt auf Honshū, an der Inlandsee, 1,04 Mill. E. Kath. Bischofssitz; Univ. (gegr. 1949), Musikhochschule; meteorolog. Observatorium. Bed. Ind.standort, u. a. Schiff-, Auto- und Maschinenbau. Export- und Fischereihafen, ✈.
Nach der Gründung der Burg 1589 als Burgstadt entstanden. In der Folgezeit entwickelte sich H. zur größten Stadt westl. von Osaka. Ab 1871 Präfekturhauptstadt. Im 2. Weltkrieg Standort von Rüstungsind. Der von USA-Präs. H. S. Truman befohlene Atombombenabwurf auf H. am 6. Aug. 1945 (erstmaliger Kernwaffeneinsatz), der etwa 200 000 Tote und 100 000 Verwundete forderte, erfolgte in der Absicht, die Kapitulation Japans zu erzwingen. – Eines der wenigen größeren, nicht zerstörten Gebäude ist das Rathaus (1928, restauriert). Wiederhergestellt wurden der Wehrturm (jetzt Museum) der ehem. Burg (16. Jh.) und der Shukkeien-Landschaftsgarten (1. Hälfte 17. Jh.). Kenzō Tange schuf das „Friedenszentrum" (1949–56).

Hirsau ↑Calw.

Hirsauer Reform, ma. Reformbewegung innerhalb des Benediktinerordens, die vom Kloster Hirsau ausging und auf den Reformen von Gorze und Cluny beruhte. – ↑kluniazensische Reform.

Hirsch, Emanuel, *Bentwisch (Landkr. Perleberg) 14. Juni 1888, †Göttingen 17. Juli 1972, dt. ev. Theologe. – Schrieb geistes- und theologiegeschichtl. Werke, Übersetzer und Kommentator der Schriften S. Kierkegaards.

H., Ludwig Gustav, *Weinberg (Steiermark) 28. Febr. 1946, östr. Liedermacher und Schauspieler. – Besingt in seinen textlich zyn.-aggressiven, z. T. skurrilen, melodisch bewußt einschmeichelnden Liedern (u. a. in der Tradition des Wiener Volks- und Straßenliedes) auch soziale Randgruppen.

H., Max, *Halberstadt 30. Dez. 1832, †Bad Homburg v. d. H. 26. Juni 1905, dt. Politiker. – Setzte sich für die Integration der Arbeiterbewegung in den Linksliberalismus ein; 1868 Mitbegr. der Hirsch-Dunckerschen Gewerkvereine; 1869–93 MdR (Dt. Fortschrittspartei bzw. Freisinnige Partei).

H., Paul, *Prenzlau 17. Nov. 1868, †Berlin 1. Aug. 1940, dt. Politiker. – 1908–33 MdL (SPD) in Preußen, 1918–20 erster preuß. SPD-Min.präs.; 1933 Emigration.

Hirschantilope ↑Riedböcke.

Hirschberg i. Rsgb. (im Riesengebirge; poln. Jelenia Góra), Hauptstadt der gleichnamigen Woiwodschaft, im **Hirschberger Kessel** (↑Sudeten), Polen, am oberen Bober, 345 m ü. d. M., 93 000 E. Chemiefaserwerk, pharmazeut., Textil-, Glasind.; Fremdenverkehr. – Das Ende des 13. Jh. gegr. und dt. besiedelte H. wurde 1299 Stadt. 1976 wurde ↑Bad Warmbrunn zugemeindet. – Spätgot. Pfarrkirche (14./15. Jh.), barockes Rathaus (1747).

Hirsch-Dunckersche Gewerkvereine, Gewerkschaftsorganisationen, die politisch am Linksliberalismus der Dt. Fortschrittspartei orientiert waren und den Klassenkampfgedanken ablehnten; gegr. 1868 durch M. Hirsch und F. Duncker; zus. mit den anderen Gewerkschaften Anfang Mai 1933 im Verlauf der Gleichschaltung aufgelöst; nach 1945 nicht wiederbelebt.

Hirsche (Cervidae), mit rd. 40 Arten weltweit verbreitete Fam. etwa 0,8 bis 3 m körperlanger Paarhufer; mit langer Schnauze und oft verkümmerten oder völlig reduzierten Eckzähnen (Ausnahmen: Moschustiere, Muntjakhirsche, Wasserreh, bei denen sie hauerartig entwickelt sind); ♂♂ (nur beim Ren auch ♀♀) mit Geweih (bei Moschustieren und Wasserreh fehlend). – Während der Paarungszeit kommt es unter den ♂♂ oft zu Kämpfen um die ♀♀. Die Jungtiere sind meist hell gefleckt. – Neben den schon erwähnten Gruppen und Arten gehören zu den H. v. a. noch die ↑Trughirsche (u. a. mit Reh, Elch, Ren) und die Echthirsche (u. a. mit Rothirsch und Damhirsch).
Geschichte: Die ältesten Abbildungen von H. sind auf jungpaläolith. Felsbildern in Höhlen S-Frankreichs und N-Spaniens zu finden. Im alten Griechenland waren H. heilige Tiere der Göttin Artemis. Sie wurden auf Vasen, Reliefs und Münzen abgebildet. Die röm. Jagdgöttin Diana ist häufig zus. mit H. dargestellt.

Hirschfänger ↑Jagdwaffen.

Hirschfeld, Georg, *Berlin 11. Febr. 1873, †München 17. Jan. 1942, dt. Schriftsteller. – Erfolgreich mit naturalist. Dramen aus dem Berliner Milieu, mit Komödien und

Hirschhorn (Neckar). Blick über den Neckar auf die über der Stadt gelegene Burg; rechts im Bild die Pfarrkirche

Volksstücken sowie Novellen mit schwierigen psycholog. Problemen.

H., Kurt, * Lehrte 10. März 1902, † Tegernsee 8. Nov. 1964, dt. Regisseur. - Dramaturg (1933), später auch Regisseur und seit 1961 Direktor am Züricher Schauspielhaus; Uraufführungen u. a.: „Herr Puntila und sein Knecht Matti" (B. Brecht, 1948) und „Andorra" (M. Frisch, 1961).

H., Magnus, * Kolberg 14. Mai 1868, † Nizza 15. Mai 1935, dt. Nervenarzt und Sexualforscher. - Gründer und Leiter eines Instituts für Sexualwiss. in Berlin (ab 1918); arbeitete v. a. über Entwicklung und Störungen des sexuellen Verhaltens; trat für die geschlechtl. Aufklärung und für eine tolerante Haltung gegenüber abweichendem Sexualverhalten ein und befürwortete Geburtenkontrolle und Erleichterung der Ehescheidung; wandte sich entschieden gegen die strafrechtl. Verfolgung der Homosexualität.

Hirschhorn (Neckar), hess. Stadt am Neckar, 132 m ü. d. M., 3 800 E. Luftkurort; Apparatebau. - Die erstmals 773 (Stadtteil Ersheim) urkundlich erwähnte Siedlung, bei der um 1200 eine Burganlage entstand, erhielt 1391 Stadtrecht. - Burg mit Schildmauer, Turm (13./14. Jh.), Zwingmauern (14. Jh.) und Palas. Pfarrkirche (1411 vollendet, 1910 neu geweiht), barocke Stadtkirche (1628-30); Stadtmauer.

Hirschhornsalz, früher aus Hornsubstanz gewonnenes Gemisch aus zwei Teilen Ammoniumhydrogencarbonat und einem Teil Ammoniumcarbonat, das als Treibmittel z. B. beim Backen von Lebkuchen, Keksen u. a. Flachgebäck verwendet wird.

Hirschkäfer [so benannt wegen des geweihförmigen Oberkiefers] (Schröter, Lucanidae), mit über 1100 Arten weltweit verbreitete Fam. 0,5-10 cm großer Blatthornkäfer (in M-Europa sieben Arten); Oberkiefer der ♂♂ häufig zu geweihartigen Zangen vergrößert, mit denen sie Kämpfe um ein ♀ austragen. In M-Europa kommt neben dem ↑ Balkenschröter bes. der **Euras. Hirschkäfer** (*Feuerschröter, Hornschröter,* Lucanus cervus) vor: matt schwarzbraun; mit 4 (♀) bis 8 (♂) cm Länge größter europ. Käfer; steht unter Naturschutz.

Hirschkolbensumach ↑ Sumach.

Hirschtrüffel (Hirschbrunst, Elaphomyces cervinus), ein kugeliger trüffelähnl. Schlauchpilz mit unterirdisch wachsendem, gelbbraunem, ungenießbarem und hartem Fruchtkörper.

Hirschvogel (Hirsvogel), Augustin, * Nürnberg 1503, † Wien im Febr. 1553, dt. Kunsthandwerker, Landvermesser, Kartograph und Radierer. - Sohn von Veit H. d. Ä.; in Nürnberg als Glasmaler, Wappensteinschneider und Hafner tätig, ab 1536 in Laibach und ab 1544 in Wien. Seine Landschaftsradierungen und -zeichnungen sind von der Donauschule beeinflußt.

H., Veit, d. Ä., * Nürnberg 1461, † ebd. 24. Dez. 1525, dt. Glasmaler. - Vater von Augustin H.; in seiner Glasmalerwerkstatt wurden zahlr. Glasgemälde nach Entwürfen von Dürer, H. Baldung und Hans von Kulmbach hergestellt.

Hirschziegenantilope ↑Springantilopen.

Hirschzunge (Phyllitis scolopendrium), seltene, geschützte Farnart aus der Fam. der Tüpfelfarngewächse mit 15–60 cm langen, immergrünen, in Rosetten angeordneten Blättern; auf feuchtem schattigem Kalkgestein in den Mittelgebirgen und Kalkalpen.

Hirse (Panicum), Gatt. der Süßgräser mit rd. 500 Arten, v. a. in den wärmeren Gebieten der Erde; einjährige oder ausdauernde Gräser mit ährenartiger Rispe. Die wichtigste Art ist die als Getreide verwendete **Echte Hirse** (*Rispen-H., Dt. H.,* Panicum miliaceum), eine 0,5–1 m hohe, einjährige Pflanze mit behaarten, lanzettförmigen Blättern; Ährchen zweiblütig, in bis 20 cm langer, locker überhängender *(Flatter-H.)* oder aufrecht kompakter *(Dick-H.)* Rispe. – Die Früchte der H.arten sind fast runde Körner von hohem Nährwert (10% Eiweiß, 4% Fett, hoher Gehalt an Vitamin B_1 und B_2). Sie werden zur Bereitung von Brei und brotartigen Fladen, ferner zur Herstellung von Bier und Branntwein verwendet. Die Hauptanbaugebiete liegen in Z-Asien, O-Asien und Indien. – ↑Sorghumhirse, ↑Mohrenhirse, ↑Kolbenhirse.
Geschichte: Heimat der Echten H. ist wahrscheinlich Ostasien. Die Echte H. wurde in prähistor. Zeit in China, Indien und Kleinasien angebaut und war in Griechenland seit der minoisch-myken. Zeit Brot- und Breigetreide. Seit der Jungsteinzeit wurde sie im Alpenraum angebaut. Im MA gab es in M-Europa ausgedehnte Felder mit Echter Hirse.

Hirshfield, Morris [engl. 'hə:ʃfi:ld], * in Russisch-Polen 1872, † New York 26. Juli 1946, amerikan. Laienmaler poln. Herkunft. – Malte ab 1937 dekorative Kompositionen mit ornamental stilisierten Tieren, Bäumen oder Frauen.

Hirt, Hermann, * Magdeburg 19. Dez. 1865, † Gießen 12. Sept. 1936, dt. Sprachwissenschaftler. – 1896 Prof. in Leipzig, ab 1912 in Gießen; wurde v. a. mit Arbeiten zur Indogermanistik bekannt: „Die Indogermanen" (2 Bde., 1905–07), „Indogerman. Grammatik" (7 Bde., 1921–37), „Die Hauptprobleme der indogerman. Sprachwissenschaft" (hg. 1939).

Hirt (Hirte), Hüter von Haustieren beim Weidegang, meist angestellt als Hof-, Gemeinde- oder Genossenschafts-H.; auf sein Abzeichen, den H.stab, leistet er einen Eid oder ein Gelübde. Die ehem. große Bed. des H., v. a. in den Alpenländern, in SO-Europa und SM-Europa, hat sich in vielfältigen, eigenen Kulturformen niedergeschlagen Die v. a. als Zierkunst ausgeprägte **Hirtenkunst** erstreckte sich auf zahlr. Gebrauchsgegenstände (Milchgefäße, H.stecken, Pfeifenköpfe, Garnhaspeln, Joche und Schellenbögen). Spezielle **Hirtenfeste** sind noch vereinzelt als sportl. Wettkämpfe (z. B. Steinstoßen, Kleiderringen, Schäferlauf) erhalten. Bes. altertüml. Züge trägt die **Hirtenmusik.** H.idyll und Schäferallegorie waren bereits in der Barockzeit beliebte dichter. Darstellungen.

Hirtenamt, im kath. Kirchenrecht bildl. Bez. für die der Kirche eigentüml. Vollmacht (↑Jurisdiktion), die in der sakramentalen Bischofs- und Priesterweihe übertragen und in der kanon. Sendung (↑Missio canonica) rechtlich umschrieben wird.

Hirtenbrief, Rundschreiben von Bischöfen oder Kirchenleitungen an die Gläubigen zu lehramtl. und seelsorgl. Fragen oder zu aktuellen Zeitproblemen.

Hirtendichtung, svw. ↑bukolische Dichtung; ↑Schäferroman.

Hirtenhunde, Gruppe großer, starkknochiger Hunde, die urspr. zum Schutz der Herden eingesetzt wurden. Zu den H. zählt man: Pyrenäenhund, Kuvasz und Komondor.

Hirtenspiel (Hirtenprozession), eine Szenengruppe des ↑Weihnachtsspiels.

Hirtentäschelkraut (Capsella, Hirtentäschel), Gatt. der Kreuzblütler mit fünf weltweit verbreiteten Arten; ein- bis zweijährige Kräuter mit verkehrt-herzförmigen Schotenfrüchten. In Deutschland kommt als Unkraut das **Gemeine Hirtentäschelkraut** (*Echtes H.,* Capsella bursa-pastoris) vor.

Hirth, Albert, * Schellenmühle (= Brakkenheim) 7. Okt. 1858, † Nonnenhorn (Landkr. Lindau) 12. Okt. 1935, dt. Erfinder, Konstrukteur und Unternehmer. – Vater von Hellmuth und Wolfram H.; erfand (1896) die Technik des Spritzgußverfahrens.
H., Hellmuth, * Heilbronn 24. April 1886, † Karlsbad 1. Juli 1938, dt. Ingenieur und Flugpionier. – Bruder von Wolfram H.; erreichte 1911 einen Höhenweltrekord und führte 1912 den ersten größeren Fernflug (Berlin–Wien) aus. 1931 gründete er die Hirth-Motoren GmbH in Stuttgart.
H., [Kurt Erhard] Wolfram, * Stuttgart 28. Febr. 1900, † bei Dettingen unter Teck 25. Juli 1959 (Flugzeugabsturz), dt. Flieger und Flugzeugbauer. – Bruder von Hellmuth H.; entdeckte 1930 die Technik des Thermikflugs (↑Segelflug) und stellte 1934 einen Weltrekord im Langstreckensegelflug auf.

Hirtius, Aulus, ⚔ bei Mutina (= Modena) 43 v. Chr., röm. Politiker und Offizier. – Aus plebejischem Geschlecht. Sekretär Cäsars; 46 Prätor, 43 Konsul, fiel im Kampf gegen Marcus Antonius; verfaßte das 8. Buch von Cäsars „Commentarii de bello Gallico".

Hirudin [lat.], in den Speicheldrüsen von Blutegeln gebildeter Eiweißkörper, der die Blutgerinnung hemmt. H. enthaltende Präparate (Salben, Gele) werden lokal bei Venenentzündung und Thrombose angewendet.

Hirzebruch, Friedrich, * Hamm 17. Okt. 1927, dt. Mathematiker. – Seit 1956 Prof. in Bonn, seit 1980 Direktor des Max-Planck-Inst. für Mathematik in Bonn; Arbeiten zur Topologie und zur algebraischen Geometrie.

Hirzel, Hans Caspar, * Zürich 21. März 1725, † ebd. 20. März 1803, schweizer. Arzt und Schriftsteller. – Philanthrop; war u. a. mit E. von Kleist und J. W. L. Gleim befreundet; Vertreter der literar. Ideen J. J. Bodmers; schrieb u. a. „Catechet. Anleitung zu den gesellschaftl. Pflichten" (1776).

His, eigtl. Ochs, Basler Ratsherrenfamilie. 1818/19 nahmen die Söhne des Politikers und Historikers P. Ochs (* 1752, † 1821) den urgroßväterl. Namen H. an; bed.:

H., Wilhelm, * Basel 19. Dez. 1863, † Riehen 10. Nov. 1934, schweizer.-dt. Internist. – Prof. in Basel, Göttingen und Berlin; arbeitete v. a. über Krankheiten des Herzens und des Stoffwechsels; entdeckte das nach ihm ben. **His-Bündel,** ein erregungsleitendes Muskelgewebe des Herzens.

Hisbullah (Hisbollah) ↑ Libanon (Geschichte).

Hiskia (Hiskija, Ezechias), König von Juda (725–697). – Zunächst Bundesgenosse des Assyrerkönigs Sargon II., nach dessen Tod Anhänger einer antiassyr. Bewegung; beraten von dem Propheten Jesaja; rege Bautätigkeit; reformierte den Jahwekult (2. Kön. 18–20).

Hispaniola (Haiti), die zweitgrößte der Westind. Inseln, zw. Kuba und Puerto Rico, 76 192 km^2. Politisch geteilt in die Dominikan. Republik und Haiti.

hissen [niederdt.] (heißen), ein Segel oder eine Flagge hochziehen (Seemannssprache).

Histadrut, israel. Einheitsgewerkschaft; gegr. in Haifa 1920. – ↑ Gewerkschaften.

Histamin [Kw.] (2-(4-Imidazolyl)-äthylamin), ein biogenes Amin, das durch Decarboxylierung von ↑ Histidin entsteht. H. ist ein Gewebshormon, das bes. reichlich in den Gewebsmastzellen der Haut, Muskulatur und Lunge gespeichert ist. Es bewirkt eine rasche Kontraktion bestimmter glatter Muskeln (Gebärmutter, Bronchien), eine Erweiterung der Blutgefäße der Haut und eine Erhöhung der Kapillardurchlässigkeit; außerdem regt H. die Magensaftsekretion und Darmperistaltik an. Eine vermehrte H.ausschüttung erfolgt bei allerg. Reaktionen, bei [Sonnen]bestrahlung, Verbrennungen und anderen Gewebszerstörungen; es kommt zu lokal stark vermehrter Durchblutung, die sich auf der Haut durch intensive Rötung bemerkbar macht. Im Gewebe wird H. durch Enzyme schnell unwirksam gemacht; Substanzen (↑ Antihistaminika), welche die Wirkung des H. hemmen, haben therapeut. Bedeutung. Chem. Strukturformel:

```
HN—C—CH2—CH2—NH2
 |  ||
HC  CH
  \\ /
   N
```

Histaminantagonisten, svw. ↑ Antihistaminika.

Histaminrezeptorenblocker, svw. ↑ Antihistaminika.

Histiäus, † 493 v. Chr., Tyrann von Milet. – Widersetzte sich beim Skythenzug Darius' I. 513 v. Chr. dem Plan einer Vernichtung des pers. Heeres durch Zerstörung der Donaubrücke; soll in Susa Aristagoras zum Ion. Aufstand veranlaßt haben.

Histidin [griech.], [(2-Amino-3-(4-imidazolyl)-propionsäure)], Abk. His, als Baustein vieler Proteine vorkommende essentielle Aminosäure; sie spielt als Protonendonator und -akzeptor in den aktiven Zentren von Enzymen und für die Bindung von Hämen in Hämoproteinen eine wichtige Rolle. Chem. Strukturformel:

```
N—C—CH2—CH—COOH
||  ||      |
HC  CH      NH2
  \ /
   N
   H
```

Histiozyten [griech.] ↑ Wanderzellen.

Histochemie [griech./arab.], die Chemie der Gewebe und Zellen von Organismen; sie befaßt sich mit dem Nachweis, der Lokalisierung und Verteilung von chem. Stoffen in ihnen und deren Reaktionen und Veränderungen beim Stoffwechsel u. a. biolog. Abläufen.

Histogenese [griech.] (Gewebsentwicklung), Prozeß der Ausdifferenzierung der verschiedenen Gewebearten im Verlauf der Embryonalentwicklung.

Histogramm [griech.], graph. Darstellung einer Häufigkeitsverteilung, bei der der Wertebereich der unabhängigen Veränderlichen in gleich große Abschnitte eingeteilt ist, in denen die abhängige Veränderliche jeweils einen konstanten Wert hat.

Histologie [zu griech. histós „Gewebe"] (Gewebelehre), Lehre von der Struktur und Funktion der Gewebe. In der Medizin ist die H. für die Beurteilung gesunder und krankhaft veränderter Gewebe *(patholog. H.)* von bes. Bedeutung.

Histolyse [griech.], Auflösung des Körpergewebes; allg. Gewebezersetzung durch Enzyme und Bakterien nach dem Tod oder lokale Gewebezerstörung beim lebenden Organismus durch schädigende Einwirkungen.

Histone [griech.], Gruppe von bas. Proteinen, die in den Zellkernen der Zellen von Eukaryonten als Bestandteile des Chromatins reversibel an die DNS gebunden sind.

Histoplasmose [griech.] (Histoplasma-Mykose), eine vorwiegend in den Tropen vorkommende Pilzerkrankung bei Mensch und Tieren (bes. bei Hunden). Der Erreger (Histoplasma capsulatum) befällt die inneren Organe („Systemmykose"). Infektion durch Einatmen von sporenhaltigem Staub. Behandlung symptomatisch, in schweren Fällen mit Amphotericin B.

Historie [griech.-lat.], 1. Bez. für Geschichte als das Geschehene im Unterschied zur Geschichte als Wiss.; 2. veraltete Bez. für darstellende Geschichtsquellen.
◆ (abenteuerl., erdichtete) Erzählung, auch der Erzählstoff (der z. B. in der Historienmalerei verwendet wurde). Speziell spätma. phantast. Erzählungen in Vers und Prosa; häufig in den Titeln der Volksbücher, z. B. „Historia von D. Johann Fausten ..." (1587).

Historienmalerei, Gattung der Malerei, die (kultur)geschichtl. Ereignisse sowie Erzählstoffe aus Legende, Sage und Dichtungen zum Inhalt hat. Die H. neigt zum Idealisieren. H. gibt es im alten Ägypten, bei den Assyrern, bei den Griechen (↑Alexandermosaik).
Mit dem Christentum nimmt die religiöse H. ihren Anfang, und zwar als Wiedergabe bibl. Szenen (A. T. und N. T.). Am Beginn stehen die Mosaiken im Langhaus von Santa Maria Maggiore in Rom (432–440). Dazu kommen seit dem 11. Jh. Erzählstoffe der Heiligenlegenden. – Als Beispiele für die H. i. e. S. sind die nicht erhaltenen karoling. Wandmalereien zu nennen (Pfalz von Ingelheim), weiteres Zeugnis ma. H. ist der ↑Bayeux-Teppich. – Häufiges Bildthema wird Geschichte erst mit der italien. Renaissance (ein frühes Beispiel sind die Fresken von S. Aretino im Rathaus von Siena, um 1407), Hauptwerke sind: von A. Mantegna („Cäsars Triumphzug", um 1484–92), Schlachtenbilder von P. Uccello („Die Schlacht bei San Romano", um 1456/57), Leonardo da Vinci („Schlacht von Anghiari", Karton von 1503–05, verlorengegangen), Michelangelo („Überfall bei den Cascine", Federzeichnung von 1505 erhalten) und Tizian („Schlacht bei Cadore", 1538 vollendet, 1577 verbrannt). Das bedeutendste Werk der deutschen Malerei jener Zeit ist A. Altdorfers „Alexanderschlacht" (1529). Die H. des Barock erreichte mit Rubens' Medicizyklus (1622–25) und Velázquez' „Schlüsselübergabe von Breda" (1635) ihren Höhepunkt. Neuen Aufschwung nahm die H. mit Erstarken des Bürgertums (J. L. David, „Schwur der Horatier", 1784). Die H. des 19. Jh. wandte sich der eigenen (nat.) Geschichte zu; E. Delacroix, T. Géricault, P. Delaroche, É. Manet in Frankreich, P. Cornelius, A. Rethel, K. F. Lessing, W. von Kaulbach, K. von Piloty, A. von Menzel in Deutschland, E. Stückelberg und F. Hodler („Rückzug von Marignano", 1898–1900) in der Schweiz. Gegen die russ. akadem. H. wandten sich die Peredwischniki mit realist. Szenen (u. a. I. Repin, „Die Saporoger Kosaken schreiben einen Brief an den Sultan", 1878–91). – Im 20. Jh. hat Picasso mit „Guernica" (1937) ein bed. „Historienbild" geschaffen, das – wie schon Goya im 19. Jh. – Anklage gegen Krieg und Gewalt erhebt.
📖 *H. in Europa. Hg. v. E. Mai. Mainz 1990. – Stolpe, E.: Klassizismus u. Krieg. Über den Historienmaler J.-L. David. Ffm. 1985. – Wappenschmidt, H. T.: Allegorie, Symbol u. Historienbild im späten 19. Jh. Mchn. 1984.*

Historik [griech.], die Lehre von der histor. Methode der Geschichtswissenschaft.

Historikerstreit, Kontroverse unter einigen dt. Historikern, Philosophen und Journalisten über die Einordnung und Bewertung des NS, ausgelöst durch den Vorwurf von J. Habermas („Die Zeit", 11. Juli 1986) gegen eine Gruppe von Historikern (bes. E. Nolte), das NS-Regime und seine Verbrechen zu relativieren. In der polemisch ausgetragenen Diskussion zur Aufarbeitung dieser jüngeren dt. Vergangenheit ging es auch um die Bestimmung des zeitgenöss. Geschichtsbewußtseins und die Aufgaben der Geschichtswissenschaft und -schreibung (v. a. ihre Sinnstiftung für das öff. Bewußtsein).

Historiographie [griech.], svw. Geschichtsschreibung.

historische Buchten, nach Völkerrecht Buchten, deren Gewässer ungeachtet der Zugangsweite seit jeher der vollen Gebietshoheit des Uferstaates unterliegen. H. B. sind u. a. die Delaware Bay, die Hudson Bay und das Weiße Meer.

historische Grammatik ↑Grammatik.

historische Hilfswissenschaften (histor. Grundwissenschaften), Fächer und Teilgebiete der Geschichtswiss., die sich v. a. mit der Erschließung und vorbereitenden Kritik der Geschichtsquellen befassen; i. e. S. Paläographie einschl. Epigraphik (Inschriftenkunde) und Papyrologie, Urkundenlehre (Diplomatik) und Aktenkunde, Siegelkunde (Sphragistik), Zeitrechnung (Chronologie), Genealogie, Wappenkunde (Heraldik) und Numismatik.

historische Institute, Stätten wiss. Begegnung und Forschung; v. a. in der 2. Hälfte 19. Jh. gegr.: z. B. in Wien das **Institut für Östr. Geschichtsforschung** (gegr. 1854), in Rom die **École Française de Rome** (gegr. 1873), das **Östr. Histor. Institut** (gegr. 1883), das **Preuß. Histor. Institut** (gegr. 1888, seit 1953 **Dt. Histor. Institut),** das **Istituto storico Italiano** (gegr. 1883), in Göttingen das **Max-Planck-Institut für Geschichte** (gegr. 1956), in London das **Dt. Histor. Institut** (gegr. 1976).

historische Methode, Bez. für das v. a. in den Geisteswiss. (im Unterschied zu den Naturwiss.) grundlegende allg. Erkenntnisprinzip, die in krit. Auseinandersetzung mit dem Quellenbefund ermittelten histor. Fakten und Geschichtsabläufe in ihrer Genese, ihren Bedingungszusammenhängen und Wirkungen zu verstehen; seit L. von Ranke prinzipiell unbestritten, heute relativiert.

historische Rechtsschule, svw. ↑historische Schule.

historischer Kompromiß, in Italien („compromesso storico") Bez. für die seit 1973 von E. Berlinguer geforderte polit. Zusammenarbeit v. a. von Democrazia Cristiana (DC) und Partito Comunista Italiano (PCI) mit dem vom PCI angestrebten Ziel seiner Reg.mitverantwortung. Seit 1975 kam es zu informeller Reg.beteiligung des PCI, der die von der DC geführten Minderheitsreg. durch Stimmenthaltung („non-opposizione") duldete. 1979 gab jedoch der PCI diese Haltung im Parlament auf, da er nicht an der direkten Reg.verantwortung durch Aufnahme in das Kabinett beteiligt worden war. – ↑Italien (Geschichte).

historischer Materialismus ↑Marxismus.

historischer Roman (Geschichtsroman), eine umfang- und figurenreiche Prosadichtung, die historisch authent. Gestalten und Vorfälle behandelt oder in historisch beglaubigter Umgebung spielt und auf einem bestimmten Geschichtsbild beruht. Eigentl. Begründer war W. Scott mit „Waverley" (1814). Vertreter in Frankreich u. a. V. Hugo und A. Dumas d. Ä. mit seinen über 300 histor. Abenteuerromanen, in Italien A. Manzoni, in Rußland u. a. A. S. Puschkin und N. W. Gogol, in Deutschland C. Brentano, A. von Arnim, W. Hauff, L. Tieck, W. Alexis. Eine 2. Phase ergab sich mit der Ausbreitung des Historismus und seiner Verabsolutierung des Geschichtsdenkens sowie mit der konsequent wiss. Geschichtsschreibung. Früh davon beeinflußt war der h. R. in den USA: z. B. N. Hawthorne; es folgten in England W. M. Thackeray, in Deutschland V. von Scheffel und bes. G. Freytag. Von den h. R. des literar. Hoch- bzw. Spätrealismus (G. Flaubert, C. de Coster, A. Stifter, C. F. Meyer, T. Fontane, W. Raabe) ist L. Tolstois „Krieg und Frieden" (1868/69) wohl der bedeutendste. Seit dem Ausgang des 19. Jh. ist der h. R. literar. Gemeingut von großer Vielfalt, ohne daß sich weitere Phasen abgrenzen lassen; bed. Autoren sind u. a. W. Faulkner, J. Roth, R. Rolland, H. Sienkiewicz, R. Huch, F. Thieß, F. Sieburg, S. Zweig, R. Schneider, W. Bergengruen, G. von Le Fort, M. Brod, A. Döblin, F. Werfel, L. Feuchtwanger, A. France, T. Wilder, M. Yourcenar.

historische Schule, (historische Rechtsschule) um 1800 von F. K. von Savigny begr. rechtswiss. Lehre über das Entstehen von Recht. Das Recht sei, gebunden an histor. Voraussetzungen, ein aus dem innersten Wesen der Nation und ihrer Geschichte entstandener Teil ihrer Kultur. Die h. S. verzweigte sich im 19. Jh. in ↑Germanisten und Romanisten.

◆ (h. S. [der Nationalökonomie]) Sammelbez. für die Vertreter einer um die Mitte des 19. Jh. entstandenen und bis ins 20. Jh. bed. Richtung in der Volkswirtschaftslehre (W. Roscher, G. Schmoller, W. Sombart, Max Weber). Sie betonten die histor. Einmaligkeit wirtsch. Phänomene und bemühten sich um Zeit- und Wirklichkeitsnähe; ihr (nicht erreichtes) Ziel war es, ökonom. Gesetzmäßigkeiten empirisch-induktiv aus einer universalen Gesamtschau des wirtschaftsgeschichtl. Materials abzuleiten.

historisches Präsens, Gegenwartsform, die innerhalb eines Textes im Präteritum (Vergangenheit) verwendet wird, um die Spannung zu steigern und Höhepunkte innerhalb der ep. Erzählung zu schaffen.

historische Theologie ↑Theologie.

Historische Zeitschrift, Abk. HZ, 1859 in München durch H. von Sybel gegr. Fachzeitschrift der Geschichtswiss; seit 1985 hg. von L. Gall.

Historismus [griech.-lat.], in den Geisteswiss. eine Betrachtung der kulturellen Erscheinungen unter dem leitenden Gesichtspunkt ihrer histor. Gewordenheit, d. h. Geschichtlichkeit; damit verbunden ist die Betonung von Einmaligkeit und Besonderheit. In der Individualität sah der H. die schlechthin bestimmende Kategorie histor. Erkenntnis. Die Geschichtswiss. hat daraus starke Antriebe für Forschung und Deutung der Gegenwart gezogen, gleichzeitig aber durch Absolutsetzung dieses method. Prinzips, das die Unvergleichbarkeit histor. Prozesse und Strukturen voraussetzt, sich der Gefahr des Wertrelativismus ausgesetzt und von der Entwicklung der anderen Sozialwiss. abgesondert. Der eigtl. Begriff H. entstammt erst der 2. Hälfte des 19. Jh. Seine größte prakt. Bed. für Geschichts- und Gegenwartsbewußtsein erreichte er in der Zeit der dt. Reichsgründung als grundlegende quellenbezogene geisteswiss. Position mit Auswirkung auf Sprachwiss., histor. Rechtsschule und histor. Schule der Nationalökonomie. Die Krise des H. fiel mit dem Ende des 1. Weltkriegs zusammen. Sie führte zur methodolog. Neuorientierung der modernen Geschichtswissenschaft.

Als **Historizismus** kritisierte K. R. Popper sozialwiss. Theorien (bes. Marxismus), die den Geschichtsverlauf „objektiven" Gesetzen un-

terwerfen und behaupten, histor. Entwicklungen voraussagen zu können.
◆ in der bildenden Kunst, Baukunst und im Kunsthandwerk des 19. Jh. Ausdruck einer in histor. Anleihen das eigene Selbstverständnis suchenden Stilhaltung (↑Neugotik, ↑Neurenaissance, ↑Neubarock).

Hit [engl., eigtl. „Stoß, Treffer"], Spitzenschlager (bes. erfolgreiches Musikstück; seltener übertragen als Bez. für vielgekaufte Ware usw.); *H.parade,* Bez. für die Vorstellung der jeweils beliebtesten, durch Umfrage oder Plattenverkaufszahlen ermittelten Hits.

Hitachi Ltd. [engl. hɪˈtɑtʃɪ ˈlɪmɪtɪd], Japans zweitgrößter Ind.konzern und eines der bedeutendsten Unternehmen der Welt auf dem Gebiet der Elektro- und Elektronikind., gegr. 1910, Sitz Tokio. Unternehmensbereiche: Energieerzeugungs- und Übertragungsanlagen, Ind.ausrüstungen; Unterhaltungselektronik, Haushaltsgeräte, Fernmelde- und Rundfunkanlagen, Datenübertragungs- und Datenverarbeitungsanlagen.

Hitchcock, Alfred [Joseph] [engl. ˈhɪtʃkɔk], * London 13. Aug. 1899, † Los Angeles 29. April 1980, brit. Filmregisseur und -produzent. – Galt in den 30er Jahren als einer der führenden engl. Regisseure; ging 1939 nach Hollywood, wo er sich zum bedeutendsten Vertreter des Thrillers entwickelte; Hauptthema ist der Identitätsverlust seiner meist gutbürgerl. Helden, die aus der Ordnung ihres alltägl. Lebens gerissen werden. – *Filme:* Erpressung (1929), Der Mann, der zuviel wußte (1934, Remake 1955), Rebecca (1940, nach D. du Maurier), Verdacht (1941), Im Schatten des Zweifels (1943), Bei Anruf Mord (1953), Der falsche Mann (1957), Aus dem Reich der Toten (1958), Der unsichtbare Dritte (1959), Psycho (1960), Die Vögel (1963), Marnie (1964), Topas (1968), Frenzy (1972), Familiengrab (1976).

Hitchings, George Herbert [engl. ˈhɪtʃɪŋs], * Hoquiam (Wash.) 18. April 1905, amerikan. Biochemiker. – Erarbeitete Methoden zur Analyse der Unterschiede in den Nukleinsäuremetabolismen von normalen menschl. Zellen, Krebszellen, Protozoen, Bakterien und Viren (als Voraussetzung für die Entwicklung von Arzneimitteln gegen Krebs u. a. Erkrankungen); erhielt 1988 mit J. W. Black und G. B. Elion den Nobelpreis für Physiologie oder Medizin.

Hitler, Adolf, * Braunau am Inn 20. April 1889, † Berlin 30. April 1945 (Selbstmord), dt. Politiker östr. Herkunft. – Sohn des östr. Zollbeamten Alois H. (* 1837, † 1903; bis 1877 nach seiner Mutter Schicklgruber). H. verließ 1905 die Realschule ohne Abschluß. Zwei Bewerbungen an der Kunstakademie Wien (1907/08) scheiterten. In der konfliktreichen Atmosphäre im Wien der Vor-

Alfred Hitchcock (1972)

kriegszeit fand der sozial deklassierte Zwanzigjährige Selbstbestätigung im Politisieren. Aus Zeitungen, Broschüren und Büchern las er sich eine Weltanschauung zusammen, deren Kern im Glauben an die „german. Herrenrasse" und die „jüd. Weltgefahr" bestand. Im Mai 1913 ging H., um sich dem Militärdienst zu entziehen, nach München (dt. Staatsbürger wurde er, 1925 auf eigenen Wunsch aus der östr. Staatsbürgerschaft entlassen, erst am 25. Febr. 1932 durch Ernennung zum braunschweig. Reg.rat). Als Kriegsfreiwilliger erlebte er die Jahre 1914–18 als Meldegänger an der W-Front. Kam als Vertrauensmann der Münchener Reichswehr im Sept. 1919 mit der völkisch ausgerichteten „Dt. Arbeiterpartei (ab Febr. 1920: Nat.-soz. Dt. Arbeiterpartei [NSDAP]) in Kontakt und übernahm im Juli 1921 den Parteivorsitz mit diktator. Vollmachten. Gefördert von Reichswehr, Polizei und Reg. in Bayern, wurde H. 1922/23 zur Schlüsselfigur der dortigen nationalist. Gruppen und Wehrverbände. Sein Versuch jedoch, die Reg. zum Staatsstreich gegen Berlin zu treiben, scheiterte am 9. Nov. 1923 (↑Hitlerputsch). Die NSDAP wurde verboten, H. zu 5 Jahren Festungshaft verurteilt. Auf der Festung Landsberg begann er seine Rechenschafts- und Programmschrift „Mein Kampf", die in 2 Bänden 1925/26 erschien (1928 entstand das postum 1961 veröffentlichte sog. „Zweite Buch"). Ausgehend von Negationen (Antisemitismus, Antimarxismus, Antiliberalismus usw.), forderte H. darin den rassisch gereinigten, nationalist. Führerstaat, dessen Zweck in der sozialdarwinistisch gerechtfertigten Eroberung „neuen Lebensraums für das dt. Volk" im O lag; H. Gedanken zur Technik polit. Propaganda zielten ab auf unbegrenzte Manipulation der Massen.
Die von H. nach seiner vorzeitigen Entlassung aus Landsberg (Ende 1924) neubegr.

Adolf Hitler (1935)

NSDAP (27. Febr. 1925) stand im Zeichen der auf Wahlerfolge bedachten Legalitätstaktik. Zwar blieben die Wahlerfolge bis 1928/29 begrenzt, doch schuf sich H. in der militanten Kaderpartei ein schlagkräftiges Instrument. Die Auswirkungen der Weltwirtschaftskrise in Deutschland begünstigten ein dammbruchartiges Anwachsen der kleinbürgerl. und agrar. Protestbewegung der NSDAP. Nach dem stufenweisen Abbau des parlamentar.-demokrat. Systems der Weimarer Republik durch die Reg. Brüning und Papen, nach dem Scheitern aller Versuche, die NSDAP durch Reg.beteiligung zu „zähmen" (Papen) oder zu spalten (Schleicher), und nach dem Einschwenken großagrar. und industrieller Gruppen auf eine „Lösung H." wurde dieser von Hindenburg am 30. Jan. 1933 zum Reichskanzler ernannt.
Über sofortige Neuwahlen (NSDAP: 43,9 %), Notverordnungen (Aufhebung der Grundrechte, permanenter Ausnahmezustand) und Ermächtigungsgesetz gelang es H. in wenigen Monaten, mit Überredung, Drohung und Terror alle Sicherungen und Gegenkräfte im polit., gesellschaftl. und geistigen Raum zu überspielen und den totalitären Einparteienstaat zu schaffen. Die plebiszitär abgestützte Führerdiktatur wurde durch die Schiedsrichterstellung H. zw. rivalisierenden Staats- und Parteiinstanzen bald unangreifbar. Durch seine Abrechnung mit der SA am 30. Juni 1934 (sog. Röhm-Putsch) stärkte H. die Wehrmacht in der Illusion einer Partnerschaft. Nach dem Tode Hindenburgs (2. Aug. 1934) vereinigte er als Führer und Reichskanzler das höchste Partei-, Reg.- und Staatsamt in seiner Hand und ließ als neuer Oberbefehlshaber die Reichswehr auf seinen Namen vereidigen (seit 1942 auch Oberster Gerichtsherr). Den raschen Aufbau der Wehrmacht verband H. mit einer traditionelle Revisions- und Gleichberechtigungsziele anstrebenden Außenpolitik, die in geschickter Ausnutzung vorhandener Interessenkonflikte alle Ansätze zur kollektiven Friedenssicherung durch den Austritt aus dem Völkerbund (19. Okt. 1933) und durch zweiseitige Verträge mit Polen (Dt.-Poln. Nichtangriffspakt 1934), Großbrit. (Dt.-Brit. Flottenabkommen 1935) und Österreich (1936) verhinderte. Zögernde Konservative wie Fritsch, Blomberg und Neurath wurden im Febr. 1938 entlassen. Gestützt auf das Bündnis mit Italien und Japan (Achse Berlin–Rom, Antikominternpakt, Stahlpakt), griff H. mit dem „Anschluß" Österreichs (Einmarsch 12. März 1938), des Sudetenlands (1. Okt. 1938, Münchner Abkommen) und mit der Zerschlagung des tschechoslowak. Staates (März 1939) nach der Hegemonie in Kontinentaleuropa, nutzte den Abschluß des Dt.-Sowjet. Nichtangriffspakts (23. Aug. 1939, „H.-Stalin-Pakt") zum Angriff auf Polen am 1. Sept. 1939 und entfesselte so den 2. Weltkrieg.
Anfangserfolge gaben H. auch auf militär. Gebiet ein Überlegenheits- und Unfehlbarkeitsbewußtsein, das dem fachl. Rat der Generalität nicht mehr zugänglich war. In den besetzten Gebieten, v. a. im O, begann auf H. Anweisung und mit Hilfe des seit 1939 rasch wachsenden Terrorapparats der SS eine rassenideologisch begr. brutale Unterdrückungs- und Vernichtungspolitik. Gleichzeitig fielen den Maßnahmen zur „Endlösung der Judenfrage" in den Konzentrationslagern Mill. Menschen zum Opfer. Die unmenschl. harte Kriegsführung gegen die Sowjetunion (Kommissarbefehl, Massenerschießungen russ. Kriegsgefangener) ging ebenso auf H. Intervention zurück wie die Anfänge der innerdt. Rassenpolitik (Euthanasieprogramm). In der Isolierung des Führerhauptquartiers verlor der Durchhaltefanatismus H. ab 1942 zunehmend den Realitätsbezug. Alle Pläne der Widerstandsbewegung zur Beseitigung H. (Attentat am 20. Juli 1944) scheiterten. Mit der ihm am Vortag angetrauten Eva Braun beging H. am 30. April 1945 im Bunker der Berliner Reichskanzlei Selbstmord. Seine Leiche wurde verbrannt. – ↑ Nationalsozialismus.

🕮 *Bullock, A.: H. und Stalin. Dt. Übers. Bln. 1991. – Haffner, S.: Anmerkungen zu H. Ffm. [10]1990. – Bullock, A.: H. Eine Studie über Tyrannei. Dt. Übers. Neuausg. Düss. 1989. – Fest, J. C.: H. Bln. Neuausg. [2]1989. – Irving, D.: H.s Weg zum Krieg. Dt. Übers. Herrsching 1988. – Jäckel, E.: H. Herrschaft. Stg. [2]1988. – Maser, W.: A. H. Mchn. 1987. – Jäckel, E.: H. Weltanschauung. Stg. [3]1986.*

Hitlerjugend, Abk. HJ, die Jugendorganisation der NSDAP; 1926 als „Bund dt. Arbeiterjugend" gegr.; bis 1933 Jugendabteilung der nat.-soz. Kampfverbände; wurde durch Gesetz 1936 zur zentralen, dem Elternhaus und der Schule gegenüber bevorzugten Organisation zur „körperl.-geistigen und sittl. Erziehung der Jugend" sowie seit 1939 zur „vormilitär. Ertüchtigung". *Aufbau:* **Dt. Jungvolk** bzw. **Jungmädelbund** (10- bis 14jährige), HJ i. e. S. bzw. **Bund Dt. Mädel** (BDM; 14- bis 18jährige). – 1931–40 geleitet von „Reichsjugendführer" B. von Schirach, 1940–45 von A. Axmann; Ende 1938 rd. 8,7 Mill. Mitglieder.

Hitlerputsch, Versuch Hitlers und Ludendorffs, am 8./9. Nov. 1923 in Bayern die Macht an sich zu reißen und mit einem Marsch auf Berlin die Reg. Stresemann zu stürzen. Die ähnl. Ziele verfolgende, anfangs überrumpelte bayer. Reg. unter G. Ritter von Kahr ließ am 9. Nov. den Demonstrationszug vor der Feldherrnhalle mit Polizeigewalt zerstreuen.

Hitler-Stalin-Pakt ↑Deutsch-Sowjetischer Nichtangriffspakt (1939).

Hittorf, Jacques Ignace [frz. i'tɔrf], * Köln 20. Aug. 1792, † Paris 25. März 1867, frz. Baumeister und Archäologe dt. Herkunft. – Erbaute in Paris Saint-Vincent-de-Paul (1824–44, mit J.-B. Lepère) und gestaltete 1833 ff. die Place de la Concorde, die Champs-Élysées und die Place de l'Étoile (1856 vollendet, jetzt Place Charles-de-Gaulle). Einer der Pioniere der Eisenkonstruktionen (Gare du Nord, 1861–65). H. wies die Polychromie in der griech. Baukunst nach.

H., Johann Wilhelm ['--], * Bonn 27. März 1824, † Münster 28. Nov. 1914, dt. Physiker und Chemiker. – 1852–89 Professor in Münster. Er untersuchte die Beweglichkeit der Ionen bei der Elektrolyse, bestimmte mit Hilfe von Potentialsonden u. a. den Spannungsverlauf in Gasentladungen und fand die geradlinige Ausbreitung und magnet. Ablenkbarkeit der Kathodenstrahlen.

Hitzacker, Stadt an der Mündung der Jeetzel in die Elbe, Nds., 18 m ü. d. M., 4 700 E. Luftkurort; jährl. Sommerl. Musiktage. – 1203 erstmals erwähnt, seit 1258 Stadt.

Hitze, Franz, * Hanemicke (= Olpe) 16. März 1851, † Bad Nauheim 20. Juli 1921, dt. kath. Theologe und Sozialpolitiker. – Wurde unter dem Einfluß von W. E. von Ketteler und K. von Vogelsang und in der Auseinandersetzung mit Marx zum Verfechter eines „ständ. Sozialismus", vertrat aber später die volle Integration der Arbeiterschaft auf dem Boden der bestehenden Gesellschaftsordnung. Organisierte die kath. Arbeitervereine und setzte sich für die christl. Gewerkschaften ein. Ab 1893 Prof. in Münster; als MdR (1884–1921) hatte H. über das Zentrum großen Einfluß auf die Sozialpolitik.

Hitze, eine gegenüber Normalbedingungen [stark] erhöhte Temperatur; vom Menschen als unangenehm empfundene Wärme. ◆ Bez. für die Brunst bei der Hündin.

Hitzebeständigkeit, Widerstandsfähigkeit von Werkstoffen gegenüber hoher therm. Belastung; ist bes. bei Stählen von Bedeutung, die durch Zusätze von Chrom, Silicium, Aluminium und Nickel bei Temperaturen über 550 °C verzunderungsbeständig werden. – ↑Hochtemperaturwerkstoffe.

Hitzebläschen, svw. ↑Frieseln.

Hitzeresistenz, die Fähigkeit eines Organismus, hohe Temperaturen ohne bleibende Schäden zu ertragen. Die obere Temperaturgrenze für Pflanzen und Tiere auch heißer Biotope liegt im allg. bei ungefähr 50 °C, in Ausnahmefällen höher, z. B. bei 59 °C für die Dattelpalme. Trockene Samen überleben z. T. Temperaturen bis 120 °C. Beim Menschen ist schon eine länger andauernde Körperkerntemperatur von 41 °C bedrohlich.

Hitzeschild (Hitzeschutzschild), Wärmeschutzvorrichtung an den beim Durchqueren einer Atmosphäre angeströmten Teilen zurückkehrender Raumflugsysteme, um deren Zerstörung durch aerodynam. Überhitzung (↑Hitzeschwelle) zu verhindern.

Hitzeschwelle (Hitzemauer, Wärmebarriere, Wärmemauer), Bez. für den beim Über- und Hyperschallflug auftretenden Geschwindigkeitsbereich, in dem eine starke Erwärmung (aerodynam. Aufheizung) des Flugzeugs bzw. Flugkörpers durch Stauung und Reibung der Luft auftritt. Die H. liegt bei Verwendung von Aluminiumlegierungen bei 2 400 km/h, bei Titanlegierungen bei 3 000 km/h.

Hitzewallung (fliegende Hitze), mit einer Erweiterung der Hautgefäße verbundener, plötzlich auftretender Blutandrang zum Kopf, v. a. bei Frauen während der Wechseljahre infolge hormonaler Umstellungen.

Hitzig, Julius Eduard, bis 1799 Isaak Elias Itzig, * Berlin 26. März 1780, † ebd. 26. Nov. 1849, dt. Schriftsteller, Publizist und Kriminalist. – 1824 gründete H. die „Mittwochsgesellschaft", der bedeutende Berliner Schriftsteller angehörten. Er schrieb Biographien über E. T. A. Hoffmann (2 Bde., 1823), Z. Werner (1823), A. von Chamisso (1839) und F. de la Motte Fouqué (1848). Mit W. Alexis gab er 12 Bde. des „Neuen Pitaval" heraus (1842 ff.).

Hitzschlag, akute Erkrankung durch Überwärmung des Körpers bes. bei Wärmestauung infolge verminderter Wärmeabgabe (feuchtes, heißes Klima, Windstille, die Wärmeabgabe behindernde Kleidung, direkte Sonnenbestrahlung), oft auch infolge zusätzl. vermehrter Eigenwärmebildung (Arbeit bei Hitze). Die ersten Symptome eines H. sind starke Gesichtsröte, Schwindel, Kopfschmerzen sowie Schweißausbruch, Übelkeit und Erbrechen; darauf folgen meist Hör- und Gleichgewichtsstörungen, später auch Ohnmachtsanfälle; schließlich bricht der Betroffene bewußtlos zusammen. Bei Körpertemperaturen über 41 °C besteht die Gefahr eines tödl. Kreislaufversagens. Therapie: Lagerung in kühler Umgebung, kalte Kompressen. – ↑Erste Hilfe.

HIV ↑Aids.

HJ, Abk. für: ↑**H**itler**j**ugend.

Hjälmarsee, See in M-Schweden, 22 m ü. d. M., mit 484 km² viertgrößter See Schwedens, durch die Eskilstunaå und den **Hjälmarkanal** mit dem Mälarsee verbunden.

H-Jolle, eine 15-m²-Wanderjolle mit zwei Mann Besatzung; 6,20 m lang, etwa 1,80 m breit, Segelzeichen H.

HK, Einheitenzeichen für ↑Hefnerkerze.

hl, Einheitenzeichen für ↑Hektoliter.

hl., Abk. für: **h**ei**l**ig.

HLA-System [HLA Abk. für engl.: **H**uman **l**eucocyte **a**ntigen] (Histokompatibilitätsantigen-System), Bez. für ein System von Oberflächenantigenen, die auf den Zellen fast aller Gewebe vorkommen und sich bes. gut auf Leukozyten nachweisen lassen. Sie wurden 1958 erstmals von J. Dausset beschrieben. Die *HLA-Antigene (Histokompatibilitätsantigene)* werden beim Menschen genetisch durch multiple Allele an vier eng benachbarten Genorten (Locus A, B, C und D) auf Chromosom 6 gesteuert, die zus. als Major histocompatibility system (MHS) bezeichnet werden. Das HLA-System bedingt die immunolog. Selbstdefinition des Organismus, d. h., die HLA-Antigene zeigen an, wogegen das Immunsystem nicht reagieren soll. Die Tolerierung bzw. Abstoßung von Organtransplantaten wird auf die Funktion des HLA-Systems zurückgeführt. Eine möglichst weitgehende Übereinstimmung der Erbmerkmale im HLA-System ist daher zw. Spender und Empfänger bei Organtransplantationen (Niere, Herz, Leber, Knochenmark) wie auch bei Leukozyten- und Thrombozytentransfusionen von Bedeutung. Wird die Spenderauswahl bei Organtransplantationen (Gewebetypisierung) nach den Kriterien der HLA-Kompatibilität vorgenommen, liegt bei Übereinstimmung von mehr als 50 HLA-Antigenen die Häufigkeit einer Abstoßung des Transplantats unter 10%.

Hłasko, Marek [poln. 'xu̯askɔ], * Warschau 14. Jan. 1934, † Wiesbaden 14. Juni 1969, poln. Schriftsteller. – Lebte seit 1957 in der BR Deutschland und Israel; stilistisch unter dem Einfluß Hemingways; protestierte gegen Unterdrückung und Leiden. – *Werke:* Der achte Tag der Woche (E., 1956), Peitsche deines Zorns (R., 1963), Am Tage seines Todes. Die zweite Ermordung des Hundes (En., 1969), Folge ihm durchs Tal (R., hg. 1970).

Hlinka, Andrej [slowak. 'hliŋka], * Černova bei Ružomberok 27. Sept. 1864, † Ružomberok 16. Aug. 1938, slowak. Politiker. – Ab 1889 kath. Geistlicher; 1905 Mitbegr. und ab 1918 Vors. der kath.-konservativen Slowak. Volkspartei; forderte für die Slowaken Autonomie innerhalb der ČSR.

Hlinka-Garde [slowak. 'hliŋka; nach A. Hlinka], 1938 nach faschist. Vorbild (SA und Fasci di combattimento) gebildete, terrorist. Methoden anwendende Kampforganisation der Slowak. Volkspartei.

HLKO, Abk. für: **H**aager **L**and**k**riegs**o**rdnung.

H-Milch ↑Milch.

H. M. S. [engl. 'eɪtʃ-ɛm'ɛs], Abk. für: **H**is (Her) **M**ajesty's **s**hip („Seiner [Ihrer] Majestät Schiff"); Zusatz zum Namen brit. Kriegsschiffe.

HNO, Abk. für: ↑**H**als-**N**asen-**O**hren-Heilkunde.

Ho, Ort in SO-Ghana, 55 300 E. Verwaltungssitz der Region Volta (ehem. brit. Treuhandgebiet Togo); Handelszentrum in einem Kakaoanbaugebiet.

Ho, chem. Symbol für ↑Holmium.

HO [ha:'o:], Abk. für: ↑**H**andels**o**rganisation.

Hoangho [chin. „gelber Fluß"], Fluß in China, ↑Hwangho.

Hoare, Sir Samuel [engl. hɔ:] ↑Templewood of Chelsea, Samuel Hoare, Viscount.

Hob. ↑Hoboken, Anthony van.

Hobart [engl. 'hoʊbɑ:t], Hauptstadt von Tasmanien, Australien, im SO der Insel, 175 000 E. Sitz eines kath. und eines anglikan. Bischofs; Univ. (gegr. 1890), mehrere wiss. Inst., Staatsbibliothek von Tasmanien, Museen, Theater, botan. Garten. Ind.-, Handels- und Verkehrszentrum der Insel, mit Zinkhütte, Nahrungsmittelind., Holzverarbeitung; geschützter Naturhafen; ✈. – 1804 gegründet. – Bauten aus dem 19. Jh., u. a. Parlamentsgebäude, Theatre Royal.

Hobbema, Meindert, ≈ Amsterdam 31. Okt. 1638, † ebd. 7. Dez. 1709, niederl. Maler. – Schüler von J. van Ruisdael, Landschaftsmaler; u.a. „Allee von Middelharnis" (1689; London, National Gallery).

Hobbes, Thomas [engl. hɔbz], * Westport (= Malmesbury bei Bristol) 5. April 1588, † Hardwick Hall bei Chesterfield 4. Dez. 1679, engl. Philosoph und Staatstheoretiker. – Stand in engem Kontakt v.a. zu Descartes, Galilei, P. Gassendi; ausgehend von der Annahme einer log. aufgebauten, Bewegungsgesetzen unterworfenen Welt, entwickelte er eine nominalist.-empirist. Philosophie. Begriffe sind für ihn nur „Namen"; wiss. Denken – orientiert an dem Wissenschaftsideal seiner Zeit, der axiomat.-deduktiv verfahrenden Mathematik – ist ein „Rechnen" mit „Namen". Erkenntnis wird gewonnen durch Analyse der Entstehungs- und Wirkungsbedingungen des je Besonderen. Gegenstand der Erkenntnis ist alles, was sich begrifflich in seine es bedingenden Elemente zerlegen läßt. Zentralstück der materialist.-mechanist. Anthropologie von H. ist die Lehre von der Unfreiheit des Willens und vom Selbsterhaltungstrieb, der alles menschliche Handeln steuert. Richtungweisend wirkte seine auf dem Naturrecht beruhende Staats- und Gesellschaftstheorie: im Naturzustand sind alle Menschen gleich, mit dem gleichen Recht auf alles ausgestattet; es herrscht der Kampf aller gegen alle (homo homini lupus „der Mensch ist des Menschen Wolf"). Der Rechtsverzicht zugunsten des Staates („Leviathan ...", 1651), auf den alle Gewalt übertragen wird, dient der notwendigen Sicherung des Friedens und der Rechtsgüter; er ist Grundlage des ↑ Gesellschaftsvertrags. – *Weitere Werke:* Über den Bürger (1647), Lehre vom Körper (1655), Über den Menschen (1658).

📖 *Paeschke, R.: Die Deduktion des Staates bei T. H. Ffm. 1989. – Schelsky, H.: T. H. – Eine polit. Lehre. Bln. 1981. – Fiebig, H.: Erkenntnis u. techn. Erzeugung. Hobbes operationale Philosophie der Wiss. Meisenheim 1973.*

Hobby [engl.], Beschäftigung, der man in seiner Freizeit (aus Interesse oder als Ausgleich zur berufl. Tätigkeit) nachgeht; Liebhaberei.

Hobel, Werkzeug zum Ebnen und Glätten (durch Abheben von Spänen) von Holz- oder Metallflächen, auch zur Herstellung bzw. Bearbeitung von Gesimsen, Nuten, Federn und Profilen (Sims-, Nut-, Feder-, Profil- oder Form-H.) Der H. für die Holzbearbeitung besteht aus einer geschliffenen Stahlklinge *(H.stahl, H.eisen, H.messer),* die im sog. *Durchbruch,* einer keilförmigen Öffnung des *H.kastens,* mit einem Holzkeil in schräger Lage so befestigt ist, daß ihre Schneide an der Sohle des H. etwas herausragt und beim Längsbewegen des H. über die Bearbeitungsfläche einen Span abheben kann, der durch den Durchbruch abfließt. Man unterscheidet *Lang-H. (Rauhbank)* für das Abspanen langer, ebener Flächen, *Schrupp-H.* für grobe, *Schlicht-H.* für feinere Bearbeitung. U.a. beim *Putz-H.* (zur sauberen Nachbearbeitung) ist auf dem H.eisen ein zusätzl. Eisen, die *H.eisenklappe (Spanbrecherklappe)* befestigt, die für Abbruch des H.spans sorgt. *H.maschinen* für Holzbearbeitung besitzen H.messerwellen; bei der *Metall-H.maschine* erfolgt das Abheben der Metallspäne durch einen *H.meißel.*

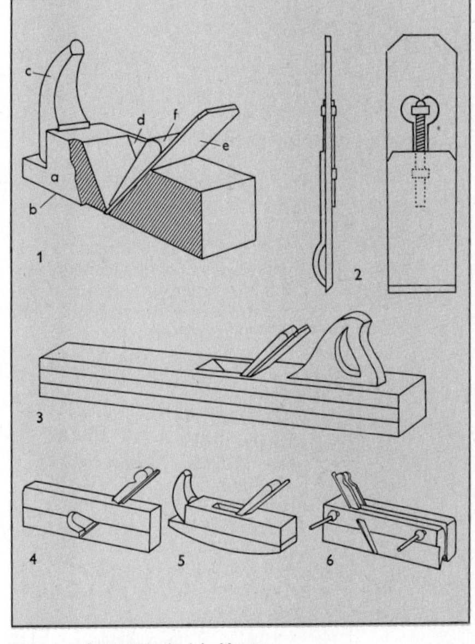

Hobel. 1 Schichthobel (a Kasten, b Bahn, c Nase, d Durchbruch, e Hobelmesser, f Keil), 2 Doppeleisen, 3 Rauhbank, 4 Simshobel, 5 Schiffshobel, 6 Profilhobel

Hobelbank, Arbeitstisch zum Einspannen und Festhalten hölzerner Werkstücke.

Hobhouse, Leonard Trelawney [engl. 'hɔbhaʊs], * Saint Ive (Cornwall) 8. Sept. 1864, † Alençon (Orne) 21. Juni 1929, brit. Philosoph und Soziologe. – Ab 1907 Prof. für Soziologie in London; entwickelte eine soziolog. Evolutionstheorie, nach der sozialer Wandel und Fortschritt durch fehlende Übereinstimmung religiöser, technolog. und institutioneller Gegebenheiten einer Gesellschaft und der daraus entstehenden Konflikte verursacht wird.

Hoboe, veraltet für ↑Oboe.

Hoboken, Anthony van [niederl. 'ho:bo:kə], * Rotterdam 23. März 1887, † Zürich 2. Nov. 1983, niederl. Musikforscher. – Richtete an der Wiener Nationalbibliothek das Archiv für Photogramme musikalischer Meisterhandschriften ein. Veröffentlichte „Joseph Haydn. Thematisch-bibliographisches Werkverzeichnis" (2 Bde., 1957–71; Abk. Hob.).

Hoboken [niederl. 'ho:bo:kə], belg. Ind.-gemeinde in der Agglomeration Antwerpen, 35 000 E. Werften, Erdölraffinerie, Kupfer- und Zinnerzverhüttung.

Hobrecht, Jacob ↑Obrecht, Jacob.

hoc anno, Abk. h.a., lat. „in diesem Jahr".

Hoccleve, Thomas [engl. 'hɔkli:v] ↑Occleve, Thomas.

Hoceima [arab. ɔ'θɛıma] (Hocima, Al H., Homina, span. Alhucemas), Provinzhauptstadt in Marokko, Seebad mit Handels-, Fischerei- und Yachthafen, an der W-Seite der Bucht von H. am Mittelmeer, 40–60 m ü.d.M., 41 700 E (1982). Wärmekraftwerk, ✈. – Die 1926 von den Spaniern als **Villa Sanjurjo** gegr. Stadt ist heute ein internat. Fremdenverkehrszentrum (v.a. Wassersport). Südwestl. vn H. Bleierzbergbau.

hoc est, Abk. h.e., lat. „das ist".

Hoch (barometrisches Hoch), svw. ↑Hochdruckgebiet.

Hochadel ↑Adel.

Hochafrika ↑Afrika.

Hochalemannisch, oberdt. Mundart, ↑deutsche Mundarten.

Hochaltar, mittelalterl., heute noch gebräuchl. Bez. für den Hauptaltar einer kath. Kirche.

Hochamt (lat. missa solemnis), feierl. Form der kath. ↑Messe, als Bischofsmesse **Pontifikalamt** genannt.

Hochätzung (Hochdruckätzung), eine chemigraphisch hergestellte Druckplatte (Strich- oder Rasterätzung) für den Hochdruck.

Hochbahn, im wesentlichen auf Brükkenkonstruktionen geführte Eisen- oder Straßenbahnstrecke v.a. im innerstädt. Verkehr und im Nahverkehrsbereich.

Hochbau, Teilbereich des Bauwesens, der sich mit der Errichtung von Gebäuden befaßt, die im wesentlichen über dem Erdboden liegen.

Hochblätter, Hemmungs- und Umbildungsformen der Laubblätter höherer Pflanzen im oberen Sproßbereich. Typ. Ausbildungsformen der H. sind die ↑Brakteen, Blütenscheiden (z.B. beim Aronstab) und blütenblattähnl. Organe im Blütenbereich (z.B. beim Weihnachtsstern).

Hochburgund ↑Burgund.

Hochdecker, Flugzeug, dessen Tragflächen oberhalb des Rumpfes angeordnet sind. – ↑Schulterdecker.

Hochdeutsch ↑deutsche Sprache.

Hochdorf, Hauptort des Bez. H. im schweizer. Kt. Luzern, 492 m ü.d.M., 6 400 E. Wichtigster Ind.standort im südl. Seetal. – Barocke Kirche (1757–68) mit klassizist. Fassade.

H., Ortsteil von ↑Eberdingen.

Hochdruck, in der *Technik* Bez. für Drücke oberhalb von etwa 10 MPa (100 bar). ◆ ↑Drucken.

Hochdruckätzung, svw. ↑Hochätzung.

Hochdruckausläufer ↑Druckgebilde.

Hochdruckbrücke ↑Druckgebilde.

Hochdruckchemie, Gebiet der Chemie, das sich mit den Stoffumwandlungen bei Drücken oberhalb 10 MPa bzw. als *Höchstdruckchemie* oberhalb 100 MPa befaßt. In der Technik liegt z.Z. die obere Grenze für dauernd wirkende Drücke bei etwa 500 MPa; in Speziallaboratorien können in Volumina bis zu 1 ml 10 000 MPa, punktförmig 50 000 MPa und in Stoßwellen mehr als 100 000 MPa erzeugt werden. Hohe Drücke begünstigen Reaktionen, die unter Volumenminderung ablaufen. Ammoniak (↑Haber-Bosch-Verfahren), Methanol u.a. werden bei 20 bis 30 MPa, Hochdruckpolyäthylen bei 100 bis 200 MPa und synthet. Diamanten bei 5 000 MPa hergestellt. Die Verfahren der ↑Kohlehydrierung arbeiten bis 20–70 MPa. Bei höchsten Drücken verschwinden die Unterschiede zw. den Aggregatzuständen; zwischenmolekulare Kräfte gehen in homöopolare und schließlich in metall. Bindekräfte über; Änderungen der physikal. Eigenschaften, wie Dichte, Härte, Elastizität, Ionisation, elektr. Leitfähigkeit, treten ein. Z.B. wird Stahl unter 1 200 MPa Druck schmiegsam und zähflüssig; unter 4 000 MPa schmilzt Eis bei 220 °C; Schwefel wird bei 40 000 MPa gut elektrisch leitend. Chem. Vorgänge laufen bei höchsten Drücken, z.B. im Erdinneren (etwa 10^5 bis 10^6 MPa) oder in Fixsternen (10^9 bis 10^{18} MPa), anders ab als auf der Erde.

Hochdruckgebiet (Hoch, Antizyklone), Gebiet hohen Luftdrucks mit absinkender Luftbewegung. In den unteren Schichten fließt Luft aus dem H. heraus, zum Ausgleich sinkt Luft aus höheren Schichten ab. Gewöhnlich enden diese Absinkbewegungen an der Obergrenze der ↑Grundschicht, wo sich eine Inversion ausbildet, die im Winter oft so kräftig ist, daß sie durch die Sonneneinstrahlung nicht aufgelöst werden kann; es kommt zu langanhaltendem Nebel oder Hochnebel. Darüber jedoch herrscht wolkenloser Himmel mit oft ausgezeichneter Fernsicht. Im Sommer ist es tagsüber in einem H. entweder wolkenlos oder es bilden sich flache Kumuluswolken unterhalb der Inversion heraus, die sich gegen Abend wieder auflösen. Im Rahmen der allg. atmosphär. Zirkulation liegen *beständige H.* dort, wo Luftmassen absteigen, also in den Subtropen (z. B. das Azorenhoch) oder über den Polargebieten (↑ Atmosphäre, ↑ Druckgebilde).

Hochdruckkeil ↑ Druckgebilde.

Hochdruckkrankheit, svw. Hypertonie (↑ Blutdruck).

Hochdrucklampen ↑ Gasentladungslampe.

Hochdruckphysik, Teilgebiet der Physik, das sich mit dem Verhalten der Materie (z. B. elektr. und therm. Leitfähigkeit, Kompressibilität, Plastizität, Viskosität, Änderung der Kristallstruktur) unter extrem hohen Drücken befaßt.

Hochdruckrücken ↑ Druckgebilde.

Hochenergiephysik, Teilgebiet der Physik, das die Eigenschaften von ↑ Elementarteilchen, ihre Struktur und Wechselwirkung (insbes. ihre Erzeugung und Umwandlung) bei extrem hohen Energien (oberhalb etwa 100 MeV) untersucht. Derartig hohe Energien kommen in der Natur bei Teilchen der ↑ Höhenstrahlung vor. Künstlich werden sie in Teilchenbeschleunigern erzeugt. Bei den Experimenten der H. sind zahlr. Elementarteilchen und kurzlebige Resonanzen entdeckt worden. Die für die H. typ. Nachweisapparaturen sind Blasenkammer, Funkenkammer und vielkomponentige Teleskope aus Tscherenkow-Zählern, Szintillationszählern und Halbleiterdetektoren.

Hochenergieumformen, svw. ↑ Hochgeschwindigkeitsumformen.

Höcherl, Hermann, * Brennberg bei Regensburg 31. März 1912, † Regensburg 18. Mai 1989, dt. Politiker (CSU). – 1953–76 MdB, 1961–65 Bundesinnenmin., 1965–69 Bundesmin. für Ernährung, Landw. und Forsten, seit 1978 wiederholt Vermittler u. a. in Tarifverhandlungen.

Hochfeiler, mit 3 510 m höchster Berg der Zillertaler Alpen, Österreich.

Hochfeistritz, nö. von Klagenfurt gelegene bed. östr. Wallfahrtskirche (1446–91), als (spätgot.) Kirchenburg zum Schutz vor Türken und Ungarn errichtet.

Hochfinanz, Gesamtheit der einflußreichen Bankiers und Finanziers, die über erhebl. wirtsch. und polit. Macht verfügt.

Hochfrequenz, Abk. HF, Bez. für den Bereich der Frequenzen von elektromagnet. Schwingungen bzw. Wellen und von elektr. Wechselströmen, die zw. 10 kHz und 300 MHz liegen, entsprechend einer Wellenlänge zw. 30 km und 1 m.

Hochfrequenzerwärmung, Erwärmung durch Umsetzung der Energie eines hochfrequenten elektromagnet. Wechselfeldes. Elektrisch gut leitende Stoffe, v. a. Metalle, werden durch **induktive Erwärmung** behandelt (Glühen, Härten, Schmelzen, Schweißen), wobei induzierte Wirbelströme das Material erhitzen. Elektrisch nicht oder schlecht leitende Stoffe werden kapazitiv mit Kondensatorfelderwärmung (bei 1 bis 50 MHz) durch **dielektr. Erwärmung** behandelt. – ↑ Mikrowellenerwärmung.

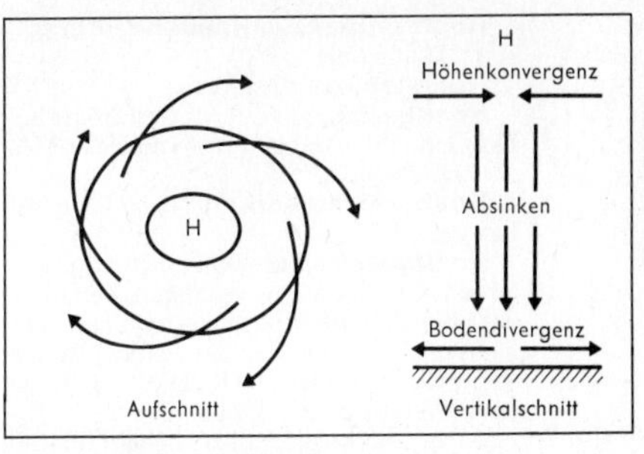

Hochdruckgebiet. Luftzirkulation in einem Hochdruckgebiet

Hochfrequenzhärten ↑ Wärmebehandlung.

Hochfrequenzkinematographie ↑ Hochgeschwindigkeitsphotographie.

Hochfrequenzspektroskopie ↑ Spektroskopie.

Hochfrequenztechnik, Abk. HF-Technik, Bereich der Elektrotechnik (i. e. S. der Informationselektronik), der die Verfahren und Techniken umfaßt, mit denen die Erzeugung, Verstärkung, Modulation, Demodulation, Fortleitung und techn. Anwendung von elektr. Wechselströmen und elektromagnet. Wellen mit Frequenzen aus dem Bereich der Hoch- und Höchstfrequenzen sowie der Mikrowellen möglich ist.

Hochfrequenztransformator, svw. ↑ Tesla-Transformator.

Hochdruckgebiet. Verschiedene Arten von Hochdruckgebieten

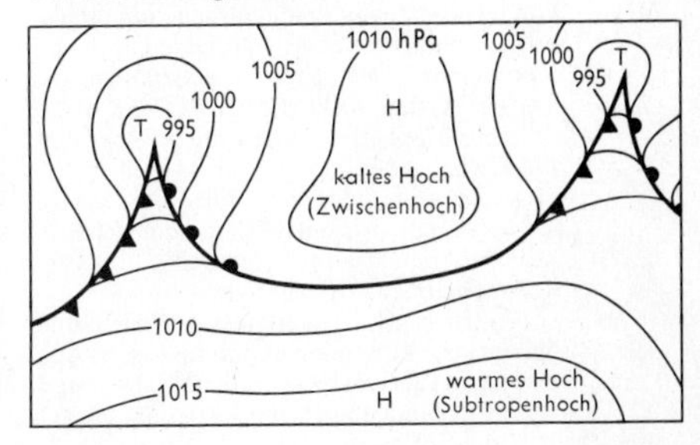

Hochfrequenzwärmebehandlung, svw. ↑Diathermie.

Hochgebirge ↑Gebirge.

Hochgericht, Bez. für 1. Gericht der hohen Gerichtsbarkeit im Früh- und Hoch-MA, 2. Hinrichtungsstätte.

Hochgerichtsbarkeit ↑hohe Gerichtsbarkeit.

Hochgeschwindigkeitsphotographie (High-Speed-Photographie), Verfahren zur photograph. Aufnahme extrem kurzzeitiger Vorgänge oder von Bewegungsabläufen hoher Geschwindigkeit mit Belichtungszeiten in der Größenordnung von 10^{-6} bis 10^{-9} s bzw. mit außerordentlich hoher Bildfrequenz, z. T. bis 2 Bill. Bilder/s **(Hochfrequenzkinematographie).** Derartig kurze Belichtungszeiten lassen sich verwirklichen durch Beleuchtungsanordnungen mit entsprechend kurzer Leuchtzeit (Funkenblitzgeräte, Stroboskope, Röntgen- und Elektronenstrahlimpulse), durch Kameras mit Spezialverschlüssen (Kerr-Zellen-, Faraday-Verschluß-, Bildwandlerkameras) und schließlich speziell für Serienaufnahmen durch hohe Umlaufgeschwindigkeit des Aufnahmematerials (Trommelkamera mit opt. Bildstandausgleich) bzw. Anordnungen mit ruhendem Aufnahmematerial und Drehspiegel **(Drehspiegelkamera).** Noch wesentlich kürzere Belichtungszeiten (10^{-12} s) ermöglicht die Lasertechnik sowie das Arbeiten mit ↑superstrahlendem Licht. Die H. liefert u. a. Aufschlüsse über das Materialverhalten bei hohen Geschwindigkeiten und Beschleunigungen oder bei Beanspruchung durch hochfrequente Schwingungen, ermöglicht in der Ultraschall- (Hochfrequenz-) und Sprengstoffverfahrenstechnik die opt. Untersuchung der Vorgänge u. a.

Hochgeschwindigkeitsumformen (Hochenergieumformen), Umformen von meist Blechteilen, bes. aus schwer umformbaren Werkstoffen (z. B. Titanlegierungen), durch schlagartiges Freisetzen hoher Energie, wodurch sehr große Umformgeschwindigkeiten erzielt werden. Die Energie kann durch Explosion *(Explosivumformen),* elektr. Entladung über eine Spule *(Magnetumformen)* oder Expansion eines verdichteten, nichtbrennbaren Gases *(Expansionsverfahren)* frei werden. Dabei wirkt die Druckwelle direkt über ein Magnetfeld oder indirekt über eine Flüssigkeit oder ein beschleunigtes Werkzeugelement auf das Werkstück ein.

Hochgolling, mit 2 863 m höchster Berg der Niederen Tauern, Österreich.

Hochgott ↑höchstes Wesen.

Hochhaus, [vielgeschossiges] Gebäude, bei dem der Fußboden mindestens eines Aufenthaltsraumes mehr als 22 m über der festgelegten Geländeoberfläche liegt. Für H. gelten – aus Gründen des Brandschutzes – bes. Bauvorschriften. Erst die ↑Stahlskelettbauweise sowie elektr. Aufzüge machten H. möglich. Die frühesten H. entstanden in Chicago seit 1880 (v. a. Verwaltungsbauten), mit ↑Curtain wall (1894) und Glasfassaden (W. Le Baron Jenney, L. Sullivan, D. H. Burnham und J. W. Root; W. Holabird und M. Roche: *Chicagoer Schule*). Es folgten New York und Michigan. Der Chicagoer Sears-Tower mit 110 Stockwerken, 443 m hoch (fertiggestellt 1973) war 1988 der höchste Wolkenkratzer.

Hochhaus. Helmut Jahn, Messeturm in Frankfurt am Main, Modell; Höhe 254 m, 1988 ff.

Hochheim am Main, hess. Stadt 6 km östl. von Mainz, 129 m ü. d. M. 15 400 E. Mittelpunkt des Weinbaugebiets am Untermain; u. a. Sektkellereien. – 754 erstmals erwähnt, seit 1820 amtl. Stadt. – Barocke Pfarrkirche (1730–32); auf dem Plan die Hochheimer Madonna (Sandsteinplastik; 1770).

Hochhuth, Rolf [...hu:t], * Eschwege 1. April 1931, dt. Schriftsteller. – Ausgehend von seiner Grundthese, daß die Geschichte durch das Individuum gestaltbar ist, handeln seine z. T. umstrittenen Stücke von der moral. Verantwortung einzelner Personen im polit. Handlungsraum sowohl während des Nationalsozialismus („Der Stellvertreter", Dr., 1963) als auch in der Gegenwart („Ärztinnen", Dr., 1980). H. greift immer gesellschaftlich brisante Themen auf, so in „Unbefleckte

Empfängnis. Ein Kreidekreis" (Dr., 1988) und „Wessis in Weimar" (Dr., 1992). Er schreibt auch Erzählungen und Essays. – *Weitere Werke:* Krieg und Klassenkrieg (Essays, 1971), Lysistrate und die Nato (Kom., 1973), Tod eines Jägers (Monodrama, 1976), Eine Liebe in Deutschland (E., 1978), Juristen (Dr., 1979), Spitze des Eisbergs (Schriften, 1982), Judith (Trag., 1984), Atlantiknovelle (En. und Ged., 1985), Alan Turing (E., 1987), Täter und Denker (Essays, 1987).

🕮 *Barton, B.: Das Dokumentartheater. Stg. 1987. – R. H. Werk u. Wirkung. Hg. v. R. Wolff. Bonn 1987.*

Ho Chi Minh [hotʃi'mɪn (vietnames. Hô Chi Minh) „der nach Erkenntnis Strebende"], eigtl. Nguyen That Thang, * Kim Liên 19. Mai 1890, † Hanoi 3. Sept. 1969; vietnames. Politiker. – Lebte seit 1915 als Journalist und Photograph in Paris (1920 Teilnehmer am Gründungskongreß der frz. KP); 1924–29 Komintern-Funktionär in Europa und Thailand, 1930 Mitbegr. der KP Indochinas in Hongkong; seit 1934 in der UdSSR, 1940 Rückkehr nach Vietnam; schuf 1941 die Vietminh und führte den Kampf um die Unabhängigkeit Indochinas; seit 1945 Präs. (bis 1955 zugleich Min.präs.) der Demokrat. Republik Vietnam; führte seit 1946 im Kampf gegen Frankreich die Lao-Đông-Partei (Arbeiterpartei) Vietnams; nach der Teilung Vietnams 1954 Staatspräs. von Nord-Vietnam und 1956 Generalsekretär der Lao Đông; er war die treibende Kraft der Wiedervereinigung Vietnams unter kommunistsicher Herrschaft; in den 60er Jahren wurde er zur Symbolfigur des vietnamesischen Kampfes gegen die USA.

Ho-Chi-Minh-Pfad, durch den O (Küstenkette von Annam und Vorland) von S-Laos führendes Wegesystem mit zahlr. Abzweigungen, verbindet das nördl. mit dem südl. Vietnam, z. T. über das nö. Kambodscha (hier *Sihanukpfad* gen.); von nordvietnames. Truppen seit 1956 zur Versorgung ihrer Einheiten in Süd-Vietnam angelegt.

Ho-Chi-Minh-Stadt (Thanh Phô Hô Chi Minh) [bis 1976 Saigon], vietnames. Stadt mit Prov.status (1 845 km²) am N-Rand des Mekongdeltas, 3,56 Mill. E. Sitz des buddhist. Oberhauptes von Vietnam und eines kath. Erzbischofs; zwei Univ., landw. Hochschule, Technikum, archäolog. Inst., bakteriolog. Inst., Kunstakad., Konservatorium; Museum; botan. Garten. – Wichtigstes Ind.zentrum S-Vietnams; Maschinen-, Fahrzeugbau, Werften, chem., Leichtind. Der von Seeschiffen erreichbare und mit dem Mekongdelta verbundene Flußhafen ist der wichtigste Hafen S-Vietnams; Eisenbahnendpunkt. ✈. – Entstand als befestigte Khmersiedlung; im MA **Thi Nai** gen.; geriet im 17. Jh. unter die Herrschaft des südvietnames. Feudalgeschlechts der Nguyen; wurde nach Eroberung durch frz. Truppen (1859) als **Saigon** Sitz des frz. Gouverneurs von Cochinchina, Hauptstadt des frz. Indochina 1887–1902; 1940–45 von jap. Truppen besetzt; 1954–76 Hauptstadt von S-Vietnam. – Europ. Stadtbild durch Bauten im Kolonialstil, Alleen und Parks. Im W befindet sich der 1778 von chin. Einwanderern gegr., 1932 eingemeindete Vorort **Cholon.**

Hochkirch, Gemeinde in der Oberlausitz, Sa., 900 E. Bei H. wurde im Siebenjährigen Krieg (14. Okt. 1758) die preuß. Armee von östr. Truppen geschlagen.

Hochkirche, ↑ anglikanische Kirche.

hochkirchliche Bewegung, Bez. einer in der anglikan. Theologie bereits seit der Reformation Englands lebendigen Strömung mit dem Ziel eines stärkeren Rückgriffs auf kath. Traditionen. Ihren Höhepunkt erreichte die h. B. in der ↑ Oxfordbewegung. Sie griff insbes. auf Deutschland und auf die nord. Länder über und förderte ausdrücklich die ökumen. Bewegung.

Hochkirchliche Vereinigung (seit 1947 „Ev.-ökumen. Vereinigung des Augsburg. Bekenntnisses"), ein im Okt. 1918 erfolgter Zusammenschluß ev. Theologen und Laien, der Ideale der ↑ hochkirchlichen Bewegung Englands aufgriff.

Hochkommissar (Hoher Kommissar), im Völkerrecht übl. Amtsbez. für ein internat. Organ, dem die Staatengemeinschaft die Besorgung spezieller Aufgaben übertragen hat. H. ist i. d. R. eine natürl. Person, z. B. der Hohe Flüchtlingskommissar der UN.

Hochkulturen, Kulturkreise verschiedener histor. Epochen, die einen hohen Stand der Entwicklung erreicht haben. Kennzeichnend sind die hierarschisch geschichtete Sozialverfassung, spezialisierte Berufsgruppen, Urbanität, marktorientierte Wirtschaftsweise, ein Tribut- oder Steuersystem, die Existenz einer Verwaltungsbürokratie, das Vorhandensein einer Schrift oder schriftanaloger Bedeutungsträger, Monumentalbauten u. a. entwickelte künstler. Ausdrucksformen.

Hochland, 1903 von C. Muth begr. kath. Kulturzeitschrift; 1941 eingestellt; Neugründung 1946; abgelöst durch das „Neue Hochland" (1972–74).

Hochland ↑ Flachland.

Hochland der Schotts ↑ Atlas.

Hochlautung, die der Standardsprache (Hochsprache) angemessene normierte Aussprache, im Dt. aus der ↑ Bühnenaussprache hervorgegangen. Die gemäßigte H. wird auch als Standardaussprache oder als Standardlautung bezeichnet.

Hochlichtaufnahme, in der Reproduktionsphotographie Bez. für eine Rasteraufnahme, bei der durch Zusatzbelichtung die Lichter rasterpunktfrei gehalten werden.

Hochmeister ↑Deutscher Orden.

Hochmittelalter ↑Mittelalter.

Hochmoor ↑Moor.

Hochmut, die der ↑Demut entgegengesetzte sittl. Grundhaltung des Menschen, vom Christentum als Ursünde qualifiziert.

Hochnebel ↑Nebel.

Hochofen, Schachtofen zur kontinuierl. Gewinnung von Roheisen (↑Eisen). Der H. (Höhe bis 50 m) besteht aus: 1. *Oberteil (Gicht)* mit Beschickungsöffnung und Verschluß *(Gichtglocke);* 2. *Schacht* (Höhe etwa 30 m) mit Ausmauerung *(Zustellung);* 3. *Kohlensack;* 4. *Rast* (eigtl. Schmelzzone, bis 1 500 °C); 5. *Gestell* mit *Windformen* zum Einblasen von Heißwinden (bis 600 000 m³/h, bis 1 350 °C), *Abstichöffnungen* für Schlacke und Roheisen (bis 1 500 °C). Tagesleistung bis 12 000 t (↑Schmelzöfen).

Hochosterwitz, Burg bei Klagenfurt; im Kern 16. Jh.; mit 14 Torbauten.

Hochpaß ↑Filter.

Hochpolymere ↑Makromoleküle.

Hochpreußisch, mitteldt. Mundart, ↑deutsche Mundarten.

Hochrad ↑Fahrrad.

Hochrechnung, Verfahren der statist. Methodenlehre, das in dem Schluß von einer Stichprobe auf die Grundgesamtheit, der diese Stichprobe entnommen wurde, besteht. Durch H. wird z. B. während der Auszählung der Stimmen nach einer Wahl das Wahlergebnis geschätzt, indem man von den Ergebnissen in einzelnen ausgewählten, möglichst repräsentativen Wahlkreisen auf das Gesamtergebnis schließt.

Hochreligion, nicht eindeutig festgelegte Bez. für die höheren Kulturreligionen, v. a. die Weltreligionen.

Hochrhein ↑Rhein.

Hochrhein-Bodensee, Region in Baden-Württemberg.

Hochsauerlandkreis, Kreis in Nordrhein-Westfalen.

Hochschulassistent, auf Widerruf beamtete wiss. Nachwuchskraft mit Lehraufgaben.

Hochschule für bildende Künste ↑Kunsthochschule.

Hochschule für Musik ↑Musikhochschule.

Hochschule für Wirtschaft und Politik, Fachhochschule in Hamburg (gegr. 1948 als Akad. für Gemeinwirtschaft, später Akad. für Wirtschaft und Politik), getragen von der Stadt Hamburg und dem DGB.

Hochschulen, Einrichtungen im Bereich des Bildungswesens, die Aufgaben in Studium, Lehre und Forschung wahrnehmen und damit der Pflege und Entwicklung von Wiss. und Künsten dienen und auf bes. berufl. Tätigkeiten vorbereiten. Dazu gehören Universitäten, techn. H. bzw. Univ., ↑Gesamthochschulen, ↑pädagogische Hochschulen, H. für Medizin, Tiermedizin und Sport, ↑Kunsthochschulen und ↑Musikhochschulen, ↑kirchliche Hochschulen sowie ↑Fachhochschulen. Die unterschiedl. Formen der Trägerschaft, Aufgabenstellung und Fächerangebote sind in der Entstehungsgeschichte des Bildungswesens begründet.

Recht: H. in Deutschland sind mit wenigen Ausnahmen Körperschaften des öff. Rechts und zugleich staatl. Einrichtungen in der Trägerschaft der einzelnen Bundesländer. Unmittelbare Wirkung für das Hochschulwesen haben die Artikel 5, 12, 73, 74, 91 a und 91 b GG; konkretisierende Regelungen enthalten u. a. die Landesverfassungen, das HochschulrahmenG, die einzelnen LandeshochschulG. In diesem Rahmen haben H. das Recht zur Selbstverwaltung und eigenverantwortl. Gestaltung ihrer Grundordnungen, an der alle Gruppen (Professoren, Hochschulassistenten, wiss. Mitarbeiter wie Lehrbeauftragte und Tutoren, Studenten, techn. und Verwaltungspersonal) mit deutlich unterschiedl. Stimmanteil beteiligt sind. Mit dem ↑Hochschulrahmengesetz von 1976 (inzwischen mehrfach geändert) wurde erstmalig eine bundesrechtl. Grundlage für das Hochschulwesen geschaffen. Entsprechende LandeshochschulG, die u. a. die Organisation der H., Rechte und Pflichten der Organe, die Rechtsstellung der Hochschullehrer und Studenten regeln, wurden in den alten Bundesländern verabschiedet. Das HochschulrahmenG gilt mit notwendigen Überleitungsregelungen auch in den Ländern der ehem. DDR. Innerhalb von drei Jahren nach dem Beitritt zur BR Deutschland sind dort LandeshochschulG zu erlassen; bis zu diesem Zeitpunkt haben Rechtsvorschriften der DDR für das Hochschulwesen als Landesrecht Gültigkeit.

Planung und Statistik: Die Zunahme des Interesses an hochschulbezogenen Ausbildungsgängen (Höherqualifizierung), zudem seit den 70er Jahren der Zustrom der geburtenstarken Jahrgänge haben das Hochschulwesen immer stärker Fragen der Planung (Ausbau) und Finanzierung unterworfen, so daß seit 1970 über die Bund-Länder-Kommission für Bildungsplanung und die Bund-Länder-Gemeinschaftsaufgabe „Neu- und Ausbau von Hochschulen" (Art. 91 a GG) Planung und Finanzierung im Hochschulwesen gemeinsam und überregional vorgenommen werden. *Angaben zur quantitativen Entwicklung:* Innerhalb von 25 Jahren verdreifachte sich der Anteil der Studienanfänger, die Gesamtzahl der Studenten versechsfachte sich (↑Numerus clausus). 1993/94 studier-

Wissenschaftliche Hochschulen in Deutschland
(Auswahl[1]; Stand 1991)

Ort	Gründung	Studierende 1992/93
Universitäten, techn. Hochschulen und techn. Universitäten		
Aachen, TH	1870	37092
Augsburg	1970	14920
Bamberg	(1647) 1972	7947
Bayreuth	1975	8067
Berlin (Humboldt-Univ.)	1809	19344
Berlin (Freie Univ.)	1948	60949
Berlin, TU	1799	37230
Bielefeld	1967	16575
Bochum	1961	38607
Bonn	1786	35586
Braunschweig, TU	1745	17402
Bremen	1971	16405
Chemnitz-Zwickau, TU	1953	5878
Clausthal-Zellerfeld, TU	1775	4068
Cottbus	1969	2006
Darmstadt, TH	1836	17040
Dortmund	1966	22928
Dresden, TU	1828	16866
Düsseldorf	1965	17829
Erfurt[2]	(1379) 1392	551
Erlangen-Nürnberg	1743	27576
Frankfurt am Main	1914	36908
Frankfurt/Oder[2]	1506	460
Freiberg, Bergakademie	1765	1895
Freiburg im Breisgau	1457	23800
Gießen	1607	22485
Göttingen	1734	30876
Greifswald	1456	3778
Halle-Wittenberg	1694	8271
Hamburg	1919	43611
Hamburg-Harburg, TU	1979	2208
Hannover	1831	31351
Heidelberg	1386	29395
Hildesheim	1978	3614
Ilmenau, TH	1953	2591
Jena	1548	7560
Kaiserslautern	1970	9824
Karlsruhe	1825	21782
Kiel	1665	20026
Koblenz-Landau	1969	5791
Köln	1388	50403
Konstanz	1966	10043
Leipzig	1409	14944
Leuna-Merseburg, TH	1954	1316
Lüneburg	1989	5660
Magdeburg, TU	1953	4021
Mainz	1476	28751
Mannheim	1907	12851
Marburg	1527	18603
München	1472	63369
München, TU	1868	21875
Münster	1780	43824
Oldenburg	1974	12366
Osnabrück	1974	13447
Passau	1973	8779
Potsdam[2]	1969	7173
Regensburg	1962	15988
Rostock	1419	8592
Saarbrücken	1948	20376
Stuttgart	1829	20753
Stuttgart-Hohenheim	1818	5674
Trier	1970	10419
Tübingen	1477	26208
Ulm	1967	5945
Würzburg	1582	20784
Gesamthochschulen (mit Promotionsrecht)		
Duisburg	1972	14720
Essen	1972	21539
Hagen (Fernuniv.)	1974	35683
Kassel	1970	16921
Paderborn	1972	16887
Siegen	1972	12879
Wuppertal	1972	17216
Universitäten der Bundeswehr		
Hamburg	1973	2262
München	1973	3071
Hochschulen oder Universitäten einer speziellen Fachrichtung (mit Promotionsrecht)		
Eichstätt, kath. Univ.	1972	3548
Hannover, Medizin. Hochschule	1965	3530
Hannover, Tierärztl. Hochschule	1778	1943
Köln, Sporthochschule	1920	5226
Lübeck, Medizin. Univ.	1964	1471
Magdeburg, Medizin. Fakultät	1993	851
Speyer, Hochschule für Verwaltungswiss.	1947	496
Private Hochschulen		
Koblenz (Vallendar), Wiss. Hochschule für Unternehmensführung	1984	218
Witten-Herdecke, Privat-Univ.	1983	504

[1] ohne Musik-, Kunst- und theolog. Hochschulen. – [2] in Gründung bzw. Wiedergründung begriffen.

ten an den 314 dt. H. rd. 1,86 Mill. Personen (davon 746000, d.h. 46% Frauen), wovon 103000 weibl. und 133000 männl. Studienanfänger waren. 1991 beliefen sich die Ausgaben der H. auf 38,1 Mrd. DM, wobei 23,4 Mrd. DM auf Personal und 4,6 Mrd. DM auf Investitionen entfielen.
Geschichte: Das heutige Hochschulwesen fußt auf den im MA im Geiste des Frühhumanismus entstandenen Univ., Zusammenschlüssen aus privaten Gelehrtenschulen, Kloster- und Domschulen, denen kaiserl. und päpstl. Privilegien, wie Satzungsautonomie, Lehrfreiheit und eigene Gerichtsbarkeit, verliehen wurden: Bologna (1119), Paris (1150), Prag (1348), Wien (1365), Heidelberg (1386), Köln (1388), Erfurt (1392), Leipzig (1409) u.a. Bis ins 18. Jh. hinein wurde die Lehre an den Univ. in zunehmender Erstarrung und Verschulung durch kirchl. Dogmen und religiöse Orientierungen bestimmt. Erst Aufklärung und Einbeziehung der Naturwiss. brachten mit den Neugründungen Halle (1694) und Göttingen (1734/37) neue Impulse: Lehrfreiheit sowie Erfahrung und Experiment als neue wiss. Methoden. Hinter den Universitätsgründungen von Berlin (1809/10), Breslau (1811) und Bonn (1818) und der Reform Wilhelm von Humboldts stand ein Verständnis von Wiss. „als ständigem Prozeß des Mühens um Wahrheitserkenntnis", zu deren Bedingungen die enge Verbindung von Forschung und Lehre, Hochschulautonomie und strikte Trennung von Schule und Univ. gezählt wurden. Im 19. Jh. entstanden auch techn. Spezialschulen, die gegen Ende des Jh. den Stand techn. H. erreicht hatten und um die Jh.wende Promotionsrecht erhielten. Die seit 1926 gegr. pädagog. Akad. zur Lehrerausbildung sind heute i.d.R. in Univ. integriert. Nach dem 2. Weltkrieg wurde an die alten Traditionen von Univ. und Hochschulen angeknüpft und bes. auf die H. der 20er Jahre zurückgegriffen. Seit den 60er Jahren erfolgte ein verstärkter Ausbau der H. und eine umfassende Hochschulreform. – ↑Hochschulpolitik.

🕮 *Das Hochschulwesen in der BR Deutschland. Hg. v. U. Teichler. Weinheim 1990. – Bruch, R. v.: Die dt. Universitäten. Ffm. 1985. – Bildung, Politik u. Gesellschaft. Hg. v. G. Klingenstein u.a. Mchn. 1978.*

Hochschulen der Bundeswehr ↑Universitäten der Bundeswehr.

Hochschulpolitik, Teilbereich der Bildungspolitik mit der Aufgabe, das Hochschulwesen (↑Hochschulen) rechtlich zu regeln; in Deutschland durch Bund und Länder unter Berücksichtigung der nach Artikel 5,3 GG gewährleisteten Freiheit von Wiss., Forschung und Lehre. Die öffentlich diskutierte H. der Länder unter Mitwirkung des Bundes umfaßte seit den 60er Jahren den Aus- und Neubau von Hochschulen, die Eingliederung der Lehrerbildungsstätten und höheren Fachschulen in den Hochschulbereich (↑Fachhochschulen), die Studienreform, die Reform der Lehrkörperstruktur, die Reform des Selbstverwaltungsmodells u.a. Das ↑Hochschulrahmengesetz faßte dann 1976 (1984/85 geändert) die Ergebnisse der Diskussion zu einer Strukturreform zusammen. Eine wichtige Aufgabe der H. in den 90er Jahren ist die Bewältigung der Probleme, die aus der Umstrukturierung der Hochschulen der neuen Bundesländer erwachsen.

🕮 *Dorff, G.: H. u. Hochschulrecht. Kehl 1985. – Bresser, R.: Kausalstrukturen in der H. Ffm. 1982. – Peisert, H./Framhein, G.: Das Hochschulsystem in der BR Deutschland. Stg. 1979.*

Hochschulrahmengesetz, Abk. HRG, Gesetz i.d.F. vom 9. 4. 1987, in dem Rahmenvorschriften über die allg. Grundsätze für das Hochschulwesen der BR Deutschland erlassen wurden. Bestimmungen des Gesetzes sind u.a.: die Aufnahme einer *Regelstudienzeit* (von vier Jahren für die meisten Fächer) in die Prüfungsordnungen (§ 10); die Regelung der Vergabe der Studienplätze in Numerus-clausus-Fächern durch die von den Ländern errichtete Zentralstelle (§ 31); die Stimmenmehrheit für Prof. in allen Gremien mit Entscheidungsbefugnissen in Angelegenheiten, die Forschung, Lehre oder die Berufung von Prof. betreffen (§ 38 Abs. 3); Verpflichtung zum Angebot zeitlich gestufter und aufeinander bezogener Studiengänge (§ 4).

Hochschulreife, Voraussetzung der Einschreibung an einer wiss. Hochschule ist das ↑Abitur (allg. Hochschulreife); dieses kann ersetzt werden durch ein erfolgreiches Studium an einer Fachhochschule oder durch eine *Begabtenprüfung*. Auf Grund von Sonderprüfungen (zweiter Bildungsweg) bzw. in einigen Ländern an bestimmten Schulen kann die fachgebundene H. erworben werden. Für Fachhochschulen ist die Fachhochschulreife ausreichend.

Hochschulrektorenkonferenz, 1991 entstandenes Gremium des freiwilligen Zusammenschlusses von 213 dt. Hochschulen. Die H. soll die gemeinsame Lösung der die Hochschulen betreffenden Probleme fördern, die polit. Öffentlichkeitsarbeit koordinieren und eine Zusammenarbeit mit staatl. Instanzen, Wiss.-, Bildungs- und Hochschulorganisationen und -gremien gewährleisten. Die H. ging aus der 1949 entstandenen **Westdeutschen Rektorenkonferenz** hervor.

Hochsee, Bez. für das offene Meer außerhalb der Küstengewässer.

Hochseefischerei ↑Fischerei.

Hochsommer, der an den von Mai bis Juli dauernden *meteorolog. Sommer* anschließende, ungefähr mit dem Monat August übereinstimmende Zeitraum.

Hochspannung, alle elektr. Spannungen bei Wechselstrom über 1 000 V (Effektivwert) und bei Gleichstrom über 1 500 V. Hohe Wechselspannungen, insbes. für die Stromversorgung, werden mit Wechsel- oder Drehstromgeneratoren (↑Wechselstrommaschinen) erzeugt und danach umgespannt (↑Transformator). In der Praxis übl. H. werden bezeichnet als 1. *Mittelspannung* (6 kV, 10 kV, 20 kV und 30 kV), 2. *Hochspannung* (110 kV, 220 kV und 380 kV) und 3. *Höchstspannung* (500 kV und darüber). Der Gebrauch der Werte ist nicht einheitlich.

Hochspannungsgeneratoren, Dreh- oder Wechselstromgeneratoren, die Spannungen für die allg. Stromversorgung liefern (↑Wechselstrommaschinen). Zu den H. für hohe Gleichspannungen in der Kernphysik (bis mehrere Mill. Volt) zählen Alphatron, Band-, Kaskaden- und Stoßgenerator.

Hochspannungsgleichstromübertragung, Abk. HGÜ, wirtsch. Energieübertragung großer elektr. Leistungen über große Entfernungen mit Freileitungen und Kabeln (z. B. HGÜ-Anlage Cabora Bassa [Sambesi–Johannesburg] über 2 000 MW, etwa 1 350 km Freileitung). Zur Übertragung von Leistung aus einem Drehstromnetz in ein anderes wird die Spannung auf der Erzeugerseite hochtransformiert und gleichgerichtet; ein Gleichstrom fließt zur Verbraucherseite, wo er über Wechselrichter dem zweiten Drehstromnetz als Wirkleistung zugeführt wird. Gleich- und Wechselrichtung erfolgt mit Thyristoren. Vorteile der H. gegenüber der herkömml. Drehstrom-Hochspannungs-Übertragung (DHÜ) sind u. a.: 1. Geringerer Aufwand an Leitermaterial (kein Skineffekt, Rückleitung über Erde möglich). 2. Geringerer Isolationsaufwand für Kabel (keine dielektr. Verluste); ein 400 kV-HGÜ-Kabel entspricht einem 110 kV-DHÜ-Kabel. 3. Auch bei größten Übertragungsentfernungen sind keine Kompensationsmittel erforderlich. 4. Eine HGÜ-Anlage kann nur Wirkleistung übertragen, bei Kurzschluß in einem Drehstromnetz wird keine Kurzschlußleistung aus dem anderen Netz übertragen. 5. Netze mit unterschiedl. Frequenzen können gekoppelt werden (z. B. 16⅔ oder 60 mit 50 Hz). Nachteile der H. sind: hohe Kosten der Stromrichterstationen, hoher Blindleistungsbedarf (etwa 50 % der übertragenen Wirkleistung, muß am Ort der Station aufgebracht werden).

Hochspannungsleitungen ↑Freileitungen.

Hochspannungstechnik, Bereich der *Elektrotechnik,* der die Gesamtheit der Verfahren und Techniken zur Erzeugung, Isolation, Messung, Übertragung u. a. von Hochspannung sowie ihrer Anwendung umfaßt. Das Hauptgebiet der H. ist die Übertragung großer elektr. Leistungen über weite Entfernungen. Weitere Anwendungsbereiche sind Sende- und Elektronenstrahlröhren, insbes. Fernsehbildröhren, ferner Röntgengeräte, Elektronenstrahlmikroskope, Teilchenbeschleuniger, Elektrofilter u. a.
Die in der H. anfallenden Probleme erfordern zu ihrer Lösung die Kenntnis des Verlaufs der elektr. Felder sowie der Eigenschaften der verwendeten Materialien. Zum Aufgabengebiet der H. gehört außerdem die Prüfung von Schaltgeräten, Transformatoren, Isolatoren u. a. auf ihre richtige Bemessung und elektr. Festigkeit.

Hochsprache, svw. ↑Standardsprache.

Hochsprung, leichtathlet. Disziplin, bei der eine Sprunglatte nach einem Anlauf übersprungen werden muß. Heute wird der ↑Fosbury-Flop bevorzugt angewandt, kaum mehr der ↑Rollsprung und der ↑Straddle.

Hochspannungsgleichstromübertragung. Aufbau einer HGÜ-Anlage. A Gleichrichterstation, B Wechselrichterstation, G Glättungsdrosseln, R Widerstand der Gleichstromleitung, P_1 und P_2 zugeführte beziehungsweise übertragene Wirkleistung, Q_1 und Q_2 Blindleistung für Gleich- beziehungsweise Wechselrichterbetrieb, U_1 und U_2 Spannung am Anfang beziehungsweise Ende der Leitung

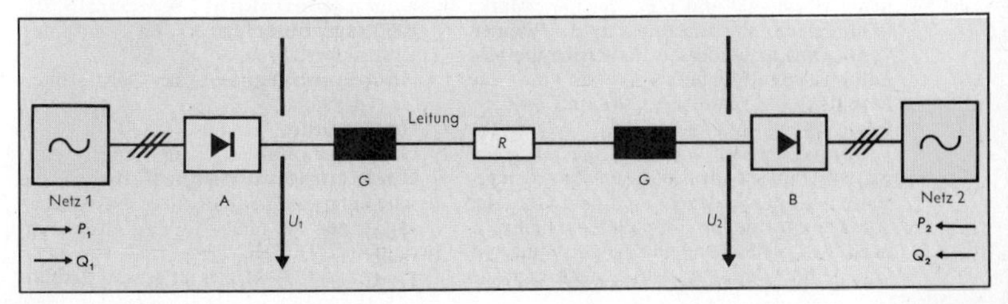

Höchst, seit 1928 Stadtteil von ↑Frankfurt am Main.

Höchstadt a. d. Aisch, Stadt auf der O-Flanke des Steigerwalds, Bay., 273 m ü. d. M., 11 000 E. Fachakad. für Sozialpädagogik, Mittelpunkt der im Aischgrund bed. Teichwirtschaft. – Erstmals um 900 erwähnt. – Spätgot. barockisierte Stadtpfarrkirche (14. Jh.), Schloß (13. und 16. Jh., 1713 von J. Dientzenhofer barockisiert).

Höchstädt a. d. Donau, Stadt am N-Rand des Donaurieds, Bay., 417 m ü. d. M., 4 800 E. Heimatmuseum. Spielwarenherstellung. – Entstanden um eine ehem. Reichsburg; seit 1270 als Stadt bezeichnet. Bekannt v. a. durch zwei Schlachten im Span. Erbfolgekrieg. Am 20. Sept. 1703 siegte das frz.-bayr. über das kaiserl. Heer, am 13. Aug. 1704 das kaiserl. Heer unter Prinz Eugen und das brit. Heer unter Marlborough über Bayern und Franzosen (in der engl. Literatur: Schlacht von *Blenheim* [= Blindheim bei H. a. d. D.]). – Spätgotische Pfarrkirche (15./16. Jh.), Schloß (16. Jh.).

Höchstalemannisch, oberdt. Mundart, ↑deutsche Mundarten.

Hochstapler, jemand, der eine hohe gesellschaftl. Stellung vortäuscht und gewinnreiche Betrügereien verübt.

Hochstaudenflur (Karflur), in Hochgebirgen auf fruchtbaren, feuchten Böden wachsende, üppige Kräuterflur. Charakteristisch für die H. der Alpen sind z. B. Eisenhut- und Alpendostarten, Weißer Germer sowie verschiedene Arten des Frauenmantels.

Höchstdruck, in der *Technik* Bez. für Drücke oberhalb von 100 MPa (1 000 bar).

Höchstdrucklampen (Superhochdrucklampen), Gasentladungslampen mit Gasdrücken über 3MPa; in der Regel Quecksilberdampf- oder Xenonlampen in einem bes. dickwandigen Entladungsgefäß. Die Leuchtdichte beträgt mehr als 10^8 cd · m^{-2}. Die Lichtfarbe ist weiß bis tageslichtähnlich. Anwendungen: Projektionslampen, Scheinwerfer, Leuchtfeuer.

Höchster Porzellan, seit 1750 in der 1746 gegr. Manufaktur in Höchst (= Frankfurt am Main) hergestelltes Porzellan. Berühmt die figürl. Plastik: v. a. von H. S. Feilner, L. Russinger und J. P. Melchior. Marke (mannigfach abgewandelt): Rad (Wappen von Kurmainz, in dessen Besitz sich die Manufaktur seit 1778 befand). 1796 wurde die Manufaktur geschlossen, 1947 und 1966 erfolgten Neugründungen.

höchstes Gut (höchstes Gutes), 1. in der platon. Tradition idealer *Zustand,* der den gesellschaftl. Zuständen je nach dem Grad der Annäherung an ihn ihre Güte verleiht; 2. nach Aristoteles in einer Rangordnung der Güter und Werte ein *Prinzip,* nach dem die Normen des menschl. Handelns zu rechtfertigen sind. In der christl. Philosophie und Theologie ist die Platonische Idee des h. G. zum christl. Gott als dem „summum bonum" uminterpretiert worden.

höchstes Wesen (Hochgott), religionswiss. Bez. eines obersten Himmelsgottes, der Schöpfer der Welt und Herr atmosphär. Erscheinungen ist; gilt als Schicksalsgottheit. ◆ in der Aufklärung und bes. in der Frz. Revolution Ersatz für den christl. Gottesbegriff; mit dem als Auftakt eines neuen Kults eingeführten Fest des h. W. (8. Juni 1794) versuchte Robespierre, die Entchristianisierungskampagne einzudämmen und sein Herrschaftssystem durch eine metaphys. Begründung zu stabilisieren.

Höchstfrequenz, Abk. HHF, Frequenzbereich zw. 300 MHz und 300 GHz bzw. Wellenlängen zw. 1 m und 1 mm.

Hochstift, im Hl. Röm. Reich (bis 1803) bei geistl. Fürsten Bez. für den reichsunmittelbaren Territorialbesitz eines Bischofs; das geistl. Ft. eines Erzbischofs hieß *Erzstift,* das eines geistl. Kurfürsten *Kurstift,* das eines Abtes *Stift.*

Höchstmengenverordnungen, zum Schutz des Verbrauchers vor tox. Stoffen und vor Zusatzstoffen in Lebensmitteln erlassene Rechtsverordnungen, in denen Höchstmengen (Toleranzwerte) von Pflanzenschutzmittel- und Pestizidwirkstoffen, Wachstumsreglern und Schwermetallen festgelegt sind, die in Lebensmitteln vorhanden sein dürfen.

höchstpersönliche Rechte, Rechte, die derart mit der Person des Berechtigten verbunden sind, daß sie weder übertragbar noch vererblich sind (z. B. der Nießbrauch, Mitgliedschaftsrechte in Vereinen).

Höchstpreis, Preis, der auf Grund staatl. Anordnungen (meist aus sozialen oder polit. Gründen) nicht überschritten werden darf.

Hochsträß [...ʃtrɛːs], bis 677 m hohe, hügelige Hochfläche in der südl. Schwäb. Alb.

Hochstraten, Jakob von ↑Hoogstraten, Jacob van.

Höchstspannung ↑Hochspannung.

Höchststufe, svw. Superlativ (↑Komparation).

Höchstwertprinzip ↑Bewertung.

Höchstzahlverfahren ↑d'Hondtsches Höchstzahlverfahren.

Hochtannbergpaß, östr. Paß; ↑Alpenpässe (Übersicht).

Hochtaunus ↑Taunus.

Hochtaunuskreis, Landkr. in Hessen.

Hochtemperatur-Supraleitung, die Erscheinung der ↑Supraleitung an Kupferoxidsystemen bei relativ hohen Sprungtemperaturen T_c. Die H. wurde 1986 von J. G. Bednorz und K. A. Müller an keram. Barium-

Lanthan-Kupferoxid bei $T_c \approx 30$ K entdeckt. 1987 fand man ein Yttrium-Barium-Kupferoxid mit $T_c \approx 90$ K, 1988 entdeckte man Wismut- bzw. Thallium-Kupferoxid mit $T_c \approx 110$ K bzw. 125 K. Gemeinsam ist diesen und weiteren Hochtemperatur-Supraleitern, daß sie Kristallstrukturen besitzen, die zur Ausbildung von CuO_2-Ebenen führen und daß sie sich nahe an einem Übergang aus ihrer metall. und supraleitenden Phase in eine isolierende und antiferromagnet. Phase befinden. Da diese Supraleiter statt mit Helium mit billigerem flüssigem Stickstoff auf 77 K gekühlt werden können, hat ihre Entdeckung möglicherweise weitreichende techn. Konsequenzen, z. B. für elektron. Bauelemente, Generatoren und Motoren, Energiespeicher oder Magnetschwebebahnen.

Hochtemperaturwerkstoffe, thermisch bes. stark belastbare Werkstoffe, die v. a. in der Luft- und Raumfahrt verwendet werden; es wird unterschieden zw.: 1. thermisch widerstandsfähigen Werkstoffen (Metalle, Metallkeramiken, Mischwerkstoffe mit hohen Schmelzpunkten), 2. therm. Absorptionswerkstoffen (Metalle und Metallegierungen mit hohen spezif. Wärmekapazitäten und Wärmeleitzahlen), 3. Schwitzwerkstoffen (mit Verdampfungskühlmitteln gekühlte poröse Werkstoffe), 4. ablativen Werkstoffen (Ablationswerkstoffe, ↑Ablation).

Hochterrasse ↑Terrasse.

Hochtonlautsprecher ↑Lautsprecher.

Hochtouristik [dt./lat.-frz.-engl.], Bez. für Bergtouren oberhalb der Baumgrenze (mindestens 2000 m ü. d. M.) mit Paßübergängen und Besteigungen im weglosen Gelände.

Hochufer, Rand der Flußaue.

Hoch- und Deutschmeister ↑Deutscher Orden.

Hochvakuum ↑Vakuum.

Hochvakuumröhren, Sammelbez. für Elektronenröhren, Röntgenröhren, Photozellen u. a., die bis auf einen Restgasdruck von 10^{-6} Pa evakuiert worden sind und in denen ausschließlich Elektronen die Träger des elektr. Stromes sind.

Hochvakuumtechnik ↑Vakuumtechnik.

Hochverrat, gewaltsamer, vorsätzl. Angriff auf den inneren Bestand oder die verfassungsmäßige Ordnung eines Staates. Nach § 81 StGB wird mit lebenslanger oder mit Freiheitsstrafe nicht unter zehn Jahren bestraft, wer es unternimmt, mit Gewalt oder durch Drohung mit Gewalt 1. den Bestand der BR Deutschland zu beeinträchtigen (**Bestandshochverrat,** z. B. durch Gebietsabtrennung) oder 2. die auf dem Grundgesetz der BR Deutschland beruhende verfassungsmäßige Ordnung zu ändern (**Verfassungshochverrat**). Mit Freiheitsstrafe von einem Jahr bis zu zehn Jahren wird bestraft, wer H. gegen ein Land der BR Deutschland unternimmt. – Das Merkmal *unternehmen* umfaßt Versuch wie Vollendung der Tathandlung. Wegen der Bed. des geschützten Rechtsgutes wird auch die **Vorbereitung eines hochverräter. Unternehmens** (§ 83 StGB) unter Strafe gestellt. – In allen Fällen des H. ist tätige Reue möglich. Ähnl. Strafvorschriften wie in der BR Deutschland bestehen in *Österreich* (§§ 242 ff. StGB) und in der *Schweiz* (Art. 265 StGB).

Hochvolttherapie ↑Strahlentherapie.

Hochwälder, Fritz, * Wien 28. Mai 1911, † Zürich 20. Okt. 1986, östr. Dramatiker. – Emigrierte 1938 in die Schweiz. Seine streng gebauten idealist. Dramen zeigen in der Gestaltung histor. und weltanschaul. Themen eine aktualisierende Tendenz. – *Werke:* Das hl. Experiment (Dr., Uraufführung 1943), Der Unschuldige (Kom., 1949), Der öffentl. Ankläger (Dr., 1954), Die Herberge (Dr., 1956), Der Himbeerpflücker (Dr., 1964), Der Befehl (Dr., 1967), Lazaretti oder der Säbeltiger (Dr., Uraufführung 1975).

Hochwasser, an Küsten der regelmäßige tägl. Hochstand des Wassers bei Flut. ◆ das erhebl. Ansteigen des Wasserstandes bei Flüssen und Seen, bes. nach Schneeschmelze oder starken Regenfällen.

Hochwild, wm. Bez. für das zur hohen Jagd gehörende Wild (u. a. Elch, Rot- und Damhirsch, Schwarzwild, Gemse, Steinbock, Mufflon und Auerhuhn).

Hochwohlgeboren, früher gebräuchl. Höflichkeitsanrede; im 17. Jh. für Angehörige des Hochadels eingeführt, dann auch auf den Niederadel und auf hohe bürgerl. Staatsbeamte übertragen.

Hochwürden (lat. reverendus), heute seltene Anrede und Ehrenbez. für kath. Priester.

Hochzahl, svw. ↑Exponent.

Hochzeit [zu mittelhochdt. hōchgezīt, hōchzīt „hohes Fest, Vermählungsfeier"], Bez. für das Fest der Eheschließung (**grüne Hochzeit**). Als Erinnerungsfest an den Hochzeitstag werden gefeiert die **hölzerne Hochzeit** (nach 5 Jahren), die **silberne Hochzeit** (nach 25 Jahren), die **goldene Hochzeit** (nach 50 Jahren), die **diamantene Hochzeit** (nach 60 Jahren), die **eiserne Hochzeit** (landschaftl. verschieden nach 65, 70 oder 75 Jahren) und die **Gnadenhochzeit** (nach 70 Jahren). Zahlr. Hochzeitsbräuche haben sich bis heute erhalten: der Polterabend als Vorfeier am Abend vor der H.; das Tragen von Brautkleid, -strauß und -schleier; der Ringwechsel; das festl. Essen als Mittelpunkt der H. mit Tischrede und Hochzeitstanz. – Im Zuge von Säkularisierung und Industrialisierung moderner Gesellschaften hat jedoch die H. ihre frühere Bed. als Symbol und Anzeiger für soziale Statusveränderungen der Partner weitgehend verloren.

Hochzeitsflug, Bez. für den Begattungsflug staatenbildender Insekten (z. B. bei Bienen, Ameisen, Termiten).

Hochzeitskleid (Brutkleid, Prachtkleid), Bez. für die Gesamtheit aller durch Hormone gesteuerten auffälligen Bildungen der Körperdecke (z. B. bunte Federn oder Flossen; Hautkämme bei Molchen), wie sie bei den ♂♂ vieler Wirbeltierarten (bes. Fische, Amphibien, Vögel) zur Anlockung von ♀♀ auftreten.

Hocke, Gustav René, * Brüssel 1. März 1908, † Genzano bei Rom 14. Juli 1985, dt. Publizist. – Schrieb „Die Welt als Labyrinth. Manier und Manie in der europ. Kunst" (1957), „Manierismus in der Literatur" (1959), auch Reiseberichte, Essays u. a.

Hockenheim, Stadt im Oberrhein. Tiefland, Bad.-Württ., 100 m ü. d. M., 16 100 E. Motodrom (**Hockenheimring,** 1932; 1980 umgebaut; 7,58 km Länge). – 769 erstmals erwähnt; seit 1895 Stadt. – Kath. Pfarrkirche im Jugendstil.

Höcker, in der Morphologie, Anatomie und Medizin eine kegel- oder buckelartige Erhebung am Körper bzw. an Körperteilen (z. B. bei Kamelen), an Organen (z. B. bei der H.leber) oder Knochen (als Gelenk-H.).

Höckergans ↑ Gänse.

Hockergrab, vorgeschichtl. Bestattungsform (seit dem Jungpaläolithikum), bei der der Tote i. d. R. mit angewinkelten Beinen auf der rechten oder linken Körperseite im Grab liegt, seltener sitzt.

Höckerschmuckschildkröten (Hökkerschildkröten, Graptemys), Gattung der Sumpfschildkröten mit 6 Arten in N-Amerika; Panzerlänge etwa 15–30 cm, mittlere Rückenschilder mit höckerartigen Erhebungen; Panzer und Weichteile mit oft sehr kontrastreicher Linien- und Fleckenzeichnung; beliebte Terrarientiere.

Höckerschwan ↑ Schwäne.

Hockey ['hɔkɪ; engl.], Kampfspiel, bei dem ein Ball möglichst oft in das gegner. Tor zu schlagen ist, während Tore der gegner. Mannschaft verhindert werden sollen. **Feldhockey:** Das *Spielfeld,* meist ein kurzgeschorener Rasenplatz, ist 91,40 m × 55 m groß, an jeder Schmalseite befindet sich ein 3,66 m breites und 2,14 m hohes *Tor,* davor im Abstand von 14,63 m von der Torlinie bzw. den Torpfosten der *Schußkreis. Spielgeräte* sind der unten gebogene, auf einer Seite abgeflachte *H.schläger* (Stock) mit einer Masse von 340 bis 794 g und der aus lederumhülltem Kork und Garngeflecht bestehende *H.ball,* ein Vollball von 22,4 bis 23,5 cm Umfang; er ist 156 bis 163 g schwer. Eine *Mannschaft* besteht aus 11 Spielern (1 Torwart, 10 Feldspieler) und bis zu 3 Auswechselspielern. Die *Spielzeit* beträgt 2 × 35 Minuten (Erwachsene). Der Ball darf nur mit der flachen Seite des Schlägers gespielt werden, der Torschuß nur in dem vor dem Tor markierten Schußkreis erfolgen. Schlagen, Schlenzen, Schieben und Heben bilden die Abspiel- und Torschußtechnik. Körperspiel, Sperren, Rempeln, Wegschieben des Gegners sind nicht gestattet und werden mit Freischlag geahndet. Der Ball darf mit dem Schläger, aber auch mit der Hand gestoppt werden. Das Spiel wird von 2 Schiedsrichtern geleitet. **Hallenhockey:** Das *Spielfeld* ist 40 m × 20 m groß mit Bande an den Längsseiten. Die *Tore* sind 3 m breit und 2 m hoch. Der *Schußkreis* hat einen Radius von 9 m. Eine *Mannschaft* besteht aus 6 Spielern (1 Torwart, 5 Feldspieler). Die *Spieldauer* beträgt 2 × 30 Minuten. Abweichend vom Feld-H. darf der Ball nur geschoben werden.

Hockney, David [engl. 'hɔknɪ], * Bradford (West Yorkshire) 9. Juli 1937, engl. Maler und Graphiker. – Bed. Zeichner und Radierer sowie Maler der engl. Pop-art.

hoc loco, Abk. h.l., lat. (veraltet) „hier, an diesem Ort".

Hoddis, Jakob van, eigtl. Hans Davidsohn, * Berlin 16. Mai 1887, † bei Koblenz 30. April 1942 (auf der Deportation), dt. Schriftsteller. – 1909 Mitbegr. des frühexpressionist. „Neuen Clubs"; Freundschaft mit G. Heym; ab 1912 Anzeichen von Geisteskrankheit, Aufenthalt in Sanatorien. Die größte Wirkung seines schwermütigen, oft iron. Werkes voller visionärer Bilder hatte „Weltende" (gedruckt 1911), eines der berühmtesten expressionist. Gedichte.

Hodegetria [griech. „Wegführerin"], byzantin. Marienbildtypus; die Gottesmutter weist mit der rechten Hand auf Jesus hin, der auf ihrem linken Arm sitzt.

Hodeida ↑ Hudaida, Al.

Hoden [zu althochdt. hodo, eigtl. „das Umhüllende"] (Testis, Orchis), männl. Keimdrüse bei Tieren und beim Menschen, die die männl. Geschlechtszellen (Spermien) produziert und bei Wirbeltieren und Insekten Bildungsort von Hormonen ist.
Bei den Wirbeltieren entsteht der H. dorsal in der Leibeshöhle hängend, in einer Falte des Bauchfells neben der Urnierenanlage. Es kommt zu einer Verbindung *(Urogenitalverbindung)* mit der Urniere oder dem Urnierengang. Die in der H.anlage entstehenden Keimstränge formen sich bei den höheren Wirbeltieren (einschl. Mensch) zu gewundenen *Samenkanälchen* (*H.kanälchen,* Tubuli) um, deren Wand außer den Samenbildungszellen auch noch Nährzellen *(Sertoli-Zellen)* enthält. Im Bindegewebe zw. den Ampullen

bzw. Kanälchen sind die *Leydig-Zwischenzellen* eingelagert, die Speicherfunktion haben und Androgene produzieren. Die Ausführgänge der H. vereinigen sich zum *Samenleiter* (häufig mit Samenblase), der zw. After und Harnröhre, in die Harnblase, die Harnröhre, den After oder in die Kloake münden kann. Bei den meisten Säugetieren verlagert sich der H. nach hinten und wandert *(Descensus testis)* über den Leistenkanal aus der Leibeshöhle in den ↑Hodensack, wo er entweder dauernd verbleibt (z. B. bei Beuteltieren, Wiederkäuern, Pferden, vielen Raubtieren und den Herrentieren, einschl. Mensch) oder aus dem er zw. den Fortpflanzungsperioden wieder in die Bauchhöhle zurückgezogen wird (z. B. bei vielen Nagetieren und Flattertieren). Bei den meisten Wirbeltieren kommt es noch zur Ausbildung eines ↑Nebenhodens.
Beim Menschen haben die beiden eiförmigen H. des erwachsenen Mannes die Größe einer kleinen Pflaume und sind von einer starken Bindegewebskapsel umschlossen; dem H. liegt hinten der Neben-H. an. Vor der Geschlechtsreife ist das Innere des H. durch Scheidewände in etwa 250 pyramidenförmige Fächer *(H.läppchen)* unterteilt. In jedem Läppchen liegen durchschnittlich drei bis etwa 30 cm lange, etwa 0,2 mm dicke, aufgeknäuelte, blind endende H.kanälchen, in deren Wand die Samenbildungszellen sowie die Nährzellen liegen. Die H.kanälchen münden zunächst in einem Hohlraumsystem, dem *Rete testis,* und von dort aus in die ausführenden Kanäle des Nebenhodens.

Hodenbruch (Hodensackbruch, Skrotalhernie), Leistenbruch, bei dem der Bruchinhalt in den Hodensack eingetreten ist.

Hodenentzündung (Orchitis), bakteriell verursachte Anschwellung des Hodens mit schmerzhaftem und meist akut fieberhaftem Verlauf; oft als Begleiterscheinung von Infektionskrankheiten (Mumps, Typhus), auch als Folge von entzündl. Erkrankungen der Nachbarorgane oder von Verletzungen.

Hodensack (Skrotum, Scrotum), hinter dem Penis liegender Hautbeutel bei den meisten Säugetieren (einschl. Mensch). Im H. liegt der paarige Hoden (mit Nebenhoden), getrennt durch eine bindegewebige Scheidewand. Die Verlagerung der Hoden aus der Wärme des Körperinneren in den kühleren Bereich des H. ist bei den betreffenden Lebewesen Voraussetzung für eine normale Spermienbildung.

Hodges, Johnny [engl. 'hɔdʒɪz], eigtl. John Cornelius H., * Cambridge (Mass.) 25. Juli 1906, † New York 11. Mai 1970, amerikan. Jazzmusiker (Altsaxophonist). – Spielte seit 1928 im Orchester Duke Ellingtons. H. gehörte zu den stilbildenden Saxophonisten der Swingepoche.

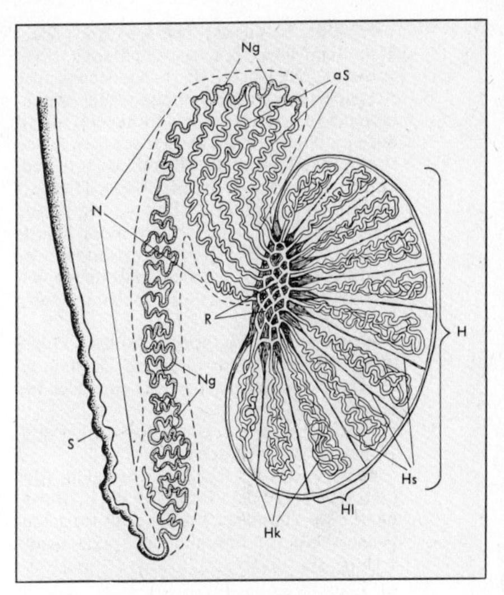

Hoden und Nebenhoden des Menschen. aS ausführende Samenkanälchen, H Hoden, Hk Hodenkanälchen, Hl Hodenläppchen, Hs Hodensepten, N Nebenhoden, Ng Nebenhodengang, R Rete testis, S Samenleiter

Hodgkin [engl. 'hɔdʒkɪn], Sir (seit 1972) Alan Lloyd, * Banbury (Oxfordshire) 5. Nov. 1914, brit. Physiologe. – Prof. in Cambridge; arbeitete (mit A. F. Huxley) hauptsächlich auf dem Gebiet der Erregungsleitung in Nerven und entdeckte den Mechanismus der Entstehung und Weiterleitung der Aktionspotentiale in den Nervenbahnen. 1963 erhielt er mit A. F. Huxley und J. C. Eccles den Nobelpreis für Physiologie oder Medizin.
H., Dorothy Crowfoot, * Kairo 12. Mai 1910, † Shipston-on-Stoor 29. Juli 1994, brit. Chemikerin. – Prof. in Oxford; ermittelte die Molekülstruktur verschiedener Penicillinarten und Vitamine. 1964 erhielt sie für die röntgenograph. Analyse des Vitamins B_{12} den Nobelpreis für Chemie.
H., Howard, * London 6. Aug. 1932, brit. Maler und Graphiker. – H. gestaltet abstrakte Bilder von kolorist. Reichtum, auch Radierungen, Aquatinten und Lithographien.

Hodgkin-Krankheit [engl. 'hɔdʒkɪn; nach dem brit. Internisten T. Hodgkin, * 1798, † 1866], svw. ↑Lymphogranulomatose.

Hödicke, Horst, * Nürnberg 21. Febr. 1938, dt. Maler. – H. wirkte mit seinen neoexpressionist. Bildern anregend auf die Neuen Wilden; schuf auch Zeichnungen, Objekte, Skulpturen und drehte Experimentalfilme.

Hodler, Ferdinand, * Bern 14. März 1853, † Genf 19. Mai 1918, schweizer. Maler. – 1889 entstand „Die Nacht" (Bern, Kunstmuseum), Ausgangspunkt seines monumental aufgefaßten Symbolismus mit verfestigtem Umriß der Gestalten und Landschaftsformen sowie strengem, oft symmetr. Bildaufbau; u. a. bed. Historienmalerei. – *Weitere Werke:* Die Enttäuschten (1891/92), Der Auserwählte (1893/94), Der Tag (1900; alle Bern, Kunstmuseum), Tell (1903; Solothurn, Museum der Stadt), Auszug der Jenenser Studenten in den Freiheitskrieg 1813 (1908/09, Jena, Univ., Freskomalerei).

Hodograph [zu griech. hodós „Weg"] (Geschwindigkeitskurve), graph. Darstellung der Geschwindigkeitsänderung eines sich bewegenden Körpers.

Hodometer [zu griech. hodós „Weg"], Wegmesser, Schrittmesser.

Hodonín (dt. Göding), Stadt in der ČSFR, 55 km sö. von Brünn, 33 300 E. Mittelpunkt des südmähr. Erdöl- und Erdgasreviers; Abbau von Braunkohlen. – 1228 Stadtrecht.

Hodoskop [zu griech. hodós „Weg"], ein räumlich ausgedehntes Detektorsystem der Kernphysik, mit dem die Bahnen von energiereichen Teilchen registriert werden können.

Hödr [...dər] altnord. blinder Gott, der als Sohn Odins gilt. Auf Anstiften Lokis tötet er unwillentlich seinen Bruder Baldr mit einem Mistelzweig, ein Verbrechen, das zum Untergang der Götter führt.

Hodscha, Enver ↑ Hoxha, Enver.

Hodža, Milan [slowak. 'hɔdʒa], * Sučany bei Lučenec 1. Febr. 1878, † Clearwater (Fla.) 27. Juni 1944, tschechoslowak. Politiker. – 1905–18 Abg. des ungar. Reichsrates, 1918–38 des tschechoslowak. Parlaments (Agrarpartei); 1935–38 Min.präs. der ČSR; trat innenpolitisch für einen gemäßigten Zentralismus ein, außenpolitisch für eine föderative Ordnung des Donauraumes. 1939 Emigration in die USA.

Hoech, Hannah [hø:ç], * Gotha 1. Nov. 1889, † Berlin 31. Mai 1978, dt. Malerin und Graphikerin. – Mgl. der Dada-Bewegung in Berlin; Photo- und Materialcollagen, groteske Puppen sowie Ölbilder.

Hoechst AG [hø:çst], eines der größten dt. Chemieunternehmen, gegr. 1863; 1925–45 Teil der ↑ I. G. Farbenindustrie AG, 1951 neu gegr. als *Farbwerke Hoechst AG vormals Meister Lucius & Brüning,* seit 1974 jetziger Name; Sitz Frankfurt am Main. Die H. AG ist ein bedeutender Produzent von Arzneimitteln sowie Kunststoffen, Farben, Lacken, Chemiefasern, Düngemitteln u. a. Produkten und ist auf den Gebieten des Anlagenbaues und der Schweißtechnik tätig.

Hoeflich, Eugen ['hø:flıç], israel. Schriftsteller östr. Herkunft, ↑ Ben-Gavriêl, Moscheh Ya'akov.

Hoeger, Fritz ↑ Höger, Fritz.

Hoegner, Wilhelm ['hø:gnər], * München 23. Sept. 1887, † ebd. 5. März 1980, dt. Jurist und Politiker (SPD). – 1924–32 und 1946–70 MdL in Bayern, 1930–33 MdR, 1933–45 im Exil; nach 1945 in Bayern; im Mai 1945 bayr. Justizmin., 1945/46 Min.präs., 1947 stellv. Min.präs. und Justizmin., 1948–50 Generalstaatsanwalt, 1950–54 Innenmin., 1954–57 Min.präs., 1957–62 Fraktionsvors. der SPD.

Hoehme, Gerhard ['hø:mə], * Greppin 5. Febr. 1920, † Neuss 28. Juni 1989, dt. Maler. – 1952/53 Mitbegr. des Tachismus; später auch Objektkunst.

Hoei [niederl. hu:i̯] ↑ Huy.

Hoeksche Waard [niederl. 'hu:ksə 'wa:rt], niederl. Insel im Rhein-Maas-Delta, 276 km^2, 76 400 E; Landw., die auf den Markt von Rotterdam ausgerichtet ist.

Hoek van Holland [niederl. 'hu:k fɑn 'hɔlɑnt] ↑ Rotterdam.

Hoel, Sigurd [norweg. hu:l], * Nord-Odal (Hedmark) 14. Dez. 1890, † Oslo 14. Okt. 1960, norweg. Schriftsteller. – Von S. Freud beeinflußter Dramatiker und Erzähler; seine pessimist., erot. Romane wie „Sünder am Meer" (1927), „Ein Tag im Oktober" (1932) waren Satiren gegen das norweg. Bürgertum.

Hoelscher, Ludwig ['hœlʃər], * Solingen 23. Aug. 1907, dt. Violoncellist. – Konzertierte seit 1931 (oft zus. mit E. Ney bzw. mit deren Trio) in den internat. Musikzentren. Bed. Interpret v. a. J. S. Bachs und zeitgenöss. Musik.

Hoelz (Hölz), Max [hœlts], * Moritz bei Riesa 14. Okt. 1889, † bei Gorki (= Nischni Nowgorod) 15. Sept. 1933 (ertrunken), dt. Politiker. – 1918 Mgl. der USPD, 1919 der KPD; Führer bewaffneter Arbeiterabteilungen im Vogtland (März 1920) und im Mansfelder Gebiet (März 1921); 1921 zu lebenslängl. Gefängnisstrafe verurteilt, 1928 freigelassen. 1929 Übersiedlung in die UdSSR; die Umstände seines Todes sind ungeklärt.

Hoelzel (Hölzel), Adolf ['hœltsəl], * Olmütz 13. Mai 1853, † Stuttgart 17. Okt. 1934, dt. Maler. – Gründete 1891 die Dachauer Malerschule in Neu-Dachau (Freilichtmalerei), lehrte 1906–18 in Stuttgart. H. setzte sich praktisch und theoretisch mit den Problemen der Farbentheorie auseinander; einer der Begründer der abstrakten Malerei. Auch Glasbilder, Pastellmalerei in leuchtenden Farben.

Hoensbroek [niederl. 'hu:nzbru:k], ehem. selbständige Gem. in der niederl. Prov. Limburg, 1982 nach ↑ Heerlen eingemeindet. – Reste röm. Häuser; spätgot. alte Pfarrkirche (etwa 1400), Wasserschloß (14. und 17. Jh.).

Hoepner, Erich ['hœpnər], * Frankfurt/Oder 14. Sept. 1886, † Berlin 8. Aug. 1944, dt. Generaloberst. - 1941 Kommandeur einer Panzergruppe im Ostfeldzug, Anfang 1942 abgesetzt; wegen Teilnahme an der Verschwörung des 20. Juli 1944 zum Tode verurteilt und hingerichtet.

Hoerschelmann, Fred von ['hœr...], * Haapsalu (Estland) 16. Nov. 1901, † Tübingen 2. Juli 1976, dt. Schriftsteller. - Verfaßte Hörspiele wie „Das Schiff Esperanza" (1953), „Die blaue Küste" (1970), Dramen und Erzählungen mit Themen aus Geschichte und Gegenwart.

Hoesch AG [hœʃ], dt. Holdinggesellschaft der Montanind., umfaßt u. a. die Bereiche Stahlerzeugung und -veredelung, Maschinen- und Anlagenbau, Elektronik; Sitz Dortmund, gegr. 1871, heutiger Name seit 1938; 1946/47 Demontage und Entflechtung, 1950 Liquidation; Neugründung 1952, seit 1959 wieder Firmenbez. „H. AG"; 1966 Zusammenschluß mit der „Dortmund-Hörder Hüttenunion AG" (DHHU); 1972 Gründung der Zentralgesellschaft **ESTEL NV** (Sitz Nimwegen), an der sie und die Koninklijke Nederlandsche Hoogovens en Staalfabrieken NV zu je 50% beteiligt sind. 1992 Fusion mit dem Krupp-Konzern.

Hoetger, Bernhard ['hœtgər], * Hörde (= Dortmund) 4. Mai 1874, † Unterseen 18. Juli 1949, dt. Bildhauer. - 1910 an die Künstlerkolonie nach Darmstadt berufen, neben Bauplastik v. a. expressive Kleinplastik mit oriental. Motiven.

Hoetzsch, Otto [hœtʃ], * Leipzig 14. Febr. 1876, † Berlin 27. Aug. 1946, dt. Historiker und Politiker. - 1906 Prof. für osteurop. Geschichte in Posen, 1913 in Berlin (1935 zwangsemeritiert); 1920-30 MdL in Preußen und MdR, bis 1929 für die DNVP, danach für die Volkskonservative Vereinigung; zahlr. Arbeiten über Rußland und Osteuropa.

Hof, Stadt an der oberen Saale, Bay., 497 m ü. d. M., 51 100 E. Verwaltungssitz des Landkr. H.; Museum. Wichtigste Wirtschaftszweige sind die Textilind. und Brauereien. ✈ H.-Pirk. - Ersterwähnung 1214, Sitz des Reichsvogts im Regnitzland; kam 1373 an die Burggrafen von Nürnberg, 1810 an Bayern. - 1823 wurde der histor. Baubestand durch Brand stark zerstört. Die Spitalkirche (im Kern 14. Jh.) erhielt 1688/89 die barocke Kassettendecke, Rathaus (1563-66).

H., Landkr. in Bayern.

Hof, abgeschlossener Raum hinter dem Haus bzw. zw. Gebäuden; z. T. als Wohnteil gestaltet (Innenhof, † Atrium, † Patio).

◆ svw. † Gehöft.

◆ (Curia) Bez. für die Haushaltung der Fürsten und ihrer Fam. sowie für die fürstl. Residenz. Der H. stellte das Machtzentrum des beherrschten Gebiets dar und wanderte in der Frühzeit mit dem Herrscher von Ort zu Ort, bis er vom Spät-MA an mit festen Residenzen verbunden blieb; entwickelte sich zu einem Verwaltungs- und Herrschaftsapparat, aus dem die meisten modernen Staatsbehörden hervorgegangen sind. Die Gesamtheit der im H.dienst Stehenden war als **Hofstaat** in eine strenge Rangordnung gegliedert. Im 15. Jh. wurde der frz. H. zum Vorbild für das übrige Europa.

◆ † Aureole.

Hofämter, Bez. für die schon z. Z. der fränk. Herrscher bestehenden vier altgerman. Hausämter Truchseß (Dapifer), Marschall, Kämmerer, Schenk. Seit Otto I. wurden sie von den höchsten Reichsfürsten ausgeübt und wandelten sich zu erbl. Ehrenämtern († Erzämter). In Frankreich traten seit dem 14. Jh. an die Stelle der seit dem 12. Jh. nicht mehr besetzten H. die vom König ernannten und abhängigen *Grands officiers,* u. a. *Grand maître de France* (Seneschall, Truchseß), *Connétable* (Konnetabel) und *Grand écuyer de France* (Marschall), *Grand chambellan* (Kämmerer) und *Grand bouteiller* (Schenk); im Verlauf der Frz. Revolution abgeschafft.

Hofbauer, Klemens Maria (Taufname: Johannes), hl., * Taßwitz (= Tasovice, Südmähr. Gebiet) 26. Dez. 1751, † Wien 15. März 1820, östr. Redemptorist. - Von großem Einfluß als Prediger und Seelsorger, bes. auf die Romantiker (F. Schlegel, C. Brentano, J. von Eichendorff [„H.-Kreis"]). - Fest: 15. März.

Hofbräuhaus, Brauhaus und Bierausschank in München, gegr. 1589. Seit 1614 wird nach dem Vorbild des Einbecker Biers „Einbock" („Bock", „Maibock") gebraut.

Hofdichtung, Sammelbez. für Dichtungen, die Normen höf. Standes- und Lebensideale und monarch. Herrschaftsstrukturen repräsentieren und propagieren oder Herrschergestalten verherrlichen.

Hofeffekt, svw. † Haloeffekt.

Hofei † Hefei.

Höfeordnungen † Anerbenrecht.

Hofer, Andreas, * Sankt Leonhard in Passeier 22. Nov. 1767, † Mantua 20. Febr. 1810 (erschossen), Tiroler Freiheitskämpfer. - Der Gastwirt „am Sande" („Sandwirt von Passeier") leitete 1809 mit P. J. Haspinger, P. Mayr und J. Speckbacher den Tiroler Freiheitskampf. Nach Siegen am Berg Isel über die Bayern (25. und 29. Mai) und Franzosen (13. Aug. 1809) wurde H. Regent von Tirol. Als im Frieden von Schönbrunn (14. Okt.) Österreich auf Tirol verzichten mußte, setzte H. den Kampf fort. Durch Verrat wurde er von den Franzosen aufgespürt und hingerichtet.

H., Karl, * Karlsruhe 11. Okt. 1878, † Berlin 3. April 1955, dt. Maler und Graphiker. -

1919–36 Prof. an der Berliner Kunstakad., deren Direktor er 1945 wurde; beeinflußt von H. von Marées und Cézanne; stark konturierte Figurenbilder, Stilleben und Landschaften (aus dem Tessin). – *Werke:* Maskerade (1922; Köln, Museum Ludwig), Freundinnen (1923/24; Hamburg, Kunsthalle), Die schwarzen Zimmer (1928, verbrannt, Zweitfassung 1943; Berlin, neue Nationalgalerie), Lunares (1953; Karlsruhe, Kunsthalle).

Höfer, Josef, * Weidenau (= Siegen) 15. Nov. 1896, † Grafschaft (= Schmallenberg [Hochsauerland]) 7. April 1976, dt. kath. Theologe. – 1954–67 Botschaftsrat an der dt. Botschaft beim Vatikan. Mithg. des „Lexikons für Theologie und Kirche" (14 Bde., ²1957–68).

Hoff, Ferdinand, * Kiel 19. April 1896, † Neukirchen (Schwalm-Eder-Kr.) 23. März 1988, dt. Internist. – Prof. in Würzburg, Graz und Frankfurt am Main. H. ist bes. durch Arbeiten auf dem Gebiet der vegetativen Regulationen und der inneren Sekretion hervorgetreten; machte auf die Gefahren des Arzneimittelmißbrauchs aufmerksam.

H., Jacobus Henricus van't, * Rotterdam 30. Aug. 1852, † Berlin 1. März 1911, niederl. Physikochemiker. – Prof. in Amsterdam und Berlin. Veröffentlichte 1874 Vorstellungen zur räuml. Ausrichtung der Kohlenstoffvalenzen und war damit Mitbegr. der Stereochemie. Außerdem fand er die Gesetzmäßigkeiten des chem. Gleichgewichts und stellte die **Van-'t-Hoff-Regel** (Reaktionsgeschwindigkeit-Temperatur-Regel, RGT-Regel) auf. Sie besagt, daß bei einer Temperaturerhöhung um 10 °C die Reaktionsgeschwindigkeit auf das Doppelte bis Dreifache ansteigt. Für die Entdeckung, daß für in stark verdünnter Lösung vorliegende Stoffe die Gasgesetze gelten (u. a. für den osmot. Druck die Zustandsgleichung idealer Gase), erhielt er 1901 den ersten Nobelpreis für Chemie. – Zum Van-'t-Hoff-Gesetz ↑ Osmose.

H., Karl von, * Gotha 1. Nov. 1771, † ebd. 24. Mai 1837, dt. Geologe. – Direktor der wiss. und Kunstsammlungen in Gotha, verhalf dem ↑ Aktualismus zum Durchbruch.

Hoffahrt, im Lehnswesen die Verpflichtung des Lehnsträgers zu regelmäßigem Besuch des lehnsherrl. Hofes.

Hoffaktor, Bez. für den seit dem 14. Jh. bekannten Hofjuden; v. a. für die Erledigung wirtschaftl. Aufgaben zuständig, nach dem Dreißigjährigen Krieg bes. als Hofbankier; seit Mitte des 16. Jh. häufig Erhebung in den Adelsstand (z. B. die Fam. Rothschild).

Hoffman, Dustin [engl. 'hɔfmæn], * Los Angeles 8. Aug. 1937, amerikan. Filmschauspieler. – Seine schauspieler. Wandlungsfähigkeit wurde deutlich in „Die Reifeprüfung" (1967), „Little Big Man" (1971), „Papillon" (1973), „Die Unbestechlichen" (1976), „Tootsie" (1982), „Rainman" (1989), „Ein ganz normaler Held" (1991/92).

Karl Hofer. Maskerade; 1922 (Köln, Museum Ludwig)

H., Melchior ['- -], * Schwäbisch Hall um 1490, † Straßburg 1543, dt. Täufer. – Wirkte seit 1523 v. a. in Norddeutschland für die Reformation, überwarf sich aber wegen seiner spiritualist. Sakramentenlehre und apokalypt. Enderwartung mit Luther; wollte in Straßburg (seit 1533) in Gefangenschaft das Tausendjährige Reich erwarten; daraufhin errichteten seine Anhänger (Melchioriten) 1534/35 das Täuferreich in Münster (Westf.).

Hoffmann, Arthur, * Sankt Gallen 18. Juni 1857, † ebd. 23. Juli 1927, schweizer. Politiker. – Jurist; 1886–91 als Liberaler im Großen Rat von Sankt Gallen, 1896–1911 im Ständerat, 1911–17 im Bundesrat; 1914 Bundespräs.; scheiterte im Juni 1917 als Vermittler zw. Rußland und Deutschland (Rücktritt).

H., August Heinrich ↑ Hoffmann von Fallersleben, August Heinrich.

H., Christoph, * Leonberg 2. Dez. 1815, † Jerusalem 8. Dez. 1885, dt. Pietist. – Begründete die Gemeinde der Jerusalemsfreunde (später ↑ Tempelgesellschaft genannt).

H., Elisabeth, dt. Dichterin, ↑ Langgässer, Elisabeth.

H., Ernst Theodor Amadeus, eigtl. E. T. Wilhelm H., * Königsberg (Pr) 24. Jan. 1776, † Berlin 25. Juni 1822, dt. Dichter, Komponist, Zeichner und Maler. – Jurist; seit 1800 im preuß. Staatsdienst in Posen. Hier entwickelten sich Züge seiner exzentr., innerlich zerrissenen Persönlichkeit, die bei vielen Gestalten seiner literar. Werke wiederkehren: Übersensibilität sowie ein bizarres, launenhaftes und phantast. Verhalten. Seine schonungslosen Karikaturen der kleinstädt. Philisterwelt führten zur Strafversetzung nach Płock. 1804–06 Regierungsrat in Warschau; danach stellungslos; ab 1808 in Bamberg als Theaterkapellmeister, Musikkritiker, Direktionsgehilfe, Komponist (zahlr. Opern, u.a. „Undine", 1816; Sinfonien, Kammermusik, Singspiele) und Bühnenbildner; ging 1813 als Musikdirektor einer Theatertruppe nach Dresden und Leipzig; ab 1814 wieder im Staatsdienst (1816 Ernennung zum Kammergerichtsrat). Realist. Alltagswelt und spukhafte Geisterwelt stehen in seinen Novellen, Erzählungen und Märchen nebeneinander und gehen unvermittelt ineinander über. Bewußtseinsspaltung und Doppelgängertum spielen in seinen Werken eine bed. Rolle, wie etwa in dem Roman „Die Elixiere des Teufels" (2 Bde., 1815/16). Zwei grundverschiedene Handlungsabläufe überschneiden sich in den „Lebensansichten des Katers Murr..." (R.-Fragment, 2 Bde., 1819–21): die Memoiren des Kapellmeisters Johannes Kreisler (ein übersteigertes Selbstporträt) und die Betrachtung seines schreibkundigen Katers, eine humorist. Relativierung von bürgerl. und romant. Künstlerwelt. Sein exemplar. phantast. Realismus hatte großen Einfluß auf die europ. Literatur (u.a. auf Balzac, Dickens, Baudelaire, Poe, Kafka). – *Weitere Werke:* Nachtstücke (En., 2 Bde., 1817), Seltsame Leiden eines Theaterdirektors (En., 1819), Die Serapionsbrüder (Erzählzyklus mit Rahmenhandlung, 4 Bde., 1819–21), Meister Floh (Märchendichtung, 1820).

📖 *Feldges, B./Stadler, U.: E. T. A. H. Epoche – Werk – Wirkung. Mchn. 1986. – Safranski, R.: E. T. A. H. – Das Leben eines skept. Phantasten. Mchn. 1984.*

H., Heinrich, * Frankfurt am Main 13. Juni 1809, † ebd. 20. Sept. 1894, dt. Schriftsteller. – Arzt und 1851–88 Direktor der städt. Nervenheilanstalt in Frankfurt am Main, an der er als erster eine bes. Abteilung für psychisch abnorme Kinder einrichtete. Bekannt durch seine selbstillustrierten Kinderbücher; weltberühmt wurde „Der Struwwelpeter" (1845).

H., Hermann (seit 1921 H.-Völkersamb), * Straßburg 10. Jan. 1875, † Kiel 20. Sept. 1955, dt. Jugendführer. – Begründer des dt. ↑ Wandervogels.

H., Johannes, * Landsweiler-Reden (= Schiffweiler) 23. Dez. 1890, † Völklingen 21. Sept. 1967, dt. Politiker. – 1935–45 im Ausland; 1945 Mitbegr. und bis 1956 Vors. der Christl. Volkspartei des Saargebiets, 1947–55 Min.-präs.; verfolgte die polit. Autonomie und Europäisierung des Saargebiets bei wirtsch. Anschluß an Frankreich und trat für das Saarstatut ein.

H., Josef, * Pirnitz (= Brtnice, Südmähr. Gebiet) 15. Dez. 1870, † Wien 7. Mai 1956, östr. Architekt. – Begr. 1903 (als Prof. für Architektur an der Wiener Kunstgewerbeschule) die ↑ Wiener Werkstätten. Baute Hauptwerke des Jugendstils (Sanatorium Purkersdorf bei Wien, 1904; Palais Stoclet, Brüssel, 1905–11).

H., Jutta, * Halle/Saale 3. März 1941, dt. Schauspielerin. – Gehörte zu den ausdrucksstärksten und wandlungsfähigsten Bühnen- und Filmdarstellerinnen der DDR, die sie Mitte der 1980er Jahre verlassen mußte. Spielte 1985 u.a. unter P. Zadek in Hamburg. – *Filme:* Solange Leben in mir ist (1965), Der Dritte (1972), Lotte in Weimar (1975, nach T. Mann), Geschlossene Gesellschaft (1978).

H., Kurt, * Freiburg im Breisgau 12. Nov. 1910, dt. Filmregisseur. – Einer der bekanntesten Regisseure des dt. Unterhaltungsfilms; v.a. „Quax der Bruchpilot" (1941), „Ich denke oft an Piroschka" (1955), „Bekenntnisse des Hochstaplers Felix Krull" (1957), „Das Wirtshaus im Spessart" (1957), „Wir Wunderkinder" (1958), „Die Ehe des Herrn Mississippi" (1961).

H., Ludwig, * Darmstadt 30. Juli 1852, † Berlin 11. Nov. 1932, dt. Architekt. – Vertreter des Historismus; baute das Reichsgericht in Leipzig (1887–95) und 1896–1924 als Stadtbaurat in Berlin das Rudolf-Virchow-Krankenhaus (1899–1906), Märkisches Museum (1901–07), Stadthaus (1902–11).

H., Reinhild, * Sorau (Lausitz) 1. Nov. 1943, dt. Tänzerin, Choreographin und Ballettdirektorin. – Übernahm 1978 mit G. Bohner (bis 1981) die Leitung des Bremer Balletts, seit 1986 Leiterin des Tanztheaters Bochum. Ihre ausdrucksstarken Tanzstücke haben häufig eine speziell weibl. Thematik zum Inhalt; u.a. „Hochzeit" (1980), „Callas" (1983), „Föhn" (1985), „Ich schenk mein Herz" (1989).

H., Roald, * Złoczew 18. Juli 1937, amerikan. Chemiker poln. Herkunft. – Entdeckte 1965 zus. mit R. B. ↑ Woodward den Zusammenhang zw. Molekülsymmetrie und dem Ablauf bestimmter organ.-chem. Reaktionen, die er später als Woodward-Hoffmann-Regeln von der „Erhaltung der Orbitalsymmetrie" formulierte. Erhielt dafür zus. mit Kenichi Fukui 1981 den Nobelpreis für Chemie.

Hoffmann-Krayer, Eduard, * Basel 5. Dez. 1864, † ebd. 28. Nov. 1936, schweizer. Germanist und Volkskundler. – Ab 1900 Prof. in Basel; Gründer der „Schweizer. Gesellschaft für Volkskunde".

Hoffmann-La Roche & Co. AG, F. [frz. la'rɔʃ], einer der größten Pharmakonzerne der Erde, Sitz Basel, gegr. 1896.

Hoffmannstropfen [nach dem dt. Arzt und Chemiker F. Hoffmann, * 1660, † 1742]

(Spiritus aethereus), Gemisch aus drei Teilen Alkohol und einem Teil Äther. H. haben eine leichte zentral erregende und daher belebende Wirkung.

Hoffmann und Campe, Verlag ↑ Verlage (Übersicht).

Hoffmann von Fallersleben, August Heinrich, eigtl. A. H. Hoffmann, * Fallersleben bei Braunschweig 2. April 1798, † Schloß Corvey (Westfalen) 19. Jan. 1874, dt. Germanist und Lyriker. – 1830 Prof. für dt. Sprache und Literatur in Breslau; wegen seiner nationalliberalen Haltung, die in den „Unpolit. Liedern" (2 Bde., 1840/41) bezeugt ist, 1842 seines Amtes enthoben und des Landes verwiesen; 1848 rehabilitiert; ab 1860 Bibliothekar des Herzogs von Ratibor in Corvey; schrieb 1841 auf Helgoland das „Deutschlandlied". Neben polit. Lyrik auch Kinderlieder („Alle Vögel sind schon da" u. a.). Entdeckte die Fragmente von Otfrids Evangelienbuch und das „Ludwigslied".

Hoffmanowa, Klementyna [poln. xɔfma'nɔva], geb. Tański, * Warschau 23. Nov. 1798, † bei Paris 21. Sept. 1845, poln. Schriftstellerin. – Begründerin der poln. Kinder- und Jugendliteratur.

Hoffmeister, Johannes, * Heldrungen 17. Dez. 1907, † Bonn 19. Okt. 1955, dt. Germanist und Philosoph. – 1948 Prof. in Bonn. Bed. Beiträge zu Problemen der Geistesgeschichte der Goethezeit und der Hegelforschung, u. a. „Goethe und der dt. Idealismus" (1932), „Dokumente zu Hegels Entwicklung" (1936).

Höffner, Joseph, * Horhausen (Westerwald) 24. Dez. 1906, † Köln 16. Okt. 1987, dt. kath. Theologe. – 1951–62 Prof. in Münster, gründete ebd. 1951 das „Institut für christl. Sozialwissenschaft". 1962–69 Bischof von Münster, seit 1969 Erzbischof von Köln und Kardinal; seit 1976 Vors. der Dt. Bischofskonferenz.

Hoffnung, Gerard, * Berlin 22. März 1925, † London 28. Sept. 1959, brit. Karikaturist und Musiker dt. Herkunft. – Wurde v. a. mit Karikaturen des brit. Musiklebens bekannt; nach seinen Karikaturen 1956, 1958 und 1959 groteske *H. Music Festivals.*

Hoffnung, allg. die auf Erfüllung eines Wunsches gerichtete Erwartung. – Bei Aristoteles war H. der Furcht entgegengesetzt. Im A. T. beschreibt H. die Heilserwartung und das Vertrauen, die aus der Verheißung Jahwes an sein Volk erwachsen, im N. T. das Vertrauen auf Gott in der Verkündigung seines kommenden Reiches, gebunden an Person und Werk Jesu Christi (↑ Eschatologie). Für Kant gründete sich die H. auf Glückseligkeit und vollendete Sittlichkeit auf die Existenz Gottes, die Unsterblichkeit der Seele und die Freiheit des menschl. Willens. Im 20. Jh. wird H. im philosoph. Rahmen v. a. bei E. Bloch („Das Prinzip H.") und in der neueren Theologie z. B. von J. Moltmann („Theologie der H.") behandelt.

Hoffnungslauf, z. B. in Bahnrad-, Ruder- und Kanuwettkämpfen übl. Zwischenlauf für die Bewerber, die sich nicht für den Endlauf qualifiziert haben, an dem jedoch der Sieger des H. teilnehmen darf.

Hofgeismar, hess. Stadt 25 km nördl. von Kassel, 156 m ü. d. M., 14 500 E. Heimatmuseum, vielseitige Ind. – Ersterwähnung 1082, Stadt zw. 1220 und 1230; wichtiger kurmainzischer Stützpunkt gegen Hessen, bis H. 1462 in die Hand der Landgrafen kam; Badebetrieb im 18. und 19. Jh. – Got. Altstädter Kirche (ehem. roman. Basilika), spätgot. Neustädter Kirche; am Markt das Rathaus (1230) sowie zahlreiche Fachwerkhäuser des 16.–19. Jh., Teile der Stadtbefestigung. Im Park das frühklassizist. Schlößchen Schönburg (1787–89, seit 1952 Ev. Akademie).

Hofgericht, im MA Bez. für ein Gericht, das ein Herr an seinem Hof über die zum Hof gehörenden Personen hatte: 1. Gericht eines Grundherrn über die von ihm Abhängigen. Richter nach Hofrecht war der Grundherr oder sein Verwalter; die Schöffen rekrutierten sich aus den Abhängigen (Grundholden). 2. Gericht eines geistl. oder weltl. Reichsfürsten, auch des Röm. Königs. Das H. des Kaisers wurde 1495 an das Reichskammergericht abgetreten, später im Reichshofrat konkurrierend erneuert. Das H. tagte urspr. unter dem persönl. Vorsitz des Fürsten; Schöffen waren die Großen des Hofes oder des Reiches. Seit dem Spät-MA ließ sich der König vertreten. Allmählich änderte sich die Kompetenz der H.; sie wurden erste Instanz für die höheren Stände. Das H. überprüfte die Urteile anderer, untergeordneter Gerichte und wurde damit zur Rechtsmittelinstanz. Diese Entwicklung war Ende des 15. Jh. abgeschlossen. Urteiler im H. wurden je zur Hälfte Juristen und Adlige. In einigen dt. Staaten wurde das H. vervielfacht und dezentralisiert und ihm ein Ober-H. übergeordnet. Diese Gerichtsorganisation wurde erst von den Reichsjustizgesetzen 1879 beseitigt. 3. Eine Sonderstellung nahmen bis in die Neuzeit die kaiserl. Gerichte ein, die als kaiserl. Landgerichte bezeichnet wurden.